FR E

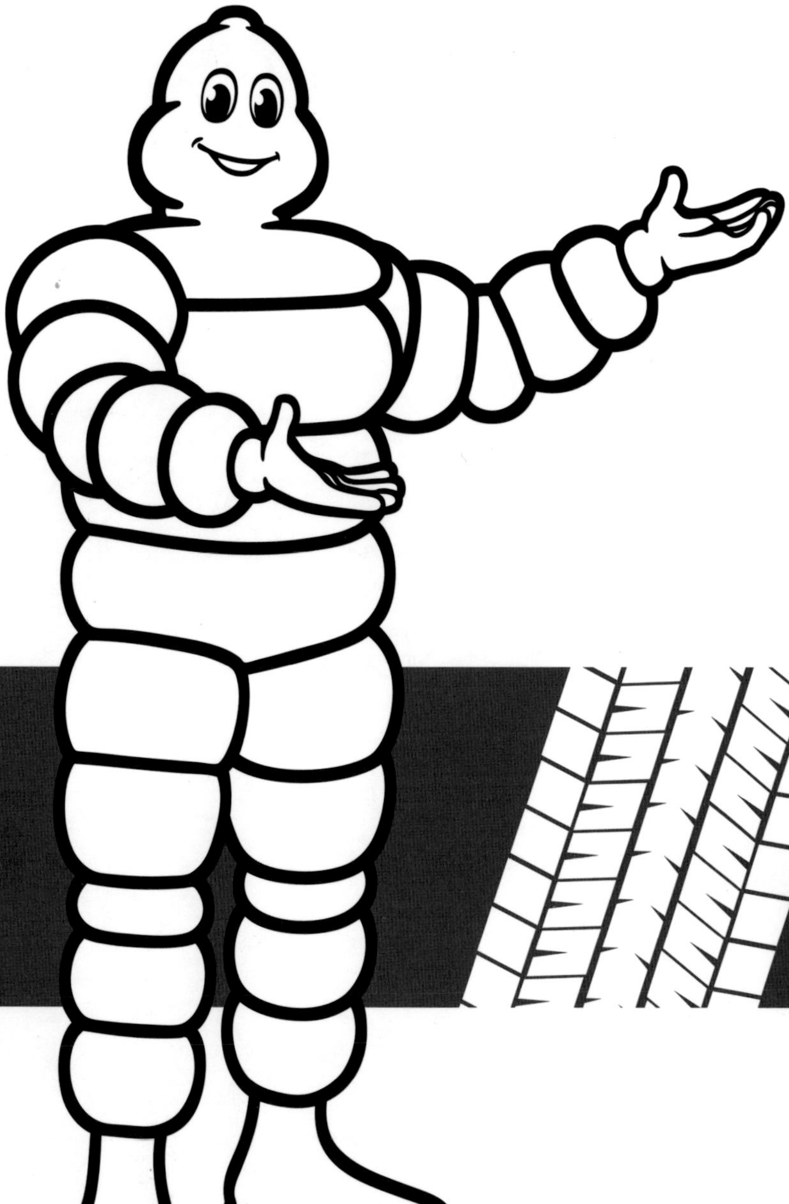

ATLAS ROUTIER et TOURISTIQUE

TOURIST and MOTORING ATLAS

STRASSEN- und REISEATLAS

TOERISTISCHE WEGENATLAS

ATLANTE STRADALE e TURISTICO

ATLAS DE CARRETERAS y TURÍSTICO

Grands axes routiers

Main road map
Durchgangsstraßen
Grote verbindingswegen
Grandi arterie stradali
Carreteras principales

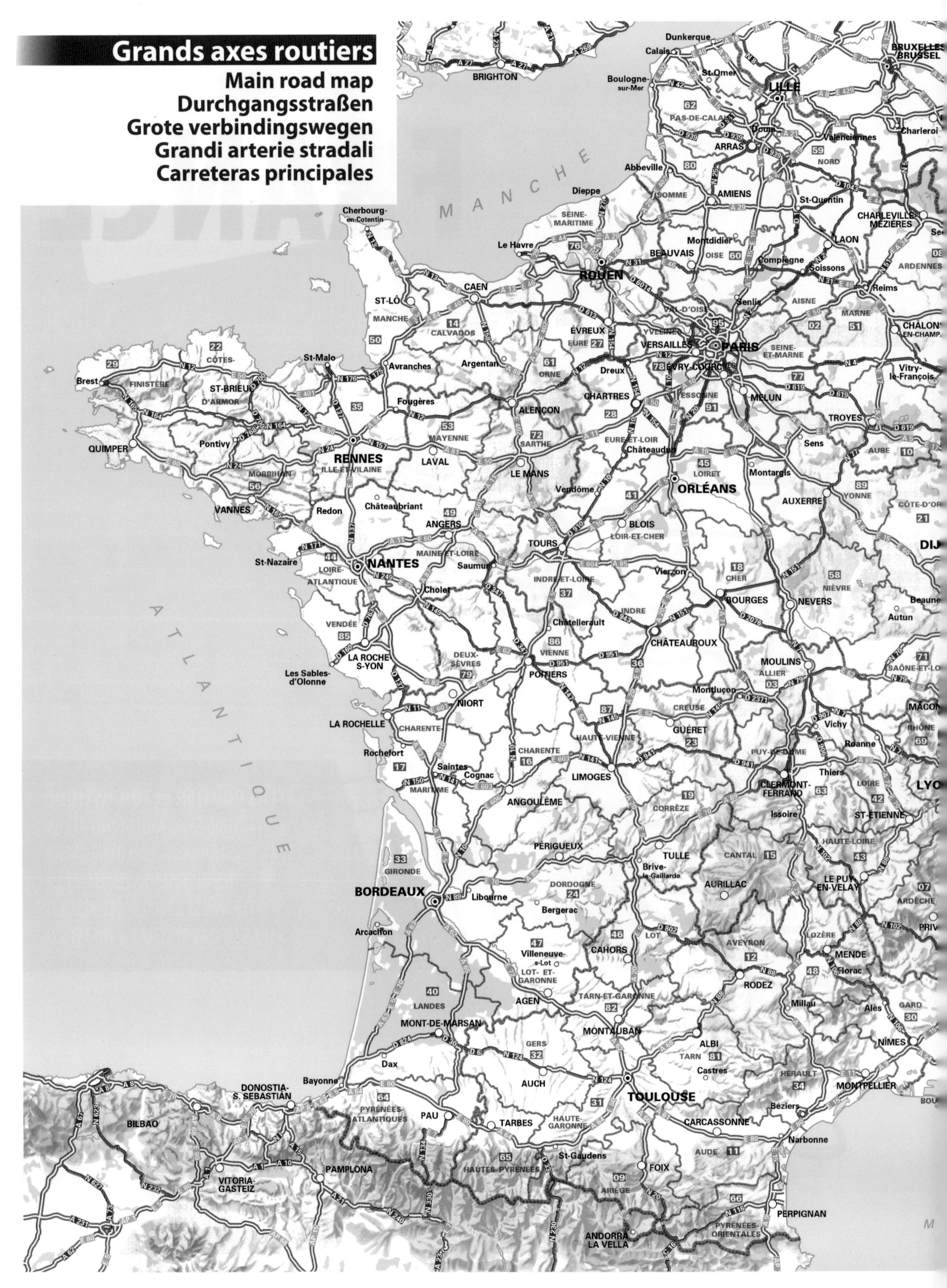

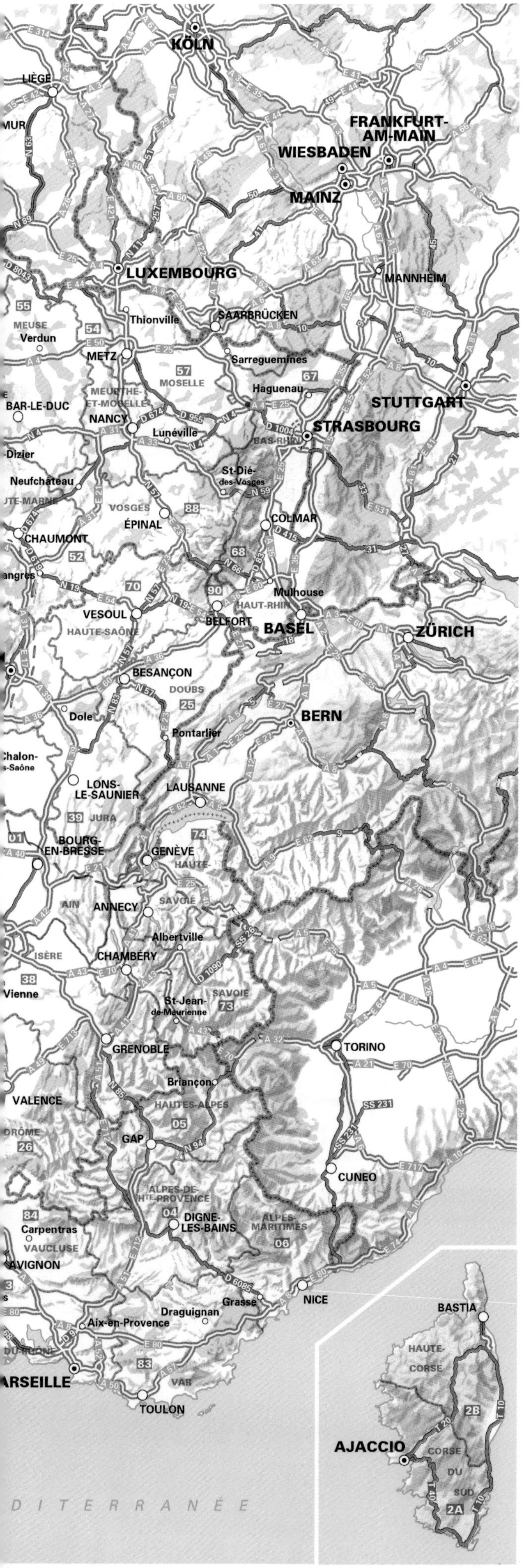

Sommaire
Contents / Inhaltsübersicht
Inhoud / Sommario / Sumario

Intérieur de couverture : tableau d'assemblage
Inside front cover: key to map pages
Umsschlaginnenseite: Übersicht
Binnenzijde van het omslag: overzichtskaart
Copertina interna: quadro d'insieme
Portada interior: mapa índice

IV - IX

Fiches pratiques : Roulez Zen !
Practical Information : Drive with confidence!
Hinweis: Fahren Sie mit Vorsicht und Umsicht!
Checklists voor een ontspannen reis!
Schede pratiche: Guidate Zen!
Fichas prácticas: ¡conduzca tranquilamente!

1 - 219

Légende — **1**
Key / Zeichenerklärung
Verklaring van de tekens / Legenda
Signos convencionales

France - 1/250 000 — **2 - 219**
Frankreich - 1:250 000
Frankrijk - 1:250 000
Francia - 1:250 000

220 - 279

Index complet des communes
Complete index of communes
Komplettes Ortsregister
Register van alle gemeenten
Indice completo dei comuni
Índice completo de municipios

280 - 294

Plans de ville
Town plans / Stadtpläne / Plattegronden
Piante di città / Planos
Bordeaux - Lille - Lyon
Marseille - Nantes
Paris - Toulouse

Environs de Paris — **288 - 291**
Paris and suburbs / Paris und Umgebung
Omstreken van Parijs / Dintorni di Parigi
Alrededores de París

En fin de volume : distances et temps de parcours
Back of the guide: distances and journey times
Am Ende des Buches: Entfernungen und Fahrtzeiten
Achter in het boek: afstanden en rijtijden
Alla fine del volume: distanze e tempi di percorrenza
Al final del volumen: distancias y tiempos de recorrido

DÉPARTS EN VACANCES
POUR ÉVITER LE STRESS, PENSEZ À :

LA VOITURE

- ☐ PRESSION PNEUS
- ☐ NIVEAU HUILE
- ☐ NIVEAU LIQUIDE DE REFROIDISSEMENT
- ☐ NIVEAU LIQUIDE LAVE-GLACE
- ☐ PLEIN CARBURANT
- ☐ RACLETTE ANTI-GIVRE
- ☐ CHAÎNES

LA SÉCURITÉ

- ☐ GILET JAUNE + TRIANGLE
- ☐ ÉTHYLOTEST
- ☐ PERMIS DE CONDUIRE
- ☐ PAPIERS DU VÉHICULE (CARTE GRISE, ATTESTATION D'ASSURANCE)
- ☐ NOTICE DU VÉHICULE
- ☐ COORDONNÉES DE L'ASSISTANCE

S'ORIENTER

- ☐ ATLAS, CARTES ET FEUILLE DE ROUTE

LA SANTÉ

- ☐ TROUSSE DE SECOURS
- ☐ CARTE VITALE
- ☐ CARNET DE SANTÉ
- ☐ LUNETTES DE SOLEIL
- ☐ CHAPEAUX
- ☐ ÉCRAN SOLAIRE

LA FAMILLE

- ☐ JEUX ENFANTS (CONSOLE DE JEUX, LECTEUR DVD, LIVRES, ETC.)
- ☐ BIBERON D'EAU
- ☐ VAPORISATEUR
- ☐ MÉDICAMENT CONTRE LE MAL DES TRANSPORTS
- ☐ REPAS (PETIT POT POUR LES BÉBÉS, PIQUE-NIQUE, COLLATION, ETC..)
- ☐ CONTRÔLE DU SIÈGE AUTO POUR ENFANTS
- ☐ PARE-SOLEIL

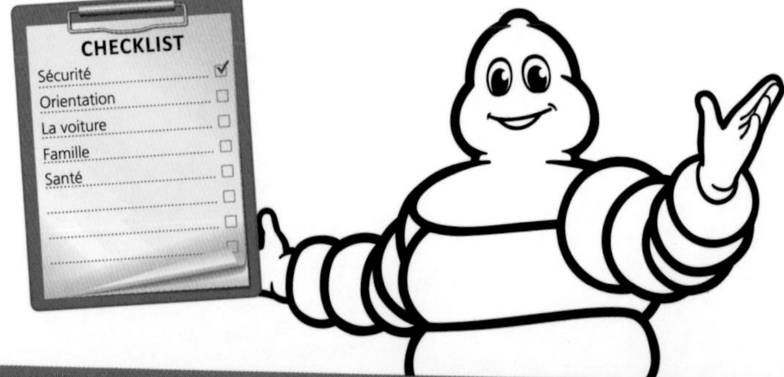

BONNE ROUTE !

ROULEZ ZEN !

RÉAGIR EN CAS D'ACCIDENT

PROTÉGER

- Allumez vos feux de détresse.
- Garez-vous avec prudence en évitant de gêner l'accès des secours.
- Mettez les passagers à l'abri à l'extérieur du véhicule ; sortez par le côté opposé au trafic.
- Sur autoroute, placez-vous derrière les barrières de sécurité, dirigez-vous immédiatement vers la borne d'appel d'urgence et attendez les secours.
- Sur route, balisez l'accident par un triangle à 200 mètres en amont, à condition qu'il soit possible de le faire en toute sécurité. **Attention :** ne fumez pas à proximité du lieu de l'accident, afin d'éviter un incendie.

LES NUMÉROS UTILES

- MONDIAL ASSISTANCE : **01 40 255 255** (24h/24)
- EUROP ASSISTANCE : **01 41 85 85 85** (24h/24)
- ASSURANCES ASSISTANCE :
  - ALLIANZ : **0800 103 105**
  - DIRECT ASSURANCE : **01 55 92 27 20**
  - GROUPAMA : **01 45 16 66 66**
  - INTER MUTUELLES ASSISTANCE : **0800 75 75 75**
  - MAAF : **0800 16 17 18**
  - MACIF : **0800 774 774**
  - MAIF : **0800 875 875**
  - MATMUT : **0800 30 20 30**

RADIO AUTOROUTE

ÉCOUTEZ **107.7**

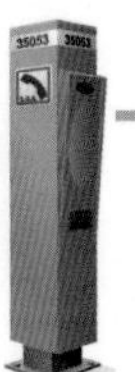

ALERTER

- **Sur autoroute,** appelez depuis une borne d'appel d'urgence, que vous trouverez tous les deux kilomètres.
- **En cas d'absence de borne,** vous pouvez **composer le 112** à partir d'un téléphone fixe, d'une cabine téléphonique ou d'un téléphone mobile (numéro d'urgence gratuit).

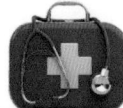

SECOURIR

- Ne déplacez pas les victimes, sauf en cas de danger imminent tel un incendie.
- Ne retirez pas le casque d'un conducteur de deux-roues.
- Ne donnez ni à boire ni à manger aux victimes.

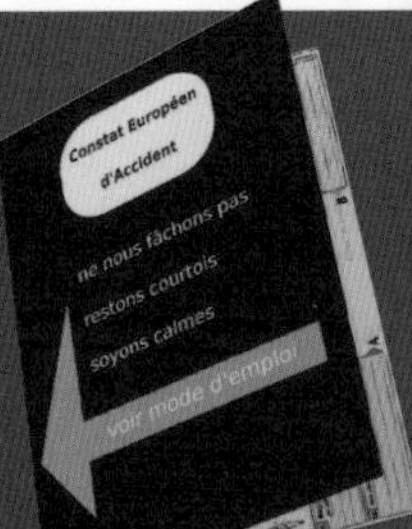

REMPLIR OU PAS UN CONSTAT ?

Le moindre accrochage de circulation exige que les automobilistes échangent leurs coordonnées. **Si l'un refuse, il y a délit de fuite.** En revanche, en cas d'accrochage léger, vous avez tout à fait le droit de ne pas établir de constat et de ne pas déclarer l'incident à votre assureur. **Mais évaluez les conséquences :** il se peut que l'autre conducteur rédige de son côté un constat, et qu'il le remplisse unilatéralement, et qu'il expédie ensuite à son assureur en affirmant que vous vous êtes opposé à l'établissement de ce document amiable. **Méfiez-vous** également des chocs qui peuvent vous sembler très légers en apparence, mais coûtent cher à réparer. Le mieux est de remplir un constat et de ne l'envoyer à l'assureur qu'après un chiffrage précis des travaux de remise en état. **Si les réparations sont d'un coût limité,** il est préférable de ne pas déclarer l'incident pour échapper au malus. **Indemniser directement l'autre automobiliste est parfaitement légal.**

VOYAGER AVEC DES ENFANTS

N'oubliez pas de faire des pauses-détente pour vous dégourdir les jambes !

Où et comment installer les enfants ?

Il est interdit et dangereux de faire voyager un enfant en voiture sans équipement adapté à sa taille. En France, l'utilisation d'un dispositif de retenue adapté est obligatoire jusqu'à l'âge de 10 ans (ou jusqu'à la taille de 1,35 m). Pour les bébés jusqu'à 15 mois, la position dos à la route est de loin la plus recommandée, après désactivation de l'airbag passager s'il est en place avant.

5 GESTES À BANNIR

ENFANT CEINTURÉ AVEC ADULTE

La ceinture entoure le corps de l'adulte et de l'enfant posé sur ses genoux. En cas de ralentissement fort, la sangle va bloquer l'enfant, tandis que votre corps projeté en avant va littéralement l'écraser. Risque de lésions gravissimes sur un simple coup de frein.

BÉBÉ ASSIS SUR LES GENOUX

Tout petit, votre nouveau-né se transforme en projectile au premier ralentissement brusque. Même en l'absence de tout accident, un freinage appuyé suffit à le projeter violemment vers le pare-brise. Vos bras même agrippés à lui ne peuvent pas le retenir. En cas de choc dès 20 km/h., des blessures lourdes peuvent l'handicaper à vie.

CEINTURE SOUS L'ÉPAULE

À partir de 10-11 ans, les enfants commencent à prendre quelques libertés avec la ceinture. Ils décrètent que la sangle près de leur cou les gêne et la font passer sous l'aisselle. Une forte décélération provoquerait une lésion thoracique lourde.

ENFANT, DEBOUT ENTRE LES SIÈGES

Surtout dans les monospaces, les enfants adorent rester debout, à l'arrière, entre les sièges avant, en prenant appui sur les dossiers. Un coup de frein fort et l'enfant se transforme en projectile vers le pare-brise !

SIÈGE SANS HARNAIS ATTACHÉ

De nombreux enfants sont juste posés dans leur siège, sans que le harnais soit fixé. L'utilité du siège est alors réduite à néant. De même, ne laissez pas le harnais trop relâché sur le corps de l'enfant : la retenue en cas de choc ne se ferait qu'avec un temps de retard entraînant alors une compression excessive du thorax.

Comment occuper vos enfants ?

Les enfants aiment jouer. Incitez-les à se distraire avec leurs occupations favorites (console électronique, jeux de poche) et organisez des jeux oraux :

C COMME CHAMPION Désignez une lettre de l'alphabet : le 1er qui trouve dans le paysage environnant 3 éléments commençant par cette lettre a gagné !

JEUX DES PLAQUES Faites une phrase avec les lettres des plaques d'immatriculation des véhicules croisés sur la route. (ex : **AB 123 CD** = > « **A**lexandre **B**oit du **C**hocolat au **D**entifrice... »)

JEU DES VOITURES Choisissez et comptez le nombre de voitures d'une marque ou d'un modèle précis.

C TU OÙ C ? Retrouvez une ville ou un lieu-dit amusant sur les pages de l'atlas. On commence par un indice sous forme de devinette. (ex : « c'est dans la région où sont fabriquées les espadrilles » ...)

CHACUN SON SIÈGE

Groupe 0 (0 à 10 kg } 9 mois) **et 0+** (0 à 13 kg } 16 mois)

SIÈGE « COQUE » AVEC HARNAIS DOS À LA ROUTE, PLACÉ À L'AVANT OU À L'ARRIÈRE DE LA VOITURE.

Groupe 1 (9 à 18 kg } 9 mois à 4 ans)

SIÈGE AVEC HARNAIS ET RENFORTS LATÉRAUX, PLACÉ À L'ARRIÈRE DU VÉHICULE

Groupe 2 (15 à 25 kg } 3 à 7 ans)
Groupe 3 (22 à 36 kg } 6 à 10 ans)

REHAUSSEUR AVEC OU SANS DOSSIER + CEINTURE DE SÉCURITÉ À L'ARRIÈRE DU VÉHICULE

CONDUIRE DANS DES CONDITIONS DIFFICILES

GÉRER LES INTEMPÉRIES

PLUIE

Sous la pluie, le risque d'accident est multiplié par trois : la visibilité est réduite, les distances de freinage sont allongées de moitié. **Au-dessus de 80 km/h,** une pellicule d'eau peut se former entre le pneu et la chaussée : c'est le phénomène « d'aquaplaning », d'autant plus dangereux que la direction risque alors de ne plus répondre...

En règle générale, il faut **réduire sa vitesse de 20 km/h au moins**, allumer ses feux de croisements, **garder largement ses distances** de sécurité et freiner progressivement par petites impulsions. La pluie vous fait perdre 30 à 50 % d'adhérence et les risques de dérapage se trouvent accrus. Attention : une petite pluie fine peut constituer un piège redoutable, la chaussée peut alors devenir aussi glissante que de la neige !

BROUILLARD

Avant le départ, vérifiez l'éclairage de votre véhicule ; sur la route, **allumez vos codes** ou feux de brouillard. **Réduisez votre vitesse** en fonction de la visibilité et gardez largement vos distances de sécurité avec le véhicule qui vous précède.

Utilisez régulièrement **vos essuie-glaces** et **allumez vos feux de détresse** en cas d'arrêt sur la chaussée (panne, bouchon, accident...)

GLACE ET VERGLAS

Une voiture qui perd sa trajectoire sur la glace devient irrattrapable, même entre les mains les plus expertes. Mais le verglas « noir » peut aussi vous surprendre par plaques ponctuelles sur une route totalement dégagée. **Méfiez-vous**, lorsque la température est négative, des zones restées dans l'ombre, des bordures de bois, des secteurs sujets à brouillard.

NEIGE

Elle fait chuter l'adhérence jusqu'à 80 %. Mais attention, le plus traître dans la neige, ce n'est pas la chaussée plus glissante, mais la grande variation entre les niveaux d'adhérence : **la neige fraîche** offre une adhérence certes basse, mais continue. Au contraire, **un tapis neigeux ancien** accentue les adhérences très variables et peu prévisibles d'un mètre à l'autre, et enfin, la **neige fondante** se colle dans les sculptures des pneus et crée un effet « patinoire ».

RESPECTER LES DISTANCES

Votre distance d'arrêt n'est pas aussi courte que la distance de freinage dont est capable votre voiture car elle intègre votre temps de réaction. Au mieux, il vous faut 1 seconde pour réagir avant d'appuyer sur la pédale de frein en cas d'imprévu... voire 2 en cas d'attention relâchée. **À 90 km/h**, en **1 seconde**, vous parcourez **25 mètres** avant de commencer à freiner.

2H DE CONDUITE = TEMPS DE RÉACTION X2

À 130 km/h, cette seconde représente 36 mètres ce qui porte à 129 mètres votre distance de freinage !

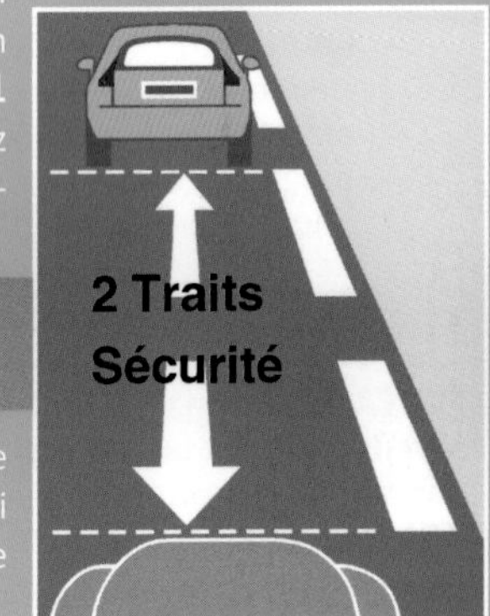

UNE PAUSE DE 10 MINUTES MINIMUM TOUTES LES 2 HEURES EST INDISPENSABLE !

MÉDICAMENTS

Fiez-vous aux pictogrammes de couleur inscrits sur les boîtes **(jaune, orange, rouge) :** ils indiquent le degré d'assoupissement que la prise des comprimés engendre.

ÉVITER L'ENGOURDISSEMENT

- étirez-vous
- tendez un à un les bras à l'horizontale devant vous, en « cassant » le poignet vers l'extérieur et en le faisant pivoter
- placez tour à tour les bras à l'horizontale sur les côtés, avant-bras replié, et dirigez-les vers l'arrière en forçant légèrement sur l'articulation des épaules
- faites pivoter votre tête de gauche à droite, et effectuez des petites rotations.

CONDUIRE DE NUIT

La nuit représente moins de 10 % du trafic mais **35 % des blessés** et **44 % des personnes tuées** sur la route.

4 FOIS + DE RISQUE D'AVOIR UN ACCIDENT ENTRE 22H ET 6H DU MATIN !

LES HEURES À ÉVITER

PNEUS NEIGE OU CHAÎNES ?

- **LES PNEUS NEIGE** sont très utiles durant toute la saison hivernale. Sur la neige, ils permettent de **limiter la perte d'adhérence**, et se révèlent **excellents pour la pluie**. Il faut surtout les monter par quatre.
- **LES CHAÎNES ne sont à utiliser que ponctuellement,** en cas de **chaussée entièrement enneigée**. Elles peuvent être rendues obligatoires par les forces de l'ordre. Les chaînes se montent sur les roues motrices de votre voiture.

L'ENTRETIEN DE VOTRE AUTOMOBILE

PLANNING DE RÉVISION DE LA VOITURE

ESSUIE-GLACE & LAVE-GLACE

ÉCHÉANCE Essuie-glace à vérifier **tous les 3 mois.** Le niveau de lave-glace est à vérifier **avant chaque départ.**

RISQUES Stries lors du balayage.

AMORTISSEURS

ÉCHÉANCE À vérifier **tous les 80 000 km.**

RISQUES Perte de la tenue de route de votre voiture (tenue de cap, adhérence sur les chaussées déformées, efficacité au freinage). Risque insidieux, car très progressif, et donnant dans un premier temps une impression de confort.

FREINS

ÉCHÉANCE **Selon recommandation du garagiste.** Si vous entendez un fort bruit métallique lors des ralentissements, c'est que les plaquettes de frein sont arrivées à usure totale.

RISQUES La capacité de freinage est alors réduite de 90 %.

LIQUIDE DE FREINS

ÉCHÉANCE À changer **tous les 2 ans.**

RISQUES Absence soudaine de répondant en appuyant sur la pédale (Formation de bulles dans le circuit de freinage qui se charge progressivement en eau).

ÉCLAIRAGE

ÉCHÉANCE Code et pleins phares à vérifier **périodiquement.**

PRESSION DES PNEUS

ÉCHÉANCE **Tous les mois, et avant un long déplacement.**

RISQUES Dégradation de la tenue de route, surtout en virage. Allongement des distances de freinage. Échauffement et risque d'éclatement. Usure accélérée de la bande de roulement et fatigue de la structure du pneu.

CONTRÔLE TECHNIQUE

En France, toute voiture âgée de 4 ans doit passer un contrôle technique.

- La première visite doit se faire dans les six mois avant son quatrième anniversaire.
- La date de première immatriculation portée sur la carte grise fait référence pour définir le jour ultime de passage au contrôle.

Par la suite, les visites se font tous les deux ans.

- L'administration n'envoie aucune convocation : c'est à vous de présenter spontanément votre voiture dans un centre agréé.
- Le passage coûte autour de 65 € et exige un rendez-vous.

FOCUS PNEUS

Ne prenez la route qu'avec des pneus en bon état. Eux seuls assurent le contact de votre voiture avec la chaussée. Voici ce qui peut les altérer et donc vous obliger à un remplacement.

USURE

INDICATEUR Légalement, la profondeur des sculptures doit être au minimum de 1,6 mm. Le niveau du témoin d'usure est localisé par un triangle sur le flanc *(un bibendum chez Michelin).*

RECOMMANDATION Les pneus se changent au minimum 2 par 2 (par essieu). Même si le pneu n'est pas usé de façon homogène, et à partir du moment où une zone a atteint la hauteur minimum du témoin d'usure. Faites régler en même temps la géométrie des suspensions.

HERNIE

INDICATEUR Petite bosse sur le flanc du pneu.

RECOMMANDATION Si la hernie est grosse, il faut changer le pneu.

DÉCHIRURE

INDICATEUR On peut l'évaluer en soulevant le caoutchouc.

RECOMMANDATION Un simple accroc de surface n'est pas problématique. En revanche, si on voit la trame du pneu, il faut le changer.

SOUS-GONFLAGE PROLONGÉ

INDICATEUR Pas obligatoirement visible à l'extérieur.

RECOMMANDATION Si vous avez roulé plus de 20 km avec un déficit de pression d'un bar (1 kg), il faut faire examiner l'intérieur du pneu par un professionnel (risque de déchapage = perte de la bande de roulement).

CONSEIL DE BIB !

POUR BIEN GONFLER SES PNEUS

- SURGONFLEZ de 0,3 bar (300 grammes) en cas de voiture chargée ou de pneus chauds. (Ou alors reportez-vous aux préconisations du constructeur : sur un nombre croissant de voitures, les préconisations de pression en charge sont nettement plus élevées).
- N'oubliez pas de VÉRIFIER LA PRESSION sur la roue de secours. S'il s'agit d'une roue galette, la pression peut être très élevée (3 à 4 bars).
- SURGONFLEZ de 0,4 bar (400 grammes) à l'arrière du véhicule, si vous tractez une caravane.

LÉGISLATION FRANÇAISE
INFRACTIONS ET SANCTIONS

CONTRAVENTIONS
AVEC RETRAIT DE POINTS

NATURE DE LA FAUTE	AMENDE	RETRAIT DE POINTS	SUSPENSION DE PERMIS	SANCTION POSSIBLE
Non présentation de l'attestation d'assurance	35 €	-	-	-
Usage du téléphone tenu en main en conduisant. Port à l'oreille d' un dispositif audio (oreillette, casque, etc...)	135 €	3	-	-
Circulation sur bande d'arrêt d'urgence	135 €	3	MAXI 3 ANS	-
Changement de direction sans avertissement préalable (clignotant)	35 €	3	MAXI 3 ANS	-
Arrêt ou stationnement dangereux, ou de nuit sur route sans éclairage	135 €	3	MAXI 3 ANS	-
Défaut de port de ceinture de sécurité		3	-	-
Défaut de port de casque (2 roues motorisées)		3	-	-
Non-respect de l'arrêt au feu rouge ou au stop ou au cédez le passage		4	MAXI 3 ANS	-
Refus de priorité		4	MAXI 3 ANS	-
Circulation en sens interdit		4	MAXI 3 ANS	-
Marche arrière ou demi-tour sur autoroute et rocade d'accès		4	MAXI 3 ANS	-
Non-respect de la distance de sécurité entre 2 véhicules		3	MAXI 3 ANS	-
Chevauchement de ligne continue		1	MAXI 3 ANS	-
Franchissement de ligne continue		3	MAXI 3 ANS	-
Dépassement dangereux		3	MAXI 3 ANS	-
Accélération du conducteur sur le point d'être dépassé		2	MAXI 3 ANS	-
Circulation à gauche sur une chaussée à double sens		3	MAXI 3 ANS	-
Circulation de nuit ou par visibilité insuffisante sans éclairage		4	MAXI 3 ANS	-
Conduite en état alcoolique (0,5 à 0,8 g/litre de sang)		6	MAXI 3 ANS	IMMOBILISATION

LES PRINCIPAUX DÉLITS

NATURE DE LA FAUTE	AMENDE	RETRAIT DE POINTS	SUSPENSION DE PERMIS	SANCTION POSSIBLE
Excès de vitesse > 50 km/h	MAXI 3 750 €	6	MAXI 3 ANS	PRISON (MAXI 3 MOIS)
Défaut d'assurance		-	SUSPENSION/ANNULATION DE 3 ANS (SANS SURSIS NI PERMIS BLANC)	IMMOBILISATION/ CONFISCATION
Refus d'obtempérer		6	MAXI 3 ANS	PRISON (MAXI 3 MOIS)
Mise en danger d'autrui	MAXI 15 000 €	-	MAXI 5 ANS (ANNULATION)	PRISON (MAXI 1 AN)
Usage de fausses plaques	3 750 €	6	3 ANS	PRISON (MAXI 5 ANS)
Usurpation de plaques	MAXI 30 000 €	6	MAX 3 ANS (ANNULATION)	PRISON (MAXI 7 ANS)
Délit de fuite	MAXI 75 000 €	6	MAX 3 ANS (ANNULATION)	PRISON (MAXI 2 ANS)
Conduite avec une alcoolémie égale ou supérieure à 0,8 g/litre de sang ou en état d'ivresse manifeste. Refus de se soumettre à une vérification de présence d'alcool dans le sang.	MAXI 4 500 €	6	SUSPENSION/ANNULATION DE 3 ANS (SANS SURSIS NI PERMIS BLANC)	IMMOBILISATION/ PRISON 2 ANS
Récidive de conduite avec une alcoolémie égale ou supérieure à 0,8 g/litre de sang ou en état d'ivresse manifeste	9 000 €	6	ANNULATION DE 3 ANS (SANS SURSIS NI PERMIS BLANC)	IMMOBILISATION/ CONFISCATION/ PRISON 4 ANS
Conduite sous l'effet de drogue ou refus de dépistage de drogue	4 500 €	6	SUSPENSION/ANNULATION DE 3 ANS (SANS SURSIS NI PERMIS BLANC)	IMMOBILISATION/ CONFISCATION/PRISON 2 ANS
Conduite sans permis de conduire	MAXI 15 000 €	-	-	IMMOBILISATION/ CONFISCATION/PRISON 1 AN
Conduite malgré une suspension administrative ou judiciaire du permis de conduire ou une rétention du permis de conduire	MAXI 4 500 €	6	SUSPENSION/ANNULATION DE 3 ANS (SANS SURSIS NI PERMIS BLANC)	IMMOBILISATION/ CONFISCATION/PRISON 2 ANS
Accident occasionnant des blessures graves (incapacité temporaire de travail > 3 mois) avec circonstances aggravantes (emprise d'alcool...)	MAXI 45 000 €	6	MAXI 5 ANS (ANNULATION)	IMMOBILISATION /PRISON (MAXI 3 ANS)
Accident avec homicide involontaire	MAXI 75 000 €	6	MAXI 5 ANS (ANNULATION)	IMMOBILISATION /PRISON (MAXI 5 ANS)

Légende		Key	Zeichenerklärung
Routes		**Roads**	**Straßen**
Aire de service - Aire de repos	Volx	Service area - Rest area	Tankstelle mit Raststätte - Rastplatz
Autoroute (section à péage)		Motorway (toll roads)	Autobahn (Mautstrecke)
Autoroute (section libre)		Motorway (toll-free section)	Autobahn (mautfreie Strecke)
Double chaussée de type autoroutier		Dual carriageway with motorway characteristics	Schnellstraße mit getrennten Fahrbahnen
Échangeurs : complets, partiel	43	Interchanges: complete, limited	Anschlussstellen : Voll - bzw. Teilanschlussstellen
Numéros d'échangeurs	42 44	Interchange numbers	Anschlussstellennummern
Route de liaison internationale ou nationale		International and national road network	Internationale bzw.nationale Hauptverkehrsstraße
Route de liaison interrégionale ou de dégagement		Interregional and less congested road	Überregionale Verbindungsstraße oder Umleitungsstrecke
Autoroute - Route en construction (le cas échéant: date de mise en service prévue)		Motorway/Road under construction (when available: with scheduled opening date)	Autobahn - Straße im Bau (ggf. voraussichtliches Datum der Verkehrsfreigabe)
Largeur des routes		**Road widths**	**Straßenbreiten**
Chaussées séparées		Dual carriageway	Getrennte Fahrbahnen
3 voies ou plus		3 or more lanes	3 oder mehr Fahrspuren
2 voies		2 lanes	2 Fahrspuren
1 voie		1 lane	1 Fahrspur
Distances (totalisées et partielles)		**Distances** (total and intermediate)	**Entfernungen** (Gesamt- und Teilentfernungen)
Sur autoroute	10 / 5 5	On motorway	Auf der Autobahn
Sur route / double chaussée de type autoroutier	5 7 / 12	On road / dual carriageway with motorway characteristics	Auf der Straße / Schnellstraße mit getrennten Fahrbahnen
Numérotation - Signalisation		**Numbering - Signs**	**Nummerierung - Wegweisung**
Route européenne - Autoroute	E 15 A 10	European route - Motorway	Europastraße - Autobahn
Route métropolitaine	M 6202	Metropolitan road	Straße der Metropolregion
Route nationale	N 70 N 59 N 25	National road	Nationalstraße
Route départementale	D 15 D 97 D 26	Departmental road	Departementstraße
Alertes Sécurité		**Safety Warnings**	**Sicherheitsalerts.**
Forte déclivité (flèche dans le sens de la montée) 10% et plus		Steep hill (ascent in direction of the arrow) 10% +	Starke Steigung (Steigung in Pfeilrichtung) 10% und mehr
Col et sa cote d'altitude	554	Pass and its height above sea level	Pass mit Höhenangabe
Passages de la route : à niveau, supérieur, inférieur		Level crossing: railway passing, under road, over road	Bahnübergänge: schienengleich, Unterführung, Überführung
Hauteur limitée (au-dessous de 3,20 m)	3m2	Height limit (under 3,20 m.)	Beschränkung der Durchfahrtshöhe (angegeben, wenn unter 3,20 m)
Limites de charge : d'un pont, d'une route (au-dessous de 9 t.)	9	Load limit of a bridge, of a road (under 9 t.)	Höchstbelastung einer Straße/Brücke (angegeben, wenn unter 9 t)
Barrière de péage - Sens unique		Toll barrier - One-way street	Mautstelle - Einbahnstraße
Route réglementée		Road subject to restrictions	Straße mit Verkehrsbeschränkungen
Route interdite		Prohibited road	Gesperrte Straße
Transports		**Transportation**	**Verkehrsmittel**
Gare - Voie ferrée - TGV		Station - Railway - TGV	Bahnhof - Bahnlinie - TGV
Aéroport - Aérodrome		Airport - Airfield	Flughafen - Flugplatz
Transport des autos: par bateau - par bac	B	Transportation of vehicles: by boat - by ferry	Autotransport: per Schiff - per Fähre
Transport par bateau: passagers seulement		Ferry services: passengers only	Schiffsverbindungen: Personenfähre
Administration		**Administration**	**Verwaltung**
Capitale de division administrative	R P SP	Administrative district seat	Verwaltungshauptstadt
Limites administratives		Administrative boundaries	Verwaltungsgrenzen
Frontière - Douane		National boundary - Customs post	Staatsgrenze - Zoll
Sports - Loisirs		**Sport & Recreation Facilities**	**Sport - Freizeit**
Circuit automobile - Golf - Hippodrome		Racing circuit - Golf course - Horse racetrack	Rennstrecke - Golfplatz - Pferderennbahn
Parc d'attractions - Port de plaisance		Amusement park - Pleasure boat harbour	Vergnügungspark - Yachthafen
Parc national ou régional		National or regional park	Nationalpark oder Naturpark
Réserve naturelle / Parc ornithologique		Nature reserve / Aviary	Naturschutzgebiet / Vogelpark
Téléphérique - Train touristique		Cable car - Tourist train	Seilbahn - Museumseisenbahn-Linie
Curiosités		**Sights**	**Sehenswürdigkeiten**
Ville touristique : voir LE GUIDE VERT	Lille★★★	City/town of touristic interest: see THE GREEN GUIDE	Touristenort: siehe GRÜNER REISEFÜHRER
Table d'orientation - Panorama - Point de vue		Viewing table - Panoramic view - Viewpoint	Orientierungstafel - Rundblick - Aussichtspunkt
Parcours pittoresque		Scenic route	Landschaftlich schöne Strecke
Ville touristique exceptionnelle - Édifice religieux		City/town of special touristic interest - Religious building	Touristisch bedeutsamer Ort - Sakral-Bau
Château - Fort - Ruines		Historic house, castle - Fort - Ruins	Schloss, Burg - Fort - Ruine
Monument mégalithique - Phare - Moulin à vent		Prehistoric monument - Lighthouse - Windmill	Vorgeschichtliches Steindenkmal - Leuchtturm - Windmühle
Grotte - Autres curiosités		Cave - Other places of interest	Höhle - Sonstige Sehenswürdigkeit
Signes divers		**Other signs**	**Sonstige Zeichen**
Barrage - Tour ou pylône de télécommunications		Dam - Telecommunications tower or mast	Staudamm - Funk-, Sendeturm
Village étape		Stopover village	Übernachtungsort
Église ou chapelle - Fort - Moulin à vent		Church or chapel - Fort - Windmill	Kirche oder Kapelle - Fort - Windmühle
Raffinerie - Centrale électrique - Centrale nucléaire		Refinery - Power station - Nuclear Power Station	Raffinerie - Kraftwerk - Kernkraftwerk
Zone industrielle - Forêt ou bois		Industrial site - Forest or wood	Industrie-oder Gewerbegebiet - Wald oder Gehölz

Verklaring van de tekens

Wegen
Serviceplaats - rustplaats
Autosnelweg (gedeelte met tol)
Autosnelweg (tolvrij gedeelte)
Gescheiden rijbanen van het type autosnelweg
Aansluitingen: volledig, gedeeltelijk
Afritnummers
Internationale of nationale verbindingsweg
Interregionale verbindingsweg
Autosnelweg - weg in aanleg (indien bekend: datum openstelling)

Breedte van de wegen
Gescheiden rijbanen
3 of meer rijstroken
2 rijstroken
1 rijstrook

Afstanden (totaal en gedeeltelijk)
Op autosnelwegen
Op andere wegen / Gescheiden rijbanen van het type autosnelweg

Wegnummers - Bewegwijzering
Europaweg - Autosnelweg
Stadsweg
Nationale weg
Departementale weg

Veiligheidswaarschuwingen
Steile helling (pijlen in de richting van de helling) 10% of meer
Bergpas en hoogte boven de zeespiegel
Wegovergangen: gelijkvloers, overheen, onderdoor
Vrije hoogte (indien lager dan 3,20 m)
Maximum draagvermogen: van een brug, van een weg (indien minder dan 9 t)
Tol - Eenrichtingsverkeer
Beperkt opengestelde weg
Verboden weg

Transports
Station - Spoorweg - TGV
Luchthaven - Vliegveld
Vervoer van auto's: per boot - per veerpont
Vervoer per boot: enkel passagiers

Administratie
Hoofdplaats van administratief gebied
Administratieve grenzen
Staatsgrens - Douanekantoor

Sport - Recreatie
Autocircuit - Golfterrein - Renbaan
Pretpark - Jachthaven
Nationaal of regionaal park
Natuurreservaat / Vogelpark
Kabelbaan - Toeristentreintje

Bezienswaardigheden
Toeristische stad: zie DE GROENE GIDS
Oriëntatietafel - Panorama - Uitzichtpunt
Schilderachtig traject
Heel toeristische stad - Kerkelijk gebouw
Kasteel - Fort - Ruïne
Megaliet - Vuurtoren - Molen
Grot - Andere bezienswaardigheden

Diverse tekens
Stuwdam - Telecommunicatietoren of -mast
Dorp voor overnachting
Kerk of kapel - Fort - Molen
Raffinaderij - Elektriciteitscentrale - Kerncentrale
Industriezone - Bos

Legenda

Strade
Area di servizio - Area di riposo
Autostrada (tratto a pedaggio)
Autostrada (tratto esente da pedaggio)
Doppia carreggiata di tipo autostradale
Svincoli: completo, parziale
Svincoli numerati
Strada di collegamento internazionale o nazionale
Strada di collegamento interregionale o di disimpegno
Autostrada, strada in costruzione (quando se: di apertura prevista)

Larghezza delle strade
Carreggiate separate
3 o più corsie
2 corsie
1 corsia

Distanze (totali e parziali)
Su autostrada
Su strada / Doppia carreggiata di tipo autostradale

Numerazione - Segnaletica
Strada europea - Autostrada
Strada metropolitane
Strada nazionale
Strada dipartimentale

Segnalazioni stradali
Forte pendenza (salita nel senso della freccia) superiore a 10%
Passo ed altitudine
Passaggi della strada: a livello, cavalcavia, sottopassaggio
Limite di altezza (inferiore a 3,20 m)
Limite di portata di un ponte, di una strada (inferiore a 9 t.)
Casello - Strada a senso unico
Strada a circolazione regolamentata
Strada vietata

Trasporti
Stazione - Ferrovia - TGV
Aeroporto - Aerodromo
Trasporto auto: su traghetto - su chiatta
Trasporto con traghetto: passageri ed autovetture

Amministrazione
Capoluogo amministrativo
Confini amministrativi
Frontiera - Dogana

Sport - Divertimento
Circuito automobilistico - Golf - Ippodromo
Parco divertimenti - Porto turistico
Parco nazionale o regionale
Riserva naturale / Parco ornitologico
Funivia - Trenino turistico

Mete e luoghi d'interesse
Città turistica: vedere LA GUIDA VERDE
Tavola di orientamento - Panorama - Vista
Percorso pittoresco
Località di grande interesse turistico - Edificio religioso
Castello - Forte - Rovine
Monumento megalitico - Faro - Mulino a vento
Grotta - Altri luoghi d'interesse

Simboli vari
Diga - Torre o pilone per telecomunicazioni
Paese tappa
Chiesa o cappella - Forte - Mulino a vento
Raffineria - Centrale elettrica - Centrale nucleare
Area industriale - Foresta o bosco

Signos convencionales

Carreteras
Área de servicio - Área de descanso
Autopista (tramo de peaje)
Autopista (tramo libre)
Autovía
Enlaces: completo, parciales
Números de los accesos
Carretera de comunicación internacional o nacional
Carretera de comunicación interregional o alternativo
Autopista - carretera en construcción (en su caso: fecha prevista de entrada en servicio)

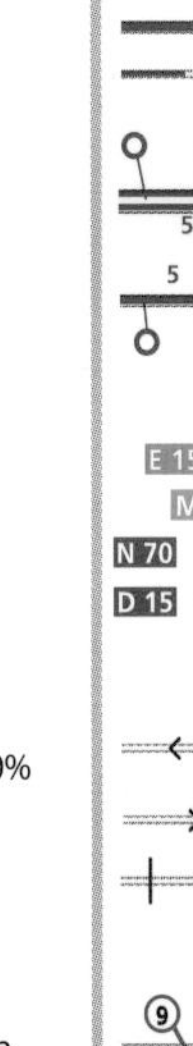

Ancho de las carreteras
Calzadas separadas
Tres carriles o más
Dos carriles
Un carril

Distancias (totales y parciales)
En autopista
En carretera / autovía

Numeración - Señalización
Carretera europea - Autopista
Carretera metropolitana
Carretera nacional
Carretera provincial

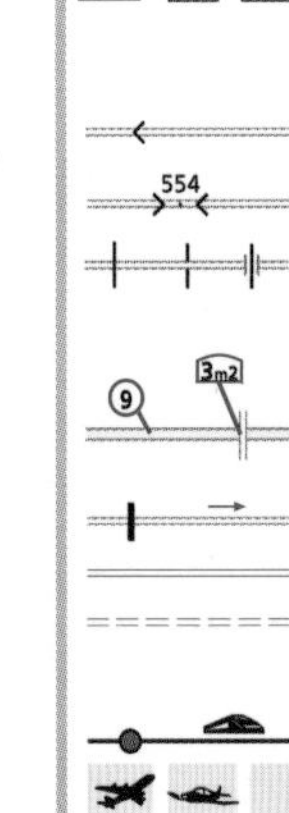

Alertas Seguridad
Pendiente pronunciada (las flechas indican el sentido del ascenso) 10% y superior
Puerto y su altitud
Pasos de la carretera: a nivel, superior, inferior
Altura limitada (inferior a 3,20 m)
Carga límite de un puente, de una carretera (inferior a 9 t)
Barrera de peaje - Sentido único
Carretera restringida
Tramo prohibido

Transportes
Estación - Línea férrea - TGV
Aeropuerto - Aeródromo
Transporte de coches: por barco - por barcaza

Transporte por barco: pasajeros solamente

Administración
Capital de división administrativa
Limites administrativos
Frontera - Puesto de aduanas

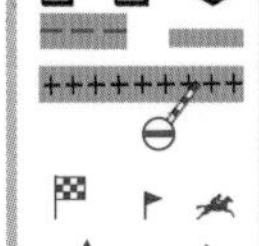

Deportes - Ocio
Circuito automovilístico - Golf - Hipódromo
Parque de atracciones - Puerto deportivo

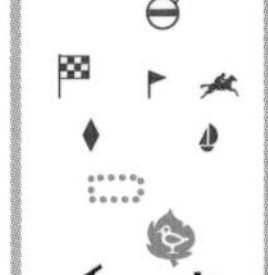

Parque nacional o regional
Reserva natural / Parque ornitológico

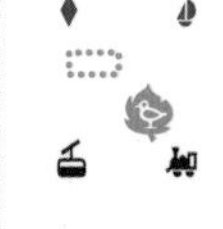

Teleférico - Tren turístico

Curiosidades
Ciudad turística ver LA GUÍA VERDE
Mesa de orientación - Vista panorámica - Vista parcial
Recorrido pintoresco
Ciudad de interés turístico exceptional - Edificio religioso

Castillo - Fortaleza - Ruinas
Monumento megalítico - Faro - Molino de viento
Cueva - Otras curiosidades

Signos diversos
Presa - Torreta o poste de telecomunicación
Población-etapa

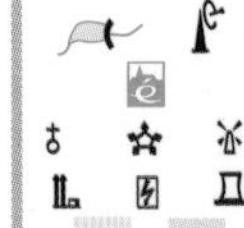

Iglesia o capilla - Fortaleza - Molino de viento
Refinería - Central eléctrica - Central nuclear
Polígono industrial - Bosque

2
0
5
10 km
C
D
1
2
3
4
5
A
B
6
Tunnel sous la Manche
PAS DE CALAIS
Côte d'Opale
★★CALAIS
Blériot-Plage
Sangatte
Coquelles
Mont d'Hubert
Terminal Tunnel
★★Cap Blanc-Nez
(134)
Escalles
Peuplingues
Fréthun
Coulogne
Marck
Les Hemmes
Le Fort-Vert
Oye-Plage
Grand-Fort-Philippe
Les Escardines
Les Dunes-d'Oye
L'Etoile
Petit-Fort-Philippe
St-Omer-Capelle
Offekerque
Nouvelle-Eglise
Vieille-Eglise
Guemps
Fort-Bâtard
Canal de Calais
Audruicq
Nortkerque
Les Attaques
Le Marais
Nielles-lès-C.
St-Tricat
Bonningues-lès-C.
Hames-Boucres
Guînes
Andres
Balinghem
Ardres
Zutkerque
Muncq-Nieurlet
Brêmes
Rodelinghem
Polincove
Nielles-lès-A.
Recques-sur-Hem
Autingues
Louches
Zouafques
Nordausques
Campagne-lès-Guînes
Forêt de Guînes
Landrethun-lès-Ardres
Tournehem-sur-la-H.
Bayenghem-lès-E.
★Wissant
Sombre
Les deux Caps
Hervelinghen
St-Inglevert
Pihen-lès-G.
Landrethun-le-Nord
★Cap Gris-Nez
(50)
Tardinghen
Le Châtelet
Framzelle
Audembert
Cran-aux-Oeufs
Audinghen
Warcove
Leubringhen
Leulinghen-Bernes
Ferques
Caffiers
Onglevert
Audresselles
Bazinghen
Raventhun
Blecquenecques
Marquise
Locquinghen
Fiennes
Bouquehault
Bœucres
Ecottes
Hermelinghen
Ambleteuse
Slack
Beuvrequen
Bouquinghen
L'Epitre
Rinxent
Hardinghen
Rety
Alembon
Licques
Clerques
Nort-Leulinghem
Bonningues-lès-Ardres
Mentque-Nortbécourt
★Wimereux
Offrethun
Wacquinghen
Wierre-Effroy
Rebertingue
Boursin
Sanghen
Hocquinghen
Audrehem
Le Poirier
Maninghen-Henne
Pittefaux
Wimille
Souverain-Moulin
Belle-et-Houllefort
Le Wast
Herbinghen
Rebergues
Hte Pannée
Quercamps
Moringhem
PARC NATUREL
Colembert
Bainghen
Journy
Acquin-Westbécourt
Boisdinghem
★★Nausicaá
★BOULOGNE-SUR-MER
St-Martin-Boulogne
Rupembert
Pernes-lès-B.
Conteville-lès-B.
Alincthun
Nabringhen
Surques
Escœuilles
Haut-Loquin
Alquines
Bouvelinghem
CAPS
Henneveux
Longueville
La Capelle-lès-B.
Bellebrune
Maquinghen
Baincthun
Bournonville
Brunembert
Harlettes
La Raiderie
Westbécourt
Le Portel
Outreau
Cap d'Alprech
St-Léonard
Echinghen
Questinghen
Crémarest
Selles
Quesques
Coulomby
Seninghem
Affringues
Forêt de Boulogne
Wirwignes
Forêt de Desvres
ET
MARAIS
Le Verval
Watterdal
St-Etienne-au-Mont
Isques
Équihen-Plage
Brucquedal
Desvres
Menneville
St-Martin-Choquel
Lottinghen
Nielles-lès-Bléquin
Bléquin
Wavrans-sur-l'Aa
St-Pierre
Hesdin-l'Abbé
Questrecques
Vieil-Moutier
La Calique
Vaudringhem
Ecault
Le Choquel
Condette
Hesdigneul-lès-B.
Carly
Longfossé
Wierre-au-Bois
Les Courteaux
Sacriquier
Senlecques
D'OPALE
Ledinghem
Ouve-Wirquin
Wismes
Hardelot-Plage
Nesles
Verlincthun
Samer
Courset
Bécourt
Bois-de-Senlecques
Le Maisnil-Boutry
Drionville
Merck-St-Liévin
Hameau-du-Chemin
Neufchâtel-Hardelot
Beaucorroy
Doudeauville
Fauchelles
Les Trois-Marquets
Thiembronne
Cloquant
Tingry
Halinghen
Séquières
Mieurles
Happe
Fauquembergues
Dannes
Widehem
Zoteux
Bezinghem
Séhen
Bourthes
Le Catelet
Campagne-lès-Boulonnais
Aix-en-Ergny
St-Martin-d'Hardinghem
Renty
Audincthun
Ste-Cécile-Plage
Lacres
Parenty
Enquin-sur-Baillons
Ergny
Beaussart
Dennebrœucq
Le Turne
Hubersent
Rumilly
Dennlys Parc
St-Gabriel-Plage
Camiers
Frencq
Cormont
Bernieulles
Preures
Hucqueliers
Wicquinghem
Verchocq
Assonval
Rimeux
Vandonne
Le Bois-Ratel
Lefaux
Longvilliers
Beussent
Etabnt de pisciculture
Bimont
Avesnes
Herly
Rollez
Radinghem
Embouchure de la Canche
Côte d'Opale

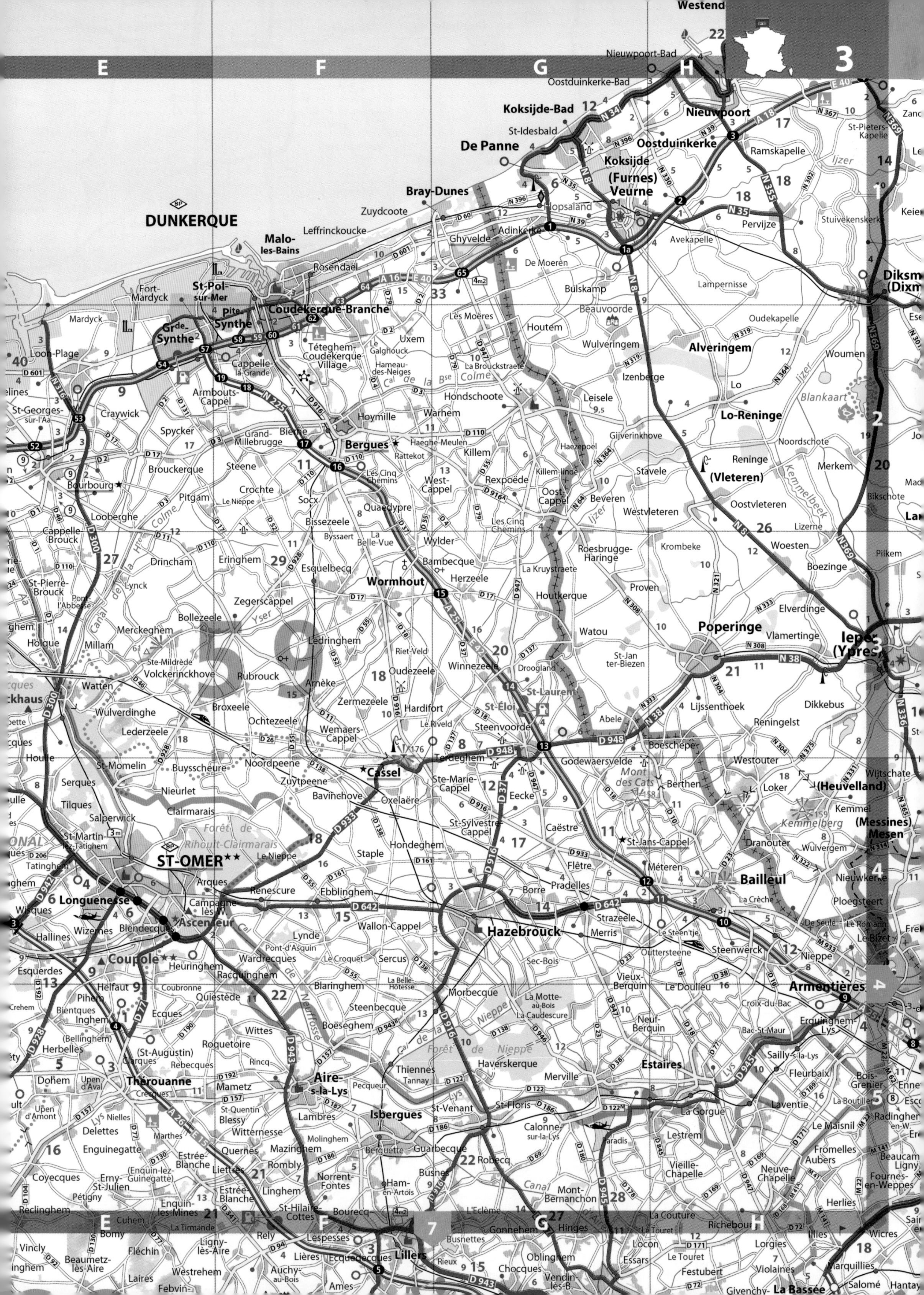

3
E
F
G
H
Westend
Nieuwpoort-Bad
Oostduinkerke-Bad
Koksijde-Bad
Nieuwpoort
St-Idesbald
De Panne
Oostduinkerke
Koksijde
(Furnes)
Veurne
Bray-Dunes
Zuydcoote
Flopsaland
DUNKERQUE
Malo-les-Bains
Leffrinckoucke
Ghyvelde
Adinkerke
De Moeren
Rosendaël
Fort-Mardyck
St-Pol-sur-Mer
Pte-Synthe
Grde-Synthe
Coudekerque-Branche
Mardyck
Loon-Plage
Cappelle-la-Grande
Téteghem-Coudekerque-Village
Uxem
Les Moëres
Houtem
Bulskamp
Beauvoorde
Wulveringem
Alveringem
Oudekapelle
Lampernisse
Avekapelle
Pervijze
Ramskapelle
St-Pieters-Kapelle
Stuivekenskerke
Diksmuide
(Dixmude)
Izenberge
Leisele
Woumen
Lo
Lo-Reninge
Blankaart
Armbouts-Cappel
Craywick
St-Georges-sur-l'Aa
Spycker
Grand-Millebrugge
Bierne
Hoymille
Warhem
Hondschoote
Bergues
Haeghe-Meulen
Rattekot
Killem
Gijverinkhove
Haezepoel
Noordschote
Merkem
Reninge
(Vleteren)
Stavele
Brouckerque
Bourbourg
Steene
Crochte
Pitgam
Le Nieppe
Socx
Les Cinq Chemins
West-Cappel
Rexpoëde
Killem-linde
Oost-Cappel
Beveren
Westvleteren
Oostvleteren
Quaëdypre
Bissezeele
Byssaert
La Belle-Vue
Wylder
Les Cinq Chemins
Looberghe
Cappelle-Brouck
Drincham
Eringhem
Esquelbecq
Bambecque
Herzeele
Wormhout
Roesbrugge-Haringe
La Kruystraete
Krombeke
Proven
Woesten
Lizerne
Boezinge
Pilkem
St-Pierre-Brouck
Lynck
Zegerscappel
Houtkerque
Poperinge
Elverdinge
Vlamertinge
Ieper
(Ypres)
Bollezeele
Merckeghem
Holque
Millam
Ledringhem
Riet-Veld
Watou
Ste-Mildrède
Volckerinckhove
Rubrouck
Arnèke
Oudezeele
Winnezeele
Droogland
St-Jan ter-Biezen
St-Laurent
Watten
Wulverdinghe
Broxeele
Zermezeele
Hardifort
St-Éloi
Lijssenthoek
Dikkebus
Lederzeele
Ochtezeele
Wemaers-Cappel
Le Riveld
Steenvoorde
Abele
Reningelst
Houlle
St-Momelin
Buysscheure
Noordpeene
Cassel
Terdeghem
Godewaersvelde
Boeschepe
Westouter
Wijtschate
Serques
Nieurlet
Zuytpeene
Bavinchove
Oxelaëre
Ste-Marie-Cappel
Eecke
Mont des Cats
Berthen
Loker
(Heuvelland)
Kemmel
Tilques
Clairmarais
Salperwick
Forêt de Rihoult-Clairmarais
St-Martin-lez-Tatinghem
Tatinghem
ST-OMER
Le Nieppe
St-Sylvestre-Cappel
Caëstre
St-Jans-Cappel
Kemmelberg
(Messines)
Mesen
Dranouter
Wulvergem
Staple
Hondeghem
Flêtre
Méteren
Bailleul
Nieuwkerke
Longuenesse
Arques
Renescure
Ebblinghem
Borre
Pradelles
La Crèche
Ploegsteert
Wisques
Campagne-lès-W.
Blendecques
Ascenseur
Hallines
Wizernes
Lynde
Wallon-Cappel
Hazebrouck
Strazeele
Merris
Le Steen'tje
Steenwerck
Nieppe
Le Bizet
De Seule
Le Romarin
Coupole
Heuringhem
Pont-d'Asquin
Wardrecques
Racquinghem
Le Croquet
Sercus
Sec-Bois
Outtersteene
Esquerdes
Helfaut
Pihem
Bientques
Inghem
Coubronne
Quiestède
Blaringhem
La Belle-Hôtesse
Morbecque
La Motte-au-Bois
La Caudescure
Vieux-Berquin
Le Doulieu
Armentières
Croix-du-Bac
Erquinghem-Lys
Bac-St-Maur
Ecques
Steenbecque
Boëseghem
Forêt de Nieppe
Neuf-Berquin
(Bellinghem)
Herbelles
(St-Augustin)
Roquetoire
Wittes
Clarques
Rebecques
Rincq
Thiennes
Tannay
Haverskerque
Estaires
Sailly-s-la-Lys
Fleurbaix
Bois-Grenier
Dohem
Upen d'Aval
Thérouanne
Crecques
Mametz
Aire-s-la-Lys
Pecqueur
St-Venant
Merville
La Gorgue
Laventie
Upen d'Amont
Delettes
Nielles
St-Quentin
Blessy
Lambres
Isbergues
St-Floris
Calonne-sur-la-Lys
Paradis
Lestrem
Le Maisnil
Radinghem-en-W.
Enguinegatte
Marthes
Witternesse
Molinghem
Berguette
Guarbecque
Robecq
Vieille-Chapelle
Fromelles
Aubers
Beaucamps-Ligny
Coyecques
Erny-St-Julien
(Enquin-lez-Guinegatte)
Estrée-Blanche
Quernes
Liettres
Mazinghem
Rombly
Norrent-Fontes
Busnes
Neuve-Chapelle
Fournes-en-Weppes
Pétigny
Reclinghem
Enquin-les-Mines
Estrée-Blanche
Linghem
St-Hilaire-Cottes
Ham-en-Artois
Mont-Bernanchon
Herlies
Cuhem
Bomy
La Tirmande
Ligny-lès-Aire
Rely
Bourecq
L'Eclème
Gonnehem
Hinges
La Couture
Le Touret
Richebourg
Illies
Wicres
Vincly
Fléchin
Beaumetz-lès-Aire
Lespesses
Lières
Ecquedecques
Lillers
Busnettes
Rieux
Oblinghem
Locon
Essars
Le Touret
Festubert
Lorgies
Violaines
Marquillies
Westrehem
Auchy-au-Bois
Laires
Febvin-
Ames
Chocques
Vendin-lès-B.
Givenchy-
La Bassée
Salomé
Hantay
7

0 5 10 km
Houthulst
Hooglede
Staden
Ardooie
Roeselare (Roulers)
Rumbeke
Ingelmunster
Izegem
Lendelede
KORTRIJK (COURTRAI)
Kuurne
Poperinge
Ieper (Ypres)
Langemark-Poelkapelle
Zonnebeke
Moorslede
Ledegem
Wevelgem
Wervik
Menen (Menin)
Halluin
Mouscron (Moeskroen)
Tourcoing
Wattrelos
ROUBAIX
Croix
Mouvaux
Wambrechies
Armentières
Bailleul
Comines-Warneton (Komen-Waasten)
Comines
Linselles
Houplines
Pérenchies
Lambersart
Lomme
LILLE
Mons-en-Barœul
Villeneuve d'Ascq
Hem
Lys-lez-Lannoy
Estaimpuis
Faches-Thumesnil
Seclin
Templeuve
Orchies
Béthune
Beuvry
Auchy-les-Mines
Douvrin
Wingles
Carvin
Libercourt
Oignies
Harnes
Lens
Liévin
Avion
Hénin-Beaumont
Auby
Waziers
DOUAI
Flines-lez-Raches
Lallaing
Estaires
La Bassée
Annœullin
Bauvin
Vermelles
Mazingarbe
Grenay
Bully-les-Mines
Nœux-les-Mines
Loos-en-Gohelle
Méricourt
Colline de N.-D. de Lorette
Mémorial canadien
Fenain
A B C D 8

5
E
F
G
H
Tielt
Deinze
De Pinte
Merelbeke
Wetteren
Dentergem
Nazareth
Oosterzele
(Alost)
Erpe-Mere
Zulte
Gavere
St-Lievens-Houtem
Zingem
Kruishoutem
Waregem
Haaltert
Denderleeuw
Herzele
Zottegem
Deerlijk
Oudenaarde (Audenarde)
(Horebeke)
Ninove
Vichte
Anzegem
Wortegem-Petegem
(Lierde)
Zwevegem
(Maarkedal)
Brakel
Kluisbergen
Avelgem
Geraardsbergen (Grammont)
Galmaarden
Ronse (Renaix)
Ellezelles (Elzele)
Flobecq (Vloesberg)
Mont de l'Enclus
(Mt-de-l'Enclus)
Spiere-Helkijn (Espierres-Helchin)
Celles
Lessines (Lessen)
Bever (Biévène)
Herne
(Edingen) Enghien
Parc naturel du pays des collines
Pecq
Frasnes-lez-Anvaing
Silly
Ath (Aat)
Brugelette
TOURNAI (DOORNIK)
Leuze-en-Hainaut
Chièvres
Soignies (Zinnik)
Antoing
Belœil
Quevaucamps
Lens
Jurbise
(Brunehaut)
Péruwelz
Bernissart
Baudour
Vieux-Condé
Tertre
Ghlin
St-Amand-les-Eaux
St-Ghislain
Boussu
Quaregnon
Jemappes
MONS (BERGEN)
Hornu
(Colfontaine)
Frameries
Crespin
Hensies
Quiévrain
Dour
Pâturages
Bruay-sur-l'Escaut
Raismes
Onnaing
Anzin
VALENCIENNES
St-Saulve
Givry
Parc naturel des Hauts Pays
Parc naturel régional Scarpe-Escaut
Forêt de Raismes St-Amand-Wallers

6
0
5
10 km
A
B
C
D
1
2
3
4
5
14
Neufchâtel-Hardelot
Halinghen
Tingry
Doudeauville
Séquières
Zoteux
Bezinghem
Dannes
Widehem
Parenty
Enquin-sur-Baillons
Ste-Cécile-Plage
Le Turne
Hubersent
Bernieulles
Preures
Hucq
St-Gabriel-Plage
Camiers
Frencq
Cormont
Le Bois-Ratel
Côte
Embouchure de la Canche
Lefaux
Course
Etabnt de pisciculture
Bimont
Longvilliers
Beussent
Inxent
★★ LE TOUQUET-PARIS-PLAGE
Étaples
Maresville
Recques-s-Course
Alette
Clenleu
Tubersent
Bréxent-Enocq
Montcavrel
Estréelles
Humbert
Trépied
Beutin
Sempy
Villiers
La Calotterie
Attin
Estrée
Neuville-sous-Montreuil
Aix-en-Issart
Stella-Plage
Cucq
St-Josse
St-Denœux
La Madelaine-sous-M.
Montreuil ★
Marant
Merlimont-Plage
Merlimont
Sorrus
Marles-s-Canche
St-Aubin
Campigneulles-les-Petites
Beaumerie-St-Martin
Le Bout-d'Airon
Airon-N.-D.
Écuires
Marenla
★ Parc de Bagatelle
Airon-St-Vaast
Campigneulles-les-Grandes
Brimeux
Canche
Rang-du-Fliers
Ménage
Lespinoy
Berck-sur-Mer
Wailly-Beaucamp
Brunehaut-Pré
Boisjean
L'Aiguille
Campagne-lès-Hesdin
Berck-Plage
Verton
Le Bahot
Bois-Huré
Buire-le-Sec
Puits-Bérault
La Houssoye
Ecquemicourt
Groffliers
Waben
Ebruyères
Lépine
Roussent
★Baie d'Authie
Maintenay
Conchil-le-Temple
Nempont-St-Firmin
Authie
St-Rémy-au-Bois
Le Pont-à-Cailloux
Petit Préaux
★★Abbaye de Valloires
Tigny-Noyelle
Montigny
Saulchoy
Fort-Mahon-Plage
Le Royon
Colline-Beaumont
Nampont-St-Martin
Argoules
Douriez
Fresne
Villers-sur-Authie
Dominois
Quend-Plage-les-Pins
Le Molinel
Petit Chemin
Monchaux
Quend
Vron
Ponches-Estruval
Grde Dune
Hère
Flandre
Vercourt
Picarde
Froise
Campigneulle
Vironchaux
St-Quentin-en-Tourmont
Regnière-Écluse
Dompierre-sur-Authie
Larronville
Rue ★
Machy
Ligescourt
Le Bout des Crocs
Arry
Bernay-en-Ponthieu
Machiel
★★Parc ornithologique du Marquenterre
St-Firmin
La Bucaille
Caumartin
Crécy-en-Ponthieu
Le Marais
Neuville
La Maye
Forêt de Crécy
Romaine
Forest-Montiers
Fontaine-s-Maye
★★Baie de Somme
Favières
Froyelles
Le Hamelet
Ponthoile
Nouvion
Marcheville
Le Crotoy
Bonnelle
La Mollière
Le Hourdel
Mollières
Morlay
Sailly-Bray
Forest-l'Abbaye
Domvast
★St-Valery-sur-Somme
Cayeux-sur-Mer
Maison de l'Oiseau ★
Noyelles-s-Mer
Le Titre
Lamotte-Buleux
Canchy
Sallenelle
Sailly-Flibeaucourt
Wathiéhurt
La Baie de Somme
La Cantine
Hautvillers-Ouville
Neuilly-l'Hôpital
Le Marais
Sallenelle et-Routhiauville
Ouville
Pendé
Ribeauville
Pinchefalise
Buigny-St-Maclou
Drancourt
Boismont
Somme
Le Plessiel
Lanchères
Estréboeuf
Bretel
Port-le-Grand
Drucat
Hâble d'Ault
Brutelles
Tilloy
Mons-Boubert
Caours
★★St-Riquier
Arrest
Grand-Laviers
Vaudricourt
Saigneville
Onival
Hautebut
St-Blimont
Cahon
Cambron
La Justice
Abbeville
Woignarue
Ochancourt
★Ault
Offeux
Bourseville
Lambercourt
Vauchelles-les-Quesnes
Quesnoy-le-Montant
Mautort
Allenay
Frireulle
Monflières
Nibas
Franleu
Miannay
Le Bois-de-Cise
Friaucourt
Tully
Saucourt
Bouillancourt
Bagatelle ★
★Mers-les-Bains
Friville-Escarbotin
Valines
Yonval
Béthencourt-s-Mer
Frières
Moyenneville
Épagne-Épagnette
Le Tréport
St-Quentin-la-Motte-Croix-au-Bailly
Woincourt
St-Mard
Acheux-en-Vimeu
Bienfay
Villers-s-Mareuil
Eaucourt-s-Somme
Fressenneville
Mareuil-Caubert
Mesnil-Val
Ménesiles
Yzengremer
Tœufles
Boëncourt
Béhen
Eu ★
Oust-Marest
Chépy
Dargnies
Feuquières-en-Vimeu
Ercourt
Huchenneville
Bray-lès-Mareuil
Criel-Plage
Flocques
Mesnil Sterling
Ponts-et-Marais
Bouvaincourt-s-Bresle
Hocquelus
Tours-en-Vimeu
Trinquies
Caumont
Épagne
Embreville
Aigneville
Grébault-Mesnil
Bailleul
Les Quesnets
Étalondes
Corroy
Bellifontaine
St-Pierre-en-Val
Buigny-lès-G.
Limeux
Criel-sur-Mer
St-Rémy-Boscrocourt
Heudelimont
Beauchamps
Maisnières
Vismes-au-Val
Longuemort
Mesnil-en-Caux
La Bourdaine
Incheville
Huppy
Grandsart
Tocqueville-sur-Eu
Le Fresne
Harcelaines
Onicourt
Doudelainville
Touffreville-sur-Eu
Boscrocourt
Triage d'Eu
Frettemeule
Martainneville
St-Maxent
Hocquincourt
Wanel
Biville-sur-Mer
Assigny
Litteville
St-Sulpice-s-Yères
Hélicourt
Breuilly
Gamaches
Tilloy-Floriville
Morival
Frucourt
Fresnes-Tilloloy
Vaux-Marquenneville
Hallencourt
Penly
Etocquigny
Monchy-sur-Eu
Baromesnil
Longroy
Wiammeville
Cerisy-Buleux
Citerne
Neuville-au-Bois
Canehan
St-Martin-le-Gaillard
Le Mesnil-Réaume
Millebosc
Busménard
Biencourt
Mérélessart
Brunville
Vassonville

7
E
F
G
H
3
62
80
Fauquembergues
Enguinegatte
Estrée-Blanche
Quernes
Mazinghem
Molinghem
Guarbecque
Bourthes
Campagne-lès-Boulonnais
St-Martin-d'Hardinghem
Audincthun
Coyecques
Erny-St-Julien
Liettres
Rombly
Norrent-Fontes
Ham-en-Artois
Busnes
Renty
Reclinghem
Enquin-les-Mines
Estrée-Blanche
St-Hilaire-Cottes
Bourecq
Rumilly
Dennlys Parc
Cuhem
La Tirmande
Lillers
Gonnehem
Hinges
Wicquinghem
Mencas
Bomy
Rely
Lespesses
Busnettes
Verchocq
Vincly
Fléchin
Ligny-lès-Aire
Lières
Ecquedecques
Chocques
Oblinghem
Avesnes
Herly
Radinghem
Matringhem
Beaumetz-lès-Aire
Westrehem
Auchy-au-Bois
Ames
Vendin-lès-B.
Maninghem
Senlis
Laires
Febvin-Palfart
Ametttes
Burbure
Allouagne
Hézecques
Nédon
Ferfay
Labeuvrière
Annezin
Béthune
Lugy
Hurtebise
Lozinghem
Coupelle-Vieille
Fontaine-lès-Hermans
Nédonchel
Fouquereuil
Fouquières-lès-B.
Rimboval
Fruges
Lisbourg
Prédefin
Fiefs
Bailleul-lès-Pernes
Cauchy-à-la-Tour
Lapugnoy
Gosnay
Vaudricourt
Verquin
Auchel
Coupelle-Neuve
Aumerval
Marles-les-Mines
Hesdigneul-lès-B.
Drouvin-le-Marais
Créquy
Fontaine-lès-Boulans
Calonne-Ricouart
Embry
Verchin
Sachin
Floringhem
Pernes
Torcy
Ruisseauville
Canlers
Heuchin
Sains-lès-Pernes
Pressy
Labuissière
Royon
Avondance
Ambricourt
Crépy
Camblain-Châtelain
Haillicourt
Houchin
Nœux-les-Mines
Azincourt
Équirre
Boyaval
Divion
Bruay-la-Buissière
Ruitz
Lebiez
Sains-lès-Fressin
Tramecourt
Teneur
Bergueneuse
Tangry
Marest
Maisnil-lès-R.
Barlin
Planques
Bucamps
Eps
Ourton
Houdain
Hersin-Coupigny
Offin
Fressin
Maisoncelle
Tilly-Capelle
Anvin
Monchy-Cayeux
Hestrus
Bours
Diéval
Beugin
Wambercourt
Érin
Huclier
Valhuon
La Comté
Rebreuve-Ranchicourt
Olhain
Cavron-St-Martin
Béalencourt
Conteville-en-Ternois
Blangy-sur-Ternoise
Fleury
Antin
La Thieuloye
Bajus
Bouvigny-Boyeffles
Contes
Wamin
Blingel
St-Martin
Belval
Hermin
Humerœuille
Wavrans-sur-Ternoise
Grossart
Houvelin
Fresnicourt
Servins
Aubin-St-Vaast
Forêt d'Hesdin
La Loge
Bermicourt
Brias
Monchy-Breton
Frévillers
Gauchin-Légal
Auchy-lès-Hesdin
Éclimeux
Pierremont
Hernicourt
Troisvaux
Orlencourt
Magnicourt-en-Comte
Caucourt
Estrée-Cauchy
Grigny
Rollancourt
Ostreville
Guisy
Incourt
Croix-en-Ternois
Gauchin-Verloingt
St-Pol-s-Ternoise
Marquay
Cambligneul
Bouin-Plumoison
Huby-St-Leu
Hesdin
Le Parcq
Neulette
Humières
St-Michel-s-T.
Chelers
Béthonsart
Camblain-l'Abbé
Ramecourt
Villers-Châtel
Marconnelle
Fresnoy
Beauvois
Roëllecourt
Bailleul-aux-Cornailles
Villers-Brûlin
Marconne
Noyelles-lès-Humières
Œuf-en-Ternois
Siracourt
Tincquette
Mingoval
Ste-Austreberthe
Vieil-Hesdin
Croisette
Herlin-le-Sec
Tachincourt
Ligny-St-Flochel
Béthencourt
Agnières
Capelle-Fermont
Brévillers
St-Georges
Pronay
Fouflin-Ricametz
Tincques
Savy-Berlette
Aubigny-en-Artois
Guinecourt
Capelle-lès-Hesdin
Le Quesnoy-en-Artois
Wail
Willeman
Héricourt
Herlincourt
Hautecloque
Maisnil
Ternas
Averdoingt
Vandelicourt
Frévin-Capelle
Brailly
Linzeux
Blangermont
Berles-Monchel
Tilloy-lès-Hermaville
Vacqueriette-Erquières
Galametz
Framecourt
Buneville
Neuville-au-Cornet
Gouy-en-Ternois
Maizières
Penin
Izel-lès-Hameau
Haute-Avesnes
Guigny
Blangerval-Blangermont
Flers
Doffine
Chériennes
Écoivres
Pt-Houvin
Moncheaux-lès-Frévent
Monts-en-T.
Magnicourt-s-Canche
Ambrines
Hermaville
Habarcq
Agnez-lès-D.
Regnauville
Fontaine-l'Étalon
Fillièvres
Nuncq-Hautecôte
Sibiville
Villers-Sir-Simon
Noyellette
Le Fondeval
Aubrometz
Monchel-s-Canche
Houvin-Houvigneul
Sars-le-Bois
Givenchy-le-Noble
Manin
Noyelle-Vion
Caumont
Quœux-Haut-Maînil
Haut-Maînil
Conchy-s-Canche
Ligny-s-Canche
Lattre-St-Quentin
Labroye
Tollent
Haravesnes
Séricourt
Honval
Denier
Lignereuil
Montenescourt
Gennes-Ivergny
Selandre
Boubers-s-Canche
Frévent
Canettemont
Beaufort-Blavincourt
Le Boisle
Vaulx
Bachimont
Rebreuve-s-Canche
Berlencourt-le-Cauroy
Avesnes-le-Comte
Wanquetin
Boufflers
Buire-au-Bois
Rougefay
Vacquerie-le-Boucq
Canche
Liencourt
Hauteville
Simencourt
Le Ponchel
Bouret-s-Canche
La Couture
Estrée-Wamin
Le Cauroy
Fosseux
Gouy-en-Artois
Villeroy
Rebreuviette
Oppy
Grand-Rullecourt
Barly
Gueschart
Vitz-sur-Authie
Willencourt
Boffles
Fortel-en-Artois
Bonnières
Beaudricourt
Bambou
Nœux-lès-Auxi
Ivergny
Sombrin
Monchiet
Brailly-Cornehotte
Neuilly-le-Dien
Lannoy
Villers-l'Hôpital
Le Souich
Sus-St-Léger
Warluzel
Bavincourt
Auxi-le-Château
Beauvoir-Wavans
Canteleux
Saulty
L'Arbret
Bailleulval
Maison-Ponthieu
Authie
Remaisnil
Brévillers
Coullemont
Basseux
Bernâtre
Béalcourt
Neuvillette
Bouquemaison
Humbercourt
Couturelle
La Herlière
Bailleulmont
Noyelles-en-Chaussée
Hiermont
St-Acheul
Barly
Lucheux
Humbercamps
La Cauchie
Berles-au-Bois
Yvrencheux
Maizicourt
Frohen-sur-Authie
Mézerolles
Ransart
Grouches-Luchuel
Warlincourt-lès-Pas
Gaudiempré
Pommier
Conteville
Heuzecourt
Occoches
Haute-Visée
Mondicourt
Gapennes
Yvrench
Montigny-les-Jongleurs
Outrebois
Risquetout
Pommera
Grincourt-lès-Pas
St-Amand
Hannescamps
Hanchy
Domléger-Longvillers
Agenville
Mont-Renault
Le Meillard
Hem-Hardinval
Bienvillers-au-Bois
Grimont
Boisbergues
Grenas
Pas-en-Artois
Le Ménage
Prouville
Hardinval
Gézaincourt
Doullens
Souastre
Coulonvillers
Cramont
Amplier
Halloy
Hénu
Foncquevillers
Bernaville
Famechon
Oneux
Longvillers
Autheux
Longuevillette
Authieule
St-Léger-lès-Authie
Couin
Bayencourt
Gommecourt
Mesnil-Domqueur
Beaumetz
Thièvres
Maison-Roland
Ribeaucourt
Vacquerie
Orville
Coigneux
Sailly-au-Bois
Le Plouy
Épécamps
Gorges
Beauval
Sarton
Yaucourt-Bussus
Domqueur
Domesmont
Fienvillers
Candas
Authie
Courcelles-au-Bois
Colincamps
Buigny-l'Abbé
Bussus-Bussuel
Gorenflos
Fransu
Lanches-St-Hilaire
Marieux
Bus-lès-Artois
Beaumont-Hamel
Ergnies
Franqueville
St-Hilaire
Terramesnil
Vauchelles-lès-Authie
Mailly-Maillet
Auchonvillers
Bonneville
Valheureux
Beauquesne
Bertrancourt
Brucamps
Berneuil
Acheux-en-Amiénois
Ailly-le-Haut-Clocher
Domart-en-Ponthieu
Fieffes-Montrelet
Vert-Galant
Raincheval
Louvencourt
Parc mémorial
Villers-sous-Ailly
Surcamps
Le Rosel
Arquèves
Forceville
Englebelmer
Vauchelles-lès-Domart
St-Léger-lès-Domart
Pernois
Puchevillers
Léalvillers
Varennes
Mouflers
Canaples
La Vicogne
Val-de-Maison
Hédauville
Mesnil-Martinsart
Longuet
Halloy-lès-P.
Naours
Toutencourt
Martinsart
Fontaine-s-Somme
Long
Berteaucourt-les-Dames
Grottes-refuges
Hérissart
Harponville
Bouzincourt
Bouchon
L'Étoile
St-Ouen
Havernas
Wargnies
Talmas
Senlis-le-Sec
Aveluy
Vieulaines
Bettencourt-St-Ouen
Vignacourt
Septenville
Rubempré
Warloy-Baillon
Longpré-les-Corps-Saints
Flixecourt
Olincourt
Mirvaux
Contay
Hénencourt
Millencourt
Albert
Condé-Folie
Pierregot
Vadencourt
Bettencourt-Rivière
Bourdon
Villers-Bocage
Beaucourt-sur-l'Hallue
Molliens-au-Bois
Bavelincourt
Baizieux
Bresle
Laviéville
Hangest-
Yzeux
Montonvillers
St-Vaast-en-Chaussée
Frémont
Bertangles
Montigny-s/l'Hallue
Béhencourt
Franvillers
Méaulte
Somme
Scarpe

0 5 10 km
Fromelles
Aubers
Neuve-Chapelle
Beaucamps-Ligny
Fournes-en-Weppes
Haubourdin
Loos
Emmerin
Wattignies
Ronchin
Faches-Thumesnil
Lesquin
Anstaing
Sainghin-en-M.
Gruson
Camphin-en-Pévèle
Marquain
Santes
Wavrin
Noyelles-lès-S.
Vendeville
Templemars
LILLE-LESQUIN
Bouvines
Wannehain
Cysoing
Péronne-en-M.
Esplechin
Bourghelles
Rumes
La Couture
Richebourg
Illies
Wicres
Sainghin-en-W.
Ancoisne
Houplin-Ancoisne
Gondecourt
Seclin
Ennetières
Ennevelin
Fretin
Louvil
Bachy
Hinges
Locon
Le Touret
Lorgies
Essars
Festubert
Violaines
Marquillies
Don
Herrin
Templeuve
Cobrieux
Béthune
Beuvry
Gorre
Givenchy-lès-la-B.
La Bassée
Salomé
Hantay
Annœullin
Allennes-les-Marais
Chemy
Avelin
Pont-à-Marcq
Genech
Bercu
Cuinchy
Billy-Berclau
Bauvin
Attiches
Phalempin
Fouquières-lès-B.
Verquigneul
Cambrin
Auchy-les-Mines
Douvrin
Provin
Carnin
Tourmignies
Mouchin
Vaudricourt
Verquin
Drouvin-le-Marais
Sailly-Labourse
Annequin
Haisnes
Wingles
Meurchin
Camphin-en-Carembault
Mérignies
Capelle-en-Pévèle
Nomain
Aix-en-Pévèle
Labourse
Vermelles
Hulluch
Carvin
Libercourt
La Neuville
Mons-en-Pévèle
Bersée
Auchy-lez-Orchies
Orchies
Houchin
Nœux-les-Mines
Noyelles-lès-V.
Mazingarbe
Bénifontaine
Pont-à-Vendin
Vendin-le-Vieil
Wahagnies
Landas
Loos-en-Gohelle
Estevelles
Oignies
Thumeries
Faumont
Annay
Courrières
Ostricourt
Moncheaux
Coutiches
Beuvry-la-Forêt
Hersin-Coupigny
Grenay
Bully-les-Mines
Sains-en-G.
Harnes
Loison-sous-Lens
Montigny-en-Gohelle
Évin-Malmaison
Leforest
Raimbeaucourt
La Picterie
Le Molinel
Bouvignies
Sars-et-Rosières
Jacques-Varlet
Brillon
Lens
Liévin
Calonne
Aix-Noulette
Bouvigny-Boyeffles
Verdrel
Noyelles-s/s-Lens
Fouquières-lès-L.
Dourges
Roost-Warendin
Flines-lez-Râches
Le Bru
Tilloy-lez-M.
Servins
Colline de N.-D. de Lorette
Angres
Éleu-dit-Leauwette
Billy-Montigny
Sallaumines
Hénin-Beaumont
Noyelles-Godault
Courcelles-lès-L.
Auby
Les Asturies
Râches
Anhiers
Cattelet
Marchiennes
Fresnicourt
Avion
Méricourt
Souchez
Ablain-St-Nazaire
Givenchy-en-Gohelle
Estrée-Cauchy
Gouy-Servins
Lauwin-Planque
Flers-en-E.
Dorignies
Waziers
La Templerie
Lallaing
Vred
Scarpe
Camblain-l'Abbé
Villers-Châtel
Carency
Mémorial canadien
Vimy
Acheville
Rouvroy
Drocourt
Beaumont
Esquerchin
DOUAI
Cuincy
Rieulay
Pecquencourt
Fenain
Villers-au-Bois
Mont-St-Éloi
Thélus
Farbus
Arleux-en-Gohelle
Bois-Bernard
Fresnoy-en-Gohelle
Quiéry-la-Motte
Sin-le-Noble
Montigny-en-Ostrevant
Bruille-lez-M.
Capelle-Fermont
Acq
Oppy
Izel-lès-Équerchin
Lambres
Dechy
Guesnain
Loffre
Somain
Frévin-Capelle
Écoivres
Neuville-St-Vaast
Bailleul-Sir-Berthoult
Willerval
Neuvireuil
Courchelettes
Masny
Écaillon
Haute-Avesnes
Maroeuil
Écurie
Gavrelle
Fresnes-lès-M.
Vitry-en-Artois
Corbehem
Brebières
Lewarde
Roucourt
Centre Minier
Auberchicourt
Aniche
Abscon
Agnez-lès-D.
Habarcq
Étrun
Anzin-St-Aubin
Roclincourt
Férin
Gœulzin
Erchin
Villers-au-Tertre
Émerchicourt
Mastaing
Ste-Catherine
Athies
Fampoux
Biache-St-Vaast
Noyelles-s/s-B.
Gouy-s/s-B.
Gouves
Duisans
St-Nicolas
St-Laurent-Blangy
Plouvain
Sailly-en-Ostrevent
Bellonne
Cantin
Monchecourt
Marquette-en-O.
Lattre-St-Quentin
Montenescourt
Warlus
ARRAS
Feuchy
Rœux
Hamblain-les-Prés
Estrées
Arleux
Bugnicourt
Marcq-en-O.
Wanquetin
Dainville
Achicourt
Beaurains
Tilloy-lès-Mofflaines
Monchy-le-Preux
Pelves
Boiry-N.-D.
Tortequesne
Hamel
Brunémont
Fressain
Wasnes-au-Bac
Wavrechain-s/s-Faulx
Simencourt
Berneville
Agny
Neuville-Vitasse
Guémappe
Rémy
Étaing
Éterpigny
Lécluse
Écourt-St-Quentin
Palluel
Aubigny-au-Bac
Oisy-le-Verger
Féchain
Fressies
Gouy-en-Artois
Beaumetz-lès-Loges
Le Fermont
Wailly
Mercatel
St-Martin-s-Cojeul
Wancourt
Vis-en-Artois
Dury
Récourt
Sauchy-Cauchy
Aubencheul-au-Bac
Hem-Lenglet
Paillencourt
Monchiet
Rivière
Ficheux
Héninel
Hénin-s-Cojeul
Chérisy
Haucourt
Saudemont
Rumaucourt
Épinoy
Abancourt
Bantigny
Thun-l'Évêque
Bailleulval
Basseux
Bellacourt
Boisleux-St-Marc
Boiry-Becquerelle
Fontaine-lès-C.
Hendecourt-lès-C.
Villers-lès-C.
Sauchy-Lestrée
Blécourt
Cuvillers
Bailleulmont
Blairville
Hendecourt-lès-R.
Boisleux-au-Mont
Croisilles
Cagnicourt
Baralle
Marquion
Haynecourt
Eswars
Thun-St-Martin
Berles-au-Bois
Ransart
Boiry-Ste-Rictrude
Boyelles
Bullecourt
Riencourt-lès-C.
Buissy
Sains-lès-Marquion
Sailly-lez-C.
Sancourt
Ramillies
Tilloy-lez-C.
Morenchies
Cagnoncles
Pommier
Monchy-au-Bois
Adinfer
Ayette
Boiry-St-Martin
St-Léger
Hamelincourt
Écoust-St-Mein
Quéant
Inchy-en-Artois
Raillencourt-Ste-Olle
Neuville-St-Rémy
Escaudœuvres
Hannescamps
Douchy-lès-A.
Moyenneville
Courcelles-le-Comte
Ervillers
Mory
Noreuil
Vaulx-Vraucourt
Pronville-en-Artois
Mœuvres
Bourlon
Fontaine-N.-D.
Cauroir
CAMBRAI
Proville
Foncquevillers
Ablainzevelle
Gomiécourt
Lagnicourt-Marcel
Anneux
Cantaing-sur-Escaut
Awoingt
Gommecourt
Bucquoy
Achiet-le-Grand
Béhagnies
Sapignies
Beugnâtre
Morchies
Louverval
Boursies
Graincourt-lès-Havrincourt
Noyelles-sur-Escaut
Niergnies
Cattenières
Séranvillers-Forenville
Achiet-le-Petit
Bihucourt
Beugny
Beaumetz-lès-C.
Doignies
Flesquières
Hébuterne
Puisieux
Biefvillers-lès-B.
Favreuil
Frémicourt
Bapaume
Lebucquière
Havrincourt
Marcoing
Rumilly-en-C.
Crèvecœur-sur-l'Escaut
Colincamps
Miraumont
Irles
Grévillers
Bancourt
Vélu
Hermies
Ribécourt-la-Tour
Masnières
Les Rues-des-Vignes
Lesdain
Esnes
Beaumont-Hamel
Beaucourt-s/l'Ancre
Warlencourt-Eaucourt
Riencourt-lès-B.
Haplincourt
Villers-au-Flos
Bertincourt
Ruyaulcourt
Trescault
Villers-Plouich
La Vacquerie
Bonavis
Abbe de Vaucelles
Auchonvillers
Pys
Ligny-Thilloy
Barastre
Bus
Beaucamp
Parc-mémorial
Grandcourt
Le Sars
Beaulencourt
Le Transloy
Rocquigny
Ytres
Metz-en-Couture
Gouzeaucourt
Gonnelieu
Banteux
Bantouzelle
St-Pierre-Divion
Courcelette
Gueudecourt
Neuville-Bourjonval
Engelbelmer
Hamel
Thiepval
Mémorial Brit
Martinpuich
Lesbœufs
Léchelle
Équancourt
Montecouvez
Malincourt
Mesnil-Martinsart
Authuille
Flers
Honnecourt-sur-Escaut
Ovillers-la-Boisselle
Pozières
Mesnil-en-Arrouaise
Martinsart
Bouzincourt
Bazentin
Bazentin-le-Grand
Longueval
Morval
Sailly-Saillisel
Étricourt-Manancourt
Fins
Villers-Guislain
La Terrière
Aubencheul-aux-Bois
Aveluy
Contalmaison
Guillemont
Ginchy
Manancourt
Sorel
Heudicourt
Vendhuile
Albert
La Boisselle
Bécourt
Fricourt
Mametz
Combles
Nurlu
Épehy
Gouy
Le Catelet
Méaulte
Montauban-de-Picardie
Hardecourt-aux-Bois
Rancourt
Moislains
Liéramont
Guyencourt-Saulcourt
Lempire
Beaurevoir
Bécordel-Bécourt
Carnoy
Maurepas
Bouchavesnes-Bergen
Aizecourt-le-Bas
Villers-Faucon
Ste-Émilie
Ronssoy
Bony
Templeux
Estrées
A B C D
16

9
Orcq
Gaurain-Ramecroix
Gallaix
Chapelle-à-Oie
Moulbaix
Bétissart
Attre
Brugelette
TOURNAI (DOORNIK)
Vaulx
Barry
Pipaix
Leuze-en-Hainaut
Blicquy
Autreppe
Ormeignies
Chièvres
Cambron-Casteau
St-Maur
Antoing
Fontenoy
Willaupuis
Tourpes
Archéosite
Tongre-N.-D.
Aubechies
Willemeau
Bruyelle
Vezon
Baugnies
Huissignies
Ladeuze
Bauffe
Neufvilles
Taintignies
Wez-Velvain
Braffe
Thumaide
Ellignies-Ste-Anne
Belœil
Grosage
Les Ruelles
Lens
Montignies-lez-Lens
Jurbise
Masnuy-St-Pierre
Guignies
Péronnes
Maubray
Bury
Neufmaison
Herchies
Côroi
Jollain-Merlin
Hollain
Callenelle
Brasmenil
Basècles
Quevaucamps
Erbaut
Masnuy-St-Jean
Les Bruyères
(Brunehaut)
Laplaigne
Roucourt
Stambruges
Lesdain
Mortagne-du-Nord
Rœux
Sirault
Erbisœul
Howardries
Wiers
Péruwelz
Bruyère Dincq
Maisières
Casteau
St-Denis
Rongy
Bléharies
Rouillon
Flines-lès-Mortagne
La Bruyère
Rumegies
Maulde
Bon-Secours
Blaton
Hautrage
Villerot
Baudour
Obourg
Chau-l'Abbaye
Mont de Péruwelz
Thun-St-Amand
Hergnies
Bernissart
Harchies
Ville-Pommerœul
Douvrain
Ghlin
Nimy
Canal du Centre
Sameon
Lecelles
Vieux-Condé
Le Coq
Lorette
Tertre
Havré
NATUREL RÉGIONAL
Bruille-St-Amand
Nivelle
Odomez
Pommerœul
St-Aybert
Condé-sur-l'Escaut
Mons (Bergen)
Jemappes
St-Ghislain
Quaregnon
St-Symphorien
St-Amand-les-Eaux
La Croisette
N.-D. au Bois
Le Trieu-de-Fresnes
Forêt de Raismes
Thivencelle
Montrœul-s-H.
Boussu
Hornu
le Grand Hornu
Cuesmes
Mesvin
Villers-St-Ghislain
Millonfosse
Mt des Bruyères
Fresnes-sur-Escaut
Thulin
Hainin
Ciply
Spiennes
Bousignies
St-Amand-Wallers
Hensies
(Colfontaine)
Nouvelles
Harmignies
Hasnon
Escautpont
Crespin
Wasmes
Frameries
Asquillies
Cataine
SCARPE
ESCAUT
Bruay-sur-l'Escaut
Thiers
Vicq
Elouges
Dour
Pâturages
Warlaing
Gd Bray
Vicoigne
Quiévrain
La Bouverie
Noirchain
Harveng
Raismes
Onnaing
Blanc-Misseron
Baisieux
Wihéries
Warquignies
Eugies
Genly
Bougnies
Givry
Wallers
Arenberg
Beuvrages
Quiévrechain
Pt Dour
Sars-la-Bruyère
Quévy-le-Petit
(Quévy)
Anzin
Quarouble
Audregnies
Montignies-sur-Roc
Blaugies
Havay
Aubry-du-H.
Valenciennes
Marchipont
Angre
Parc naturel des Hauts Pays
Rouveroy
Hélesmes
Bellaing
Pte-Forêt
St-Saulve
Rombies-et-Marchipont
Athis
Erquennes
Quévy-le-Grand
Oisy
Hérin
Sebourquiaux
Onnezies
(Honnelles)
Fayt-le-Franc
Blaregnies
Gognies-Chaussée
Villers-Sire-Nicole
Haveluy
La Sentinelle
Marly
Estreux
Angreau
Autreppe
Gussignies
Aulnois
Escaudain
Wavrechain-s/s-D.
Trith-St-Léger
Saultain
Curgies
Sebourg
Le Triez
Belignies
Le Camp Perdu
Bettignies
Bersillies
Vieux-Reng
Hon-Hergies
Taisnières-s-Hon
Mairieux
Denain
Rouvignies
Aulnoy-lez-V.
Préseau
Jenlain
Eth
Roisin
Bettrechies
Bry
La Flamengrie
Houdain-lez-B.
La Berlière
Feignies
Haulchin
Prouvy
La Banlieue
Élesmes
Douchy-les-Mines
Thiant
Maing
Famars
Artres
Wargnies-le-Gd
St-Waast
La Longueville
Maubeuge
Boussois
Maresches
Wargnies-le-Petit
La Boiscrête
Bermeries
Bavay
Douzies
Assevent
Noyelles-s-Selle
Quérénaing
Sepmeries
Preux-au-Sart
Mecquignies
Audignies
Recquignies
Rousies
Monchaux-s-Écaillon
Fleury
Villers-Pol
Orsinval
Amfroipret
Bavisiau
Quène-au-Leu
Neuf-Mesnil
Louvroil
Lieu-St-Amand
Sommaing
Frasnoy
Gommegnies
Le Cheval Blanc
Obies
L'Agache
Haspres
Verchain-Maugré
Vendegies-s-E.
Ruesnes
Villereau
Carnoy
Sarloton
Hargnies
Vieux-Mesnil
Hautmont
Ferrière-la-Gde
Cerfontaine
Avesnes-le-Sec
Bermerain
Herbignies
Boussières-sur-S.
St-Remy-du-Nord
Ferrière-la-Pte
Saulzoir
St-Martin-s-Écaillon
Capelle
Le Quesnoy
Potelle
La Maison Rouge
Le Petit Bavai
Jolimetz
Damousies
Villers-en-Cauchies
Montrécourt
Escarmain
Beaudignies
Le Godelot
Pont-sur-Sambre
Limont-Fontaine
Obrech
Haussy
Ghissignies
Louvignies-Quesnoy
PARC
Aymeries
Bachant
Beaufort
Avesnes-les-Aubert
St-Aubert
Vertain
Salesches
Raucourt-au-Bois
Berlaimont
NATUREL
Aulnoye-Aymeries
Wattignies-la-Victoire
Romeries
St-Vaast-en-C.
St-Python
Poix-du-Nord
Englefontaine
Locquignol
Les Gdes Pâtures
Éclaibes
Écuélin
Dimont
Rieux-en-Cambrésis
Neuville-en-Avesnois
Solesmes
Le Sarsbarras
Sassegnies
Dourlers
Floursies
St-Hilaire-lez-Cambrai
Vendegies-au-Bois
Hecq
FORÊT DE MORMAL
Leval
St-Remy-Chaussée
Semousies
Beaurain
Boussières-en-Cambrésis
Quiévy
Briastre
Ovillers
Croix-Caluyau
Robersart
Hachette
Noyelles-s-Sambre
Monceau-St-Waast
St-Aubin
Les Bodelez-Quatre-Pavés
Les Trois Pavé
Beugnies
Boistrancourt
Bévillers
Viesly
Preux-au-Bois
N.-D. des Haies
Taisnières-en-T.
Dompierre-s-Helpe
St-Hilaire-s-Helpe
DE L'AVESNOIS
Béthencourt
Amerval
Bousies
Fontaine-au-Bois
Maroilles
Bas-Lieu
Flaumont-Waudrechies
Beauvois-en-C.
Beaumont-en-Cambrésis
Neuvilly
Forest-en-Cambrésis
Landrecies
Sambre
Helpe
Fontaine-au-Pire
Caudry
Inchy
Montay
Pommereuil
Bois l'Évêque
Grand-Fayt
Marbaix
Avesnes-sur-Helpe
Avesnelles
Ligny-en-C.
Audencourt
Troisvilles
Le Favril
Petit-Fayt
Montigny-en-C.
Le Fayt
Le Cateau-Cambrésis
Ors
Beaurevoir
Les Vallées
Cartignies
Haut-Lieu
Sains-du-Nord
Caullery
Bertry
Reumont
Bazuel
Rue du Bois
Prisches
Mineure
Clary
Maurois
Honnechy
St-Benin
Catillon-sur-Sambre
La Groise
Bon-Debout
Boulogne-sur-Helpe
Zorées
Rainsars
St-Souplet
L'Arbre-de-Guise
Mazinghien
Le Sart
Beaurepaire-sur-Sambre
Étrœungt
Pont-de-Sains
Féron
Glageon
Dehéries
Maretz
Escaufourt
Chapeau Rouge
Pas de Vache
Floyon
Buisson-Barbet
St-Martin-Rivière
Ribeauville
Rejet-de-Beaulieu
Fesmy-le-Sart
Barzy-en-Thiérache
Larouillies
Élincourt
Busigny
La Haie Menneresse
Molain
Oisy
Bergues-s-Sambre
Fontenelle
Rocquigny
Les Hayettes
Serain
Le Reget
Boué
Marlemperche
Papleux
Bécquigny
Vaux-Andigny
La Vallée-Mulatre
Wassigny
Le Nouvion-en-Thiérache
La Flamengrie
Wignehies
Prémont
Andigny-les-Fermes
La Vallée
Haudroy-Petit-Bois
Clairfontaine
Genève
Regnicourt
Vénérolles
La Neuville-lès-D.
Le Grand-Wez
Forêt du Nouvion
Mennevret
Forêt d'Andigny
Esquéhéries
Buironfosse
La Capelle
Montbrehain
Brancourt-
Bohain-en-Vermandois
Hannapes
Rue-du-Guise
Mondrepuis

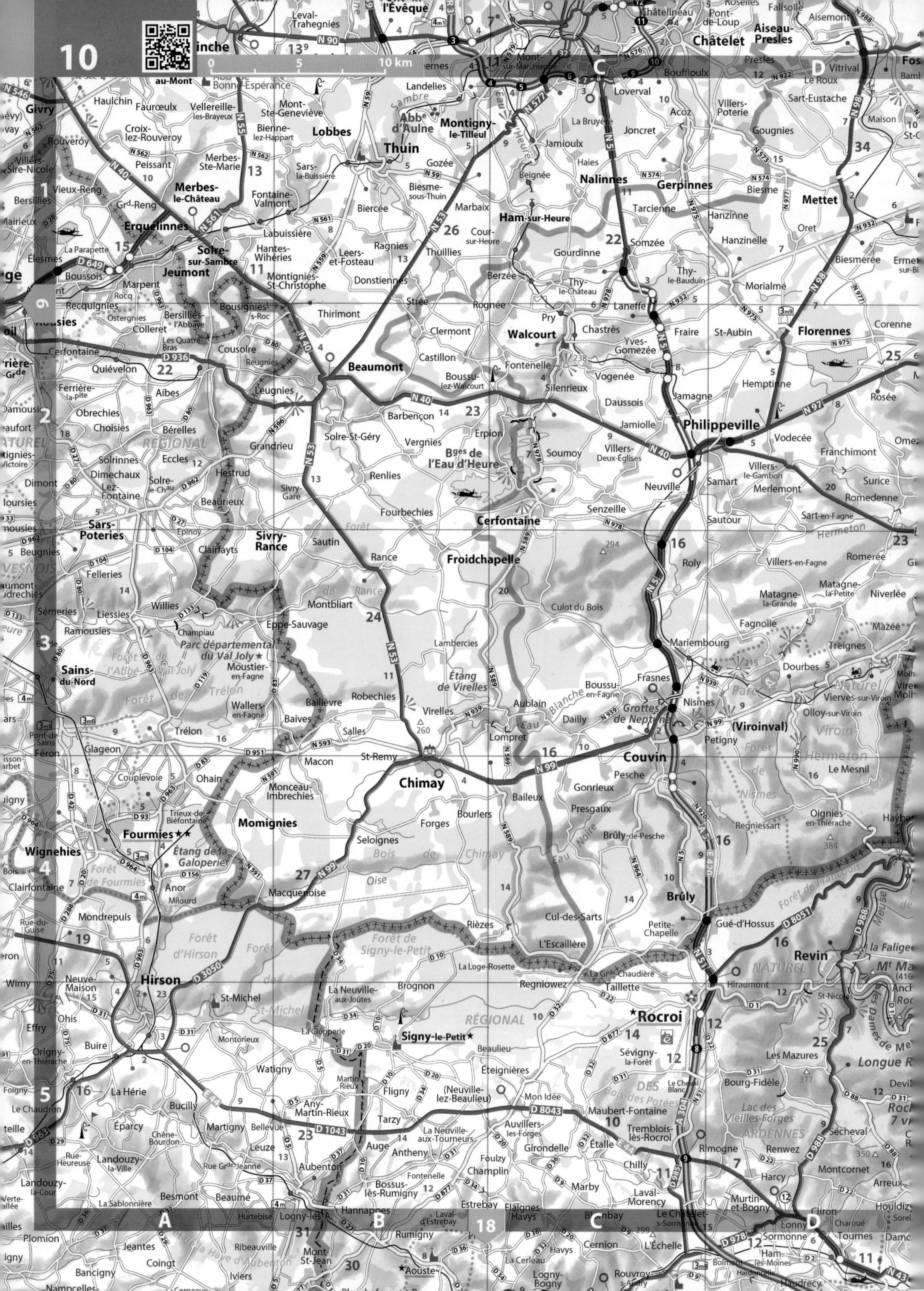

10
0
5
10 km
Leval-Trahegnies
l'Évêque
Châtelineau
Pont-de-Loup
Falisolle
Aisemont
Châtelet
Aiseau-Presles
Presles
Vitrival
Bouffioulx
Le Roux
Sart-Eustache
Maison
au-Mont
Bonne-Espérance
Landelies
Mont-sur-Marchienne
Loverval
Acoz
Villers-Poterie
Givry
Haulchin
Fauroeulx
Vellereille-les-Brayeux
Mont-Ste-Geneviève
Abbe d'Aulne
Montigny-le-Tilleul
La Bruyère
Joncret
Gougnies
Croix-lez-Rouveroy
Rouveroy
Bienne-lez-Happart
Lobbes
Thuin
Jamioulx
Villers-Sire-Nicole
Peissant
Merbes-Ste-Marie
Sars-la-Buissière
Gozée
Haies
Nalinnes
Gerpinnes
Biesme
Mettet
Vieux-Reng
Merbes-le-Château
Fontaine-Valmont
Biesme-sous-Thuin
Beignée
Tarcienne
Hanzinne
Bersillies
Grd-Reng
Marbaix
Ham-sur-Heure
Oret
Erquelinnes
Labuissière
Biercée
Cour-sur-Heure
Somzée
Hanzinelle
Biesmerée
La Parapette
Solre-sur-Sambre
Hantes-Wihéries
Leers-et-Fosteau
Ragnies
Thuillies
Gourdinne
Élesmes
Boussois
Jeumont
Montigniés-St-Christophe
Donstiennes
Berzée
Thy-le-Château
Thy-le-Bauduin
Morialmé
Marpent
Rocq
Recquignies
Ostergnies
Bersillies-l'Abbaye
Bousignies-s-Roc
Thirimont
Strée
Rognée
Pry
Laneffe
Colleret
Clermont
Walcourt
Chastrès
Fraire
St-Aubin
Florennes
Corenne
Cerfontaine
Les Quatre-Bras
Cousolre
Reugnies
Beaumont
Castillon
Yves-Gomezée
Quiévelon
Fontenelle
Vogenée
Hemptinne
Boussu-lez-Walcourt
Silenrieux
Jamagne
Rosée
Ferrière-la-Pte
Aibes
Leugnies
Daussois
Obrechies
Barbençon
Jamiolle
Philippeville
Choisies
Bérelles
Grandrieu
Solre-St-Géry
Vergnies
Erpion
Villers-Deux-Églises
Vodecée
Franchimont
Solrinnes
Eccles
Bges de l'Eau d'Heure
Soumoy
Dimechaux
Hestrud
Renlies
Neuville
Samart
Villers-le-Gambon
Merlemont
Surice
Dimont
Lez-Fontaine
Solre-le-Chau
Beaurieux
Sivry-Gare
Romedenne
Fourbechies
Senzeille
Sautour
Sart-en-Fagne
Sars-Poteries
Epinoy
Sivry-Rance
Clairfayts
Cerfontaine
Beugnies
Sautin
Rance
Froidchapelle
Roly
Villers-en-Fagne
Romerée
Felleries
Matagne-la-Petite
Matagne-la-Grande
Niverlée
Willies
Montbliart
Culot du Bois
Sémeries
Liessies
Eppe-Sauvage
Fagnolle
Mazée
Ramousies
Champiau
Parc départemental du Val Joly
Mariembourg
Treignes
Sains-du-Nord
Moustier-en-Fagne
Lambercies
Dourbes
Forêt de l'Abbé-Val Joly
Forêt de Trélon
Étang de Virelles
Frasnes
Wallers-en-Fagne
Baillièvre
Robechies
Aublain
Boussu-en-Fagne
Nismes
Vierves-sur-Viroin
Olloy-sur-Viroin
Baives
Virelles
Dailly
Grottes de Neptune
Trélon
Salles
Lompret
Petigny
(Viroinval)
Glageon
Féron
Macon
St-Remy
Couvin
Couplevoie
Ohain
Chimay
Pesche
Le Mesnil
Monceau-Imbrechies
Baileux
Gonrieux
Trieux-de-Biéfontaine
Momignies
Bourlers
Presgaux
Oignies-en-Thiérache
Regniessart
Forges
Fourmies
Wignehies
Seloignes
Brûly-de-Pesche
Étang de la Galoperie
Bois de Chimay
Clairfontaine
Anor
Milourd
Macquenoise
Forêt de Fourmies
Mondrepuis
Rue-du-Guise
Rièzes
Cul-des-Sarts
Brûly
Petite-Chapelle
Gué-d'Hossus
Forêt d'Hirson
Forêt de Signy-le-Petit
L'Escaillère
Revin
Hirson
Neuve-Maison
La Loge-Rosette
La Grde Chaudière
Hiraumont
Wimy
St-Michel
La Neuville-aux-Joûtes
Brognon
Regniowez
Taillette
St-Nicolas
Ohis
RÉGIONAL
Rocroi
Effry
Buire
La Clopperie
Signy-le-Petit
Montorieux
Beaulieu
Sévigny-la-Forêt
Les Mazures
Longue R
Origny-en-Thiérache
Watigny
Éteignières
Bourg-Fidèle
La Hérie
Martin-Rieux
Fligny
(Neuville-lez-Beaulieu)
Mon Idée
Le Chaudron
Bucilly
Any-Martin-Rieux
Maubert-Fontaine
Lac des Vieilles-Forges
Éparcy
Martigny
Bellevue
Tarzy
Auvillers-les-Forges
Tremblois-lès-Rocroi
Sécheval
Chêne-Bourdon
Leuze
Auge
La Neuville-aux-Tourneurs
ARDENNES
Rue-Heureuse
Landouzy-la-Ville
Rue Grde-Jeanne
Aubenton
Antheny
Girondelle
Étalle
Rimogne
Renwez
Foulzy
Champlin
Chilly
Landouzy-la-Cour
Fontenelle
Bossus-lès-Rumigny
Marby
Laval-Morency
Harcy
Montcornet
Arreux
La Sablonnière
Besmont
Beaumé
Estrebay
Flaignes-Havys
Murtin-et-Bogny
Hurtebise
Logny-lès-A.
Hannappes
Laval-d'Estrebay
Blanchefosse
Le Châtelet-s-Sormonne
Cliron
Charoué
Houldizy
Plomion
Rumigny
Lonny
Sormonne
Tournes
Jeantes
Ribeauville
Havys
Cernion
L'Échelle
Ham-les-Moines
Coingt
Mont-St-Jean
La Cerleau
Bolmont
Harcourt
Bancigny
Iviers
Aouste
Logny-Bogny
Rouvroy-s-Audry
Haudrecy
Nampcelles
18
A
B
C
D
1
2
3
4
5

11
Profondeville
Assesse
Havelange
Durbuy
Hamois
Ciney
Somme-Leuze
Yvoir
Spontin
Anhée
Dinant
Rocher Bayard
Onhaye
Anseremme
Hastière
Houyet
Marche-en-Famenne
Rochefort
Givet
Fort de Charlemont
Beauraing
Han-s-Lesse
Grotte de Han
Wellin
Tellin
Nassogne
Fourneau St-Michel
St-Hubert
Daverdisse
Euro Space Center
Libin
Gedinne
Libramont-Chevigny
Bièvre
Paliseul
Monthermé
Vresse-sur-S.
Bertrix
Bogny-s-Meuse
Neufchâteau
Charleville-Mézières
Herbeumont
E
F
G
H
1
2
3
4
5
19

12
0
5
10 km
C
D
1
2
3
4
5
A
B
28
C
D
Côte d'Albâtre★
Côte d'Albâtre
Côte de Grâce★★
Conteville
Veulettes-sur-Mer
Septimanville
Malleville-les-Grès
St-Martin-aux-Buneaux
Les Petites-Dalles
Auberville-la-Manuel
Les Grandes-Dalles
Butot-Vénesville
Vittefleur
St-Pierre-en-Port
Vinnemerville
Écretteville-s-Mer
Sassetot-le-M.
Canouville
Életot
Criquetot-le-Mauconduit
Clasville
Senneville-sur-Fécamp
Ancretteville-s-M.
Anneville
★Fécamp
Clainville
Theuville-aux-Maillots
Ouainville
St-Léonard
Ste-Hélène-Bondeville
Hocqueville
Criquebeuf-en-Caux
Grainval
Colleville
Miquetot
Angerville-la-Martel
Thérouldeville
Bertreville
Yport
Vaucottes-s-M.
Abb.★
Gerponville
Bertheauville
Toussaint
Valmont
Vattetot-s-M.
Ganzeville
Riville
★★Falaise d'Amont
Bénouville
Froberville
La Croix-Bigot
L'Orval
Ourville-en-Caux
Étretat
Contremoulins
Thiergeville
Thiétreville
Beuzeville-la-Guérard
★★★Falaise d'Aval
Les Aygues
Les Loges
Épreville
Tourville-les-Ifs
22
Daubeuf-Serville
Sorquainville
La Hêtrée
Bec-de-Mortagne
Cap d'Antifer
Le Tilleul
Bordeaux-St-Clair
Les Ifs
Ypreville-Biville
Normanville
Le Mont-Roti
Gerville
Maniquerville
Annouville-Vilmesnil
Thiouville
Fongueusemare
Mentheville
Limpiville
Jumel
La Poterie-Cap-d'Antifer
Aubervillle-la-Renault
Joyeux
Ste-Marguerite-s-Fauville
Pierrefiques
Bénarville
Bennetot
Bruneval
Beaurepaire
Sausseuzemare-en-Caux
Bretteville-du-Grd-Caux
Tocqueville-les-Murs
Port pétrolier du Havre-Antifer
Ste-Marie-au-Bosc
Angerville-Bailleul
Trémauville
St-Pierre-Lavis
Cuverville
St-Maclou-la-Brière
Villainville
St-Jouin-Bruneval
Écrainville
Goderville
Fauville-en-Caux
Gonneville-la-Mallet
Grainville-Ymauville
Gonfreville-Caillot
Hattenville
(Terres-de-Caux)
Bourville
La Mare-Goubert
Criquetot-l'Esneval
Bielleville
Auberbosc
Le Grand-Hameau
Bornambusc
Bréauté
Vattetot-s/s-Beaumont
Yébleron
Auzouville-Auberbosc
Ricarville
Anglesquevillle-l'Esneval
Heuqueville
La Forge
Bernières
Bolleville
Rouville
Turretot
Vergetot
St-Sauveur-d'Émalleville
Manneville-la-Goupil
Mirville
Clévill
St-Martin-du-Bec
Bruglise
Cauville-sur-Mer
Écuquetot
Hermeville
Écosse
Houquetot
Nointot
Raffetot
Foucart
Mannevillette
St-Sauveur
Virville
Beuzeville-la-Grenier
Bolleville
Rimbertot
N.-D.-du-Bec
Parc-d'Anxtot
Lanquetot
Alliquerville
Ecqueville
Rolleville
Angerville-l'Orcher
Graimbouville
St-Barthélémy
Fontenay
Bolbec
La Vallée
Les Marquottières
Trouville
Épouville
Étainhus
St-Gilles-de-la-Neuville
St-Jean-de-la-Neuville
Beuzevillette
Octeville-sur-Mer
Manéglise
Lintot
Montivilliers
Gruchet-le-Valasse
Grand-Camp
St-Andrieux
Édreville
Sainneville
Gommerville
Les Trois-Pierres
St-Eustache-la-Forêt
La Trinité-du-Mont
St-Nicolas-de-la-Haie
St-Martin-du-Manoir
Fontaine-la-Mallet
St-Laurent-de-Brèvedent
Épretot
St-Romain-de-Colbosc
St-Antoine-la-Forêt
Le Becquet
Auberville-la-Campagne
Le Grand Hameau
Gournay
La Queue du Gril
Mélamare
Anquet
Ignauval
Bléville
Rouelles
Abb du Valasse
La Frénaye
Cap de la Hève
★Ste-Adresse
Sanvic
Graville
Harfleur
St-Aubin-Routot
La Remuée
Beau-Fils
St-Jean-de-Folleville
Lillebonne
Touffreville-la-Cable
Gainneville
St-Vincent-Cramesnil
St-Nicolas-de-la-Taille
Rogerville
Oudalle
La Cerlangue
Radicâtel
Le Mesnil-s/s-L.
(Port-Jérôme-s-Seine)
Gonfreville-l'Orcher
St-Vigor-d'Ymonville
St-Jean-d'Abbetot
Tancarville
N.-D.-de-Gravenchon
Triquerville
Sandouville
Port-Jérôme
Canteleu
★★LE HAVRE
PORT 2000
★Pont de Tancarville
Quillebeuf-sur-Seine
Pt-Ourville
Ételan
Petiville
SEINE
St-Maurice-d'Ételan
St-Aubin-s-Quillebeuf
Pont de Normandie★★
Pointe de la Roque★
Berville-s-Mer
St-Samson-de-la-Roque
Le Grd-St-Aubin
La Vaquerie
★★★Honfleur
Le Bout-Deshayes
Vieux-Port★
Aizier
Vasouy
Pennedepie
Marais-Vernier
Ste-Opportune-la-Mare
Le Val-Anger
Équemauville
Cricquebœuf
Jobles
Fatouville-Grestain
Conteville
Marais Vernier
Trouville-la-Haule
Villerville
La Rivière-St-Sauveur
La Cour
Équemauville
Le Noyer
Foulbec
St-Thurien
Tocqueville
D 925
D 940
D 6015
D 6382
D 489
D 910
D 926
D 6178
D 982
A 29
A 131
E 44
E 5

E
F
G
H
Côte d'Albâtre
DIEPPE
Pourville-sur-Mer
Vastérival
Phare d'Ailly
Varengeville-s-Mer
Ste-Marguerite-s-Mer
Quiberville-Plage
Saint-Aubin-s-Mer
St-Valery-en-Caux
Veules-les-Roses
Falaise d'Aval
Sotteville-s-Mer
Quiberville
Longueil
Hautot-s-M.
Offranville
Miromesnil
Sauqueville
Neuville-lès-D.
Rouxmesnil-Bouteilles
Arques-la-Bataille
St-Nicolas-d'Aliermont
Envermeu
Martin-Église
Forêt d'Arques
Tocqueville-sur-Eu
Biville-sur-Mer
Assigny
Penly
St-Martin-Plage
Berneval-s-Mer
Berneval-le-Grand
Belleville-sur-Mer
Bracquemont
Puys
Derchigny
Greny
Brunville
Touffreville-sur-Eu
Canehan
Guilmécourt
Auquemesnil
St-Quentin-au-Bosc
Gouchaupré
Bellengreville
Sauchay
Ancourt
Dampierre-St-Nicolas
Douvrend
N.-D.-d'Aliermont
St-Jacques-d'Aliermont
Meulers
Freulleville
Ste-Agathe-d'Aliermont
St-Vaast-d'Équiqueville
Torcy-le-Petit
Torcy-le-Grd
Martigny
Tourville-s-Arques
Aubermesnil-Beaumais
Luneray
Blosseville
Manneville-ès-Plains
Le Bourg-Dun
Avremesnil
Gueures
Ouville-la-Rivière
St-Denis-d'Aclon
Ambrumesnil
Thil-Manneville
Colmesnil-Manneville
Manéhouville
Anneville-s-Scie
Auppegard
Crosville-s-Scie
Bertreville-St-Ouen
Hermanville
Lammerville
Omonville
Dénestanville
La Chaussée
Le Bois-Robert
La Chapelle-du-Bourgay
Ste-Foy
Lintot-les-Bois
Longueville-sur-Scie
St-Crespin
Les Cent-Acres
Muchedent
St-Honoré
Les Grdes-Ventes
Mesnil-Follemprise
Bures-en-Bray
Mesnières-en-Bray
Fresles
Ardouval
Forêt d'Eawy
Pommeréval
Val-Ygot
Bellencombre
Rosay
Ventes-St-Rémy
Maucomble
St-Saëns
Beaumont-le-Hareng
Montreuil-en-Caux
Bracquetuit
Grigneuseville
Étaimpuis
Fresnay-le-Long
Varneville-Bretteville
Tôtes
St-Maclou-de-Folleville
St-Victor-l'Abbaye
Vassonville
Bosmelet
Auffay
St-Denis-s-Scie
Heugleville-s-Scie
Biville-la-Baignarde
Beauval-en-Caux
Beaunay
Gonneville-s-Scie
Bennetot
Criquetot-s-Longueville
Belmesnil
Bacqueville-en-Caux
Royville
Lamberville
St-Ouen-le-Mauger
Lestanville
St-Mards
St-Pierre-Bénouville
Calleville-les-Deux-Églises
Belleville-en-Caux
St-Vaast-du-Val
Auzouville-s-Saâne
Saâne-St-Just
Gonnetot
Biville-la-Rivière
Sassetot-le-Malgardé
Tocqueville-en-Caux
Rainfreville
Vénestanville
Crasville-la-R.
Autigny
Greuville
Brachy
Fontaine-le-Dun
Gruchet-St-Siméon
Houdetot
Le Mesnil-Durdent
Angiens
Pleine-Sève
Ste-Colombe
Ermenouville
Bourville
Héberville
Drosay
Crasville-la-Mallet
Néville
Cailleville
Ingouville
St-Sylvain
St-Riquier-ès-Plains
Ocqueville
Sasseville
Anglesquevile-la-Bras-Long
Canville-les-Deux-Églises
Fultot
Bénesville
Reuville
Étalleville
Doudeville
St-Laurent-en-Caux
Prétot-Vicquemare
Boudeville
Le Torp-Mesnil
Imbleville
Ouville-l'Abbaye
Lindebeuf
Val-de-Saâne
Vibeuf
La Fontelaye
Bourdainville
Criquetot-s-Ouville
Yerville
Bertrimont
Ancretiéville-St-Victor
Motteville
Flamanville
Yvetot
Ectot-lès-Baons
Baons-le-Comte
Ste-Marie-des-Champs
Auzebosc
St-Clair-s-les-Monts
Écalles-Alix
Cideville
Croix-Mare
Émanville
Limésy
Saussay
Hugleville-en-Caux
St-Ouen-du-Breuil
Beautot
Gueutteville
Ectot-l'Auber
Butot
Ste-Austreberthe
Sierville
Le Bocasse
Clères
Grugny
Frichemesnil
Authieux-Ratiéville
Claville-Motteville
Esteville
Critot
Yquebeuf
Cailly
Rocquemont
Estouteville-Écalles
Bosc-Bérenger
Cottévrard
Bosc-le-Hard
Parc Zoo
Anceaumeville
Goupillières
Pavilly
Barentin
Villers-Écalles
Mont-Cauvaire
Fontaine-le-Bourg
La Rue-St-Pierre
Vieux-Manoir
Montville
Eslettes
Malaunay
Houppeville
Le Houlme
Pissy-Pôville
Quincampoix
St-Georges-sur-Fontaine
Bosc-Guérard-St-Adrien
St-André-s-Cailly
Pierreval
Bierville
La Pommeraye
Morgny-la-Pommeraye
Blainville-Crevon
Catenay
St-Aignan-s-Ry
Ry
Grainville-s-Ry
Préaux
La Vieux-Rue
Servaville-Salmonville
Roncherolles-s-le-Vivier
St-Martin-du-Vivier
Fontaine-s-Préaux
Isneauville
Bois-Guillaume-Bihorel
N.-D.-de-Bondeville
Maromme
Déville-lès-R.
Mont-St-Aignan
ROUEN
Darnétal
Martainville-Épreville
Bois-l'Évêque
Canteleu
St-Martin-de-Boscherville
Jumièges
Abbaye
Le Trait
Duclair
St-Pierre-de-Varengeville
Roumare
St-Paër
Épinay-s-D.
Caudebec-en-Caux
St-Wandrille-Rançon
Villequier
Pont de Brotonne
Vatteville-la-Rue
La Mailleraye-s-Seine
Heurteauville
Yainville
Le Mesnil-s/s-Jumièges
Bonsecours
Le Mesnil-Esnard
Le Pt-Quevilly
Quevillon
Sotteville
Parc Naturel Régional des Boucles de la Seine Normande
Forêt de Brotonne
Forêt du Trait-Maulévrier
Forêt Verte
Seine
Bolbec
Hautot-Saint-Sulpice
Grémonville
Veauville-lès-Baons
Autretot
Touffreville-la-Corbeline
La Folletière
Fréville
Mesnil-Panneville
Blacqueville
Bouville
Maulévrier-Ste-Gertrude
Louvetot
Bois-Himont
Valliquerville
Écretteville-lès-Baons
Robertot
Hautot-l'Auvray
St-Vaast-Dieppedalle
Bosville
Vautuit
Routes
Carville-Pot-de-Fer
Harcanville
Berville-en-C.
Amfreville-les-Champs
Yvecrique
Étoutteville
Anvéville
Héricourt-en-Caux
Sommesnil
Cliponville
Rocquefort

14
0
5
10 km
A
B
C
D
1
2
3
4
5
6
13
30
33
Oust-Marest
Dargnies
Embreville
Aigneville
Tours-en-Vimeu
Ercourt
Grébault-Mesnil
Huchenneville
Caumont
Bray-lès-Mareuil
Erondelle
Cocquerel
Liercourt
Fontaine-s-Somme
Long
Bouch
Ponts-et-Marais
Bouvaincourt-s-Bresle
Hocquelus
Buigny-
Corroy
Vismes-au-Val
Longuemort
Trinquies
Bailleul
Bellifontaine
Limeux
Sorel-en-Vimeu
Vieulaines
Longpré-les-Corps-Saints
Huppy
Onicourt
Martainneville
Doudelainville
St-Maxent
Frucourt
Hocquincourt
Wanel
Touffreville-sur-Eu
Boscrocourt
St-Sulpice-s-Yères
Litteville
Incheville
Le Fresne
Harcelaines
Hélicourt
Frettemeule
Tilloy-Floriville
Morival
Gamaches
Breuilly
Monchy-sur-Eu
Baromesnil
Etocquigny
St-Martin-le-Gaillard
Canehan
Guilmécourt
Le Coudroy
Cuverville-sur-Yères
Auquemesnil
Longroy
Millebosc
Bazinval
Wiammeville
Busménard
Bouillancourt-en-Séry
Le Translay
Framicourt
Witainéglise
Biencourt
Cerisy-Buleux
Fresnes-Tilloloy
Vaux-Marquenneville
Neuville-au-Bois
Citerne
Mérélessart
Hallencourt
Allery
Dreuil-Hamel
Bettencourt-Rivière
Airaines
Le Mesnil-Réaume
Guerville
Monthières
Ansennes
Trancay
Ramburelles
Forceville-en-Vimeu
Wiry-au-Mont
Woirel
Fontaine-le-Sec
Métigny
Quesnoy-sur-Airaines
Melleville
Sept-Meules
Villy-sur-Yères
Melincamp
St-Quentin-au-Bosc
St-Aignan
Monchaux-Soreng
Grande Vallée
Haute Forêt d'Eu
Rieux
Wattebléry
Bouttencourt
Rambures
Villeroy
Oisemont
Cannessières
Heucourt-Croquoison
Laleu
Tailly
Gouchaupre
Taillemesnil
Le Burel
Regnetuit
Avesnes-en-Val
Val-du-Roy
Grandcourt
Pas de Ste-Catherine
Heurtevent
Blangy-s-Bresle
Neslette
Mouflières
Aumâtre
Frettecuisse
Vergies
Warlus
Montagne-Fayel
Villy-le-Haut
Blanques
Maisoncelle
Etrimont
Folny
Fresnoy-Folny
Pierrepont
Béthencourt
Le Cornet
St-Riquier-en-Rivière
Nesle-Normandeuse
Nesle-l'Hôpital
Bermesnil
Lignières-en-Vimeu
Le Fay
Epaumesnil
Avesnes-Chaussoy
Étréjust
Avelesges
Méricourt-en-Vimeu
Pelvert
Les Ifs
Fumechon
Le Mont-Landrin
Les Vieux Ifs
Puisenval
Bailly-en-Campagne
St-Rémy
Hesmy
Dancourt
Mienval
Pierrecourt
Nouveau-Monde
Guimerville
Senarpont
Mesnil-Eudin
Fresnoy-Andainville
Andainville
St-Maulvis
Fresneville
Belloy-St-Léonard
Aumont
Camps-en-Amiénois
Hallivillers
Molliens-Dreuil
Wanchielle
Capval
Wanchy-Capval
St-Pierre-des-Jonquières
Lignemare
Preuseville
Monchy-le-Preux
Fallencourt
Campneuseville
Inval-Boiron
Le Mazis
Arguel
Le Chaussoy
Selincourt
Dromesnil
Villers-Campsart
Liomer
Brocourt
Boisrault
Lincheux-Hallivillers
N.-D.-d'Aliermont
Le Hamel
Boissay
Ste-Agathe-d'Aliermont
La Leuqueue
Foucarmont
Smermesnil
Bosc-Geffroy
Londinières
Fréauville
Hambures
Réalcamp
Le Mesnil-Allard
Hodeng-au-Bosc
Bouafles
St-Léger-s-Bresle
St-Aubin-Rivière
Le Quesne
Neuville-Coppegueule
Beaucamps-le-Vieux
Guibermesnil
Bézencourt
Hornoy-le-Bourg
Gouy-l'Hôpital
Vraignes-lès-H.
Thieulloy-l'Abbaye
St-Martin-au-Bosc
St-Germain-s-Bresle
Laboissière-St-Martin
Boulainvillers
Fricamps
Croixdale
Le Val-Mesneret
Neuville
Callengeville
Villers-s/s-F.
Aubermesnil-aux-Erables
St-Léger-aux-Bois
Vx-Rouen-s-Bresle
(Lafresguimont-St-Martin)
Tronchoy
Lafresnoye
Epinay
Osmoy-St-Valery
Bailleul-Neuville
Clais
La Vieuville
Les Essarts-Varimpré
Rétonval
Le Mont Gournoy
Richemont
Aubéguimont
Beaucamps-le-Jeune
Marescot
Bettembos
Lamaronde
Croixrault
Forêt d'Eu
Fesques
Brémont
Basse Forêt d'Eu
Rougemare
Ellecourt
Montmarquet
Orival
Offignies
Blingemer
Baillolet
Bures-en-Bray
Mesnerettes
Vatierville
Landes-Vieilles-et-Neuves
Marques
Morienne
Blargies
Sauville
Charny
Lignières-Châtelain
Éplessier
Lucy
Ménonval
St-Germain-s-E.
Le Caule-Ste-Beuve
Nullemont
Aumale
Le Coq Gaulois
Morvillers-St-Saturnin
Caulières
Poix
Mesnières-en-Bray
Fresles
Autrecourt
St-Martin-l'Hortier
Ste-Beuve-en-Rivière
Auvilliers
Laventure
Mesnil-David
Barques
Illois
Fleuzy
Digeon
Fourcigny
Marlers
Meigneux
Lachapelle-Ste-Segrée
Blangy-s/s-Poix
Saulchoy
Equennes-Eramecourt
Villers
Quincampoix-Fleuzy
Escles-St-Pierre
Souplicourt
Bully
Quièvrecourt
Neufchâtel-en-Bray
Mortemer
Les Frétils
Coupigny
Haudricourt
Flamets-Frétils
Graval
Frettemolle
Hescamps
Thieulloy-la-Ville
Vauchel
Ventes-St-Rémy
Brémontier
Neuville-Ferrières
Bouelles
Sausseuzemare
Portmort
Ronchois
Beaufresne
St-Valery
Gourchelles
Rothois
Fouilloy
St-Clair
Agnières
Méréaucourt
St-Romain
Lahaye-St-Romain
Esclavelles
Massy
Nesle-Hodeng
Grattenoix
Les Défens
Lannoy-Cuillère
Handicourt
Carroy
St-Thibault
Élencourt
Daméraucourt
Dargie
Maucomble
Les Hayons
Perduville
St-Saire
Toupray
Conteville
Bois-des-Puits
Romescamps
Abancourt
Hennicourt
Haleine
Sarcus
Sarnois
Laverrière
Fontaine-en-Bray
Mesnil-Mauger
Béthune
Beaussault
Louvicamp
St-Maurice
La Chapelle
Pierrement
Criquiers
Moliens
La Neuville
Grandvilliers
Cempuis
Bosc-Mesnil
Bradiancourt
Ste-Geneviève
La Rosière
Compainville
Gaillefontaine
Bouvresse
Monceaux-l'Abbé
Broquiers
Bréquigny
La Boissière
St-Martin-Osmonville
Neufbosc
Beaubec-la-Rosière
Le Thil-Riberpré
Haucourt
Formerie
Boutavent
Feuquières
Briot
Halloy
Le Hamel
Sommery
La Cavée
Croix-Crochetot
Serqueux
Les Noyers
Villedieu
Brombos
Ecatelet
Grez
Montérolier
Mathonville
Roncherolles-en-Bray
Liffremont
Forges-les-Eaux
Longmesnil
Rousseville
Campeaux
Mureaumont
St-Arnoult
Hautbos
Thieuloy-St-Antoine
Gaudechart
Saveaumare
L'Epinay
Le Fossé
Grumesnil
Loueuse
La Dreue
Omécourt
Epeaux
Canny-s-Thérain
St-Maur
La Frenaye
Bosc-Bordel
Mauquenchy
Forgettes
Pommereux
St-Michel-d'Halescourt
La Chaussée
Bois aux Moines
St-Deniscourt
Thérines
Fontaine-Lavaganne
Buchy
Hucleu
La Chaule
La Bellière
La Poterie
Haussez
Courcelles
St-Samson-la-Poterie
Mercastel
Ernemont-Boutavent
Rothois
St-Martin-du-Plessis
Bosc-Roger-s-B.
La Rue-Giffard
Rouvray-Catillon
La Ferté-St-Samson
Forêt de Bray
Saumont-la-Poterie
Héricourt-s-Thérain
Fontenay-Torcy
Morvillers
Roy-Boissy
Ste-Croix-s-Buchy
Bois-Héroult
Bosc-Édeline
St-Samson
Doudeauville
Villers-Vermont
Riffin
Grémévillers
Marseille-en-Beauvaisis
Achy
Bois-Guilbert
Sigy-en-Bray
Ernemont-s-B.
Argueil
Mésangueville
Ménerval
Sully
Escames
Hémécourt
Songeons
Bazancourt
Frétoy
Polhay
La Chapelle-St-Ouen
Hodenger
Fry
Hodeng-Hodenger
Dampierre-en-Bray
St-Étienne
Epte
Gancourt-St-Étienne
Buicourt
Gerberoy
Lachapelle-s/s-Gerberoy
Vrocourt
Villers-s-Bonnières
Belloy
Héronchelles
La Hallotière
Merval
Bellozane
Beuvreuil
Molagnies
St-Quentin-des-Prés
Haincourt
Hécourt
Wambez
Martincourt
Crillon
Bonnières
Catenay
Boissay
Bruquedalle
Rebets
St-Lucien
Le Mesnil-Lieubray
Beauvoir-en-Lyons
Brémontier-Merval
Cuy-St-Fiacre
Hyancourt
Hannaches
Hanvoile
Haucourt
Milly-s-Thérain
St-Aignan-s-Ry
Le Mesnil
Le Héron
Morville-s-Andelle
Nolléval
Gournay-en-Bray
Glatigny
Senantes
La Neuville-Vault
Ry
Elbeuf-s-Andelle
Le Boulay
Les Livrées
Elbeuf-en-Bray
St-Aubin
Ferrières-en-Bray
Villers-s-Auchy
Villembray
Lhéraule
Herchies
Pierrefitte-en-Beauvaisis
St-Denis-le-Thiboult
La Haye
La Feuillie
Les Carreaux
Hêtre de la Bunodière
Bosc-Hyons
Avesnes-en-Bray
Ernemont-la-Villette
Blacourt
Hodenc-en-Bray
Savignies
Le Mont-St-Adrien
Croisy-s-Andelle
Auzouville-s-Ry
Le Fresnay
Vascoeuil
Bézancourt
St-Germer-de-Fly
Guillenfosse
Lachapelle-aux-Pots
St-Germain-la-Poterie
Parc St-Paul
Les Fontainettes
Perruel
Les Hogues
La Boulaye
Le Tronquay
St-Pierre-es-Champs
Cuigy-en-Bray
Espaubourg
Le Vivier-Danger
Le Pont-qui-Penche
Le Becquet
Letteguives
Fleury-la-Forêt
Bosquentin
Neuf-Marché
Puiseux-en-Bray
Perriers-s-Andelle
Lorleau
Les Flamands
St-Aubin-
Somme
Andelle
Thérain
A 28
A 29
E 44
E 402
E 46
N 31
D 1015
D 1029
D 936
D 930
D 901
D 915
D 919
D 1314

lès-Domart
Halloy-lès-P.
Naours
La Vicogne
28
Val-de-Maison
Toutencourt
Hédauville
Harponville
Berteaucourt-les-Dames
St-Ouen
Havernas
Wargnies
Grottes-refuges
Talmas
Hérissart
Senlis-le-Sec
L'Étoile
Bettencourt-St-Ouen
7
E
F
G
H
Septenville
Rubempré
Warloy-Baillon
Albert
Bécourt
Fricourt
Mametz
Flixecourt
Olincourt
Flesselles
Pierregot
Mirvaux
Contay
Hénencourt
Millencourt
39
36
18
Bourdon
Beaucourt-sur-l'Hallue
Vadencourt
Montonvillers
Villers-Bocage
Molliens-au-Bois
Bavelincourt
Baizieux
Bresle
Laviéville
Méaulte
Bécordel-Bécourt
Carnoy
Hangest-sur-Somme
Yzeux
St-Vaast-en-Chaussée
Frémont
Bertangles
Montigny-s-l'Hallue
Béhencourt
Franvillers
Buire-s-l'Ancre
Bronfay
Belloy-sur-Somme
Vaux-en-Amiénois
Rainneville
Ribemont-s-Ancre
Dernancourt
Belvédère
Soues
Crouy
Coisy
Ville-sur-Ancre
Ramponneau
Cardonnette
St-Gratien
Fréchencourt
27
Heilly
Treux
Bray-s-Somme
St-Pierre-à-Gouy
La Chaussée-Tirancourt
Querrieu
Lahoussoye
Méricourt-l'Abbé
Morlancourt
Le Mesge
28
Picquigny
Parc Samara
St-Sauveur
Poulainville
Allonville
Pont-Noyelles
Bonnay
Sailly-le-Sec
Étinehem
La Neuville-lès-Bray
Cavillon
Breilly
Argœuves
AMIENS
Petit Camon
Corbie
Vaux-s-Somme
Sailly-Laurette
Chipilly
Froissy
Ailly-sur-Somme
Longpré
Montières
Bussy-lès-Daours
La Neuville
Vaire-s/s-Corbie
Méricourt-sur-Somme
Fourdrinoy
Dreuil-lès-A.
Daours
Oissy
Saveuse
Rivery
Lamotte-Brebière
Hamelet
Cerisy
Chuignolles
Saisseval
Ferrières
Renancourt
Camon
Vecquemont
Aubigny
Fouilloy
Le Hamel
Morcourt
Briquemesnil-Floxicourt
Bovelles
Pont-de-Metz
Somme
Villers-Bretonneux
Lamotte-Warfusée
Proyart
Foucaucourt-en-Santerre
Floxicourt
Seux
Guignemicourt
Salouël
Glisy
Blangy-Tronville
33
Longueau
Framerville-Rainecourt
Bougainville
Pissy
Fluy
Le Petit Blangy
Bayonvillers
Rainecourt
Cagny
Cachy
34
Herleville
Revelles
20
Clairy-Saulchoix
Saleux
Dury
Gentelles
Marcelcave
Fresnoy-au-Val
Quevauvillers
28
Creuse
Vers-s-Selles
Petit Cagny
Boves
Villers-Bretonneux
Wiencourt-l'Équipée
Harbonnières
Vauvillers
Bussy-lès-Poix
Prouzel
Bacouel-s-Selle
St-Fuscien
Le Paraclet
Domart-sur-la-Luce
Aubercourt
Ignaucourt
Guillaucourt
Rosières-en-Santerre
Namps-au-Mont
Plachy-Buyon
Hébécourt
Sains-en-Amiénois
Fouencamps
Berteaucourt-lès-Thennes
Hangard
Courcelles-s/s-Moyencourt
Rumaisnil
Thézy-Glimont
Démuin
Cayeux-en-Santerre
Caix
Méharicourt
Fossemanant
Hailles
Thennes
Taisnil
Rumigny
Cottenchy
Mézières-en-Santerre
Beaucourt-en-Santerre
Vrély
Moyencourt-lès-Poix
Namps-au-Val (Namps-Maisnil)
Nampty
Estrées-sur-Noye
Dommartin
Warvillers
Méneslies
Lœuilly
Neuville-lès-L.
Grattepanche
Remiencourt
Castel
Villers-aux-Érables
Beaufort-en-Santerre
Picardie
Wailly
St-Sauflieu
Guyencourt-sur-Noye
Rouvrel
Moreuil
Fresnoy-en-Chaussée
Le Quesnel
Folies
Rouvroy-en-Santerre
Famechon
Velennes
Tilloy-lès-Conty
Oresmaux
Ailly-sur-Noye
Morisel
Mailly-Raineval
La Neuville-Sire-Bernard
Bouchoir
Parvillers-le-Quesnoy
Frémontiers
Fleury
29
Jumel
Merville-au-Bois
Le Plessier-Rozainvillers
Hangest-en-Santerre
Contre
Essertaux
Chaussoy-Epagny
Berny-sur-Noye
Hainneville
Louvrechy
Sauvillers-Mongival
Braches
Arvillers
Damery
Courcelles-s/s-Thoix
Conty
Le Bosquel
Luzières
Flers-sur-Noye
Epagny
Chirmont
Thory
Hargicourt
Pierrepont-sur-Avre
Contoire
Davenescourt
Erches
Andechy
Brassy
Thoix
L'Estocq
Rogy
Monsures
Fransures
32
Lawarde-Mauger-l'Hortoy
Sourdon
Aubvillers
Ainval
Bouillancourt-la-Bataille
Saulchoy
Warsy
Guerbigny
L'Échelle-St-Aurin
Belleuse
Croissy-sur-Celle
La Faloise
Esclainvillers
Grivesnes
Boussicourt
Lignières
Beaudéduit
Lavacquerie
Gouy-les-Groseillers
L'Hortoy
Hallivillers
Malpart
Gratibus
Becquigny
Armancourt
Le Mesnil-Conteville
Fontaine-Bonneleau
Bonneuil-les-Eaux
Folleville
Quiry-le-Sec
Le Plessier
Marestmontiers
Fignières
Catheux
Blancfossé
Fléchy
Paillart
Coullemelle
Villers-Tournelle
Cantigny
Courtemanche
Ételfay
Marquivillers
Laboissière-en-Santerre
20
Choqueuse-les-Bénards
Domeliers
Esquennoy
Rouvroy-les-Merles
Rocquencourt
Fontaine-s/s-M.
Mesnil-St-Georges
Grivillers
Tilloloy
Faverolles
Bus-la-Mésière
Le Saulchoy
Villers-Vicomte
Tartigny
Sérévillers
Pienne-Onvillers
Fescamps
La Houssoye
Le Gallet
Cormeilles
Breteuil
21
Le Cardonnois
Montdidier
Remaugies
Boulogne-la-Grasse
Lihus
Crèvecœur-le-Grand
Le Crocq
Viefvillers
Hardivillers
Bacouël
Le Mesnil-St-Firmin
Broyes
Pérennes
Royaucourt
Ayencourt
Domfront
Assainvillers
16
Hardivillers
Vendeuil-Caply
Chepoix
Beauvoir
Plainville
Welles-Pérennes
Rubescourt
Onvillers
Rotangy
Francastel
Oursel-Maison
Troussencourt
St-André-Farivillers
Mory-Montcrux
La Hérelle
Ferrières
Dompierre
Le Frestoy-Vaux
Rollot
Hainvillers
Maisoncelle-Tuilerie
Bonvillers
Farivillers
Sains-Morainvillers
Godenvillers
Le Ployron
Orvillers-Sorel
Regnonval
Puits-la-Vallée
Ste-Eusoye
Crèvecœur-le-Petit
Auchy-la-Montagne
Lachaussée-du-Bois-d'Écu
Ansauvillers
20
Tricot
Mortemer
Bois-l'Abbé
Blicourt
Froissy
Noyers-St-Martin
Campremy
Gannes
Courcelles-Epayelles
Cuvilly
Luchy
Maulers
Brunvillers-la-Motte
Méry-la-Bataille
Quinquempoix
Maignelay-Montigny
Coivrel
Lataule
Pisseleu
Noirémont
Thieux
Wavignies
Montgérain
Juvignies
Muidorge
26
La Neuville-St-Pierre
Fresneaux
Bucamps
Catillon-Fumechon
Plainval
33
Belloy
Maisoncelle-St-Pierre
Ménévillers
St-Maur
Verderel-lès-Sauqueuse
Abbeville-St-Lucien
Reuil-s-Brêche
Montreuil-sur-Brêche
Le Quesnel-Aubry
Ravenel
St-Martin-aux-Bois
Wacquemoulin
Sauqueuse-St-Lucien
Houssoy-le-Farcy
Verderel
Fontaine-St-Lucien
Oroër
Lafraye
Le Plessier-sur-Bulles
Nourard-le-Franc
St-Just-en-Chaussée
Le Plessier-sur-St-Just
Léglantiers
Neufvy-s-Aronde
Gournay-s-Aronde
Guignecourt
Boursines
Montiers
La Neuville-Roy
Moyenneville
Monchy-Humières
Troissereux
Bonlier
Velennes
Haudivillers
St-Rimault
Hatton
Le Mesnil-sur-Bulles
Valescourt
Angivillers
Lieuvillers
Pronleroy
Plouy-St-Lucien
Rieux
Tillé
Fouquerolles
Essuiles
Bulles
St-Remy-en-l'Eau
Beaupuits
Grandvillers-aux-Bois
Hémévillers
Montmartin
Baugy
Fournival
Erquinvillers
Trois-Etots
Cressonsacq
Rouvillers
Francières
Morlaine
Nivillers
Rémérangles
Le Fay-St-Quentin
31
Avrechy
Cuignières
Noroy
Cernoy
BEAUVAIS
Wagicourt
Lorteil
Airion
Rémécourt
Eraine
Estrées-St-Denis
Remy
Therdonne
Laversines
24
Litz
Étouy
Lamécourt
Fouilleuse
Bailleul-le-Soc
La Patinerie

16
0
5
10 km
A
B
C
D
8
32
15
Péronne★★
St-QUENTIN★
Ham
Roye
Noyon★
Chauny
Tergnier
Le Catelet
La Fère
Margny-lès-Compiègne
Thourotte
Ressons
Coucy-le-Château-Auffrique
Belvédère de Vaux
Cœur des Hauts-de-France-Est
Clairière de l'Armistice
Nesle
Chaulnes
Vermand
Rosières-en-Santerre
Lassigny
Guiscard
Bohain
Estrées-Deniécourt
Combles
Nurlu
Roisel
Épehy
Moislains
Bray-s-Somme
Mont-St-Quentin
Athies
Cuts
Blérancourt
Ribécourt-Dreslincourt
Pierrefonds
St-Simon
Flavy-le-Martel
Beaurevoir
Fresnoy-le-Grand
Moy-de-l'Aisne
Vendeuil
Ly-Fontaine
A 1 E 15 E 19
A 26 E 17
A 29 E 44
D 1029
D 1017
D 930
D 934
D 1032
D 1044
D 917
D 1
Forêt d'Ourscamp-Carlepont
Forêt de Laigue
Bsse Forêt de Coucy

02
Bohain-en-Vermandois
Guise
Vervins
Hirson
Marle
Crécy-s-Serre
Ribemont
LAON
Guignicourt
Montcornet
Sissonne
Liesse-Notre-Dame
La Capelle
Le Nouvion-en-Thiérache
Wassigny
Étreux
Busigny
Fontenelle
Papleux
Larouillies
Rocquigny
Clairfontaine
Mondrepuis
Buironfosse
Esquéhéries
Lavaqueresse
Lesquielles-St-Germain
Villers-lès-Guise
Sains-Richaumont
Origny-Ste-Benoite
Thenelles
Sissy
Châtillon-s-Oise
Séry-lès-Mézières
Surfontaine
Renansart
Nouvion-et-Catillon
Assis-sur-Serre
Pouilly-sur-Serre
Chéry-lès-Pouilly
Couvron-et-Aumencourt
Monceau-lès-Leups
Versigny
Fressancourt
Fourdrain
Crépy
Bucy-lès-Cerny
Cerny-lès-Bucy
Molinchart
Cessières
Suzy
Laniscourt
Prémontré
Chivy-lès-Étouvelles
Vaucelles-et-Beffecourt
Presles-et-Thierny
Anizy-le-Château
Royaucourt-et-Chailvet
Urcel
Chavignon
Vaudesson
Pinon
Allemant
Nanteuil-la-Fosse
Margival
Vregny
Monampteuil
Chevregny
Pargny-Filain
Filain
Braye-en-L.
Cerny-en-Laonnois
Vendresse-Beaulne
Paissy
Moussy-Verneuil
Soupir
Chavonne
Cuissy-et-Geny
Vassogne
Jumigny
Craonne
Craonnelle
Pontavert
La Ville-aux-Bois-lès-Pontavert
Juvincourt-et-Damary
Corbeny
Bouconville-Vauclair
Forêt de Vauclair
Chermizy-Ailles
Ployart-et-Vaurseine
Monthenault
Orgeval
Bièvres
Martigny-Courpierre
Chamouille
Pancy-Courtecon
Neuville-sur-Ailette
Colligis-Crandelain
Trucy
Lierval
Chérêt
Vorges
Bruyères-et-Montbérault
Parfondru
Veslud
Festieux
Mauregny-en-Haye
Montchâlons
Arrancy
Aubigny-en-L.
St-Thomas
Aizelles
Berrieux
Goudelancourt-lès-B.
Amifontaine
Proviseux-et-Plesnoy
Prouvais
Évergnicourt
Neufchâtel-sur-Aisne
Menneville
Pignicourt
Variscourt
Condé-s-Suippe
Berry-au-Bac
Bertricourt
Poilcourt-Sydney
Mont-de-Nizy
Champ-Rolland
St-Erme-Outre-et-Ramecourt
Courtrizy-et-Fussigny
Montaigu
Coucy-lès-Eppes
Eppes
Athies-sous-Laon
Samoussy
Chambry
Besny-et-Loizy
Aulnois-s/s-Laon
Barenton-Bugny
Barenton-Cel
Barenton-s-Serre
Verneuil-s-Serre
Monceau-le-Waast
Gizy
Missy-lès-Pierrepont
Pierrepont
Grandlup-et-Fay
Mâchecourt
Chivres-en-Laonnois
Bucy-lès-Pierrepont
Goudelancourt-lès-Pierrepont
Clermont-les-Fermes
Boncourt
Ste-Preuve
Marchais
Lappion
La Selve
Nizy-le-Comte
Camp de Sissonne
La Malmaison
Lor
Le Thuel
Noircourt
Dizy-le-Gros
La Ville-aux-Bois-lès-Dizy
Lislet
Chaourse
Vincy-Reuil-et-Magny
Soize
Montloué
Agnicourt-et-Séchelles
Tavaux-et-Pontséricourt
Vigneux-Hocquet
Montigny-le-Franc
Éboulеau
Cuirieux
Vesles-et-Caumont
Toulis-et-Attencourt
Froidmont-Cohartille
Chalandry
Mortiers
Dercy
Voyenne
Autremencourt
La Neuville-Bosmont
St-Pierremont
Cilly
Bosmont-sur-Serre
Montigny-sous-Marle
Rogny
Prisces
Burelles
Braye-en-Thiérache
Lugny
Thiernu
Berlancourt
Marcy-sous-Marle
Erlon
Châtillon-lès-Sons
Sons-et-Ronchères
Bois-lès-Pargny
Pargny-les-Bois
Monceau-le-Neuf-et-Faucouzy
Montigny-s-Crécy
La Ferté-Chevresis
Chevresis-Monceau
Parpeville
Villers-le-Sec
Landifay-et-Bertaignemont
Pleine-Selve
Le Hérie-la-Viéville
Puisieux-et-Clanlieu
Housset
La Neuville-Housset
Marfontaine
Rougeries
Voharies
Houry
Gronard
St-Gobert
Gercy
Franqueville
St-Pierre-lès-F.
Chevennes
Lemé
Voulpaix
Laigny
Fontaine-lès-Vervins
La Bouteille
Landouzy-la-Ville
Landouzy-la-Cour
Thenailles
Plomion
Harcigny
Bancigny
Jeantes
Coingt
Nampcelles-la-Cour
Dagny-Lambercy
Morgny-en-Thiérache
Renneval
Dolignon
Rozoy-s-Serre
Archon
Cuiry-lès-Iviers
St-Clément
Éparcy
La Hérie
Bucilly
Ohis
Buire
Origny-en-Thiérache
Effry
Wimy
Luzoir
Gergny
Neuve-Maison
Sommeron
Froidestrées
Lerzy
Sorbais
Étréaupont
Autreppes
St-Algis
Marly-Gomont
Englancourt
Erloy
Proisy
Chigny
Malzy
Crupilly
Romery
Wiège-Faty
Audigny
Colonfay
Le Sourd
La Vallée-au-Blé
Haution
Flavigny-le-Grand-et-Beaurain
Monceau-s-Oise
Macquigny
Hauteville
Bernot
Neuvillette
Mont-d'Origny
Noyales
Montigny-en-Arrouaise
Fieulaine
Aisonville-et-Bernoville
Étaves-et-Bocquiaux
Vadencourt
Grand-Verly
Petit-Verly
Tupigny
Iron
Dorengt
Leschelle
Hannapes
Vénérolles
Mennevret
Regnicourt
Sebonourt
Grougis
Molain
Ribeauville
Rejet-de-Beaulieu
Oisy
Boué
Bergues-s-Sambre
Barzy-en-Thiérache
Fesmy-le-Sart
La Flamengrie
Forêt du Nouvion
Forêt du Regnaval
Forêt d'Andigny
Forêt de Fourmies
Forêt de Samoussy
Bois du Val St-Pierre
Oise
Serre
Sambre
A 26
E 17
E 44
N 2
D 946
D 967
D 1029
D 1043
D 1044
D 977
D 966
D 963
18

19
E
F
G
H
11
35
20
Euro Space Center
Malvoisin
Haut-Fays
Gembes
Redu
Transinne
Libin
Hatrival
Sart-Custinne
Patignies
Willerzie
Gedinne
Porcheresse
Villance
Maissin
Anloy
Glaireuse
Bras
Freux
La Basse
Seviscourt
Bougnimont
Bois de Rienne
Croix Scaille
Louette-St-Pierre
Louette-St-Denis
Graide
Our
Opont
Waransart
Libramont-Chevigny
Houdremont
Bièvre
Framont
Ochamps
Recogne
Ourt
Ste-Marie-Chevigny
La Neuville-aux-Haies
Nafraiture
Monceau-en-Ardenne
Naomé
Paliseul
Jehonville
Forêt de Luchy
Neuvillers
St-Pierre
Tronquoy
Bercheux
Linchamps
Orchimont
Offagne
Assenois
Molinfaing
Les Hautes-Rivières
Vresse-sur-S.
Oizy
Carlsbourg
Longlier
Nohan
Gorges
Nollevaux
Fays-les-Veneurs
Grandvoir
Tournay
Thilay
Sorendal
Vivy
Gros-Fays
Mogimont
Bertrix
Petitvoir
Haulmé
Bohan
Membre
Laforêt
Cornimont
Bellevaux
Bioûrge
Neufchâteau
Alle
Rochehaut
Ucimont
Auby-s-Semois
Orgeo
Gribômont
Grapfontaine
Gespunsart
Frahan
Noirefontaine
Les Hayons
Sugny
Poupehan
Botassart
Sensenruth
Cugnon
St-Médard
Assenois
Pussemange
Bouillon
Dohan
Forêt d'Herbeumont
Straimont
Corbion
Herbeumont
Les Fosses
La Grandville
Gernelle
Forêt des Ardennes
Suxy
Rumel
Bosseval-et-Briancourt
Issancourt-et-Rumel
Fleigneux
Forêt de Muno
Forêt de Chiny
Vivier-au-Court
St-Menges
La Chapelle
Ste-Cécile
Chiny
Rossignol
Vrigne-aux-Bois
Iges
Floing
Illy
Fontenoille
Lacuisine
Les Bulles
Lumes
Glaire
Givonne
Villers-Cernay
Muno
Laiche
Vrigne-Meuse
Sedan
Francheval
Pouru-aux-Bois
Izel
Termes
Nouvion-s-Meuse
Le Dancourt
Daigny
La Moncelle
Escombres-et-le-Chesnois
Lambermont
Chassepierre
Florenville
Jamoigne
Donchery
Balan
Rubécourt-et-Lamécourt
Pouru-St-Remy
Messincourt
Pin
St-Vincent
Dom-le-Mesnil
Villers-s-Bar
Frénois
Wadelincourt
Sachy
Matton-et-Clémency
Tremblois-lès-Carignan
Forêt d'Orval
Bellefontaine
Hannogne-St-Martin
Bazeilles
Douzy
Pure
Williers
Cheveuges
Noyers-Pont-Maugis
Pont-Maugis
Brévilly
Osnes
Mogues
Abbe d'Orval
St-Aignan
Chaumont
Tétaigne
Sapogne-et-Feuchères
Thelonne
Remilly-Aillicourt
Mairy
Les Deux-Villes
Pouilly-et-Charbeaux
Forêt de Merlanvaux
Angecourt
Amblimont
Lombut
Carignan
Villers-devant-Orval
Margny
Limes
Chéhéry
Villers-devant-Mouzon
Blagny
Omicourt
Bulson
Euilly-et-Lombut
Sailly
Linay
Gérouville
Connage
Haraucourt
Autrecourt-et-Pourron
Auflance
Herbeuval
Vendresse
Chémery-Chéhéry
Vaux-lès-Mouzon
Fromy
Moiry
Malmy
Villers
Raucourt-et-Flaba
Mouzon
Villy
Sapogne-sur-Marche
Breux
Sommethonne
Maisoncelle-et-Villers
Pourron
Moulins-St-Hubert
Thonne-le-Thil
Ardennes
Malandry
La Ferté-s-Chiers
Margut
Avioth
Artaise-le-Vivier
Flaba
Villemontry
Signy-Montlibert
Houdrigny
Cassine
Yoncq
Autréville-St-Lambert
Dampicourt
La Neuville-à-Maire
Bièvres
Thonnelle
Thonne-la-Long
Forêt du Mont-Dieu
Le Vivier
La Besace
Olizy-sur-Chiers
Verneuil-Pt
Stonne
Létanne
Pouilly-sur-Meuse
Inor
Lamouilly
Chauvency-St-Hubert
Rouvroy
Le Mont-Dieu
Thonne-les-Prés
Verneuil-Gd
Écouviez
Ancne Chartreuse
Martincourt-sur-Meuse
Nepvant
Montmédy
Velosnes
Tannay
Les Grandes-Armoises
Beaumont-en-Argonne
Chauvency-le-Château
Luzy-St-Martin
Bronelle
Villécloye
Sy
La Berlière
Cesse
Brouennes
Vigneul-s/s-Montmédy
Iré-les-Prés
Bazeilles-sur-Othain
Othe
Canal
Oches
Cervisy
Sommauthe
Laneuville-s-Meuse
Quincy-Landzécourt
Les Petites-Armoises
Verrières
Stenay
Iré-le-Sec
Flassigny
Brieulles-s-Bar
Beaufort-en-Argonne
Baâlon
Han-lès-Juvigny
St-Pierremont
Vaux-en-Dieulet
Fontenois
Belval-Bois-des-Dames
Mouzay
Juvigny-s-Loison
Autruche
Wiseppe
Les Champys
Remoiville
Marville
Authe
Beauclair
Forêt de Woëvre
St-Jean-lès-Longuyon
Belleville-et-Châtillon-s-Bar
Fossé
Nouart
Villefranche
Charmois
Louppy-sur-Loison
Halles-s/s-les-Côtes
Saulmory-Villefranche
Jametz
Germont
Bar-lès-Buzancy
Tailly
Montigny-devant-Sassey
Boult-aux-Bois
Harricourt
Buzancy
Barricourt
Sassey-sur-Meuse
Rupt-sur-Othain
Toges
Mont-devant-Sassey
Lion-devant-Dun
Delut
Thénorgues
Milly-sur-Bradon
Vittarville
Dimbley
Dombras
Croix-aux-Bois
Briquenay
Sivry-lès-Buzancy
Bayonville
Rémonville
Villers-devant-Dun
Brandeville
Bréhéville
Merles-sur-Loison
Longwé
Verpel
Chennery
Andevanne
Doulcon
Dun-sur-Meuse
Murvaux
Peuvillers
Canal de l'Est
Meuse
Chiers
Semois
Lesse
N 95
N 89
E 46
N 83
E 44
D 8043
D 964
D 947
D 977
A 203
N 58
A 4
E 411
N 40
N 85

0 5 10 km
Thiaumont
Bonnert
Guirsch
Tuntange
Ansembourg
Heinsch
Hachy
Frassem
Gaichel
Hobscheid
Septfontaines
Fouches
Stockem
ARLON (AARLEN)
Eischen
Nospelt
Kopstal (Koplescht)
Steinsel
Tintigny
Semois
Vance
Terrain militaire
Steinfort
Koerich
Kehlen (Kiele)
(Kapellen) Capellen
Bereldange
Bridel
St-Vincent
Bellefontaine
Etalle
Ste-Marie
Chantemelle
Autelhaut
Sterpenich
Klein-bettingen
Buzenol
Toernich
Autelbas
Udange
Mamer
Montauban
Châtillon
Hondelange
Kahler
Garnich
Capellen
Holzem
(Stroossen) Strassen
Wolkrange
Turpange
Sélange
Fingig
Dahlem
Bertrange
Gérouville
Meix-devant-Virton
St-Léger
Meix-le-Tige
Habergy
Bébange
Messancy
Hivange
Dippach
Robelmont
Rachecourt
Willancourt
Clemency
Schouweiler
Hautcharage
Longeau
Aix-s-Cloie
Roedgen
Leudelange
Mussy-la-Ville
Battincourt
Guerlange
Sprinkange
Virton
Bleid
Halanzy
Aubange
Athus
Pétange
Bascharage
Limpach
Reckange-sur-Mess
Houdrigny
Gomery
Latour
Baranzy
Sanem
Ehlange
Dampicourt
Signeulx
Piedmont
Rodange
Thonne-la-Long
St-Mard
Cussigny
Musson
Mont-St-Martin
Longlaville
Lamadelaine
Differdange
Mondercange
Pontpierre
Bettembourg (Betebuerg)
Rouvroy
Ville-Houdlémont
Gorcy
Vaux
Warnimont
Romain
Soleuvre
Oberkorn
Écouviez
Harnoncourt
Ruette
Buré-la-Ville
Houdlémont
Saulnes
Huncherange
St-Pancré
Cosnes-et-Romain
Herserange
Lamorteau
la-Malmaison
Tellancourt
Longwy
St-Charles
Belvaux
Schifflange (Schëffleng)
Velosnes
Torgny
Allondrelle-la-Malmaison
Fresnois-la-Montagne
Villers-la-Chèvre
Lexy
Réhon
Mexy
Moulaine
Hussigny-Godbrange
Rédange
Esch-sur-A. (Esch-U.)
Dudelange (Diddeleng)
Épiez-sur-Chiers
Othe
Montigny-s-Chiers
Cons-la-Grandville
Haucourt-Moulaine
Russange
Kayl (Käl)
Audun-le-Tiche
Thil
Charency-Vezin
Flassigny
Vezin
Villette
Villancy
Baumont
Viviers-s-Chiers
Ugny
Cutry
Chenières
Tiercelet
Villerupt
Tétange
Rumelange (Rëmmeleng)
Villers-le-Rond
Colmey
Fermont
Praucourt
Villers-la-Montagne
Cantebonne
Volmerange-les-Mines
Kanfen
Marville
Flabeuville
Revémont
Doncourt-lès-Longuyon
Cités
Laix
Bréhain-la-Cour
Hirps
Ottange
St-Jean-lès-Longuyon
Ham-lès-St-Jean
Petit-Xivry
Petit-Failly
Longuyon
Cité
Morfontaine
Bréhain-la-Ville
Nondkeil
Molvange
Escherange
Lopigneux
Beuveille
Baslieux
Crusnes
Aumetz
Écomusée
Entrange
Grand-Failly
Noërs
Arrancy-sur-Crusne
Pierrepont
Ville-au-Montois
Errouville
Bure
Rochonvillers
Rupt-sur-Othain
Œutrange
Delut
St-Laurent-s-Othain
Sorbey
Han-devant-Pierrepont
Constantine
Boismont
Bazailles
Fillières
Serrouville
Tressange
Ludelange
Angevillers
Dimbley
Dombras
Châtillon
Mainbottel
Mercy-le-Bas
Joppécourt
Beuvillers
Havange
Bassompierre
Boulange
Beuvange s/s-St-Michel
Algrange
Les Eurantes
Rouvrois-s-Othain
St-Supplet
Mercy-le-Haut
Audun-le-Roman
Bazonville
Pillon
Merles-sur-Loison
Villers-lès-Mangiennes
Othain
St-Pierrevillers
Boudrezy
Fontoy
Volkrange
Veymerange
Duzey
Xivry-Circourt
Higny
Sancy
Nilvange
Ollières
Nouillonpont
Preutin-Higny
Malavillers
Knutange
Marspich
Mangiennes
Muzeray
Réchicourt
Lommerange
Sérémange-Erzange
Damvillers
Spincourt
Domprix
Bertrameix
Murville
Anderny
Trieux
Romagne-s/s-les-Côtes
Billy-sous-Mangiennes
Houdelaucourt-sur-Othain
Landres
Mont-Bonvillers
Neufchef
Hayange
Gibercy
Avillers
Mairy-Mainville
St-Pierremont
St-Nicolas-en-Forêt
Vaudoncourt
Haucourt-la-Rigole
Tucquegnieux
Ranguevaux
Morlange
Montaubé
Loison
Bouvigny
Domremy-la-Canne
Cités
Bouligny
Piennes
Mainville
Bettainvillers
Edange
Budange
Chaumont-devant-Damvillers
Azannes-et-Soumazannes
La Gelinerie
Sorel
Ville Forêt
Gouraincourt
Amermont
Joudreville
Norroy-le-Sec
Mancieulles
Avril
Moyeuvre
Beuvange
Ville-devant-Chaumont
Senon
Dommary-Baroncourt
Anoux
Mance
Moyeuvre-Petite
Vitry-s-O.
Clouange
Gremilly
Pierreville
Bois d'Arc
Éton
Affléville
St-Saumont
Froidcul
Rosselange
La Malmaison
Lantéfontaine
Forêt de Moyeuvre
Beaumont-en-Verdunois
Ornes
Maucourt-sur-Orne
L'Épina
Amel-s-l'Étang
Aix
Gondrecourt-Aix
Immonville
Briey
Moyeuvre-Grande
Rombas
Gincrey
Ornel
Longeau
Génaville
Moutiers
Lubey
Les Baroches
Jœuf
Fléville-Lixières
Pierrevillers
Mogeville
Foameix-Ornel
Rouvres-en-Woëvre
Montois-la-Montagne
Malancourt-la-Montagne
Morgemoulin
Ozerailles
Homécourt
(Douaumont-Vaux)
Douaumont
Vaux-devant-Damloup
Fromezey
Béchamps
Mouaville
Abbéville-lès-Conflans
Valleroy
Auboué
Marange-Silvange
Haraigne
Dieppe-s/s-Douaumont
Broville
Damloup
Étain
Lanhères
Thumeréville
Moineville
Ste-Marie-aux-Chênes
Roncourt
St-Privat-la-Montagne
Vaux
Soupleville
Le Haut Bois
Warcq
Boinville-en-Woëvre
Fiquelmont
Beaumont
Le Paradis
Hatrize
Batilly
Abaucourt-Hautecourt
Hautecourt-lès-Broville
Herméville-en-Woëvre
Aucourt
Darmont
Conflans-en-Jarnisy
Tichemont
Labry
Giraumont
St-Ail
Habonville
Camp militaire
Metz-St-Privat
St-Maurice-lès-G.
St-Jean-lès-Buzy
Boncourt
Jeandelize
Jouaville
Amanvillers
Eix
Moranville
Grimaucourt-en-Woëvre
Gussainville
Buzy-Darmont
Jarny
Anoux-la-Grange
Saulny
Moulainville
Blanzée
Olley
Puxe
Doncourt-lès-Conflans
Verneville
Le Bourbeau
Braquis
Parfondrupt
Orne
Bouzonville
Friauville
VERDUN
Belrupt-en-Verdunois
Camp militaire
Châtillon-s/s-les-Côtes
Droitaumont
Châtel-St-Germain
Plappeville
Watronville
Hennemont
Ville-en-Woëvre
Villers-s/s-Pareid
Dompierre
Brainville
Ville-aux-Prés
Bruville
Scy-Chazelles
Ronvaux
Haudiomont
Pareid
Porcher
Ville-sur-Yron
St-Marcel
Gravelotte
Rozérieulles
Forêt de Sommedieue
Manheulles
Pintheville
Hannonville-Suzémont
Mars-la-Tour
Rezonville
Verdun-St-Nicolas
Fresnes-en-Woëvre
Maizeray
Moulotte
Villers-sur-Bonchamp
Mont-Villers
Riaville
Labeuville
Latour-en-Woëvre
Vionville
Bonzée
Harville
Mariaville
Tronville
Ars-s-Moselle
Jussy
Vaux
Camp
A B C D
1 2 3 4 5
19 36

Junglinster (Jonglënster)
Bourglinster
Biwer
Wecker
Betzdorf
Rodenbourg
Grevenmacher (Greiwemaacher)
Wasserliesch
Oberbillig
Temmels
Konz
Könen
Franzenheim
Krettnach
Ollmuth
Pellingen
Lampaden
Hinzenburg
Heddert
Kell
Gusenburg
Gonderange
Roodt-sur-Syre
Tawern
Wellen
Nittel
Kanzem
Wiltingen
Wawern
Ayl
Schoden
(Nidderanven) Niederanven
Flaxweiler
Oberdonven
Niederdonven
Machtum
Onsdorf
Paschel
Schömerich
Schillingen
Waldweiler
Grimburg
Mensdorf
Münsbach
FINDEL
Sandweiler
Schuttrange
Beyren
Gostingen
Ahn
Söst
Mannebach
Fisch
Ockfen
Vierherrenborn
Baldringen
Hentern
Mandern
Canach
Wormeldange
Wincheringen
Saarburg
Irsch
Zerf
Teufelskopf
Reidelbach
Oetrange
Lenningen
Ehnen
Körrig
Kahren
Trassem
Serrig
Steinberg
LUXEMBOURG (LËTZEBUERG)
Wehr
Helfant
Greimerath
Weiskirchen
Morscholz
Itzig
Contern
Greiveldange
Stadtbredimus
Palzem
Merzkirchen
Waldholzbach
Wadern
Syren
Waldbredimus
Bous
Beuren
Meurich
Kastel-Staadt
Scheiden
Rappweiler
Noswendel
Hassel
Dalheim
Remich (Réimech)
Kreuzweiler
Kirf
Freudenburg
Taben-Rodt
Bergen
Mitlosheim
Thailen
Weiler-la-Tour
Wellenstein
Nennig
Römische Villa
Sinz
Weiten
Britten
SAAR-HUNSRÜCK
Frisange
Aspelt
Ellange
Faha
Orscholz
Saarhölzbach
Niederlosheim
Losheim
Elvange
Wintrange
Besch
Wochern
Oberleuken
Cloef
Mettlach
Hausbach
Evrange
Mondorf-les-Bains (Munneref)
Hagen
Himeling
Halling
Remerschen
Borg
Nohn
Bachem
Wahlen
Nunkirchen
Puttelange-lès-Thionville
Basse-Rentgen
Burmerange
Perl
Tünsdorf
Besseringen
Rimlingen
Rissenthal
Michelbach
Beyren-lès-Sierck
Schengen
Merschweiler
Malbrouck
Büschdorf
Schwemlingen
Brotdorf
Hargarten
Schmelz
Rodemack
Dodenom
Contz-les-Bains
Apach
Tunting
Scheuerwald
Manderen
Hilbringen
Merchingen
Reimsbach
Breistroff-la-Grande
Semming
Evange
Haute-Kontz
Kirsch-lès-Sierck
Wellingen
Büdingen
Merzig
Erbringen
Roussy-le-Bourg
Haute Parthe
Basse Parthe
Boler
Fixem
Gavisse
Rettel
Berg-s-Moselle
Rustroff
Sierck-les-Bains
Montenach
Ritzing
Launstroff
Flatten
Gongelfang
Waldwisse
Mondorf
Harlingen
Honzrath
Hüttersdorf
Boust
Malling
Hunting
Evendorff
Obernaumen
Betting
Biringen
Mechern
Bietzen
Haustadt
Düppenweiler
Forêt de Garche
Sentzich
Cattenom
Hettange
Kaltweiler
Fréching
Rémeling
Oberesch
Fremersdorf
Menningen
Beckingen
Piesbach
Métrich
Koeking
Basse-Ham
Kœnigsmacker
Kerling-lès-Sierck
Kirschnaumen
Grindorff-Bizing
Gerlfangen
Eimersdorf
Nalbach
Körprich
Garche
Hte-Ham
Manom
Oudrenne
Hte Sierck
Forêt de Sierck
Halstroff
Laumesfeld
Bizing
Zeurange
Schwerdorff
Fürweiler
Rehlingen
Siersburg
Dillingen
Dieffenbach
Saarwellingen
Elzange
Lemestroff
Kalembourg
Hargarten
Flastroff
Otzwiller
Hemmersdorf
Thionville
Valmestroff
Inglange
Breistroff-la-Petite
Budling
Ste-Marguerite
Waldweistroff
Colmen
Neunkirchen-lès-Bouzonville
Niedaltdorf
Saarlouis
Schwarzenholz
Yutz
Küntzig
Hackenberg
Buding
Monneren
Lacroix
Rodlach
Forêt de Bouzonville
Gisingen
Remeldorff
Veckring
St-François-Lacroix
Bibiche
Filstroff
Nidwelling
Ihn
Wallerfangen
Distroff
Helling
Klang
Kemplich
St-Oswald
Guerstling
Heining-lès-Bouzonville
Kerlingen
Ensdorf
Hülzweiler
Schwalbach
Stuckange
Illange
Metzervisse
Elzing
Menskirch
Neudorff
Beckerholz
Heckling
Schreckling
Aidling
Ittersdorf
Imeldange
Volstroff
Reinange
Kédange-s-Canner
Chémery-les-Deux
Bouzonville
Vœlfling-lès-B.
Felsberg
Bertrange
Uckange
Metzeresche
Dalstein
Diding
Alzing
Villing
Altforweiler
Püttlingen
Guénange
Vinsberg
Hombourg-Budange
Ising
Hobling
Freistroff
Vaudreching
Oberdorff
Château-Rouge
Trois Maisons
Berviller-en-Moselle
Bous
Völklingen
Richemont
Bousse
Kirsch-lès-Luttange
Budange
Ébersviller
Edling
Anzeling
Rémelfang
Odenhoven
Rémering
Berus
Wadgassen
Schaffhausen
Luttange
Hestroff
Brettnach
Bisten
Friedrichweiler
Rurange-lès-Thionville
Piblange
Holling
Tromborn
Merten
Überherrn
Differten
Fürstenhausen
Hagondange
Montrequienne
Aboncourt
Altroff
Mancy
Valmunster
Velving
Dalem
Forst der Ludweiler-Warndt
Petite-Rosselle
Trémery
Bettelainville
St Bernard
Villers-Bettnach
Drogny
Gomelange
Bockange
Bettange
Rurange
Téterchen
Falck
Karlsbrunn
Walygator Parc
Ay-s-Moselle
Flévy
Forêt de Villers
Éblange
Hargarten-aux-Mines
Creutzwald
Großrosseln
Talange
Ennery
Hessange
St-Hubert
Befey
Burtoncourt
Mégange
Ottonville
Coume
Forêt de la Houve
Lauterbach
Dorf im Warndt
Hauconcourt
Chailly-lès-Ennery
Vigy
Gondreville
Guinkirchen
Roupeldange
Guerting
Rugy
Buy
Antilly
Vry
Laneuville
Hinckange
Denting
Boulay-Moselle
Diesen
St. Nikolaus
Argancy
Méchy
Charleville-s/s-Bois
Brecklange
Varsberg
Ham-s/s-Varsberg
L'Hôpital
Naßweiler
Olgy
Malroy
Sanry-lès-Vigy
Marivaux
Mussy-l'Évêque
Volmerange-lès-Boulay
Niedervisse
Carling
St-Rémy
Charly-Oradour
Avancy
Hayes
Macker
Bisten-en-Lorraine
La Maxe
Vrémy
Ste-Barbe
Cheuby
Lue
Condé-Northen
Helstroff
Momerstroff
Obervisse
Freyming-Merlebach
Vany
Failly
Villers-l'Orme
Mazagran
Servigny-lès-Ste-Barbe
Pontigny
Les Étangs
Halling-lès-Boulay
Porcelette
Longeville
Loutremange
Narbéfontaine
Boucheporn
Glatigny
Varize
Bannay
Zimming
Cité E. Huchet
Forêt de Steinberg
Hombourg-Bas
Hombourg-Haut
Betting
Seingbouse
St-Julien-lès-M.
Nouilly
Retonfey
Landonvillers
Kleindal
Forêt de Longeville
Cimetière US
Maison Neuve
Le Ban-St-Martin
Vallières-lès-Metz
Noisseville
Silly-sur-Nied
Courcelles-Chaussy
Bionville-sur-Nied
Brouck
Marange-Zondrange
Hallering
Longeville-lès-St-Avold
Macheren
Guenviller
Henriville
Montoy-Flanville
Pont-à-Chaussy
Haute-Vigneulles
Bambiderstroff
St-Avold
Petit-Ebersviller
Borny
Coincy
Landremont
Maizery
Ogy
Marienthal
Lachambre
Le Wenheck
Valmont
METZ
Ars-Laquenexy
Colligny
Chevillon
Fouligny
Basse Vigneulles
Montigny-lès-M.
Marsilly
Villers-Laquenexy
Maizeroy
Guinglange
Dorviller
Redlach
Faulquemont
Laudrefang
Altviller
Holbach
Barst
Peltre
Jury
Laquenexy
Pange
Frécourt
Servigny-lès-Raville
Flétrange
Faulquemont Cité
Tritteling-Redlach
Folschviller
Biding
Valette
Courcelles-sur-Nied
Domangeville
Villers-Stoncourt
Aoury
Vahl-Ebersing
Maxstadt

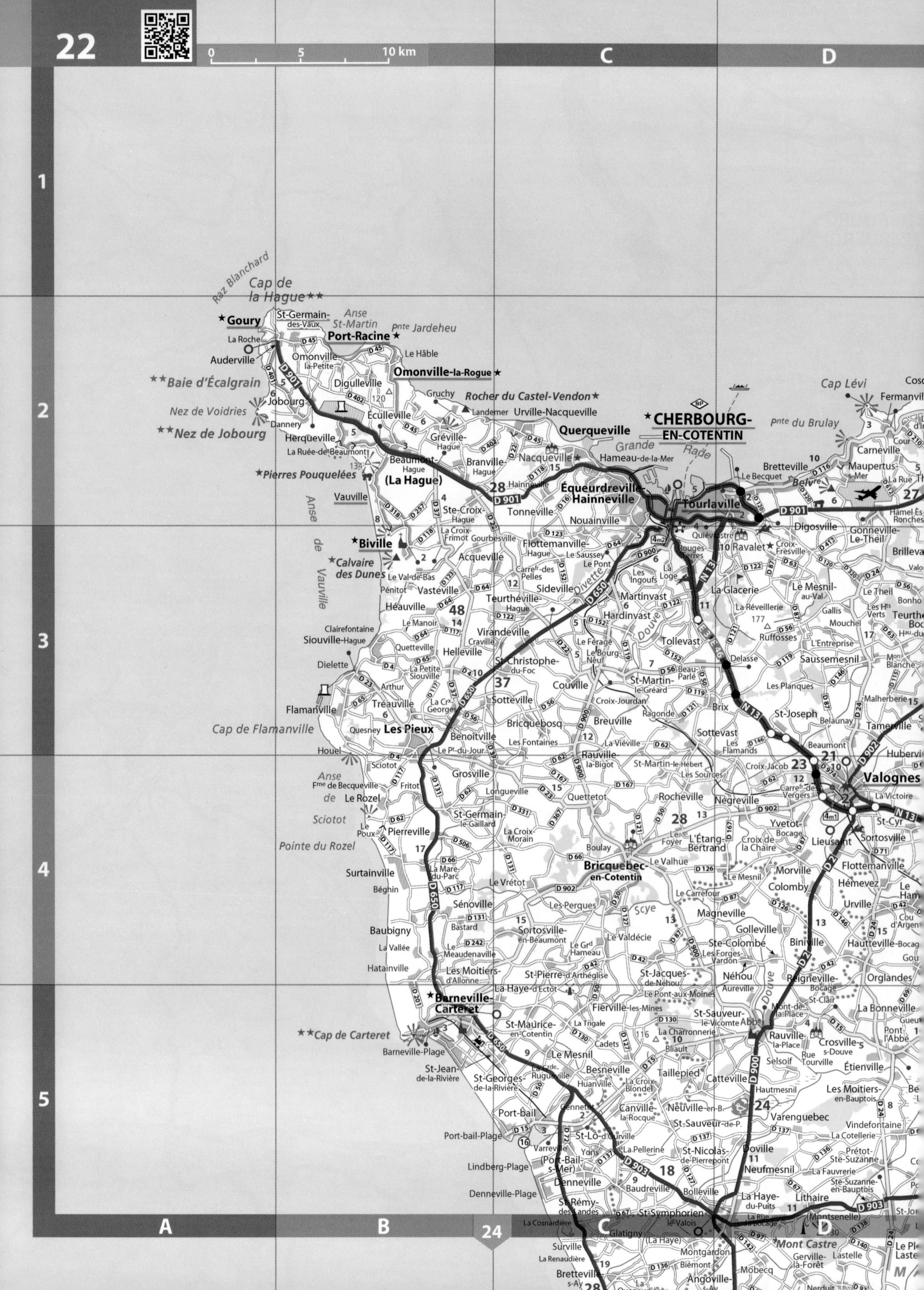
0 5 10 km
A
B
C
D
1
2
3
4
5
Raz Blanchard
Cap de la Hague★★
★Goury
St-Germain-des-Vaux
Anse St-Martin
Port-Racine★
Pnte Jardeheu
La Roche
Auderville
Le Hâble
Omonville-la-Petite
Omonville-la-Rogue★
★★Baie d'Écalgrain
Digulleville
Jobourg
Gruchy
Rocher du Castel-Vendon★
Nez de Voidries
Dannery
Éculleville
Landemer
Urville-Nacqueville
★★Nez de Jobourg
Herqueville
Gréville-Hague
Querqueville
★CHERBOURG-EN-COTENTIN
Pnte du Brulay
Cap Lévi
Fermanville
La Ruée-de-Beaumont
Beaumont-Hague
Branville-Hague
Nacqueville
Grande Rade
Hameau-de-la-Mer
Bretteville
Carneville
Maupertus-s-Mer
★Pierres Pouquelées
(La Hague)
Hainneville
Équeurdreville-Hainneville
Le Becquet
Belvre
Vauville
Anse de Vauville
Ste-Croix-Hague
Tonneville
Nouainville
Tourlaville
Digosville
Gonneville-Le-Theil
★Biville
La Croix-Frimot
Gourbesville
Flottemanville-Hague
Le Saussey
Querqueville
Ravalet
Croix-Fresville
Brillevast
★Calvaire des Dunes
Acqueville
Le Pont
Rouges-Terres
Le Val-de-Bas
Carreft-des Pelles
Les Ingoufs
La Loge
La Glacerie
Le Mesnil-au-Val
Le Theil
Pénitot
Vasteville
Teurthéville-Hague
Sideville
Martinvast
Héauville
Hardinvast
La Réveillerie
Gallis
Les Hts Verts
Teurthéville-Bocage
Le Manoir
Mouchel
Clairefontaine
Siouville-Hague
Virandeville
Le Férage
Tollevast
Ruffosses
L'Entreprise
Quetteville
Craville
Helleville
Le Bourg-Neuf
Delasse
Saussemesnil
Mont Blanche
Dielette
La Petite Siouville
St-Christophe-du-Foc
Couville
St-Martin-le-Gréard
Beau-Parlé
Arthur
Les Planques
Malherbe
Flamanville
Tréauville
La Crx Georges
Sotteville
Croix-Jourdan
Ragonde
Brix
St-Joseph
Cap de Flamanville
Quesney
Les Pieux
Bricquebosq
Breuville
Belaunay
Tamerville
Benoîtville
Les Fontaines
La Vieille
Sottevast
Les Flamands
Beaumont
Hubervill
Houel
Le Pt-du-Jour
Rauville-la-Bigot
St-Martin-le-Hébert
Les Sources
Croix-Jacob
Valognes
Sciotot
Grosville
Anse de Sciotot
Fme de Becqueville
Le Rozel
Fritot
Longueville
Quettetot
Rocheville
Négreville
Carreft des Vergers
La Victoire
St-Germain-le-Gaillard
Yvetot-Bocage
St-Cyr
Le Poux
Pierreville
La Croix-Morain
Le Foyer
L'Étang-Bertrand
Croix de la Chaire
Lieusaint
Sortosville
Pointe du Rozel
Boulay
Surtainville
La Mare-du-Parc
Bricquebec-en-Cotentin
Le Valhue
Morville
Flottemanville
Béghin
Le Vrétot
Le Mesnil
Colomby
Hémevez
Le Carrefour
Scye
Sénoville
Les Perques
Urville
Baubigny
Bastard
Sortosville-en-Beaumont
Le Valdécie
Magneville
Golleville
Hautteville-Bocage
La Vallée
Le Meaudenaville
Le Grd Hameau
Ste-Colombe
Les Forges-Vardon
Biniville
Hatainville
Les Moitiers-d'Allonne
St-Pierre-d'Arthéglise
St-Jacques-de-Néhou
Néhou
Reigneville-Bocage
Orglandes
La Haye-d'Ectot
Le Pont-aux-Moines
Aureville
★Barneville-Carteret
Fierville-les-Mines
Douve
St-Sauveur-le-Vicomte
Mont-de-la-Place
St-Clair
La Bonneville
★★Cap de Carteret
St-Maurice-en-Cotentin
La Trigale
La Charronnerie
Rauville-la-Place
Crosville-s-Douve
Pont-l'Abbé
Barneville-Plage
Cadets
Bliault
Selsoif
Rue Tourville
Étienville
St-Jean-de-la-Rivière
Le Mesnil
Besneville
Taillepied
Catteville
St-Georges-de-la-Rivière
La Gde Rugueville
Huanville
La Croix-Blondel
Hautmesnil
Les Moitiers-en-Bauptois
Port-bail
Gennetot
Canville-la-Rocque
Neuville-en-B.
Varenguebec
Vindefontaine
St-Sauveur-de-P.
La Cotellerie
Port-bail-Plage
St-Lô-d'Ourville
Varreville
Yons
La Pellerine
St-Nicolas-de-Pierrepont
Doville
Prétot-Ste-Suzanne
Lindberg-Plage
(Port-Bail-s-Mer)
Neufmesnil
La Fauvrerie
Ste-Suzanne-en-Bauptois
Denneville
Baudreville
Bolleville
La Haye-du-Puits
Lithaire
Denneville-Plage
St-Rémy-des-Landes
St-Symphorien-le-Valois
La Rue du Bocage
(Montsenelle)
St-Jor
La Cosnardière
Glatigny
(La Haye)
Mont Castre
Le Pl Laste
Surville
La Renaudière
Montgardon
Biémont
Gerville-la-Forêt
Lastelle
Bretteville-s-Ay
Angoville-s-Ay
Mobecq
La Quenaudière
Le Bot
Nerdull
24
D 901
D 900
D 650
D 902
D 903
N 13
D 2
E 46

E
F
G
H
1
2
3
4
5
Pointe de Barfleur★★
Barfleur★
Gatteville-le-Phare
Néville-s-Mer
Réthoville
Vrasville
Varouville
Roville
Gouberville
Tocqueville
Ste-Geneviève
La Bretonne
Landemer
Clitourps
Valcanville
Montfarville
Maltot
Canteloup
Le Vicel
Anneville-en-Saire
La Froide-Rue
Le Vast
La Pernelle
Réville
Yon
Jonville
Pointe de Saire
Viquesney
Le Tronquet
Quettehou
Île de Tatihou★
Brévolle
Le Rivage
St-Vaast-la-Hougue
Piédechou
Videcosville
Morsalines
Joret
Octeville-l'Avenel
Crasville
Aumeville-Lestre
Bidros
St-Martin-d'Audouville
Lestre
Bourg de Lestre
Quinéville
Vaudreville
Ozeville
Les Gougins
Îles St-Marcouf
Fontenay-s-Mer
St-Floxel
St-Marcouf
Vaudiville
Ravenoville-Plage
Joganville
Azeville
Ravenoville
Émondeville
Foucarville
Fresville
Beuzeville-au-Plain
Les Dunes-de-Varreville
Neuville-au-Plain
Baudienville
St-Germain-de-V.
St-Martin-de-Varreville
Utah Beach★★
La Madeleine
★Ste-Mère-Église
Turqueville
Audouville-la-Hubert
La Chaussée
Chef-du-Pont
Écoquenéauville
Sébeville
Boutteville
Ste-Marie-du-Mont
Pouppeville
Banc du Grand Vey
Carquebut
Hiesville
Blosville
Brucheville
Liesville-s-D.
La Croix-Pan
Le Grand Vey
Houesville
Vierville
Cretteville
St-Côme-du-Mont
Angoville-au-Plain
Houtteville
Rue-Mary
D-Day Expérience
Le Moulin
Le Port
Bucaille
Vindelonde
Brévands
Appeville
(Carentan-les-Marais)
La Fourchette
Catz
Les Veys
Cantepie
Carentan
Auvers
La Lande-Godard
St-Hilaire-Petitville
St-Pellerin
Méautis
La Planquette
Le Varimesnil
Le Cap
Montmartin-en-Graignes
Les Oubeaux
La Belle Croix
Grandcamp-Maisy
★★Pointe du Hoc
St-Pierre-du-Mont
Pointe de la Percée★★
Le Fèvre
Omaha Beach
Létanville
Englesqueville-la-Percée
Vierville-s-M.
Gefosse-Fontenay
Poix
Cricqueville-en-Bessin
Asnières-en-B.
St-Laurent-s-Mer
Cimetière U.S.A.★★
Deux-Jumeaux
Louvières
Ste-Honorine-des-Pertes
(Aure-s-Mer)
★Port-en-Bessin-Huppain
Cardonville
La Cambe
(Formigny-la-Bataille)
St-Clément
Osmanville
Cimetière All.
Longueville
Le Val
Formigny
Colleville-s-Mer
Le Grand Hameau
Huppain
Villiers-s-port
Commes
Le Chaos
Coquebourg
Isigny-s-Mer
St-Germain-du-Pert
Le Carrefour Got
Canchy
Normanville
Russy
Étréham
Escures
Longues-s-Mer
Monfréville
Écrammeville
Aignerville
Engranville
Surrain
Bellefontaine
Mosles
Fontenailles
La Rosière
Trévières
Maisons
Tour-en-B.
Vaux-s-Aure
Pont-Benard
Vouilly
Colombières
L'Étard
Le Beau Moulin
Mandeville-en-Bessin
Sully
St-Sulpice
Castilly
Mestry
Bricqueville
Rubercy
Beaumont
Cottun
Cussy
Vaucelles
BAYEUX★
Saonnet
Saon
Barbeville
St-Vigor
N 13
E 46
D 901
D 902
N 174
25

24
0 5 10 km
22
45
A
B
C
D
1
2
3
4
5
Barneville-Carteret
Cap de Carteret
Barneville-Plage
St-Jean-de-la-Rivière
St-Georges-de-la-Rivière
Hatainville
Les Moitiers-d'Allonne
St-Pierre-d'Arthéglise
La Haye-d'Ectot
St-Jacques-de-Néhou
Néhou
Les Forges-Vardon
Aureville
Le Pont-aux-Moines
Fierville-les-Mines
St-Maurice-en-Cotentin
Le Mesnil
Besneville
Huanville
Taillepied
Catteville
Reigneville-Bocage
Orglandes
Rauville-la-Place
Crosville-s-Douve
Étienville
Selsoif
Les Moitiers-en-Bauptois
Port-bail
Port-bail-Plage
Canville-la-Rocque
Neuville-en-B.
St-Sauveur-de-P.
Varenguebec
Vindefontaine
La Cotellerie
St-Lô-d'Ourville
Lindberg-Plage
Denneville
Denneville-Plage
Baudreville
Bolleville
St-Nicolas-de-Pierrepont
Doville
Neufmesnil
Prétot-Ste-Suzanne
La Fauvrerie
Ste-Suzanne-en-Bauptois
St-Rémy-des-Landes
La Cosnardière
St-Symphorien-le-Valois
La Haye-du-Puits
Lithaire
Mont Castre
Glatigny
Surville
La Renaudière
Bretteville-s-Ay
Bretteville-Plage
Montgardon
Biémont
Angoville-s-Ay
Mobecq
Gerville-la-Forêt
Lastelle
Le Plessis-Lastelle
Vesly
Laulne
Nerduit
Le Petit-St-Germain
Gonfreville
St-Germain-s-Ay
St-Germain-s-Ay-Plage
La Gaverie
Havre de Lessay
Lessay
Pissot
St-Patrice-de-Claids
Le Gué de l'Orme
Créances
Printania-Plage
Hotot
La Martinerie
Millières
Périers
Armanville-Plage
Pirou
La Bourgogne
La Feuillie
Pirou-Plage
Lande de Lessay
Le Pont
Vaudrimesnil
L'Éventard
Corbuchon
La Lucasserie
La Gringorerie
Geffosses
Le Bingard
Le Pavillon
(St-Sauveur-Villages)
St-Sauveur-Lendelin
Muneville-le-Bingard
Montsurvent
La Portière
Anneville-s-Mer
La Ronde-Haye
La Sorière
Ancteville
La Lainerie
Gouville-s-Mer
Montcarville
Servigny
Boisroger
Gonneville
Linverville
Brainville
La Vendelée
Au Peley
Monthuchon
Blainville-s-Mer
St-Malo-de-la-Lande
Gratot
Agon-Coutainville
Tourville-s-Sienne
Coutances
Le Passous
Bricqueville-la-Blouette
Heugueville-s-Sienne
La Rue-d'Agon
Grimouville
Urville
St-Pierre-de-C.
Courcy
Nicorps
Pont-de-la-Roque
Regnéville-s-Mer
Orval-s-S
Saussey
Montchaton
Pointe d'Agon
Hyenville
St-Denis-le-Vêtu
Montmartin-s-Mer
Hérenguerville
Contrières
Hauteville-s-Mer
Quettreville-s-Sienne
Annoville
Hébert
Trelly
Lingreville
Tourneville
Le Rocher
Muneville-s-Mer
Le Mesnil-Aubert
La Planche-Guillemette
La Bretonnière
Bricqueville-s-Mer
Cérences
Maire
Îles Chausey
Grande Île
St-Martin-de-Bréhal
Bréhal
Chanteloup
Coudeville-Plage
Le Castillon
Coudeville-s-Mer
La Croix-Aubert
Le Loreur
Bréville-s-Mer
Hudimesnil
Donville-les-Bains
Longueville
Mesnilgé
La Meurdraquière
Granville
Anctoville-s-B.
St-Sauveur-la-Pommeraye
Équilly
Yquelon
Pointe du Roc
La Chaussière
St-Nicolas
Folligny
St-Pair-s-Mer
Les Planchers
St-Jean-des-Champs
Hocquigny
Le Croissant
St-Aubin-des-Préaux
Kairon-Plage
Le Chesnay
St-Léger
Abbe de La Lucerne
Kairon
D 650
D 900
D 903
D 2
D 652
D 971
D 7
D 924
D 973

23
E
F
G
H
Ste-Mère-Église
Utah Beach
Pointe du Hoc
Grandcamp-Maisy
Pointe de la Percée
Omaha Beach
Cimetière U.S.A.
Port-en-Bessin-Huppain
Carentan
Isigny-s-Mer
Trévières
BAYEUX
Balleroy-s-Drôme
Musée de la Mine
Abbaye
Pont-Hébert
ST-LÔ
Souterroscope des ardoisières
Caumont-l'Éventé
Condé-s-Vire
Roches de Ham
Torigny-les-Villes
Abbe de Hambye
Mont Robin
La Vallée de la Vire-Gouvets
Villedieu-les-Poêles-Rouffigny
Vire
Vire-Normandie
Mont-Bertrand
Beaucoudray
Tessy-Bocage
Marigny-Le-Lozon
St-Gilles
Lessay
Périers
Le Lorey
Cerisy-la-Forêt
Litteau
Vassy
46
26

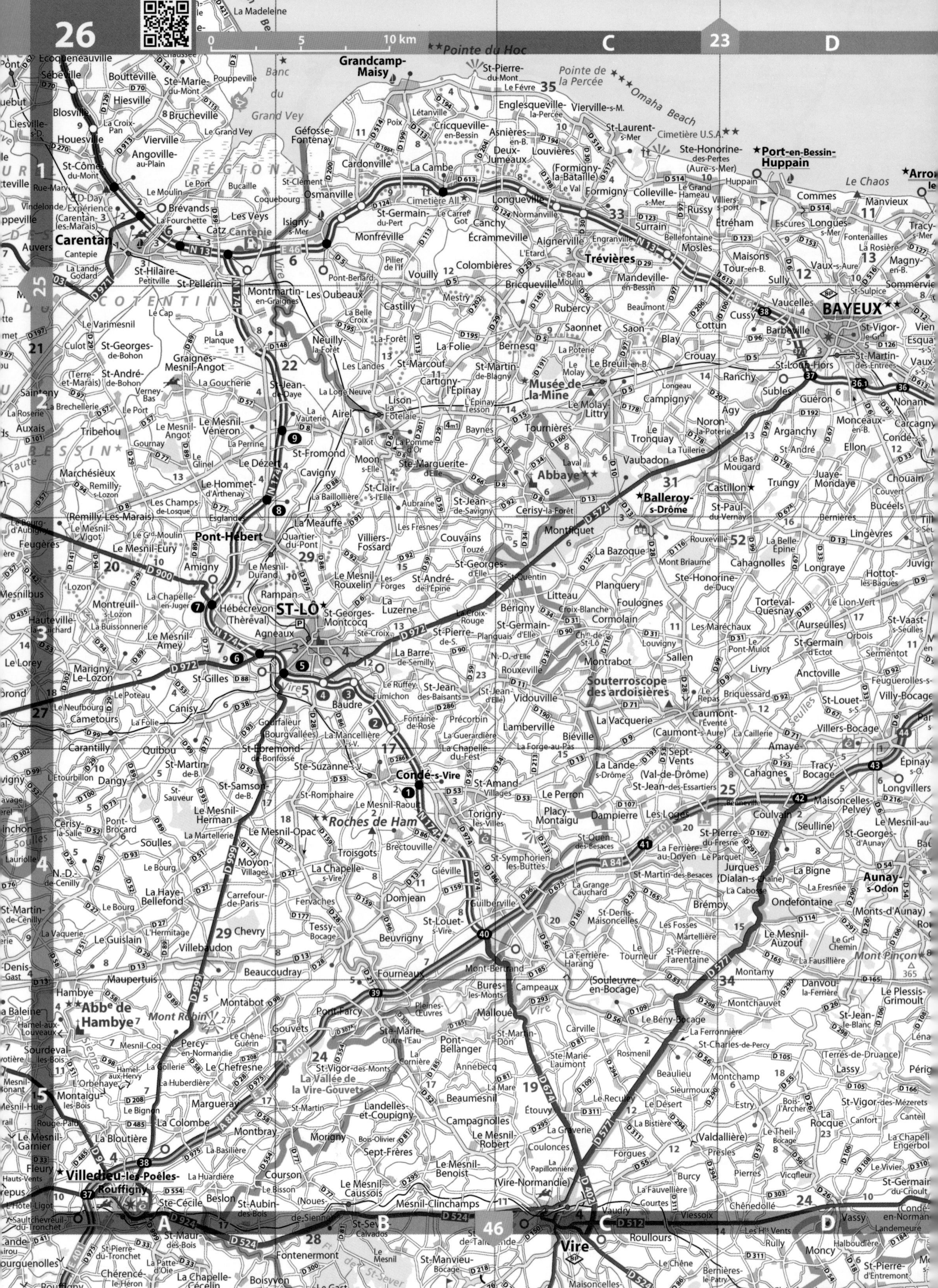

0 5 10 km
C
23
D
Pointe du Hoc
Grandcamp-Maisy
Pointe de la Percée
Omaha Beach
Cimetière U.S.A.
Port-en-Bessin-Huppain
Utah Beach
La Madeleine
Grand Vey
Carentan
Isigny-s-Mer
Trévières
BAYEUX
Balleroy-s-Drôme
Musée de la Mine
Le Molay-Littry
Abbaye
Cerisy-la-Forêt
Pont-Hébert
ST-LÔ
Hébécrevon (Thèreval)
Agneaux
Condé-s-Vire
Roches de Ham
Torigny-les-Villes
Souterroscope des ardoisières
Caumont-l'Éventé
Aunay-s-Odon
Mont Pinçon
Villers-Bocage
Abbe de Hambye
Mont Robin
La Vallée de la Vire-Gouvets
Villedieu-les-Poêles-Rouffigny
Vire
Percy-en-Normandie
Tessy-Bocage
Marigny-Le-Lozon
Canisy
St-Gilles
Montbray
Beaucoudray
Le Bény-Bocage
Vassy
A
B
46
C
D
25

Côte de Nacre
Côte Fleurie
Rade de Caen
CAEN
DEAUVILLE
Trouville-s-Mer
Cabourg
Houlgate
Villers-s-Mer
Dives-s-Mer
Ouistreham Riva-Bella
Courseulles-s-Mer
Hérouville-St-Clair
Mondeville
Falaise
Thury-Harcourt
Mézidon-Canon
St-Pierre-sur-Dives
Vendeuvre
Bretteville-s-Laize
Clécy
Condé-s-Noireau
Gold Beach
Juno Beach
Sword Beach
Pegasus Bridge
Suisse Normande
Roche d'Oëtre
Pain de Sucre
Boucle du Hom
Croix de la Faverie

28
0
5
10 km
Pont de Tancarville
Quillebeuf-sur-Seine
Ételan
Norville
Le Quesney
St-Maurice-d'Ételan
Petiville
SEINE
Berville-s-Mer
St-Samson-de-la-Roque
St-Aubin-s-Quillebeuf
Le Gd-St-Aubin
Vieux-Port
Aizier
Honfleur
Vasouy
Fiquefleur-Équainville
Grestain
Pennedepie
Cricqueboeuf
Villerville
Hennequeville
Équemauville
Barneville-la-Bertran
Gonneville-s-H.
La Rivière-St-Sauveur
Fatouville-Grestain
Conteville
Marais-Vernier
Ste-Opportune-la-Mare
La Cour
Trouville-la-Haule
St-Thurien
Tocqueville
Bourneville-Ste-Croix
La Haye-de-R.
La Haye-Aubrée
Éturqueraye
Foulbec
Bouquelon
St-Ouen-des-Champs
Fourmetot
St-Pierre-du-Val
Ablon
Équainville
Manneville-la-Raoult
St-Sulpice-de-Grimbouville
St-Mards-de-Blacarville
Toutainville
Valletot
Étréville
Les Aubets
La Croix-Sonnet
Touques
St-Gatien-des-Bois
Fourneville
Genneville
Boulleville
Beuzeville
St-Maclou
Pont-Audemer
Manneville-s-Risle
Les Cauvins
Rougemontier
Bonneville-s-T.
Englesqueville-en-A.
Le Theil-en-Auge
Quetteville
St-Germain-Village
Les Baquets
Cauverville-en-Roumois
Colletot
La Chapelle-Brestot
St-Arnoult
St-Martin-aux-Chartrains
St-Benoît-d'Hébertot
Le Torpt
Fort-Moville
Triqueville
Corneville-s-Risle
Rondemare
Brestot
Tourgéville
Vx-Bourg
St-André-d'Hébertot
Surville
St-Symphorien
Les Préaux
Tourville-s-Pont-Audemer
St-Paul-s-Risle
Illeville-s-Montfort
Appeville-Annebault
Canapville
Vauville
Coudray-Rabut
La Lande-St-Léger
Vannecrocq
Condé-s-Risle
St-Étienne-la-Thillaye
Les Authieux-s-Calonne
Martainville
Selles
Campigny
St-Philbert-s-Risle
Montfort-sur-Risle
Glanville
Bourgeauville
St-Julien-s-Calonne
St-Léger-s-Bonneville
Maillot
Le Bois-Hellain
Épaignes
La Canurie
La Prévoste
St-Martin-St-Firmin
Écaquelon
Beaumont-en-Auge
Pont-l'Évêque
La Haie-Tondue
Reux
Manneville-la-Pipard
La Grenterie
St-Siméon
St-Christophe-s-Condé
Le Quesney
Thierville
Pierrefitte-en-A.
Bonneville-la-Louvet
La Chapelle-Bayvel
La Noë-Poulain
St-Pierre-des-Ifs
Glos-s-Risle
Clarbec
Le Mesnil-s-Blangy
Blangy-le-Château
Cormeilles
St-Sylvestre-de-C.
St-Étienne-l'Allier
Freneuse-s-Risle
Pont-Authou
Drubec
St-Hymer
Fierville-les-Parcs
La Poterie-Mathieu
St-Georges-du-Vièvre
Valsemé
La Chaule
La Cauvinière
Lieurey
St-Grégoire-du-V.
Berquerie
Livet-s-Authou
Le Brévedent
Le Faulq
St-Pierre-de-C.
Morainville-Jouveaux
St-Jean-de-la-Léqueraye (Mesnil-St-Jean)
St-Benoît-des-Ombres
Authou
Le Bec-Hellouin
Beaufour-Druval
Le Torquesne
Croix-de-Pierre
Le Breuil-en-Auge
St-Philbert-des-Champs
St-Jean-d'Asnières
Noards
St-Georges-du-Mesnil
St-Victor-d'Épine
Neuville-s-Authou
Brétigny
Bonnebosq
Coquainvilliers
Le Pin
Bailleul-la-Vallée
La Cx-de-Fer
Le Fournet
Norolles
Moyaux
Asnières
Épreville-en-Lieuvin
Giverville
N.-D.-d'Épine
St-Pierre-de-Salerne
Auvillars
Formentin
Fauguernon
Zoo Cerza
Fresne-Cauverville
Heudreville-en-Lieuvin
St-Cyr-de-Salerne
Léaupartie
Ouilly-le-Vicomte
Le Maupas
Hermival-les-Vaux
Ouilly-du-Houley
Fumichon
St-Aubin-de-Scellon
Morsan
Franqueville
La Roque-Baignard
Manerbe
Rocques
Piencourt
Le Favril
Bazoques
Berthouville
Cambremer
Le Pré-d'Auge
La Pommeraye
Lisieux
Glatigny
Firfol
St-Léger
Les Places
Fontaine-la-Louvet
Folleville
Le Theil-Nolent
Boissy-Lamberville
Hecmanville
Aclou
St-Ouen-le-Pin
La Poste
La Boissière
St-Désir
Barville
La Bretagne
Boisney
St-Pair-du-Mont
Haras
St-Aubin-s-Algot
Plasnes
Fontaine-la-Soret
N.-D.-de-Livaye
La Houblonnière
Mélicorne
Grais
Villers
Marolles
L'Hôtellerie
Duranville
Bournainville-Faverolles
Malouy
Courbépine
Le Mesnil
Carsix
Nassandres-s-Risle
Courtonne-la-Meurdrac
Thiberville
Valailles
Le Theil
Beuvillers
Les Monceaux
St-Pierre-des-Ifs
St-Martin-de-la-Lieue
Glos
Les Cesnes-Rocray
Cordebugle
Faverolles-les-Mares
St-Léger-de-Rôtes
Rostes
Serquigny
Lécaude
Le Mesnil-Simon
La Corne
Le Mesnil-Eudes
Le Mesnil-Guillaume
La Chapelle-Hareng
Drucourt
St-Martin-du-Tilleul
Les Loges
Les Molands
Grandchamp-le-Château
St-Jean-de-L.
St-Denis-de-Mailloc
St-Martin-de-M.
St-Vincent-du-Boulay
Le Tilleul
Caorches-St-Nicolas
Menneval
Camfleur
Launay
Les Authieux-Papion
Lessard-et-le-Chêne
St-Germain-de-Livet
Carref de Chambrin
Courtonne-les-Deux-Églises
Le Planquay
Plainville
Bernay
Fontaine-l'Abbé
St-Julien-le-Faucon
La Forge
Prêtreville
St-Julien-de-Mailloc
St-Pierre-de-Mailloc
La Thiboutière
St-Mards-de-Fresne
St-Victor-de-Chrétienville
Chrétienville
St-Clair-d'Arcey
Les Quatre-Routes
Coupesarte
Le Mesnil-Durand
La Chapelle-Hareng
Auquainville
St-Cyr-du-Ronceray
(Valorbiquet)
La Chapelle-Yvon
St-Germain-la-Campagne
St-Quentin-des-Isles
(Treis-Sants-en-Ouche)
Corneville-la-Fouquetière
Vieux-Pont-en-Auge
Le Mesnil-Germain
Le Bocage
Fervaques
Tordouet
St-Martin-de-Bienfaite-la-Cressonnière
Le Hamel
Capelle-les-Grands
Grand-Camp
Ferrières-St-Hilaire
St-Aubin-le-Vertueux
Le Beuhelin
Grandchain
St-Aubin-le-Guichard
St-Martin-du-Mesnil-Oury
Castillon-en-A.
St-Michel-de-L.
Cheffreville-Tonnencourt
La Croupte
L'Épinai
St-Aubin-du-Thenney
Jonquerets-de-Livet
Ste-Marguerite-en-Ouche
Ste-Marguerite-de-Viette
La Mare
Cernay
Orbec
La Vespière-Friardel
Livarot-Pays-d'Auge
Ste-Marguerite-des-Loges
Bas-de-Bellouet
Montviette
St-Jean-du-Thenney
Broglie
Livet-s-Ouche
St-Aubin-des-Hayes
Friardel
Le Mesnil-Bacley
N.-D.-de-Courson
La Chapelle-Gauthier
St-Georges-en-A.
Heurtevent
Bellou
Cerqueux
Landepéreuse
(Mesnil-en-Ouche)
Chamblac
Le Billot
La Brévière
Préaux-St-Sébastien
La Folletière-Abenon
La Hondière
Épinay
Le Bellou
Thevray
Tortisambert
St-Ouen-le-Houx
Les Moutiers-Hubert
St-Laurent-des-Grès
Val-du-Theil
Montpinçon
La Chapelle-Hte-Grue
(Val-de-Vie)
Le Bourg
Meulles
Familly
La Trinité-de-Réville
Le Boulay
Le Bocage
Le Bout-de-
Les Autels-St-Bazile
Ste-Foy-de-Montgommery
Lisores
Les Champs
La Goulafrière
Courteilles
La Roussière
Ammeville
Prieuré St-Michel
St-Germain-de-M.
Canapville
Avernes-St-Gourgon
St-Aubin-de-Bonneval
Montreuil-l'Argillé
St-Agnan-de-Cernières
Gisay-la-Coudre
Rubremont
Garnetot
Le Mesnil-Imbert
Le Bos
St-Pierre-de-Cernières
La Barre-en-Ouche
Bosc-Renoult-en-Ouche
Le Renouard
Vimoutiers
Pontchardon
St-Germain-d'Aunay
St-Denis-d'Augerons
St-Pierre-du-Mesnil
St-Ouen
Cernay
St-Gervais-des-Sablons
Crouttes
Ticheville
St-Cyr-d'Estrancourt
St-Aquilin-d'Augerons
Mélicourt
La Haye-St-Sylvestre
Bois-Anzeray
Hostellerie Faroult
La Fauvetière
Camembert
La Croix-Rouge
Le Bosc-Renoult
La Croix-Blanche
Verneusses
Les Marnières
La Herperie
La Neuve-Lyre
Guerquesalles
Echanfray
Mesnil-Rousset
Les Champeaux
Orville
Roiville
Le Sap-en-Auge
Monnai
St-Laurent-du-Tencement
La Riboudière
St-Just
Bois-Normand-près-Lyre
Les Lignerits
Fresnay-le-Samson
Les Moulins
N.-D.-du-Hamel
Chambord
Écorches
Champosoult
La Bruyère-Fresnay
Aubry-le-Panthou
Neuville-s-Touques
Marnefer
Les Bottereaux
Vaux-s-Risle
Les Rouvrais
Coudehard
Survie
Heugon
Couvains
Le Bout-au-Grain
Mémorial
La Cour-du-Boscq
La Fresnaie-Fayel
Les Haras
Glos-la-Ferrière
Juignettes
Neauphe-s-D.
Chaumont
La Bougerie
Bocquencé
Les Frétils
A
B
C
D
1
2
3
4
5
12
27
48

13

E F G H

Le Trait, Berville-s-S., Ambourville, Hénouville, Montigny, Déville-lès-R., Mont-St-Aignan, Bois-Guillaume-Bihorel, St-Martin-du-Vivier, Roncherolles-s-le-Vivier, Servaville-Salmonville, Mt-Bénin, St-Saire, Caveaumont, Anneville-Ambourville, Yainville, Heurteauville, Jumièges, Abbaye, Bardouville, St-Martin-de-Boscherville, Canteleu, Bapeaume, ROUEN, Darnétal, Quévreville, Bois-l'Évêque, Martainville-Épreville, St-Jacques-s-Darnétal, Croisset, Le Génetey, Le Pt-Quevilly, Dieppedalle, Quevillon, Le Grd-Quevilly, Sotteville-lès-R., Bonsecours, St-Aubin-Épinay, Le Mesnil-Esnard, Franqueville-St-Pierre, Montmain, Fresne-le-Plan, Letteguives, Auzouville-s-Ry, Vascœuil, Perruel, Les Hogues, Le Fresnay, Perriers-s-Andelle, Renneville, Le Mesnil-s/s-Jumièges, Port-Jumièges, Beaulieu, Hauville, Le Landin, Le Conihout, Yville-s-S., St-Pierre-de-Manneville, Forêt de Roumare, Le Madrillet, Amfreville-la-Mi-Voie, Franquevillette, Mesnil-Raoul, Bourg-Beaudouin, Le Fayel, Les Tainières, Gournets, Barneville-s-S., Mauny, Mare Foulon, Val-de-la-Haye, Petit-Couronne, St-Étienne-du-Rouvray, Belbeuf, Boos, La Neuville-Chant-d'Oisel, Vandrimare, Charleval, Fleury-s-Andelle, Rosay-s-L., Ménesqueville, Honguemare-Guenouville, La Trinité-de-Th., Caumont, Hautot-s-S., Ft du Rouvray, Celloville, Roches de St-Adrien, St-Aubin-Celloville, Les Grandes-Masures, Abbe de Fontaine Guérard, Touffreville, Bouquetot, Sahurs, Grand-Couronne, Oissel, Gouy, Ymare, Quévreville-la-Poterie, Pont-St-Pierre, Radepont, Grainville, Bourg-Achard, Bosgouet, St-Ouen-de-Thouberville, La Bouille, Moulineaux, Les Essarts, Les Authieux-s-le-Port-St-Ouen, Romilly-s-Andelle, Douville-s-Andelle, Gaillardbois-Cressenville, Bonnemare, (Flancourt-Crescy-en-Roumois), Bosc-Bénard-Crescy, La Maison Brûlée, Chau de Robert-le-Diable, Roches d'Orival, Tourville-la-Rivière, Alizay, Pîtres, Côte des Deux Amants, Bacqueville, Écouis, Bosc-Bénard-Commin, Thuit-Hébert, Grand-Bourgtheroulde, La Londe, Orival, Cléon, Freneuse, Sotteville-s-le-Val, Igoville, Le Manoir, Flipou, Amfreville-les-Champs, Mussegros, Bosc-Renoult-en-Roumois, Berville-en-R., Le Bosc-Roger-en-Roumois, St-Aubin-lès-E., Criquebeuf-s-Seine, Les Damps, Pont-de-l'Arche, Écluses, Poses, Amfreville-s/s-les-Monts, Houville-en-Vexin, Fresne-l'Archevêque, (Thénouville), Theillement, (Monts-du-Roumois), (Bosroumois), Bosnormand, St-Ouen-du-Tilleul, Elbeuf, Martot, Caudebec-lès-E., Léry, Val-de-Reuil, Tournedos-s-Seine, Senneville, Heuqueville, Vatteville, Cuverville, Bosguérard-de-Marcouville, Boscherville, Le Thuit-Anger, (Le Thuit-de-l'Oison), Le Thuit-Simer, Le Thuit-Signol, St-Pierre-lès-E., La Saussaye, Tostes, Daubeuf-près-V., Longuel, Boissey-le-Ch., Le Fitz, St-Denis-des-Monts, Houlbec-près-le-Gros-Theil, St-Pierre-du-B., St-Pierre-des-Fleurs, St-Cyr-la-Campagne, La Vallée, (Terres-de-Bord), Forêt de Louviers, Le Vaudreuil, Porte-Joie, Fretteville, Le Thuit, Noyers, Le Val-St-Martin, Les Andelys, St-Philbert-sur-Boissey, St-Éloi-de-Fourques, La Haye-du-Theil, St-Amand-des-Hautes-Terres, Le Bec-Thomas, St-Didier-des-Bois, St-Étienne-du-V., Connelles, La Roquette, Bernières-s-Seine, Chau Gaillard, Bosrobert, Le Bosc-du-Theil, St-Meslin-du-Bosc, Tourville-la-C., St-Ouen-de-Pontcheuil, La Harengère, La Haye-Malherbe, Montaure, Incarville, St-Pierre-du-Vauvray, Herqueville, Andé, Muids, St-Martin-du-Parc, St-Paul-de-Fourques, La Grosse-Londe, Amfreville-St-Amand, Fouqueville, Écrosville, Louviers, Les 7 Monts, Tosny, Vézillon, Cléry, Guiseniers, La Neuville-du-Bosc, St-Nicolas-du-Bosc, Crestot, Mandeville, Vraiville, Surtauville, Crasville, Le Mesnil, Vironvay, La Mare, (Trois-Lacs), Venables, Villers-s-le-Roule, Bouafles, Hennezis, Le Troncq, Hectomare, Criquebeuf-la-Campagne, Daubeuf-la-Campagne, Surville, La Haye-le-Comte, Le Hamelet, Heudebouville, Fontaine-Bellenger, Le Gros-Mesnil, Courcelles-s-Seine, La Haye-de-Calleville, La Pyle, Épégard, Cesseville, Quatremare, Le Mesnil-Jourdain, Pinterville, Acquigny, (Le Val-d'Hazay), Ste-Barbe-s-Gaillon, Forêt des Andelys, Harcourt, Champ-de-Bataille, Ste-Opportune-du-Bosc, Vitot, Iville, Crosville-la-Vieille, Ecquetot, Venon, Canappeville, La Mare-Hermier, Gruchet, Heux-Villez, Aubevoye, Port-Mort, Chrétienville, Villez-s-le-N., Le Neubourg, Marbeuf, Criquetot, Les Landes, Amfreville-s-Iton, Les Planches, Ailly, Gaillon, St-Pierre-la-Garenne, Pressagny-le-Val, Thibouville, Rouge-Perriers, Épreville-près-N., La Salle-Coquerel, Villettes, Noyon, St-Aubin-d'Écrosville, Hondouville, Heudreville-s-Eure, St-Aubin-s-G., Habloville, Les Rotoirs, Le Goulet, N.-D.-de-l'Isle, La Cambe, Écardenville-la-Campagne, Le Tremblay-Omonville, Le Mesnil-Broquet, Écauville, Houetteville, La Vacherie, Fontaine-Heudebourg, Botremare, St-Julien-de-la-Liègue, St-Pierre-de-Bailleul, Goupil-Othon, Fréville, Le Tilleul-Othon, La Neuville, Ste-Colombe-la-Commanderie, Feuguerolles, Quittebeuf, Brosville, Verdun, Cailly-s-Eure, (Clef-Vallée-d'Eure), Villez-s/s-Bailleul, St-Étienne-s/s-Bailleul, Bray, Les Quatre Routes, Sémerville, Graveron-Sémerville, Mesnil-Péan, Bérengeville-la-Campagne, La Chapelle-du-Bois-des-Faulx, Émalleville, La Croix-St-Leufroy, Champenard, (La Chapelle-Longueville), St-Just, Beaumont-la-Ville, Combon, La Brosse, St-Mélain-la-Campagne, Bacquepuis, Tourneville, Irreville, Crèvecœur, Écardenville-sur-Eure, Autheuil-Authouillet, La Chapelle-Réanville, St-Marcel, Vétigny, Ste-Opportune-la-Campagne, St-Léger, Bernienville, Tournedos-Bois-Hubert, Sacquenville, St-Germain-des-Angles, Le Boulay-Morin, Reuilly, St-Vigor, Ste-Colombe-près-Vernon, Mercey, Bizy, Barc, Le Tilleul-Lambert, Émanville, Le Mesnil-Fuguet, Normanville, Dardez, Chambray, Houlbec-Cocherel, Launay, St-Vincent-des-Bois, Bois-Hubert, Beaulieu, Pithienville, St-Martin-la-Campagne, La Croix, Le Mesnil-Doucerain, Fontaine-s/s-Jouy, Rouvray, La Heunière, Grosley-s-Risle, Conchez, Barquet, Le Plessis-Ste-Opportune, Ormes, Claville, Gauville-la-Campagne, Aviron, Gravigny, Sassey, Cocherel, Jouy-s-Eure, Maulu, Vaux-s-Eure, La Vacherie, Berville-la-Campagne, La Gouberge, Le Bosc-Roger, Neuville, ÉVREUX, Huest, Cerisey, Gauciel, Hardencourt-Cocherel, Ménilles, Douains, Blaru, La Puthenaye, Les Authieux, Portes, Caugé, Parville, Fauville, Croisy-s-Eure, Le Val Gallerand, La Noë de Bougy, Faverolles-la-Campagne, Ferrières-Ht-Clocher, St-Sébastien-de-Morsent, Miserey, Boncourt, St-Aquilin-de-Pacy, Pacy-s-Eure, Chaignes, Romilly-la-Puthenaye, Tilleul-Dame-Agnès, Les Buissons, Le Coudray, La Bretonnière, St-Aubin, Cierrey, Caillouet-Orgeville, Le Bois-Bercher, Aigle, Villegats, Collandres-Quincarnon, La Bonneville, Aulnay-s-Iton, Arnières-s-Iton, Angerville-la-Campagne, Le Vieil-Évreux, Orgeville, Fains, Gadencourt, La Houssaye, Ajou, Louversey, Burey, La Hte Croisille, Glisolles, Forêt d'Évreux, La Trinité, Le Val-David, Le Plessis-Hébert, Le Cormier, La Neuville-des-Vaux, Hécourt, La Ferrière-s-Risle, Sébécourt, Ste-Marthe, St-Élier, La Croisille, Gaudreville-la-Rivière, Les Baux-Ste-Croix, Guichainville, Merey, Boisset-les-Prévanches, Breuilpont, Champignolles, Le Fidelaire, Vieux-Conches, Conches-en-Ouche, La Trigale, Fumeçon, St-Luc, St-Germain-de-Fresney, Le Fresne, Champ-Dolent, Garel, Le Plessis-Grohan, Berou, Cissey, Garencières, (La Baronnie), Bretagnolles, Fresney, Lorey, Chanu, Le Mesnil, Orvaux, Les Ventes, Buisson-Crosson, La Boissière, Épieds, Forêt de Conches, Ste-Anne, Le Mesnil-Hardray, Le Boshion, Villalet, La Bochelle, Sylvains-les-Moulins, Grossœuvre, La Forêt-du-Parc, Quessigny, Serez, Bueil, Nagel-Séez-Mesnil, Le Laye, Nogent-le-Sec, Manthelon, Avrilly, Champ-Dominel, (Chambois), Le Mesnil-Chaudron, Le Parc, St-André-de-l'Eure, Foucrainville, Neuilly, La Vieille-Lyre, Mare-Sèche, Beaubray, Le Ménillet, Le Nuisement, Jumelles, Boussey, Garennes-s-Eure, Ste-Marguerite-de-l'Autel, Les Minières, Le Buisson-Chevalier, Thomer-la-Sôgne, Les Authieux, Le Chemin-Perré, (Le Lesme), Les Mares, Le Chesne, Les Essarts, Le Buisson-Hardouin, Le Sacq, Bailleul, Neuville, Mousseaux-Neuville, La Couture-Boussey, Nantilly, Les Baux-de-Breteuil, Guernanville, (Marbois), Chantéloup, La Millerette, Chavigny-Bailleul, Ferrières, Touvoye, Mouettes, Le Pied du Seuil, Le Champ-Potteux, Le Val, Le Failly, (Mesnils-s-Iton), Coulonges, Le Favril, La Houssaye de M., Ivry-la-Bataille, Ferrières, Le Hamelet, St-Denis-du-Béhélan, Le Roncenay, Damville, Corneuil, Champigny-la-Futelaye, L'Habit, Ézy-s-Eure, Les Ptes Bruyères, Le Roncenay-Authenay, Pommereuil, Coudres, Bois-le-Roi, La Haise, Les Minières, Créton, Francheville, Anet, Bémécourt, Gouville, Blandey, Lignerolles, Croth, Saussay, Ste-Suzanne, Roman, Boissy-s-Damville, Moisville, St-Laurent-des-Bois, Marcilly

30

49

30
14
29
50
0 5 10 km
A
B
C
D
1
2
3
4
5
Lyons-la-Forêt
Les Andelys
Château Gaillard
Gisors
Chaumont-en-Vexin
Vernon
Giverny
St-Marcel
Bizy
Pacy-s-Eure
La Roche-Guyon
Mantes-la-Jolie
Limay
Les Mureaux
Verneuil-sur-S.
Aubergenville
Poissy
Cergy
Cergy-Pontoise
Vauréal
Pontoise
Étrépagny
Magny-en-Vexin
Ivry-la-Bataille
Anet
Thoiry
St-Germer-de-Fly
Parc St-Paul
PARC NATUREL RÉGIONAL DU VEXIN FRANÇAIS
Forêt de Lyons
Forêt de Thelle
Forêt de Rosny
Arboretum de la Roche
Abbe de Mortemer
Camp de Frileuse
SEINE
Epte

31
BEAUVAIS
Clermont
Noailles
Mouy
Méru
Creil
Nogent-sur-Oise
Montataire
St-Leu-d'Esserent
Chantilly
Senlis
Pont-Ste-Maxence
Verberie
Estrées-St-Denis
Margny-lès-Compiègne
Chambly
Persan
L'Isle-Adam
Auvers-sur-Oise
Abbe de Royaumont
Lamorlaye
Abbe de Chaalis
Mer de Sable
Parc Astérix
Ermenonville
Fosses
Luzarches
Louvres
Goussainville
Écouen
Sarcelles
Villiers-le-Bel
Montmorency
Domont
Taverny
Herblay-s-Seine
Franconville
Ermont
Maisons-Laffitte
Argenteuil
Sartrouville
Houilles
Nanterre
ST-DENIS
Bobigny
Le Raincy
PARIS-CHARLES DE GAULLE
Mitry-Mory
Claye-Souilly
Villeparisis
Chelles
Lagny-s-Marne
Disneyland Paris
Champs-s-M.
Torcy
Vincennes
PARIS
Tour Eiffel
Arc de Triomphe
Sacré-Cœur
La Défense
Rueil-Malmaison
St-Cloud
Forêt de Hez-Froidmont
Forêt d'Halatte
Forêt de Chantilly
Forêt d'Ermenonville
PARC NATUREL RÉGIONAL OISE PAYS DE FRANCE
E F G H
15
51
32
1 2 3 4 5

32
0 5 10 km
16
52
31
COMPIÈGNE
Margny-lès-Compiègne
Venette
Clairoix
Janville
Choisy-au-Bac
Le Francport
Clairière de l'Armistice
Rethondes
Les Monts
Mt St Marc
FORÊT DE COMPIÈGNE
Vieux-Moulin
Armancourt
Lacroix-St-Ouen
St-Jean-aux-Bois
La Brévière
Pierrefonds
Trosly-Breuil
Cuise-la-Motte
Croutoy
Courtieux
Attichy
Berneuil-sur-Aisne
St-Crépin-aux-Bois
St-Pierre-lès-Bitry
St-Christophe-à-Berry
Berny-Rivière
Bitry
Vic-s-Aisne
Jaulzy
Couloisy
Autrêches
Chevillecourt
Hautebraye
Vingré
Nouvron-Vingré
Morsain
Vassens
Nampcel
Audignicourt
Moulin-sous-Touvent
Tracy-le-Val
St-Léger-aux-Bois
Ollencourt
Vézaponin
Épagny
Bagneux
Juvigny
Crécy-au-Mont
Leuilly-sous-Coucy
Vauxaillon
Pinon
Neuville-sur-Margival
Terny-Sorny
Allemant
Laffaux
Nanteuil-la-Fosse
Vuillery
Margival
Braye
Vregny
Celles-sur-Aisne
Clamecy
Crouy
Bucy-le-Long
Chivres-Val
Missy-sur-Aisne
Villeneuve-St-Germain
Venizel
Sermoise
Billy-sur-Aisne
Belleu
SOISSONS
Pommiers
Pasly
Cuffies
Vauxrezis
Leury
Bieuxy
Chavigny
Tartiers
Cuisy-en-Almont
Fontenoy
Port-Fontenoy
Osly-Courtil
Pontarcher
Pernant
Mercin-et-Vaux
Ambleny
Saconin-et-Breuil
St-Bandry
Ressons-le-Long
Montois
Montigny-Lengrain
Laversine
Cutry
Missy-aux-Bois
Vauxbuin
Courmelles
Noyant-et-Aconin
Septmonts
Acy
Serches
Ploisy
Berzy-le-Sec
Rozières-sur-Crise
Ambrief
Buzancy
Chacrise
Nampteuil-sous-Muret
Muret-et-Crouttes
Villemontoire
Chaudun
Léchelle
Charentigny
Vierzy
Parcy-et-Tigny
Hartennes-et-Taux
Droizy
Launoy
Villers-Hélon
Louâtre
Blanzy
St-Rémy-Blanzy
Grand-Rozoy
Arcy-Ste-Restitue
Dommiers
Cœuvres-et-Valsery
St-Pierre-Aigle
Montgobert
Puiseux-en-Retz
Longpont
Chavigny
Soucy
Vivières
Haramont
Hautefontaine
Chelles
St-Étienne-Roilaye
Retheuil
Mortefontaine
Taillefontaine
Champs-de-Piel
Bonneuil-en-Valois
Éméville
Largny-s-Automne
Vez
Palesne
Four d'en-Haut
Les Grands Monts
Sauveur
Béthisy-St-Pierre
Champlieu
Morienval
Orrouy
Gilocourt
Elincourt
Grimancourt
Buy
Pondron
Béthisy-St-Martin
Glaignes
Néry
Saintines
Verines
Béthancourt-en-Valois
Fresnoy-la-Rivière
Feigneux
Le Berval
Bémont
Rocquemont
Séry-Magneval
Russy-Bémont
Vauciennes
Villers-Cotterêts
Pisseleux
Fleury
Corcy
Dampleux
Violaine
Trumilly
Crépy-en-Valois
Duvy
Vaumoise
Gondreville
Coyolles
Le Plessis-aux-Bois
Oigny-en-Valois
Faverolles
Ancienville
Billy-sur-Ourcq
Le Plessier-Huleu
Oulchy-le-Château
Oulchy-la-Ville
Beugneux
Wallée
Auger-St-Vincent
Rouville
Chavres
Boursonne
Silly-la-Poterie
Noroy-sur-Ourcq
Chouy
Rozet-St-Albin
Montgru-St-Hilaire
Nanteuil-Notre-Dame
Breny
Cugny-lès-Crouttes
Fresnoy-le-Luat
Lévignen
Ormoy-Villers
Ivors
Ormoy-le-Davien
Préciamont
La Ferté-Milon
Troësnes
Marizy-St-Mard
Vichel-Nanteuil
Armentières-s-Ourcq
Bruyères-s-Fère
Rosières
Péroy-les-Gombries
Macquelines
Boissy-Fresnoy
Bargny
Autheuil-en-Valois
Cuvergnon
Marolles
Mosloy
Marizy-Ste-Geneviève
Passy-en-Valois
Neuilly-St-Front
La Croix-sur-Ourcq
Rocourt-St-Martin
Coincy
Versigny
Betz
Thury-en-Valois
Chaudun
St-Quentin-s-Allan
Dammard
Macogny
Latilly
Grisolles
Brécy
Droizelles
Nanteuil-le-Haudouin
Villers-St-Genest
Antilly
La Villeneuve-s/s-Thury
Mareuil-sur-Ourcq
Monnes
Sommelans
Beuvardes
Silly-le-Long
Sennevières
Étavigny
Le Bas-Bouillancy
Boullarre
Neufchelles
Montigny-l'Allier
Chézy-en-Orxois
St-Gengoulph
Priez
Courchamps
Bonnesvalyn
Épaux-Bézu
Bézu-St-Germain
Épieds
Chèvreville
Réez-Fosse-Martin
Rouvres-en-Multien
Brumetz
Hautevesnes
Ognes
Bouillancy
Fosse-Martin
Acy-en-Multien
Rosoy-en-Multien
Varinfroy
Crouy-sur-Ourcq
Vaux
Gandelu
Licy-Clignon
Monthiers
Étrépilly
Le Plessis-Belleville
Oissery
Brégy
Vincy-Manœuvre
May-en-Multien
Fussy
Veuilly-la-Poterie
Bussiares
Torcy-en-Valois
Belleau
Mont-St-Père
St-Pathus
Forfry
La Ramée
Douy-la-Ramée
Puisieux
Le Plessis-Placy
Certigny
Marnoue-les-Moines
Coulombs-en-Valois
Germigny-sous-Coulombs
Marigny-en-Orxois
Lucy-le-Bocage
Bouresches
Verdilly
Brasles
Château-Thierry
Gland
Gesvres-le-Chapitre
Trocy-en-Multien
Vernelle
Vendrest
Rademont
Chaton
Dhuisy
Sablonnière
Coupru
Essômes-s-M.
Chierry
Étampes-s-M.
Nesles-la-Montagne
Montgé-en-Goële
St-Soupplets
Marcilly
Étrépilly
Barcy
Congis-sur-Thérouanne
Lizy-sur-Ourcq
Ocquerre
Mary-sur-Marne
Crépoil
Cocherel
Montreuil-aux-Lions
Bézu-le-Guéry
Domptin
Bonneil
Nogentel
Azy-sur-Marne
Cuisy
Le Plessis-l'Évêque
Monthyon
Pringy
Varreddes
Tancrou
Rougeot
Ste-Aulde
Villiers-St-Denis
Moucherelle
Saulchery
Chézy-sur-Marne
Iverny
Penchard
Mémorial
Chambry
Germigny-l'Évêque
Isles-les-Meldeuses
Jaignes
Avernes
Messy
Nanteuil-sur-M.
Crouttes-sur-M.
Charly-s-M.
Villeroy
Chauconin-Neufmontiers
Crégy-lès-M.
Poincy
Armentières-en-Brie
Changis-sur-Marne
Molien
Chamigny
Courtaron
Luzancy
Méry-s-Marne
Citry
Romeny-s-M.
Essises
Charny
Chauconin
Montceaux
Ussy-sur-Marne
Reuil-en-Brie
Saâcy-sur-Marne
Pavant
Nogent-l'Artaud
Montfaucon
Trilbardou
Villenoy
MEAUX
Trilport
St-Jean-les-Deux-Jumeaux
Sammeron
La Ferté-sous-Jouarre
Rougeville
Montapeine
Bassevelle
La Chapelle-sur-Chézy
La Ville-Chamblon
Rozoy-Bellevalle
Charmentray
Vignely
Mareuil-lès-M.
Nanteuil-lès-Meaux
Fublaines
St-Fiacre
Villemareuil
Signy-Signets
Sept-Sorts
Jouarre
Monthomé
Bussières
La Belle Idée
La Férotterie
Mont-Cel-Enger
Précy-sur-Marne
Isles-lès-Villenoy
Chermont
Boutigny
St-Cyr-sur-Morin
Petit Villiers
Orly-sur-Morin
Boitron
Replonges
La Haute Épine
Lesches
Esbly
Condé-Ste-Libiaire
Quincy-Voisins
Coulommes
Vaucourtois
Pierre-Levée
La Fringale
Les Grands-Montgoins
St-Ouen-sur-Morin
Bois-Baudry
Hondevilliers
Les Fans
Viels-Maisons
Coupvray
Chalifert
Couilly-Pont-aux-Dames
Sancy
Courte-Soupe
Montry
St-Germain-sur-Morin
Bouleurs
La Haute-Maison
Saussoy
La Trétoire
Fontaine-Robert
Verdelot
L'Épine-aux-Bois
Montévrain
Coutevroult
Crécy-la-Chapelle
Maisoncelles-en-Brie
Doue
Sablonnières
Vendières
Disneyland Paris
Magny-le-Hongre
Villiers-sur-Morin
La Chapelle-s-Crécy
St-Germain-sous-Doue
Les Marchés
Rebais
Villeneuve-s-Bellot
Bellot
Montdauphin
Chanteloup-en-B.
Serris
Voulangis
Villiers

33
Chavignon
Monampteuil
Pargny-Filain
Chevregny
Trucy
Crandelain
Pancy-Courtecon
Neuville-sur-Ailette
Chermizy-Ailles
Ste-Croix
Chamouille
Bouconville-Vauclair
Corbeny
Berrieux
Mont-de-Nizy
Prouvais
Champ-Rolland
Proviseux-et-Plesnoy
Évergnicourt
Aizy-Jouy
Braye-en-L.
Cerny-en-Laonnois
Forêt de Vauclair
Juvincourt-et-Damary
Guignicourt
Neufchâtel-sur-Aisne
St-Remy
Roizy
Ostel
Vendresse-Beaulne
Oulches-la-Vallée-Foulon
Craonne
Paissy
Craonnelle
Vailly-sur-Aisne
Moussy-Verneuil
Cuissy-et-Geny
Vassogne
La Ville-aux-Bois-lès-Pontavert
Condé-s-Suippe
Menneville
Poilcourt-Sydney
Houdilcourt
L'Écaille
Chavonne
Soupir
Moulins
Pontavert
Variscourt
Pignicourt
Bourg-et-Comin
Pargnan
Jumigny
Beaurieux
Cuiry-lès-Ch.
Berry-au-Bac
Aguilcourt
Bertricourt
L'Utilité
Cys-la-Commune
Chaudardes
Gernicourt
Merlet
Pontgivart
Auménancourt
St-Étienne-sur-Suippe
Presles-et-Boves
Chassemy
Pont-Arcy
Œuilly
Concevreux
Aisne
Orainville
Auménancourt-le-Petit
Bazancourt
St-Mard
Viel-Arcy
Maizy
Muscourt
Cormicy
Boult-sur-Suippe
Villers-en-Prayères
Révillon
Roucy
Bouffignereux
l'Aisne
Sermoise
Brenelle
Dhuizel
Barbonval
Longueval-Barbonval
Glennes
Meurival
Guyencourt
Cauroy-lès-Hermonville
Berméricourt
Bourgogne
Braine
Vauxtin
(Les Septvallons)
Serval
Merval
Ventelay
Hermonville
Loivre
(Bourgogne-Fresne)
Pomacle
Courcelles-s-Vesles
Vauxcéré
Le Grd-Hameau
Romain
Villers-Franqueux
La Verrerie
Brimont
Fresne-lès-Reims
Blanzy-lès-F.
Basilieux-lès-Fismes
Bouvancourt
Courcy
Marzilly
Lavannes
Limé
Paars
Perles
Courlandon
Montigny-s-Vesle
Pouillon
Thil
Cerseuil
Bazoches-s-Vesles
Fismes
Breuil-s-Vesle
Pévy
Trigny
St-Thierry
Witry-lès-Reims
Caurel
Jouaignes
Quincy-s/s-le-Mont
St-Thibaut
Villette
Magneux
Les Vantaux
Prouilly
Chenay
Merfy
La Neuvillette
Bétheny
Cuiry-Housse
Tannières
Mont-Notre-Dame
Ville-Savoye
Unchair
Jonchery-sur-Vesle
Châlons-s-Vesle
Maco
Le Linguet
Berru
Lhuys
Mont-St-Martin
St-Gilles
Hourges
Vandeuil
Branscourt
Muizon
St-Brice-Courcelles
Branges
Bruys
Courville
Serzy-et-Prin
Courcelles-Sapicourt
Rosnay
Champigny
Thillois
Pompelle
Cernay-lès-Reims
Chéry-Chartreuve
Mont-s-Courville
Crugny
Savigny-s-Ardres
Gueux
Janvry
Tinqueux
Nogent-l'Abbesse
Loupeigne
Dôle
Faverolles-et-Coëmy
Treslon
Germigny
Ormes
Vrigny
REIMS
Mareuil-en-Dôle
Arcis-le-Ponsart
Prin
Méry-Prémecy
Pargny-lès-R.
Fort de la Pompelle
Châu de Fère
Dravegny
Coëmy
Tramery
Coulommes-la-Montagne
Bezannes
Cormontreuil
St-Léonard
Taissy
Cohan
Brouillet
Bouleuse
Jouy-lès-R.
Les Mesneux
Seringes-et-Nesles
Villomé
Lhéry
St Lié
Champfleury
Trois-Puits
Sillery
Fère-en-Tardenois
Nesles
Coulonges-Cohan
Lagery
Poilly
Aubilly
St-Euphraise-et-Clairizet
Puisieulx
Le Vieux Vézilly
Sarcy
Bligny
Ville-Dommange
Sacy
Villers-aux-Nœuds
Ourcq
Ville-en-Tardenois
Bouilly
Montbré
Chamery
Villemoyenne
Vézilly
Courmas
Écueil
Rilly-la-Montagne
Le Puits
Mailly-Champagne
Sergy
Aougny
Chambrecy
Chaumuzy
Villers-sur-Fère
Cierges
Villers-Agron-Aiguizy
Romigny
Montchenot
Ludes
Verzenay
Goussancourt
Champlat-et-Boujacourt
Marfaux
Pourcy
Villers-Allerand
Verzy
Courmont
Olizy
Sermiers
Chigny-les-Roses
Craon de Ludes
Mont Sinaï
Faux de Verzy
Forêt
Ronchères
Jonquery
La Neuville-aux-Larris
Courtagnon
Forêt de la Montagne de Reims
St-Basle
Fresnes-en-Tardenois
Ste-Gemme
Anthenay
Cuisles
Cuchery
PARC NATUREL RÉGIONAL
Tardenois
Champvoisy
Passy-Grigny
Trotte
Belval-sous-Châtillon
Nanteuil-la-Forêt
Les Haies
Vauremont
Ville-en-Selve
La Neuville-en-Chaillois
Le Charmel
Basilieux-s/s-Châtillon
St-Imoges
Germaine
Trépail
Forêt de Ris
La Chapelle-Hurlay
Vandières
Châtillon-s-Marne
Grand Pré
Cormoyeux
DE LA MONTAGNE
(Val de Livre)
Louvois
Barzy-sur-Marne
L'Érolle
Vincelles
Verneuil
Binson-et-Orquigny
Romery
Bellevue
Tauxières-Mutry
Vaudemange
Jaulgonne
Villers-s/s-Châtillon
Fleury-la-Rivière
Hautvillers
Champillon
Bouzy
Trélou-s-Marne
Chassins
Mareuil-le-Port
Reuil
Venteuil
Fontaine-sur-Ay
Chartèves
Marcilly
Port-à-Binson
Damery
Mutigny
DE REIMS
Courtemont-Varennes
Dormans
Troissy
Œuilly
La Chaussée
Dizy
Aÿ-Champagne
Avenay-Val-d'Or
Tours-s-Marne
Moulins
Courcelles
Cerseuil
Leuvrigny
Cumières
Mardeuil
Magenta
Fossoy
Paroy
Reuilly-Sauvigny
Passy-s-M.
Soilly
Chavenay
Nesle-le-Repons
Le Mesnil-le-Huttier
Le Chêne-la-Reine
Villesaint
Boursault
Vauciennes
Épernay
Mareuil-sur-Aÿ
Bisseuil
Marne
Courthiézy
Festigny
Oiry
Crézancy
Comblizy
Pierry
Plivot
Cherville
Connigis
St-Agnan
La Chapelle-Monthodon
Bel-Air
Moussy
Chouilly
St-Eugène
Monthurel
Igny-Comblizy
Forêt d'Enghien
St-Martin-d'Ablois
Vinay
Athis
Jâlons
Celles-lès-Condé
(Vallée en Champagne)
Grd Étang du Roi
Vaudancourt
Chavot-Courcourt
Condé-en-Brie
Le Sourdon
Cuis
Cramant
Les Istres-et-Bury
Baulne-en-Brie
L'Huis
Brugny-Vaudancourt
Forêt de Vassy
Monthelon
Grauves
Avize
Montigny-lès-Condé
Le Breuil
Mancy
Flavigny
Montlevon
Le Baizil
Morangis
Montgrimaux
Oger
Orbais-l'Abbaye
Mareuil-en-Brie
Moslins
St-Mard-lès-Rouffy
Les Orgerieux
Pargny-la-Dhuys
La Ville-sous-Orbais
Verdon
Le Mesnil-sur-Oger
Pocancy
Suizy-le-Franc
Corribert
Villers-aux-Bois
Gionges
Rouffy
Artonges
Lucy
(Blancs-Coteaux)
Renneville
Vouzy
Fontenelle-en-Brie
Margny
Montmort-Lucy
Chaltrait
St-Eloi
Villeneuve-Renneville-Chevigny
Villemoyenne
La Chapelle-sous-Orbais
Corrobert
Bièvre
La Caure
Soulières
Chevigny
Voipreux
Chaintrix-Bierges
L'Échelle-le-Franc
Hautefeuille
Janvilliers
Fromentières
Le Mesnil
Givry-lès-Loisy
Vertus
Bailly
Le Tremblay
Les Déserts
Beaunay
Étrechy
Vélye
Vauchamps
Champaubert
Étoges
Loisy-en-Brie
Petit-Étrechy
Germinon
Montcoupot
Mécringes
Montmirail
Fontaine-au-Bron
Bergères-lès-Vertus
Trécon
La Mortière
Bannay
Mont Aimé
Corbetaux
Le Thoult-Trosnay
Andecy
La Gravelle
Boutavent
Bergères-s/s-Montmirail
Boissy-le-Repos
Baye
Congy
Toulon-la-Montagne
(Vert-Toulon)
Coligny
Villeseneux
Rieux
Talus-

Vouziers
Suippes
Mourmelon-le-Grand
CHÂLONS-EN-CHAMPAGNE
L'Épine
Marson
Sommepy-Tahure
Machault
Juniville
Warmeriville
Bazancourt
Pontfaverger-Moronvilliers
Beine-Nauroy
Sillery
Prunay
Verzenay
Verzy
Mourmelon-le-Petit
Bouy
Vadenay
Cuperly
La Veuve
Recy
St-Martin-sur-le-Pré
St-Memmie
Courtisols
Somme-Vesle
Somme-Suippe
Somme-Tourbe
Valmy
Challerange
Monthois
Séchault
Ardeuil-et-Montfauxelles
Fontaine-en-Dormois
Cernay-en-Dormois
Massiges
Virginy
Minaucourt-le-Mesnil-lès-Hurlus
Wargemoulin-Hurlus
Laval-sur-Tourbe
St-Jean-sur-Tourbe
Hans
Dommartin-sous-Hans
Gizaucourt
Auve
Herpont
Tilloy-et-Bellay
La Croix-en-Champagne
St-Remy-sur-Bussy
Bussy-le-Château
La Cheppe
Poix
Moivre
Coupéville
Francheville
St-Jean-sur-Moivre
Dampierre-sur-Moivre
Le Fresne
Bussy-le-Repos
Vanault-le-Châtel
Vanault-les-Dames
Sarry
Compertrix
Coolus
Moncetz-Longevas
Chepy
St-Germain-la-Ville
Sogny-aux-Moulins
Écury-sur-Coole
Nuisement-sur-Coole
Mairy-sur-Marne
Vésigneul-sur-Marne
Pogny
Omey
Vitry-la-Ville
Togny-aux-Bœufs
Cernon
St-Quentin-sur-Coole
Breuvery-sur-Coole
Cheniers
Germinon
Chaintrix-Bierges
Thibie
St-Pierre
Pocancy
Villers-le-Château
Fagnières
St-Gibrien
Matougues
Aulnay-sur-Marne
Jâlons
Juvigny
Vraux
Aigny
Condé-sur-Marne
Isse
Ambonnay
Bouzy
Vaudemange
Billy-le-Grand
Trépail
Livry-Louvercy
Les Petites-Loges
Les Grandes-Loges
St-Hilaire-au-Temple
Dampierre-au-Temple
St-Étienne-au-Temple
Baconnes
St-Hilaire-le-Grand
Jonchery-sur-Suippe
Souain-Perthes-lès-Hurlus
Aubérive
Prosnes
Val-de-Vesle
Sept-Saulx
Vaudesincourt
Dontrien
St-Souplet-sur-Py
Ste-Marie-à-Py
St-Martin-l'Heureux
St-Hilaire-le-Petit
Bétheniville
St-Pierre-à-Arnes
St-Étienne-à-Arnes
St-Clément-à-Arnes
Hauviné
Selles
Époye
St-Masmes
Heutrégiville
Lavannes
Caurel
Berru
Isles-sur-Suippe
Pomacle
Aussonce
La Neuville-en-Tourne-à-Fuy
Cauroy
Mont-St-Remy
Leffincourt
Dricourt
Pauvres
Bignicourt
Alincourt
Neuflize
Ménil-Lépinois
Bergnicourt
Le Châtelet-sur-Retourne
Roizy
St-Remy-le-Petit
Perthes
Annelles
Ville-sur-Retourne
Tourcelles-Chaumont
Bourcq
Contreuve
Semide
Mont-St-Martin
St-Morel
Sugny
Ste-Marie
Falaise
Savigny-sur-Aisne
Olizy-Primat
Brécy-Brières
Liry
Orfeuil
Marvaux-Vieux
Aure
Manre
Gratreuil
Bouconville
Autry
Mouron
Vaux-lès-Mouron
Quatre-Champs
Vandy
Ballay
Toges
La Croix-aux-Bois
Longwé
Chestres
Grivy-Loisy
Condé-lès-Vouziers
Coulommes-et-Marqueny
Chardeny
Quilly
Mars-sous-Bourcq
Vaux-Champagne
Saulces-Champenoises
Mont-Laurent
Ste-Vaubourg
Chuffilly-Roche
Camp de Moronvilliers
Camp militaire de Suippes
Camp de Mourmelon
Ferme de Suippes
Fort de la Pompelle
Faux de Verzy
Reims-Champagne
51

0 5 10 km
Thionville
Hayange
Algrange
Neufchef
Fameck
Richemont
Rosselange
Rombas
Amnéville
Walygator Parc
Maizières-lès-M.
Moyeuvre-Gde
Jœuf
Homécourt
Briey
Tucquegnieux
Piennes
Bouligny
Audun-le-Roman
Aumetz
Étain
Jarny
Conflans-en-Jarnisy
Labry
Gravelotte
Mars-la-Tour
Gorze
Moulins-lès-M.
Montigny-lès-M.
Marly
Ars-s-Moselle
Novéant-s-Moselle
Arnaville
Pont-à-Mousson
Blénod-lès-Pont-à-Mousson
Dieulouard
Thiaucourt-Regniéville
St-Mihiel
Hattonchâtel
Les Éparges
Butte de Montsec
Lac de Madine
Étang de Lachaussée
Vigneulles-lès-Hattonchâtel
Fresnes-en-Woëvre
Verdun-St-Nicolas
Spincourt
Sillegny
Butte de Mousson
PARC NATUREL RÉGIONAL
Forêt d'Apremont
Forêt de Puvenelle
Forêt de Moyeuvre
Camp militaire
A 4
A 31
D 603
D 906
D 904
D 958
D 952
D 643

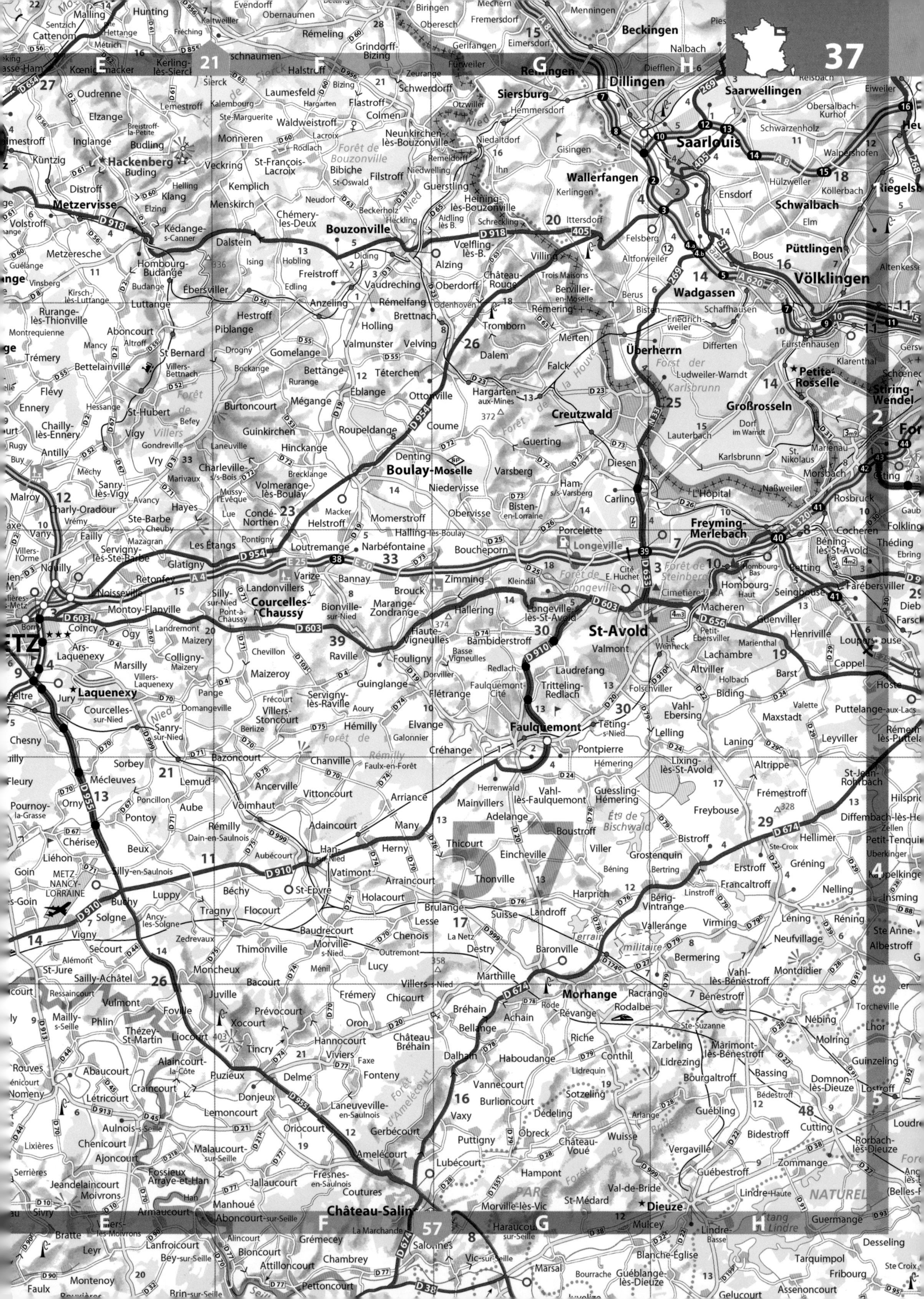

37
Malling
Hunting
Evendorff
Obernaumen
Biringen
Mechern
Menningen
Cattenom
Hettange
Fréching
Rémeling
Grindorff-Bizing
Oberesch
Fremersdorf
Beckingen
Nalbach
Kœnigsmacker
Kerling-lès-Sierck
Halstroff
Zeurange
Fürweiler
Rehlingen
Dillingen
Dieffleny
Saarwellingen
Oudrenne
Sierck
Laumesfeld
Bizing
Flastroff
Schwerdorff
Siersburg
Elzange
Lemestroff
Kalembourg
Hargarten
Colmen
Otzwiller
Hemmersdorf
Obersalbach-Kurhof
Ste-Marguerite
Waldweistroff
Neunkirchen-lès-Bouzonville
Schwarzenholz
Inglange
Breistroff-la-Petite
Monneren
Lacroix
Niedaltdorf
Gisingen
Saarlouis
Budling
Rodlach
Forêt de Bouzonville
Hackenberg
Küntzig
Buding
Veckring
St-François-Lacroix
Bibiche
Remeldorff
Ihn
Walpershofen
Distroff
Helling
Kemplich
St-Oswald
Filstroff
Niedwelling
Wallerfangen
Klang
Guerstling
Hülzweiler
Köllerbach
Metzervisse
Menskirch
Neudorf
Heining-lès-Bouzonville
Kerlingen
Ensdorf
Schwalbach
Riegelsberg
Elzing
Chémery-les-Deux
Beckerholz
Heckling
Schreckling
Volstroff
Kédange-s-Canner
Bouzonville
Aidling
Ittersdorf
Elm
Dalstein
Vœlfling-lès-B.
Felsberg
Püttlingen
Metzeresche
Hobling
Diding
Alzing
Villing
Altforweiler
Bous
Völklingen
Guélange
Ising
Hombourg-Budange
Freistroff
Vaudreching
Oberdorff
Château-Rouge
Trois Maisons
Berviller-en-Moselle
Wadgassen
Vinsberg
Budange
Ébersviller
Edling
Rémelfang
Berus
Kirsch-lès-Luttange
Anzeling
Odenhoven
Rémering
Bisten
Schaffhausen
Rurange-lès-Thionville
Luttange
Hestroff
Brettnach
Friedrichweiler
Aboncourt
Piblange
Holling
Tromborn
Überherrn
Differten
Montrequienne
Altroff
Valmunster
Velving
Merten
Fürstenhausen
Mancy
St Bernard
Drogny
Gomelange
Dalem
Klarenthal
Trémery
Bettelainville
Villers-Bettnach
Bockange
Bettange
Téterchen
Falck
Forst der
Ludweiler-Warndt
Petite-Rosselle
Rurange
Karlsbrunn
Flévy
Éblange
Ottonville
Hargarten-aux-Mines
Creutzwald
Großrosseln
Stiring-Wendel
Ennery
Hessange
Burtoncourt
Mégange
Chailly-lès-Ennery
St-Hubert
Befey
Forêt de Villers
Guinkirchen
Roupeldange
Coume
Dorf im Warndt
Vigy
Lauterbach
Rugy
Gondreville
Hinckange
Guerting
Antilly
Denting
Boulay-Moselle
Marienau
Laneuville
Karlsbrunn
St. Nikolaus
Buy
Vry
Charleville-s/s-Bois
Brecklange
Varsberg
Diesen
Morsbach
Méchy
Marivaux
Mussy-l'Évêque
Volmerange-lès-Boulay
Niedervisse
Ham-s/s-Varsberg
Carling
L'Hôpital
Naßweiler
Sanry-lès-Vigy
Avancy
Hayes
Macker
Rosbruck
Malroy
Charly-Oradour
Vrémy
Ste-Barbe
Cheuby
Lue
Condé-Northen
Helstroff
Momerstroff
Obervisse
Bisten-en-Lorraine
Freyming-Merlebach
Folkling
Vany
Failly
Mazagran
Pontigny
Halling-lès-Boulay
Porcelette
Cocheren
Servigny-lès-Ste-Barbe
Les Étangs
Loutremange
Narbéfontaine
Boucheporn
Longeville
Béning-lès-St-Avold
Théding
Villers-l'Orme
Glatigny
Varize
Bannay
Zimming
Forêt de Longeville
Cité E. Huchet
Forêt de Steinberg
Hombourg-Bas
Betting
Farébersviller
Nouilly
Retonfey
Noisseville
Landonvillers
Courcelles-Chaussy
Brouck
Kleindal
Cimetière U.S.A.
Hombourg-Haut
Seingbouse
Montoy-Flanville
Silly-sur-Nied
Pont-à-Chaussy
Bionville-sur-Nied
Marange-Zondrange
Hallering
Longeville-lès-St-Avold
Macheren
Coincy
Landremont
Maizery
Haute-Vigneulles
Bambiderstroff
St-Avold
Petit-Ébersviller
Guenviller
Henriville
Farschviller
METZ
Ars-Laquenexy
Ogy
Colligny-Maizery
Chevillon
Raville
Basse Vigneulles
Valmont
Le Wenheck
Marienthal
Lachambre
Loupershouse
Marsilly
Villers-Laquenexy
Maizeroy
Fouligny
Redlach
Laudrefang
Altviller
Holbach
Barst
Cappel
Laquenexy
Jury
Pange
Frécourt
Guinglange
Dorviller
Faulquemont-Cité
Tritteling-Redlach
Folschviller
Biding
Maxstadt
Hoste
Courcelles-sur-Nied
Domangeville
Villers-Stoncourt
Servigny-lès-Raville
Aoury
Flétrange
Vahl-Ebersing
Valette
Puttelange-aux-Lacs
Chesny
Sanry-sur-Nied
Berlize
Hémilly
Elvange
Faulquemont
Téting-s-Nied
Lelling
Forêt de Rémilly
Galonnier
Créhange
Pontpierre
Laning
Leyviller
Sorbey
Bazoncourt
Chanville
Faulx-en-Forêt
Hémering
Lixing-lès-St-Avold
Altrippe
St-Jean-Rohrbach
Fleury
Mécleuves
Lemud
Ancerville
Vittoncourt
Arriance
Herrenwald
Vahl-lès-Faulquemont
Guessling-Hémering
Frémestroff
Pournoy-la-Grasse
Orny
Poncillon
Aube
Voimhaut
Mainvillers
Adelange
Freybouse
Hilsprich
Pontoy
Rémilly
Dain-en-Saulnois
Adaincourt
Many
Étg de Bischwald
Diffembach-lès-Hellimer
Chérisey
Boustroff
Bistroff
Zellen
Petit-Tenquin
Hellimer
Beux
Aubécourt
Han-sur-Nied
Herny
Thicourt
Eincheville
Viller
Ste-Croix
Überkinger
Liéhon
Goin
Silly-en-Saulnois
Vatimont
Arraincourt
Thonville
Béning
Grostenquin
Bertring
Erstroff
Gréning
Kappelkinger
METZ-NANCY-LORRAINE
Béchy
St-Epvre
Holacourt
Harprich
Francaltroff
Nelling
Buchy
Luppy
Flocourt
Brulange
Linstroff
Bérig-Vintrange
Insming
Solgne
Ancy-lès-Solgne
Tragny
Lesse
Suisse
Landroff
Vallerange
Virming
Léning
Réning
Vigny
Zedrevaux
Baudrecourt
Chenois
La Netz
Destry
Terrain militaire
Neufvillage
Ste Anne
Secourt
Thimonville
Morville-s-Nied
Outremont
Baronville
Bermering
Albestroff
Alémont
St-Jure
Sailly-Achâtel
Moncheux
Ménil
Lucy
Marthille
Vahl-lès-Bénestroff
Montdidier
Bacourt
Villers-s-Nied
Ressaincourt
Vulmont
Juville
Frémery
Chicourt
Morhange
Racrange
Bénestroff
Torcheville
Mailly-s-Seille
Phlin
Foville
Prévocourt
Xocourt
Oron
Bréhain
Achain
Rode
Rodalbe
Révange
Nébing
Thézey-St-Martin
Liocourt
Château-Bréhain
Bellange
Ste-Suzanne
Lhor
Tincry
Hannocourt
Riche
Zarbeling
Marimont-lès-Bénestroff
Molring
Viviers
Faxe
Dalhain
Haboudange
Conthil
Lidrezing
Guinzeling
Rouves
Abaucourt
Alaincourt-la-Côte
Puzieux
Delme
Fonteny
Lidrequin
Bourgaltroff
Bassing
Domnon-lès-Dieuze
Nomeny
Craincourt
Donjeux
Laneuveville-en-Saulnois
Forêt d'Amélécourt
Vannecourt
Sotzeling
Bédestroff
Lostroff
Létricourt
Lemoncourt
Burlioncourt
Dédeling
Guébling
Cutting
Aulnois-s-Seille
Oriocourt
Gerbécourt
Vaxy
Obreck
Arlange
Wuisse
Bidestroff
Lixières
Chenicourt
Malaucourt-sur-Seille
Puttigny
Château-Voué
Vergaville
Rorbach-lès-Dieuze
Ajoncourt
Amélécourt
Lubécourt
Hampont
Zommange
Serrières
Fossieux
Arraye-et-Han
Jallaucourt
Fresnes-en-Saulnois
Coutures
Guébestroff
Jeandelaincourt
Moivrons
Manhoué
Val-de-Bride
Lindre-Haute
PARC NATUREL
Château-Salins
Morville-lès-Vic
St-Médard
Dieuze
Sivry
Armaucourt
Aboncourt-sur-Seille
La Marchande
Haraucourt-sur-Seille
Mulcey
Lindre-Basse
Étang de Lindre
Guermange
Bratte
Leyr
Ajoncourt
Alincourt
Grémecey
Lanfroicourt
Bioncourt
Chambrey
Salonnes
Vic-sur-Seille
Blanche-Église
Desseling
Tarquimpol
Bey-sur-Seille
Attilloncourt
Marsal
Bourrache
Guéblange-lès-Dieuze
Fribourg
Ste Croix
Faulx
Montenoy
Pettoncourt
Brin-sur-Seille
Assenoncourt
Gelucourt

0
5
10 km
Illingen
Schiffweiler
Bexbach
Neunkirchen
Homburg
Heusweiler
Friedrichsthal
Quierschied
Riegelsberg
Sulzbach
Spiesen-Elversberg
Sankt Ingbert
Kirkel
Zweibrücken
Contwig
Dudweiler
SAARBRÜCKEN
Blieskastel
Stiring-Wendel
Forbach
Mandelbachtal
Gersheim
Grosbliederstroff
Klein-blittersdorf
Sarreguemines
Bliesbruck
Bitche
Simserhof
Farébersviller
Puttelange-aux-Lacs
Sarralbe
Keskastel
Sarre-Union
Lichtenberg
Ingwiller
La Petite-Pierre
Bouxwiller
Neuwiller-lès-Saverne
Phalsbourg
Saverne
Mittelbronn
Étang de Hanau
Camp militaire de Bitche
PARC
Forêt de Fénétrange
Grd Étang de Mittersheim
A
B
C
D
1
2
3
4
5
37
58

39
E
F
G
H
Neustadt an der Weinstraße
Hambach
Krickenbach
Trippstadt
Appenthal
Elmstein
Schopp
Linden
Johanniskreuz
Kalmit
673
Schloß
Diedesfeld
Weselberg
Schmalenberg
Iggelbach
Hermersberg
Geiselberg
Maikammer
Duttweiler
Geinsheim
Eschkopf
608
P F Ä L Z E R
Sankt Martin
Kirrweiler
Altdorf
Erlenkopf
553
Edenkoben
Böbingen
Steinalben
Heltersberg
Ludwigshöhe
Rhodt
Venningen
Großfischlingen
Schwarzbach
Taubensuhl
Weyher in der Pfalz
Edesheim
Pfälzer Weinstraße
Freimersheim
Kleinfischlingen
Hofstätten
Ramberg
Waldfischbach-Burgalben
Leimen
Hainfeld
Roschbach
Hochstadt
Essingen
Lustadt
Burrweiler
Gleisweiler
Böchingen
607
Weißenberg
Dernbach
Clausen
Donsieders
Hermersbergerhof
Eußerthal
Walsheim
Nußdorf
Bornheim
Zeiskam
Rodalben
Gräfenhausen
Frankweiler
Albersweiler
Merzalben
W A L D
Godramstein
Offenbach an der Queich
Knittelsheim
Queich
Münchweiler an der Rodalb
Wilgartswiesen
Rinnthal
Trifels
Ranschbach
Birkweiler
Siebeldingen
Arzheim
Pirmasens
Hauenstein
Spirkelbach
Annweiler
Ilbesheim
Landau in der Pfalz
Ottersheim
Ruppertsweiler
Teufelstisch
Hinterweidenthal
Lug
Wernersberg
Leinsweiler
Waldrohrbach
Mörzheim
Impflingen
Rülzheim
443
Völkersweiler
Göcklingen
Herxheimweyher
Lemberg
Schwanheim
Altdahn
Dimbach
Waldhambach
Heuchelheim-
Insheim
Erlenbrunn
Salzwoog
Darstein
Gossersweiler-Stein
Münchweiler
Billigheim-
Herxheim bei Landau
Obersimten
Langmühle
Dahn
Erfweiler
Schindhard
Silz
Klingen
Klingenmünster
-Ingenheim
Rohrbach
Klingbach
Hayna
Hochstellerhof
Oberschlettenbach
Blankenborn
Vorderweidenthal
Gleiszellen-Gleishorbach
Niederhorbach
Steinweiler
Hatzenbühl
Großer Eyberg
513
Busenberg
Birkenhördt
Bad Bergzabern
Barbelroth
Erlenbach bei Kandel
Bruchweiler-Bärenbach
Erlenbach bei Dahn
Böllenborn
Berwartstein
Kapellen-Drusweiler
Oberhausen
Winden
Jockgrim
Rumbach
Bundenthal
Dierbach
Kandel
471
Dörrenbach
Minfeld
Wörth am Rhein
Saarbach
Niederschlettenbach
Reisdorf
561
Vollmersweiler
Fischbach bei Dahn
485
Bobenthal
Oberotterbach
Niederotterbach
Freckenfeld
Ludwigswinkel
Otterbach
Schweigen-Rechtenbach
Schaidt
Schönau
Nothweiler
Steinfeld
Sturzelbronn
Hirschthal
Col du Litschhof
337
Wissembourg
Kapsweyer
Bien
Col du Gœtzenberg
Weiler
Büchelberg
La Hardt
400
Wengelsbach
Chau de Fleckenstein
Col du Pigeonnier
Schweighofen
Altenstadt
Hagenbach
Obersteinbach
Petit Wingen
Wingen
Climbach
432
Rott
Wald
Neuburg am Rhein
Neudoerfel
Niedersteinbach
Oberhoffen-lès-W.
Forêt de Wissembourg
Neunhoffen
547
Steinseltz
Schleithal
Chau de Falkenstein
Dambach
Lembach
Cleebourg
Scheibenhardt
Berg
Col du Pfaffenschlick
Riedseltz
Geitershof
Scheibenhard
Lauterbourg
Wineckerthal
Nagelsthal
Chau Vieux Windstein
Mattstall
371
Bremmelbach
Salmbach
Neuburgweier
Pfaffenbronn
Ingolsheim
Frohnackerhof
Mambach
Windstein
Drachenbronn-Birlenbach
Seebach
Niederlauterbach
Au am Rhein
Philippsbourg
Jaegerthal
Langensoultzbach
Marienbronn
Memmelshoffen
Keffenach
Siegen
Neewiller-près-Lauterbourg
Niederbronn-les-Bains
Nehwiller
Lampertsloch
Retschwiller
Niederseebach
Oberlauterbach
291
Lobsann
Hunspach
Mothern
Gœrsdorf
Mitschdorf
Kaidenbourg
Wintzenbach
Frœschwiller
Merkwiller-Pechelbronn
Schœnenbourg
Hermerswiller
Aschbach
Trimbach
Crœttwiller
Elchesheim-Illingen
Reichshoffen
Preuschdorf
Soultz-s/s-Forêts
Hoffen
Stundwiller
Eberbach-Seltz
Oberbronn
Wœrth
Kutzenhausen
Hohwiller
Leiterswiller
Kuhlendorf
Oberrœdern
Schaffhouse-près-Seltz
Munchhausen
Bietigheim
Oberdorf-Spachbach
Dieffenbach-lès-Wœrth
Hoelschloch
Reimerswiller
Buhl
Steinmauern
Zinswiller
Schirlenhof
Eberbach-Wœrth
Gunstett
Surbourg
Rittershoffen
Niederrœdern
Ötigheim
Gundershoffen
Biblisheim
Hatten
Seltz
Morsbronn-les-Bains
Schwabwiller
Plittersdorf
Gumbrechtshoffen
Hegeney
Durrenbach
Betschdorf
Kesseldorf
Uttenhoffen
Griesbach
Forstheim
Hinterfeld
Ottersdorf
Mulhausen
Engwiller
Walbourg
Forstfeld
Mietesheim
Laubach
Kœnigsbruck
Beinheim
Uhrwiller
Eschbach
Rastatt
Kindwiller
Mertzwiller
Forêt de Haguenau
Kauffenheim
Wintersdorf
Nieffern
Bitschhoffen
Roppenheim
Favorite
La Walck
Uberach
Soufflenheim
Leutenheim
Iffezheim
(Val de Moder)
Pfaffenhoffen
Niedermodern
Haguenau
Neuhaeusel
Baden-Baden
Schweighouse-s-Moder
Ringeldorf
Neubourg
Dauendorf
Uhlwiller
Marxenhouse
Rountzenheim
Rœschwoog
Auenheim
Hügelsheim
Sandweier
Buswiller
Morschwiller
Camp militaire
Sessenheim
Fort-Louis
Oos
Grassendorf
Ohlungen
Schirrhoffen
Stattmatten
Ettendorf
Huttendorf
Niederaltdorf
Kaltenhouse
Schirrhein
Söllingen
Alteckendorf
Wintershouse
Harthouse
Weinumshof
Dengolsheim
Baden-Airpark
Marienthal
Dalhunden
Lixhausen
Berstheim
Batzendorf
Oberhoffen-s-Moder
Stollhofen
Sinzheim
Bossendorf
Hochstett
Niederschaeffolsheim
Rhin
Leiberstung
Bühl
Minversheim
Wittersheim
Rohrwiller
Rheinmünster
Baden-Baden
Wahlenheim
Bischwiller
Mommenheim
Kriegsheim
Gries
59
Drusenheim
Greffern
Weitenung
Varnhalt
Hochfelden
Schwindratzheim
Umweg
Yburg
Weitbruch
Hildmannsfeld
Oberbruch
Rottelsheim
Ulm
Wimbuch
Neuweier
Waltenheim-s-Zorn
Brumath
Herrlisheim
Moos
Steinbach
Krautwiller
Kurtzenhouse
Zorn
Lichtenau
Mutzenhouse
Geudertheim
Helmlingen
Eisental

0
5
10 km
A
B
C
D
1
2
3
4
5
Légende
Côte des
Roches de Portsall
Roches d'Argenton
Passage du Fromrust
Côte Sauvage★★★
ÎLE D'OUESSANT ★★★
Niou-Uhella
Frugullou
Pnte de Créac'h
Loqueltas
Lampaul
Feunteun Velen
Penn Arlan
Porsguen
★Pointe de Pern
(Ouessant)
Passage du Fromveur
Chenal du Four
Chenal de la Helle
PARC
NATUREL
RÉGIONAL
D'ARMORIQUE
Île-Molène
Petit Port
Pointe de Corsen
Pnte de Kermorvan
Île de Béniguet
★Le Conquet
Les Pierres Noires
★★Pointe St-Mathieu
Chaussée des Pierres Noires
Chenal du Four
Treompan
Lampaul-Ploudalmézeau
Porsguen
Trémazan
St-Samson
Portsall
Kerlanou
Kersaint
Penfoul
Landunvez
Argenton
Kernevez
Porspoder
Kergastel
Larret
Plourin
Kergadio
Melon
Lanildut★
Brélès
Porscave
Aber-Ildut
Porspaul
Lanvénec
Lampaul-Plouarzel
Lokornou-Vian
Ruscumunoc
Plouarzel
Trézien
Porsmoguer
138
Lamber
Ploumoguer
Kerhornou
Pont-l'Hôpital
Kerzévéon
Illien
Lanfeust
Trébabu
Locmaria-Plouzané
Kergounan
Goasmeur
Kerfili
Lochrist
Porsmilin
Kérinou
Trez-Hir
Trégana
St-Mathieu
Plougonvelin
Toulbroc'h
Abbatiale
Pnte du Pit Minou
Pte du Toulinguet
★Camaret-sur-Mer
★★★Pointe de Penhir
★Pnte de
★Cap de la
MER
D'IROISE
D 127
D 168
D 68
D 228
D 27
D 268
D 28
D 5
D 67
D 38
D 85
D 789

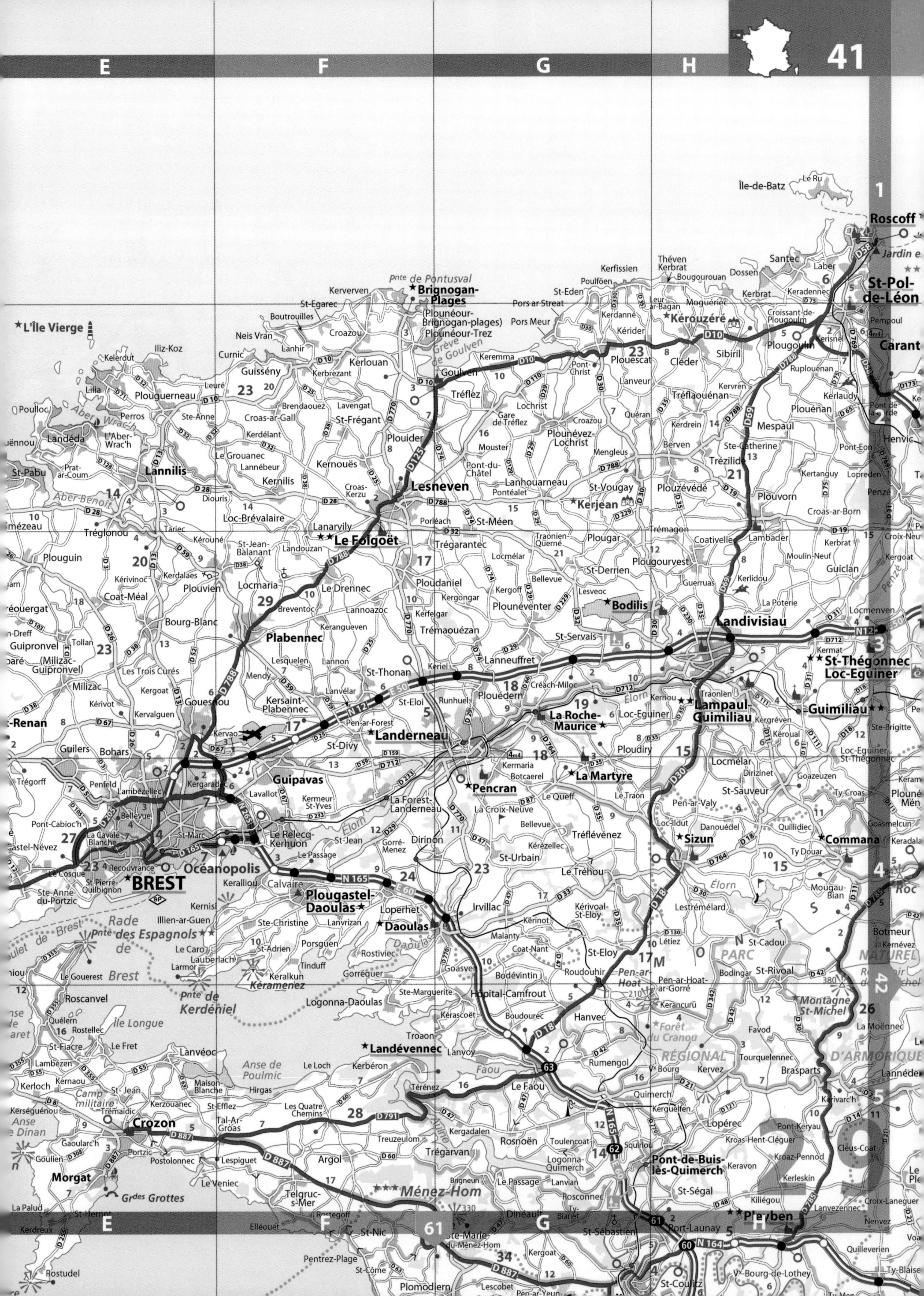
E
F
G
H
1
2
3
4
5
Île-de-Batz
Le Ru
Roscoff
Santec
St-Pol-de-Léon
Carantec
Kerfissien
Théven Kerbrat
Bougourouan
Dossen
Laber
Pempoul
Poulfoën
St-Eden
Pors ar Streat
Pors Meur
Kérouzéré
Plougoulm
Sibiril
Cléder
Plouescat
Pte de Pontusval
Brignogan-Plages
(Plounéour-Brignogan-plages)
Plounéour-Trez
Grève de Goulven
Kerverven
St-Egarec
Boutrouilles
Croazou
Neis Vran
L'Île Vierge
Iliz-Koz
Kelerdut
Curnic
Lanhir
Kerlouan
Goulven
Keremma
Guissény
Plouguerneau
Lilia
Poulloc
Aber Wrac'h
Perros
L'Aber-Wrac'h
Landéda
Ste-Anne
Croas-ar-Gall
St-Frégant
Tréflez
Lochrist
Plounévez-Lochrist
Tréflaouénan
Plouénan
Mespaul
Kerdrein
Berven
Ste-Catherine
Trézilidé
Henvic
Lannilis
St-Pabu
Prat-ar-Coum
Le Grouanec
Lannébeur
Kernilis
Kernouës
Plouider
Mouster
Pont-du-Châtel
Mengleus
Lanhouarneau
St-Vougay
Plouzévédé
Plouvorn
Kertanguy
Lopreden
Penzé
Aber-Benoît
Diouris
Loc-Brévalaire
Lesneven
Croas-Kerzu
Pontéalet
Kerjean
Croas-ar-Born
Tréglonou
Tariec
Kérouné
St-Jean-Balanant
Lanarvily
Le Folgoët
Porléach
St-Méen
Trémagon
Coativelle
Lambader
Kerbrat
Guiclan
Plouguin
Landouzan
Trégarantec
Traonien-Querné
Plougar
Plougourvest
Moulin-Neuf
Kérivinoc
Kerdalaes
Plouvien
Locmaria
Le Drennec
Ploudaniel
Locmélar
St-Derrien
Bellevue
Guerruas
Kerlidou
Coat-Méal
Breventoc
Lannoazoc
Kergongar
Kergoff
Plounéventer
Lesveoc
Bodilis
La Poterie
Locmenven
Bourg-Blanc
Kerfelgar
Kerangueven
Plabennec
Trémaouézan
St-Servais
Landivisiau
Guipronvel
Tollan
(Milizac-Guipronvel)
Les Trois Curés
Lesquelen
Lannon
St-Thonan
Keriel
Lanneuffret
Kermat
St-Thégonnec Loc-Eguiner
Milizac
Kergoat
Gouesnou
Mendy
Kersaint-Plabennec
Lanvélar
St-Eloi
Runhuel
Plouédern
Créach-Miloc
Kerriou
Traonlen
Lampaul-Guimiliau
Guimiliau
Kérivot
Kervalguen
St-Renan
Élorn
La Roche-Maurice
Loc-Eguiner
Kergréven
Kéroual
Ste-Brigitte
Kervao
Pen-ar-Forest
Landerneau
St-Divy
Ploudiry
Loc-Eguiner-St-Thégonnec
Guilers
Bohars
Guipavas
Kermaria
Botcaerel
La Martyre
Locmélar
Dirinizet
Goazeuzen
Trégorff
Penfeld
Lambézellec
Kergaradec
Lavallot
Kermeur-St-Yves
La Forest-Landerneau
Pencran
Le Queff
Le Traon
St-Sauveur
Ty-Croas
Pont-Cabioc'h
Bellevue
La Croix-Neuve
Pen-ar-Valy
Quillidiec
Goasmelcun
Castel-Névez
La Cavale Blanche
St-Marc
Le Relecq-Kerhuon
St-Jean
Gorré-Menez
Dirinon
Tréflévénez
Loc-Ildut
Danouédel
Sizun
Commana
Le Cosquer
Recouvrance
BREST
Océanopolis
Le Passage
Kérézellec
St-Urbain
Le Tréhou
Ty Douar
Ste-Anne-du-Portzic
St-Pierre-Quilbignon
Kerallìou
Calvaire
Plougastel-Daoulas
Loperhet
Irvillac
Kérivoal-St-Eloy
Lestrémélard
Mougau-Bian
Rade de Brest
Kernisi
Illien-ar-Guen
Pte des Espagnols
Ste-Christine
Lanvrizan
Daoulas
Kérinot
Malanty
Létiez
Botmeur
Kernévez
Le Caro
St-Adrien
Porsguen
Rostiviec
Coat-Nant
St-Eloy
St-Cadou
PARC
NATUREL
Lauberlach
Larmor
Tinduff
Goasven
Roudouhir
Pen-ar-Hoat
Pen-ar-Hoat-ar-Gorré
Bodingar
St-Rivoal
Le Gouerest
Brest
Keralkun
Kéramenez
Gorréquer
Bodévintin
Pte de Kerdéniel
Roscanvel
Ste-Marguerite
Logonna-Daoulas
Hôpital-Camfrout
Kerancuru
Montagne St-Michel
Quélern
Île Longue
Kérascoët
Boudourec
Hanvec
Forêt du Cranou
Favod
La Moënnec
Rostellec
St-Fiacre
Le Fret
Landévennec
Troaon
Lanvoy
Lanvéoc
Anse de Poulmic
Le Loch
Kerbéron
Faou
Rumengol
RÉGIONAL
Tourquelennec
D'ARMORIQUE
Lannédern
Lambézen
Kernaou
Kerloch
Camp militaire
St-Jean
Maison-Blanche
Hirgas
Térénez
Le Faou
Vx Bourg
Kervez
Brasparts
Kerivarc'h
Kerséguénou
Trémaïdic
Kerzouanec
St-Efflez
Les Quatre Chemins
Quimerch
Kerguelfen
Anse de Dinan
Crozon
Tal-Ar-Groas
Kergadalen
Rosnoën
Toulencoat
Lopérec
Pont-Keryau
Kroas-Hent-Cléguer
Gaoularc'h
Portzic
Goulien
Postolonnec
Lespiguet
Treuzeulom
Argol
Trégarvan
Logonna-Quimerch
Squiriou
Pont-de-Buis-lès-Quimerch
Keravon
Kroaz-Pennod
Cleus-Coat
Morgat
Grdes Grottes
Le Veniec
Telgruc-s-Mer
Ménez-Hom
Brigneun
Le Passage
Lanvian
Rosconnec
St-Ségal
Kerleskin
Kiliégou
Lanvezennec
Croix-Laneguer
La Palud
St-Hernot
Kerdreux
Elléouet
Rostegoff
St-Nic
Dinéault
St-Sébastien
Port-Launay
Pleyben
Nenvez
Ste-Marie-du-Ménez-Hom
Pentrez-Plage
St-Côme
Kergoat
Quilleverien
Ty-Blaise
Rostudel
Plomodiern
Lescobet
St-Coulitz
Vx-Bourg-de-Lothey
29
42
61

0 5 10 km
C
D
1
2
3
4
5
41
Île Rouzic
Les Sept Îles ★★
Î. aux Moines
Granit rose
Côte de Granit rose
★★Î. Renote
Ploumanac'h ★★
Rochers★★
Île Tomé
★★ Trégastel-Plage
Trestraou
Perros-Guirec ★
Port-Bla
Landrellec
Trégastel
La Clarté
Île Grande
Trestel
Kériec
Trévou-Tréguign
St-Guénolé
Trélévern
Île Agenton
Penvern
27
St-Quay-Perros
Louannec
St-Nicolas
Mabiliès
Trébeurden
St-Uzec
Radôme
Kervoasdoué
Kermaria-Sulard
Coatréven
★★Côte des Bruyères
★Î. Milliau
★Le Castel
Le Rhu
Pleumeur-Bodou
Petit Gamp
Roscoff ★
★pnte de Bihit
Servel
Le Rusquet
Trézény
Lannion ★
Brélévenez
la Ville Blanche
Jardin exotique★
Pnte de Diben
Pnte de Primel
Primel-Trégastel★
Baie de Lannion
Beg-Léguer
Locquémeau
Loguivy-lès-Lannion
Le Yaudet
Lanmérin
★★Baie de Morlaix
St-Pol-de-Léon★
Î. Callot
Le Diben
Ste-Barbe
Plougasnou
Le Prajou
Pnte de Locquirec
Trédrez-Locquémeau
Ploulec'h
Bel-Air
St-Dogmel
Rospez
Lanvézéac
Pempoul
St-Samson
Pnte de Pen-al-Lann
Kerbiguet
Kerenot
Térénez
St-Jean-du-Doigt★
Locquirec
St-Michel-en-Grève
Buhulien
Ploubezre
Kerfons
Caouënnec-Lanvézéac
Carantec
Kerbabu
Christ
Kerboulic
St-Jean
Kerblat
Cairn de Barnenez
Kernéléhen
Kervélégant
Guimaëc
St-Efflam
Ploumilliau
La Lande
Chau de Tonquédec
Confort
Cavan
Kerlaudy
Kermen
Kerdanet
Woallas
Plouezoc'h
Kermouster
Lanmeur
Le Hellès
Toul-an-Héry
Plestin-les-Grèves
Grd Rocher
Kerauzern
Tonquédec
Pont de la Corde
Le Dourduff
St-Antoine
Pont-Menou
Coat-ar-Sal
Tréduder
Pluzunet
Henvic
Locquénolé
Pen Ar Guer
St-Sébastien
Kéraudy
Coatroué
Run
Bardérou
Lannéven
Pont-Eon
Croissant
Bois-de-la-Roche
Ste-Anne
St-Yves
Plouzélambre
Kervern
Taulé
Ploujean
Garlan
Kermouster
Plouégat-Guérand
Rosanbo
Lanvellec
Les Sept-Saints
Le Loc
Penzé
St-Martin-des-Champs
Ste-Geneviève
Kertanguy
Lanleya
Tremel
Plufur
Bernantec
Plouaret
Botlézan
Penhoat
Croix-Neuve
La Chapelle-du-Mûr
Usel
St-Maurice
Le Vieux-Marché
St-Éloi
Trégrom
Kergoat
Plouégat-Moysan
La Gare
St-Carré
Guiclan
Ste-Sève
Morlaix★
Plounérin
Beg-ar-C'hra
La Trinité
St-Fiacre
Plouigneau
Luzivilly
Keramanac'h
Manaty
Le Ponthou
Locmenven
La-Croix-de-Pierre
St-Eutrope
Plounévez-Moëdec
Louargat
Locmaria
Kermat
18
Pen-Ar-Parc-Hir
St-Eloi
Ar-Réchou
Tréglam
★St-Thégonnec Loc-Eguiner
Penvern
Kervenarc'hant
Plourin-lès-Morlaix
Coatelan
Botsorhel
St-Maudez
Porz an Park
Belle-Isle-en-Terre
Loguelloy
Guernalin
Pleyber-Christ
Coat-Miniou
Plougonven
Calvaire
Gerguiniou
Guerlesquin
Plougras
Loguivy-Plougras
Panfourby
Guimiliau★★
Pen-ar-Vern
Kergalein
Bodister
Kerroué
Croix-Joncourt
Kerguelven
Loc-Envel
Gurunhuel
Ste-Brigitte
Le Cloître-St-Thégonnec
Keranguéven
Lannéanou
Coatilan
Beffou
Loc-Eguiner-St-Thégonnec
Kervern
Quillien
Kerbriant
Kergorre
Quiliou
Le Dresnay
Scalon
Kergaër
Forêt de Beffou
Le Plessis
Kervezec
Coat-ar-Herno
Treusvern
Pen-lan-Steunou
Le Mengleuz
Kerambellec
Plounéour-Ménez
Penmerguès
Kermeur
La Maison-Blanche
Plougonver
Bellevue
Ty-Croas
Le Briou
Bouillard
Kerambuan
Le Releg
Poulpry
La Chapelle-Neuve
La Croix-Kermen
Pont-Me
Goasmelcun
Kermarzin
Scrignac
Bolazec
Lohuec
★Commana
Keradalan
Trédudon-le-Moine
Hellès
Keranquéré
Kérouvriou
Kernevez
Le Mendy
Kergus
Calanhel
Coscaraës
Mougau-Bian
Roc Trévezel
La Croix-Rouge
Creac'h Niver
Plourac'h
L'Isle
Les Mais
Pestivien
La Feuillée
Quinoualch
Coat-Quéau
Quefforc'h
Hyères
Kerbérou
Keraden
Berrien
Forêt de St-Ambroise
Callac
Bulat-Pestivien
Kerbalen
Botmeur
Ruguellou
Lestrédiec
Kerbouzard
St-Tréfin
Kernévez
Goassalec
Forêt de Huelgoat
Quénéquen
Villeneuve
Nestavel
★★Huelgoat
Aulne
Trévenec
Plusquellec
Burthulet
Maël-Pestiv
Réservoir de St-Michel
Rochers★★
St-Ambroise
Le Lein
Restellou
St-Isidore
Brennilis
Forêt de Fréau
Lesquern
Coatleau
St-Servais
Ty-Bourg
Coat-Maël
Montagne St-Michel
Le Guilly
Cosquer
Carnoët
Le Bourgneuf
Kerbernès
La Moënnec
Kerbalaün
Roc'h Begheor
La Mine
Le Gollot
Croissant-Marie-Jaffré
Le Pénity
Forêt de Duault
Duault
Kervouzérien
Loc'h
Loqueffret
Locmaria-Berrien
Leimburel
Croas-Tasset
Peumerit-Quintin
D'ARMORIQUE
St-Herbot★
Poullaouen
Kerviolet
Lochrist
★Gorges du Corong
A
B
62
Lannédern
Kériffin
Kerbizien
Blerem-ar-Salle
Le Guellec
St-Nicodème
Kerhoaden
Plouyé
Kerdoncuff
Treuscoat
Le Frostel
Le Nézert
Trébrivan
Locarn
Trémargat
Quistillic-St-Clair
Lezèle
Kervilloch
Ste-Catherine
Kerivarc'h
Le Rest
Penn ar Vazh
Plounévézel
Treffrin
Kerdoupin
Kergrist-Moëlou
N 12
E 50
D 786
D 767
D 712
D 764
D 785
D 769
D 787
D 788
D 58

E
F
G
H
1
2
3
4
5
Pointe du Château
Îles d'Er
Sillon de Talbert
Le Gouffre
Creac'h Maout
Le Quebo
Lanéros
Le Paon
Île de Bréhat
Plougrescant
Pors-Hir
Kermagen
Port-Béni
Buguélès
St-Gonéry
Larmor
St-Antoine
Île de Bréhat
Le Bourg
Pleubian
Lanmodez
Kerbors
Quatre-Vents
Pommelin
Kermouster
Î. Béniguet
St-Gonva
La Roche-Jaune
Bellevue
Kerdallec
Loguivy-de-la-Mer
Port-Clos
Penvénan
Pleumeur-Gautier
Pnte de l'Arcouest
St-Adrien
L'Arcouest
Plouguiel
Jardins de Kerdalo
Kermenguy
Ploubazlanec
La Croix des Veuves
Tréguier
Trédarzec
La Croix-Neuve
Lézardrieux
Kerloury
Pors-Even
Kerroc'h
Î. St-Riom
Côte du Galéo
Kerguyomard
Minihy-Tréguier
Kergrist
Paimpol
Mez de Goëlo
Pont-Losquet
Langazou
Pleudaniel
Plounez
Kérity
Abbe de Beauport
Troguéry
Pouldouran
Penvern
Ste-Barbe
Pointe de Bilfot
Boloi
Pors-Lec'h
Lancerf
Port-Lazo
Hengoat
Plouézec
St-Riom
Pnte de Minard
La Roche-Jagu
Penhoat
Plourivo
St-Yves
Kerfot
Le Questel
Pommerit-Jaudy
St-Jean
Leinar-Lan
Pabu
Ploëzal
Yvias
La Madeleine
Bréhec-en-Plouha
Mantallot
Quemper-Guézennec
Kermaria
Petit-St-Loup
Kerrot
Penlan
Lanloup
Runan
Pontrieux
Kervic
Temple
La Trinité
Port-Moguer
Trévoazan
Coatascorn
Le Cabaret
Le Faouët
Lanleff
Pléhédel
Kermaria
La Trinité
Kérouziel
Kerouzever
Kergresquen
Plouha
Kervec
Plouëc-du-Trieux
Kergrist
St-Jacques
Le Palus-Plage
Trézelan
Brélidy
St-Clet
Tréméven
Pludual
St-Laurent
Tréveneuc
Kermaria
Clérin
St-Yves
Kertugal
Landebaëron
St-Gilles-les-Bois
Trévérec
Lannebert
Beaugouyen
St-Quay-Portrieux
Kermoroc'h
Gommenec'h
Liscorno
Nonen
Pléguien
Kerhon
Lanvollon
Guénézan
Squiffiec
Pommerit-le-Vicomte
Rangaré
Coat-Aroa
Carrefour
Plourhan
St-Laurent
Le Vieux Poirier
Kermilon
La Croix Blanche
Kerbellec
Le Roha
Étables-sur-Mer
BAIE DE
Trégonneau
Tressignaux
(Binic-Étables-s-Mer)
Paradis
La Croix-Pierre
Tréguidel
N.-D.-de-la-Cour
Lantic
Maudez
Folgoat
Goudelin
Catrou
Binic
SAINT - BRIEUC
Kerhre
Pabu
Ploulsy
Guingamp
Le Merzer
Kervélard
Trévenais
Ste-Marguerite
Pnte de Plér
St-Efflam
St-Jean
St-Patern
Bringolo
La Corderie
Le Vaudic
La Ville-Louais
Le Val-André
Kernilien
St-Agathon
St-Jean-Kerdaniel
St-Quay
Plélo
Trégomeur
La Ville-Rouault
Guern-Hervé
Grâces
St-Guignan
Tréméloir
La Toise
Pordic
Tournemine
Dahouët
Danouët
Kerviou
Ploumagoar
Lautrémen
Châtelaudren
Les Rosaires
Le Port-Morvan
Locmaria
Plouagat
St-Eloi
La Ville-Fontaine
Martin-Plage
Pnte du Roselier
Groas Prigent
St-Blaise
St-Mathurin
Les Rampes
La Ville-Agan
La Ville-Hervy
La Cotentin
St-Hernin
Resmarec
Ville-Pied
Le Sépulcre
St-Laurent-de-la-Mer
Coadout
Runanbuan
Quinquis
Trémuson
Plérin
Sous-la-Tour
Lermot
Kerambellec
Lanrodec
St-Marc
Morieux
Kerbaëlen
St-Maurice
Trieux
Cesson
Seignaux
Plerneuf
St-Hervé
Hillion
La Grandville
St-Roch
Kerhamon
ST-BRIEUC
Coat-Forn
Bois d'Avaugour
La Croix-des-Maisons
Pont-Camp
Plouvara
St-Ignace
Ginglin
St-Ilan
Avaugour
Les Grèves
Licantois
St-Adrien
La Méaugon
Logoray
Senven
Boqueho
Langueux
St-Péver
Trégueux
Yffiniac
St-René
Roscaradec
Ploufragan
Bourbriac
Bois Meur
La Croix Gibat
Coëtmieux
Crech-Metern
Kerpery
Trefois
La Gare
Cohiniac
St-Donan
Pommeret
St-Houarneau
Plésidy
St-Fiacre
La Crarée
La Gare
Le Cleudrain
Creac'h
St-Volon
Kerdanielou
Kerhenry
Ste-Anne-du-Houlin
Caillouan
Senven-Léhart
Plaine-Haute
Plédran
Carnonen
Cosquer-Jehan
Coldegroëg
St-Julien
Meslin
Étang-Neuf
St-Gilles
Craffaut
Crézouard
Madray
St-Norgant
Le Leslay
Le Fœil
Chaos du Gouët
L'Hôpital
Trégenestre
Crénan
St-Quihouët
La Croix-de-Piruit
Magoar
St-Connan
St-Gildas
Mauguérand
St-Quéneuc
Maurry
Coldévennec
Coldabry
Quintin
La Ville-Méreuc
Quessoy
Meudon
Kerlouët
Ville-Juhel
Le Blavet
Coat-Piquet
La Clarté
St-Guihen
Le Vau-Jaune
Kerien
Caron
Le Vx-Bourg
Kersollec
Kerpert
Plaintel
St-Carreuc
St-Blaise
Guerocart
Le Cotier
St-Eutrope
Lanvia
La Ville-Robert
St-Brandan
St-Gilles-Pligeaux
Hénon
St-Bihy
Carestiemble
Le Guiaudet
Kergrist-Lan
Caribet
Le Plessis
Caradeuc
La Ville-es-Rio
Le Pas
Le Coudray
La Ville-Bruyères
Kermartail
Le Pont-de-Pierre
Loguellas
Ker-Anna
St-Damant
Port-Martin
Moncontour
Lanrivain
Bothoa
Canihuel
Lanfains
St-Eloi
Trédaniel
Le Pit-Paris
La Croix
Forêt de Lorge
Plœuc-sur-Lié
La Gare
Kergoten
La Harmoye
St-Nicolas-
Le Haut-Corlay
St-Laurent
Trébry
Guingamp
Bréha
22
63

0 5 10 km
A
B
C
D
1
2
3
4
5
43
64
Côte de Penthièvre
Côte d' Émeraude ★★★
★★★Cap Fréhel
Fort la Latte★★
Cap d'Erquy ★★
★Sables-d'Or-les-Pins
Pléhérel-Plage
Plévenon
La Motte
Trécelin
Les Hôpitaux
La Carquois
Tu-es-Roc
Le Val
Erquy
Caroual
Plurien
Les Rues
St-Aide
Fréhel
Coët-Bily
Pte de Pléneuf
★Le Val-André
La Corderie
La Ville-Berneuf
St-Pabu
St-Mathurin
Pléneuf-Val-André★
Dahouët
Le Port-Morvan
La Couture
La Bouillie
La Ville Cochard
St-Aubin
St-Laurent
La Ruée
La Villeneuve
Pléboulle
Montbran
St-Jean
Houyadon
St-Samson
La Ville Abbé
Matignon
St-Germain
Le Bourg
La Ville Norme
Baie de la Frênaye
Pte de St-Cast★★
St-Cast-le-Guildo★
Pte de la Garde★
Notre-Dame
Pen-Guen
Î. Ébihens
La Cour
L'Hôpital
Ste-Brigitte
★St-Jacut-de-la-Mer
Pte du Chevet
La Croix-aux-Merles
N.-D. du Guildo
St-Jaguel
Les Mauffries
La Cotentin
St-Alban
St-Jacques-le-Majeur
La Ribourdais
Le Poirier
Les Vaux
Ruca
Hénanbihen
St-Pôtan
Kerpont
Le Guildo
St-Marc
Morieux
Les Rigaudais
Hénansal
Le Grand-Chemin
La Saudraie
St-Pierre
Planguenoual
St-Denoual
Le Haut-des-Bois
La Ville-Oreux
St-Lormel
Pluduno
Vx-Bourg
Maupas
St-Guelta
St-Aaron
Tertre-des-Noës
Ponts-Neufs
Quintenic
Landébia
Haut-Boulay
La Chaudrais
Plancoët
Nazareth
Coëtmieux
Andel
La Doberie
Forêt de St-Aubin-la-Hunaudaye
St-Aydes
Pléven
St-Symphorien
La Haute-Lande
Loyer
Arguenon
Haras
La Poterie
St-Aubin
St-Robin
Trégomar
★Chau de la Hunaudaye
Plorec-sur-Arguenon
Lambaudais
Bourseul
Pommeret
Lamballe
Meslin
St-Sulien
Les Villes
St-Esprit-des-Bois
La Berthière
St-Méloir-des-Bois
Trégenestre
Maroué
Noyal
St-Rieul
Plédéliac
Le Temple
Le Fresne
Petit-St-Méen
Mauny
Meudon
Landéhen
Trémaudan
Les Hautes-Touches
Plestan
Le Vau-Jaune
La Ville-Commaux
Carmoran
Quercy
St-Igneuc
Tramain
Lescouët-Jugon
Jugon-les-Lacs-Commune nouvelle
Bel-Air
St-Blaise
Bréhand
La Malhoure
Probrien
La Ville-Robert
Le Pont-de-Pierre
St-Trimoël
La Huannière
Carbehault
Le Boissy
Lorrain
Langouhèdre
Dolo
Quesny
Mégrit
La Touche-ès-Gautier
La Cabane
Trédaniel
St-Glen
Penguily
Le Champ-Ratel
St-Mirel
Plénée-Jugon
La Ville-Aufray
Veau-Ruset
Pengly
Menu-Bois
Trébry
Les Madières
Carsu
La Ville-Douaian
Ville-Jehan
La Touche-Joubin
Sévignac
Trémeur
Le Plessix
Bel-Air
Le Gouray
Abbaye de Boquen
St-Meleuc
Quénard
La Gare de Broons
Le Fief-aux-Écoliers
St-Udy
Forêt de Boquen
Collinée
Rouillac
Le Gué-de-Rouillac
Broons
Le Champ-du-Puits
Ville-Orio
(Le Mené)
La Tiolais
St-Joseph
La Chapelle
Langourla
La Ville-Blanchet
Cambel
Pt du Breil
St-Gouéno
St-Jacut-du-Mené
La Ville-Ratel
Ville-Guéguen
L'Hermitage
Les Quatre-Routes
Kerfiac
Kerrouet
La Hutte-à-l'Anguille
Le Bodeuc
Éréac
Coët-Bicor
La Deuve
La Ville-Allouet
Pentray
Mérillac
Lanrelas
Plumaugat
Ville-Ermel
St-Gilles-du-Mené
Breil-Pignard
Landes du Menez
Les Roncelais
La Hartelois
St-Régent
St-Vran
Derrien
Quévran
Lérignac
St-Launeuc
Fahelleau
Tertignon
Ste-Brigitte
Les Treize-Chênes
Le Pont-Renault
Laurenan
Merdrignac
Les Rues-Bressets
Beau-Soleil
Trémorel
La Hardouinais
Le Gautraie
St-Méen-
Plémet
St-Lubin
Île de Cézembre
Rothéneuf
★★Pte du Décollé
★★★ST-MALO
★Paramé
Le Minihic
St-Ideuc
La Chapelle
St-Lunaire★
St-Enogat
St-Briac-s-Mer
★★DINARD
★St-Servan-s-Mer
Grand-Aq
La Richardais
La Passagère
La Ville-Nizan
Lancieux
La Ville-aux-Monniers
La Mettrie
Beaussais
Bourgneuf
La Jouvente
St-Jouan-des-Guérets
Trégondé
Pleurtuit
Le Minihic-s-Rance
Les Rues
La Rabinais
Les Gastines
Ploubalay
Trégon
(Beaussais-s-Mer)
Plessix-Balisson
Trémereuc
Langrolay-sur-Rance
St-Suliac
La Ville-ès-Nonais
Créhen
Pont Cornou
La Rochardais
Le Gray
Pleslin-Trigavou
La Croix-Janet
La Chiennais
Port-St-Jean
Port St-Hubert
La Ville-ès-Marchand
La Bigotière
Plouër-s-Rance
Buet
Tréguihé
Lesmen
Languenan
Mordreuc
St-Samson-s-Rance
Le Bouillon
Trélat
La Hisse
Pleudihen-sur-Rance
La Giendrotais
Corseul
Bois-Riou
La Vicomté-s-Rance
St-Michel-de-Plélan
Coëtfinet-d'en-Haut
Taden
Coëtquen
Quévert
Aucaleuc
DINAN★★
Les Bretz
St-Piat
St-Hélen
Le Breuil
St-Maudez
Vildé-Guingalan
Ste-Anne
St-Solen
Forêt de Coëtquen
Plélan-le-Petit
La Landec
Lanvallay
La Barrière
Léhon
St-James
Fautrel
Trélivan
Les Villots
Tressaint
Gramont
Le Déluge
La Ville-ès-Ains
Le Boculé
Bobital
St-Carné
Les Champs-Géraux
La Chapelle
Trébédan
Calorguen
La Guérardais
Montmusson
Brusvily
Le Hinglé
Trévron
La Touche
Grabuisson
Languédias
Lannouée
Le Creux
La Roussais
Évran
Le Vieux-Bourg
Percouet
La Hervlais
Trédias
Le Bois
St-André-des-Eaux
Trévé
Ht Dily
Le Paradis
La Boissière
Plumaudan
St-Judoce
Kervalan
La Louvière
St-Juvat
Le Quiou
La Coutume
Yvignac-la-Tour
Trélée
Les Six Chemins
La Poissonnais
Fouesnard
St-Maden
Le Mauny
Tréfumel
Breuil
St-Maur
Le Val
Be de Rophémel
St-Thual
Le Châtelet
Thieubry
Longaulnay
La Ville-Tréma
La Maladrerie
Guenroc
Traveneuc
Plouasne
Lantran
Recouvrance
Rance
Caulnes
Guitté
Réhéal
★Bécherel
Les Communs
St-Pern
St-Jouan-de-l'Isle
La Chapelle-Blanche
Miniac-s/s-Bécherel
Léez
Médréac
Landujan
La Gaudichais
Benin
Quédillac
Ourme Guillaume
Irodouër
Quénéleuc
La Prévostaie
St-M'Hervon
La Ville-Rouge
La Saudraie
Le Bahac
Fêt de Montauban
La Brohinière
Le Crouais
La Chapelle du Lou du Lac
N 12
N 176
N 137
E 401
E 50
D 786
D 768
D 766
D 168
D 794
D 793
D 792

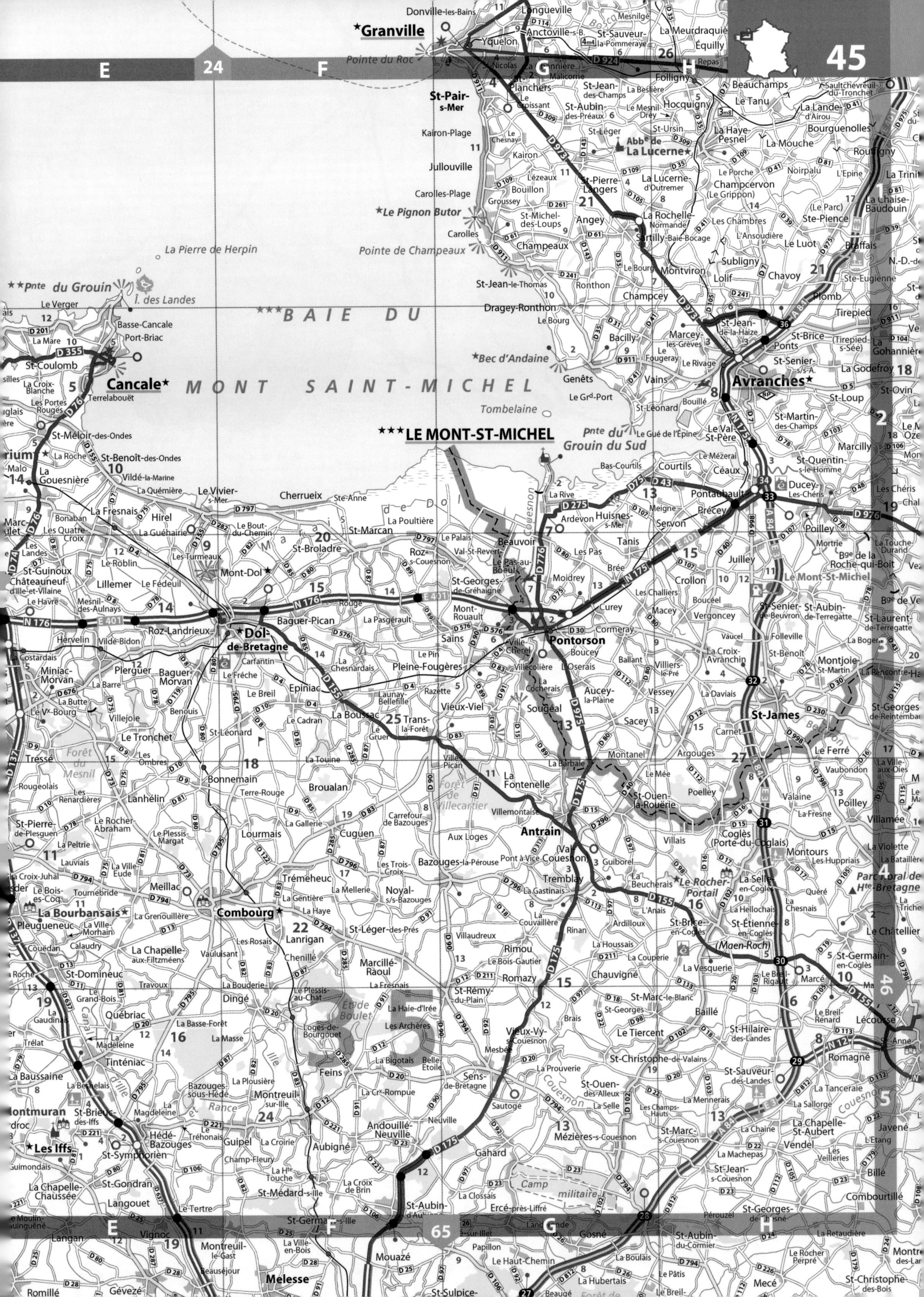

E
24
F
G
H
Granville
Donville-les-Bains
Longueville
Yquelon
Anctoville-s-B.
St-Sauveur-la-Pommeraye
La Meurdraquière
Équilly
Pointe du Roc
St-Nicolas
St-Planchers
St-Pair-s-Mer
Folligny
Beauchamps
Le Tanu
Hocquigny
St-Jean-des-Champs
St-Aubin-des-Préaux
Kairon-Plage
Jullouville
Carolles-Plage
Le Pignon Butor
Carolles
Kairon
Bouillon
Abbe de La Lucerne
La Lucerne-d'Outremer
La Haye-Pesnel
La Mouche
Bourguenolles
Champcervon
St-Pierre-Langers
St-Michel-des-Loups
Champeaux
Angey
La Rochelle-Normande
Sartilly-Baie-Bocage
Montviron
Subligny
Lolif
Chavoy
Le Luot
Braffais
La Chaise-Baudouin
Ste-Pience
La Pierre de Herpin
Pointe de Champeaux
Pnte du Grouin
Î. des Landes
Le Verger
BAIE DU
MONT SAINT-MICHEL
St-Jean-le-Thomas
Dragey-Ronthon
Champcey
Bacilly
Marcey-les-Grèves
St-Jean-de-la-Haize
Plomb
Tirepied
St-Brice
Ponts
St-Senier-s/s-A.
Avranches
Bec d'Andaine
Genêts
Vains
Le Grd-Port
Tombelaine
St-Léonard
Le Val-St-Père
St-Martin-des-Champs
St-Loup
La Godefroy
St-Ovin
Marcilly
St-Quentin-s-le-Homme
Ducey-Les-Chéris
Cancale
Basse-Cancale
Port-Briac
St-Coulomb
Terrelabouët
St-Méloir-des-Ondes
St-Benoît-des-Ondes
Vildé-la-Marine
La Gouesnière
LE MONT-ST-MICHEL
Pnte du Grouin du Sud
Bas-Courtils
Courtils
Céaux
Pontaubault
Précey
Servon
Huisnes-s-Mer
Ardevon
Cherrueix
Le Vivier-s-Mer
Hirel
La Fresnais
Châteauneuf-d'Ille-et-Vilaine
St-Guinoux
Lillemer
Mont-Dol
St-Marcan
St-Broladre
Roz-s-Couesnon
Beauvoir
Tanis
Juilley
Poilley
Crollon
Moidrey
St-Georges-de-Gréhaigne
Pontorson
Curey
Macey
Vergoncey
St-Senier-de-Beuvron
St-Aubin-de-Terregatte
St-Laurent-de-Terregatte
Roz-Landrieux
Dol-de-Bretagne
Baguer-Pican
Baguer-Morvan
Pleine-Fougères
Sains
Mont-Rouault
Boucey
Aucey-la-Plaine
Vessey
Villiers-le-Pré
La Croix-Avranchin
Montjoie-St-Martin
St-James
Miniac-Morvan
Plerguer
Epiniac
La Boussac
Trans-la-Forêt
Vieux-Viel
Sougéal
Sacey
Carnet
Le Tronchet
Bonnemain
Broualan
Villecartier
La Fontenelle
Montanel
Argouges
Le Ferré
Poilley
Villamée
St-Ouen-la-Rouërie
Antrain
Lanhélin
Lourmais
Cuguen
Bazouges-la-Pérouse
Coglès
Tremblay
Montours
La Selle-en-Coglès
Parc Rural de Hte-Bretagne
Le Rocher-Portail
Meillac
Combourg
La Bourbansais
Pleugueneuc
Trémeheuc
Noyal-s/s-Bazouges
St-Brice-en-Coglès
St-Étienne-en-Coglès
Le Châtellier
Lanrigan
St-Léger-des-Prés
Marcillé-Raoul
Rimou
Romazy
Chauvigné
La Vesquerie
St-Germain-en-Coglès
Marcé
Lécousse
St-Domineuc
Québriac
Dingé
35
Feins
Vieux-Vy-s-Couesnon
St-Marc-le-Blanc
Baillé
Le Tiercent
St-Hilaire-des-Landes
Romagné
Tinténiac
Montreuil-sur-Ille
Sens-de-Bretagne
St-Christophe-de-Valains
St-Sauveur-des-Landes
St-Ouen-des-Alleux
La Chapelle-St-Aubert
Javené
Les Iffs
St-Symphorien
Hédé-Bazouges
Guipel
Andouillé-Neuville
Aubigné
Gahard
Mézières-s-Couesnon
St-Marc-s-Couesnon
Vendel
Billé
Langouet
St-Gondran
La Chapelle-Chaussée
St-Médard-s-Ille
St-Aubin-d'Aubigné
Camp militaire
Ercé-près-Liffré
St-Jean-s-Couesnon
Combourtillé
St-Georges-de-Chesné
St-Germain-s-Ille
Gosné
St-Aubin-du-Cormier
Langan
Vignoc
Montreuil-le-Gast
Mouazé
Melesse
Romillé
Gévezé
Mecé
St-Christophe-des-Bois
65
46

0
5
10 km
Vire
Vassy
Tinchebray-Bocage
Sourdeval
Mortain-Bocage
Le Placitre
Musée de la Poterie
Juvigny-le-Tertre
Isigny-le-Buat
St-Hilaire-du-Harcouët
Barenton
Domfront-en-Poiraie
Le Teilleul
Landivy
Louvigné-du-Désert
Pontmain
Gorron
FOUGÈRES
Ernée
Mayenne
Parc floral de Hte-Bretagne
Ft de Fougères
Ft de Mortain
Ft de St-Sever
PARC NATUREL
Mt de Cerisy
Mt Margantin
Forêt de Mayenne (Domaine privé)
A
B
C
D
1
2
3
4
5
26
45
66

47
27
67
48
E
F
G
H
Proussy
Cossesseville
Pierrepont
Falaise
Beaumais
Pont-d'Ouilly
St-Martin-de-Mieux
Les Loges-Saulces
Le Détroit
Rapilly
Fourneaux-le-Val
St-Pierre-du-Bû
St-Clair
Hoguette
Pertheville-Ners
Crocy
Fourches
Ommoy
Fontaine-les-Bassets
Écorches
Trun
Condé-s-Noireau
St-Denis
Ménil-Hubert-s-O.
Berjou
St-Pierre-du-Regard
Ste-Honorine-la-Chardonne
St-Philbert-s-O.
Roche d'Oëtre
Les Isles-Bardel
Ménil-Vin
Cordey
Vignats
Nécy
Merri
Bière
Guêprei
Coulonces
Neauphe-s-D.
St-Lambert-s-Dive
Athis-Val-de-Rouvre
La Lande-St-Siméon
Ségrie-Fontaine
Ménil-Hermei
Bazoches-au-Houlme
Neuvy-au-Houlme
Rouffigny
Brieux
La Poterie
Villedieu-lès-Bailleul
Aubusson
Bréel
La Forêt-Auvray
Gorges
Rabodanges
Champcerie
Fresnay-le-Buffard
Rônai
Pierrefitte
Montabard
La Londe
Tournai-s-Dive
Aubry-en-Exmes
Ronfeugerai
N.-D.-du-Rocher
St-Aubert-s-O.
Meguillaume
Les Rotours
Habloville
Ri
Pommainville
Bréveaux
Occagnes
Bailleul
Fel
St-Georges-des-Groseillers
Ste-Honorine-la-Guillaume
Ste-Croix-s-Orne
Putanges-le-Lac
Commeaux
Sentilly
Sévigny
Le Bourg-St-Léonard
Le Buisson-Corblin
Les Tourailles
Chênedouit
Courteilles
Vaux-le-Bardoult
(Monts-sur-Orne)
Moulins-s-O.
Argentan
Urou-et-Crennes
Crennes
Flers
Landigou
Durcet
Craménil
Ménil-Gondouin
Giel-Courteilles
La Courbe
Montgaroult
Silly-en-Gouffern
La Selle-la-Forge
Échalou
Ste-Opportune
La Fresnaye-au-Sauvage
Ménil-Jean
Ménil-Glaise
Goulet
Fontenai-s-O.
Juvigny-s-O.
Sai
Aunou-le-Faucon
Haras national du Pin
Le Rocher
La Grilloire
Messei
St-André-de-B.
Fromentel
Batilly
Le Bois-Sérans
Serans
Écouché-les-Vallées
Sarceaux
St-Martin-des-Champs
St-André-de-Messei
Briouze
Bellou-en-Houlme
St-Hilaire-de-Briouze
Les Yveteaux
La Lande-de-Lougé
Sevrai
Louce
Pays d'Argentan
Almenêches
Le Châtellier
Pointel
Le Gué-de-Rouvre
Montreuil-au-Houlme
Lougé-s-Maire
St-Ouen-s-M.
Joué-du-Plain
Tanques
Mengne
La Maladrerie
Fleuré
St-Loyer-des-Champs
Boissei-la-Lande
Médavy
Saires-la-Verrerie
Le Ménil-de-Briouze
Lignou
St-Brice-s/s-Rânes
Vrigny
Cordey
Marcei
Banvou
La Ferrière-aux-Étangs
Lonlay-le-Tesson
Faverolles
La Forêterie
Avoine
(Boischampré)
St-Christophe-le-Jajolet
Le Repos
L'Ortier
Gué-Plat
La Coulonche
Le Grais
Annebecq
Rânes
Vieux-Pont
Boucé
Francheville
Montmerrei
Mortrée
Champsecret
La Sauvagère
(Les Monts-d'Andaine)
St-Georges-d'Annebecq
Les Aulnayes
Pringault
Robillardière
La Goulafrière
La Chabossière
Le Gassel
La Haute-Bellière
Méheran
Le Haut-Condé
La Chaux
Beauvain
Le Champ-de-la-Pierre
Ste-Marie-la-Robert
Le Ménil-Scelleur
La Bellière
Cleray
St-Maurice-du-Désert
La Ferté-Macé
Vée
St-Martin-l'Aiguillon
La Drutière
Goult
Le Cercueil
St-Hilaire-la-Gérard
Belfonds
Normandie-Maine
Joué-du-Bois
Ste-Marguerite-de-Carrouges
L'Être-Gautier
St-Sauveur-de-Carrouges
La Lande-de-Goult
La Perrière
St-Clair
Juvigny-s/s-Andaine
St-Michel-des-Andaines
Bagnoles-de-l'Orne-Normandie
Magny-le-Désert
La Motte-Fouquet
Carrouges
L'Être-Perreaux
La Gère
La Ferrière-Béchet
L'Être-Ragaine
Beaulandais
Orgères-la-Roche
Chahains
Tanville
Rouperroux
Le Bouillon
La Chapelle-d'Andaine
(Juvigny-Val-d'Andaine)
(Rives-d'Andaine)
Tessé-Froulay
St-Patrice-du-Désert
Lignières-Orgères
St-Martin-des-Landes
St-Didier-s/s-Écouves
Signal d'Écouves
Baroche-s-Lucé
La Rivière
Lignou
Antoigny
La Vannerie
La Paquerie
(L'Orée-d'Écouves)
La Truelle
Haleine
Fontenai-les-Louvets
St-Denis-de-Villenette
Couterne
St-Ouen-le-Brisoult
Les Senaillères
St-Ellier-les-Bois
Longuenoë
Livaie
Forêt d'Écouves
Vingt-Hanaps
Etrige
Geneslay
Thubœuf
Méhoudin
La Pallu
Ciral
Haudre
St-Nicolas-des-Bois
Rers du Vignage
(Écouves)
Radon
Rennes-en-Grenouilles
Le Gerroux
Le Chenay
Gland-Semé
Saint-Julien-du-Terroux
Neuilly-le-Vendin
St-Calais-du-Désert
Clair-Doileau
St-Samson
La Patrie
Les Ragotières
Le Housseau-Brétignolles
Couptrain
Gandelain
Lalacelle
La Roche-Mabile
Le Marais
Madré
Mayenne
Lentillère
St-Denis-s-Sarthon
Cuissai
Colombiers
Valframbert
Ste-Marie-du-Bois
La Baroche-Gondouin
St-Aignan-de-Couptrain
Le Hameau
Pré-en-Pail-St-Samson
Mt des Avaloirs
Rance
Lonrai
Damigny
Chevaigné-du-Maine
St-Cyr-en-Pail
Mévitte
Bourg Neuf
Ravigny
Pacé
Lassay-les-Châteaux
Niort
St-Fraimbault-de-Lassay
Les Chapelles
Chevrigny
La Trévanière
Condé-s-Sarthe
Alençon
Charchigné
Courberie
L'Etravy
La Chauvellière
St-Julien-des-Églantiers
Parc
Champfrémont
Le Theil
Le Poteau
Chantrigné
Javron-les-Chapelles
Boulay-les-Ifs
St-Germain-du-Corbéis
Montreuil-Poulay
Le Horps
Laisy
Chattemoue
La Laurencière
St-Barthélemi
Guiberdière
Rouvaudin
St-Pierre-des-Nids
La Ferrière-Bochard
Mieuxcé
Héloup
St-Gilles
Le Ribay
Villepail
Le Ham
Chon
Naturel
La Frogerie
Canyon de Toyères
Moulins-le-Carbonnel
Arçonnay
Bérus
Poulay
Champéon
Crennes-sur-Fraubée
La Boutevillière
La Chaussée
Gesvres
St-Céneri-le-Gérei
Ricordeau
Bel-Air
Villaines-la-Juhel
Vé de Misère
Gesnes-le-Gandelin
Béthon
Champfleur
Le Bourgneuf
Hardanges
St-Georges
Col de St-Sulpice
St-Léonard-des-Bois
Mancelles
Oisseau-le-Petit
Cérisay
La Chapelle-au-Riboul
Loupfougères
Averton
Alpes
Régional
Fyé
Marcillé-la-Ville
La Croix-Barbe
Le Noyer
Sougé-le-Ganelon
Assé-le-Boisne
St-Victeur
La Roche
La Chauvellière
St-Aubin-du-Désert
St-Paul-le-Gaultier
Aron
Gué Ory
La Hutte
St-Ouen-de-Mimbré
Coulombiers
Grazay
Champgéneteux
Courcité
St-Georges-le-Gaultier
La Chapelle
Bazoge-Montpinçon
St-Martin
Mont-Méard
Mars-du-Désert
Fresnay-sur-Sarthe
Le Tay
Doucé
Trans
St-Thomas-de-Courceriers
St-Germain-sur-Sarthe
Le Bourg-Nouvelle
Jublains
Bais
La Corbière
Douillet
St-Aubin
Sarthe
Orne
Dive
Baise
Udon
Rouvre

0 5 10 km
A
B
C
D
28
47
68
1
2
3
4
5
Croix-Rouge
Guerquesalles
Roiville
Orville
Le Sap-en-Auge
La Croix-Blanche
Monnai
St-Laurent-du-Tencement
Verneusses
Echanfray
Mesnil-Rousset
Les Marnières
La Neuve-Lyre
La Herperie
La Riboudière
St-Just
Bois-Normand-près-Lyre
N.-D.-du-Hamel
Chambord
Écorches
Champosoult
La Bruyère-Fresnay
Aubry-le-Panthou
Neuville-s-Touques
Le Douet-Arthus
Villers-en-Ouche
Anceins
Les Bottereaux
Vaux-s-Risle
Les Rouvrais
Coudehard
Survie
Forêt de Chaumont
Heugon
Couvains
Le Bout-au-Grain
La Cour-du-Boscq
Mémorial
La Fresnaie-Fayel
Les Haras
Bocquencé
Glos-la-Ferrière
Juignettes
Neauphe-s-Dive
Chaumont
La Bougerie
Les Frétils
St-Lambert-s-Dive
Mont-Ormel
St-Pierre-la-Rivière
Mardilly
Le Sap-André
St-Nicolas-des-Laitiers
La Ferté-en-Ouche
St-Antonin-de-Sommaire
Le Sapteil
Chambois
(Gouffern-en-Auge)
Avenelles
Ménil-Hubert-en-Exmes
St-Evroult-de-Montfort
La Gonfrière
Gauville
St-Nicolas-de-Sommaire
St-Pierre-de-Sommaire
Rugles
Aubry-en-Exmes
Fel
Omméel
Résenlieu
Touquettes
Le Souchet
Les Aulnaies
Le Plessis
Ste-Eugénie
Avernes-s/s-Exmes
Gacé
La Trinité-des-Laitiers
St-Evroult-N.-D.-du-Bois
La Hallière
St-Symphorien-des-Bruyères
St-Sulpice-s-Risle
St-Martin-d'Écublei
Le Bourg-St-Léonard
Villebadin
Le Hamel
Courménil
Coulmer
Cisai-St-Aubin
Forêt de St-Evroult
Gournay
Le Cauche Alin
Chéronvi
Croisilles
Le Ménil-Vicomte
Orgères
Courdemanche
L'Aigle
Le Mesnil
Chaise-Dieu-du-Theil
Exmes
Ginai
La Castelle
La Barbetière
St-Pierre-des-Loges
Beaufai
Rai
Le Buat
St-Michel-Tuboeuf
Gouffern
Le Pin-au-Haras
Le Vieux-Pin
Aunou-le-Faucon
Haras national du Pin
La Corbette
Ménil-Froger
Lignères
Champ-Haut
St-Germain
Échauffour
Vieux-Bourg
St-Hilaire-s-Risle
Aube
Tuboeuf
Chand
St-Ouen-s-Iton
La Cochère
St-Germain-de-Clairefeuille
Les Authieux-du-Puits
Risle
Brethel
Écorcei
Vitrai-s/s-L'Aigle
Almenêches
Nonant-le-Pin
Ste-Gauburge-Ste-Colombe
La Métairie
Le Ménil-Bérard
La Chapelle-Viel
Crulai
Le Château-d'Almenêches
Bonnevent
Le Merlerault
Planches
Forêt de Moulins-Bonsmoulins
Le Châtelet
Auguaise
Les Aspres
Médavy
Les Essarts
Marmouillé
Godisson
La Genevraie
Bonnefoi
Les Bois
Beaulieu
Le Repos
L'Ortier
Don
Montrond
Brullemail
Les Malberaux
Fay
La Ferrière-au-Doyen
La Monnerie
Les Genettes
Iton
Irai
Avre
Cité-de-Surdon
Surdon
Chailloué
St-Léonard-des-Parcs
Maheru
Bonsmoulins
Randonnai
Normandel
Château d'O
Mortrée
Macé
Bonain
Neuville-près-Sées
Ferrières-la-Verrerie
Moulins-la-Marche
Abbaye de la Trappe
Forêt de la Trappe
La Heunière
Méheran
Boisville
Fréneaux
Ste-Colombe-la-Petite
Courtomer
Tellières-le-Plessis
St-Aquilin-de-Corbion
Bresolettes
La Poterie-au-Perche
Le Haut-Condé
Cleray
Gâprée
St-Martin-des-Pézerit
Prépotin
La Ventrouze
St-Hilaire-la-Gérard
Belfonds
St-Laurent
Aunou-s-Orne
Trémont
St-Germain-le-Vieux
Le Plantis
St-Agnan-s-S.
St-Aubin-de-Courteraie
St-Ouen-de-Sécherouvre
Soligny-la-Trappe
Bubertré
Renouard
Forêt du Perche
Le Billot
La Perrière
St-Clair
Les Choux
Sées
St-Cénéry
Le Chalange
Ste-Scolasse-s-S.
St-Mards-de-Coulonges
Champs
Tourouvre-au-Perche
Ste-Anne
La Ferrière-Béchet
Beauvais
Neauphe-s/s-Essai
Le Ménil-Guyon
Charbonnet
Champeaux-s-S.
St-Germain-de-Martigny
Poix
Lignerolles
Les Croix-Chemin
L'Home-Chamondot
La Chapelle-près-Sées
Boitron
Montchevrel
Villedieu
Le Breuil
Ste-Céronne-lès-Mortagne
Bivilliers
Autheuil
Le Bouillon
Écouves
Laleu
Bures
Bazoches-s-Hoëne
St-Hilaire-le-Châtel
Le Gué-à-Pont
St-Gervais-du-Perron
Bursard
Essay
Aunay-les-Bois
Malétable
La Truelle
St-Aubin-d'Appenai
Coulonges-s-Sarthe
Villiers-s/s-Mortagne
Brochard
St-Laurent-Beauménil
Montperroux
La Jarretière
Feings
Vingt-Hanaps
Marchemaisons
Le Mêle-s-Sarthe
Courtoulin
Les Gaillons
Mortagne-au-Perche
Parc naturel régional du Perche
Radon
Ménil-Erreux
Les Ventes-de-Bourse
Buré
La Mesnière
La Gautrie
L'Aigremont
Boëcé
St-Langis-lès-Mortagne
Loisé
St-Mard-de-Réno
Forêt de Réno-Valdieu
St-Victor-de-Réno
Larré
Neuilly-le-Bisson
La Connebordière
St-Léger-s-S.
La Saussaie
Le Pissot
Courgeoût
Réveillon
Forges
Le Marais
Les Landes
Bourse
Le Ménil-Broût
Barville
St-Julien-s-S.
Loisail
La Chapelle-Montligeon
Monceaux-au-Perche
Semallé
Hauterive
La Haie-de-Poële
St-Quentin-de-Blavou
Parfondeval
Valframbert
Sarthe
Bourg-du-Moulin
Roullée
St-Denis-s-H.
Courgeon
La Dentelle d'Alençon
Montigny
La Fresnaye-sur-Chédouet
Vidai
Coulimer
Comblot
Corbon
Maison-Maugis
Chenay
Chassé
Blèves
St-Jouin-de-Blavou
Huisne
Mauves-s-Huisne
(Cour-Maugis-s-Huisne)
Boissy-Maugis
Cerisé
Le Chevain
Lignières-la-Carelle
Beauge
Ventes-du-Four
Pervenchères
Alençon
(St-Paterne-Le Chevrain)
Louzes
Les Aulneaux
La Gravelle
Le Pin-la-Garenne
St-Maurice-s-Huisne
Courcerault
Houssemaine
Les Brosses
St-Paterne
La Ravannière
Eperrais
Le Buisson
Aillières-Beauvoir
Montgaudry
Bellavilliers
St-Ouen-de-la-Cour
Bellou-s-Huisne
Perseigne
Montimer
(Belforêt-en-Perche)
Courthioust
Colonard-Corubert
St-Rigomer-des-Bois
Forêt de Perseigne
Contilly
St-Martin-du-Vx-Bellême
Forêt de Bellême
Arçonnay
Villaines-la-Carelle
La Perrière
Champfleur
Neufchâtel-en-Saosnois
Bellême
St-Jean-de-la-Forêt
(Perche-en-Nocé)
Verrières
Marollette
Suré
Origny-le-Butin
Béthon
Le Val
Chérisay
Ancinnes
Livet-en-S.
Vezot
St-Longis
Chemilli
Le Gué-de-la-Chaîne
Sérigny
Nocé
Villeneuve
Le Petit
Bourg-le-Roi
Louvigny
St-Rémy-du-Val
Mamers
Vaunoise
Dame-Marie
St-Aubin-des-Grois
La Madeleine
Fyé
Ancinettes
Origny-le-Roux
Appenai-s/s-Bellême
St-Cyr-la-Rosière
Préaux-du-Perche
Erre
La Roche
Rouessé-Fontaine
Saosnes
Panon
Bas Ballon
Thoiré-s/s-Contensor
Mont-Renault
Commerveil
Igé
La Chapelle-Souëf
Clémance
Ouen-Mimbré
La Hutte
Les Mées
Pizieux
St-Rémy-des-Monts
St-Fulgent-des-Ormes
Ste-Gauburge
St-Agnan-s-Erre
St-Hilaire-s-Erre
Bois-Mocquet
Grandchamp
St-Calez-en-S.
St-Vincent-des-Prés
Coulombiers
Thoigné
Épierre
Marcilly
Gémages
Contres-en-Vairais
St-Germain-sur-Sarthe
Chérancé
René
Courgains
Monhoudou
Moncé-en-Saosnois
Maison Neuve
Pouvrai
L'Hermitière
(Val-au-Perche)
La Rouge
Mâle
Le Theil
Congé-les-Guérets
61
A 28
A 88
E 402
N 12
D 926
D 932
D 938
D 955
D 958
D 438

E
F
G
H
29
69
50
St-André-de-l'Eure
Nogent-le-Sec
Manthelon
(Chambois)
Jumelles
Les Authieux
Ste-Marguerite-de-l'Autel
Beaubray
Le Ménillet
Le Nuisement
Le Chesne
Les Essarts
Le Sacq
(Le Lesme)
Guernanville
Les Baux-de-Breteuil
(Marbois)
Chanteloup
Coulonges
Bailleul
Chavigny-Bailleul
Ferrière
Touvoye
Ivry-la-Bataille
Ézy-s-Eure
Anet
Damville
Corneuil
Coudres
Champigny-la-Futelaye
L'Habit
Bois-le-Roi
Le Roncenay
Le Roncenay-Authenay
Les Minières
Créton
Francheville
Lignerolles
St-Laurent-des-Bois
Croth
Saussay
Le Hamelet
Bémécourt
Gouville
Blandey
Roman
Boissy-s-Damville
Moisville
Marcilly-la-Campagne
Gratheuil
Breteuil-s-Iton
Ste-Suzanne
Condé-s-Iton
Buis-s-Damville
Écorchevez
Gaudreville
Tivoly
Illiers-l'Évêque
Sorel-Moussel
Boncourt
Le Pont-Thibout
La Guéroulde
St-Nicolas-d'Attez
Grandvilliers
La Cunelle
Hellenvilliers
Pinson
Marcilly-s-Eure
Les Christophes
Le Plessis
Droisy
Courdemanche
Le Brémien
St-Georges-Motel
Ste-Marie-d'Attez
Dame-Marie
Beaufre
Panlatte
L'Hosmes
Les Ardillières
Buray
La Madeleine-de-Nonancourt
Louye
Cintray
Francheville
Les Brosses
N.-D.-des Puits
Nonancourt
St-Germain-s-Avre
Mesnil-s-l'Estrée
Bourg-l'Abbé
Montreuil
Brissard
Bourth
(Verneuil-d'Avre-et-d'Iton)
Piseux
Courgeon
Longuelune
La Troudière
Le Rousset
Acon
St-Lubin-des-Joncherets
Vert-en-Drouais
Muzy
Mandres
Tillières-s-Avre
Verneuil-s-Avre
Breux-s-Avre
Les Brulés
Dampierre-sur-Avre
Les Caves
St-Rémy-sur-Avre
Le Bois de Vert
Dreux
Flonville
Fermaincourt
Les Mésangères
Les Barils
Pullay
Bâlines
Courteilles
Bérou-la-Mulotière
L'Eclache
La Poterie
La Ferrette
La Couette
Le Luat-s-Vert
Cherisy
Ste-Gemme-Moronval
Montigny-sur-Avre
Revercourt
Marigny
Boissy-en-Drouais
Louvilliers-en-Drouais
St-Christophe-s-Avre
Rueil-la-Gadelière
Fessanvilliers-Mattanvilliers
Prudemanche
Romainvilliers
Vernouillet
Luray
St-Victor-s-Avre
Boissy-lès-Perche
Le Plessis
St-Lubin-de-Cravant
Laons
Escorpain
Allainville
Écluzelles
Le Bois-Massot
Armentières-s-Avre
Beauche
Mattanvilliers
Brezolles
Vitray-s/s-Brezolles
Châtaincourt
Garancières-en-Drouais
Garnay
Charpont
Chennebrun
Rohaire
Mézian
Magny
Crucey
Thessilly
Neuville-les-Bois
Majainville
Crécy-Couvé
Tréon
Blainville
Imbermais
Marville-Moutiers-Brûlé
Villemeux-sur-Eure
St-Maurice-lès-Charencey
Cocherel
Bertin
La Mancelière
Les Châtelets
Mainterne
Groslu
Saulnières
Aunay-sous-Crécy
Fonville
La Chapelle-Fortin
Morvilliers
Bouffigny
Chennevières
Blévy
St-Ange-et-Torçay
Fontaine-les-Ribouts
Vigny
Le Boullay-Mivoye
Moussonvilliers
Les Rableux
La Saucelle
Dampierre-sur-Blévy
Torçay
Mondétour
Puiseux
Le Boullay-Thierry
Lamblore
La Puisaye
Louvilliers-lès-Perche
Maillebois
Morvillette
St-Jean-de-Rebervilliers
Le Boullay-les-Deux-Églises
Gironville-et-Neuville
Ormoy
La Ferté-Vidame
Feuilleuse
Épineux
Marville-les-Bois
Moreaulieu
La Béchetière
Les Ressuintes
Le Morillon
La Framboisière
Le Mesnil-Thomas
St-Maixme-Hauterive
St-Léonard
St-Sauveur-Levasville
Tremblay-les-Villages
Serazereux
Marchainville
Châteauneuf-en-Thymerais
Chêne-Chenu
Fadainville
Tardais
Jaudrais
Hauterive
Tresneau
Thimert
Laudigerie
Senonches
La Motte
La Ville-aux-Nonains
Écublé
Theuvy-Achères
Achères
Challet
La Lande-s-Eure
Neuilly-s-Eure
L'Écottay
Aumoy
Ardelles
La Ferme-Neuve
Gâtelles
Le Mage
Berchères-la-Maingot
Les Usages
Longny-les-Villages
La Barbinière
Les Menus
Buisson-Élouis
Digny
La Leu
Clévilliers
Briconville
Manou
Belhomert-Guéhouville
Le Plessis
Le Rouvray
Favières
Vérigny
Dangers
Le Mage
La Rangée
Les Chaises
Besnez
Les Rostys
St-Jean-lès-Murgers
Le Charmoy
Méraubry
Fresnay-le-Gilmert
Le Pas-St-l'Homer
Fontaine-Simon
St-Maurice-St-Germain
Pontgouin
Billancelles
St-Arnoult-des-Bois
Mittainvilliers Vérigny
Sénarmont
Genainvilliers
Moutiers-au-Perche
Meaucé
Fontaine-la-Guyon
Bois Bailleau
Bailleau-l'Évêque
Lèves
La Madeleine-Bouvet
La Loupe
Le Boulay
Landelles
Fleurfontaine
Séresville
Freulemont
Le Libérot
Vaupillon
Le Favril
St-Aubin-des-Bois
La Godefraise
Courville-sur-Eure
Flonville
Rémalard-en-Perche
Bretoncelles
St-Éliph
Chuisnes
Grognault
Cintray
Amilly
Les Châtelets
St-Luperce
Mainvilliers
La Grde Forêt
Forêt de Champrond
Forêt de Montecôt
Dorceau
Friaize
Le Bois-St-Père
St-Germain-le-Gaillard
St-Georges-sur-Eure
Ouerray
Luisant
Le Charmois
Orrouer
PERCHE
Montireau
Le Thieulin
Villeneuve
Fruncé
Le Plessis-le-Franc
Le Pont-Tranchefétu
St-Germain-des-Grois
Coulonges-les-Sablons
St-Victor-de-Buthon
Champrond-en-Gâtine
St-Denis-des-Puits
Chauffours
Fontenay-sur-Eure
Barjouville
Villeray
(Sablons-s-Huisne)
La Hurie
La Fourche
Nogent-sur-Eure
Condeau
Montlandon
Villebon
Cernay
Ollé
Condé-s-Huisne
Frétigny
Beaurepaire
Meslay-le-Grenet
St-Pierre-la-Bruyère
Marolles-les-Buis
(Saintigny)
Sausseux
Marchéville
Bailleau-le-Pin
Pouancé
Spoir
Thivars
La Poterie
St-Laurent
Les Corvées-les-Yys
Fausserville
Mignières
Ozée
St-Denis-d'Authou
Les Yys
Champeaux
Coudreceau
Les Châtelliers-N.-D.
Pommeray
Margon
(Arcisses)
La Bourgogne
Nonvilliers-Grandhoux
Le Breuil
Magny
Sandarville
Ermenonville-la-Grande
Bois de Mivoye
La Sausaye
Nogent-le-Rotrou
Brunelles
Happonvilliers
Les Forts
St-Éman
La Bourdinière-St-Loup
Thiron-Gardais
Combres
Les Perruches
Le Favril
Les Bordes
Grandhoux
Illiers-Combray
Champrond-en-Perchet
Les Eaux-Blanches
La Gaudaine
L'Estre-des-Char
Les Daudais
Épeautrolles
Luplanté
Fresnay-le-Comte
Gardais
Le Saussay
Le Pt Grd Bois
Blandainville
Méréglise
Ecurolles
Ermenonville-la-Petite
Beauvoir
St-Jean-Pierre-Fixte
Trizay-Coutretot-St-Serge
Le Goulet
Chassant
La Leu
Montigny-le-Chartif

50
0
5
10 km
30
C
D
A
B
70
78
28
Houdan
Rambouillet
Montfort-l'Amaury
Épernon
Maintenon
Gallardon
Chartres
Dourdan
Angerville
Anet
Thoiry
Plaisir
Trappes
Maurepas
Chevreuse
Dampierre-en-Yvelines
Abbaye des Vaux de Cernay
France Miniature
St-Quentin-en-Yvelines
Montigny-le-Bretonneux
Auneau-Bleury-St-Symphorien
Nogent-le-Roi
Lucé
Étangs de Hollande
Forêt de Rambouillet
Parc Naturel Régional de la Haute Vallée de Chevreuse
Rochers d'Angennes
Camp de Frileuse
Forêt des 4 Pilliers
Bréviaires
Le Perray-en-Yvelines
St-Léger-en-Yvelines
Gambais
Bourdonné
Condé-sur-Vesgre
Gazeran
St-Hilarion
Ablis
Sonchamp
Orphin
Orcemont
Clairefontaine-en-Yvelines
Rochefort-en-Yvelines
Bonnelles
Limours-en-H.
Breteuil
Cernay-la-Ville
Senlisse
Auffargis
Les Essarts-le-Roi
St-Rémy-l'Honoré
Coignières
Élancourt
Jouars-Pontchartrain
Neauphle-le-Château
Villiers-St-Frédéric
Méré
Galluis
Grosrouvre
La Queue-les-Yvelines
Millemont
Garancières
Orgerus
Béhoust
Richebourg
Maulette
Dannemarie
Marchezais
Serville
Goussainville
Abondant
Bû
Havelu
Broué
Champagne
Germainville
Cherisy
Raville
Marolles
Boutigny-Prouais
Adainville
Grandchamp
La Hauteville
Faverolles
Poigny-la-Forêt
La Boissière-École
Mittainville
Hermeray
Raizeux
Droue-sur-Drouette
Émancé
Hanches
Pierres
Bouglainval
St-Piat
Mévoisins
Jouy
Soulaires
Bailleau
Ymeray
Champseru
Coltainville
Gasville-Oisème
Lèves
Champhol
Mainvilliers
Luisant
Le Coudray
Nogent-le-Phaye
Houville-la-Branche
Sours
Gellainville
Morancez
Ver-lès-Chartres
Thivars
Corancez
Berchères-les-Pierres
Prunay-le-Gillon
Allonnes
Moinville-la-Jeulin
Boisville-la-St-Père
Denonville
Sainville
Aunay-sous-Auneau
Allainville
Paray-Douaville
Garancières-en-Beauce
St-Escobille
Authon-la-Plaine
Plessis-St-Benoist
Boutervilliers
Chalo-St-Mars
Congerville-Thionville
Chalou-Moulineux
Monnerville
Pussay
Méréville
Gommerville
Ardelu
Châtenay
Orlu
Oysonville
Mérouville
Intréville
Moutiers
Beauvilliers
N 10
N 12
N 154
N 20
A 11 - E 50
A 10
D 906
D 910

PARIS
Arc de Triomphe
Tour Eiffel
Notre-Dame
Nanterre
La Défense
Colombes
Asnières-sur-S.
Clichy
St-Ouen
Aubervilliers
Drancy
Bobigny
Pantin
Les Pavillons-sous-Bois
Clichy-sous-Bois
Montfermeil
Coubron
Le Raincy
Bondy
Noisy-le-Sec
Romainville
Les Lilas
Bagnolet
Montreuil
Vincennes
Fontenay-s/s-Bois
Rosny-sous-Bois
Villemomble
Gagny
Chelles
Neuilly-Plaisance
Neuilly-sur-M.
Champs-s-M.
Noisiel
Torcy
Marne La Vallée
Lognes
Collégien
Gouvernes
Guermantes
Bussy-St-Martin
Bussy-St-Georges
Conches-s-Gondoire
Chanteloup-en-B.
Lagny-s-Marne
Chessy
Montévrain
Disneyland Paris
Serris
Jossigny
Ferrières-en-Brie
Pontcarré
Roissy-en-Brie
Pontault-Combault
Ozoir-la-Ferrière
Croissy-Beaubourg
Émerainville
Villeneuve-St-Denis
Vaires-sur-M.
St-Thibault-des-Vignes
Pomponne
Brou-s-Chantereine
Chatou
Croissy-sur-Seine
Bougival
Rueil-Malmaison
Suresnes
Puteaux
St-Cloud
La Celle-St-Cloud
Vaucresson
Garches
Boulogne-Billancourt
Marnes-la-Coquette
Ville-d'Avray
Sèvres
Meudon
Chaville
Viroflay
Vélizy-Villacoublay
Vanves
Issy-les-M.
Malakoff
Montrouge
Clamart
Châtillon
Bagneux
Fontenay-aux-Roses
Le Plessis-Robinson
Bourg-la-Reine
Sceaux
Châtenay-Malabry
Antony
Gentilly
Arcueil
Cachan
Villejuif
Le Kremlin-Bicêtre
Ivry-s-Seine
L'Haÿ-les-Roses
Vitry-sur-Seine
Alfortville
Maisons-Alfort
Charenton-le-Pont
St-Mandé
St-Maurice
Joinville-le-Pont
Nogent-sur-Marne
Le Perreux-s-M.
Bry-s-M.
Champigny-sur-M.
St-Maur-des-Fossés
La Varenne-St-Hilaire
Créteil
Bonneuil-sur-Marne
Chennevières-s-M.
Villiers-sur-M.
Le Plessis-Trévise
La Queue-en-Brie
Ormesson-s-M.
Noiseau
Sucy-en-Brie
Boissy-St-Léger
Valenton
Limeil-Brévannes
Villeneuve-St-Georges
Grosbois
Marolles-en-Brie
Santeny
Lésigny
Férolles-Attilly
Servon
Villecresnes
Yerres
Crosne
Mandres-les-Roses
Périgny
Brie-Comte-Robert
Chevry-Cossigny
Gretz-Armainvilliers
Tournan-en-Brie
Presles-en-Brie
Liverdy-en-Brie
Favières
Choisy-le-Roi
Thiais
Chevilly-Larue
Fresnes
Rungis
Orly
Wissous
Villeneuve-le-Roi
Ablon-s-Seine
Athis-Mons
Paray-Vieille-Poste
Paris-Orly
Massy
Verrières-le-Buisson
Igny
Bièvres
Jouy-en-Josas
Les Loges-en-Josas
Toussus-le-Noble
Saclay
Vauhallan
Palaiseau
Villebon-sur-Yvette
Orsay
Gif-s-Y.
St-Aubin
Chilly-Mazarin
Champlan
Morangis
Savigny-sur-Orge
Juvisy-sur-Orge
Vigneux-sur-Seine
Montgeron
Brunoy
Épinay-sous-Sénart
Boussy-St-Antoine
Quincy-sous-Sénart
Varennes-Jarcy
Draveil
Viry-Châtillon
Grigny
Ris-Orangis
Soisy-s-Seine
Étiolles
Tigery
Combs-la-Ville
Sénart
Moissy-Cramayel
Lieusaint
Évry-Grégy-sur-Yerres
Soignolles-en-Brie
Coubert
Grisy-Suisnes
Ozouer-le-Voulgis
Courquetaine
Solers
Yèbles
Guignes
Limoges-Fourches
Lissy
Champdeuil
Crisenoy
Andrezel
Champeaux
Réau
Longjumeau
Saulx-les-Chartreux
Les Ulis
Villejust
Ballainvilliers
Épinay-s-O.
La Ville-du-Bois
Nozay
Villemoisson-s-Orge
Villiers-s-Orge
Morsang-s-Orge
Longpont-s-Orge
Ste-Geneviève-des-Bois
Montlhéry
Marcoussis
Linas
St-Michel-s-O.
Fleury-Mérogis
Évry
Courcouronnes
Leuville-s-Orge
Le Plessis-Pâté
Bondoufle
Brétigny-s-Orge
St-Germain-lès-Arpajon
Arpajon
Ollainville
La Norville
Égly
Breuillet
Bruyères-le-Châtel
Courson-Monteloup
Lisses
Villabé
Corbeil-Essonnes
St-Germain-lès-Corbeil
St-Pierre-du-Perray
Saintry-s-S.
Morsang-s-Seine
Le Coudray-Montceaux
Nandy
Savigny-le-Temple
Cesson
Vert-St-Denis
Seine-Port
St-Fargeau-Ponthierry
Mennecy
Ormoy
Écharcon
Vert-le-Grand
Vert-le-Petit
Leudeville
Guibeville
Avrainville
Marolles-en-Hurepoix
Cheptainville
St-Vrain
Boissy-sous-St-Yon
St-Yon
Breux-Jouy
St-Sulpice-de-Favières
Torfou
Lardy
Bouray-sur-Juine
Chamarande
Mauchamps
Villeconin
Chauffour-lès-Étréchy
Étréchy
Janville-sur-Juine
Auvers-St-Georges
Villeneuve-s-Auvers
Boissy-le-Cutté
Cerny
Itteville
Ballancourt-sur-Essonne
Fontenay-le-Vicomte
Chevannes
Auvernaux
Champcueil
Nainville-les-Roches
Soisy-sur-École
Mondeville
Baulne
La Ferté-Alais
Guigneville-sur-Essonne
D'Huison-Longueville
Videlles
Dannemois
Moigny-sur-École
Courances
Fleury-en-Bière
St-Martin-en-Bière
Barbizon
Chailly-en-Bière
Cély
Perthes
St-Germain-sur-École
St-Sauveur-sur-École
Pringy
Boissise-la-Bertrand
Boissettes
Dammarie-les-Lys
Le Mée-s-Seine
Melun
Vaux-le-Pénil
Livry-sur-Seine
La Rochette
Villiers-en-Bière
Vaux-le-Vicomte
Maincy
Rubelles
Voisenon
St-Germain-Laxis
Moisenay
Blandy-les-Tours
Sivry-Courtry
Le Châtelet-en-Brie
Chartrettes
Bois-le-Roi
Samois-sur-Seine
Fontaine-le-Port
Héricy
Fontainebleau
Avon
Samoreau
Thomery
Gorges de Franchard
Gorges d'Apremont
Arbonne-la-Forêt
Milly-la-Forêt
Les Trois Pignons
Noisy-s-École
Achères-la-Forêt
Le Vaudoué
Tousson
Ury
Bourron-Marlotte
Recloses
Le Long Rocher
Montigny-sur-Loing
Grez-sur-Loing
La Genevraye
Veneux-les-Sablons
Moret-Loing
Villiers-sous-Grez
La Chapelle-la-Reine
Larchant
Boissy-aux-Cailles
Nanteau-s-Essonne
Boigneville
Buno-Bonnevaux
Gironville-sur-Essonne
Prunay-sur-Essonne
Oncy-sur-École
Maisse
Courdimanche-sur-Essonne
Boutigny-sur-Essonne
Vayres-sur-Essonne
Bouville
Orveau
Morigny-Champigny
Étampes
Puiselet-le-Marais
Valpuiseaux
La Forêt-Ste-Croix
Mespuits
Roinvilliers
Champmotteux
Abbéville-la-Rivière
Marolles-en-Beauce
Boissy-la-Rivière
Fontaine-la-Rivière
Arrancourt
Rouvres-Saint-Jean
Malesherbes
Parc Naturel Régional du Gâtinais Français
Forêt de Fontainebleau
Forêt de Sénart
Forêt de Notre-Dame
Camp de Linas-Montlhéry
Seine
Essonne
Juine
Loing
Marne
A 4
A 5
A 6
A 86
N 104
N 20
D 607
D 606
31
71
52
E
F
G
H

0
5
10 km
C
32
D
A
B
72
51
1
2
3
4
5
77
Jouarre
Boutigny
Pierre-Levée
La Fringale
St-Cyr-sur-Morin
St-Ouen-sur-Morin
Orly-sur-Morin
Boitron
Hondevilliers
Replonges
Viels-Maisons
L'Épine-aux-Bois
Verdelot
Fontaine-Robert
Sablonnières
Vendières
Villeneuve-s-Bellot
Bellot
Montdauphin
Les Grands Montgoins
Bois-Baudry
Saussoy
La Trétoire
Doue
St-Germain-sous-Doue
Rebais
Les Marchés
Mazagran
St-Léger
Grd Doucy
Montolivet
Villers-lès-Maillets
Champcormolin
St-Barthélemy
Thiercelieux
St-Denis-lès-Rebais
St-Lazare
Les Granges
Boissy-le-Châtel
Aulnoy
Giremoutiers
Maisoncelles-en-Brie
Villiers
La Haute-Maison
Bouleurs
Crécy-la-Chapelle
La Chapelle-s-Crécy
St-Germain-sur-Morin
Coutevroult
Magny-le-Hongre
Villiers-sur-Morin
Voulangis
Serris
Bailly-Romainvilliers
Montherand
Le Charnoy
Tigeaux
Guérard
Mouroux
Pommeuse
Dammartin-sur-Tigeaux
Villeneuve-St-Denis
Villeneuve-le-Comte
La Route
Genevray
Tresmes
Faremoutiers
La Celle-sur-Morin
Coulommiers
St-Siméon
St-Rémy-la-Vanne
Jouy-sur-Morin
Les Limons
Chauffry
Le Jariel
Grenet
Marvilliers
Les Thénières
Meilleray
Les Bordes
St-Martin-des-Champs
La Chapelle-Moutils
La Ferté-Gaucher
Champbonnois
Moutils
Le Bois-Frais
Courbon
St-Augustin
Chailly-en-Brie
Mortcerf
Neufmoutiers-en-Brie
Forêt de Crécy
Hautefeuille
Forêt de Malvoisine
Mauperthuis
Beautheil
Marolles-en-Brie
Choisy-en-Brie
Féraubry
Lescherolles
Voigny
Foussolles
Beautheil-Saints
Fontenelle
Cofféry
Chartronges
St-Mars-Vx-Maisons
Pierrelez
St-Martin-du-Boschet
La Houssaye-en-Brie
Crèvecœur-en-Brie
Les Chapelles-Bourbon
Tournan-en-Brie
Villé
Pézarches
Maison Meunier
Touquin
La Boisserotte
Amillis
Chevru
Leudon-en-Brie
Vx-Maisons
Lumigny
Ormeaux
Le Plessis-Feu-Aussoux
Dagny
Les Hayottes
Le Chanoy
Sancy-lès-Provins
Montceaux-lès-Provins
Maisoncell
Marles-en-Brie
Le Parc des Félins
Yerres
Les Bordes
Le Montcel
Beton-Bazoches
Fortail
Courtiat
Cerneux
Châtres
Fontenay-Trésigny
Chaubuisson
Nesles
Voinsles
Villeneuve-la-Hurée
Gloise
Vaudoy-en-Brie
Frétoy
Le Corbier
Boisdon
Courtacon
Augers-en-Brie
Liverdy-en-Brie
Retal
Visy
Vilbert
Rozay-en-Brie
Le Jariel
Bannost
Villegagnon
Bezalles
Les Marêts
Champcouelle
Ozouer-le-Voulgis
Forest
Chaumes-en-Brie
Bernay-en-Brie
Arcy
Pécy
Jouy-le-Châtel
La Conquillie
Champcenest
Beauregard
Maréchère
Ecoublay
Villiers-St-Georges
Argentières
Courtomer
La Chapelle-Iger
Le Pt Paris
Maurevert
Beauvoir
Bonfruit
Courpalay
Bois-le-Comte
Courchamp
Rupéreux
Verneuil-l'Étang
Aubepierre
Fleury
Gastins
Villars
Yèbles
Guignes
L'Etang
La Fermeté
Chenoise-Cucharmoy
Combles
St-Hilliers
Voulton
Gimbrois
Boôlot
Beauchery-St-Martin
Suscy-s-Yèbles
Andrezel
Mormant
Ozouer-le-Repos
Quiers
Les Loges
Clos-Fontaine
Le Sceau
Courméry
St-Just-en-Brie
Les Plessis-aux-Tournelles
Mortery
Crisenoy
Champeaux
Rouvray
Bagneaux
La Croix-en-Brie
Châteaubleau
Cucharmoy
St-Martin-des-Champs
Chennetron
Rouilly
La Bretonnière
Fief des Époisses
Lady
Grandpuits
Les Loges
Vieux-Champagne
Corberon
Marolles
Léchelle
Fouju
Bailly-Carrois
Richebourg
St-Méry
Bombon
St-Ouen-en-Brie
Nangis
Maison-Rouge
Vulaines-lès-Provins
Provins
St-Brice
Puits-Froux
Blandy-les-Tours
Bréau
La Folie
Châtillon-la-Borde
Fontenailles
Rampillon
Vanvillé
La Chapelle-St-Sulpice
Poigny
Sourdun
Chalautre-la-Grande
Courtry
Sivry-Courtry
La Chapelle-Gauthier
Glatigny
La Boulloye
Beauguichet
Leudon
Landoy
Courton-le-Haut
Ste-Colombe
Fontains
Lizines
St-Loup-de-Naud
Longueville
Chalautre-la-Petite
Le Plessis-Mériot
Maulny
Saveteux
La Borde
Forêt de Villefermoy
Sognolles-en-Montois
Savins
Le Châtelet-en-Brie
Les Écrennes
La Chapelle-Rablais
Meigneux
Bois de St Martin
Soisy-Bouy
Les Grds Pleux
Blunay
Forêt de Sourdun
Les Montils
Valjouan
Villeneuve-les-Bordes
Cessoy-en-Montois
Jutigny
Melz-sur-Seine
Traveteau
Mons-en-M.
Thénisy
Gouaix
Fontaine-le-Port
La Grde Commune
Bois de St Germain-Laval
Chalautre-la-Reposte
Chalmaison
Toury
La Motte-Tilly
Sigy
Paroy
Hermé
Courceroy
L'Écluse
Échouboulains
Coutençon
Gurcy-le-Châtel
Donnemarie-Dontilly
Luisetaines
Everly
Le Port-Montain
Villiers-sur-Seine
Féricy
Machault
Montigny-Lencoup
Cutrelles
Les Ormes-sur-Voulzie
Noyen-sur-Seine
Gumery
Héricy
Pamfou
Echou
Bourbitou
St-Sauveur-lès-Bray
Grisy-sur-Seine
Valence-en-Brie
Les Jonchets
Forêt de St Martin
Vimpelles
Neuvry
Vulaines-sur-Seine
Fontaineroux
Orvilliers
Laval-en-Brie
Égligny
Mouy-s-Seine
Grd Peugny
Passy-sur-Seine
Cercy
Bois de Valence
Salins
Châtenay-sur-Seine
Bray-s-Seine
Samoreau
Forges
Mousseaux-lès-Bray
Jaulnes
Villuis
Thomery
Champagne-sur-Seine
Montereau-Fault-Yonne
Courcelles-en-Bassée
St-Germain-Laval
Gravon
Balloy
Villenauxe-la-Petite
Fontaine-Fourches
Baby
La Celle-s-S.
Vernou-la-Celle-s-S.
La Grande-Paroisse
Avigny
Montigny-le-Guesdier
Villiers-s-Terre
St-Mammès
Moret-s-Loing
(Moret-Loing-et-Orvanne)
Le Chenoy
La Tombe
Bazoches-lès-Bray
Marolles-sur-Seine
Courceaux
Varennes-sur-Seine
Cannes-Écluse
Barbey
Misy-sur-Yonne
Vinneuf
Compigny
Pailly
Plessis-du-Mée
Montarlot
Le Pt Fossard
Bichain
Villeneuve-la-Guyard
Courlon-sur-Yonne
Plessis-St-Jean
Vertilly
Villiers-Bonneux
(Perceneige)
Écuelles
Ville-St-Jacques
Esmans
La Brosse-Montceaux
Le Pt Chaumont
Sergines
La Garenne
Servins
Sorques
Villecerf
Épisy
La Genevraye
Noisy-Rudignon
La Vallée
Montmachoux
Villeblevin
Chaumont
Serbonnes
Yonne
Bordeau
Chapolin
Barrault
Vallières
Cugny
Rebours
Le Pimard
Dormelles
Flagy
Bichereau
Gerjus
St-Agnan
La Chapelle
Michery
Hollard
La Borde
Villemer
Les Joncheries
Villemanoche
La Chapelle-sur-Oreuse
Fleurigny
Thorigny
Le Landy
Thoury-Férottes
Boisroux
Voulx
Pont-sur-Yonne
St-Martin-sur-Oreuse
La Pommeraie
La Bonneau
Treuzy-Levelay
Gisy
Disneyland Paris
Montévrain
Rocher
Seine
D 934
D 231
D 402
D 403
D 619
D 411
D 606
D 605
D 210
D 976
D 412
N 4
N 36
A 5 - E 54

53
E
F
G
H
33
73
54
Villemoyenne
Corrobert
La Chapelle-sous-Orbais
Bièvre
Janvilliers
Fromentières
Les Déserts
Le Mesnil
La Caure
Soulières
Givry-lès-Loisy
Beaunay
Vertus
L'Echelle-le-Franc
Hautefeuille
Le Tremblay
Bailly
Vauchamps
Champaubert
Étoges
Loisy-en-Brie
Étréchy
Petit-Étréchy
Montmirail
Fontaine-au-Bron
Fèrebrianges
Bergères-lès-Vertus
Trécon
Montcoupot
Mécringes
La Mortière
Le Thoult-Trosnay
Bannay
Andecy
Congy
La Gravelle
Toulon-la-Montagne
(Vert-Toulon)
Vert-la-Gravelle
Mont Aimé
Coligny
Villeseneux
Courbetaux
Bergères-s/s-Montmirail
Boutavent
Boissy-le-Repos
Baye
Rieux
Maclaunay
Montenils
Villeperdue
Talus-St-Prix
Villevenard
Courjeonnet
Biffontaine
Soigny
Corfélix
Coizard-Joches
Aulnizeux
(Val-des-Marais)
Pierre-Morains
Clamanges
Montvinot
Le Gault-Soigny
Le Recoude
Charleville
St-Prix
Oyes
Petit Morin
Marais de St-Gond
Aulnay-aux-Planches
Morains
Écury-le-Repos
Perthuy
Le Bout-de-la-Ville
La Villeneuve-lès-Charleville
Soizy-aux-Bois
Reuves
Le Mesnil
Bannes
La Grosse Ferme
Normée
Lenharrée
PARIS-VATRY
Morsains
Le Clos-le-Roi
Chapton
Forêt du Gault
Broussy-le-Petit
Broussy-le-Grand
Mondement-Montgivroux
Joiselle
Le Châtelot
Lachy
Vassimont-et-Chapelaine
Fère-Champenoise
Connantray-Vaurefroy
Champguyon
l'Hermite
Les Essarts-lès-Sézanne
Allemant
Nozet
La Fosse
Neuvy
La Noue
Verdey
Broyes
St-Loup
Esternay
Viviers
Le Village
Mœurs-Verdey
Beauvais
Péas
Linthes
Connantre
Euvy
Retourneloup
Châtillon-sur-Morin
Le Meix-St-Epoing
Sézanne
La Raccroche
Linthelles
St-Remy-sous-Broyes
La Colombière
Montépreux
Courgivaux
Launat
Grand Morin
Vindey
Seu
Ognes
Corroy
Gourgançon
Escardes
Bricot-la-Ville
Le Plessis
Chichey
Gaye
Pleurs
Semoine
St-Bon
La Paimbaudière
Forêt
Saudoy
Queudes
Marigny
Courcelles
Angluzelles-et-Courcelles
Fresnay
Bouchy-St-Genest
Les Essarts-le-Vicomte
La Forestière
Thaas
Salon
Villiers-Herbisse
Barbonne-Fayel
Faux-Fresnay
Nesle-la-Reposte
Traconne
La Chalmelle
Fontaine-Denis-Nuisy
Villevotte
Villeneuve-St-Vistre-et-Villevotte
La Chapelle-Lasson
Bonne Voisine
Fontaine-s/s-Montaiguillon
Bethon
St-Quentin-le-Verger
St-Saturnin
Courcemain
Forêt de la Perthe
Champfleury
Herbisse
La Folie Godot
Villegruis
Dival
Chantemerle
La Celle-s/s-Chantemerle
Allemanche-Launay-et-Soyer
Launay
Marsangis
Allibaudières
Villenauxe-la-Grande
Montgenost
Potangis
Soyer
Granges-s-Aube
Vouarces
Boulages
Plancy-l'Abbaye
Montpothier
Plessis-Barbuise
Villiers-aux-Corneilles
Saron-s-Aube
Baudement
Anglure
Aube
Étrelles-s-Aube
Viâpres-le-Grand
Viâpres-le-Petit
Champigny-s-Aube
Courtioux
Esclavolles-Lurey
La Villeneuve-au-Châtelot
Marcilly-s-Seine
Bagneux
L'Abbaye-s/s-Plancy
Rhèges
Pouan-les-Vallées
Le Chêne
Soulaunoy
Barbuise
Sauvage
St-Just-Sauvage
Longueville-sur-Aube
Charny-le-Bachot
Ormes
Arcis-s-Aube
Résson
Courtavant
Périgny-la-Rose
Conflans-s-Seine
Seine
Clesles
Bessy
La Saulsotte
Liours
Pont-s-Seine
St-Hilaire-s/s-Romilly
Lion
St-Oulph
Villette-sur-Aube
Torcy-le-Grand
Port St-Nicolas
Marnay-sur-Seine
Maizières-la-Grande-Paroisse
Châtres
Méry-sur-Seine
Premierfait
Nozay
Nogent-s-Seine
La Poste
Crancey
Romilly-s-Seine
Les Granges
Droupt-Ste-Marie
Le Ruez
St-Étienne-s/s-Barbuise
La Belle Idée
La Chapelle-Godefroy
Longueperte
Mesgrigny
St-Aubin
Pommereau
Gélannes
Pars-lès-Romilly
La Belle-Étoile
Droupt-St-Basle
St-Remy-s/s-Barbuise
Quincey
Orígny-le-Sec
Le Petit St-Georges
Vallant-St-Georges
Les Grandes-Chapelles
Voué
Fontaine-Mâcon
Ferreux-Quincey
St-Loup-de-Buffigny
Montsuzain
Fontenay-de-Bossery
St-Martin-de-Bossenay
St-Mesmin
Rilly-Ste-Syre
Aubeterre
Tremblay
La Fosse-Corduan
Ossey-les-Trois-Maisons
Orvilliers-St-Julien
Fontaine-les-Grès
Chauchigny
Chapelle-Vallon
les Ormeaux
Bossenay
Bouy-sur-Orvin
Avant-lès-Marcilly
Rigny-la-Nonneuse
Marigny-le-Châtel
Savières
Fay-lès-Marcilly
Fontenay-le-Pierreux
St-Flavy
Villacerf
Feuges
Soligny-les-Étangs
Le Vallon
Charmoy
La Pèze
Avon-la-Pèze
Payns
Mergey
Échemines
Charmesseaux
Montaphilant
Prunay-Belleville
Le Pavillon-Ste-Julie
St-Lyé
St-Benoît-sur-Seine
Vannes
Vailly
Trancault
Bourdenay
Camp militaire
La Malmaison
St-Maurice-aux-Riches-Hommes
St-Lupien
Villeloup
Barberey-aux-Moines
Ste-Maure
Creney-près-Troyes
Marcilly-le-Hayer
Faux-Villecerf
Barberey-St-Sulpice
Culoison
Mauny
Bercenay-le-Hayer
Dierrey-St-Pierre
Grange l'Evêque
TROYES
Lavau
Pont-Ste-Marie
Villechétif
Chavaudon
Dierrey-St-Julien
La Chapelle-St-Luc
Les Noës-près-Troyes
Forêt de Lancy
La Chaume
Villadin
Mesnil-Vallon
Montgueux
Macey
Ste-Savine
St-Parres-aux-Tertres
Barres
Pouy-sur-Vannes
St-Loup
Courgenay
Palis
Fontvannes
La Rivière-de-Corps
St-Julien-les-Villas
Clairlieu
les Marchais
Torvilliers
St-André

54
0 5 10 km
C
34
D
53
74
A
B
C
D
1
2
3
4
5
Écury-sur-Coole
Sogny-aux-Moulins
Chepy
St-Germain-la-Ville
Francheville
St-Jean-sur-Moivre
Dampierre-sur-Moivre
La Motte-Hériton
Vanault-le-Châtel
Vanault-les-Dames
Breuvery-sur-Coole
Vésigneul-s-Marne
Pogny
Togny-aux-Bœufs
Vouciennes
Vitry-la-Ville
St-Quentin-sur-Coole
Cernon
Soudron
Vatry
Bussy-Lettrée
Lettrée
PARIS-VATRY
Lenharrée
Haussimont
Sommesous
Coupetz
Cheppes-la-Prairie
St-Martin-aux-Champs
Fontaine-sur-Coole
Faux-Vésigneul
Dommartin-Lettrée
Notre-Dame
Soudé
Coole
Omey
La Chaussée-sur-Marne
Coulmier
Aulnay-l'Aître
Coulvagny
Ablancourt
La Cense-des-Prés
Bassu
St-Amand-sur-Fion
Lisse-en-Champagne
Bassuet
Songy
Pringy
Drouilly
Soulanges
Maisons-en-Champagne
Loisy-s-Marne
Couvrot
St-Lumier-en-Champagne
St-Quentin-les-Marais
Gravelines
Vitry-en-Perthois
Merlaut
Changy
Heiltz-l'Évêque
Outrepont
Ponthion
Plichancourt
Brusson
Le Buisson
Bignicourt-s-Saulx
Jussecourt-Minecourt
Vavray-le-Petit
Vavray-le-Grand
Val-de-Vière
Rosay
Sogny-en-l'Angle
Blacy
Vitry-le-François
Glannes
Huiron
Courdemanges
Châtelraould-St-Louvent
St-Louvent
Marolles
Frignicourt
Reims-la-Brûlée
Tournay
Dompremy
Favresse
Blesme
Vauclerc
Haussignémont
Thiéblemont-Farémont
Heiltz-le-Hutier
Luxémont-et-Villotte
Écriennes
Bignicourt-sur-Marne
Goncourt
Matignicourt-Goncourt
Norrois
Orconte
Blaise-s/s-Arzillières
Neuville-sous-Arzillières
Arzillières-Neuville
Cloyes-s-Marne
Les Rivières-Henruel
Henruel
Moncetz-l'Abbaye
Isle-sur-Marne
Larzicourt
Les Blousses
Sapignicourt
Arrigny
Écollement
St-Chéron
St-Genest
Bussy-aux-Bois
St-Remy-en-Bouzemont-St-Genest-et-Isson
Isson
Musée du Pays du Der
Ste-Marie-du-Lac-Nuisement
Lac du Der-Chantecoq
Giffaumont-Champaubert
Montépreux
Forêt de Vauhalaise
Sompuis
La Croix
Humbauville
Poivres
Mailly-le-Camp
Semoine
Camp militaire de Mailly
Villiers-Herbisse
Le Meix-Tiercelin
Trouans
Herbisse
La Folie Godot
Dosnon
Allibaudières
Grandville
St-Ouen-Domprot
St-Étienne
Somsois
La Malmaison
Gigny-Bussy
Petit-Paris
Brandonvillers
Lignon
Chapelaine
Bréban
Corbeil
Drosnay
La Haute Rue
Outines
Hancourt
Margerie-Hancourt
St-Utin
Le Plessis
Lhuître
Dampierre
Le Chêne
Arcis-s-Aube
Ormes
Torcy-le-Petit
Vinets
Isle-Aubigny
Ramerupt
Vaucogne
St-Léger-sous-Margerie
Plaisance
Chassericourt
Arrembécourt
Châtillon-sur-Broué
Le Voy
Joncreuil
Planrupt
Villette-sur-Aube
Torcy-le-Grand
St-Nabord-s-Aube
Vaupoisson
Ortillon
Romaines
Morembert
Dommartin-le-Coq
Donnement
Balignicourt
Petit Fontenay
Labraux
Pars-lès-Chavanges
Chavanges
Montmorency-Beaufort
Bailly-le-Franc
Droyes
Gervilliers
Les Granges
Les Malots
Forêt de Lentilles
Lentilles
Puellemontier
Rives-Dervoises
Jagée
Chaudrey
Nogent-sur-Aube
Petit Nogent
Mesnil-la-Comtesse
La Belle Idée
Jasseines
Ste-Thuise
Braux
Courcelles-s-Voire
Villeret
Flancourt
Les Sellières
Grandmont
Ceffonds
St-Remy-s/s-Barbuise
Voué
Montardoise
Mesnil-Lettre
Coclois
Brillecourt
Aulnay
Yèvres-le-Petit
Rances
Hampigny
Boulancourt
Rosnay-l'Hôpital
Chalette-sur-Voire
Bétignicourt
Blignicourt
Rotrate
Vallentigny
Longeville-sur-la-Laines
La Grève
Thilleux
Verricourt
Magnicourt
La Harmande
Avant-lès-Ramerupt
Pougy
St-Christophe-Dodinicourt
Lassicourt
Putteville
Perthes-lès-Brienne
Maizières-lès-Brienne
Louze
Montsuzain
Molins-sur-Aube
Longsols
Lesmont
Les Fontaines
Précy-St-Martin
Précy-N.-D.
Épothémont
Bois-Lassus
Sauvage-Magny
Charmont-sous-Barbuise
Val-d'Auzon
Montangon
St-Léger-s/s-B.
Pel-et-Der
Camp militaire
Juzanvigny
Bridenne
Crespy-le-Neuf
La Ville-aux-Bois
Anglus
Mortée
Onjon
Fontaine-Luyères
Villevoque
Blaincourt-sur-Aube
Épagne
Brienne-le-Château
Morvilliers
Forêt de Soulaines
Soulaines-Dhuys
Luyères
La Valentine
Piney
Villehardouin
Mathaux
Brienne-la-Vieille
Petit Morvilliers
Beauvoir
Trémilly
Vailly
Bouy-Luxembourg
Rachisy
Brantigny
Assencières
Villiers-le-Brûlé
Radonvilliers
Écomusée
Dienville
Chaumesnil
La Chaise
Thil
La Belle Épine
Sacey
Rouilly-Sacey
Brévonnes
Chantemerle
L'Étape
Lac Amance
La Rothière
La Giberie
Petit-Mesnil
Fuligny
Creney-près-T.
L'Espérance
Mesnil-Sellières
Rosson
PARC NATUREL RÉGIONAL DE LA FORÊT D'ORIENT
Lac du Temple
Bonlieu
Unienville
Vernonvilliers
Ville-sur-Terre
Fresnay
Pont-Ste-Marie
Villechétif
Bouranton
Dosches
Géraudot
Juvanzé
Jessains
Éclance
Belley
Champigny
Laubressel
Vaudemanche
Amance
Trannes
Lévigny
St-Parres-aux-Tertres
Thennelières
Larivour
Lac d'Orient
La Loge-aux-Chèvres
La Ville-aux-Bois
Bossancourt
Maison-Neuve
Arsonval
Arrentières
Engente
Montier-en-l'Isle
St-Julien-les-Villas
Courteranges
Vauchonvilliers
Dolancourt
Jaucourt
Colombé
10
N 4
N 44
D 396
D 400
D 960
D 441
D 677
D 977
D 982
D 995
A 26 E 17

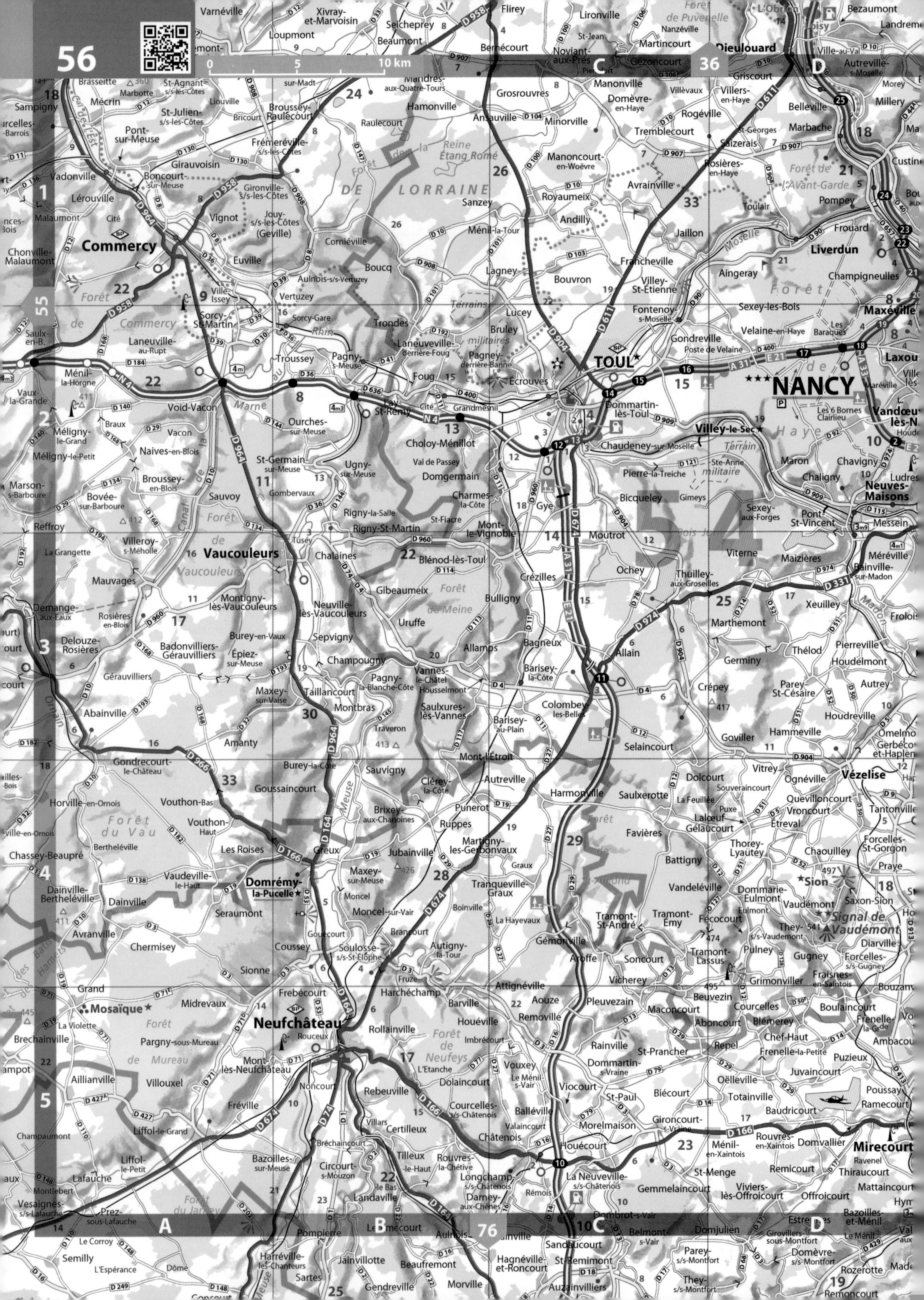

56
0 5 10 km
Commercy
Vaucouleurs
Domrémy-la-Pucelle
Neufchâteau
Gondrecourt-le-Château
TOUL
NANCY
Dieulouard
Liverdun
Maxéville
Laxou
Vandœuvre-lès-Nancy
Villey-le-Sec
Neuves-Maisons
Pont-St-Vincent
Vézelise
Mirecourt
Colombey-les-Belles
Sion
Signal de Vaudémont
Mosaïque
Grand
Forêt de Commercy
Forêt de Vaucouleurs
Forêt du Vau
Forêt de Mureau
Forêt de Neufeys
Forêt de Meine
Forêt de l'Avant-Garde
Forêt de Puvenelle
Terrains militaires
DE LORRAINE
Reine Étang Romé
Moselle
Meuse
Marne au Rhin
Canal de la Meuse
Canal de l'Est
Ornain
Madon
Sampigny
Mécrin
Pont-sur-Meuse
Lérouville
Vadonville
Vignot
Euville
Sorcy-St-Martin
Void-Vacon
Ménil-la-Horgne
Pagny-sur-Meuse
Foug
Lay-St-Remy
Écrouves
Dommartin-lès-Toul
Chaudeney-sur-Moselle
Pierre-la-Treiche
Gye
Blénod-lès-Toul
Allamps
Bulligny
Crézilles
Ochey
Allain
Thuilley-aux-Groseilles
Maizières
Méréville
Xeuilley
Frouard
Pompey
Champigneulles
Fontenoy-s-Moselle
Gondreville
Velaine-en-Haye
Sexey-les-Bois
Francheville
Villey-St-Étienne
Jaillon
Aingeray
Lucey
Bruley
Lagney
Ménil-la-Tour
Andilly
Manonville
Rogéville
Tremblecourt
Saizerais
Rosières-en-Haye
Avrainville
Boucq
Trondes
Ugny-sur-Meuse
St-Germain-sur-Meuse
Ourches-sur-Meuse
Rigny-St-Martin
Chalaines
Neuville-lès-Vaucouleurs
Sepvigny
Champougny
Burey-en-Vaux
Épiez-sur-Meuse
Maxey-sur-Vaise
Taillancourt
Montbras
Amanty
Burey-la-Côte
Sauvigny
Goussaincourt
Vouthon-Bas
Vouthon-Haut
Les Roises
Greux
Maxey-sur-Meuse
Moncel-sur-Vair
Coussey
Soulosse-s/s-St-Élophe
Frebécourt
Rollainville
Harchéchamp
Rebeuville
Certilleux
Châtenois
Houécourt
La Neuveville-s/s-Châtenois
Dommartin-s-Vraine
Removille
Attignéville
Harmonville
Saulxerotte
Favières
Battigny
Vandeléville
Gémonville
Tramont-St-André
Tramont-Émy
Tramont-Lassus
Praye
Saxon-Sion
Vaudémont
Gugney
Diarville
Houdreville
Hammeville
Germiny
Thélod
Pierreville
Marthemont
Crépey
Selaincourt
Goviller
Vitrey
Ogéville
Liffol-le-Grand
Bazoilles-sur-Meuse
Circourt-s-Mouzon
Landaville
Pompierre
Aulnois
Sandaucourt
Belmont-s-Vair
Domjulien
Dombrot-s-Vair
Mattaincourt
Juvaincourt
Poussay
Ramecourt
Domvallier
Rouvres-en-Xaintois
Ménil-en-Xaintois
Gironcourt-s-Vraine
St-Menge
Gemmelaincourt
Viviers-lès-Offroicourt
Offroicourt
Remicourt
Thiraucourt

37
E
F
G
H
Château-Salins
Dieuze
Lixières
Chenicourt
Ajoncourt
Malaucourt-sur-Seille
Puttigny
Château-Voué
Vergaville
Amelécourt
Lubécourt
Hampont
Guébestroff
Serrières
Jeandelaincourt
Fossieux
Arraye-et-Han
Jallaucourt
Fresnes-en-Saulnois
Coutures
Val-de-Bride
Moivrons
Armaucourt
Aboncourt-sur-Seille
Morville-lès-Vic
St-Médard
Sivry
Villers-lès-Moivrons
Bratte
Leyr
Lanfroicourt
Bey-sur-Seille
Alincourt
Bioncourt
Grémecey
La Marchande
Salonnes
Haraucourt-sur-Seille
Vic-sur-Seille
Mulcey
Lindre-Basse
Etang de Lindre
Guermange
Desseling
Tarquimpol
Fribourg
Blanche-Eglise
Guéblange-lès-Dieuze
Marsal
Bourrache
Juvelize
Gelucourt
Assenoncourt
Attilloncourt
Chambrey
Montenoy
Faulx
Bouxières-aux-Chênes
Brin-sur-Seille
Ecuelle
Pettoncourt
Moyenvic
Moncel-sur-Seille
Bois de Faulx
Forêt d'Amance
Moulin
Blanzey
Eulmont
Lay-St-Christophe
Amance
Laître-s/s-Amance
Mazerulles
Champenoux
Sornéville
Bezange-la-Grande
Xanrey
Lezey
Juvrecourt
Donnelay
RÉGIONAL
Languimberg
Maisons-Rouges
Azoudange
Marimont
Ley
Bourdonnay
Maizières-lès-Vic
Romécourt
Agincourt
Dommartin-s/s-Amance
Dommartemont
Malzéville
St-Max
Laneuvelotte
Forêt de Champenoux
Erbéviller-sur-Amezule
Athienville
Arracourt
Réchicourt-la-Petite
Bezange-la-Petite
Riouville
Moncourt
Ommeray
DE
LORRAINE
Hoéville
Coincourt
Lagarde
Bataville
Seichamps
Velaine-s/s-Amance
Réméréville
Bathelémont
Bures
Xures
Essey-lès-N.
Pulnoy
Cerville
Serres
Parroy
Valhey
Réchicourt-le-Château
Moussey
Tomblaine
Saulxures-lès-Nancy
Gellenoncourt
Courbesseaux
Bauzemont
Mouacourt
Marne au Rhin
Buissoncourt
Hénaménil
Vaucourt
Remoncourt
Nouvel-Avricourt
Jarville-la-Malgrange
Bosserville
Lenoncourt
Drouville
Einville-au-Jard
Raville-s-Sânon
Xousse
Avricourt
Foulcrey
Igney
Art-s-Meurthe
Haraucourt
Maixe
Crion
Forêt de Parroy
Laneuveville-devant-N.
Crévic
Heillecourt
Varangéville
Bienville-la-Pte
Sionviller
Emberménil
Leintrey
Amenoncourt
La Madeleine
St-Nicolas-de-Port
Fléville-devant-N.
Sommerviller
Bonviller
Autrepierre
Repaix
Dombasle-s-Meurthe
Flainval
Deuxville
Champel
Laneuveville-aux-Bois
Gondrexon
Chazelles-s-Albe
Jolivet
Anthelupt
Vitrimont
Lupcourt
Ville-en-Vermois
Chanteheux
Croismare
Vého
Reillon
Marainviller
Blémerey
Hudiviller
Lunéville
Manonviller
Domjevin
Verdenal
Blâmont
Canal de l'Est
Azelot
Rosières-aux-Salines
Forêt de Vitrimont
Thiébauménil
Domèvre-s-Vezouze
Richardménil
Coyviller
Haut des Places
Moncel-lès-Lunéville
St-Martin
Halloville
Burthecourt-aux-Chênes
Rehainviller
Bénaménil
Frémenil
Herbéviller
Damelevières
Hériménil
Forêt de Mondon
Ogéviller
Vigneulles
Saffais
Moselle
Flavigny-s-Moselle
Ferrières
Blainville-sur-l'Eau
Mont-s-Meurthe
Laronxe
Buriville
Réclonville
Mignéville
Ancerviller
Barbonville
Tonnoy
Charmois
St-Clément
Camp militaire
Xermaménil
Pettonville
Vaxainville
Montigny
Haussonville
Lamath
Fraimbois
Hablainville
Velle-s-Moselle
Chenevières
Ceintrey
Benney
Romain
Ménil-Flin
Brouville
Reherrey
Crévéchamps
Méhoncourt
Gerbéviller
Vathiménil
Voinémont
St-Mard
Haudonville
Flin
Merviller
Vacqueville
Herbémont
St-Remimont
Domptail-en-l'Air
Franconville
Azerailles
Lemainville
Lorey
Mervaville
Les Carrières
Brémoncourt
Landécourt
Moyen
Gélacourt
Ormes-et-Ville
Neuviller-sur-Moselle
Einvaux
Glonville
Veney
Ville-s-Madon
Laneuveville-devant-Bayon
Haigneville
Moriviller
Vallois
Fontenoy-la-Joûte
Haroué
Bayon
Froville
Remenoville
Baccarat
Badménil
Crantenoy
Roville-devant-Bayon
Virecourt
Clayeures
Rozelieures
Seranville
Magnières
Deneuvre
Bertrichamps
Vaudeville
Mangonville
Villacourt
Mattexey
Domptail
Forêt de Glonville
Vaudigny
Leménil-Mitry
Loro
Borville
Giriviller
St-Pierremont
Lachapelle
Xirocourt
Lebeuville
Bainville-aux-Miroirs
St-Germain
Loromontzey
Vennezey
Essey-la-Côte
Ménarmont
Jevoncourt
St-Boingt
Deinvillers
Bazien
Thiaville-s-Meurthe
Gripport
St-Rémy-aux-Bois
Clézentaine
Xaffévillers
Nossoncourt
Ste-Barbe
La Haute Neuveville
Germonville
Chamagne
Damas-aux-Bois
St-Maurice-s-Mortagne
Doncières
Bralleville
Forêt de Charmes
Haillainville
Roville-aux-Chênes
Ménil-s-Belvitte
Étival-Clairefontaine
Socourt
Hergugney
Charmes
Anglemont
St-Benoît-la-Chipotte
Col de la Chipotte
Xaronval
Avrainville
Ortoncourt
Hardancourt
Essegney
Fauconcourt
Pont-s-Madon
Florémont
Langley
Rehaincourt
Romont
Brû
St-Remy
Deyfosse
La Verrerie
St-Genest
Moriville
Jeanménil
Col du Ht du Bois
Nompatelize
Rugney
Brantigny
Moyemont
Rambervillers
Fraispertuis
Savigny
Portieux
La Salle
Vieuville
Bettoncourt
Vincey
Hadigny-les-Verrières
Forêt de Rambervillers
St-Gorgon
Gircourt-lès-Viéville
Ubexy
Bouxurulles
Châtel-s-Moselle
Housseras
La Bourgonce
Varmonzey
Mazirot
Rapey
Le Ménil
Évaux-et-Ménil
Vomécourt
Autrey
Col de Mon Repos
Avillers
Bettegney-St-Brice
Zincourt
Badménil-aux-Bois
Bult
Ste-Hélène
Nomexy
Vaxoncourt
Villers
Jorxey
Gugney-aux-Aulx
Pallegney
Fremifontaine
Forêt de Rambervillers
Regney
Frizon
Vroville
Ahéville
Madegney
Domèvre-sur-Durbion
Padoux
Destord
La Haute Ville
Mortagne
St-Vallier
Igney
Les Rouges Eaux
Velotte-et-Tatignécourt
Vaubexy
Bouxières-aux-Bois
Villoncourt
La Basse Ville
L'Orme
Bazegney
Bayecourt
Dompierre
Nonzeville
Pierrepont-s-l'Arentèle
Bois-de-Champ
Racécourt
Derbamont
Girmont
Gugnécourt
Brouvelieures
Grébéfosse
Circourt
Mazeley
Oncourt
Thaon-les-Vosges
77
Sercœur
Girecourt-s-Durbion
Domfaing
Bouzemont
Chavelot
Dignonville
Grandvillers
Maroncourt
Forêt de Souche Thaon
Longchamp
Fontenay
Méménil
Verzezelle
Belmont-s-Buttant
Hagécourt
Madonne-et-Lamerey
Bettegney
Gigney
Vaudéville
Viménil
Bruyères
Biffontaine
Dompaire
Fomerey
Domèvre-s-Avière
Dogneville
Avdoilles
Laval-s-Vologne
Les Poulières
58
1
2
3
4
5
A 33
N 333
N 4
N 59
N 57
D 674
D 955
D 32
D 46

58
0
5
10 km
38
C
D
1
2
3
4
5
42
57
A
B
78
Sarrebourg
Phalsbourg
Saverne
Marmoutier
Dabo
Abreschviller
Arzviller
Wasselonne
Marlenheim
Mutzig
Rosheim
Niederhaslach
Schirmeck
Donon
Col du Donon
Le Struthof (Mémorial)
Mont-Ste Odile
Barr
Le Hohwald
Andlau
Champ du Feu
Chau de Spesbourg
Chau du Ht Andlau
Ville
Raon-l'Étape
St-Dié-des-Vosges
Senones
Moyenmoutier
Saales
Le Climont
Col de Steige
Col d'Urbeis
Col de Fouchy
Lièpvre
Ste-Marie-aux-Mines
Ht-Kœnigsbourg
Châtenois
Ribeauvillé
Chau de St Ulrich
Bergheim
Illhaeusern
Provenchères-et-Colroy
Col de Saales
Col de Prayé
Col de la Chapelotte
Pierre-Percée
Lac de Pierre-Percée
Cirey-s-Vezouze
Blâmont
Badonviller
Lorquin
Hartzviller
Walscheid
Troisfontaines
Hommert
Harreberg
Rocher de Dabo
Col de Valsberg
Wangenbourg-Engenthal
Chau et Cascade du Nideck
Oberhaslach
Heiligenberg
Urmatt
Lutzelhouse
Muhlbach-s-Bruche
Grendelbruch
Signal de Grendelbruch
Rothau
Wildersbach
Fouday
Neuviller-la-Roche
Natzwiller
Neuntelstein
Grande Belle-Vue
Breitenbach
Col du Kreuzweg
Col de la Charbonnière
Bourg-Bruche
Colroy-la-Roche
St-Blaise-la-Roche
Plaine
Plan incliné
Rocher du Nutzkopf
Haut-Barr
Col de Saverne
Lutzelbourg
Haegen
Buhl-Lorraine
Réding
Hesse
Xouaxange
Héming
Gondrexange
Étang de Gondrexange
Réchicourt-le-Château
Fribourg
Rhodes
Dieuze
Mittelbronn
Bourscheid
Hommarting
Henridorff
St-Louis
Guntzviller
Garrebourg
Hultehouse
Reinhardsmunster
Dimbsthal
Hengwiller
Obersteigen
Romanswiller
Cosswiller
Wangen
Westhoffen
Balbronn
Flexbourg
Dinsheim
Gresswiller
Dorlisheim
Mollkirch
Boersch
Ottrott
St-Nabor
Bernardswiller
Goxwiller
Heiligenstein
Mittelbergheim
Eichhoffen
Bernardvillé
Reichsfeld
Itterswiller
Nothalten
Blienschwiller
Dambach-la-Ville
Dieffenthal
Scherwiller
Kintzheim
Orschwiller
St-Hippolyte
Rodern
Rorschwihr
Thannenkirch
Aubure
Col de Fréland
Le Brézouard
Col du Pré de Raves
Ban-de-Laveline
Gemaingoutte
Wisembach
Lusse
Frapelle
Neuvillers-s-Fave
Lesseux
Combrimont
Bertrimontier
Raves
Coinches
Entre-deux-Eaux
Mandray
Col de Mandray
St-Léonard
Saulcy-s-Meurthe
Taintrux
Les Rouges-Eaux
Bois-de-Champ
Ste-Marguerite
Nayemont-les-Fosses
Robache
St-Michel-sur-Meurthe
La Voivre
Nompatelize
La Salle
Étival-Clairefontaine
Moussey
Le Saulcy
Celles-s-Plaine
Allarmont
Vexaincourt
Luvigny
Raon-sur-Plaine
Raon-lès-Leau
Grandfontaine
Wackenbach
La Broque
Turquestein-Blancrupt
St-Quirin
Lafrimbolle
Tanconville
Bertrambois
Hattigny
Fraquelfing
Niderhoff
Voyer
Col de Brechpunkt
Forêt de Saverne
Forêt de Haslach
Forêt d'Abreschviller
Forêt de Sarre Rouge
Val de Senones
Forêt de Celles
Terrain militaire
Camp militaire
PARC NATUREL

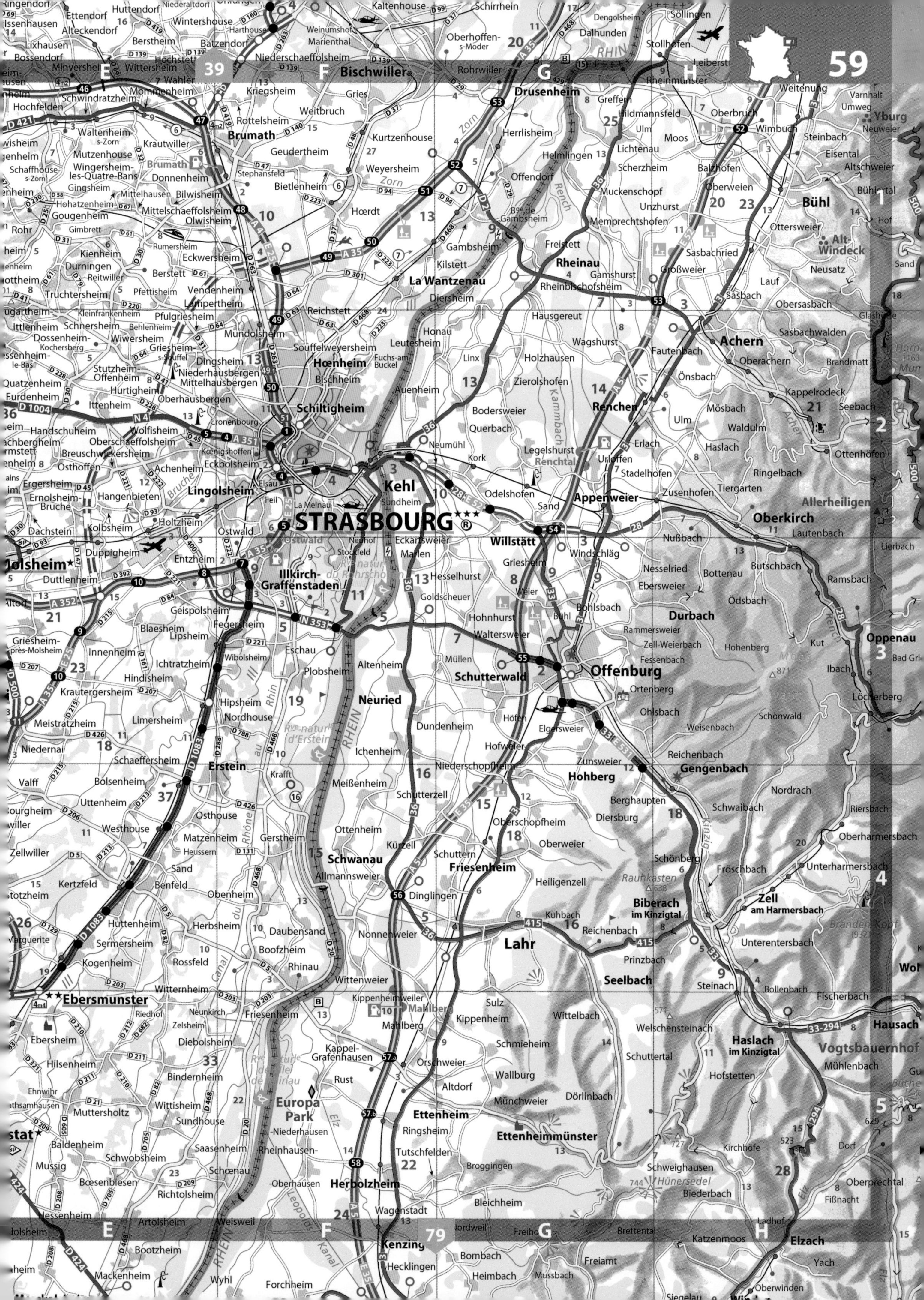

D' I R O I S E
0
5
10 km
C
40
D
★Pnte de D
★Cap de la C
1
2
3
4
5
★Réserve du Cap Sizun
★Pnte de Brézellec
★★Pointe du Van
St-They
Kermeur
16
D 7
Baie des Trépassés
3
D 43
Cléden-Cap-Sizun
Goulie
Quillivic
Chaussée de Sein
Île-de-Sein
Raz de Sein
2
Lescleden
St-Tremeur
Quat
Lescoff
Trevenouen
★★★Pointe du Raz
Pendreff
Plogoff
Primelin
13
D 784
Pennéac'h
Esquib
★St-Tugen
Custren
Ste-Evette
Pnte de Lervily
A
B
C
D

Morgat
Gaoulac'h
Goulien
Portzic
Postolonnec
Lespiguet
Argol
Treuzeulom
Trégarvan
Rosnoën
Toulencoat
Logonna-Quimerch
Squiriou
Pont-de-Buis-lès-Quimerch
E
Grdes Grottes
41
F
G
H
Telgruc-s-Mer
Ménez-Hom
Brigneun
Le Passage
Lanvian
Rosconnec
St-Ségal
La Palud
St-Hernot
Kerdreux
Rostegoff
St-Nic
Elléouet
Dinéault
Bianet
St-Sébastien
Port-Launay
Pleyben
Ste-Marie-du-Ménez-Hom
Kergoat
Nenvez
Quilleverien
Ty-Blaise
Rostudel
Pentrez-Plage
St-Côme
Plomodiern
Lescobet
Pen-ar-Yeun
Châteaulin
St-Coulitz
Vx-Bourg-de-Lothey
Ty-Men
Lothey
Pont-Coblanc
Lennon
Kérinec
Lagadven
Kerbolé
St-Laurent
Tréguron
Kerbilig
Pors-ar-Vag
Kervigen
Ploéven
Cast
St-Gildas
BAIE DE DOUARNENEZ
Ty-Anquer
Quillidoaré
Croas-ar-Born
Gouézec
St-Thois
Ste-Anne-la-Palud
Plonévez-Porzay
Roche du Feu
Kerven
Tréfeuntec
Les Trois-Fontaines
Garnilis
Croas-Brenn
Pnte du Millier
Pnte de Leydé
Anse d'ar-Vechen
Kervel
Kernir
Kergaradec
Hellen
Ty-Fléhan
Pnte de Beuzec
Kérandraon
Trezmalaouen
Kergoat
Stang-Kergourlay
Quillouarn
Douarnenez
Kerléol
Locronan
Quéménéven
St-Venec
Les Trois-Croix
L'Enseigne Verte
Beuzec-Cap-Sizun
Pors-Piron
Lescogan
Kervoal
Lesconil
Gare de Quéménéven
La Magdeleine
Briec
Kéroret
Tréboul
Le Ris
Kerlaz
Landrévarzec
Coat-Pin
Poullan-sur-Mer
Ploaré
Plogonnec
Calvaire
Quilinen
Edern
Gulvain
Le Niver
Pont-Croix
Pouldavid
St-Albin
Barré
Le Juch
Le Croëzou
St-Adrien
Audierne
Confort-Meilars
Lanfiacre
Mahalon
Pouldergat
Le Merdy
Plaisance
Seznec
Ty-Ru
Langolen
Rosmeur
Goyen
Landudal
Plouhinec
Ty Guen
Pellay
Fort
Guengat
St-Alouarn
Savardiry
Moncouar
Le Moustoir
Lambabu
Guiler-s-Goyen
Gourlizon
Kernilis
Ty-Sanquer
Gougastel
Site du Stangala
Odet
Croix-Ménez-Bris
Poulgoazec
Ty-Pic
Croas-Caër
Kervriou
Kergabet
Poul-ar-Marquis
Landudec
Plonéis
QUIMPER
Quellenec
Tréanna
La Trinité
Kérandoaré
Lestonan
La Croix-St-André
Kervillon
Kergariou
Pors-Poulhan
Plozévet
Kervinou
Plogastel-St-Germain
Pluguffan
Kerfeunteun
Cuzon
Kerdévot
St-Demet
Kervriec
Penhars
Ergué-Gabéric
Stang-Louarn
Elliant
Keristenvet
Lababan
Kerveyen
St-Germain
Kerlagatu
Troyalac'h
Kerdilès
BAIE
Pouldreuzic
Port du Corniguel
Ty-Bos
Le Roudou
St-Yvi
Penhors
St-Joseph
Jarnellou
Ti-Lipig
Baie de Kerogan
Menez-Bily
L'Arbre-du-Chapon
Plomelin
Croas-an-Intron
Locmaria-an-Hent
Plovan
Peumerit
Stang-ar-Bacol
Tréogat
St-Sébastien
Pors-Meillou
Moulin-du-Pont
Carn-Yann
Toulgoat
Odet
St-Évarzec
Ploneour-Lanvern
Languivoa
St-Roch
Ty-Glas
La Grde-Halte
Croas-Avalou
Kérilin
Trunvel
Tréméoc
Le Croissant
Gouesnach
Prajou
La Forêt-Fouesnant
D'AUDIERNE
Tréguennec
Lestremec
Pors-Kéraign
Menez-St-Jean
Clohars-Fouesnant
Pleuven
Beg-Menez
Penanguer
Troëc
Combrit
Port-la-Forêt
Lochrist
Le Poteau-Vert
Kerbascol
St-Jean-Trolimon
Botform
Fouesnant
Kerleven
Beuzec-Conq
Méjou-Roz
Kermaria
Menez-Groas
Cap-Coz
Calvaire
N.-D. de Tronoën
Beuzec
Pont-l'Abbé
Ste-Marine
Le Letty
Le Perguet
Baie de la Forêt
Kérose
Lanriec
Kerveltrec
Bénodet
Concarneau
Pont-Minaouët
Pnte de la Torche
Plomeur
Langougou
Kérazan
Île-Tudy
Mousterlin
Douric-ar-Zin
La Madeleine
Le Suler
Kerhervant
Anse de Bénodet
Brallac'h
Beg-Meil
Le Cabellou
St-Guénolé
Pendreff
Hent-Croas
Loctudy
Pnte de Mousterlin
Pendruc
Lambell
St-Pierre
Penmarch
Plobannalec-Lesconil
Kergall
Lanénos
Eckmühl
Kérity
Treffiagat
Lodonnec
Kerdallé
Pnte de Penmarch
Guilvinec
Lechiagat
Lesconil
Palud du Cosquer
Kerlin
St-Philibert
Roches de Penmarch
Côte de Cornouaille
Trévignon
Pnte de Trévignon
62
Île aux Moutons
Îles de Glénan
Î. St Nicolas
Î. de Penfret
Î. du Loch
1
2
3
4
5
E
F
G
H

0
5
10 km
A
B
C
D
1
2
3
4
5
61
42
38
80
St-Herbot
Lannédern
Kerhoaden
Quistillic-St-Clair
Plouyé
Kerdoncuff
Plounévézel
Carnoët
Treffrin
Trébrivan
Locarn
Trémargat
Collorec
Le Cloître-Pleyben
Plonévez-du-Faou
Lanzignac
Kergloff
Carhaix-Plouguer
Port-de-Carhaix
Le Moustoir
Maël-Carhaix
Kerglff
Cléden-Poher
Landeleau
Châteauneuf-du-Faou
Spézet
St-Hernin
Paule
Glomel
Rostrenen
Plouguernevel
Motreff
Plévin
Tréogan
Lennon
St-Thois
Trévarez
St-Goazec
N.-D. du Crann
Roc de Toullaëron
M O N T A G N E S
N O I R E S
Gourin
La Trinité-Langonnet
Plouray
Laz
Roudouallec
Leuhan
Coray
Langolen
Le Saint
Langonnet
Ploërdut
Le Croisty
Priziac
St-Tugdual
Guiscriff
Scaër
Le Faouët
Ste-Barbe
St-Fiacre
Kernascléden
Tourch
Elliant
Rosporden
Lanvénégen
Meslan
Berné
Inguiniel
Bannalec
St-Thurien
Querrien
Locunolé
Guilligomarc'h
Roches du Diable
Melgven
Le Trévoux
Mellac
Tréméven
Arzano
Plouay
Quimperlé
Trégunc
Pont-Aven
Nizon
Riec-sur-Belon
Baye
Rédené
Cléguer
Lanvaudan
Névez
Moëlan-sur-Mer
Clohars-Carnoët
Pont-Scorff
Caudan
Hennebont
Inzinzac-Lochrist
Guidel
Gestel
Quéven
Le Pouldu
Anse du Pouldu
Guidel-Plages
LORIENT-BRETAGNE-SUD
LORIENT
Lanester
Kervignac
Raguenès-Plage
Port-Manech
Trévignon
Forêt de Carnoët
Zoo
Aulne
Hyère
Canal de Nantes à Brest
Isole
Ellé
Scorff
Laïta
Belon
Aven
Odet
Étang du Corong
Gorges du Corong
N 164
N 165
E 60
D 769
D 790
D 782
D 765
D 783

64
0 5 10 km
44
82
63
A
B
C
D
1
2
3
4
5
Mérillac
Éréac
Lanrelas
Plumaugat
St-Jouan-de-l'Isle
La Chapelle-Blanche
Landujan
Miniac-s/s-Bécherel
St-Régent
Quédillac
Irodouër
St-Launeuc
Forêt de la Hardouinais
Le Mottay
Quénéleuc
St-M'Hervon
Laurenan
Merdrignac
Trémorel
St-Méen-le-Grand
Le Crouais
Montauban-de-Bretagne
La Chapelle du Lou du Lac
Plémet
Gomené
La Ville-Oréal
Loscouët-sur-Meu
St-Onen-la-Chapelle
St-Uniac
Bédée
Pleumeleuc
Coëtlogon
Ménéac
Illifaut
Boisgervilly
La Nouaye
Pays de Rennes
Brignac
Gaël
Muel
St-Maugan
Iffendic
Montfort-sur-Meu
La Trinité-Porhoët
Évriguet
St-Brieuc-de-Mauron
Mauron
St-Léry
Bléruais
St-Gonlay
Talensac
Mohon
Concoret
St-Malon-sur-Mel
St-Barthélémy
Monterfil
Le Verger
Guilliers
St-Péran
Forêt de Paimpont
Néant-sur-Yvel
Tréhorenteuc
Paimpont
Treffendel
St-Thurial
Lanouée
St-Malo-des-Trois-Fontaines
Plélan-le-Grand
Loyat
Josselin
Helléan
La Croix-Helléan
Taupont
Lac au Duc
Camp de Coëtquidan
Beignon
Maxent
Baulon
Guégon
Ploërmel
Gourhel
Campénéac
Augan
St-Malo-de-Beignon
Bovel
Campel
Loutehel
La Chapelle-Bouëxic
St-Servant
Guillac
Porcaro
Guer
Montertelot
Monterrein
Les Menhirs de Monteneuf
Maure-de-Bretagne
Mernel
Lizio
Caro
Réminiac
Monteneuf
Comblessac
Manoir de l'Automobile
Lohéac
St-Abraham
Missiriac
Tréal
Sérent
Ruffiac
Carentoir
St-Séglin
Lieuron
Malestroit
St-Marcel
St-Laurent-sur-Oust
St-Nicolas-du-Tertre
Quelneuc
Brucsur-Aff
Pipriac
St-Guyomard
St-Congard
La Gacilly
Sixt-sur-Aff
St-Just
Pleucadeuc
St-Martin-sur-Oust
Cournon
Molac
Les Fougerêts
Glénac
Renac
Larré
St-Gravé
Rochefort-en-Terre
Peillac
Pluherlin
Bains-sur-Oust
Malansac
St-Vincent-sur-Oust
Ste-Marie
La Chapelle-de-Brain
St-Jacut-les-Pins
Questembert
Redon
Avessac
Massérac
St-Gorgon
Allaire
Limerzel
Caden
Berric
N 164
N 24
N 12
E 50
N 166
D 775
D 177
D 8
D 766
D 166
Ninian
Yvel
Meu
Oust
Aff
Arz
Vilaine
Canal de Nantes à Brest

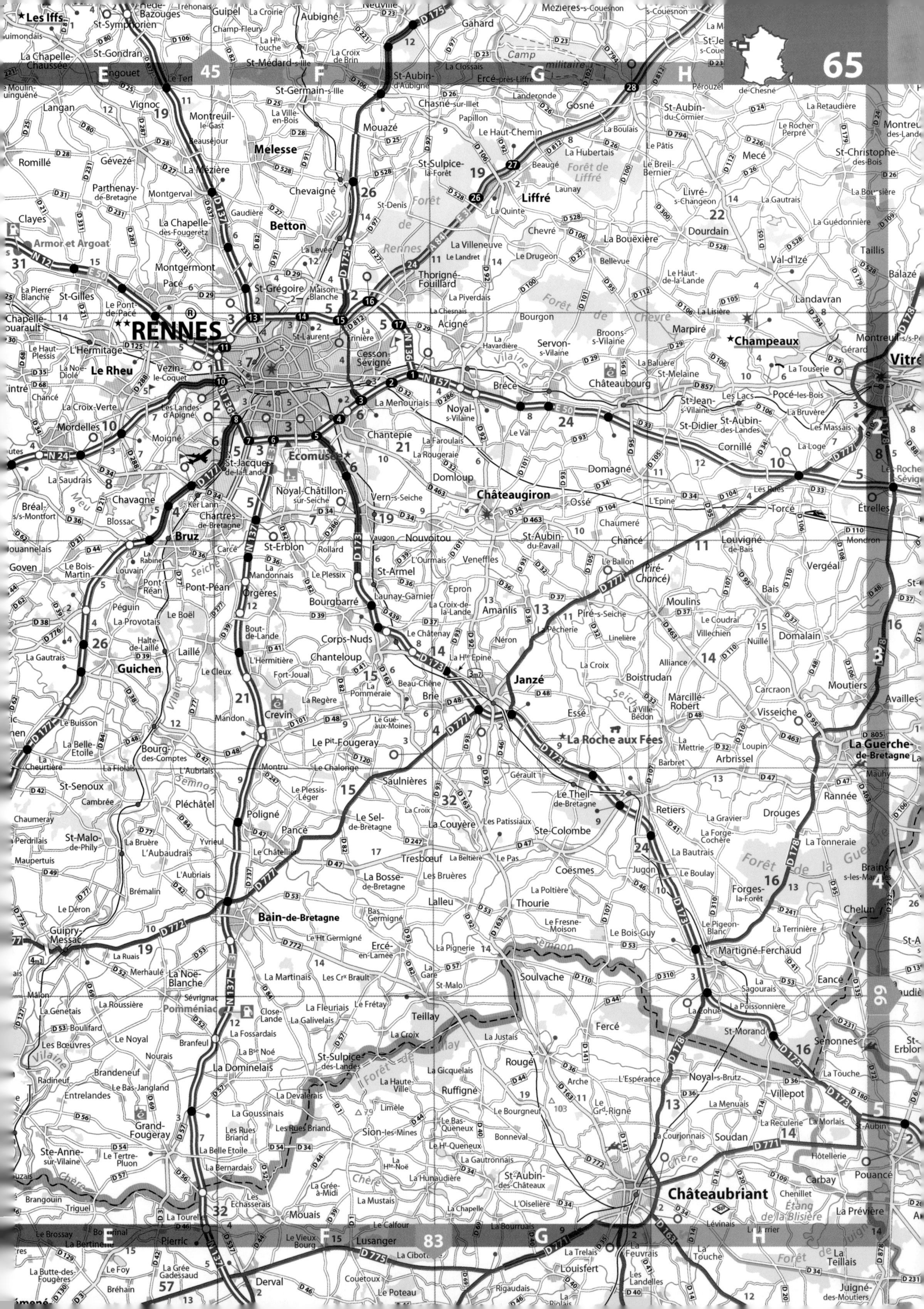
Les Iffs
St-Symphorien
Hédé-Bazouges
Guipel
La Croirie
Aubigné
Gahard
Mézières-s-Couesnon
La Chapelle-Chaussée
St-Gondran
Engouet
45
St-Médard-s-Ille
St-Aubin-d'Aubigné
Ercé-près-Liffré
Camp militaire
E
F
G
H
St-Germain-s-Ille
Chasné-sur-Illet
Gosné
St-Aubin-du-Cormier
Langan
Vignoc
Montreuil-le-Gast
Mouazé
Le Haut-Chemin
La Hubertais
Melesse
Romillé
Gévezé
La Mézière
Chevaigné
St-Sulpice-la-Forêt
Beaugé
Forêt de Liffré
Le Breil-Bernier
Mecé
St-Christophe-des-Bois
Parthenay-de-Bretagne
Montgerval
Liffré
Livré-s-Changeon
Clayes
La Chapelle-des-Fougeretz
Betton
Forêt de Rennes
La Quinte
Chevré
La Bouëxière
Dourdain
Armor et Argoat
La Villeneuve
Le Drugeon
Val-d'Izé
Taillis
Montgermont
Thorigné-Fouillard
Balazé
Pacé
St-Grégoire
Maison-Blanche
La Piverdais
Forêt de Chevré
Landavran
La Pierre-Blanche
St-Gilles
Le Pont-de-Pacé
Acigné
Bourgon
Marpiré
RENNES
St-Laurent
La Frinière
Servon-s-Vilaine
Broons-s-Vilaine
Champeaux
Montreuil-s/s-Pérouse
L'Hermitage
Cesson-Sévigné
Châteaubourg
La Touserie
Vitré
Le Rheu
Vezin-le-Coquet
Vilaine
St-Melaine
Brécé
Pocé-les-Bois
St-Jean-s-Vilaine
Les Landes-d'Apigné
La Menouriais
Noyal-s-Vilaine
St-Didier
St-Aubin-des-Landes
La Bruyère
Mordelles
Moigné
Chantepie
Le Val
Les Massais
Cornillé
La Loge
St-Jacques-de-la-Lande
Ecomusée
La Faroulais
La Rougeraie
Domloup
Domagné
La Saudrais
Chavagne
Noyal-Châtillon-sur-Seiche
Vern-s-Seiche
Châteaugiron
Ossé
Torcé
Étrelles
Bréal-s/s-Montfort
Ker Lann
Chartres-de-Bretagne
Blossac
Nouvoitou
St-Aubin-du-Pavail
Chaumeré
Chancé
Louvigné-de-Bais
Mondron
Bruz
St-Erblon
Rollard
L'Ourmais
Veneffles
Le Ballon
(Piré-Chancé)
Vergéal
Goven
Le Bois-Martin
La Rabine
Carcé
Seiche
La Mandonnais
Le Plessix
St-Armel
Epron
Bais
Pont-Réan
Pont-Péan
Orgères
Bourgbarré
Launay-Garnier
La Croix-de-la-Lande
Amanlis
Moulins
Péguin
La Provotais
Le Boël
Piré-s-Seiche
La Pêcherie
Le Coudrai
Villechien
Domalain
Halte-de-Laillé
Laillé
Bout-de-Lande
Corps-Nuds
Le Châtenay
Néron
Linelière
Nuillé
La Gautrais
Guichen
L'Hermitière
Chanteloup
La Hte Epine
La Croix
Alliance
Le Cleux
Fort-Joual
La Pommeraie
Beau-Chêne
Janzé
Boistrudan
Carcraon
Moutiers
Availles
Brie
Essé
La Ville-Bédon
Marcillé-Robert
Visseiche
Crevin
La Regère
Mandon
Le Gué-aux-Moines
Le Buisson
Bourg-des-Comptes
Le Pit Fougeray
La Roche aux Fées
La Mettrie
Loupin
La Guerche-de-Bretagne
La Belle-Etoile
La Fiolais
Montru
Le Chalonge
Gérault
Barbret
Arbrissel
Mauhy
La Cheurtière
L'Aubriais
Semnon
Saulnières
Le Theil-de-Bretagne
Rannée
St-Senoux
Cambrée
Pléchâtel
Le Plessis-Léger
Retiers
Drouges
Chaumeray
Poligné
Le Sel-de-Bretagne
La Couyère
Les Patissiaux
Ste-Colombe
La Gravier
La Forge-Cochère
La Perdrilais
St-Malo-de-Phily
La Bruère
Yvrieul
Pancé
La Tonneraie
Maupertuis
L'Aubaudrais
Le Châtellier
Tresbœuf
La Beltière
Le Pas
La Bautrais
Forêt de la Guerche
Brains-s-les-Marches
L'Aubriais
Les Bruères
Coësmes
Jugon
Le Boulay
Brémalin
La Bosse-de-Bretagne
La Poltière
Forges-la-Forêt
Le Déron
Lalleu
Thourie
Chelun
Bain-de-Bretagne
Bas Germigné
Le Fresne-Moison
Le Pigeon-Blanc
La Terrinière
Guipry-Messac
Le Ht Germigné
Ercé-en-Lamée
Le Bois-Guy
La Ruais
La Pignerie
Martigné-Ferchaud
St-A
Merhaulé
La Noë-Blanche
La Martinais
Les Crx Brault
La Gare
St-Malo
Soulvache
Eancé
Sagourais
Mâlon
Sévrignac
La Roussière
Pomméniac
Close-Lande
La Fleuriais
Le Frétay
La Poissonnière
La Genetais
Boulifard
La Galivelais
Teillay
Ferçé
La Zohue
99
Les Bœuvres
Le Noyal
La Fossardais
La Croix
La Justais
St-Morand
Sénonnes
St-Erblon
Nourais
Branfeul
La Bse Noé
Forêt de Teillay
Vilaine
La Dominelais
St-Sulpice-des-Landes
Rougé
Brandeneuf
La Gicquelais
Arche
L'Espérance
Noyal-s-Brutz
La Touche
Radineuf
Le Bas-Jangland
La Haute-Ville
Ruffigné
Villepot
Entrelandes
La Devalerais
Limèle
Le Bourgneuf
Le Grd-Rigné
La Menuais
La Goussinais
Grand-Fougeray
Les Rues Briand
Sion-les-Mines
Le Bas-Queneux
Bonneval
La Reculerie
La Morlais
St-Aubin
Le Ht-Queneux
La Courjonnais
Soudan
La Belle Etoile
Ste-Anne-sur-Vilaine
Le Tertre-Pluon
La Gautronnais
Hôtellerie
Pouancé
La Hte-Noë
Chère
La Bernardais
La Hunaudière
St-Aubin-des-Châteaux
Carbay
La Grée-à-Midi
Les Echasserais
Châteaubriant
Chenillet
Brangouin
Triguel
La Mustais
La Chapelle
L'Oiselière
Étang de la Blisière
La Prévière
La Tourelle
Mouais
Le Brossay
Bobrinal
La Bertinelle
Pierric
Le Vieux Bourg
Lusanger
83
Le Calfour
La Bourruais
Lévinais
La Jurrier
La Cibottière
La Trelais
Feuvrais
La Touche
Forêt de Juigné
La Butte-des-Fougères
Le Foy
La Grée Gadessaud
Louisfert
Teillais
Derval
Couetoux
Les Landelles
Juigné-des-Moutiers
Bréhain
Rigaudais
Le Poteau

0 5 10 km
46
65
84
53
A
B
C
D
1
2
3
4
5
Ernée
Mégaudais
La Rabine
Vautorte
La Coutancière
Les Monhages
La Meltière
St-Georges-Buttavent
Parigné-sur-Braye
Mayenne
Montenay
Lasnerie
Forêt de Mayenne (Domaine privé)
La Villefranche
Le Pilet
Placé
Fontaine-Daniel
St-Baudelle
Moulay
L'Aunay-Play
Contest
Belgeai
La Roche
La Herpe
Commer
Dompierre-du-Chemin
St-Pierre-des-Landes
La Touche
Parce
La Retaudière
Les Rues
Montreuil-des-Landes
St-Christophe-des-Bois
Les Écubrions
Châtillon-en-Vendelais
Petit-Vieuvilie
Juvigné
St-Hilaire-du-Maine
La Cicardière
Chailland
Alexain
Marigny
St-Germain-d'Anxure
La Giraudière
La Boussière
Princé
Le Motte
La Meule
Montautour
La Croixille
La Guédonnière
Taillis
Ville-En-Bois
La Templerie
St-Germain-le-Guillaume
La Bigottière
Montgiroux
Les 4 Chemins
Martigné-sur-Mayenne
Le Plantis
Sacé
La Vannerie
Balazé
Belle-Vue
L'Hôtellerie
Bérue
St-M'Hervé
La Culaudière
La Baconnière
La Saudraie
Andouillé
Buison
Le Bourgneuf-la-Forêt
Bourgon
Émeillard
Montflours
Châlons-du-Maine
La Bazouge-des-Alleux
Montreuil-s/s-Pérouse
La Chapelle-Erbrée
Vitré
Vilaine
Cérard
Bois Vié
Launay-Villiers
St-Ouën-des-Toits
St-Roch
La Ricoulière
La Trivoisière
Gesnes
La Croix-du-Bouquet
St-Germain-le-Fouilloux
St-Jean-s-Mayenne
Brécinière
Paintourteau
Bas-Bourg
Olivet
La Chapelle-Anthenaise
St-Pierre-la-Cour
La Grde Haye
Malpatte
Port-Brillet
Les Chênes Secs
Le Ht Bourg
Le Genest-St-Isle
Changé
Louverné
St-Céneré
Erbrée
Bréal-s/s-Vitré
St-Isle
Les Rochers-Sévigné
Mondevert
Forêt du Pertre
La Brûlatte
Grenoux
Pritz
LAVAL
La Mayenne
Argentré
Étrelles
Argentré-du-Plessis
La Gravelle
La Chapelle-du-Chêne
St-Berthevin
Bonchamp-lès-Laval
Soulgé-s-Ouette
Mondron
La Fosse
La Fauconnerie
Le Pertre
Loiron-Ruillé
Ruillé-le-Gravelais
Thévalles
Louvigné
La Terrie
Vergéal
Le Sault
St-Germain-du-Pinel
Le Carrefour
Les Pâtis-Vert
St-Cyr-le-Gravelais
L'Huisserie
St-Pierre-le-Potier
Forcé
Le Grand-Puits
La Maison-Neuve
Montigné-le-Brillant
St-Joseph-des-Champs
Gennes-sur-Seiche
Brielles
Beaulieu-sur-Oudon
Montjean
Ahuillé
Courbeveille
Trappe du Port-du-Salut
Parné-s-Roc
Bazouges
Seiche
Le Chemin
L'Hommeau
Nuillé-sur-Vicoin
Entrammes
Moutiers
Availles-s-Seiche
Cuillé
St-Poix
La Couannière
L'Aunay-Guyard
Maisoncelles-du-Maine
Gastines
Méral
Astillé
Origné
La Guerche-de-Bretagne
La Selle-Guerchaise
Laubrières
Cossé-le-Vivien
Le Bignon-du-Maine
La Garancière
Quelaines-St-Gault
Mauhy
Rannée
Fontaine-Couverte
Le Pont-Vien
Le Chef-Lieu
Cosmes
Houssay
La Massonnière
Villiers-Charlemagne
La Tonneraie
La Roë
Les Masses
Ballots
La Chapelle-Craonnaise
Simplé
St-Charles-la-Forêt
La Beurge
St-Michel-de-la-Roë
Athée
St-Gault
St-Sulpice
Ruillé-Froid-Fonds
Brains-s-les-Marches
La Guerche
Denazé
La Brancherie
Peuton
St-Germain-de-l'Hommel
Froid-Fonds
La Gardière
Livré-la-Touche
Gaudinière
Chelun
Les Thibergères
Marigné-Peuton
Loigné-s-Mayenne
Le Bourgneuf
Longuefuye
St-Aignan-sur-Roë
La Selle-Craonnaise
Blochet
Niafles
Craon
Laigné
Fromentières
La Claie
Eancé
La Rouaudière
La Vallée
La Crue
Pommerieux
La Teillais
(Prée-d'Anjou)
Château-Gontier
Bazouges
Gennes-sur-Glaize
St-Saturnin-du-Limet
Bouchamps-lès-Craon
La Tuilerie
Azé
Senonnes
St-Erblon
Congrier
St-Martin-du-Limet
Chérancé
Mée
Ampoigné
Châtelain
La Landelle
Coudray
Renazé
Chemazé
St-Fort
La Touche
La Boissière
L'Aillerie
La Marinière
St-Christophe
St-Quentin-les-Anges
Argenton-N.-D.
La Morlais
Virebouton
La Chapelle-Hullin
Mortiercrolles
Bourg-Philippe
Ménil
St-Aubin
St-Gilles
Grugé-l'Hôpital
Châtelais
St-Michel-de-Feins
Hôtellerie
Chazé-Henry
Forêt d'Ombrée
Bourg-l'Évêque
L'Hôtellerie-de-Flée
St-Sauveur-de-Flée
Molière
Daon
Pouancé
Bouillé-Ménard
Sœurdres
Carbay
La Chle-aux-Pies
La Ricoullière
La Prévière
Armaillé
Vergonnes (Ombrée-d'Anjou)
Bel-Air
Nyoiseau
La Ferrière-de-Flée
Rendez-vous des chasseurs
Montguillon
St-Aubin-du-Pavoil
Rivraie
Combrée
Maison-Neuve
Aviré
La Jaille-Yvon
Marigné
Noëllet
Noyant-la-Gravoyère
(Segré-en-Anjou-Bleu)
St-Martin-du-Bois
Chenillé-Changé
Cherré
La Teillais
Le Tremblay
Segré
La Lorie
Louvaines
Chambellay
Querré
Juigné-des-Moutiers
St-Michel-et-Chanveaux
N 12
N 162
N 157
E 50
A 81
D 771
D 775
D 923
D 178
D 31
D 57
D 21
D 20

47
E
F
G
H
RÉGIONAL
Loupfougères
La Chapelle-au-Riboul
Marcillé-la-Ville
La Croix-Barbe
La Chauvellière
Le Noyer
St-Aubin-du-Désert
St-Paul-le-Gaultier
Sougé-le-Ganelon
Aron
Grazay
Champgenéteux
Courcité
La Monclergerie
St-Mars-du-Désert
St-Georges-le-Gaultier
Gué Ory
La Bazoge-Montpinçon
St-Martin
Trans
Mont-Méard
La Chapelle
Fresnay-sur-Sarthe
Coulombiers
Douillet
Doucé
Le Tay
St-Thomas-de-Courceries
St-Germain-de-Coulamer
St-Germain-sur-Sarthe
Le Bourg-Nouvelle
Jublains
Bais
La Corbière
Mont-St-Jean
St-Aubin-de-Locquenay
Piacé
Congé-le-Guéré
Ville romaine
Hambers
St-Denis
Le Gué-Lian
Chellé
Montreuil-le-Chétif
Juillé
Le Consents
Butte de Montaigu
Orthe
NORMANDIE-MAINE
Moitron-sur-S.
Izé
Haut-Éclair
St-Christophe-du-Jambet
Beaumont-sur-Sarthe
La Mauditière
St-Martin-de-Connée
St-Pierre-sur-Orthe
Deux-Évailles
Vimarcé
Pezé-le-Robert
Assé-le-Riboul
Le Rocher
Mézangers
Ste-Gemmes-le-Robert
Le Grez
St-Rémy-de-Sillé
Ségrie
Val-de-Pierre
St-Ouën-des-Vallons
La Médière
St-Georges-s-Erve
Erve
Rousse-Vassé
Sillé-le-Guillaume
Aunay
Crissé
Vernie
Le Tronchet
Neau
Évron
Brée
Assé-le-Bérenger
Mézières-sous-Lavardin
St-Jean-d'Assé
Montsûrs
Voutré
Vègre
La Raterie
Rouez
Neuvillalais
St-Christophe-du-Luat
Châtres-la-Forêt
La Crousille
Courville
Conlie
Ste-Sabine-sur-Longève
Ste-Suzanne-et-Chammes
Parennes
L'Habit
Domfront-en-Champagne
La Chapelle-St-Fray
Livet
Ambriers
Torcé-Viviers-en-Charnie
Tennie
Verniette
La Bazoge
Le Bruy
La Richardière
La Rivière
Ft de la pte Charnie
St-Léger
Neuvillette-en-Charnie
Bernay-en-Champagne
Cures
Nuillé-s-Ouette
Chammes
Forêt de la Gde Charnie
Les Teillées
Neuvy-en-Champagne
Lavardin
Maquère
Beaulieu
St-Symphorien
Souvré
Aigné
Le Tertre
Etival
Vaiges
(Blandouet-St-Jean)
Blandouet
Ruillé-en-Champagne
La Quinte
Degré
La Milesse
St-Saturnin
Les Poteaux
St-Denis-d'Orques
Chemiré-en-Charnie
Épineu-le-Chevreuil
St-Julien-le-Pauvre
St-Georges-le-Fléchard
St-Jean-sur-Erve
Amné
Trangé
Chaufour-N.-D.
Vallée-de-l'Erve
Joué-en-Charnie
Chassillé
Longnes
La Bazouge-de-Chemeré
St-Pierre-sur-Erve
La Lune
La Groie
La Chapel St-Aubin
Thorigné-en-Charnie
Coulans-s-Gée
Les Maisons Rouges
Brains-sur-Gée
La Croix de Menueau
Rouillon
Viré-en-Champagne
Tassillé
Auvers-s/s-Montfaucon
Fay
Chémeré-le-Roi
Bannes
Mareil-en-Champagne
Loué
Pruillé-le-Chétif
La Cx Georgette
St-Denis-du-Maine
Saulges
St-Christophe-en-Champagne
Crannes-en-Champagne
St-Georges-du-Bois
Cossé-en-Champagne
Brûlon
Soulligné-Flacé
La Cropte
Avessé
St-Ouen-en-Champagne
Vallon-sur-Gée
Allonnes
Épineux-le-Seguin
Athenay
Flacé
Étival-lès-le-M.
Préaux
(Val-du-Maine)
Varennes
Epaul
Chevillé
Villedieu
St-Pierre-des-Bois
Louplande
Les Htes Métairies
Ballée
Les Nervilles
Chantenay-Villedieu
Maigné
Spay
Le Buret
Beaumont-Pied-de-Bœuf
Poillé-sur-Vègre
Pirmil
Chemiré-le-Gaudin
Voivres-lès-le-M.
Le Bourgneuf
St-Loup-du-Dorat
Fontenay-sur-Vègre
St-Benoit
Roézé-sur-Sarthe
Fillé
Grez-en-Bouère
Les Landes
Auvers-le-Hamon
Asnières-sur-Vègre
Hierray
Tassé
Fercé-sur-Sarthe
La Suze-s-Sarthe
Les Agets
Bouessay
L'Arche
St-Jean-du-Bois
La Chapelle
Bouère
St-Brice
Gastines-sur-Erve
Abbe
Juigné-s-Sarthe
Avoise
Noyen-sur-Sarthe
Guécélard
Solesmes
Parcé-sur-Sarthe
La Chesnaie
Souvigné-sur-Sarthe
Dureil
Sablé-sur-Sarthe
Les Landes
Cérans-Foulletourte
Cérans
La Guérouillère
La Chapelle-du-Chêne
Vion
Mézeray
Yvré-le-Pôlin
Les Nœuds
La Tuilerie-des-Halles
Les Belles Poules
Le Châtelet
Malicorne-sur-Sarthe
Oizé
St-Denis-d'Anjou
Pincé
La Roche-Davy
Courtillers
Louailles
Parcé-sur-Sarthe
La Madère
Varennes-Bourreau
St-Martin-de-Villenglose
Arthezé
Courcelles-la-Forêt
La Fontaine-St-Martin
La Belle-Croix
Précigné
Le Bailleul
Belouze
Requeil
Pendu
Cité d'Alsace
Bousse
Ligron
Miré
Les Quatre Vents
Villaines-s/s-Malicorne
Le Point-du-Jour
Chemiré-sur-Sarthe
Les Richardières
La Fourcherie
Le Frêne
Les Herbaudières
Morannes-s-Sarthe
Chambrioux
Le Gravier
N.-D.-du-Pé
Le Joncheray
Château-Sénéchal
Crosmières
St-Jean-de-la-Motte
Morannes-s-Sarthe-Daumeray
Contigné
Les Varennes
Chenevert
85
St-Germain-du-Val
Clermont-Créans
Mansigné
Juigné
La Bruère
Verron
Le Vau
Mareil-sur-Loir
Brissarthe
Daumeray
Les Mollans
La Flèche
Luché-Pringé
St-Germain
Bazouges-sur-le-Loir
Créans
Pringé
89

68
0 5 10 km
48
67
86
A
B
C
D
1
2
3
4
5
LE MANS
Bonnétable
La Ferté-Bernard
Savigné-l'Évêque
Changé
Écommoy
St-Calais
Coulombiers
Grandchamp
Thoigné
Courgains
Monhoudou
St-Vincent-des-Prés
Commerveil
St-Rémy-des-Monts
St-Fulgent-des-Ormes
St-Pierre-des-Ormes
Moncé-en-Saosnois
Maison Neuve
Contres-en-Vairais
Marcilly
Pouvrai
Gémages
L'Hermitière
St-Germain-de-la-Coudre
Bellou-le-Trichard
Le Theil
Mâle
La Rouge
Val-au-Perche
Préaux-du-Perche
St-Cyr-la-Rosière
St-Agnan-s-Erre
St-Hilaire-s-Erre
Ste-Gauburge
La Chapelle-Souëf
Igé
Appenai-s/s-Bellême
Saosnes
Panon
Mont-Renault
Chérancé
René
Doucelles
Dangeul
Marolles-les-Braults
Avesnes-en-Saosnois
Champaissant
St-Cosme-en-Vairais
La Bourdinière
Nauvay
Peray
Piacé
Juillé
Nouans
Dissé-sous-Ballon
Courcival
Rouperroux-le-Coquet
Nogent-le-Bernard
Vaupeyroux
La Chapelle-du-Bois
Préval
Avezé
Beaumont-sur-Sarthe
Vivoin
Meurcé
Maresché
Lucé-s/s-Ballon
La Pinterie
St-Aignan
Jauzé
Terrehault
St-Georges-du-Rosay
Dehault
Souvigné-s-Même
Assé-le-Riboul
La Croix Blanche
La Touche
Ponthouin
Mézières-sur-Ponthouin
St-Marceau
Teillé
Congé-sur-Orne
Ballon-St-Mars
Sables
Forêt de Bonnétable
St-Aubin-des-Coudrais
St-Antoine-de-Rochefort
Cherreau
Cherré-Au
Cherré
Cormes
Les Carrières
Le Tronchet
St-Jean-d'Assé
Courcemont
Aulaines
La Mare Pineau
La Bosse
Le Verger
Les Croupes
La Croix du Jarossay
Briosne-lès-Sables
Prévelles
St-Denis-des-Coudrais
St-Martin-des-Monts
Le Buron
Courgenard
Ste-Sabine-sur-Longève
Montbizot
Souligné-s/s-Ballon
Beaufay
Le Petit St-Chéreau
Courcébœufs
Torcé-en-Vallée
Boëssé-le-Sec
Villaines-la-Gonais
St-Jean-des-Échelles
Ste-Jamme-sur-S.
La Guierche
Les Jollières
St-Célerin
La Chapelle-St-Fray
Souillé
Les Quatre-Routes
Joué-l'Abbé
Chanteloup
St-Hilaire-le-Lierru
Tuffé Val de la Chéronne
Lamnay
La Bazoge
La Croix-de-Montargis
Sillé-le-Philippe
Le Pissot
La Chapelle-St-Rémy
Sceaux-sur-Huisne
Maquere
Neuville-sur-Sarthe
La Forge
Vouvray-s-H.
St-Maixent
St-Quentin
Champrond
Aigné
Maule
La Trugalle
La Puce
Lombron
Beillé
Bouër
La Milesse
Sarthe-Sargé-le-Mans
St-Corneille
Saussay
Duneau
Le Luart
Les Chaumes-d'Avoines
Vibraye
St-Saturnin
Montfort-le-Gesnois
Connerré
Trangé
St-Pavace
Sargé-lès-le-Mans
Parence
Fatines
La Belle Inutile
Lavaré
Dollon
La Chapelle-St-Aubin
Coulaines
Yvré-l'Évêque
Champagné
La Pécardière
Nuillé-le-Jalais
Thorigné-sur-Dué
Les Lindennes
Forêt de Vibraye
Semur-en-Vallon
Les Maisons Rouges
St-Mars-la-Brière
St-Denis-du-Tertre
La Roche
St-Michel-de-Chavaignes
Les Bretonnières
La Croix Mignon
Rouillon
Abbe de l'Épau
Camp d'Auvours
Soulitré
Le Breil-s-Mérize
Pruillé-le-Chétif
La Crx Georgette
Pontlieue
Les Rossays
Ardenay-sur-Mérize
La Brière
Coudrecieux
St-Georges-du-Bois
Cité-des-Pins
Les Commerreries
Berfay
Allonnes
Bois-Martin
Les Boulais
Les Vernelles
Surfonds
Les Loges
Forêt de la Pierre
Étival-lès-le-M.
Les Htes Métairies
Musée Automobile
Guémardières
L'Aubé
Bouloire
Conflans-sur-Anille
Le Petit Bouquet
La Houssaie
Montaillé
Spay
Ruaudin
Parigné-l'Évêque
Les Brosses
Volnay
Maisoncelles
Arnage
Challes
Le Boulay
Écorpain
St-Mars-de-Locquenay
Mulsanne
Brette-les-Pins
Moncé-en-Belin
Ponthibault
La Croix-de-Pois
Tresson
Évaillé
Ste-Cérotte
St-Gervais-de-Vic
Val-d'Étangson
St-Gervais-en-Belin
Teloché
St-Mars-d'Outillé
Le Tertre
Villaines-s/s-Lucé
Montreuil-le-Henri
Ste-Osmane
Guécélard
Laigné-en-Belin
Parigné-le-Pôlin
Les Ardriers
La Blanchetière
Cogners
Le Grand-Lucé
Les Goupillères
La Chapelle-Huon
St-Ouen-en-Belin
Cérans
Pruillé-l'Éguillé
St-Vincent-du-Lorouër
Robert
Bessé-sur-Braye
Yvré-le-Pôlin
Marigné-Laillé
La Champardière
St-Georges-de-la-Couée
Vancé
La Lantinière
St-Biez-en-Belin
Courdemanche
La Vallée-aux-Thermaux
La Madère
Oizé
Plessis
Le Pressoir
St-Fraimbault
La Joubardière
La Belle-Croix
Château-l'Hermitage
St-Pierre-du-Lorouër
La Chapelle-Gaugain
Requeil
Laillé
Jupilles
Brives
Chenillé
Béthune
Lavenay
Pont-de-Braye
St-Hubert
Beaumont-Pied-de-Bœuf
Les Vaux-du-Puits
Loir-en-Vée
Poncé-s-le-Loir
Sougé
Les Herbaudières
Pontvallain
Mayet
Thoiré-sur-Dinan
Chahaignes
Lhomme
Ruillé-s-Loir
Couture-s-Loir
Vieux Bourg
St-Jacq des Gue
Chambriou
Mansigné
Verneil-le-Chétif
Flé
L'Étournière
La Possonnière
Artins
La Chartre-s-le-Loir
Tréhet
La Tuffière
Les Essarts
Sarcé
Lavernat
Luceau
Le Port-Gauthier
Les Fontaines
Montrouveau
Marçon
St-Roch
Villedieu-le-Château
Les Hayes
Château-du-Loir
Forêt de Bercé
Huisne
Sarthe
Même
Erre
Loir
A 11
A 28
E 50
E 502
E 402
D 338
D 301
D 323
D 357
D 304
D 938

69
49
87
70
38
E
F
G
H
Nogent-le-Rotrou
Thiron-Gardais
Combres
Illiers-Combray
Brou
Châteaudun
Montmirail
Mondoubleau
Vendôme
Montoire-s-le-Loir
Lavardin
Savigny-sur-Braye
Cloyes-sur-le-Loir
Montigny-le-Gannelon
Authon-du-Perche
Arrou
Courtalain
(Commune Nouvelle d'Arrou)
Les Manoirs-du-Perche
Brou-Dampierre
Droué
Fréteval
Forêt de Fréteval
Forêt de Marchenoir
Marchenoir
Talcy
Ouzouer-le-Doyen
Bonneval
Yèvres
Dangeau
Le Gault-du-Perche
Épuisay
Danzé
Pezou
Lisle
Morée
Oucques
St-Léonard-en-Beauce
Villemardy
Selommes
Houssay
Villiersfaux
Vitray-en-Beauce
Montboissier
Moriers
Saumeray
Alluyes
Logron
Flacey
Marboué
Moléans
Jallans
St-Denis-les-Ponts
Lanneray
La Ferté-Villeneuil
Romilly-sur-Aigre
Brévainville
Moisy
Semerville
Binas
Autainville
Ecoman
Conan
Villexanton
Crucheray
Naveil
Areines
Meslay
St-Ouen
Coulommiers-la-Tour
Thoré-la-Rochette
Lunay
Mazangé
Azé
Fortan
Sargé-sur-Braye
Baillou
Cormenon
Choue
Boursay
St-Agil
Souday
Oigny
Arville
La Fontenelle
Fontaine-Raoul
La Chapelle-Vicomtesse
Bouffry
Ruan-sur-Egvonne
Villebout
Chauvigny-du-Perche
St-Marc-du-Cor
Romilly
Le Temple
Beauchêne
La Ville-aux-Clercs
Busloup
Rahart
Lignières
Renay
Beauvilliers
Vievy-le-Rayé
La Chapelle-Enchérie
Épiais
Faye
Baigneaux
Villetrun
Boisseau
Rhodon
Villeneuve-Frouville
La Madeleine-Villefrouin
Roche
A 11 - E 50
N 10
D 955
D 357
D 927
D 924
D 921

70
0
5
10 km
C
50
D
69
88
A
B
C
D
Voves
Angerville
Orléans
Fleury-les-Aubrais
St-Jean-de-Braye
St-Jean-de-la-Ruelle
St-Jean-le-Blanc
Olivet
Meung-sur-Loire
Beaugency
Cléry-St-André
Ouzouer-le-Marché
Patay
Artenay
Toury
Janville
Orgères-en-Beauce
Bazoches-les-Gallerandes
Saran
Ingré
Chécy
Parc floral
La Source
Talcy
Marchenoir
Loire
Forêt
Bois de Bucy
Camp militaire
Plaines-de-Beauce
Val Neuvy
Orléans Saran
Orléans-Gidy
La Ferté-St-Aubin
Ymonville
Allaines-Mervilliers
Le Puiset
Poinville
Santilly
Baigneaux
Dambron
Lion-en-Beauce
Chevilly
Cercottes
Gidy
Boulay-les-Barres
Ormes
Chaingy
St-Ay
Baule
Huisseau-sur-Mauves
Coulmiers
Épieds-en-Beauce
Rozières-en-Beauce
Bucy-St-Liphard
Tournoisis
St-Péravy-la-Colombe
Coinces
Huêtre
Bricy
Sougy
Terminiers
Lumeau
Loigny-la-Bataille
Poupry
Trinay
Ruan
Aschères-le-Marché
Neuville-aux-Bois
Rebréchien
Chanteau
Marigny-les-Usages
Semoy
Boigny-sur-Bionne
Mardié
Sandillon
St-Cyr-en-Val
Ardon
Marcilly-en-Villette
Mézières-lez-Cléry
Dry
Lailly-en-Val
Tavers
Villorceau
Lorges
Briou
Séris
Concriers
Villamblain
Péronville
Varize
Nottonville
Bazoches-en-Dunois
Guillonville
Gaubert
Sancheville
Viabon
Villars
Villeau
Moutiers
Prasville
Beauvilliers
Pussay
Méréville
Monnerville
Gommerville
Outarville
Chaussy
Tivernon
Oison
Crottes-en-Pithiviers
Montigny
Villereau
Bougy-lez-Neuville
Saint-Lyé-la-Forêt
Bucy-le-Roi
N 154
N 20
A 10
A 19
E 60
D 2020
D 2157
D 2152
D 955
D 927
D 2060
D 954

71
51
E
F
G
H
Fontaine-la-Rivière
Mespuits
Prunay-sur-Essonne
Bonnevaux
Le Vaudoué
Ury
Roinvilliers
Chantambre
Tousson
Meun
Recloses
Abbéville-la-Rivière
Arrancourt
St Val
Boigneville
Ezerville
Fontenette
Nanteau-s-Essonne
Boissy-aux-Cailles
Chapelle-la-Reine
Villiers-sous-Grez
Brouy
Blandy
Nangeville
Marlanval
Butteaux
Busseau
Cugny
Villiers-le-Pt
Mérobes
Rouvile
Mainbervilliers
Jacqueville
Montcourt-Fromonville
Villemer
Estouches
Enzanville
Sermaises
Gollainville
Buthiers
Larchant
Bois de Commanderie
Fromonville
Le Landy
Mainvilliers
Emerville
Malesherbes
(Le Malesherbois)
Roncevaux
Herbeauvilliers
Amponville
Foljuif
Darvault
Nonville
Treuzy
Audeville
Bléville
Orveau-Bellesauve
St-Pierre-lès-Nemours
Launoy
Thignonville
Coudray
Filay
Rumont
Guercheville
Puiselet
Nemours
Nanteau-sur-Lunain
Intville-la-Guétard
Césarville-Dossainville
Villiers-Martin
Augerville-la-Rivière
Boulancourt
Fromont
Rochers Gréau
Chaintréauville
Rochers de Nemours
Morville-en-Beauce
Cognepuits
Labrosse
Orville
Verteau
Chevrainvilliers
Ormesson
Fay-lès-Nemours
Poligny
Judainville
Engenville
Dimancheville
Burcy
Garentreville
Beaulay
Ramoulu
Manchecourt
Buisseau
Châtenoy
Oimpuits
Ezerville
Briarres-sur-Essonne
Desmonts
Avrilmont
Obsonville
Bagneaux-sur-Loing
Rosiers
Bouchere
Fresnes
Aufferville
Glandelles
Guigneville
Marsainvilliers
Echainvilliers
Moncharville
Ondreville-sur-Essonne
Puiseaux
Foljuif
Torville
Villereau
Ichy
Bougligny
La Madeleine-sur-Loing
Le Puy
Remauv
Sébouville
Bouzonville-en-Beauce
Aulnay-la-Rivière
Maisoncelles-en-Gâtinais
Estouy
Essonne
Bromeilles
Ormes
Bondaroy
Grangermont
Arville
Busseau
La Brosse
Pithiviers
Gironville
Souppes-sur-Loing
Fresnay-les-Chaumes
La Neuville-sur-Essonne
Chenouteau
Largerville
Yèvre-le-Châtel
Chenou
Mézinville
Le Grd-sous-les-Vignes
Dadonville
Intvilliers
Échilleuses
Pilvernier
Trémainville
Pithiviers-le-Vieil
Denainvilliers
Yèvre-la-Ville
Boësses
Barnonville
Mondreville
Château-Landon
Toury
Jouy-Pithiverais
Escrennes
Bourgneuf
Givraines
Rougemont
Beaumont-du-Gâtinais
Villeneuve
Dordives
Frapuy
Laas
Thiellay
Gaubertin
Auxy
La Bottière
Préfontaines
Ascoux
Boynes
Rimarde
Chauffour
Sceaux-du-Gâtinais
Nargis
La Brosse
Bouzonville-aux-Bois
Verrine
Barville-en-Gâtinais
Bordeaux-en-Gâtinais
Ferrières-en-Gâtinais
Santeau
Mareau-aux-Bois
Égry
Gondreville
Courtempierre
Fontenay-sur-Loing
La Croix-Allard
Bouilly-en-Gâtinais
Courcelles-le-Roi
Loiret
Gare d'Auxy
Bréau
Les Houis
Le Chesnoy
Cornou
Vrigny
Arconville
Chilleurs-aux-Bois
Courcy-aux-Loges
Nancray-sur-Rimarde
Romainville
Treilles-en-Gâtinais
Le Carrouge
Gerville
Corbelin
Batilly-en-Gâtinais
Beaune-la-Rolande
Corbeilles
Chénery
Le Temple
Le Pin
Gallerand
La Rive-du-Bois
Pavé-de-Juranville
Girolles
Chamerolles
Chambon-la-Forêt
St-Michel
Orme
Lorcy
Mignerette
Gondreville
Cepoy
Fuy-la-Laude
Le Bout-d'en-Haut
Villeneuve
Montbarrois
Le Martroi
Pavé-de-Mézières
Juranville
Chapelon
Mignères
Courtamier
Corquilleroy
Forêt de Montargis
Paucour
Chemault
St-Loup-des-Vignes
Mézières-en-Gâtinais
Paumeton
Villevoques
Buges
Lancy
Châlette-sur-Loing
45
Nibelle
Boiscommun
Vésines
La Rochelle
Piffonds
Ladon
La Poterne
La Chaume
Pannes
Montlialbert
Montliard
Fréville-du-Gâtinais
Moulon
St-Maurice-sur-Fessard
Montargis
Quiers-s-Bézonde
Nesploy
Villemandeur
Le Marchais Murailles
Les Goths
Ingrannes
Bellegarde
Ouzouer-sous-Bellegarde
Les Brosses
Villemoutiers
La Pte Motte
Etg de la Vallée
Le Tourneau
Vieux-Villemandeur
Amilly
Seichebrières
Sury-aux-Bois
Auvilliers-en-Gâtinais
Marsan
Sully-la-Chapelle
Le Pont-des-Besniers
Chailly-en-Gâtinais
Presnoy
St-Firmin-des-Vignes
Le Gros Mo
Combreux
La Morinne
Chevillon-sur-Huillard
Moissy
Vitry-aux-Loges
Beauchamps-sur-Huillard
Lombreuil
Vimory
Mormant-sur-Vernisson
Conflans-sur-Loing
Fay-aux-Loges
Les Quatre Routes
Les Bois-de-Romaison
Courtoin
Thimory
La Chaumault
La Cogelière
Châtenoy
La Commodité
Noyers
Oussoy-en-Gâtinais
Les Six Routes
Coudroy
La Borde
St-Hilaire-sur-Puiseaux
Solterre
Le Moulin Neuf
Lorris
Grignon
Cortrat
St-Denis-de-l'Hôtel
Vieilles-Maisons-sur-Joudry
Ouzouer-des-Champs
Châteauneuf-sur-Loire
La Cour-Marigny
Pressigny-les-Pins
Varennes-Changy
St-Martin-d'Abbat
Jargeau
Les Quatre Routes
Montereau
La Bourdonnière
Bouzy-la-Forêt
Le Gué l'Evêque
Nogent-sur-Vernisson
Les Vallées
Loire
Germigny-des-Prés
Sigloy
Bray-en-Val
Le Moulinet-sur-Solin
Jardin des Arbres
Le Mesnil
St-Aignan-des-Gués
(Bray-St-Aignan)
Villiers
Ouvrouer-les-Champs
Les Boutrons
Baugé
St-Benoît-sur-Loire
Ste-Geneviève-des-Bois
Langesse
Les Bordes
Guilly
Le Port
Les Allaires
Tigy
Ste-Scholastique
Les Braudins
Bonnée
Les Choux
Les Bézards
Neuvy-en-Sullias
Bouteille
Les Coteaux
Les Brosses
Bois-morand
St-Père-sur-Loire
Marchais-Mignon
La Chaise
Les Maisons-Neuves
Ouzouer-sur-Loire
Dampierre-en-Burly
Adon
Sully-sur-Loire
89
Benne
La Bussière
Viglain
Vannes-sur-Cosson
Lion-
Arcole
La Prise-d'Eau
Escrignelle
72

72
0
5
10 km
52
C
D
Écluse
Esmans
La Brosse-Montceaux
Villeneuve-la-Guyard
Vinneuf
Courlon-sur-Yonne
Plessis-St-Jean
Vertilly
Villiers-Bonneux
(Perceneige)
Serbonne
Sergines
La Garenne
Servins
Chaumont
Yonne
Flagy
Dormelles
Rebours
Le Pimard
Cugny
Villemer
Le Landy
Nonville
Treuzy-Levelay
Levelay
Villemaréchal
Les Ortures
Nanteau-sur-Lunain
Paley
Préaux
Thoury-Férottes
Voulx
Boisroux
St-Ange-le-Viel
Diant
Les Chapelles
Chevry-en-Sereine
Blennes
Launoy
le Bouloy
Lorrez-le-Bocage-Préaux
Villeflambeau
Villechasson
Villemaugis
Vallery
Vaux-sur-Lunain
Chaudron
Gerjus
St-Agnan
Les Joncheries
Champigny-s-Y
Bordeau
La Chapelle
Villemanoche
Pont-sur-Yonne
Chapolin
Michery
Barrault
La Borde
Hollard
Fleurigny
Vallières
Thorigny-s
La Chapelle-sur-Oreuse
St-Martin-sur-Oreuse
Gisy-les-Nobles
La Pommeraie
Évry
Cuy
Soucy
Voisines
Les Basses Bergeries
Bel-Air
Le Ruy
Bonval
La Bonneau
Fossoy
Villethierry
Fontenelle
Lixy
Villeperrot
Vaugouret
Villenavotte
St-Sérotin
Le Fay
Courtois-sur-Yonne
St-Denis-les-Sens
Plénoches
Puits de Gy
Brannay
La Gde Justice
Dollot
Le Liard
St-Georges
Villebougis
Nailly
St-Martin-du-Tertre
St-Clément
Saligny
Fontaine-la-Gaillarde
Le Ht de Villiers
La Grenouillère
Villiers-Louis
SENS
Malay-le-Petit
Le Pt Villiers
Vanne
Remauville
Chancery
Villebéon
Chéroy
Les Martinières
St-Valérien
Fontaines
Les Chollets
Les Masures
Paron
Chaintreaux
Passy
Le Coudray
Tanchères
Égreville
Largerville
La Brosse
Villegardin
Montacher
Coleuvrat
Villeroy
Subligny
Maillot
Malay-le-Grand
Noé
Vaumort
Les Bordes
Le Crimeau
Jouy
Fouchères
La Haie-Pélerine
Gron
Collemiers
Rosoy
Bois de la Gde Vallée
Les Hauberts
Bransles
Le Bignon-Mirabeau
Ruzé
La Belliole
Villeneuve-la-Dondagne
Les Bobards
Les Régipaux
Étigny
Val-Péronne
Véron
Chevry-sous-le-Bignon
Chevannes
Bazoches-sur-le-Betz
Les Masures
Courtoin
Cornant
Sérilly
Roussemeau
Grange-au-Doyen
Bois de Chavan
Dordives
Pers-en-Gâtinais
Petit Ambreville
Les Chêneaux
Pont-Pourri
Égriselles-le-Bocage
Passy
Grange-Pourrain
Le Gd Ambreville
La Merville
Rosoy-le-Vieil
Domats
Les Brouards
Marsangy
Vaufoin
Clos-Aubry
Ferrières-en-Gâtinais
Les Davaux
Les Besnards
Vernoy
Beaujard
Talouan
Bois de Biéry
Châtre
Rousson
Les Fourneaux
Dixmont
Chapitre
Ervauville
Foucherolles
Savigny-sur-Clairis
Chaumot
La Hte Épine
Villeneuve-sur-Yonne
Griselles
Les Fourneaux
Les Râles
Tourne-Boule
Valprofonde
Corbelin
Les Renards
La Selle-sur-le-Bied
Mérinville
Les Chèvereaux
Les Hauts Bois
Bussy-le-Repos
Beaudemont
Le Grand-Palteau
La Hâte
Bois-le-Roi
St-Loup-de-Gonois
Chantecoq
La Mardelle-au-Coq
Le Château
Les Brûleries
Forêt de Montargis
Paucourt
La Chaise
Louzouer
Courtemaux
St-Hilaire-les-Andrésis
Piffonds
Les Croix
Armeau
Pt-Palteau
Les Lucas
Les Tuileries
Forêt du Pavillon-Gros
Les Richoux
Les Chopilles
Les Haricots
Courtenay
Les Quatre Croix
St-Martin-d'Ordon
St-Julien-du-Sault
Villevallier
Châlette-sur-Loing
La Chapelle-St-Sépulcre
Thorailles
Les Cours
Les Courillons
St-Loup-d'Ordon
Verlin
Villecien
La Tuilerie
La Selle-en-Hermoy
Chuelles
Les Fauchots
Les Moreaux
Ruban
Thèmes
St-Aubin-sur-Yonne
La Martinière
Les Orties
La Jacqueminière
Les Sauqueux
Côte St-Jacques
Joigny
Le Marchais Muraillé
Les Goths
Pipault
La Boulassière
Cudot
La Petite Celle
Cézy
La Pichotterie
Les Buzets
La Celle-St-Cyr
Amilly
Montcorbon
Arblay
La Couline
Loivre
La Réserve
Les Chevaliers
Précy-sur-Vrin
Vaugenets
Béon
Chamvres
Champlay
St-Firmin-des-Vignes
Le Gros Moulin
St-Germain-des-Prés
St-Firmin-des-Bois
Les Raignaults
Douchy-Montcorbon
Villefranche-St-Phal
Les Écharlis
Le Gd Bralon
Les Vieux Écharlis
Le Gd Bailly
Paroy-sur-Tholon
Le Gd Longueron
Mormant-sur-Vernisson
Conflans-sur-Loing
Gy-les-Nonains
Les Motteaux
Triguères
Les Griboulets
Château-Renard
Sépeaux-St-Romain
St-Romain-le-Preux
Champvallon
(Montholon)
Malesherbes
Neuilly
La Charmault
Canal de Briare
Montcresson
Dicy
Les Gds Salmons
Les Barniers
Chevillon
Les Coudrois
Volgré
Senan
(Valravillon)
Solterre
Prunoy
Malvrain
Les Goudons
La Ferté-Loupière
Villiers-sur-Tholon
Chêne-Arnoult
La Mothe-aux-Aulnaies
Frécambault
Cortrat
Les Arnoults
Melleroy
Fontenouilles
Les Tuileries
Aillant-sur-Tholon
Laduz
Pressigny-les-Pins
Charny Orée de Puisaye
Rue Neuve
Musée rural
Bois des Ferrières
Poilly-sur-Tholon
Fleury-la-Vallée
La Chapelle-sur-Aveyron
Les Guidus
Chambeugle
Les Joubins
Perreux
Les Touchards
Sarrigny
Bleury
Montbouy
Les Lorrains
St-Maurice-sur-Aveyron
Ponessant
Sommecaise
Les Ormes
Chassy
Auvergne
Marnay
Nogent-sur-Vernisson
Fontainejean
St-Martin-sur-Ouanne
Raloy
St-Maurice-Thizouaille
Chaillot
Les Viviens
Marchais-Beton
St-Aubin-Château-Neuf
St-Maurice-le-Vieil
Vieux Champs
St-Lazare
Châtillon-Coligny
Fumerault
Les Placeaux
Sur Ocre
Mormont
Ste-Geneviève-des-Bois
Malicorne
St-Denis-sur-Ouanne
(Le Val d'Ocre)
Égleny
Le Mar
Les Cacodeaux
Les Delétangs
St-Martin-sur-Ocre
Chauchoine
Aillant-sur-Milleron
Le Charme
Grandchamp
Le Buisson-St-Vrin
Merry-la-Vallée
Beauvoir
Les Bezards
Asnières
Villiers-St-Benoît
Le Crot
L'Épinoi
Lindry
Loing
Champignelles
Le Bois Planté
La Villotte
Nantou
Esmorand
Dammarie-sur-Loing
Les Chenons
Parly
Adon
Le Mineroy
Louesme
Les Bergers
Dracy
Pourrain
Le Pt Arran
Les Michauts
Feins-en-Gâtinais
Rogny-les-Sept-Écluses
A
B
90
C
Tannerre-en-Puisaye
D
Toucy
La Bussière
Champcevrais
Les Fouets
Les François
Fours
Le Vernoy
Sauilly
Villeneuve-les-Genêts
Escrignelles
Diges
A 19
E 60
A 6
E 15
D 606
D 660
D 943
D 2060
D 225
D 81

73
53
E
F
G
H
TROYES
St-André-les-Vergers
La Rivière-de-Corps
Ste-Savine
St-Parres-aux-Tertres
Bréviandes
Rouilly-St-Loup
St-Germain
Montgueux
Torvilliers
Estissac
Bucey-en-Othe
Villemaur-sur-Vanne
Aix-en-Othe
Paisy-Cosdon
Villeneuve-l'Archevêque
Bagneaux
Molinons
Foissy-sur-Vanne
Courgenay
Pouy-sur-Vannes
Villadin
Mesnil-St-Loup
Dierrey-St-Pierre
Dierrey-St-Julien
Grange l'Évêque
Rigny-le-Ferron
Bérulle
Cérilly
Vaujurennes
Villemoiron-en-Othe
Chennegy
Vauchassis
Bercenay-en-Othe
Souligny
Bouilly
Roncenay
Moussey
Villemereuil
Isle-Aumont
Assenay
Villery
Sommeval
Javernant
Lirey
Longeville-sur-Mogne
Cresantignes
St-Phal
Jeugny
Maupas
St-Mards-en-Othe
Nogent-en-Othe
Maraye-en-Othe
Eaux-Puiseaux
Auxon
Chamoy
Montigny-les-Monts
Vosnon
Villeneuve-au-Chemin
Sormery
Coursan-en-Othe
Montfey
Ervy-le-Châtel
Chessy-les-Prés
Davrey
Avreuil
Vanlay
Turgy
Cussangy
Metz-Robert
Les Granges
Forêt de Cussangy
Les Croûtes
Lasson
Neuvy-Sautour
Soumaintrain
Courtaoult
Beugnon
Germigny
Butteaux
Percey
Flogny-la-Chapelle
Marolles-sous-Lignières
Lignières
Coussegrey
Bernon
Vallières
Prusy
Chaserey
Étourvy
Mélisey
Tronchoy
Cheney
Dannemoine
Épineuil
Molosmes
Thorey
St-Martin-sur-Armançon
Tanlay
Tonnerre
Junay
Vézinnes
Bernouil
Roffey
Carisey
Dyé
Méré
Vézannes
Tissey
Collan
Serrigny
Fleys
Viviers
Béru
Chablis
Chichée
Poilly-sur-Serein
Chemilly-sur-Serein
Courgis
Préhy
Chitry
Ste-Vertu
Sambourg
Yrouerre
Fresnes
Viréaux
Lézinnes
Pacy-sur-Armançon
Argenteuil-sur-Armançon
Ligny-le-Châtel
Varennes
Villy
Maligny
Lignorelles
Fontenay-près-Chablis
La Chapelle-Vaupelteigne
Beine
Poinchy
Milly
Bleigny-le-Carreau
Venoy
Pontigny
Venouse
Rouvray
Montigny-la-Resle
Villeneuve-St-Salves
St-Florentin
Vergigny
Chéu
Jaulges
Villiers-Vineux
Rebourseaux
Mont-St-Sulpice
Hauterive
Bouilly
Avrolles
Turny
Venizy
Courcelles
Chailley
Vachy
Bellechaume
Champlost
Mercy
Brienon-sur-Armançon
Esnon
Migennes
Cheny
Ormoy
Bonnard
Bassou
Beaumont
Seignelay
Héry
Chemilly-sur-Yonne
Appoigny
Gurgy
Charmoy
Villemer
Chichery
Branches
Monéteau
Perrigny
Charbuy
St-Georges-sur-Baulche
Villefargeau
AUXERRE
Augy
Quenne
St-Bris-le-Vineux
Vaux
Champs-sur-Yonne
Jussy
Irancy
Escolives
Gy-l'Évêque
Escamps
Lichères-près-Aigremont
Aigremont
Molay
Annay-sur-Serein
Moulins-en-Tonnerrois
Arces-Dilo
Vaudeurs
Villechétive
Cerisiers
Bussy-en-Othe
Brion
Laroche-St-Cydroine
Forêt de Malgouvernes
Forêt d'Othe
Forêt de Pontigny
Armançon
Serein
Yonne
91
74

0
5
10 km
PARC NATUREL
Lac du Temple
LA FORÊT D'ORIENT
Lac d'Orient
Rouilly-Sacey
Rosson
Bonlieu
Amance
La Rothière
Unienville
Juvanzé
Jessains
Vernonvilliers
Ville-sur-Terre
Fresnay
Trannes
Lévigny
Engente
Champigny
Laubressel
Vaudemanche
La Loge-aux-Chèvres ★
Thennelières
Larivour
La Ville-aux-Bois
Bossancourt
Maison-Neuve
Arsonval
Arrentières
St-Parres-aux-Tertres
Barres
St-Julien-les-Villas
Courteranges
Ruvigny
Lusigny-s-Barse
Vauchonvilliers
Dolancourt
Jaucourt
Montier-en-l'Isle
Colombé-la-Fosse
Montaulin
Rouilly-St-Loup
Mesnil-St-Père
Vendeuvre-sur-Barse
Le Chanet
Nigloland ★
Argançon
Ailleville
Voigny
Daudes
Fontaine
Verrières
Le Ménilot
Champ-s-Barse
Magny-Fouchard
Maison-des-Champs
Gagnage
Fravaux
Bar-sur-Aube
La Villeneuve-au-Chêne
Spoy
Proverville
Le Haut-Chêne
Montreuil-sur-Barse
Montiéramey
Nuisement
Montmartin-le-Haut
Couvignon
Fontaine
St-Aventin
Renault
Troyes-Le Plessis
Puits-et-Nuisement
Isle-Aumont
Briel-sur-Barse
Le Val Perdu
Baroville
La Belle Idée
Clérey
Fresnoy-le-Château
Les Bures
Loge-de-Bailly
Chauffour-lès-Bailly
Thieffrain
Forêt de Bossican
Meurville
St-Thibault
Clerey-Sud
Villy-en-Trodes
Marolles-lès-Bailly
Bergères
Courbeton
Villy-Maréchal
Les Bordes-Aumont
Vaudes
Villemoyenne
Poligny
Villers
Beurey
Longpré-le-Sec
Bligny
La Bretonnière
Cormost
Chappes
Urville
Arconville
Clairvaux
St-Parres-lès-Vaudes
Fouchères
Magnant
Courtenot
Fralignes
Montceaux-lès-Vaudes
Champignol-lez-Mondeville
La Vendue-Mignot
Éguilly-sous-Bois
Vitry-le-Croisé
La Borde
Rumilly-lès-Vaudes
Bourguignons
L'Enclos
Le Long-du Bois
Nicey
Virey-sous-Bar
Buxières-sur-Arce
Ville-s/s-la-Ferté
Forêt d'Aumont
Bertignolles
Fontarce
Chervey
Chacenay
Bar-sur-Seine
Noé-lès-Mallets
Vendues-Évêque
Crogny
Jully-sur-Sarce
Ville-sur-Arce
Laferté-sur-Aube
Rumilly
Les Bordes-Lantages
Avalleur
St-Usage
Merrey-sur-Arce
Viviers-sur-Artaut
Les Fosses
Les Loges-Margueron
Vougrey
Villemorien
Le Grand Mallet
Lantages
Maison Rouge
Polisot
Celles-sur-Ource
Landreville
Fontette
Robert
Les Bruyères
Villiers-s/s-Praslin
Essoyes
Villars-en-Azois
Le Vau
Chaource ★
Polisy
Buxeuil
Loches-sur-Ource
Verpillières-sur-Ource
Cunfin
Forêt d'Oisellemont
Les Poteries
Praslin
Grange-au-Bois
Forêt de Beaumont
La Folie
Les Sadons
Arrelles
Balnot-sur-Laignes
Neuville-sur-Seine
Gyé-sur-Seine
Forêt de Cussangy
Pargues
Lingey
Beaumont
Lanty-sur-Aube
Cussangy
Lagesse
Avirey-Lingey
Courteron
Valfond
Maisons-lès-Chaource
St-Roch
Grancey-sur-Ource
Bagneux-la-Fosse
Ricey-Bas
Seine
Autricourt
Gevrolles
Le Charme
Malassise
Vaudron
Les Riceys
Plaines-St-Lange
Ricey-Haut
Balnot-la-Grange
Le Magny
Mussy-sur-Seine
Riel-les-Eaux
Ste-Élisabeth
Chesley
Villiers-le-Bois
Gomméville
Étourvy
Bragelogne-Beauvoir
Beauvoir-sur-Sarce
Noiron-sur-Seine
Belan-sur-Ource
Charrey-sur-Seine
Chaserey-Haut
Quincerot
Channes
Le Grand-Haut-du-Lais
Molesme
Villers-Patras
Thoires
Le Souhy
Tricheÿ
Arthonnay
Béchineuil
Forêt de l'Hôpital
Pothières
Chaumont-le-Bois
Courban
Brion-sur-Ource
Les Scies
La Fouchère
Villedieu
La Balotière
Obtrée
Mosson
Vannaire
Bissey-la-Côte
Thorey
Panfol
Vertault
Vix
Mt Lassois
Massingy
Layer-sur-Roche
Forêt de Maulnes
Le Champ-du-Rupt
Champ-du-Bois
Étrochey
Courcelles
Villon
Villiers-les-Moines
Bel-Air
Montliot-et-Courcelles
Crépan
Val-de-Quenouil
Rugny
La Seiglière
Channay
Poinçon-lès-Larrey
Bouix
Marigny
Prusly-sur-Ource
Larrey
Ste-Colombe-sur-Seine
Quincy
Cruzy-le-Châtel ★
Marcenay
Châtillon-sur-Seine ★
Villotte-sur-Ource
Baon
Nicey
Griselles
Cérilly
Paisson
Bissey-la-Pierre
Maisey-le-Duc
Tanlay ★★
La Grande Vèvre
Martilly
Le Loge
Pimelles
Laignes
La Pierre Blanche
Vanvey
St-Vinnemer
Gland
Gigny
Villiers-le-Duc
Argentenay
Ampilly-le-Sec
Buncey
Montmain
Balot
La Grange-Joly
-le-Haut
Sennevoy-le-Bas
Ancy-le-Libre
Chamesson
Massoult
Jully
Nesle-et-Massoult
FORÊT DE CHÂTIL
Ancy-le-Franc ★★
Les Forges
La Maine
Fontaines-les-Sèches
Voisin
Bourgogne
Pacy-Armançon
Frace
Nod-sur-Seine
Stigny
St-Germain-le-Rocheux
La Folie
Cestres
Coulmier-le-Sec
Aisey-sur-Seine
Grange Didier
Rochefort
Armançon
Argenteuil-sur-Armançon
Chassignelles
Malassise
Planay
Puiset
Bellevue
Verdonnet
Puits
Chemin-d'Aisey
Busseaut
Brémur-et-Vaurois
Fulvy
Nuits
Ravières
Forêt du Grand Jailly
Savoisy
Semond
Beaulieu
Tonnerrois
Villiers-les-Hauts
Asnières-en-Montagne
Bois-Monsieur
Mauvilly
Valfermet
Chenecières
Origny
La Maison
La Carolue
Étais
Vaugimois
St-Marc-sur-Seine
Bellenod-
Grand-Bois
A
B
C
D
1
2
3
4
5
20
54
18
73
92
36
42

75
55
93
76
E
F
G
H
1
2
3
4
5
52
Chânet
Cirey-sur-Blaise
Rouécourt
Villiers-s-Marne
Doulaincourt-Saucourt
Roches-Bettaincourt
Beurville
Ambonville
Bouzancourt
Cerisières
Provenchères-sur-Marne
Roches-sur-Rognon
Thors
Daillancourt
Guindrecourt-sur-Blaise
Froncles
Buxières-lès-Froncles
Manois
St-Blin
Mirbel
Montot-sur-Rognon
Vignes-la-Côte
Rizaucourt-Buchey
Champcourt
Harricourt
Marbéville
La Genevroye
Vignory
Vouécourt
Forêt du Heu
Semilly
Saulcy
Buchey
Cornay
Signéville
Barrémont
Colombé-le-Sec
Biernes
Curmont
Soncourt-sur-Marne
Heu
Rimaucourt
Chalvraines
Pratz
Argentolles
Vraincourt
Viéville
Andelot-Blancheville
Lamothe-en-Blaisy
Oudincourt
Rochefort-sur-la-Côte
Blancheville
La Guinguette
Mémorial
Colombey-les-Deux-Églises
Ormoy-lès-Sexfontaines
Roôcourt-la-Côte
Morteau
Ecot-la-Combe
Lavilleneuve-aux-Fresnes
La Boisserie
Lamancine
Chantraines
Cirey-lès-Mareilles
Lacrête
Sexfontaines
Annéville-la-Prairie
Bologne
Briaucourt
Clinchamp
Lachapelle-en-Blaisy
Forêt de la Crête
Bourdons-sur-Rognon
Ozières
Meures
Marault
Chevecheix
Forêt des Dhuits
Juzennecourt
Blaisy
Darmannes
Mareilles
Consigny
La Borde
Montheries
Riaucourt
Laharmand
Sarcicourt
Brethenay
Treix
Forcey
Millières
Thol-lès-Millières
Lavilleneuve-au-Roi
Gillancourt
Jonchery
Le Puits-des-Mèzes
Rennepont
St-Martin-sur-la-Renne
Condes
Bon-Espoir
Longchamp-sur-Aujon
Euffigneix
Reclancourt
Esnouveaux
Longchamp
Outre-Aube
Autreville-sur-la-Renne
Buxereuilles
CHAUMONT
Forêt d'Ageville
Ageville
Mennouveaux
Maranville
Vaudrémont
Buxières-lès-Villiers
Bois Perron
Juvancourt
Viaduc
Chamarandes-Choignes
Lanques-sur-Rognon
Cuves
Aizanville
Braux-le-Châtel
Villiers-le-Sec
Biesles
Buxières-lès-Clefmont
Cirfontaines-en-Azois
Valdelancourt
Montsaon
Chamarandes
Laville-aux-Bois
Pont-la-Ville
Forêt de la Garenne
Donnemarie
Ninville
Orges
Bricon
Brottes
Verbiesles
Silvarouvres
Essey-les-Ponts
Blessonville
Châteauvillain-Orges
Neuilly-sur-Suize
Luzy-sur-Marne
Sarcey
Mandres-la-Côte
Essey-les-Eaux
Semoutiers-Montsaon
Forêt de Corgebin
Boichaulle
Poulangy
L'Abondance
Is-en-Bassigny
Marmesse
Châteauvillain-Val-Marnay
La Perrière
Derville
Foulain
Odival
La Scierie
Dinteville
Maison Renaud
Crenay
Louvières
Nogent
Sarrey
Châteauvillain
Animal'Explora
Richebourg
Rochevilliers
Vesaignes-sur-Marne
Épinant
Forêt de Châteauvillain et d'Arc
Marnay-sur-Marne
Mauvaignant
Poinson-lès-Nogent
Montigny-le-Roi
Créancey
Val-des-Dames
Bon Air
Ormoy-sur-Aube
Montribourg
La Rosière
Vitry-lès-Nogent
Chauffourt
Les Essarts
Thivet
Chézoy
La Lucine
Coupray
Villiers-sur-Suize
Latrecey-Ormoy-sur-Aube
Mormant
Tronchoy
Cour-l'Évêque
Leffonds
Maison Paulin
Montigny-sur-Aube
PARC
Faverolles
Rolampont
Dampierre
Frécourt
Arc-en-Barrois
La Vendue
Bugnières
Charmoilles
Veuxhaulles-sur-Aube
Lannes
Changey
Maison-Fouin
Marac
Dancevoir
Val-Bruant
Poiseul
Montrot
Charmes
Boudreville
Ormancey
Beauchemin
Chanoy
Neuilly-l'Évêque
Aubepierre-sur-Aube
Giey-sur-Aujon
Jorquenay
Bannes
Ternat
Humes-Jorquenay
Champigny-lès-Langres
Lignerolles
Mardor
Orbigny-au-Val
Courcelles-sur-Aujon
St-Martin-lès-Langres
Eriseul
St-Loup-sur-Aujon
St-Ciergues
Peigney
Lac de la Liez
Les Goulles
NATIONAL
Vauxbons
Langres
Cascade d'Étufs
Brévoines
La Chaume
Rochetaillée
Voisines
Perrancey-les-Vieux-Moulins
Chatenay-Vaudin
Rouvres-sur-Aube
Le Plongerot
Buzon
Chatenay-Mâcheron
Arbot
Vieux-Moulins
Lucey
Courcelles-en-Montagne
Sts-Geosmes
St-Maurice
Chaume
Gurgy-la-Ville
Chameroy
Langres-Noidant
Corlée
Faverolles-lès-Lucey
Langres-Perrogney
St-Vallier-s-Marne
Aulnoy-sur-Aube
Vitry-en-Montagne
Noidant-le-Rocheux
Gurgy-le-Château
Bay-sur-Aube
Balesmes-sur-Marne
Noidant-Chatenoy
Leuglay
Perrogney-les-Fontaines
Buxerolles
Rouelles
Brennes
Chalindrey
Froidvent
Mt de Lucey
Germaines
Crilley
Cohons
Le Pailly
Auberive
Pierrefontaines
Bourg
Flagey
Heuilley-Cotton
Chambain
Colmier-le-Haut
Verseilles-le-Ht
La Borde
Recey-sur-Ource
Orcevaux
Ville-Haut
Longeau-Percey
Palaiseul
Violot
Menesble
Colmier-le-Bas
Servin
Aprey
Verseilles-le-Bas
Percey-le-Pautel
Villiers-lès-Aprey
Vesvres-s/s-Prangey
Heuilley-le-Grand
Chaugey
Villars-Santenoge
Baissey
Prangey
St-Broingt-le-Bois
Rivière
Santenoge
Aujeurres
Leuchey
Villegusien-le-Lac
La Forêt
Bure-les-Templiers
FORÊTS
Praslay
St-Michel
Le Mont
Terrefondrée
Vivey
Chassigny
Piépape
Châtellenot
Poinson-lès-Grancey
Poinsenot
Vaillant
Roche-Fontaine
St-Broingt-les-Fosses
Maâtz
Rompey
Musseau
Courcelles-Val-d'Esnoms
Vesvres-s/s-Chalancey
Beneuvre
Chalmessin
(Le Val-d'Esnoms)
Coublanc
St-Broing-les-Moines
Lamargelle-aux-Bois
(Vals-des-Tilles)
Mouilleron
Prauthoy
Dommarien
D 619
D 674
D 417
D 65
D 965
N 67
N 19
A 5
A 31
E 17
E 21
E 54
D 974
D 67
D 74

0 5 10 km
56
75
94
A B C D
1 2 3 4 5
Mirecourt
Vittel
Contrexéville
Bulgnéville
Darney
Bourbonne-les-Bains
Montigny-le-R.
Val-de-Meuse
Jussey
Vitrey-sur-Mance
Chalindrey
Combeaufontaine
Port-s-Saône
Confracourt
Scey-s-Saône
Châtenois
Bréchaincourt
Bazoilles-sur-Meuse
Circourt-s-Mouzon
Tilleux
Rouvres-la-Chétive
Longchamp-s/s-Châtenois
La Neuveville-s/s-Châtenois
Ménil-en-Xaintois
Rouvres-en-Xaintois
Domvallier
Ravenel
Remicourt
Thiraucourt
St-Menge
Gemmelaincourt
Viviers-lès-Offroicourt
Offroicourt
Mattaincourt
Hymont
Rémois
Darney-aux-Chênes
Dombrot-s-Vair
Belmont-s-Vair
Domjulien
Estrennes
Bazoilles-et-Ménil
Pompierre
Lemmecourt
Aulnois
Ollainville
Sandaucourt
Parey-s/s-Montfort
Girovillers-sous-Montfort
Le Ménil
Domèvre-s/s-Montfort
Rozerotte
Harréville-les-Chanteurs
Sartes
Jainvillotte
Beaufremont
Morville
Hagnéville-et-Roncourt
St-Remimont
Auzainvilliers
They-s/s-Montfort
Remoncourt
Gendreville
Roncourt
Vaudoncourt
Mandres-s-Vair
Norroy
La Neuveville-s/s-Montfort
Médonville
Malaincourt
Outrancourt
Haréville
Valfroicourt
Xiroux
Bainville-aux-Saules
Semilly
Le Corroy
L'Espérance
Dôme
Goncourt
Chalvraines
Bois de Chalvraines
Sommerécourt
Gonaincourt
Outremécourt
Aingeville
Illoud
La Fortelle
Vaudrecourt
St-Thiébault
Bourmont-entre-Meuse-et-Mouzon
Soulaucourt-sur-Mouzon
Saulxures-lès-Bulgnéville
Valleroy-le-Sec
Monthureux-le-Sec
Col des Clochettes
Esley
Pont-lès-Bonfays
Sans-Vallois
Clinchamp
Morvau
Bourg-Ste-Marie
Ozières
Brainville-s-Meuse
Nijon
Urville
Vrécourt
Graffigny-Chemin
St-Ouen-lès-Parey
Suriauville
Lignéville
Thuillières
Bois de la Bouloie
Romain-sur-Meuse
Hâcourt
Malaincourt-s-Meuse
Chaumont-la-Ville
Sauville
La Rouillie
La Vacheresse-et-la-Rouillie
Dombrot-le-Sec
St-Baslemont
Senonges
Dommartin-lès-Vallois
Vroncourt-la-Côte
Hulliécourt
Doncourt-s-Meuse
Crainvilliers
Col du Haut de Salin
Provenchères-lès-Darney
Dombasle-devant-Darney
Thol-lès-Millières
Levécourt
Robécourt
Blevaincourt
Viviers-le-Gras
Forêt de Clefmont
Longchamp
Maisoncelles
Champigneulles-en-Bassigny
Rozières-sur-Mouzon
Boëne
Gignéville
Relanges
Bonvillet
Audeloncourt
Germainvilliers
Rocourt
Villotte
Martigny-les-Bains
Le Bambois
Belmont-lès-Darney
Breuvannes-en-Bassigny
Perrusse
Damblain
Tollaincourt
Marey
Serocourt
Nonville
Clefmont
Buxières-lès-Clefmont
Daillecourt
Meuvy
Bassoncourt
Romain-aux-Bois
Morizécourt
Frain
La Grange Jacquot
Clairfontaine
Ninville
Colombey-lès-Choiseul
Lamarche
Bleurville
Attigny
La Grange au Bois
Noyers
Choiseul
Serécourt
Le Gras
Le Hubert
Essey-les-Eaux
Rangecourt
Lénizeul
Merrey
Fresnoy-en-Bassigny
Aureil-Maison
La Fagotière
Tignécourt
Monthureux-sur-Saône
Claudon
Henricel
La Frison
Ravennefontaines
Larivière-Arnoncourt
Mont-lès-Lamarche
St-Julien
Mont de Savillon
Forêt de Monthureux
Leppenoux
La Grange Rouge
La Sybille
Is-en-Bassigny
Lavilleneuve
Damphal
La Scierie
(Val-de-Meuse)
(Parnoy-en-Bassigny)
Aigremont
Isches
Fouchécourt
La Grande Catherine
Lécourt
Montigny-le-Roi
Maulain
Parnot
Arnoncourt-sur-Apance
Serqueux
Le Petit Thon
Ainvelle
Les Thons
Le Grand Thon
Godoncourt
La Rochère
Épinant
Provenchères-sur-Meuse
Malroy
Pouilly-en-Bassigny
Fignévelle
Regnévelle
Passavant-la-Rochère
Ft de Selles
Forêt de Passavant
Pont-du-Bois
Meuse
Beaucharmoy
(Le Châtelet-sur-Meuse)
Bois du Danonce
Senaide
Charmont
Lironcourt
Grignoncourt
Bousseraucourt
Martinvelle
La Côte
Selles
Chézoy
Dammartin-s-Meuse
Fresnes-sur-Apance
Ameuvelle
Vougécourt
Canal de l'Est
Récourt
Avrecourt
Damrémont
Châtillon-s-Saône
La Basse-Vaivre
Bonnecourt
Saulxures
Montcourt
Demangevelle
Frécourt
Rançonnières
Laneuvelle
Genrupt
Villars-St-Marcellin
Jonvelle
Corre
Montdoré
Andilly-en-Bassigny
Lavernoy
Vicq
Coiffy-le-Bas
Coiffy-le-Haut
Enfonvelle
Bourbévelle
Ranzevelle
Hurecourt
Poiseul
Neuilly-l'Évêque
Celles-en-Bassigny
Les Granges-Huguet
Montcharvot
Melay
Villars-le-Pautel
Richecourt
Polaincourt-et-Clairefontaine
Meline
Bannes
Plesnoy
Marcilly-en-Bassigny
Varennes-sur-Amance
Les Granges-du-Val
Voisey
Bois de Voisey
Blondefontaine
Aisey-et-Richecourt
Ormoy
Orbigny-au-Val
Orbigny-au-Mont
Troischamps
Chézeaux
Soyers
Vaux-la-Douce
Neuvelle-lès-Voisey
Les Essarts
Barges
Betaucourt
Saponcourt
Grand Bois
Celsoy
Commune de Haute-Amance
Arbigny-sous-Varennes
Champigny-sous-Varennes
Guyonvelle
Vernois-sur-Mance
Raincourt
Cendrecourt
Magny-lès-J.
Tartécourt
Senoncourt
Chatenay-Vaudin
Lecey
Haute-Amance
Bize
Anrosey
Laferté-s-Amance
Betoncourt-sur-Mance
Cemboing
Rosières-sur-Mance
Venisey
Miévillers
Contréglise
St-Maurice
Montlandon
Hortes
Maizières-s-Amance
Velles
St-Marcel
Montureux-lès-Baulay
Buffignécourt
Amance
Culmont
Chaudenay
Rosoy-s-Amance
Pisseloup
Charmoy
Montesson
(Pierremont-s-Amance)
Noroy-lès-J.
Gevigney-et-Mercey
Baulay
Torcenay
Corgirnon
Rougeux
Pierrefaites
Chauvirey-le-Châtel
Montigny-lès-Cherlieu
Bougey
Mercey
Fouchécourt
Fave
Le Pailly
Les Archots
La Papeterie
(Fayl-la-Forêt)
Ouge
Cherlieu
Forêt de Cherlieu
Augicourt
Aboncourt-Gesincourt
Port-d'Atelier
Les Loges
(Champsevraine)
Fayl-Billot
Chauvirey-le-Vieil
La Quarte
Preigney
Marlay
Oigney
Lambrey
Purgerot
Fleurey-lès-Faverney
Violot
Grosse Sauve
Poinson-lès-Fayl
Broncourt
Cintrey
La Rochelle
Pressigny
Bussières-lès-Belmont
Rivières-le-Bois
Molay
Melin
Semmadon
Arbecey
Chargey-lès-Port
Conflandey
Saône
Grandchamp
Belmont
Genevrières
Belfond
Savigny
Charmes-St-Valbert
Malvillers
Gourgeon
Chaux-lès-Port
Voncourt
Morey
Lavigney
Les Arpents
Grenant
Maâtz
Saulles
Valleroy
Bourguignon-lès-M.
St-Julien
Betoncourt-les-Ménétriers
Comot
Bois de Confracourt
La Neuvelle-lès-S.
Forêt du Chanois
Seuchey
Tornay
Farincourt
(La Roche-Morey)
Coublanc
Gilley
Suaucourt-et-Pisseloup
Artaufontaine
Grattery
Vauchoux
Frettes
Les Essarts
Villers-Vaudey
Nervezain
Ferrières
A31
E21
E54
N19
D164
D165
D417
D429
D74

57
E
F
G
H
1
2
3
4
5
78
95
Vroville
Ahéville
Madegney
Regney
Frizon
Domèvre-sur-Durbion
Padoux
Destord
Vaubexy
St-Vallier
Igney
Villoncourt
Velotte-et-Tatignécourt
Bazegney
Bouxières-aux-Bois
Bayecourt
Dompierre
Nonzeville
Pierrepont-s-l'A.
Racécourt
Derbamont
Girmont
Sercœur
Gugnécourt
Circourt
Bouzemont
Mazeley
Oncourt
Thaon-les-Vosges
Chavelot
Dignonville
Girecourt-s-Durbion
Domfaing
Belmont-s-Buttant
Maroncourt
Hagécourt
Madonne-et-Lamerey
Bettegney
Gigney
Fomerey
Domèvre-s-Avière
Longchamp
Dogneville
Vaudéville
Fontenay
Méménil
Viménil
Grandvillers
Vervezelle
Bruyères
Biffontaine
Dompaire
Bocquegney
Jeuxey
Aydoilles
Laval-s-Vologne
Les Poulières
Laveline-devant-Bruyères
Begnécourt
Damas-et-Bettegney
Hennecourt
Golbey
Fays
Champ-le-Duc
La Houssière
Gelvécourt-et-Adompt
Darnieuelles
Uxegney
ÉPINAL
Deyvillers
Lépanges-s-Vologne
Fiménil
La Chapelle-devant-Bruyères
Vienville
Adompt
Les Ableuvenettes
Gorhey
Chaumousey
Sanchey
Charmois-devant-Bruyères
Deycimont
Prey
Beauménil
Légéville-et-Bonfays
Ville-sur-Illon
Adoncourt
Les Forges
Tranchée-de-Docelles
Herpelmont
Aumontzey
Forêt d'Épinal
Le Roulier
La Neuveville-devant-Lépanges
Jussarupt
Granges-Aumontzey
Girancourt
Chantraine
Camp militaire
La Baffe
Docelles
Le Boulay
Faucompierre
St-Jean-du-Marché
Pierrefitte
Harol
Bouzey
Mossoux
Les Vallois
La Rue
Dommartin-aux-Bois
Laveline-du-Houx
Lerrain
Barbonfoing
Renauvoid
St-Laurent
Dinozé
Cheniménil
Houx
Champdray
Le Ménil
Le Void-de-Girancourt
Vieux St-Laurent
Archettes
Xamontarupt
Tendon
Le Void d'Escles
Agemont
Laménil
Jarménil
Rehaupal
Berchigranges
Escles
Puttegney
Saucenot
Guménil
Arches
Éloyes
Col de Bonne Fontaine
Liézey
Maupotel
Nobaimont
Thiélouze
Naymont
Uriménil
Le Roulier
Dounoux
Pouxeux
Gr de Cascade de Tendon
Le Rain
Gér
Madon
Charmois-l'Orgueilleux
Méloménil
Puits-des-Fées
Aneuménil
Tête des Cuveaux
Le Tholy
Viomenil
Uzemain
Hadol
Géroménil
Forêt du Ban d'Harol
La Chaoteuse
La Neuve Verrerie
Buzegney
Senade
Raon-Basse
Julienrupt
La Forge
Saône
Forêt de Tillonhaie
88
Rasey
Moyenpal
Longuet
Forêt de Fossard
Cleurie
Grandrupt-de-Bains
La Haye
La Racine
Raon-aux-Bois
Le Haut du Tôt
Col de Sapois
Gremifontaine
La Void-de La Bure
St-Nabord
Thunimont
Amerey
Xertigny
Seux
St-Étienne-lès-Remiremont
Le Syndicat
Harsault
La Chapelle-aux-Bois
Le Pransieux
Remiremont
St-Amé
Crémanvillers
Sapois
La Grande Fosse
Les Voivres
Le Charmois
Rochesson
Surance
Gruey-lès-Surance
(La Vôge-les-Bains)
Fallières
Celles
Col de Cheneau
Vagney
Lejole
Gerbamont
Hautmougey
Hardémont
Les Granges Richard
Bellefontaine
Franould
Nol
Planois
Bains-les-Bains
Haudompré
Pont-Poirot
Pont-Jeanson
La Demoiselle
Dommartin-lès-Remiremont
Zainvillers
Forêt de Humont
Blanc-Murger
La Forêt
Olichamp
La Poirie
Trougemont
Basse-sur-le-Rupt
Le Molieu
Les Baraques
Sémouse
La Pipée
La Manufacture
Le Mln du Bois
Le Noirmont
Lassus
Plombières-les-Bains
Hérival
Montmotier
Fontenoy-le-Château
Les Fontenelles
Le Raval
Le Hariol
Vecoux
Thiéfosse
Saulxures-sur-Moselotte
La Fosse
Clairefontaine
Le Roulier
La Croisette
Hielle
Reherrey
Les Graviers
Trémonzey
Le Haut des Champs
Ruaux
Cascade du Géhard
Girmont-Val-d'Ajol
Forêt de Longegoutte
Le Clerjus
Lépange
Le Magny
Les Trémeurs
Le Poiremont
Le Pt Moulin
Maxonchamp
Les Meix
Col de Morbieu
Forêt du Géhard
La Chaudeau
Rupt-sur-Moselle
La Vierge
Le Lyaumont
La Branleure
Faymont
Col de la Sure
Fontenois-la-Ville
Fleurey-lès-St-Loup
Aillevillers-et-Lyaumont
La Croisette
Le Val-d'Ajol
La Montagne
Longchamp
Ferdrupt
Blanc-Rouchot
Hamanxard
PARC
Betoncourt-St-Pancras
Ruisseau des Écrevisses
Le Grand Fays
La Vaivre
La Rosière
Remanvillers
Le Ménil
Écomusée
Larrière
Le Chêne
Dampvalley-St-Pancras
Le Petit Fay
Châtillon
Xoarupt
Le Thillot
Cuve
Pré du Rupt
Fougerolles-le-Château
Corravillers
Ramonchamp
Mailleroncourt-St-Pancras
Magnoncourt
Corbenay
Les Chabannes
Croslières
La Longine
Bouligney
Girefontaine
St-Loup-sur-Semouse
Fougerolles
St-Bresson
Rovillers
Amont-et-Effreney
La Rochotte
Beulotte-St-Laurent
Les Mines
Anjeux
Blanzey
Evouhey
La Saulotte
Château-Lambert
La Corre
Les Maires d'Avaux
Les Baraques-Chardin
La Germenain
NATUREL
Jasney
Fontaine-lès-L.
La Motte
La Gabiotte
Chapendu
Les Grillots
Les Voivres
Les Mottes
Esmoulières
Le Magny-Maubert
Le Haut-du-Them-Château-Lambert
La Pisseure
Les Baraques
St-Valbert
Raddon-et-Chapendu
Bellefleur
Faucogney-et-la-Mer
Plainemont
Ainvelle
Hautevelle
Luxeuil-les-Bains
Amage
Ste-Marie-en-Chanois
Beulotte-la Guillaume
Plateau des Evaudois
La Pille
Forêt de St-Antoine
Breuchotte
Dampierre-lès-Conflans
Francalmont
La Corveraine
La Bruyère
Breuche
Mille Étangs
Annegray
Forêt des Sept Chevaux
Froideconche
La Voivre
Servance
Miellin
St-Rémy-en-Comté
Cubry-lès-Faverney
Bassigney
Briaucourt
La Proiselière-et-Langle
Les Fessey
La Mer
St-Hilaire
Esboz-Brest
Melay
Col des Chevrères
Conflans-sur-Lanterne
Ormoiche
La Lanterne-et-les-Armonts
Planche des Belles Filles
Bourguignon-lès-C.
Ste-Marie-en-Chaux
St-Sauveur
Brest
La Corbière
Belmont
Écromagny
Ternuay-Melay-et-St-Hilaire
Belfahy
Lepu
Mersuay
Breuches
Les Armonts
Le Montaujeux
Baudoncourt
Les Potets
Les Montvilliers
Velorcey
Abelcourt
Magnivray
RÉGIONAL
Belonchamp
Plancher-les-Mines
Le Magny
Équevilley
Rignovelle
La Rue
Meurcourt
Villers-lès-L.
Éhuns
La Chapelle-lès-L.
Bois Derrière
Mélisey
Fresse
Giron
La Villedieu-en-Fontenette
Aillancourt
Lantenot
St-Barthélemy
Le Mont
Auxelles-Haut
Breurey-lès-Faverney
Visoncourt
Brotte-lès-Luxeuil
La Goulotte
Bois du Mont de Vannes
Neurey-en-Vaux
Betoncourt-lès-Brotte
Franchevelle
Montessaux
La Rue
DES
Citers
Linexert
Plancher-Bas
Les Baraques
Le Val-St-Éloi
Les Landres
La Neuvelle-lès-L.
BALLONS
Mailleroncourt-Charette
Quers
St-Germain
La Selle
Étang de Malsaucy
Genevrey
Les Granges
Le Rhien
Vilory
Servigney
Dambenoit-lès-Colombe
Mourière
Lachapelle-s/s-Chaux
Provenchère
Le Mont
N.D. du Haut
Ronchamp
Champagney
Varogne
La Villeneuve-Bellenoye-et-la-Maize
Colombe-lès-Bithaine
Malbouhans
Adelans-et-le-Val-de-Bithaine
Froideterre
Le Malp
La Vagère
Bouhans-lès-L.
La Côte
Flagy
Vellefrie
Les Bas des Côtes
Errevet
Saulx
Évette-Salbert
Châteney
Le Ban
Bougnon
Châtenois
Amblans-et-Velotte
VOSGES
la Maize
Lure
Magny-Danigon
Les Barres
Frahier-et-Chatebier
Creveney
Roye
Clairegoutte
Échavanne
Pusy-et-Épenoux
La Creuse
Palante
Frédéric-Fontaine
Colombier
Villerpoz
Velleminfroy
Genevreuille
Magny-Vernois
Andornay
Colombotte
Frotey-lès-L.
Magny-Jobert
Montcey
Pomoy
Mollans
Vouhenans
Lyoffans
Chalonvillars

0
5
10 km
58
77
96
Ste-Marie-aux-Mines
Hᵗ-Kœnigsbourg
St-Hippolyte
Bergheim
Ribeauvillé
Riquewihr
Kaysersberg
Ammerschwihr
Niedermorschwihr
Les Trois-Epis
Turckheim
Wintzenheim
COLMAR
Eguisheim
Munster
Gérardmer
Xonrupt-Longemer
Roche du Diable
Lac de Longemer
Col de la Schlucht
Hohneck
Lac Blanc
Lac Noir
Le Bonhomme
Col du Bonhomme
Plainfaing
Fraize
St-Léonard
Corcieux
Lac de Fischbœdle
Metzeral
Petit Ballon
La Bresse
Lac des Corbeaux
Cornimont
Grand Ventron
Lac de la Lauch
Le Markstein
Murbach
Guebwiller
Lautenbach
Soultzmatt
Rouffach
Grand Ballon
Cascade St-Nicolas
Oderen
Fellering
Bussang
Le Thillot
Historial du Hartmannswillerkopf
Vieil Armand
Cernay
Thann
Ballon d'Alsace
Lac d'Alfeld
Masevaux-Niederbruck
Giromagny
Valdoie
Ensisheim
Parc du Petit Prince
Ecomusée d'Alsace
Wittenheim
Kingersheim
Wittelsheim
Pfastatt
Brunstatt-Didenheim
Rixheim
Dannemarie
Neuf-Brisach
Soultz-Hᵗ-Rhin
Illhaeusern
68

E
F
G
H
59
97
1
2
3
4
5
Baldenheim
Mussig
Schwobsheim
Saasenheim
Schœnau
Rheinhausen-
-Oberhausen
Herbolzheim
Tutschfelden
Broggingen
Schweighausen
Hünersedel
Biederbach
Bœsenbiesen
Richtolsheim
Hessenheim
Artolsheim
Weisweil
Wagenstadt
Bleichheim
Nordweil
Freihof
Brettental
Katzenmoos
Elzach
Yach
Bootzheim
Leopolds Kanal
Kenzingen
Hecklingen
Bombach
Freiamt
Heimbach
Mussbach
Mackenheim
Wyhl
Forchheim
Siegelau
Winden
Oberwinden
Marckolsheim
Bge de Marckolsheim
Riegel
Malterdingen
Landeck
Keppenbach
Niederwinden
Rohrhardsberg
Elsenheim
Königschaffhausen
Sasbach
Köndringen
Mundingen
Bleibach
Endingen
Teningen
Maleck
Hochburg
Gutach im Breisgau
Untersimonswald
Jebsheim
Leiselheim
Jechtingen
Amoltern
Kiechlinsbergen
Emmendingen
Windenreute
Kollnau
Simonswald
Altsimonswald
Bahlingen
Waldkirch
Siensbach
Neuenweg
Artzenheim
Bischoffingen
Kaiserstuhl
Schelingen
Nimburg
Wasser
Sexau
Brend
Burkheim
Reute
Buchholz
Baumkronenweg
Obersimonswald
Muntzenheim
Durrenentzen
Vogtsburg
Eichstetten
Denzlingen
Kandel
Baltzenheim
Oberrotweil
Bötzingen
Niederrotweil
Bickensohl
March
Vörstetten
Furtwangen
Gütenbach
Kunheim
Achkarren
Oberschaffhausen
Buchheim
Unter-
-Glottertal
Ober-
Widensolen
Wasenweiler
Hugstetten
Heuweiler
Ihringen
Shauinsland
Hochdorf
Gundelfingen
Neukirch
Gottenheim
Umkirch
Wildtal
Ränke
Biesheim
Waltershofen
Zähringen
Sankt Peter
Breisach am Rhein
Hochstetten
Lehen
FREIBURG IM BREISGAU
Eschbach
Sankt Märgen
Volgelsheim
Merdingen
Neuf-Brisach
Vogelgrun
Opfingen
Ebnet
Stegen
Unteribental
Wagensteig
Gündlingen
Haslach
Algolsheim
Nieder-
Rimsingen
Tiengen
Sankt Georgen
Wiehre
Zarten
Burg
Weckolsheim
Obersaasheim
Munzingen
Breisgau
Schallstadt
Merzhausen
Günterstal
Kappel
Kirchzarten
Buchenbach
Geiswasser
Ober-
Heiteren
Hausen an der Möhlin
Mengen
Ebringen
Au
Wittnau
Langackern
Oberried
Falkensteig
Breitnau
Weißtannenhöhe
Wolfenweiler
Pfaffenweiler
Biengen
Offnadingen
Horben
Zastler
Höllental
Titisee-Neustadt
Rustenhart
Nambsheim
Balgau
Hartheim
Feldkirch
Kirchhofen
Sölden
Schauinsland
Alpersbach
Hinterzarten
Titisee
Bremgarten
Bad Krozingen
Ehrenkirchen
Ehrenstetten
Hofsgrund
Toter Mann
Sankt Ulrich
Bruderhalde
Fessenheim
Hirtzfelden
Tunsel
Schmidhofen
Sankt Wilhelm
Feldberg
Feldsee
Bärental
Falkau
Roggenhouse
Eschbach
Staufen im Breisgau
Sankt Trudpert
Ober-
Wettelbrunn
Muggenbrunn
Altglashütten
Blodelsheim
Grißheim
Grunern
Todtnauberg
Fahl
Feldberg im Schwarzwald
Munchhouse
Heitersheim
Münstertal
Ballrechten-Dottingen
Aftersteg
Seefelden
Dottingen
Wasserfall
Brandenberg
Rumersheim-le-Haut
Laufen
Unter-
Wieddener Eck
Menzenschwand
Zienken
Sulzburg
Wieden
Schluchsee
Buggingen
Dattingen
Belchen
Todtnau
Hof
Aitern-Multen
Dorf
Hügelheim
Britzingen
Bad Sulzburg
Schlechtnau
Bantzenheim
Chalampé
Müllheim
Zunzingen
Schweighof
Geschwend
Riggenbach
Niederweiler
Böllen
Innerlehen
Schönenberg
Utzenfeld
Neuenburg
Badenweiler
Neuenweg
Prãg
Bernau im Schwarzwald
Ottmarsheim
Vögisheim
Kohlgarten
Schönau im Schwarzwald
Tunau
Muttersleben
Lipburg
Sehringen
Bürchau
Hochkopf
Auggen
Blauen
Wembach
Herrenschwand
Weißenbachsattel
Homboung
Steinenstadt
Feldberg
Obereggenen
Marzell
Raich
Fröhnd
Weg
Albstausee
Wies
Elbenschwand
Bürgeln
Mauchen
Ehrsberg
Ibach
Todtmoos
MULHOUSE
Schliengen
Niedereggenen
Pfaffenberg
Forêt de la Harth
Feuerbach
Häg
Wittenschwand
Canal du Rhône au Rhin
St-Martin
Wambach
Schwand
Dachsberg (Südschwarzwald)
Petit-Landau
Bad Bellingen
Liel
Sitzenkirch
Sallneck
Tegernau
Adelsberg
Mambach
Atzenbach
Niffer
Riedlingen
Malsburg
Riedichen
Fröhnd
Hertingen
Endenburg
Wolpadingen
Gresgen
Zell im Wiesental
Gersbach
Bamlach
Kirchhausen
Groß-Herrischwand
Engelschwand
Tannenkirch
Kandern
Hohe Möhr
Rheinweiler
Wieslet
Hausen
Raitbach
Rütte
Hartschwand
Blansingen
Schlächtenhaus
Holzen
Enkenstein
Herrischried
Segeten
Strittmatt
Kembs
Welmlingen
Egerten
Weitenau
Fahrnau
Hornberg
Kleinkems
Mappach
Wehratal
Wintersweiler
Wollbach
Langenau
Hasel
Hogschür
Görwihl
Istein
Egringen
Schallbach
Wittlingen
Steinen
Gündenhausen
Eichen
Sierentz
Schaeterhof
Efringen-Kirchen
Rötteln
Hauingen
Maulburg
Schopfheim
Altenschwand
Tiefenstein
Kembs-Loéchlé
Fischingen
Rümmingen
Hütten
Oberwihl
Uffheim
Rosenau
Kirchen
Binzen
Haagen
Hellstein
Wehr
Hottingen
Niederwihl
Eimeldingen
Brombach
Wiechs
Dossenbach
Bergalingen
Rickenbach
Bartenheim
La Chaussée
St-Louis-la-Chaussée
Adelhausen
Nordschwaben
Enkendorf
Willaringen
Rotzel
Ötlingen
Lörrach
Schwörstadt
Hänner
Albbruck
Brinckheim
Village-Neuf
Haltingen
Eichsel
Minseln
Öflingen
Egg
Oberhof
Hochsal
Kappelen
RHEIN
Grand Canal d'Alsace
Wiese
Wehra

62
0 5 10 km
Port-Manech
Kerdoualen
Kergroës
St-Pierre
Clohars-Carnoët
St-Cado
Langlazic
Keranquernat
Doëlan
Le Pouldu
Anse du Pouldu
Guidel
Les Cinq Chemins
Gestel
Quéven
Zoo
Caudan
Hennebont
St-Fiacre
Le Ménéguen
Guidel-Plages
St-Mathieu
Kergaher
LORIENT-BRETAGNE-SUD
★★LORIENT
Lanester
Locoyarne
Kervignac
Lothuen
Kernours
St-Guénaël
St-Sterlin
Nostang
Kervinio
Fort-Bloqué
Kergantic
Ploemeur
Keroman
Pen-Mané
Blavet
Locmiquélic
Kervihern
Beg-Er-Lann
St-Efflam
Kerham
Larmor-Plage
Le Courégant
Kerroch
Perello
Lomener
Kerpape
★Port-Louis
Riantec
Groach-Carnec
Kervyon
Kervran
Gâvres
Plouhinec
Pnte du Talut
Basse des Bretons
Locquênin
Magouëro
Vx-Passage
Le Magouër
Étel
Kerminihy
Pen-Men
Quelhuit
Port-Lay
Port-Tudy
Kervédan
Kerlard
Groix
Kerohet
Crehal
Locmaria
★Trou de l'Enfer
Locqueltas
Pnte des Chats
★ÎLE DE GROIX
Côte des Mégalithes★★
★Pointe du Pe
Côte
Beg er Goa
Pointe des Poulains
★Stêr-Vraz
Stêr-Ouen
Pnte du Caro
Sauzon★
Port Fouque
Borderune
Bordelanne
Bruté
Kerlédan
Kervellan
Côte
★★Port Donnant
Kervilahouen
★★Aiguilles de Port Coton
Bangor
★Port Goulphar
Domois
Grd-Village
★★★BELLE-ÎLE
Sauvage ★★★
1
2
3
4
5
A
B
C
D

56
63
82
E
F
G
H
Pluvigner
Brandivy
Grand-Champ
Plumergat
Colpo
Locqueltas
Monterblanc
Elven
PARC NATUREL RÉGIONAL DU GOLFE DU MORBIHAN
Forteresse de Largoët
Camp de Meucon
Meucon
Ste-Anne-d'Auray
Auray
Pluneret
Landaul
Landévant
Locoal-Mendon
Belz
Ploemel
Plouharnel
Alignements
Carnac
Carnac-Plage
La Trinité-sur-Mer
Locmariaquer
Crach
St-Philibert
Le Bono
Plougoumelen
Ploeren
Baden
Arradon
Larmor-Baden
Île-aux-Moines
Île-d'Arz
Gavrinis
VANNES
Séné
St-Avé
Theix-Noyalo
Sulniac
Trédion
Plaudren
La Trinité-Surzur
Surzur
Le Hézo
St-Armel
Arzon
Port-Navalo
Port du Crouesty
Tumiac
Sarzeau
Suscinio
St-Gildas-de-Rhuys
Le Tour-du-Parc
Damgan
Ambon
Muzillac
Pénestin
Pte du Halguen
Pte du Bile
Piriac-sur-Mer
Pte du Castelli
La Turballe
Le Croisic
Pte du Croisic
Batz-sur-Mer
Rade du Croisic
Côte d'Amour
Chenal
GOLFE DU MORBIHAN
BAIE DE QUIBERON
Côte des Mégalithes
St-Pierre-Quiberon
Quiberon
Port Maria
Pte du Conguel
Pte de Kerpenhir
Pte du Pit-Mont
Pte du Grd-Mont
Pte de St-Jacques
Pte de Penvins
Î. de la Teignouse
Passage de la Teignouse
Plateau de la Recherche
Î. Dumet
Île-d'Houat
Île d'Houat
Hœdic
Île de Hœdic
Le Palais
Port Yorc'h
Pointe de Kerdonis
Port-An-Dro
Port-Maria
Locmaria
Pointe de Skeul
N 165
N 166
E 60
D 768
D 767
D 780
D 781
D 775

82
64
81
98
A
B
C
D
1
2
3
4
5
0
5
10 km
Questembert
Redon
Muzillac
Zoo de Branféré
La Roche-Bernard
Pont-Château
Guérande
Kerhinet
Kerbourg
La Baule Escoublac
LA BAULE
Le Pouliguen
Pornichet
ST-NAZAIRE
St-Brevin-les-Pins
St-Brevin-l'Océan
Pornic
Paimbœuf
Savenay
Donges
Trignac
Montoir-de-Bretagne
St-Joachim
La Grande-Brière
PARC
NATUREL
RÉGIONAL
DE
BRIÈRE
Île de Fédrun
Île de Mazin
Île d'Errand
Herbignac
Assérac
Mesquer
St-Molf
St-Lyphard
Camoël
Férel
Pénestin
Billiers
Marzan
Nivillac
Missillac
Ste-Reine-de-Bretagne
Crossac
Besné
St-Gildas-des-Bois
Drefféac
Ste-Anne-s-Brivet
Campbon
Malville
Bouvron
Quilly
Guenrouet
Plessé
Fégréac
Rieux
Allaire
St-Nicolas-de-Redon
Avessac
Masserac
Théhillac
Sévérac
St-Dolay
Caden
Limerzel
Péaule
Béganne
Le Guerno
Noyal-Muzillac
Arzal
Batz-sur-Mer
St-Marc
Pte de Chémoulin
Pte de St-Gildas
Préfailles
La Plaine-s-Mer
Tharon-Plage
St-Michel-Chef-Chef
Corsept
St-Viaud
Frossay
St-Père-en-Retz
Chauvé
Chéméré
Vue
Rouans
Arthon-en-Retz
St-Hilaire-de-Chaléons
La Bernerie-en-Retz
Lavau-sur-Loire
Bouée
Cordemais
LOIRE
Côte de Jade
Baie
Chenal du Nord
Vilaine
Isac
Canal
N 165
N 171
E 60
D 775
D 774
D 213
D 773
D 751
D 723
D 164

Châteaubriant
Derval
Lusanger
Louisfert
St-Aubin-des-Châteaux
Mouais
Pierric
Conquereuil
Guémené-Penfao
St-Vincent-des-Landes
Moisdon-la-Rivière
Erbray
Juigné-des-Moutiers
St-Julien-de-Vouvantes
La Chapelle-Glain
Marsac-s-Don
Jans
Treffieux
Issé
Grand-Auverné
Petit-Auverné
Nozay
Abbaretz
La Meilleraye-de-Bretagne
Grd Réservoir de Vioreau
Forêt d'Ancenis
St-Sulpice-des-Landes
Vay
La Grigonnais
Le Gâvre
Forêt du Gâvre
Puceul
Saffré
Joué-s-Erdre
Riaillé
Bonnœuvre
Blain
Bouvron
Trans-s-Erdre
Les Touches
Nort-sur-Erdre
Mouzeil
Teillé
Pouillé-les-Côteaux
Héric
Fay-de-Bretagne
Ligné
Couffé
Mésanger
Ancenis
Petit-Mars
St-Mars-du-Désert
Grandchamps-des-Fontaines
Sucé-s-Erdre
Oudon
St-Géréon
Vigneux-de-Bretagne
Treillières
Le Cellier
Champtoceaux (Orée d'Anjou)
Drain
Liré
La Chapelle-s-Erdre
Carquefou
Mauves-s-L.
Thouaré-s-L.
Orvault
Sautron
St-Étienne-de-Montluc
NANTES
Ste-Luce-s-L.
St-Julien-de-Concelles
Couëron
St-Herblain
Indre
Basse-Goulaine
Le Loroux-Bottereau
St-Sébastien-s-L.
Rezé
Bouguenais
Vertou
Le Pellerin
La Montagne
Brains
Bouaye
Les Sorinières
Haute-Goulaine
La Chapelle-Heulin
Vallet
Le Landreau
St-Laurent-des-Autels
Landemont
St-Christophe-la-Couperie
Port-St-Père
St-Léger-les-Vignes
St-Aignan-Grandlieu
Pont-St-Martin
La Haie-Fouassière
St-Fiacre-s-Maine
Mouzillon
Le Pallet
Monnières
Château-Thébaud
Maisdon-s-Sèvre
Gorges
Le Bignon
La Chevrolière
Lac de Grand-Lieu
St-Mars-de-Coutais
Planète sauvage
Nantes-Atlantique
Tillières
St-Crespin-s-Moine
St-Germain-s-Moine
Loire
Erdre
Sèvre
84
99
65

85
67
101
98
E
F
G
H
1
2
3
4
5
La Flèche
Le Lude
Tiercé
Durtal
Seiches-sur-le-Loir
Montreuil-sur-Loir
Baugé-en-Anjou
Le Vieil-Baugé
Jarzé Villages
Montgeoffroy
Beaufort-en-Anjou
Longué-Jumelles
Brissac-Quincé
Gennes
Cunault
SAUMUR
Doué-la-Fontaine
Fontevraud-l'Abbaye
Candes-St-Martin
Brézé
Noyant
Mouliherne
Vernantes
Allonnes
Chalonnes-sous-le-Lude
Dénezé-s-le-Lude
Savigné-s/s-le-Lude
Clefs-Val-d'Anjou
Fougeré
Montpollin
Lézigné
Huillé
Baracé
Étriché
Brissarthe
Daumeray
Morannes-s-Sarthe
Miré
Chemiré-sur-Sarthe
Crosmières
Bazouges-sur-le-Loir
Cré-s-Loir
Villaines-s/s-Malicorne
Clermont-Créans
Mareil-sur-Loir
Luché-Pringé
Thorée-les-Pins
Zoo
Corzé
Villevêque
Sarrigné
Bauné
Cornillé-les-Caves
Mazé-Milon
Le Plessis-Grammoire
St-Barthélemy-d'Anjou
Trélazé
Les Ponts-de-Cé
Juigné-sur-Loire
Blaison-St-Sulpice
St-Mathurin-s-L.
St-Rémy-la-Varenne
La Ménitré
Les Rosiers-sur-Loire
St-Clément-des-Levées
St-Martin-de-la-Place
Chênehutte-les-Tuffeaux
St-Lambert-des-Levées
Varennes-s-Loire
Chouzé-sur-Loire
Montsoreau
Turquant
Parnay
Souzay-Champigny
Dampierre-s-L.
Varrains
Chacé
Distré
Artannes-s-Thouet
Bagneux
Meigné
Les Ulmes
Forges
Louresse-Rochemenier
Ambillou-Château
Brigné
Martigné-Briand
Aubigné-sur-L.
Tigné
Chavagnes
Luigné
Saulgé-l'Hôpital
Les Alleuds
Vauchrétien
Chemellier
Coutures
Charcé-St-Ellier
St-Saturnin-sur-L.
Forêt de Chandelais
Forêt de Monnaie
Forêt de Pontménard
Forêt de Milly
PARC NATUREL RÉGIONAL LOIRE-ANJOU-TOURAINE
LOIRE
Loir
Authion
Vaudelnay
Le Coudray-Macouard
Courchamps
Montfort
Cizay-la-Madeleine
Épieds
Saix
Méron
Montreuil-

86
0 5 10 km
68
85
102
37
C
D
A
B
1
2
3
4
5
Mansigné
Verneil-le-Chétif
Mayet
St-Hubert
Beaumont-Pied-de-Bœuf
Thoiré-sur-Dinan
Les Vaux-du-Puits
Ponce-sur-le-Loir
Pont-de-Braye
Sougé
Chahaignes
Lhomme
Ruillé-s-Loir
La Possonnière
Couture-s-Loir
Vieux Bourg
Étournière
Flée
Lavernat
Sarcé
Luceau
Château-du-Loir
(Montval-s-Loir)
La Chartre-s-le-Loir
Tréhet
Artins
La Tuffière
Les Essarts
Montrouveau
Les Hayes
Villedieu-le-Château
Marçon
Vouvray-s-Loir
Le Port-Gauthier
Les Fontaines
St-Roch
Ruisseau
Beaumont-sur-Dême
Marcé
La Cuverie
Le Berloquet
Les Maisons-Rouges
La Croix-Brette
Aubigné-Racan
Coulongé
Montabon
Coëmont
La Croix-de-Bonlieu
La Maison-Rouge
Épeigné-sur-Dême
Rorthe
Les Grandes Maisons
Le Lude
Vaas
Les Halles
Nogent-sur-Loir
Marthe
Dissay-s/s-Courcillon
Villebourg
Chemillé-sur-Dême
La Georgettière
Les Maisons Neuves
Nouillay
La Davière
Haut-Montsureau
La Bruère-sur-Loir
Le Gué-de-Mézières
St-Pierre-de-Chevillé
Raillon
La Chapelle-aux-Choux
St-Aubin-le-Dépeint
Sarthe
Touraine
Bueil-en-Touraine
Bois-Girault
Moulinas
Le Mortier
Dissé-s/s-le-Lude
St-Germain-d'Arcé
Chenu
St-Christophe-s-le-Nais
Neuvy-le-Roi
Louestault
Marray
La Ferrière
La Vallée-de-la-Rivière
La Gringolerie
St-Paterne-Racan
Bréne
La Roche-Racan
(Beaumont-Louestault)
Forêt de Beaumont
Les Forestières
La Croix-Beauchêne
Broc
La Porrerie
Villiers-au-Bouin
Chenusson
Chalonnes-sous-le-Lude
Braye-sur-Maulne
Couesmes
Brèches
La Roche
Beaumont-la-Ronce
Marcilly-sur-Maulne
Dénezé-s-le-Lude
Château-la-Vallière
Bel-Air
Le Petit-Souper
Neuillé-Pont-Pierre
Championnière
L'Encloitre
Nouzilly
Coqlival
Étg du Val Joyeux
La Ménardière
(Noyant-Villages)
Meigné-le-Vicomte
Lublé
Vaujours
Souvigné
Sonzay
Rouziers-de-Touraine
Les Œufs-Durs
Le Roussay
St-Laurent-de-Lin
Les Royers
Le Signal
Semblançay
Cerelles
Monnaie
Méon
Courcelles-de-Touraine
La Pailleterie
Breil
Gué-Morin
Le Serrain
St-Antoine-du-Rocher
Le Gué-des-Prés
Langennerie
La Pellerine
Lac de Pincemaille
Channay-sur-Lathan
Le Gros-Ormeau
Charentilly
Chanceaux-sur-Choisille
Rillé
Savigné-sur-Lathan
Ambillou
Les Gaudières
N.-D.-d'Oé
Grange de Meslay
Les Bridonnières
Boyères
St-Roch
Mettray
La Colonie
Parçay-les-Pins
Champchevrier
Pernay
Parçay-Meslay
Hommes
Cléré-les-Pins
La Membrolle-sur-Choisille
Les Fortineries
Rochecorbon
Les Gascogneries
La Queue-de-Merluche
L'Angevinière
La Thibaudière
St-Symphorien
Clos
St-Symphorien-les-Ponceaux
Fondettes
St-Cyr-sur-Loire
Gizeux
Continvoir
Avrillé-les-Ponceaux
Mazières-de-Touraine
Vaugaraud
Luynes
Mareuil
Guignière
La Ville-aux-Dames
Courléon
St-Pierre-des-Corps
La Sablonnière
St-Étienne-de-Chigny
Vallières
La Riche
TOURS
L'Aireau-des-Bergeons
St-Genouph
La Cave Vaudelet
Les Étangs
Le Mirau-Bray
Les Vallées
Pont-Cher
La Rouchouze
La Houbellerie
Berthenay
Savonnières
Joué-lès-Tours
St-Avertin
Larçay
Cinq-Mars-la-Pile
Ballan-Miré
Le Placier
Les Loges
Les Caves
Les Essards
Langeais
La Durandière
Villandry
Chambray-lès-Tours
Landes de St-Martin
Pont-Boutard
Les Métairies
Le Petit Buton
La Cueilminaut
Le Moulinet
Chêne-Pendu
La Chapelle-aux-Naux
Le Hay
La Varanterie
St-Michel-sur-Loire
Druye
Le Passoir
Chevrette
Lignières-de-Touraine
La Gagneraie
St-Nicolas-de-Bourgueil
Marcé
Benais
(Coteaux-s-Loire)
Vallères
Jardins de Villandry
Les Robinières
Le Lochetéau
Fougerolles
St-Patrice
Bréhémont
La Horaie
Montbazon
Esvres
Bourgueil
Restigné
Lossay
Ingrandes-de-Touraine
Rupuanne
Quinçay
Marnay
Lionnière
Bois-Tireau
Rome
Artannes-sur-Indre
Beaumer
Veigné
La Taille
Rigny-Ussé
Rivarennes
Armentières
Luré
Azay-le-Rideau
Monts
La Lande
L'Hommais
La Chapelle-sur-Loire
Port-Boulet
La Croix-de-Rigny
Cheillé
Les Girardières
Bordebure
La Sablonnière
Pont-de-Ruan
LOIRE
Turpenay
La Chapelle-St-Blaise
Sorigny
Le Villiers
Ussé
La Villière
Bertignolles
Forêt de Chinon
Saché
Le Genetay
Néman
Huismes
St-Benoît-la-Forêt
La Vallée
La Poste
Hautée
Savigny-en-Véron
Avoine
Isoré
Contebault
Villaines-les-Rochers
Thilouze
Cesnay
Les Coudreaux
La Brézardière
Beaumont-en-Véron
Camp militaire du Ruchard
Villeperdue
La Rèmerie
Bourg-Cocu
Montour
Les Closeaux
Landes du Ruchard
Les Sévaudières
Givraizay
Le Grd Village
La Pénesais
Le Croulay
Vienne
St-Louand
Chinon
Vx Bourg
Cravant-les-Coteaux
Neuil
Ste-Maure-de-Touraine
Le Bois-St-Maurice
Les Bondis
Louans
Sonnay
La Chauvinière
La Gde Maison
Thizay
St-Jacques
Les Loges
Les Roches-Tranchelion
Le Marron
Ste-Catherine-de-Fierbois
La Bréchotière
Les Mouillères
Cinais
Briançon
Panzoult
Avon-les-Roches
La Tinellière
Le Carroir-Jodel
St-Lazare
Rivière
Chezelet
Crissay-sur-Manse
St-Épain
La Fontaine Colette
Parilly
Le Puy
Mazère
A 28
A 85 - E 60
A 10
E 50
E 502
D 766
D 959
D 938
D 910
D 751
D 952
D 749
D 801
D 943

69
E
F
G
H
Montoire-s-le-Loir
Lavardin
Vendôme
Château-Renault
Herbault
BLOIS
Vineuil
Suèvres
Mer
Blois-Villerbon
Blois-Ménars
La Chaussée-St-Victor
St-Gervais-la-Forêt
Beauregard
Cour-Cheverny
Chaumont-sur-Loire
Onzain
(Veuzain-s-Loire)
Amboise
Pagode de Chanteloup
Forêt d'Amboise
Chenonceaux
Montrichard Val de Cher
Pontlevoy
Fougères-sur-Bièvre
Bléré
St-Aignan
Zoo-parc de Beauval
Montpoupon
Chédigny
Montrésor
Reignac-sur-Indre
Montlouis-sur-Loire
Val de Cher
Forêt de Blois
Étang de Sudais
Étang de Bonneuil
Étang de Mortheze
Forêt de Château Renault
Forêt de St-Arnoult Prunay
Grd Étang de Jumeaux
LOIRE
Cher
Cisse
Beuvron
A 10
E 5 - E 60
A 85
E 604
N 10
D 952
D 766
D 976
D 764
D 956
D 675
D 31
88
103

0
5
10 km
Beaugency
Lailly
La Croix-Blanche
Dry
Ardon
Marcilly-en-Villette
Farges
C
70
D
Tavers
Mauline
Les Trois Cheminées
Lussay
Le Noyer
Villaugon
Morvilliers
Avaray
Lestiou
Grd Champ
Moquebaril
Monçay
Champ-Fleury
Jouy-le-Potier
Les Ormeteaux
Bellefontaine
La Croix d'Alvault
La Ferté-St-Aubin
Les Quatre Routes
Ménestreau-en-Villette
Le Moinard
Courbouzon
Mer
Moncellereux
Diziers
Suèvres
St-Laurent-Nouan
Huppemeau
La Californie
La Crimée
Nouan-sur-Loire
Muides-sur-Loire
St-Dyé-sur-Loire
Fleury
Le Vivier
Bois de la Ferté
La Ferté-St-Cyr
St-Cyr
Cosson
Ligny-le-Ribault
Le Rabot
Vouzon
Chaumont-sur-Tharonne
Yvoy-le-Marron
Crouy-sur-Cosson
Maslives
Montlivault
Parc
Chambord
Thoury
Grd Étg de Rhuys
Étg des Binoches
La Rote
Le Bout-d'en-Haut
Villeny
St-Maurice
Lamotte-Beuvron
Les Vallées
Forêt de Lamotte-Beuvron
Morest
La Chaussée-le-Comte
Réserve Nationale de Chasse
Huisseau-sur-Cosson
Dhuizon
Étg de la Giraudière
La Marolle-en-Sologne
Le Châteu
Forêt de Boulogne
Neuvy
Montrieux-en-Sologne
Étg de Beaumont
La Blondellerie
Mont-près-Chambord
Rue-de-Meneuil
Villesavin
Arian
Bracieux
Beuvron
L'Hôtellerie
Neung-sur-Beuvron
La Ferté-Beauharnais
Ste-Marie
Nouan-le-Fuzelier
Rouches
Tour-en-Sologne
Bauzy
Fontaines-en-Sologne
Bonneure
Vernou-en-Sologne
La Croûte
Néant
Étg de Marcilly
St Joseph
St-Viâtre
Étg de la Grde Corbois
La Margotière
Cour-Cheverny
Cheverny
La Genêtière
41
Étang de la Rousselière
La Loire
Étg Perret
Étg Neuf
Forêt de Cheverny
La Pochatière
Courmemin
Étg de Teillay
Étg de Malzone
Marcilly-en-Gault
La Bourdinière
La Rebu
Villavrain
La Gaucherie
La Troanne
Étg de la Noue
Millançay
Étg de la Prée
Les Chardonnières
Camp militaire
Le Poudelay
Les Maisons-Rouges
Mur-de-Sologne
Veilleins
Bourgnouveau
Forêt de Bruadan
Salbris
Soings-en-Sologne
Étang de Soings
Monthault
La Maison Rouge
Loreux
Pioté
Selles-St-Denis
St-Thaurin
Champdilly
La Vionne
Étg Bozard
La Jurandière
Lanthenay
Romorantin-Lanthenay
La Ferté-Imbault
Pont-Égar
La Charmoise
Étang de Bonneuil
Lassay-sur-Croisne
Rougeou
La Jaudraie
Étg de Batarde
Les Quatre Vents
Villeherviers
Migerault
Sauldre
Le Plessis
Le Pré
La Maison-Rouge
Le Grenouillet
Le Moulin
Boizardière
Gy-en-Sologne
Étg de Paris
Faubourg-St-Roch
La Bédinière
Les Vaux
Salbris-La-Loge
Salbris-Theillay
Le Village-des-Bois
Chémery
Étang de l'Arche
Romorantin
Les Tourneux
Étang des Landes
Mortheze
La Guérinière
Le Luneau
La Loge
Méhers
St-Marc
Bourdaloue
La Guérinière
Pruniers-en-Sologne
La Demangère
Ballenette
Bois-aux-Frères
Bois-Chavant
Nocfond
Les Bretets
La Vilatte
Billy
Turpinay
Saugirard
Villefranche-sur-Cher
La Boulaye
La Brillière
La Bajolerie
Lojon
Theillay
Étang des Barons
Gros-Bois
Fourchaud
Le Theil
La Bondice
La Maltière
Les Tréchis
Langon-sur-Cher
Le Many
Le Chalum
La Borne
Les Mardelles
Le Pont-de-Sauldre
Saugirard
Gièvres
Mennetou-sur-Cher
Châtres-sur-Cher
Les Brosses
Orçay
Selles-sur-Cher
Villedieu
Cher
St-Julien-sur-Cher
Breuzette
Forêt
La Rue
Châtillon-sur-Cher
Claveau
Les Galliers
La Chapelle-Montmartin
Thénioux
Couffy
Meusnes
Le Berquin
Launay
St-Loup-sur-Cher
Maray
Les Agards
Varnay
Poulas
Porcherioux
Champco
Chabris
Les Quenets
La Charonnerie
Le Gué-Vincent
Charnay
La Vernelle
Le Petit Givry
Goujonneaux
Les Huets
Les Forges
St-Georges-sur-la-Prée
Méry-sur-Cher
Les Moreaux
Le Musa
Chevenet
Les Bourrelières
Les Goujons
Les Barres
Chamberlin
Lye
Varennes-sur-Fouzon (Val-Fouzon)
Les Billons
Coulommiers
Les Belliards
Les Bourdains
Vierzon
Le Brioux
Fontguenand
Menetou-sur-Nahon
Sembleçay
La Chartrerie
Les Vallées
L'Épinat
Les Pichons
La Carmelletrie
Dun-le-Poëlier
Les Chézeaux
Grandmont
Vierzon-Forges
Villentrois
Lucioux
Parpeçay
St-Christophe-en-Bazelle
La Boulaye
Lourière
St-Hilaire-de-Court
Autry
Gatinette
Bois-Gâchet
Crévant
Le Pt Riau
Anjouin
Haut Bourg
Dampierre-en-Graçay
St-Martin-de-Court
A
B
104
C
D
Jumeaux
La Chapelle
Ste-Cécile
La Racaudière
Bagneux
La Coudre
Genouilly
Les Mazères
Les Sicaudières
Forêt de Gâtine
Espaillat
Prinçay
Les Brioux
Le Lac Clair
Imbry
Ste-Catherine
Alnay
Méreau
Bas-Bourg
La Roche
Le Champ-Martin
Beauregard
La Poterie
Le Grand Boisfort
Le Plessis
Poulaines
Orville
Le Tremblay
87
D 2020
D 922
D 976
D 724
D 765
A 85
E 604
A 71
E 9

Sully-sur-Loire
Gien
La Bussière
Briare
Pont-Canal
Châtillon-sur-Loire
Blancafort
Aubigny-sur-Nère
Argent-sur-Sauldre
Souvigny-en-Sologne
La Verrerie
St-Martin-d'Auxigny
Mehun-
Étang de l'Aiguillon
Étang du Puits
LOIRE
71
105
90
E
F
G
H
1
2
3
4
5

0 5 10 km
72
89
106
A
B
C
D
1
2
3
4
5
La Bussière
Feins-en-Gâtinais
Dammarie-sur-Loing
Rogny-les-Sept-Écluses
Champignelles
Villiers-St-Benoît
La Villotte
Louesme
Les Bergers
Le Bois Planté
Le Crot
L'Epinoi
Nantou
Les Chenons
Parly
Pourrain
Le Pt Arran
Les Michauts
Toucy
Tannerre-en-Puisaye
Les Fouets
Champcevrais
Escrignelles
Villeneuve-les-Genêts
Les François
Fours
Le Vernoy
Sauilly
Diges
Moulins-sur-Ouanne
Étg de la Gde Rue
Bléneau
Les Creux
Septfonds
Mézilles
Le Jaffot
Les Carreaux
Fontaines
Lalande
Bel-Air
Breteau
Blandy
St-Privé
Les Proux
Les Heurtaux
Leugny
Ouzouer-sur-Trézée
Étg de la Tuilerie
Étg des Blondeaux
Montréal
Chièvre
Ronchères
Rimatou
Chastenay
Levis
Les Laurents
Fontenoy
Sementron
Champoulet
St-Martin-des-Champs
St-Fargeau
Dammarie-en-Puisaye
L'Atrée
St-Sauveur-en-Puisaye
Les Cueillis
Le Sablon
Richebourg
Le Deffand
La Chapelle
Les Boulmiers
Saints-en-Puisaye
Vassy
Batilly-en-Puisaye
Réservoir Bourdon
Les Landiers
Moutiers-en-Puisaye
Banny
Lain
Taingy (Hauts-de-Forterre)
Aubigny
La Malrue
La Forêt
Gangrette
Lavau
Chantier médiéval de Guédelon
La Marcinerie
Les Noues
Fougilet
Le Mérys
Thou
Ousson-sur-Loire
Faverelles
Parc naturel de Boutissaint
Ste-Colombe-sur-Loing
Gémilly
Thury
Chanoy
Assay
Les Perriers
Le Chêneau
Pesselière
Bonny-sur-Loire
Ratilly
Treigny
Lainsecq
L'Étang
Les Grds Cocus
Les Billiens
Vrilly
Les Gourleaux
Sougères-en-Puisaye
Druyes-les-Belles-Fontaines
Le Puits-d'Havenat
Les Doucets
Arquian
St-Amand-en-Puisaye
Perreuse
La Breuille
La Sauvin
Beaulieu-sur-Loire
Gardefort
Maimbray
Annay
Argenoux
Les Méris
Les Fragnes
Vellery
La Poterie
Chenevières
Le Port
Les Thébondons
Les Cordes
Mouvent
Commecy
Sainpuits
Les Joux
Les Anes
Belleville-sur-Loire
Neuvy-sur-Loire
Grattechien
Dampierre-sous-Bouhy
Les Bordes
Chevigny
Étais-la-Sauvin
Le Tremblay
Santranges
Le Rognon
Bouhy
Vauvrille
Les Marlots
Le Chesnois
Les Villenots
Château-du-Bois
Les Chézeaux
Les Chevreaux
Sury-près-Léré
Léré
Les Brocs
Les Brossiers
St-Vérain
Bitry
La Valotte
Forges
Billy-sur-Oisy
La Grande-Borne
Loire
La Madelaine
Les Gauthiers
La Celle-sur-Loire
Les Bouillons
Ravière
La Fôret
Les Marquis
Entrains-sur-Nohain
Fondelin
Les Naudeaux
Le Grouseau
Villefargeau
Villesauge
Trucy-l'Orgueilleux
Les Faizeaux
Myennes
Les Roblins
Forêt des Gourgeonneries
Cours
Ménétreau
St-Loup
Alligny-Cosne
Ciez
Jussy
Vrillon
Roussy
Savigny-en-Sancerre
Rognon
Villorget
La Brosse-aux-Bruns
Villegénéray
Dordres
Les Gaillons
Les Doisnes
Villeprevoir
Les Naslots
Forêt des Dames
Corvol-l'Orgueilleux
Boulleret
St-Père
Villemoison
Villaines
Vauchery
Les Ormeaux
Bréau
Menestreau
Les Berthes
La Pétadrie
Sauzay
La Vallée
Subligny
Meung
La Grde Brosse
La Petite Brosse
Les Grds Bois
Créantay
Chivres
Vraignon
Bannay
Cosne-Cours-sur-Loire
Chambre
Crézan
La Crotte
Pilles
Villiers
Couloutre
Courcelles
Ste-Gemme-en-Sancerrois
Mont Benoit
Perroy
La Chapelle-St-André
Chiry
Le Souchet
Les Bois de Charnes
Brétignelles
Les Bardins
Villiers-le-Sec
Chappe
Ménétereau
Pougny
Villardeau
L'Epeau
Le Vaudoisy
Sury-en-Vaux
St-Martin-sur-Nohain
Donzy-le-Pré
Donzy
Menou
Buzy
Varzy
Chantemerle
Étrechy
Verdigny
Villechaud
Villiers
Seigne
Les Penissiaux
Les Lacs
Fontenoy
Lyot
Forêt de Donzy
Colméry
Chauffour
Oudan
St-Satur
Les Breuillards
Fontenille
Moussard
St-Quentin-sur-Nohain
Forêt d'Arcy
Les Duprés
Les Cabets
Cessy-les-Bois
Les Bouquettes
Migny
Marcy
Chavignol
La Roche
Les Vignobles
St-Laurent-l'Abbaye
Chevroux
Paray
Dreigny
Le Beauchot
Sancerre
St-Thibault
Maltaverne
Bois Fleury
Les Cassiers
Suilly-la-Tour
Champcelée
Villarnault
Les Potiers
Forêt de Bouhy
Amigny
Bois-Gibault
Soumard
Suillyzeau
Bondieuse
Ménétréol-sous-Sancerre
Tracy-sur-Loire
Chambeau
Ste-Colombe-des-Bois
St-Malo-en-Donziois
Coeurs
Les Epsailles
Bué
Les Loges
St-Andelain
Bois-de-l'Aulne
Chaume
La Filouse
Forêt
Les Carrés
Bourras-la-Grange
Reigny
Thauvenay
Congy
Le Lignou
Le Potin
Les Pontots
Corvol-d'Embernard
Bannon
Couargues
Le Bouchot
Centre Géophysique
Les Taules
Le Briou
Frétoy
Voisy
La Croix
Prévent
Maizière
Pouilly-sur-Loire
Neuville
Chazeuil
Vinon
Récy
St-Bouize
Vesvres
Les Brunets
Bellary
Châteauneuf-Val-de-Bargis
Chamery
Champlemy
Thouez
Les Vallées
Charenton
Vielmanay
Guichy
Chaume
Marcy
Gardefort
Le Chaillou
Les Butteaux
Neuville
Garchy
Ville
Les Hottes
Nannay
Arbourse
L'Hopitot
Forêt de Charnouveau
Vassy
Vaugues
Chiron
Champalay
Arthel
Jalognes
Fez
Feux
Les Soucis
Beauregard
Le Chêne
Mesves-sur-Loire
Bulcy
La Coulisse
Narcy
Chasnay
St-Lay
Fontaraby
Dompierre-sur-Nièvre
St-Bonnot
Arzembouy
Les Maures
Giry
Montigny
Pesselières
Groises
Marnay
Rosières
Les Bourets
Les Réaux
Varennes-lès-Narcy
Passy
Les Bertins
Les Planchards
Gagy
Mauvrain
La Grange-Mouton
Bas-de-la-Celle
Butte de Montenoison
Montenoison
Herry
Vauvrette
Les Etiveaux
Sourdes
Ste-Hélène
Beauregard
La Celle-sur-Nièvre
Forêt de Prémery
Les Grands Bois
Fouillet
Beaucaire
Gipy
Aubigny
Le Verniol
Villatte
Murlin
Les Bois-de-Beaumont
Les Ponts-de-Beaumont
Beaumont-la-Ferrière
Nantin
Doudoye
Lugny-Champagne
Deux Lions
Jarnay
La Chapelle-Montlinard
Chazue
Les Bois-de-Raveau
Boulon
Vilaine
Breuil
Les Estiveaux
Sarré
Le Briou
La Maison-Neuve
La Charité-sur-Loire
Peteloup
Sichamps
Prémery
Sancergues
Étrechy
Asnins
La Prouze
L'Étang
Munot
Le Grd Soury
Poucelange
Sangué
Lurcy-le-Bourg
Loire
LOIRE
Canal

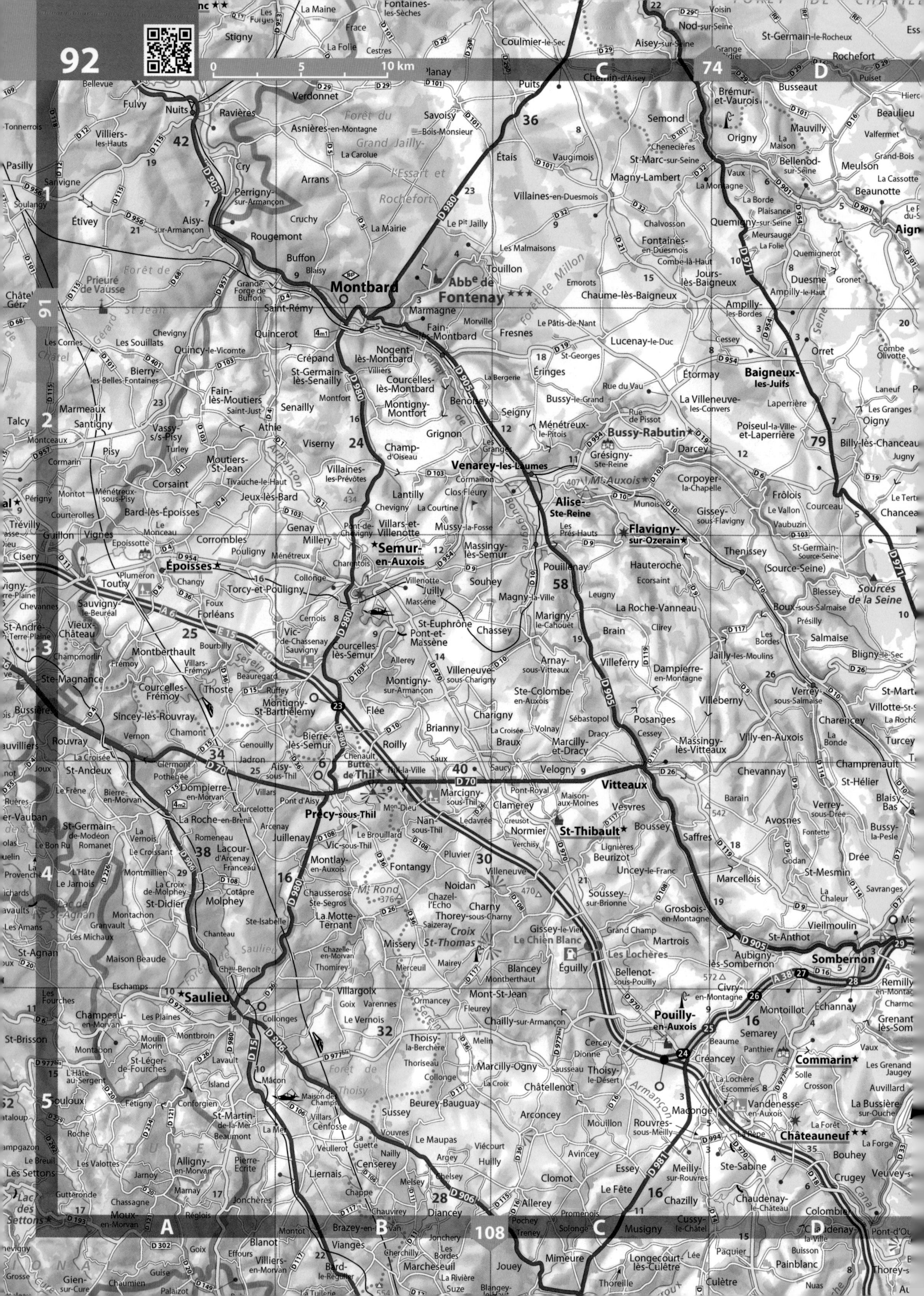
0 5 10 km
C
74
D
91
A
B
108
C
D
Stigny
La Maine
Fontaines-les-Sèches
Frace
La Folle
Cestres
Coulmier-le-Sec
Aisey-sur-Seine
Nod-sur-Seine
Voisin
St-Germain-le-Rocheux
Rochefort
Planay
Puits
Chemin-d'Aisey
Busseaut
Puiset
Bellevue
Fulvy
Nuits
Ravières
Verdonnet
Forêt du Grand Jailly
Savoisy
Bois-Monsieur
Brémur-et-Vaurois
Semond
Beaulieu
Mauvilly
Valfermet
Villiers-les-Hauts
Asnières-en-Montagne
La Carolue
Étais
Vaugimois
Chenecières
St-Marc-sur-Seine
Origny
La Maison
Bellenod-sur-Seine
Grand-Bois
Meulson
Pasilly
Sarvigne
Soulangy
Cry
Arrans
L'Essart et Rochefort
Magny-Lambert
Vaux
La Montagne
La Cassotte
Beaunotte
Étivey
Perrigny-sur-Armançon
Aisy-sur-Armançon
Villaines-en-Duesmois
La Borde
Plaisance
Quemigny-sur-Seine
Meursauge
La Folie
Quemignerot
Cruchy
Rougemont
La Mairie
Le Pt Jailly
Chalvosson
Fontaines-en-Duesmois
Combe-là-Haut
Les Malmaisons
Touillon
Forêt de Millon
Jours-lès-Baigneux
Duesme
Gronet
Ampilly-le-Haut
Prieuré de Vausse
Buffon
Blaisy
Montbard
Abbe de Fontenay
Emorots
Chaume-lès-Baigneux
Grande Forge de Buffon
Saint-Rémy
Marmagne
Ampilly-les-Bordes
Châtel Gérard
Chevigny
Les Souillats
Quincerot
Fain-lès-Montbard
Morville
Fresnes
Le Pâtis-de-Nant
Lucenay-le-Duc
Cessey
Orret
Combe Olivotte
Les Cornes
Quincy-le-Vicomte
Crépand
Nogent-lès-Montbard
St-Georges
Bierry-les-Belles-Fontaines
St-Germain-lès-Senailly
Villiers
Courcelles-lès-Montbard
La Bergerie
Éringes
Étormay
Baigneux-les-Juifs
Laneuf
Marmeaux
Fain-lès-Moutiers
Saint-Just
Senailly
Montfort
Montigny-Montfort
Benoisey
Seigny
Bussy-le-Grand
Rue du Vau
Rue de Pissot
La Villeneuve-les-Convers
Laperrière
Les Granges
Oigny
Talcy
Santigny
Vassy-s/s-Pisy
Athie
Grignon
Ménétreux-le-Pitois
Bussy-Rabutin
Poiseul-la-Ville-et-Laperrière
Billy-lès-Chanceaux
Montceaux
Pisy
Turley
Viserny
Champ-d'Oiseau
Les Granges
Grésigny-Ste-Reine
Darcey
Jugny
Cormarin
Moutiers-St-Jean
Villaines-les-Prévôtes
Venarey-les-Laumes
Cormaillon
Mt Auxois
Corpoyer-la-Chapelle
Corsaint
Tivauche-le-Haut
Lantilly
Clos Fleury
Alise-Ste-Reine
Munois
Frôlois
Le Tertre
Montot
Ménétreux-sous-Pisy
Jeux-lès-Bard
Chevigny
La Courtine
Le Vallon
Courceau
Chanceaux
Périgny
Trévilly
Courterolles
Bard-lès-Époisses
Genay
Villars-et-Villenotte
Mussy-la-Fosse
Bourgogne
Gissey-sous-Flavigny
Vaubuzin
Guillon
Vignes
Le Monceau
Corrombles
Millery
Pont-de-Chevigny
Les Prés-Hauts
Flavigny-sur-Ozerain
Epoissotte
Pouligny
Ménétreux
Semur-en-Auxois
Massingy-lès-Semur
Thenissey
St-Germain-Source-Seine
(Source-Seine)
Cisery
Époisses
Plumeron
Charentois
Pouillenay
Hauteroche
Toutry
Changy
Torcy-et-Pouligny
Collonge
Villenotte
Souhey
Ecorsaint
Sauvigny-le-Beuréal
Chevannes
Foux
Forléans
Juilly
Massène
Magny-la-Ville
Leugny
Blessey
Sources de la Seine
St-André-en-Terre-Plaine
Vieux-Château
Cernois
St-Euphrône
Chassey
Marigny-le-Cahouët
La Roche-Vanneau
Boux-sous-Salmaise
Présilly
Champmorlin
Montberthault
Bourbilly
Vic-de-Chassenay
Sauvigny
Pont-et-Massène
Brain
Clirey
Les Bordes
Salmaise
Frémoy
Villars-Frémoy
Sérein
Courcelles-lès-Semur
Allerey
Villeneuve-sous-Charigny
Arnay-sous-Vitteaux
Villeferry
Dampierre-en-Montagne
Jailly-les-Moulins
Bligny-le-Sec
Ste-Magnance
Beauregard
Montigny-sur-Armançon
Courcelles-Frémoy
Thoste
Ruffey
Montigny-St-Barthélemy
Ste-Colombe-en-Auxois
Verrey-sous-Salmaise
St-Mart
Villotte-St-S
Bussières
Sincey-lès-Rouvray
Chamont
Flée
Charigny
Sébastopol
Posanges
Villeberny
Charencey
La Roche
Vernon
Genouilly
Bierre-lès-Semur
Brianny
La Croisée
Braux
Volnay
Dracy
Cessey
Marcilly-et-Dracy
Massingy-lès-Vitteaux
Vilty-en-Auxois
La Bonde
Turcey
Rouvray
Roilly
Chenault
Butte de Thil
Thil-la-Ville
Saux
Saucy
Velogny
Vitteaux
Chevannay
Champrenault
St-Hélier
Blaisy-Bas
La Croisée
St-Andeux
Clermont
Pothenée
Jadron
Aisy-sous-Thil
Joux
Le Frêne
Bierre-en-Morvan
Dompierre-en-Morvan
Villars
Pont d'Aisy
Mon-Dieu
Marcigny-sous-Thil
Clamerey
Pont-Royal
Maison-aux-Moines
Vesvres
Barain
Verrey-sous-Drée
Bussy-la-Pesle
Courcelotte
Précy-sous-Thil
Nan-sous-Thil
Ledavrée
Creusot
Normier
St-Thibault
Boussey
Avosnes
Fontette
Ruères
St-Germain-de-Modéon
La Roche-en-Brenil
Arcenay
Juilleney
Le Brouillard
Vic-sous-Thil
Verchisy
Lignières
Beurizot
Saffres
Drée
Le Bon Ru
Romanet
La Vernois
Romeneau
Le Croissant
Lacour-d'Arcenay
Franceau
Montlay-en-Auxois
Fontangy
Pluvier
Villeneuve
Uncey-le-Franc
Godan
St-Mesmin
L'Hâte
Le Jarnois
Montmillien
La Croix-de-Molphey
Cotâpre
St-Didier
Molphey
Noidan
Chazel-l'Echo
Chausserose
Ste-Segros
Mt Rond
Charny
Thorey-sous-Charny
Soussey-sur-Brionne
Marcellois
Grosbois-en-Montagne
La Chaleur
Savranges
Lac de St-Agnan
Montachon
Granvault
Les Michaux
Chanteau
Ste-Isabelle
La Motte-Ternant
Saizeray
Croix St-Thomas
Le Chien Blanc
Gissey-le-Vieil
Grand Champ
Martrois
Vieilmoulin
St-Anthot
Les Amans
St-Agnan
Maison Beaude
Forêt de Saulieu
Chazelle-en-Morvan
Missery
Thomirey
Merceuil
Mairey
Blancey
Montberthaut
Éguilly
Les Lochères
Bellenot-sous-Pouilly
Aubigny-lès-Sombernon
Sombernon
Remilly-en-Montagne
Eschamps
Chau-Benoît
Saulieu
Villargoix
Goix
Varennes
Ormancey
Mont-St-Jean
Fleurey
Civry-en-Montagne
Montoillot
Echannay
Grenant-lès-Som
Les Fourches
Champeau-en-Morvan
Les Plaines
Collonges
Le Vernois
Chailly-sur-Armançon
Pouilly-en-Auxois
Semarey
Charmoy
St-Brisson
Montabon
Moulin Morin
Montbroin
Thoisy-la-Berchère
Melin
Cercey
Dionne
Beaume
Panthier
Vaux
Commarin
Les Grenand
Jaugey
St-Léger-de-Fourches
Lavault
Thoriseau
Marcilly-Ogny
Sausseau
Thoisy-le-Désert
Créancey
Solle
Crosson
Auvillard
L'Hâte-au-Sergent
Island
Mâcon
Forêt de Thoisy
Collonge
La Croix
Châtellenot
La Lochère
Escommes
Souloux
Fétigny
Conforgien
Maison des Champs
Sussey
Beurey-Bauguay
Arconcey
Mouillon
Rouvres-sous-Meilly
Maconge
Vandenesse-en-Auxois
La Bussière-sur-Ouche
St-Martin-de-la-Mer
Beaumont
Villars
Cenfosse
Vouvres
Le Maupas
Viécourt
Hully
Avincey
La Repe
La Forêt
Châteauneuf
La Forge
Bouhey
Roche
La Mer
Veullerot
La Guette
Naully
Argey
Essey
Meilly-sur-Rouvres
Ste-Sabine
Crugey
Veuvey-s
Les Valottes
Alligny-en-Morvan
Pierre-Écrite
Jarnoy
Liernais
Censerey
Chelsey
Clomot
Le Fête
Chazilly
Chaudenay-le-Château
Colombier
Les Settons
Gutteronde
Chassagne
Marnay
Jonchères
Chappe
Melsey
Diancey
Allerey
Promenois
Moux-en-Morvan
Réglois
Chauvirey
Pochey
Treney
Solonge
Musigny
Cussy-le-Châtel
Chaudenay-la-Ville
Pont-d'Ou
Lac des Settons
Blanot
Montot
Brazey-en-Van
Jonchery
Les Bordes
Goix
Effours
Villiers-en-Morvan
Vianges
Cherchilly
Marcheseuil
Jouey
Mimeure
Longecourt-lès-Culêtre
Lée
Paquier
Buisson
Painblanc
Thorey-s
Guise
Bard-le-Régulier
La Rivière
Gien-sur-Cure
Chaumien
Palaizot
Suze
Blangey
Thoreille
Culètre
Nuas
La Tuilerie
Grosse

93
75
94
109
E
F
G
H
21
DIJON
Talant
Fontaine-lès-Dijon
Chenôve
Longvic
St-Apollinaire
Chevigny-St-Sauveur
Quetigny
Genlis
Mirebeau-sur-Bèze
Is-sur-Tille
Selongey
Grancey-le-Château-Neuvelle
Gevrey-Chambertin
Nuits-St-Georges
Vougeot
St-Seine-l'Abbaye
Fontaine-Française
Auxonne
Pontailler-sur-Saône
Brazey-en-Plaine
Forêt de Is-sur-Tille
Forêt du Mont de l'Echelle
Forêt de Marey
Forêt de Cussey
Forêt de Champberceau
Forêt de Fontaine-Française
Forêt de St-Léger
Forêt de Détain-Gergueil
Mont Afrique
Val-Suzon
Chassigny
Prauthoy
Montsaugeon
Isômes
Orville
Véronnes
Til-Châtel
Marcilly-sur-Tille
Lux
Bèze
Gemeaux
Pichanges
Spoy
Vievigne
Norges-la-Ville
Clénay
Bretigny
Asnières-lès-Dijon
Hauteville-lès-Dijon
Plombières-lès-Dijon
Velars-sur-Ouche
Fleurey-sur-Ouche
Corcelles-les-Monts
Marsannay-la-Côte
Perrigny-lès-Dijon
Neuilly-lès-Dijon
Crimolois
Fauverney
Varanges
Rouvres-en-Plaine
Saulon-la-Rue
Fénay
Bretenière
Couchey
Fixin
Brochon
Chambolle-Musigny
Morey-St-Denis
Vosne-Romanée
Gilly-lès-Cîteaux
Abbé de Cîteaux
Tart-le-Haut
Longecourt-en-Plaine
Aiserey
Échigey
Trouhans
Les Maillys
Tillenay
Villers-les-Pots
Soirans
Collonges-lès-Premières
Athée
LGV RHIN-RHÔNE
A 31
A 38
A 39
E 17
E 21
D 974
D 905
D 70
D 971

94
93
76
110
0 5 10 km
Bussières-lès-Belmont
Pressigny
Molay
Melin
Semmadon
Arbecey
Chargey-lès-Port
Amonce
Genevrières
Belfond
Savigny
Charmes-St-Valbert
Malvillers
Gourgeon
Conflandey
Combeaufontaine
Chaux-lès-Port
Grenant
Saulles
Bourguignon-lès-M.
Morey
Lavigney
Les Arpents
Port-sur-Saône
Maâtz
Seuchey
Tornay
Valleroy
Farincourt
St-Julien (La Roche-Morey)
Betoncourt-lès-Ménétriers
Cornot
Bois de Confracourt
La Neuvelle-lès-S.
Forêt du Chanois
Grattery
Coublanc
Gilley
Suaucourt-et-Pisseloup
Artaufontaine
Confracourt
Scey-sur-Saône-et-St-Albin
Vauchoux
Scye
Frettes
Argillières
Les Essarts
Pisseloup
Villers-Vaudey
Nervezain
Ferrières-lès-Scey
la Voisine
Fouvent-le-Bas
Francourt
Fleurey-lès-Lavoncourt
Vauconcourt-Nervezain
Rupt-sur-Saône
Vy-lès-Rupt
St Albin
Chassey-lès-Scey
Chemilly
Montigny-lès-V.
Montvaudon
Leffond
Salon
Fouvent-St-Andoche
Pierrecourt
Raucourt
Renaucourt
Mt-St-Léger
Grandecourt
Chantes
Ovanches
Bucey-lès-T.
Pontcey
Vaivre
Le Vergy
Piémont
Montarlot-lès-Champlitte
le Breuillot
Aumônières
Larret
Trécourt
Lavoncourt
Theuley
Fédry
Traves
Aroz
Chariez
Champlitte
Champlitte-la-Ville (Champlitte)
Courtesoult-et-Gatey
Roche-et-Raucourt
Volon
Brotte-lès-Ray
Vanne
Cubry-lès-Soing
Moutherot
Boursières
Clans
Mont-le-Vernois
Orain
Gatey
Forêt de Dampierre
Tincey-et-Pontrebeau
Soing-Cubry-Charentenay
Lisey
Vy-le-Ferroux
Velle-le-Châtel
Grand
Margilley
Andrevin
Vaite
Membrey
Charentenay
Ray-sur-Saône
Raze
Andelarre
Baignes
Le Prélot
St-Maurice-sur-Vingeanne
Forêt de Champlitte
Neuvelle-lès-Champlitte
Mont-le-Franois
Asnières
Delain
Recologne
Ferrières-lès-Ray
Noidans-le-Ferroux
Montigny-Mornay-Villeneuve-sur-V.
Framont
Achey
Denèvre
Dampierre-sur-Salon
Queutrey
Saône
Seveux
Fresne-St-Mamès
Rosey
Velleguindry-et-Levrecey
Villeneuve-sur-Vingeanne
Montot
Vellexon-Queutrey-et-Vaudey
Neuvelle-lès-la-Charité
Écuelle
Savoyeux
(La Romaine)
Levrecey
Mornay
Autet
Le Perrenot
Mailley-et-Chazelot
Mercey-sur-Saône
La Vaivre
Greucourt
Vezet
Le Pont-de-Planches
Lieffrans
Chazelot
Pouilly-sur-Vingeanne
Oyrières
Quitteur
Pierrejux
Motey-sur-Saône
Rougeau
Sept Fontaines
Grandvelle-et-le-Perrenot
Vars
La Rente Rouge
Vereux
St-Gand
Le Charme
Les Bâties
Bourguignon-lès-la-Charité
St-Seine-sur-Vingeanne
Fahy-lès-Autrey
Auvet-et-la-Chapelotte
Montureux-et-Prantigny
Beaujeu-St-Vallier-et-Pierrejux
La Madeleine
Bois de St Gand
La Vernotte
Maizières
Courtesoult
Pennes
St-Vallier
Ste-Reine
Les Verrières
Velloreille
Fretigney-et-Velloreille
Prantigny
La Chapelotte
Autrey-lès-Gray
Bouhans-et-Feurg
Chargey-lès-G.
St-Roch
Igny
Vellemoz
La Chapelle-St-Quillain
Vaux-le-Moncelot
Attricourt
L'Étang-des-Maisons
Forêt de la Belle Vaivre
Petit Bois
Étrelles-et-la-Montbleuse
Frasne-le-Château
Recologne-lès-Rioz
Fondremand
Eguilley
Trésilley
Flée
Lœuilley
Broye-les-Loups-et-Verfontaine
Nantilly
Rigny
Saint-Broing
Sauvigney-lès-Gray
Angirey
de Gy
Vantoux-et-Longevelle
Villers-Chemin-et-Mont-lès-Étrelles
Villers-Bouton
Les Fontenis
Arc-lès-G.
Gray
Ancier
Vellefrey-et-Vellefrange
Champagne-sur-Vingeanne
Poyans
Forêt d'Autrey
Gray-la-Ville
Nantouard
Citey
Velleclaire
Hauterive
Montarlot-lès-Rioz
La Tréfilerie
Velesmes-Echevanne
Velet
La Grange des Carmes
Battrans
St-Loup-Nantouard
La Charmotte
Bucey-lès-Gy
Les Malbuissons
Oiselay-et-Grachaux
Cordonnet
Grand Colonge
Mantoche
Échevanne
Forêt des Hauts-Bois
Villefrancon
Gy
Roche
Bonnevent-Velloreille
Forêt de Sorans
Sorans-lès-Breurey
Renève-le-Château
Renève
Essertenne-et-Cecey
Esmoulins
Cresancey
Velloreille-lès-Choye
St-Maurice
Chaux-la-Lotière
Apremont
Champvans
Choye
Villers-le-Temple
Boult
Cheuge
Montrichier
Le Tremblois
Noiron
Onay
Montboillon
La Lotière
Jancigny
La Loge
Germigney
Champtonnay
Cugney
Charcenne
Autoreille
Fontenelay
Gézier-et-Fontenelay
Étuz
Boulot
Voray-sur-l'Ognon
Buthiers
Perrouse
St-Sauveur
Talmay
Montseugny
Arsans
Vadans
Lieucourt
Venère
Virey
Bois d'Avrigney
Chambornay-lès-Pin
Cussey-sur-l'Ognon
Bussières
Bonnay
Montmançon
Maxilly-sur-Saône
Heuilley-sur-Saône
La Gde-Résie
Chevigney
Valay
Bonboillon
Tromarey
Courcuire
Avrigney-Virey
Chevroz
Geneuille
Devecey
Tallenay
Perrigny-sur-l'Ognon
Broye-Aubigney-Montseugny
Aubigney
Ste-Cécile
Gros Bois
Chancey
Hugier
La Résie-St-Martin
Beaumotte-lès-Pin
Pin
Sauvagney
Vregille
Émagny
Moncley
Auxon-Dessous
Auxon-Dessus
Châtillon-le-Duc
Sauvigney-lès-Pesmes
Broye-lès-Pesmes
Cult
Brussey
Chevigney-sur-l'Ognon
Forêt de Chailluz
Valentin
Pontailler-sur-Saône
les Forges
Cléry
Chaumercenne
Motey-Besuche
Marnay
Bay
Ruffey-le-Château
Chaucenne
Miserey-Salines
Pelousey
Noironte
Recologne
École-Valentin
Combe-aux-Chiens
Mutigney
Pesmes
Montagney
Sornay
Chenevrey-et-Morogne
Burgille
Audeux
Pouilley-les-Vignes
Pirey
Vielverge
Champagney
Malans
Bard-lès-P.
Acey
Ognon
Courchapon
Cordiron
Franey
Placey
Mazerolles-le-Salin
Champagney
Serre-les-Sapins
BESANÇON
Soissons-sur-Nacey
Dammartin-Marpain
Marpain
Bresilley
Pagney
Jallerange
Le Moutherot
Lavernay
Thervay
Ougney
Vitreux
Lantenne-Vertière
Vaux-les-Prés
Franois
Poncey-lès-Athée
Champagnolot
Vertière
Flammerans
Montmirey-le-Château
Brans
Saligney
Rouffange
Étrabonne
Corcelles-Ferrières
Villers-Buzon
Chemaudin
Dannemarie-sur-Crête
Pointre
LGV RHIN-RHÔNE
Lorrey
Taxenne
Romain
Mercey-le-Grand
Ferrières-les-Bois
Pouilley-Français
Avanne-Aveney
Beure
Arguel
Fontain
Pont de Pierre
La Feuillée
Montmirey-la-Ville
Offlanges
Serre
Gendrey
Grandfontaine
Larnod
La Malpierre
Frasne
Serre-les-Moulières
Berthelange
Rancenay
Pugey
La Cour
Bois
Peintre
Moissey
Sermange
Louvatange
Antorpe
Velesmes-Essarts
Montferrand-le-Château
Bonnet Rond
La Colombière
Auxonne
Vriange
L'Abergement
Auxange
Évans
St-Vit
Thoraise
Torpes
Busy
Massif de la Serre
Les Minerais
Les Trois Maisons
Chevigny
Malange
Monteplain
Dampierre
Salans
Roset-Fluans
Routelle
Vorges-les-Pins
Céry
Crochères
Menotey
Amange
Romange
Lavans-lès-D.
Orchamps
Doubs
Grottes d'Osselle
Osselle-Routelle
Boussières
Granges-Mathieu
Montrond-le-Château
Villers-Rotin
Rainans
Gredisans
Châtenois
Lavangeot
Ranchot
Fraisans
Abbans-Dessous
Chenecey-Buillon
Granges-du-Sapin
Biarne
Archelange
Audelange
La Barre
Étrepigney
Courtefontaine
Charnay
Épeugney
Flagey-lès-Auxonne
Jouhe
Billey
Authume
Our
La Bretenière
Plumont
Villars-St-Georges
Abbans-Dessus
Chouzelot
Cessey
Cademène
Clos Simonin
Sampans
Monnières
Éclans-Nenon
Rochefort-s-Nenon
Nenon
Landon
Le Prépost
Byans-sur-Doubs
Quingey
Grange-de-Battant
Loue

E
F
G
H
77
96
111
VESOUL
Lure
Villersexel
Rougemont
Montbozon
Clerval
L'Isle-s-le-Doubs
Baume-les-Dames
Valdahon
Ornans
Montbéliard
Héricourt
Ronchamp
N.D. du Haut
Pusy-et-Épenoux
Oricourt
Belvoir
Sancey
Maisons comtoises
Dino-Zoo
Source Bleue
Grotte de la Glacière
Gouffre de Poudrey
Cirque de Consolation
Roche du Prêtre
Saut du Doubs
Le Bizot
Les Brenets
Bavans
Col de Ferrière
Montagnes du Lomont
Forêt de Chailluz
Bois de Sassy
Camp du Valdahon
LGV RHIN-RHÔNE
VOSGES
70
25
Villers-sur-Saulnot
Saulnot
Vercel-Villedieu-le-Camp
Pierrefontaine-les-Varans
Fuans
Orchamps-Vennes
Avoudrey
Étalans
Mamirolle
Saône
Roulans
Marchaux
Novillars
Vaire-Arcier
Chalèze
Chalezeule
Besançon
Gennes
Nancray
Glamondans
Bouclans
Gonsans
Naisey-les-Granges
Trépot
L'Hôpital-du-Grosbois
Le Gratteris
Tarcenay
Foucherans
Bonnevaux-le-Prieuré
Saules
Durnes
Vernierfontaine
Passonfontaine
Étray
Épenoy
Landresse
Vellevans
Servin
Randevillers
Chazot
Lomont-s-Crête
Pont-les-Moulins
Cusance
Guillon-les-Bains
Hyèvre-Magny
Hyèvre-Paroisse
Branne
Anteuil
Glainans
Dambelin
Vyt-lès-Belvoir
Valonne
Solemont
Feule
Pont-de-Roide
Dampjoux
Villars-sous-Dampjoux
Colombier-Fontaine
Étouvans
Berche
Mathay
Écot
Blussans
Blussangeaux
Sourans
Médière
Étrappe
Onans
Faimbe
Accolans
Bournois
Grammont
Abbenans
Cubry
Fallon
Mélecey
Villargent
Beveuge
St-Ferjeux
Sénargent-Mignafans
Vellechevreux-et-Courbenans
Gémonval
Marvelise
Désandans
Arcey
Aibre
Laire
Échenans
Raynans
Issans
Allondans
Dung
Présentevillers
Ste-Marie
Montenois
Bretigney
Lougres
Longevelle-s-Doubs
Coisevaux
Couthenans
Luze
Chagey
Chenebier
Échavanne
Frahier-et-Chatebier
Étobon
Belverne
Clairegoutte
Frédéric-Fontaine
Magny-Danigon
Palante
Andornay
Magny-Jobert
Lyoffans
Roye
Frotey-lès-L.
Vouhenans
Moffans-et-Vacheresse
Le Val-de-Gouhenans
Lomont
Courmont
La Vergenne
Faymont
Athesans-Étroitefontaine
Mignavillers
Granges-la-Ville
Granges-le-Bourg
Villafans
St-Sulpice
Aillevans
Longevelle
Gouhenans
Les Aynans
Magny-Vernois
Genevreuille
Amblans-et-Velotte
Bouhans-lès-L.
Adelans-et-le-Val-de-Bithaine
Châtenois
Creveney
Velleminfroy
Colombotte
Calmoutier
Montcey
Colombier
Comberjon
Pusey
Villeparois
Coulevon
Navenne
Quincey
Frotey-lès-V.
Dampvalley-lès-Colombe
Colombe-lès-V.
Noroy-le-Bourg
Autrey-lès-C.
Montjustin-et-Velotte
Arpenans
Vy-lès-L.
Mollans
Pomoy
Liévans
Borey
Oppenans
Cerre-lès-N.
Villers-le-Sec
Marast
Moimay
Esprels
Autrey-le-Vay
Pont-sur-l'Ognon
Chassey-lès-M.
Bonnal
Tressandans
Cubrial
Cuse-et-Adrisans
Nans
Uzelle
Gondenans-les-Moulins
Fontenelle-Montby
Gondenans-Montby
Soye
Appenans
Rang
Pompierre-sur-Doubs
Fontaine-lès-C.
Viéthorey
Vergranne
Romain
Mésandans
Trouvans
Rillans
Huanne-Montmartin
Mondon
Gouhelans
Thiénans
Montagney-Servigney
Cognières
Thieffrans
Fontenois-lès-M.
Roche-s-Linotte-et-Sorans-les-Cordiers
Bouhans-lès-M.
Ormenans
Besnans
Loulans-Verchamp
Maussans
Montussaint
Puessans
Avilley
Rognon
Tallans
Tournans
Battenans-les-Mines
Ollans
Cenans
Flagey-Rigney
Germondans
Cendrey
Rougemontot
Verne
Voillans
Autechaux
L'Hôpital-St-Lieffroy
Luxiol
Fontenotte
La Bretenière
La Tour-de-Sçay
Villers-Grélot
Val-de-Roulans
Rignosot
Corcelle-Mieslot
Vandelans
Cirey
Rigney
Thurey-le-Mont
Aulx-lès-C.
Moncey
Venise
Champoux
Chaudefontaine
L'Écouvotte
St-Hilaire
Vennans
Séchin
Esnans
Fourbanne
Silley-Bléfond
Adam-lès-P.
Bretigney-Notre-Dame
St-Juan
Dammartin-les-Templiers
Champlive
Laissey
Deluz
Vauchamps
Osse
Aïssey
Passavant
Côtebrune
Chaux-lès-Passavant
Orsans
Vellerot-lès-Vercel
Bremondans
Belmont
Magny-Châtelard
Verrières-du-Grosbois
Chevigney-lès-Vercel
Adam-lès-Vercel
Épenouse
Eysson
Longechaux
Niellans
Loray
Grandfontaine-s-Creuse
Domprel
Villers-Chief
Germéfontaine
Villers-la-Combe
Vaudrivillers
Ouvans
Laviron
Lanans
Provenchère
Froidevaux
Vaucluse
Charmoille
Belleherbe
Surmont
Chamesey
Bretonvillers
Rosureux
Plaimbois-du-Miroir
Bonnétage
Laval-le-Prieuré
Montbéliardot
Consolation-Maisonnettes
Guyans-Vennes
Plaimbois-Vennes
Vennes
Flangebouche
Grandfontaine-Fournets
Fournets-Luisans
Le Bélieu
La Chenalotte
Narbief
Le Mémont
Les Fins
Noël-Cerneux
Lac de Chailleux

0 5 10 km
95
78
Lure
Ronchamp
N.D. du Haut
Champagney
Belfort
Valdoie
Bavilliers
Héricourt
Châtenois-les-Forges
Bethoncourt
Montbéliard
Sochaux
Audincourt
Valentigney
Mandeure
Seloncourt
Hérimoncourt
Grandvillars
Delle
Villersexel
Rougemont
Baume-les-Dames
L'Isle-sur-le-Doubs
Clerval
Pont-de-Roide
Montécheroux
St-Hippolyte
Belvoir
Maîche
Cernay-l'Église
Valdahon
Le Russey
Le Bizot
La Chaux-de-Fonds
St-Imier
Oricourt
Bavans
Cirque de Consolation
Roche du Prêtre
Saut du Doubs
Échelles de la Mort
Corniche de Goumois
Source Bleue
Grotte de la Glacière
Montagnes du Lomont
Col de Ferrière
Vue des Alpes
Les Brenets
Villers-le-Lac
Orchamps-Vennes
Fuans
Charquemont
Damprichard
Montbéliardot
Le Noirmont
Les Breuleux
Gorges du Doubs
Vallon
Franches
Cravanche
Essert
Danjoutin
Andelnans
Bourogne
Morvillars
Dambenois
Allenjoie
Brognard
Fesches-le-Châtel
Étupes
Exincourt
Dampierre-les-Bois
Beaucourt
Badevel
Arbouans
Courcelles
Voujeaucourt
Dasle
Vandoncourt
Bondeval
Abbévillers
Fahy
Glay
Dannemarie
Chevenez
Rocourt
Réclère
Damvant
Vaufrey
Soulce-Cernay
Liebvillers
Dampjoux
Feule
Solemont
Vyt-lès-Belvoir
Sancey
Orve
Rahon
Provenchère
Froidevaux
Vaucluse
Charmoille
Surmont
Laviron
Landresse
Vaudrivillers
Orsans
Passavant
Belmont
Épenouse
Eysson
Vercel-Villedieu-le-Camp
Longechaux
Loray
Vennes
Avoudrey
Flangebouche
Épenoy
Étray
Passonfontaine
Vanclans
Longemaison
Les Fins
Noël-Cerneux
Narbief
Le Mémont
La Bosse
Plaimbois-du-Miroir
Bonnétage
Les Fontenelles
Fournet-Blancheroche
Frambouhans
Les Écorces
Trévillers
Thiébouhans
Fessevillers
Goumois
Urtière
Belfays
Charmauvillers
Indevillers
Courtefontaine
Burnevillers
Glère
Montursin
Fournets-Luisans
Grandfontaine-Fournets
Le Bélieu
Chenalotte
Le Barboux
Les Planchettes
Villiers
Dombresson
Chézard
La Ferrière
Renan
Sonvilier
Les Bois
Le Peuchapatte
Muriaux
Saignelégier
Montancy
Buix
Boncourt
Courtedoux
Bure
Croix
Villars-le-Sec
Montbouton
St-Dizier-l'Évêque
Lebetain
Réchésy
Joncherey
Thiancourt
Méziré
Fêche-l'Église
Boron
Froidefontaine
Grosne
Recouvrance
Brebotte
Bretagne
Charmois
Autrechêne
Novillard
Montreux-Château
Vézelois
Meroux
Moval
Sevenans
Trévenans
Botans
Dorans
Banvillars
Urcerey
Argiésans
Buc
Mandrevillars
Châlonvillars
Échenans-ss-Mt-Vaudois
Luze
Couthenans
Chagey
Chenebier
Étobon
Belverne
Frahier-et-Chatebier
Évette-Salbert
Errevet
Offemont
Pérouse
Bessoncourt
Chèvremont
Cunelières
Foussemagne
Fontenelle
Petit-Croix
Lagrange
Menoncourt
Éguenigue
Lacollonge
Phaffans
Denney
Fontaine
Larivière
Reppe
Bethonvillers
Éloie
Sermamagny
Anjoutey
St-Germain-le-Châtelet
Lachapelle-s/s-Chaux
Étang de Malsaucy
Le Malpâtey
Magny-Danigon
Clairegoutte
Frédéric-Fontaine
Échavanne
Les Barres
Palante
Andornay
Magny-Jobert
Lyoffans
Roye
Frotey-lès-L.
Vouhenans
Magny-Vernois
Genevreuille
Mollans
Vy-lès-L.
Les Aynans
Le Val-de-Gouhenans
Moffans-et-Vacheresse
Lomont
Courmont
Faymont
La Vergenne
Athesans-Étroitefontaine
Gouhenans
Longevelle
Aillevans
Villafans
Mignavillers
Granges-la-Ville
Granges-le-Bourg
Saulnot
Le Vernoy
Coisevaux
Verlans
Trémoins
Champey
Tavey
Laire
Bussurel
Nommay
Vieux-Charmont
Grand-Charmont
Vyans-le-Val
Issans
Raynans
Échenans
Désandans
Aibre
Chavanne
Villers-sur-Saulnot
Crevans-et-la-Chapelle-lès-G.
Corcelles
Senargent-Mignafans
Beveuge
St-Ferjeux
Villers-la-Ville
St-Sulpice
Marast
Moimay
Villargent
Georfans
Mélecey
Les Magny
Autrey-le-Vay
Esprels
Pont-sur-l'Ognon
Bonnal
Tressandans
Cubrial
Fallon
Grammont
Bournois
Abbenans
Accolans
Courchaton
Onans
Faimbe
Geney
Gémonval
Marvelise
Courbenans
Arcey
St-Julien-lès-M.
Allondans
Ste-Suzanne
Dung
Bart
Présentevillers
Ste-Marie
Montenois
Bretigney
Beutal
Lougres
Étrappe
Médière
Longevelle-s-Doubs
Dampierre-s-le-Doubs
Berche
Étouvans
Colombier-Fontaine
St-Maurice-Colombier
La Prétière
Blussangeaux
Blussans
Sourans
Villars-s/s-Écot
Écot
Mathay
Bourguignon
Écurcey
Thulay
Beaulieu
Théâtre romain
Roches-lès-B.
Autechaux-Roide
Blamont
Villars-lès-B.
Pierrefontaine-lès-B.
Chamesol
Montjoie-le-Château
Noirefontaine
Villars-s/s-Dampjoux
Rémondans-Vaivre
Neuchâtel-Urtière
Vermondans
Goux-lès-D.
Hyémondans
Dambelin
Tournedoz
Glainans
Anteuil
St-Georges-Armont
Lanthenans
La Grange
Santoche
L'Hôpital-St-Lieffroy
Pays-de-Clerval
Branne
Hyèvre-Paroisse
Hyèvre-Magny
Chaux-lès-C.
Roche-lès-C.
Crosey-le-Grand
Crosey-le-Petit
Vellerot-lès-B.
Vernois-lès-B.
Le Champ-du-Moulin
Les Terres-de-Chaux
Péseux
Neuvier
Bief
Valoreille
Fleurey
Montandon
Les Plains-et-Grands-Essarts
Villers-Saint-Martin
Lomont-s-Crête
Chazot
Pont-les-Moulins
Cusance
Guillon-les-Bains
Montivernage
Vellevans
Randevillers
Servin
Lanans
La Combe-Constantin
Ouvans
Adam-lès-P.
Silley-Bléfond
Esnans
St-Juan
Les Bichets
Autechaux
Voillans
Vergranne
Viéthorey
Fontaine-lès-C.
Pompierre-sur-Doubs
Appenans
Rang
Soye
Gondenans-Montby
Fontenelle-Montby
Moulin-Brûlé
Gondenans-les-Moulins
Mancenans
Uzelle
Cuse-et-Adrisans
Nans
Cubry
Romain
Mésandans
Trouvans
Rillans
Germéfontaine
Villers-Chief
Dompreł
La Sommette
Laval-le-Prieuré
Plaimbois-Vennes
Grandfontaine-s-Creuse
Mt-de-Laval
Le Luhier
Consolation-Maisonnettes
Guyans-Vennes
Bretonvillers
Gigot
Rosureux
St-Julien-lès-R.
Pierrefontaine-les-Varans
Longevelle-lès-R.
Chamesey
La Violette
Belleherbe
Cour-St-Maurice
Battenans-Varin
Orgeans-Blanchefontaine
Vauclusotte
La Grange
Mont-de-Vougney
Mancenans-Lizerne
Les Bréseux
Ferrières-le-Lac
Villers-la-Combe
Vellerot-lès-Vercel
Bremondans
Chaux-lès-Passavant
Courtetain-et-Salans
Chevigney-lès-Vercel
Adam-lès-Vercel
Granges-d'Epenoy
Rantechaux
Bonnevaux
Les Cerneux
Les Chenevrottes
Sous-Réaumont
Lac de Chaillexon
Belvédère des Recrettes
Vue des Alpes
Le Pissoux
Grand'Combe-des-Bois
La Partie-de-Bise
Les Jean-Chevaux
Les Fairvés
Les Marchands
Les Gerrites
Les Charriers
Le Prélot
Combe-St-Pierre
La Cendrée
Le Boulois
Col de la Vierge
Corbière-Dessous
Chaboudot
La Seignotte
Les Seignottes
Les Bichets
Courtain
Varin
Le Friolais
Blanchefontaine
Mouillevillers
Les Jeannerots
Dessoubre
Droitfontaine
Montsassier-Dessus
Gourgouton
Tréméux
Saussi
Fuesse
Chauvilliers
Montnoiron
Vernois-le-Fol
Le Fol
Roche-d'Or
Grandfontaine
Meslières
Lucelans
Le Fourneau
Roide
Berne
Voitre
Ebey
La Joux
Le Belue
La Faye
Pouge
Lumont
LGV RHIN-RHÔNE
PARC NATUREL RÉGIONAL DES BALLONS DES VOSGES
Granges
Bois de Granges
Doubs
Ognon
Canal du Rhône au Rhin
A 36 E 60
A 36 E 54
N 19 E 54
D 683
D 437
D 461
D 50
D 486
D 9
D 73
D 126
D 463
D 619
90
25

Altkirch
Dannemarie
Ferrette
Grentzingen
St-Louis
Huningue
BASEL
Allschwil
Binningen
Birsfelden
Muttenz
Pratteln
Münchenstein
Arlesheim
Reinach
Dornach
Liestal
Oberwil
Weil
Lörrach
Brombach
Riehen
Grenzach
Wyhlen
Sierentz
Efringen-Kirchen
Kembs
Laufen
Breitenbach
Delémont
Moutier
St-Ursanne
Porrentruy
Courgenay
Courtételle
Bassecourt
Glovelier
Tavannes
Tramelan
Courtelary
Grenchen
Solothurn
Lengnau
Biberist
Zuchwil
BIEL / BIENNE
Nidau
Büren an der Aare
Lyss
La Neuveville
Burgdorf
Balsthal
Le Chasseral
Bieler See
St-Petersinsel
Weissenstein
Passwang
Scheltenpass
Mont Raimeux
Gorges du Pichoux
Taubenloch Schlucht
Glaserberg
Bruder-Holz
Doubs
Aare
Emme
Birse
Rhône
Leberen
(Val Terbi)
(Haute-Sorne)
(Petit-Val)
(Valbirse)
(Sauge)
(Buchegg)
(Plateau de Diesse)
Les Prés d'Orvin
Le Montoz
Moron
Graitery
BÂLE-MULHOUSE
Les Trois Maisons

0 5 10 km
82
Pte de St-Gildas
Préfailles
La Plaine-s-Mer
Portmain
Ste-Marie
Pornic
Le Clion-s-Mer
Gourmalon
La Birochère
La Fontaine-aux-Bretons
La Bourrelière
Hte-Perche
Chauvé
Le Brandais
La Danjolerie
Chéméré
Arthon-en-Retz
(Chaumes-en-Retz)
St-Hilaire-de-Chaléons
Ste-Pazanne
Le Pont-Béranger
La Tindière
La Rogère
La Milsandrie
Côte de Jade
Baie de Bourgneuf
La Bernerie-en-Retz
La Sennetière
Les Moutiers-en-Retz
Prigny
Bourgneuf-en-Retz
La Glémerie
(Villeneuve-en-Retz)
La Carouère
La Boutinière
St-Cyr-en-Retz
Fresnay-en-Retz
La Vovettrie
Les Rivières
La Frazelière
Pte de l'Herbaudière
La Linière
La Madeleine
L'Herbaudière
Le Grand-Viel
Lusay
Bois de la Chaise
Noirmoutier-en-l'Île
La Bosse
L'Épine
ÎLE DE NOIRMOUTIER
Le Fier
La Guérinière
Barbâtre
Les Onchères
La Frandière
La Fosse
Passage du Gois
(Route praticable à basse mer)
L'Époids
La Croix Rouge
Bellevue
La Coupelasse
Baie de Bouin
Roches de Bouin
Les Brochets
Île de Bouin
Port-la-Roche
Marais de Machecoul
Bouin
Les Champs
La Grande Métairie
Quinquenevent
La Raguenerie
Marais
Bois-de-Céné
La Gaubretière
Châteauneuf
Beauvoir-sur-Mer
Fromentine
Le Grand Pont
La Barre-de-Monts
Écomusée du Daviaud
St-Gervais
St-Urbain
Les 4 Moulins
Chagnon
Le Mollin
La Voltière
La Garnache
La Croix-Verte
Pont Habert
Sallertaine
La Flocellière
CÔTE
Côte
Forêt
N.-D.-de-Monts
Grde-Croix
Le Vx-Cerne
Marais de Challans
Le Plaud
Le Perrier
Challans
Les Rallières
La Bloire
Pont d'Yeu
La Tonnelle
Marais de Pays de Monts
Côte des Monts
St-Jean-de-Monts
Le Pit-Mariau
La Rivière
Soullans
Les Mattes
Les Chapelles
Garanger
Le Guy-Ayraud
Orouet
Les Rouches
N.-D.-de-Riez
Le Grand-Bec
Le Pissot
Villeneuve
Commequiers
La Pège
La Conge
St-Hilaire-de-Riez
Vie
La Vallée
St-Maixent-sur-Vie
Le Fenouiller
Sion-s-l'Océan
Corniche Vendéenne
Croix-de-Vie
St-Gilles-Croix-de-Vie
Les Quatre Chemins
St-Révérend
Givrand
L'Aiguillon-sur-Vie
Port-Joinville
ÎLE D'YEU
(L'Île-d'Yeu)
Ker-Bossy
Le Vx Château
St-Sauveur
Port-de-la-Meule
Côte Sauvage
Pte des Corbeaux
Pte de la Tranche
DE
LUMIÈRE
N.-D. des Dunes
La Sauzaie
La Chaize-Giraud
Bretignolles-s-Mer
Le Marais-Girard
St-Nicolas-de-Brem
St-Nicolas
Brem-s-Mer
La Gachère
Forêt d'Olonne
Les Barres
La Baudure
L'Île-d'Olonne
La Girvière
A B C D
1 2 3 4 5

NANTES-ATLANTIQUE
Bouaye
Port-St-Père
Planète sauvage
St-Léger-les-Vignes
Les Sorinières
Vertou
La Haie-Fouassière
St-Fiacre-s-Maine
Monnières
Le Pallet
St-Aignan-Grandlieu
Pont-St-Martin
Viais
Château-Thébaud
Le Bignon
St-Mars-de-Coutais
Lac de Grand-Lieu
La Chevrolière
Maisdon-s-Sèvre
Gorges
Clisson
Gétigné
Aigrefeuille-s-Maine
St-Lumine-de-Clisson
St-Lumine-de-Coutais
Montbert
Geneston
Remouillé
St-Hilaire-de-Clisson
Cugand
St-Philbert-de-Grand-Lieu
Le Petit-Lieu
St-Colomban
La Planche
Boussay
Machecoul-St-Même
La Limouzinière
St-Hilaire-de-Loulay
La Bruffière
St-Philbert-de-Bouaine
Treize-Septiers
Tiffauges
Corcoué-sur-Logne
Montaigu
Vieillevigne
Paulx
Boufféré
La Guyonnière
Rocheservière
St-André-Treize-Voies (Montréverd)
St-Georges-de-Montaigu
St-Étienne-de-Mer-Morte
Touvois
L'Herbergement
Mormaison
Chavagnes-en-Paillers
Legé
St-Sulpice-le-Verdon
Falleron
Froidfond
La Chabotterie
Les Brouzils
St-Fulgent
Les Lucs-sur-Boulogne
La Copechagnière
La Rabatelière
St-Christophe-du-Ligneron
St-Étienne-du-Bois
St-Denis-la-Chevasse
St-André-Goule-d'Oie
Grand'Landes
Beaufou
Chauché
Palluau
La Chapelle-Palluau
Saligny
Belleville-sur-Vie
Boulogne
Les Essarts
Apremont
Le Poiré-sur-Vie
La Merlatière
Maché
Aizenay
Dompierre-sur-Yon
Coëx
La Genétouze
Mouilleron-le-Captif
Venansault
La Ferrière
Beaulieu-s/s-la-Roche
Martinet
La Chapelle-Hermier
LA ROCHE-SUR-YON
Landeronde
St-Julien-des-Landes
St-Georges-de-Pointindoux
Fougeré
La Mothe-Achard
Ste-Flaive-des-Loups
Aubigny-Les Clouzeaux
Bournezeau
Thorigny
Nesmy
St-Florent-des-Bois
Le Girouard
Nieul-le-Dolent
St-Mathurin
Château-Guibert
Ste-Pexine
Grosbreuil
Ste-Foy
La Boissière-des-Landes
Mareuil-s-Lay-Dissais
Rosnay
Moutiers-s-le-Lay
Bessay
83
100
112
85
E
F
G
H
1
2
3
4
5

0
5
10 km
C
84
D
A
B
113
C
D
La Chapelle-du-Genêt
Andrezé
La Jubaudière
Melay
Les Gardes
La Salle-de-Vihiers
Le Voide
St-Georges-des-Gardes
Le Millet
Le May-s-Evre
Trémentines
St-Macaire-en-Mauges
(Sèvremoine)
Le Chêne-au-Loup
St-Germain-s-Moine
Le Chatellier
La Renaudière
Montfaucon-Montigné
Pont-de-moine
Montigné-sur-Moine
Roussay
St-André-de-la-Marche
St-Léger-sous-Cholet
Nuaillé
La Tourlandry
Coron
Vezins
Vihiers
Le Bourneau
St-Hilaire-du-Bois
Les Poteries
La Méchinaudière
Boussay
La Peltière
La Tellandière
Torfou
La Romagne
La Séguinière
CHOLET
Les Gautrêches
Toutlemonde
Chanteloup-les-Bois
Ft de Vezins
La Plaine
La Raimbaudière
La Grippière
St-Paul-du-Bois
Mazières-en-Mauges
St-Christophe-du-Bois
La Colonne
La Brunière
Le Longeron
Tiffauges
Sèvre Nantaise
Lac de Ribou
Lac du Verdon
La Tessoualle
Maulévrier
Yzernay
La Brosse
Somloire
St-Maurice Étusson
Étusson
La Roche-Sur-Sèvre
Évrunes
Mortagne-sur-Sèvre
La Roussinière
St-Aubin-des-Ormeaux
Les Landes-Genusson
Les Boucheries
La Boissière-de-Montaigu
La Brossardière
St-Martin-des-Tilleuls
La Verrie
St-Hilaire-de-M.
Le Puy-St-Bonnet
La Trique
Loublande
St-Pierre-des-Échaubrognes
Les Cerqueux
La Pommeraye
Les Roussières
Les Houillières
Les Touches
St-Aubin-de-Baubigné
La Vacherasse
St-Clémentin
Nueil-Les-Aubiers
(Voulmentin)
Voultegon
Le Chiron-de-la-Roche
La Gaubretière
Grand-Belon
Bel-Air
Chambretaud
St-Laurent-sur-Sèvre
La Chapelle-Largeau
Moulins
St-Malô-du-Bois
Le Temple
St-Jouin
Largeasse
Rorthais
Beaurepaire
L'Ouvrardière
La Belletière
Mt des Alouettes
231
Le Puy du Fou
Treize-Vents
Mallièvre
Mauléon
Le Frêne-Chabot
Hétivault
Bazoges-en-Paillers
Les Herbiers
Grde Maine
Serit
Pt-Bourg
La Chouinière
Les Epesses
La Baud
La Petite-Boissière
Le Peux
Vrillé
Combrand
Beaulieu-sous-Bressuire
Le Pin
Mesnard-la-Barotière
La Roche
Ardelay
St-Mars-la-Réorthe
246
Les Châtelliers-Châteaumur
St-Amand-sur-Sèvre
Bretignolles
La Guierche
La Barillère
La Crx-Bara
275
L'Epaux
La Flocellière
(Sèvremont)
La Pommeraie-s-Sèvre
Cirières
Forêt du Parc Soubise
Le Loup-Blanc
Bois-Joly
La Chambaudière
Montravers
Breuil-Chaussée
Vendrennes
Les Quatre Chemins-de-l'Oie
L'Oie
Le Gué-Jourdain
La Jonchère
La Potrie
St-Paul-en-Pareds
St-Michel-Mont-Mercure
La Grde-Brenonnière
Vilcreux
Cerizay
La Davière
La Chagnaie
Les Barres
Les Limouzinières
Clazay
La Laimière
Terves
Mouchamps
Le Colombier
L'Herbergement
La Bobinière
La Bertaudrie
Rochetrejoux
Le Boupère
Le Terrier-Marteau
St-Mesmin
Montigny
Pouzauges
Puy Crapaud
270
Pouzauges-le-Vieux
Puy-Morin
St-André-sur-Sèvre
Courlay
La Plainelière
Rochiroux
St-Prouant
L'Haumandière
Thareau
St-Jouin-de-Milly
Ste-Cécile
St-Vincent-Sterlanges
Prieuré de Grammont
La Meilleraie-Tillay
La Forêt-sur-Sèvre
Montournais
Les Grois
St-Germain-de-Prinçay
Les Roches-Baritaud
Le Gué
Chassais-l'Eglise
Monsireigne
Tillay
St-Marsault
La Cournolière
Moncoutant
La Coulaisière
Bodin
Les 3 Pigeons
Sigournais
Chavagnes-les-Redoux
La Pélissonnière
Réaumur
Menomblet
La Ronde
Pugny
La Marzelle
St-Hilaire-le-Vouhis
Puybelliard
Les Redoux
Le Breuil-Bernard
Chantonnay
Tallud-Ste-Gemme
St-Germain-l'Aiguiller
La Taponnière
St-Pierre-du-Chemin
Moutiers-s/s-Chantemerle
La Chapelle-St-Étienne
St-Mars-des-Prés
Le Loup-Pendu
Cheffois
Les Gerbaudières
L'Angle
Pareds
St-Philbert-du-Pont-Charrault
Bazoges-en-Pareds
Mouilleron-St-Germain
La Tardière
182
Breuil-Barret
Chantemerle
Le Fuiteau
Charpre
La Jaudonnière
La Châtaigneraie
Le Bourgneuf
La Chapelle-Seguin
La Leue
St-Hilaire-du-Bois
Thouarsais-Bouildroux
St-Maurice-le-Girard
St-Paul-en-Gâtine
La Vendrennière
La Caillère-St-Hilaire
Antigny
La Retière
L'Absie
La Bougrelière
La Réorthe
St-Martin-Lars-en-Ste-Hermine
La Fenêtre-Gautron
La Chapelle-aux-Lys
St-Vincent-Puymaufrais
Féole
La Poêle Sèche
St-Sulpice-en-Pareds
St-Maurice-des-Noues
Loge-Fougereuse
Vendée
Scillé
St-Juire-Champgillon
La Goupillère
Cezais
Vendée
Ste-Pexine
La Vineuse
Le Pouzacq
St-Laurent-de-la-Salle
St-Cyr-des-Gâts
Vouvant
St-Hilaire-de-Voust
Le Busseau
La Fazilière
Simon-la-Vineuse
Champgillon
L'Orbrie
L'Alouette
Ste-Hermine
Epagne
Puy-de-Serre
Marillet
Les Bonnières
Bessay
La Rivarnière
Le Magny
Thiré
La Chapelle-Thémer
St-Martin-des-Fontaines
Marsais-Ste-Radégonde
Bourséguin
Le Nay
Forêt de
A 87
A 83
N 249
E 62
E 3
D 160
D 752
D 753
D 949
D 960
D 960BIS
D 949BIS
D 938TER
D 744
D 137
D 20
D 41
D 148
D 948

101
85
102
114
79
E
F
G
H
1
2
3
4
5
Cernusson
La Fosse-de-Tigné
Méat
Tancoigné
Soulanger
Douces
Montfort
Cizay-la-Madeleine
Courchamps
Le Coudray-Macouard
(Bellevigne-les-Châteaux)
St-Cyr-en-Bourg
Fontevraud
Zoo
Trémont
Lucet
Cossé
Concourson-s-Layon
Les Verchers-s-Layon
Brossay
Fosse-Bellay
Abbe d'Asnières
Bron
St-Just-sur-Dive
Brézé
Camp Militaire
Mollay
D 960
(s-Haut-Layon)
Messemé
Vaudelnay
Épieds
St-Hilaire
Couziers
Bois de Couziers
Thizay
Cinais
Nueil-sur-Layon
Argentay
Méron
Balloire
Saix
Lerné
Montreuil-Bellay
Meigné
Roiffé
Seuilly
Layon
Les Cerqueux-s/s-Passavant
Le Puy-N.-D.
Douvy
Morton
Trézé
Raslay
La Croix-de-Chaume
Foye
St-Macaire-du-Bois
Le Ptit-Mans
Passavant-sur-L.
Cléré-s-L.
Bouillé-Loretz
La Motte Bourbon
Beuxes
Vézières
Coulon
Pouançay
Bournand
Bagneux
Lernay
Antoigné
St-Martin-de-Sanzay
(Loretz-d'Argenton)
St-Pierre-à-Champ
Vaon
St-Citroine
Mué
Berrie
Les Trois-Moutiers
Andilly
Le Grand-Ponçay
Genneton
Vraire
Taizon
Varenne
St-Cyr-la-Lande
St-Léger-de-Montbrillais
Cersay
Argenton-l'Église
La Boule-d'Or
May
La Forêt
Brion-près-Thouet
Tourtenay
Savoie
Ternay
Bernazay
Le Carroir
La Fougereuse
(Val-en-Vignes)
Ulcot
Bouillé-St-Paul
Verbrize
Basses
Féroile
Véniers
Sammarçolles
Tillé
Dive
Louzy
St-Martin-de-Mâcon
Curçay-sur-Dive
Bué
Villiers
Massais
Soulbrois
Ste-Verge
Chenne
(St-Léger-de-Montbrun)
Thouet
Pont-de-Grifferus
Vrines
Ranton
Glénouze
Loudun
La Capinière
Ligron
Thouars
Rigny
Le Breuil-s/s-Argenton
Ste-Radegonde
Vrères
Pas-de-Jeu
Argenton-les Vallées
La Sorinière
Puyraveau
Laire
Mouterre-Silly
Rossay
(Argentonnay)
Migaudon
St-Jacques-de-Thouars
Orbé
St-Laon
Mauzé-Thouarsais
Moutiers-sous-Argenton
Les Chagneries
Fontenay
Arçay
Chalais
Sanzay
St-Jean-de-T.
Oiron
St-Cassien
Angliers
Missé
Maranzais
Leugny
Chassigny
L'Onglée
Coulonges-Thouarsais
Rigné
Bilazais
La Chapelle-Gaudin
Fourchefière
Maulais
Noirlieu
Le Chillas
Luzay
Auboué
Taizé
Brie
Martaizé
Guesnes
La Bourelière
La Butte
Luché-Thouarsais
Le Chillou
Boucoeur
Noizé
St-Jouin-de-Marnes
Ouzilly-Vignolles
Ste-Gemme
Riblaire
Chambroutet
La Tisonnière
St-Généroux
Aulnay
La Chaussée
Geay
Le Prieuré
St-Varent
Argentine
Irais
St-Clair
Noirterre
Bouillé-St-Varent
Moncontour
Glénay
Messais
Verrue
Quingé
Pierrefitte
Availles-Thouarsais
Dourон
Marnes
Frontenay-sur-Dive
Dandesigny
St-Porchaire
Beaumont
Biard
Repéroux
Boussais
L'Auraire
Barroux
Airvault
Coussay
Bressuire
Chaume
Soulièvres
St-Chartres
St-Jean-de-Sauves
Faye-l'Abbesse
Borcq-sur-Airvault
Notre-Dame-d'Or
St-Sauveur
Chausserais
La Maucarrière
Maisoncelle
Chiché
Enjouran
Les Jumeaux
Chouppes
L'Hopiteau
Tessonnière
Louin
La Grimaudière
Boismé
St-Loup-s-Thouet
Assais-les-Jumeaux
Vitré
Verger-sur-Dive
Villeneuve
La Tache
Mazeuil
Le Deffend
St-Loup-Lamairé
Maisontiers
Bge du Cébron
La Lande
Gouttevive
Le Chillou
Amberre
La Chapelle-St-Laurent
Laubreçais
Puyravault
Crémille
Craon
Amailloux
Jarzay
Cuhon
Pitié
Villebouin
Lamairé
Villeneuve
Verrine
Pressigny
Lageon
Doux
Massognes
Bournezeau
Jussay
Aubigny
Le Peux
Nouzières
La Boissière-Thouarsaise
Gourgé
Clessé
Maisonneuve
Champigny-le-Sec
St-Germain-de-Longue-Chaume
Lhoumois
Thénezay
(Champigny-en-Rochereau)
Cherves
Vouzailles
Viennay
Neuvy-Bouin
Hérisson
La Lande
Oroux
Charrais
Fénery
Adilly
Neuville-
Pougne-Hérisson
Châtillon-sur-Thouet
La Peyratte
Maillé
Villiers
Chalandray
Frozes
Yversay
Ayron
La Vieille-Touche
St-Aubin-le-Cloud
Parthenay-le-Vieux
La Ferrière-en-Parthenay
La Vausseau
Cramard
Vaulorin
Vouillé
Le Tallud
Parthenay
Chiré-en-Montreuil
Azay-sur-Thouet
La Pinolière
La Chapelle-Bertrand
Auxances
Secondigny
Saurais
Magot
La Percerie
Latillé
Périgny
Les Essarts
Pompaire
Beaulieu-s/s-P.
La Petite Meilleraye
St-Pardoux
Allonne
Soutiers
L'Hôpiteau
Porte-Bizière
Vasles
Forêt de Vouillé-St-
Ferrières
Le Retail
Château-Bourdin
Le Grand-Chevreau
La Poitevinière
Lavausseau
D 938
D 347
D 759
D 761
N 149
E 62
D 938TER
D 949BIS
D 743

102
0
5
10 km
35
37
86
C
D
A
B
115
101
1
2
3
4
5
Chinon
St-Louand
Thizay
Cinais
St-Jacques
St-Lazare
Les Loges
Rivière
Cravant-les-Côteaux
Sonnay
La Chauvinière
Briançon
Panzoult
Chezelet
Le Puy
Avon-les-Roches
Les Roches-Tranchelion
Camp militaire du Ruchard
Les Sévaudières
Villeperdue
Givraizay
La Brézardière
La Rèmerie
Bourg-Cocu
Neuil
Le Marron
La Grde Maison
Ste-Maure-de-Touraine
Le Bois-St-Maurice
Les Bondis
Louans
Ste-Catherine-de-Fierbois
La Bréchotière
Les Mouillères
La Fontaine Colette
La Tinellière
Le Carroir-Jodel
Mazère
Crissay-sur-Manse
St-Épain
Manse
Seuilly
La Roche-Clermault
Parilly
Anché
Sazilly
Les Roches-St-Paul
St Gilles
Crouzilles
Le Valet
La Brépinière
Launay
Ligré
Le Rivau
Tavant
L'Île-Bouchard
St-Maurice
Trogues
Noyant-de-Touraine
Ste-Maure-de-Touraine
Bossée
Marçay
Aimé
Le Coudray
Crèze
Brizay
Parçay-sur-Vienne
La Bretonnière
Beuxes
Le Rouilly
PARC
NATUREL
RÉGIONAL
LOIRE-ANJOU-TOURAINE
La Roberderie
Le Puy-de-Grazay
Lémeré
Theneuil
Les Piraudières
Les Coteaux
St-Citroine
Couesmé
Assay
Champigny-sur-Veude
Oiré
Les Chillaudières
Pouzay
Soulangé
Bommiers
Sepmes
L'Ouverdière
Les Mariaux
La Voyette
Liège
Chezelles
Rilly-sur-Vienne
Nouâtre
Maillé
Bournan
May
Le Carroir
Les Bruères
La Rancheraie
Draché
Etrepieds
Chaveignes
La Tour-St-Gelin
Marcilly-sur-Vienne
Civray-sur-Esves
Sammarçolles
Ceaux-en-Loudun
Courcoué
Verneuil-le-Château
Noyers
La Celle-St-Avant
Marcé-sur-Esves
Villiers
Les Nées
Messemé
Richelieu
Vernay
Luzé
Beauvoir
Prouray
Suvidemont
La Martinière
Cussay
Loudun
Pouant
Braye-sous-Faye
Agé
Braslou
Ports
Les Maisons Rouges
Port-de-Piles
Le Grignon
Maulay
La Couture
Le Chêne
Ponçay
La Robinière
Pussigny
Colombier
Nueil-sous-Faye
Razines
135
Marigny-Marmande
Antogny le Tillac
Mousseau
Les Alleux
Balesmes
Descartes
Neuilly-le-Brignon
La Roche-Rigault
Faye-la-Vineuse
Nancré
Les Ormes
Buxeuil
Ribault
Bourdel
Angliers
Dercé
Jaulnay
Séligny
Poizay
Vellêches
St-Rémy-sur-Creuse
Abilly
Princay
La Ronde
St-Sulpice
Guesnes
St-Christophe
Mondion
La Blonnerie
Maligratte
Dangé-St-Romain
Mazières
Rives
Le Grand Pressigny
Monts-s-Guesnes
Fontmaure
Vaux-s-Vienne
Sérigny
St-Gervais-les-Trois-Clochers
Leigné-sur-Usseau
Châtellerault-Antran
Châtellerault-Usseau
Les Hardouins
Forêt de la Guerche
Villiers
Leugny
Chaussée
Berthegon
Cailleau
Avrigny
Chandigon
St-Ustre
Les Vigeants
Saires
Orches
Usseau
Ingrandes
La Petite-Guerche
Verrue
Brizay
Savigny-sous-Faye
Sossais
La Gerbaudière
Les Volinières
Oyré
Montant
La Guerche
Barrou
Coussay
Les Cailleaux
La Beaudinière
Antran
Varenne
La Boisnière
Mairé
Doussay
Thuré
La Plante
La Pinottière
Les Charbonneries
Forêt de la Groie
Antoigne
Les Carrés
Lésigny
Chouppes
Cernay
St-Genest-d'Ambière
Le Haut-Clairvaux
Besse
Châtellerault
L'Épine
Availlé
Le Carloy
Les Froux
Nantilly
Lencloître
Scorbé-Clairvaux
Forêt de Châtellerault
Martin-Chapon
Senillé-St-Sauveur
Les Minaudières
La Jaltière
Les Buffrières
Sautard
La Besserie
La Baudrière
Le Coudray
Coussay-les-Bois
Mirebeau
Agressais
La Poirière
Amberre
Thurageau
Ouzilly
Colombiers
Corcet
Targé
Les Groyes
La Roche-Posay
Les Barres
Cenon-sur-Vienne
Senillé
Varennes
Boussais
Signy
Availles-en-Châtellerault
Champ-Fleury
La Ménaudière
Veaux
Bournezeau
Cheneché
Marigny-Brizay
Naintré
Fief-Batard
Villaray
Leigné-les-Bois
Blaslay
Beaumont
Isle
Chabonne
Asnières
Champigny-le-Sec
Chabournay
(St-Martin-la-Pallu)
Vendeuvre-du-Poitou
La Tricherie
Montgamé
Chenevelles
Le Faguet
Ecoubesse
Pleumartin
Le Rochereau
St-Léger
La Girardière
Monthoiron
141
Le Marchais-Durand
Mézeray
Charrais
Etables
La Ville-Malnommée
Chincé
Poitiers-Jaunay-Clan
Poitiers-Chincé
St-Cyr
Bondilly
Réserve naturelle du Pinail
Vouneuil-s-Vienne
Grand Coussec
Les Bouchaux
La Bourelière
Bellefois
Ribes
Trainebot
Pérusse
Neuville-de-Poitou
Louneuil
Dissay
Les Piqueteries
Vaugueil
Villiers
Jaunay-Clan
Aillé
Bonneuil-Matours
La Côte-Eclue
Yversay
Futuroscope
St-Georges-lès-Baillargeaux
Archigny
Les Six Maisons
Frozes
Furigny
Avanton
Bertenou
La Ligne Acadienne
Le-Peu
Vouillé
Cissé
Chasseneuil-du-Poitou
Forêt de Moulière
La Chapelle-Moulière
Bellefonds
Cenan
La Puye
Preuilly
Puy-Lonchard
Migné-Auxances
Montamisé
Ste-Radégonde
Chaumont
Auxances
Périgny
Limbré
Moulinet
Charasse
Chêne-l'Abbé
Les Maillets
La Bu
Tronc
Liniers
Touffou
Quinçay
Buxerolles
Bignoux
La Voûte
La Boutallerie
Forêt de Vouillé-St-Hilaire
POITIERS
Bonnes
Bourgueil
Les Barballières
Lauthiers
Ferrières
Le Breuil-Mingot
Anxaumont
Lavoux
Forêt de Mareuil
La Chaise
Vouneuil-sous-Biard
Biard
Sèvres-Anxaumont
Le Breuil
La Barre
Bois-Joubert
La Marand
Vienne
Creuse
Bois des Vigeants
Scevolles
Forêt de Scevolles
D 749
D 760
D 910
D 725
D 347
D 757
D 751
A 10
E 5
N 149
E 62

Chédigny
Azay-sur-Indre
Hys
Les Fouassiers
Les Hauts-Millets
Orbigny
Le Grand-Brouard
Le Chaill
Morillon
Beauvais
Montouvrin
Tressort
Les Hélas
St-Quentin-sur-Indrois
Beaumont-Village
Trillonnière
Marsin
Genillé
Train
St-Bauld
Malicorne
Le Fresne
Chambourg-sur-Indre
Monchenin
Chanteloup
La Bruère
La Pinotière
Mossay
Le Temple
Dolus-le-Sec
Isle Auger
La Clémencerie
Chemillé-sur-Indrois
La Bouchardière
Les Vezardières
Les Sicaudières
Forêt de Loches
Montrésor
Faverolles-en-Berry
Belêtre
Chanceaux-près-Loches
Logny
Nouans-les-Fontaines
La Davière
Loches
Corbery
Ferrière-sur-Beaulieu
Chartreuse du Liget
Villeloin-Coulangé
Les Corbeillères
La Gauterie
La Jallaie
Coulangé
Beaulieu-lès-Loches
La Challerie
Lucay-le-Mâle
Mauvières
Villebasiin
Montiange
Chaud-Buisson
Fertay
Poiré
Aubigny
Les Hts Maisons
Sennevières
La Caltière
Les Bruyères
Les Garniers
Mouzay
La Blanchardière
Le Bray
Village-Babault
Loché-sur-Indrois
La Péchaudière
Terre-Neuve
Fretay
Perrusson
La Vincenderie
Les Fourneaux
La Gironnerie
Le Rein-du-Bois
Écueillé
La Ferrière
Vou
St-Jean-St-Germain
St-Germain
La Bigotière
Rigny
La Pinçonnière
L'Écoublère
La Morlière
La Mercerie
Varennes
L'Auverniére
Hervault
Ciran
La Fontaine
Verneuil-sur-Indre
St-Martin-de-Bridoré
St-Hippolyte
Cloué
Ligueil
Les Bordes
Villedômain
Planeffe
Ballon
Vitray
St-Paul
St-Senoch
La Recordelière
Le Donjon
Esves-le-Moutier
Bridoré
Les Martinaux
Val-au-Boeuf
Jeu-Maloches
Bois de Verneuil
La Malotrie
Les Courtinais
St-Cyran-du-Jambot
La Motte-Blanche
La Chênaie
Les Perreaux
Heugnes
La Vernaterie
Fléré-la-Rivière
Ferrière-Larçon
La Thilouardière
Préaux
Selles-sur-Nahon
La Bauchetière
Le Reuille
St-Médard
Le Carroir
Fredil
Les Bournaichères
Les Bourdeaux
La Bataillerie
Audière
Betz-le-Château
La Brissandière
Le Bois-Farraud
Châtillon-sur-Indre
Vauvert
Vaux
La Biaiserie
St-Ma de-Lar
Pellevoisin
St-Flovier
Ste-Jullite
St-Saturnin
Semblançay
La Chaumette
La Cocandière
Villegouin
Les Marquets
La Berjottière
La Salle
Le Breuil-aux-Gittons
Le Tranger
Palluau-sur-Indre
Juscop
Champillé
Le Crançay
St-Michel
La Guerrière
Les Cautronnières
L'Estrac
Bréteau
La Bonduaire
Souge
La Raillère
Les Boulairies
Argy
La Celle-Guenand
Les Cornetteries
Cléré-du-Bois
La Côte
Clion
Marteau
Villebernin
Onzay
Le Petit-Pressigny
Luché
La Jarrie
La Belletière
Obterre
Mont
St-Genou
La Brigaudière
Varannes
Charnizay
Murs
Le Tremblais
Baugerai
La Coudre
Heurtebise
La Carte
Les Bertrands
Les Bruères
Arpheuilles
Launay
St-Étienne
La Fauvelière
Limeray
Forêt de Preuilly
Villiers
La Tremblais
La Guette
Buzançais
Le Chatellier
Bois-Septier
Aumussay
L'Ougerie
Monbasson
Villevassol
Les Grdes Goupillères
Le Tronçay
Rosiers
La Grande Maison
La Chatonnière
Habilly
Les Bruères
Les Viaulières
Claise
Azay-le-Ferron
La Pétonnière
L'Herbure
Saulnay
Bonneau
Preuilly-sur-Claise
La Séboissonière
Montbron
La Girardetterie
La Ronde
Le Poyou
Boussay
Carcot
Le Grd Village
Paulnay
Touche-de-Lay
Ste-Gemme
Chaventon
Varenne
Les Gaillards
La Couture
Luchet
Étang Vieux
La Poterie
Bossay-sur-Claise
Le Châtelier
Prung
Le Claveau
Marlanges
Étang Neuf
L'Egaillé
Sérigny
Subtray
La Chapelle-Orthemale
La Forêt
Villejésus
La Ramée
Étang du Moury
PARC
La Bonnerie
Martizay
Lejon
St-Michel-en-Brenne
La Roche-Marteau
Corbançon
La Revaudière
Bel-Air
Notz-l'Abbé
La Mardelle
Claise
Mézières-en-Brenne
La Vignodière
Freteau
La Barre
Boudan
Vendœuvres
Yzeures-sur-Creuse
Lancosme
Claise
Confluent
Cingé
Les Bergereaux
Baudrussais
Étang de Bellebouche
Napre
Varennes
Lignez
Caillaudière
La Grange
Marigny
La Foi
Loups
Marnoux
Forêt de Lancosme
Neuillay-les-Bois
Thais
Les Bordes
Grand-Aslon
Gabriau
La Gabrière
NATUREL
La Bessardière
Champagne
Étg de Gabriau
Le Temple
Étg du Blizon
Néons-s-Creuse
Tournon-St-Pierre
Lingé
Étg de la Gabrière
Le Maupas
Usseau
Bois-Garnault
Lureuil
Le Mez
La Borde
Tournon-St-Martin
Le Chopinerie
Le Blizon
Méobecq
Les Touches
Vicq-sur-Gartempe
Mallet
Surjoux
Étg du Sault
Perron
La Chauvellière
Terrain militaire
La Grand-Maison
Les Fenets
Les Robins
Preuilly-la-Ville
Brillebault
La Varenne
Le Bouchet
La Loge
Les Landis
La Pérouille
Lussais
Pré Picault
Migné
Pied-Monant
Les Caillots
Lurais
Les Tessonnières
La Boudinière
Douadic
Étang de la Mer Rouge
La Chaume
La Bonnière
RÉGIONAL
St-Pierre-de-Maillé
Le Bois
Champcornu
Vaugirard
La Coudraie
Rosnay
Étg du Coudreau
Le Coudreau
Les Laurets
Fontgombault
Fournioux
Pouligny-St-Pierre
Dintes
La Cosse
Les Fragnets
Nuret-le-Ferron
Coreil
Peziers
Azé
Les Bois
Rive
Sauzelles
Bénavant
Étg des Grdes Fourdines
Chézeau-Chrétien
La Rivière
Le Bois
Madrolles
Mont-la-Chapelle
Nervaux
Tilloux
Muant
DE
LA
La Brodière
Chasseneuil
Les Grands Marsilly
Chamousseau
Le-Blanc
Scoury
Le Tertre
St-Gaultier
Mérigny
Bousseronde
St-Aigny
Avant
Ruffec
La Roche
Ciron
Chitray
Neuville
Le Breuil
Coubernard
Varennes
Cors
Longefond
Le Pont-Chrétien-Chabenet
Linier
La Billetterie
Rivarennes
Thenay
Mouton
Les Ages
Les Brunets
Ingrandes
Scévole
Romefort
Oulches
Conives
Nalliers
Concremiers
Étg de la Chennerie
Beauregard
Anguyenne
St-Marin
Le Prémilly
La Croix-Blanche
Rolnier
La Belivière
Étg de la Rouère
St-Nazaire
Les Nébilons
Roussac
Villiers
Étg du Blanc
Roche
Étg de
Creuse
Gartempe
Anglin
Indre
Indrois
Tonne
D 760
D 943
D 975
D 925
D 951
D 725
E F G H
87
104
116
1 2 3 4 5
18

104
0 5 10 km
88
103
117
36
A
B
C
D
1
2
3
4
5
Vierzon
Vierzon-Forges
Valençay★★★
Forêt de Gâtine
Menetou-sur-Nahon
Sembleçay
Coulommiers
Dun-le-Poëlier
La Chartrerie
Les Belliards
Les Bourdains
Les Chézeaux
Grandmont
La Carmelletrie
Les Pichons
Anjouin
Lourière
St-Hilaire-de-Court
Autry
Madrolle
St-Martin-de-Court
Dampierre-en-Graçay
Genouilly
Haut Bourg
Les Mazères
Ste-Cécile
La Racaudière
Bagneux
Princay
La Coudre
Les Brioux
Imbry
Ste-Catherine
Méreau
Alnay
Jumeaux
La Chapelle
Bas-Bourg
Espaillat
Le Plessis
La Roche
Poulaines
Forêt de la Vernusse
Le Champ-Martin
Beauregard
La Poterie
Le Grand Boisfort
Le Lac Clair
Orville
Graçay
La Provenchère
Massay
Le Tremblay
Les Bonnetas
Aubigny
Villaine
St-Outrille
Nohant-en-Graçay
La Ray
Lury-sur-Arnon
La Gauterie
Les Gauthiers
Le Grd-Chambonais
Le Pit Chambonais
Villechauvon
Les Mineaux
Buxeuil
Fertay
Veuil
Chambon
Garsenland
Les Charons
Le Craillard
Reboursin
Lenay
Chéry
Maurepas
Les Garniers
Vicq-sur-Nahon
La Taupellière
Le Gros-Chêne
Aize
Binfou
La Villeneuve
La Chaponnerie
Vornault
Luçay-le-Libre
Cermelle
St-Pierre-de-Jards
Cerbois
Le Bois-St-Denis
Bourgneuf
Langé
La Brissonnière
Le Grand Village
Les Morins
Guilly
St-Florentin
Les Champs d'Amour
Vatan
Meunet-sur-Vatan
Pouzelas
La Terchauderie
Reuilly
Entraigues
Les Rougis
Baudres
Rouvres-les-Bois
Pouligny
Fontenay
Villejeu
La Chapelle-St-Laurian
Chézeau
Giroux
Pont-Bordat
La Ferté
Lazenay
Plaineffe
★★Bouges-le-Château
Villepierre
Villeneuve
Prenay
L'Erable
Jeu-Maloches
Gehée
Jarzay
Fontbon
Paudy
Poncet-la-Ville
Diou
Poisieux
La Malotrie
Moulins-sur-Céphons
Chézeaux
Les Michots
Vœu
La Ronde
Ste-Lizaigne
Migny
Selles-sur-Nahon
Frédille
La Pierre
Mazaire
Bouffegenet
Liniez
Bellevue
Beauvoir
Ménétréols-sous-Vatan
Rouze
Néroux
Les Monts
La Genevraie
St-Georges-sur-Arnon
Chamblay
Bretagne
Grand Grangeneuve
L'Epinière
Barillon
Villeneuve
Brisevent
La Chaise
Biaiserie
St-Martin-de-Lamps
La Roche
★Levroux
St-Phalier
Les Lagnys
Lizeray
Les Bordes
Villiers-les-Roses
St-Pierre-de-Lamps
Valière
La Vieille Épine
Chasseigne
Juscop
Champillé
Sougé
La Cigogne
Brion
St-Valentin
St-Denis
Avail
La Bonduaire
Francillon
La Maison Neuve
Les Ouches
Chinault
Issoudun★★
Tassay
St-Ambroix
St-Aoustrille
Les Loges
La Champenoise
Les Vignots
Les Bunes
Villefavant
Le Raincay
Chapelles
St-Hilaire
Villours
Fouillereau
Malaise
La Chignaterie
Varannes
Chouday
Buzançais
St-Lactencin
Villegongis
Champlait
Villesaison
Thizay
Vilaines
Théry
Ségry
Vineuil
Prault
Chézal-Thibault
Chezelles
Coings
La Bussière
Les Epinettes
Les quatre Routes
Neuvy-Pailloux
Le Fay
Condé
St-Pierre-de-Notz
Les Sarrays
St-Léger
Habilly
Les Bruères
Chambon
Villers-les-Ormes
Villechaise
Brassioux
Montierchaume
Céré
Les Loges
La Foucherine
La Pouge
Le Poyou
Treuilleau
Crevant
La Lande
Ste-Fauste
Le Grd Villiers
Le Noyer
La Motte
St-Aubin
Chaventon
Villedieu-sur-Indre
Varenne
Le Puy
Le Pit Villiers
Brives
Fontissant
Meunet-Planches
Mérolles
Forêt de Bommiers
Forêt de Chœurs
La Forêt
Mehun
Surins
Déols
Rosiers
Ablenay
Villechaud
Niherne
St-Maur
Abbaye
Fourches
Diors
Vouillon
Planches
Boudan
Tilliaire
Mâron
Le Relais
Le Bois-Ramier
Les Minimes
Chiré
Les Bindets
La Ferrandière
Les Planches
CHÂTEAUROUX
Villemongin
Bommiers
Pruniers
Notz-sur-Fonts
Chignay
Piou
La Grange
La Brauderie
La Forge-de-l'Ile
Étrechet
Ambrault
Neuillay-les-Bois
La Bourtadière
Les Echarbeaux
L'Epôt
Sanguille
Blord
Les Boulaux
Les Grdes Carbonnières
Varennes
Clavières
Bellat
Châtre
Sassierges-St-Germain
Le Grd Plessis
La Rue
Le Poinçonnet
La Cueille
Buxerolle
La Preugne
Les Bernards
Les Pichons
La Pentière
Forêt de Châteauroux
Ardentes
Civrenne
St-Août
Les Jouhannets
Luant
Les Maisons-Neuves
Mersan
La Crousille
Fourchaud
Chambon
Greuille
Les Giraudons
Les Piverts
Le Raz
Val de l'Indre
Mille Étangs
Les Fenets
La Pérouille
Madrolle
La Verrerie
Bois de Bellevue
Encheur
La Poulinière
Les Caillots
Lothiers
Courcenai
Les Loges-de-Champ
Le Vigneau
Vinceuil
Les Dijeux
Les Laurets
La Villefranche
Velles
Arthon
Le Gué-de-Veneix
La Forêt
Les Loges
Maisons-Neuves
Vauzelles
Les Valets
Jeu-les-Bois
Les Blins
Bretagne
Les Sept Chemins
Les Fragnets
Les Pinons
Forges
Les Loges-Brûlées
Corlay
Mers-sur-Indre
La Breuille
Verneuil-sur-Igneraie
La Berthenoux
Chasseneuil
Magnolet
Tezé
Le Mez
Baudoin
Lys-St-Georges
Courtioux
Les Granges
Montipouret
St-Chartier
Neuville
Le Pont-Chrétien-Chabenet
Tendu
Yvernaud
Les Thomasses
Étang de Fonpart
La Coignardière
Buxières-d'Aillac
Le Plessis
Fein
Lourouer-St-Laurent
Thevet-St-Julien
Chabenet
La Verrerie
Chassinières
★Nohant-Vic
Prunget
Mosnay
Tranzault
L'Anglée
Conives
Bouesse
Les Plaix
Les Courtillets
Condé
Lacœuf
Theveau
Les Cloux
St-Marin
St-Marcel★
Argentomagus★
Le Chassin
Sarzay
Montgivray
Etaillé
Les Châteaux
Les Baudins
Les Rollins
Le Fay
Neuvy-St-Sépulchre
Urmont
Cosnay
Le Font-Puyrevol
Milliabœuf
Vignonnet
Chavignier
H. Verneuil
Bézagette
Gournay
Chaumont
La Châtre
Lacs
Fontenay

89
E
F
G
H
St-Laurent
La Margauderie
Allogny
St-Palais
Quantilly
La Rongère
Aubinges
St-Céols
Bury
Chevry
La Giraudière
La Prinquette
Boursac
Les Rousseaux
St-Martin-d'Auxigny
Le Chézou
Chaumoux
Ruelle
Poulasnon
Vignoux-sur-Barangeon
Chaumoux
La Rose
Vignoux-sous-les-Aix
Les Aix-d'Angillon
Valentigny
Lomery
Rians
Azy
La Minauderie
Les Moreaux
St-Georges-sur-Moulon
Pigny
Soulangis
Le Génétois
Séry
Les Pillets
Les Varennes
Foëcy
Allouis
Rhin-du-Bois-d'en-Haut
Bourgneuf
Vendegond
Les Clous
Les Poirioux
Le Nuainté
Étrechy
Chantenay
Mehun-sur-Yèvre
St-Éloy-de-Gy
Vasselay
Villeneuve
Lizy
Grand Villain
Montifaut
La Jonchère
St-Michel-de-Volangis
Les Nointeaux
Villemont
Guilly
Francheville
Le Lassay
Marcilly
Quincy
Fonland
Fussy
Ste-Solange
Brécy
Les Collins
Villeneuve
Chaumoux-Marcilly
Barmont
Bouy
Ravenaise
Asnières-les-Bourges
Le Grand Marais
Nérigny
La Poste
St Igny
Graire
Berry-Bouy
St-Doulchard
St-Germain-du-Puy
Maubranches
Nohant-en-Goût
Prouziers
Gron
Villabon
Somme
Bourges-Marmagne
Ville-Perdue
Marmagne
Les Perrières
Pignoux
Bourges-Ste Thorette
Marmignolle
Les Rivages
Fenestrelay
Villemenard
Moulins-sur-Yèvre
Crux
Preuilly
La Coudray
Luet
Pierrelay
Vouzay
Chalusse
Le Briou
Baugy
Ste-Thorette
Bertigny
BOURGES
Sous-la-Cour
Farges-en-Septaine
Clanay
La Chapelle-St-Ursin
Osmoy
Augy
La Loge
Fublaine
Les Chaumes
Bois de Font-Moreau
Carrières-du-Château
La Thibauderie
Camp d'Avord
Saligny-le-Vif
Le Souchet
Prunet
Gionne
Quinçay
Savigny-en-Septaine
Terrieux
Les Combes
Plou
Soye-en-Septaine
Soutrin
Morthomiers
Guerry
Avord
Le Bouchet
Givaudins
Vizy
Villeneuve-sur-Cher
Le Sollier
Le Subdray
Le Cabaret
Le Grand-Aubilly
Creuzas
Laverdines
Châtillon
Bengy-sur-Craon
Le Grd Entrevin
Trouy
Plaimpied-Givaudins
St-Martin
Crosses
St-Florent-sur-Cher
Le Tronçay
St-Just
Jussy-Champagne
Chârost
Le Colombier
La Suée
Nérondes
Le Coudray
Champfrost
St-Caprais
Vornay
Lazenay
Verrières
Raymond
Saligny-le-Mort
Massoeuvre
Lissay-Lochy
Le Bertray
Feularde
Civray
Bois-Ratier
Jarrien
Arçay
La Roulette
La Louze
Cornusse
Rosières
Lochy
Senneçay
Annoix
St-Antoine
La Vergne
Vêve
Grd Chemin
Vorly
St-Denis
St-Denis-de-Palin
Champceaux
Bois-Chagnat
Soulangis
Chailleux
Étréchy
Osmery
Les Bourdelins
Le Grand Malleray
Bellechaume
Lunery
Lapan
Louy
Le Clou
Villaine
Les Bergeries
Lugny-Bourbonnais
Ourouer-les-Bourdelins
Forêt de Levet
St-Germain-des-Bois
La Chaussée
L'Echalusse
Ste-Lunaise
La Brosse
Chezal-Chauvier
Ste-Radegonde
Bussy
La Coinche
Villiers
Forêt de Thoux
Soudrain
Nizerolles
Lantan
Les Avignons
Charly
Mareuil-sur-Arnon
Primelles
Effes
La Roche
Serruelles
Celon
Poil-Vilain
Cilly
Blet
Jallet
Le Petit Malleray
Corquoy
Corqueux
La Chapelle
La Périsse
Dun-sur-Auron
Les Besses
Luceau
Nouan
Châteauneuf-sur-Cher
Coudron
La Pierre
Contres
Lavineux
Chalivoy-Milon
Mesmains
Chérigny
Barantheaume
Sarolles
Malçay
Bucière
La Brosse
Chavannes
Cogny
Le Froid
Les Estivaux
Les Brouillardes
St-Baudel
Ecléneuil
Parnay
Les Quenaux
Les Bordats
La Leux
Parassay
Venesmes
St-Loup-des-Chaumes
Jariolle
Chalais
Chaumont
Beauvoir
Scay
Les Occans
Rousson
Les Varennes
Les Salles
Les Thiots
Villecelin
Montlouis
St-Symphorien
Le Venon
Uzay-le-Venon
Verneuil
Thaumiers
Les Vornes
Les Soumards
Crézançay-sur-Cher
Bigny
Les Varines
Les Renardières
Le Pondy
Neuilly-en-Dun
La Celle-Condé
Condé
Léday
Bourreas
Chambon
Les Robinets
Le Tremble
Bannegon
Lunezay
Thioux
Segogne
Trécon
Étg de la Chelouze
Sarru
Meillant
Arpheuilles
La Croix-des-Pouzes
Le Rhimbé
Feulouze
Inueil
Vallenay
St-Sylvain
Sarzay
Bruère-Allichamps
La Petite-Brande
Les Perrons
Vernais
Les Clous
Chatoullé
Farges-Allichamps
St-Rhomble
Les Donnais
Chassepain
Le Trait
Château-Gaillard
La Celle
Grand Bois de Meillant
Le Charnay
Les Genêts
Les Couillets
L'Eperse
Abbe de Noirlac
La Ville-du-Bout
Le Teilleux
Le Chaumat
Bessais-le-Fromental
Lignières
Prévières
Riaujonc
Centre de la France (Farges-Allichamps)
St-Amand-Montrond
Les Vivons
St-Pierre-les-Étieux
Les Lombards
St-Hilaire-en-Lignières
Souage
Les Maisons
Nozières
Orval
Les Pourniaux
Rouzaire
Brebeurre
Laugère
Les Barres
Touchay
Morlac
Orcenais
Le Breuil
Boutillon
Charenton-du-Cher
Charnoux
Le Plaid
Les Soupizons
Ids-St-Roch
Les Cloux
Beau
Bouzais
La Roche
Ruines romaines
Colombiers
Les Soliers
Touzelles
Fontemeurant
Ainay-le-Château
St-Benin
Bardais
Les Mottes
Malleray
La Vieille-Morte
Arnon
La Gonne
St-Georges-de-Poisieux
Drevant
Coust
St-Mamet
Les Breures
La Bonneville
Mesaudon
Marçais
Les Boutillats
Arcomps
Richebourg
Bouis
Isle-et-Bardais
Rezay
Prieuré N.-D. d'Orsan
La Vallette
Le Grand Orme
La Groutte
Verneuil
Étang de Pirot
Christophe-Boucherie
St-Pierre-les-Bois
Soye
Poisieux
Meslon
Changy
St-Bonnet-Tronçais
Les Aublancs
Jaunoux
Le Temple
Oranger
Loye-sur-Arnon
Braize
Futaie Colbert
Le Bois-Trevy
Les Houillères
La Perruche
Fosse-Nouvelle
Ainay-le-Vieil
Baignereau
Étang de St-Bonnet
Maisonnais
Ardenais
Lételon
Sologne
Les Mazières
Faverdines
La Perche
Tronçais
Montalon
Le Chêne-Fourchu
La Celette
Les Rainats
Les Brays
Marsin
Le Châtelet
Le Ponté
Les Petits Fossés
Urçay
Cérilly
Vicq-Exemplet
Mntgenoux
Les Archers
La Forde
Buhard
Les Arpens
LaVillette
Les Cabottes
La Suche
Grand Bord
Les Bruyères
Vitray
Fonteneau
Beddes
La Preugne
L'Écure
Chadet
Les Brosses
La Chapelle-Dubois
Charasse
Neuville
Bornacq
Saulzais-le-Potier
Le Vernet
Les Loges
Étang de Saloup
Le Douat
St-Jeanvrin
Le Coturon
Forêt de Bornacq
Meaulne
La Grange
Les Courteaux
118
106
Cher
Yèvre
Auron
BOIS DE MEILLANT
18
N 151
D 2076
D 940
D 2144
D 976
D 951
D 925
A 71
E 11
N 142
D 400
D 955

107
91
108
120
E
F
G
H
1
2
3
4
5
Champallement
St-Révérien
Guipy
Vitry-Laché
Sardy-lès-Épiry
Marcilly
Mouron-sur-Yonne
Montreuillon
Mhère
Ouroux-en-Morvan
Settons
Moussy
Crux-la-Ville
La Collancelle
Épiry
Aqueduc de Montreuillon
Lac de Pannecière-Chaumard
Chaumard
Planchez
Gien-sur-Cure
Bazolles
Achun
Aunay-en-Bazois
Blismes
Montigny-en-Morvan
Vaumery
Bussy
St-Saulge
St-Maurice
Mont-et-Marré
Montapas
Chougny
Ougny
Dun-sur-Grandry
Châtin
Corancy
Lavault-de-Frétoy
Anost
Saxi-Bourdon
Châtillon-en-Bazois
Tamnay-en-Bazois
St-Péreuse
Dommartin
Château-Chinon
Arleuf
Rouy
Alluy
Maux
Sermages
St-Léger-de-Fougeret
Haut-Folin
Billy-Chevannes
Brinay
Biches
Limanton
Moulins-Engilbert
Fâchin
Frasnay-Reugny
Tintury
Cizely
Forêt de Vincence
Fertrève
Onlay
Glux-en-Glenne
Anlezy
Villapourçon
Mt Preneley
St-Prix
Ville-Langy
Montigny-sur-Canne
Vandenesse
Préporché
Mt Beuvray
St-Léger-sous-Beuvray
Diennes-Aubigny
Isenay
Thianges
St-Gratien-Savigny
St-Honoré-les-Bains
Larochemillay
La Machine
Cercy-la-Tour
Montaron
Chiddes
Poil
Verneuil
St-Léger-des-Vignes
Sémelay
Champvert
Decize
Thaix
Remilly
Millay
Fours
Lanty
Avrée
Thil-sur-Arroux
Devay
Charrin
Savigny-Poil-Fol
Luzy
Laugimone
Fléty
Tazilly
St-Hilaire-Fontaine
Montambert
La Nocle-Maulaix
Ternant
Cuzy
Lamenay-sur-Loire
Cossaye
Gannay-sur-Loire
St-Seine
Cronat
Lucenay-lès-Aix
Marly-sous-Issy
Issy-l'Évêque
Cressy-sur-Somme
La Chapelle-aux-Chasses
Vitry-sur-Loire
Maltat
Grury
Ste-Radegonde
Uxeau
Montpalais
Paray-le-Frésil
St-Martin-des-Lais
Lesme
Signal de Mont
Garnat-sur-Engièvre
Bourbon-Lancy
La Chapelle-au-Mans
Vendenesse-sur-Arroux
Chézy
Chevagnes
Beaulon
Mont
Gueugnon
Chalmoux
Neuvy-Grandchamp
Curdin
LOIRE
Canal du Nivernais
Canal latéral
D 978
D 979
D 973
D 981

0
5
10 km
92
107
121
A
B
C
D
1
2
3
4
5
Liernais
Censerey
Diancey
Clomot
Avincey
Essey
Meilly-sur-Rouvres
Ste-Sabine
Châteauneuf
Bouhey
Crugey
Veuvey-sur-Ouche
Chazilly
Chaudenay-le-Château
Commarin
Musigny
Cussy-le-Châtel
Brazey-en-Morvan
Vianges
Blanot
Villiers-en-Morvan
Gien-sur-Cure
Ménessaire
Savilly
Manlay
Marcheseuil
Jouey
Mimeure
Longecourt-lès-Culêtre
Culètre
Painblanc
Arnay-le-Duc
Foissy
Veilly
Bligny-sur-Ouche
Antigny-la-Ville
Vic-des-Prés
Lusigny-sur-Ouche
Bessey-la-Cour
Thomirey
Écutigny
Chissey-en-Morvan
Cussy-en-Morvan
Vignerux
Lucenay-l'Évêque
Barnay
Voudenay
Magnien
Maligny
Lacanche
Saussey
Montceau-et-Écharnant
Igornay
Sommant
La Petite-Verrière
Reclesne
Cordesse
Thury
Champignolles
Jours-en-Vaux
Cussy-la-Colonne
Mavilly-Mandelot
Meloisey
Roussillon-en-Morvan
Dracy-St-Loup
Tavernay
St-Forgeot
Morgelle
Sully
Épinac
Molinot
Santosse
Cirque du Bout du Monde
St-Romain
La Celle-en-Morvan
Milliore
Curgy
Creusefond
Vauchignon
Baubigny
La Rochepot
Nolay
AUTUN
Monthelon
Auxy
Tintry
Épertully
Change
Mont de Sène
Santenay
Chassagne-Montrachet
St-Prix
Laizy
Croix de la Libération
Antully
St-Émiland
Créot
Cheilly-lès-Maranges
St-Léger-sous-Beuvray
Brion
Runchy
Dracy-lès-Couches
Couches
St-Sernin-du-Plain
Chassey-le-Camp
St-Gilles
La Comelle
Étang-sur-Arroux
Mesvres
Broye
St-Symphorien-de-Marmagne
Marmagne
St-Sernin-du-Bois
St-Pierre-de-Varennes
Dennevy
Chamilly
St-Léger-sur-Dheune
Uchon
Le Creusot
St-Firmin
Perreuil
Morey
St-Didier-sur-Arroux
St-Nizier-sur-Arroux
Signal d'Uchon
La Tagnière
Charbonnat
Dettey
Montcenis
Torcy
Écuisses
Montchanin
St-Laurent-d'Andenay
St-Martin-d'Auxy
Marcilly-lès-Buxy
Sassangy
Moroges
Bissey-sous-Cruchaud
St-Désert
La Boulaye
St-Eugène
St-Berain-sous-Sanvignes
Blanzy
St-Eusèbe
Montagny-lès-Buxy
Toulon-sur-Arroux
Montceau-les-Mines
Sanvignes-les-Mines
Marigny
Germagny
St-Vallerin
Fley
Ste-Radegonde
Genouilly
Saules
St-Romain-sous-Versigny
Dompierre-sous-Sanvignes
St-Vallier
Gourdon
Mont-St-Vincent
Collonge-en-Charollais
St-Martin-du-Tartre
St-Maurice-des-Champs
Perrecy-les-Forges
Marly-sur-Arroux
Génelard
Ciry-le-Noble
Pouilloux
St-Clément-sur-Guye
Joncy
St-Gengoux
Burzy
Burnand
Chassy
Oudry
Voisin
Le Pont
Malay

E
F
G
H
93
122
110
Vougeot
Nuits-St-Georges
Ladoix-Serrigny
Savigny-lès-Beaune
BEAUNE
Pommard
Volnay
Meursault
Puligny-Montrachet
Chagny
Chaudenay
Demigny
Allerey-sur-Saône
Verdun-sur-le-Doubs
Gergy
Fragnes-La Loyère
CHALON-SUR-SAÔNE
Châtenoy-le-Royal
Givry
St-Rémy
St-Marcel
Oslon
Lux
Sevrey
Ouroux-sur-Saône
St-Germain-du-Plain
Sennecey-le-Grand
Tournus
Brazey-en-Plaine
St-Jean-de-Losne
Seurre
Pagny-le-Château
Glanon
Chamblanc
Tavaux
Aumur
St-Aubin
Pierre-de-Bresse
St-Martin-en-Bresse
St-Germain-du-Bois
Louhans-Châteaurenaud
Sornay
Montpont-
Beaurepaire-en-Bresse
Montagny-près-Louhans
Mervans
Serley
Bouhans
Sens-sur-Seille
Branges
Savigny-sur-Seille
Simandre
Cuisery
Huilly
Loisy
Ménetreuil
Jouvençon
Ste-Croix
Saône
Doubs
Seille
Grosne
Forêt de Cîteaux
Forêt de Gergy
Forêt de Chagny
Bois de la Bauche
Bois de Montcoy
Forêt de la Ferté
A 6
A 31
A 36
A 39
E 15
E 21
E 60
D 973
D 673
D 678
D 970
D 996
D 906
D 975

0
5
10 km
94
109
123
16
A
B
C
D
1
2
3
4
5
Dole
Authume
Foucherans
Sampans
Monnières
Champvans
Damparis
Choisey
Crissey
Brevans
Falletans
Rochefort-s-Nenon
Éclans-Nenon
Baverans
FORÊT DE CHAUX
Audelange
La Barre
Étrepigney
Rans
Plumont
Courtefontaine
Villars-St-Georges
Byans-s-Doubs
Quingey
St-Vit
Fraisans
Grottes d'Osselle
Auxange
Ranchot
Abbans-Dessous
Abbans-Dessus
Chouzelot
Lavans-Quingey
Liesle
Lombard
Mesmay
Brères
Samson
Champagne-s-Loue
Saline
Arc-et-Senans
Chatelay
Germigney
La Vieille-Loye
Les Turots
Villette-lès-D.
Goux
Gevry
Parcey
Molay
La Loye
Belmont
Santans
Montbarrey
Augerans
Chissey-s-Loue
Cramans
Port-Lesney
Grange-de-Vaivre
Rennes-s-Loue
Buffard
Chay
Champdivers
Rahon
Souvans
Bans
Mont-s/s-Vaudrey
Ounans
Chamblay
Villers-Farlay
Villeneuve-d'Aval
Mouchard
Pagnoz
Aiglepierre
Marnoz
Vaudrey
Chaussin
St-Baraing
Balaiseaux
Gatey
Le Deschaux
Villers-Robert
Séligney
La Ferté
Montmalin
St-Cyr-Montmalin
Molamboz
Vadans
Villette-lès-Arbois
Les Arsures
Montigny-lès-Arsures
Pretin
Salins-les-Bains
Source du Lison
Mathenay
Aumont
Abergement-le-Grd
Arbois
Abergement-le-Pt
Tassenières
Bretenières
Villers-les-Bois
Oussières
Chaînée-des-Coupis
Chêne-Bernard
Les Essards-Taignevaux
Pleure
Sergenon
Les Hays
Biefmorin
Colonne
Neuvilley
Montholier
Grozon
Les Planches-près-Arbois
Pupillin
La Châtelaine
Sergenaux
Les Deux-Fays
Rye
Champrougier
Le Chateley
Buvilly
Cirque du Fer à Cheval
Tourmont
Poligny
Chamole
Chaussenans
Brainans
Bersaillin
Villerserine
La Chassagne
Foulenay
Chemenot
Le Villey
Chêne-Sec
Chaumergy
Bellevesvre
Beauvernois
Francheville
La Charme
Monay
St-Lothain
Toulouse-le-Château
Sellières
Barretaine
Darbonnay
Miéry
Monts-de-Vaux
Montrond
Culée de Vaux
Passenans
Plasne
Frontenay
Cirque de Ladoye
Le Fied
Besain
Ardon
Vannoz
Équevillon
Commenailles
Recanoz
Froideville
Mantry
St-Lamain
Brery
Ménétru-le-Vignoble
Vincent
Lombard
Jura
Arlay
Relans
Desnes
Domblans
Château-Chalon
Ladoye-s-Seille
Fay-en-Montagne
Picarreau
Crotenay
Champagnole
Bletterans
Ruffey-s-Seille
Cosges
Voiteur
Nevy-s-Seille
Blois-s-Seille
Bonnefontaine
Pont-du-Navoy
Monnet-la-Ville
Nance
Quintigny
Plainoiseau
Le Louverot
Le Vernois
La Marre
Villevieux
Larnaud
Le Pin
Lavigny
Baume-les-Messieurs
Mirebel
Montigny-s-l'Ain
Loulle
Pillemoine
Le Vaudioux
St-Didier
L'Étoile
Pannessières
Chille
Cirque de Baume
Marigny
Fontainebrux
Villeneuve-s/s-Pymont
Courlans
Montmorot
LONS-LE-SAUNIER
Crançot
Lac de Chalain
Fontenu
Saffloz
Châtelneuf
Beaurepaire-en-Bresse
Courlaoux
Chilly-le-Vignoble
Perrigny
Messia-s-Sorne
Montaigu
Macornay
Conliège
Briod
Vevy
Verges
Châtillon
Doucier
Songeson
Chevrotaine
Lac de Narlay
Condamine
Frébuans
Courbouzon
Creux de Revigny
Lac de Chambly
Chambly
Le Frasnois
Trenal
Gevingey
Vernantois
Publy
Charcier
Ménétrux-en-Joux
Mallerey
Revigny
Blye
Cascades du Hérisson
Pic de l'Aigle
Bonnaud (Val-Sonnette)
Cesancey
Geruge
St-Maur
Charézier
Denezières
Ste-Agnès
Bornay
Mesnois
Vertamboz
Uxelles
Bonlieu
La Chaumusse
St-Laurent-en-Grandvaux
Courbette
Nogna
Pont-de-Poitte
Boissia
Flacey-en-Bresse
Vincelles
Grusse
Poids-de-Fiole
Patornay
Clairvaux-les-Lacs
St-Pierre
Orbagna
Marnézia
Dompierre-s-Mont
Hautecour
St-Maurice-Crillat
Beaufort
Reithouse
Largillay-Marsonnay
La Frasnée
Grande-Rivière
Morbier
Maynal
Présilly
Méruna
Soucia
Augea
Augisey
Barésia-s-l'Ain
Andelot-en-Montagne
Supt
Chapois
Valempoulières
Le Larderet
Le Pasquier
Le Latet
Moutoux
St-Germain-en-Montagne
Mournans-Charbonny
Sapois
Lent
Sirod
Bourg-de-Sirod
Cize
Ney
Syam
Crans
La Billaude
Chaux-des-Crotenay
Entre-deux-Monts
Lac de Bonlieu
Ivory
Aresches
Chaux-Champagny
Chilly-s-Salins
Pont-d'Héry
Montmarlon
Lemuy
Abergement-lès-Thésy
Thésy
Cernans
Bracon
Clucy
Saizenay
Geraise
Dournon
Ste-Anne
St-Thiébaud
Ivrey
Nans-s/s-Ste-Anne
Alaise
Éternoz
Saraz
La Chapelle-s-Furieuse
Myon
By
Paroy
Bartherans
Ronchaux
Échay
Montfort
Cussey-s-Lison
Pointvillers
Goux-s/s-Landet
Pessans
Palantine
Rouhe
Châtillon-s-Lison
Lizine
Courcelles
Cessey
Charnay
Épeugney
Chenecey-Buillon
Cademène
Busy
Torpes
Vorges-les-Pins
Montrond-le-Château
Roset-Fluans
Osselle-Routelle
Salans
Dampierre
Évans
Monteplain
Malange
Vriange
Amange
Romange
Biarne
Archelange
Jouhe
Billey
Flagey-lès-Auxonne
Samerey
Nevy-lès-D.
Belvoie
Asnans-Beauvoisin
Vornes
Chapelle-Voland
Petit Bêche
Le Tartre
Charnay
Villemartin
Les Repôts
Le Villard
Villevaudrey
Nécudois
Sellières
Le Sorbier
Les Gugniots
Boisdel

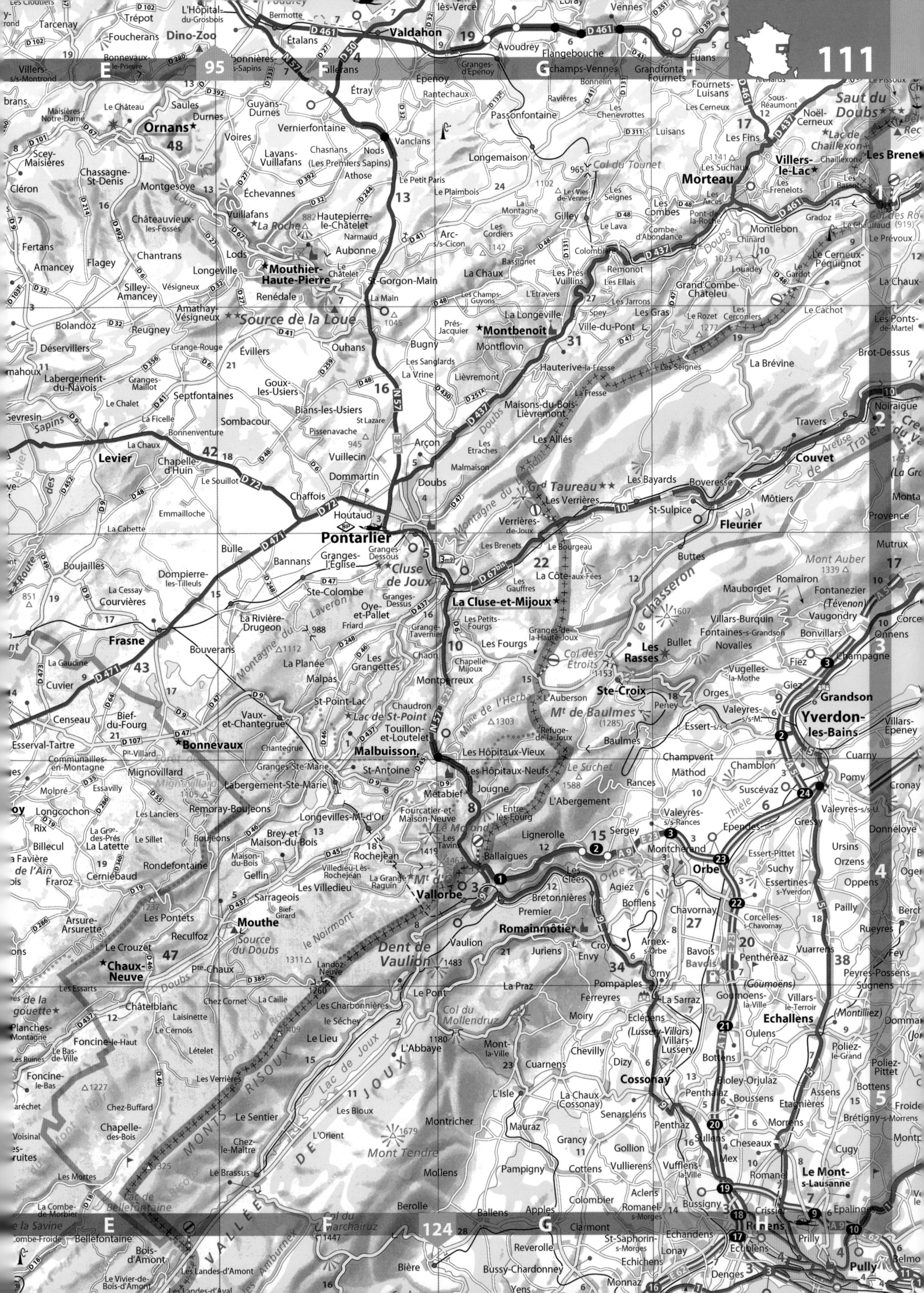

95
124
E
F
G
H
Valdahon
Ornans
Morteau
Villers-le-Lac
Saut du Doubs
Lac de Chaillexon
Les Brenets
Mouthier-Haute-Pierre
Source de la Loue
Montbenoît
Levier
Pontarlier
Cluse de Joux
La Cluse-et-Mijoux
Frasne
Malbuisson
Lac de St-Point
Bonnevaux
Mouthe
Source du Doubs
Chaux-Neuve
Vallorbe
Mt d'Or
Dent de Vaulion
Romainmôtier
Orbe
Yverdon-les-Bains
Grandson
Ste-Croix
Les Rasses
Mt de Baulmes
Col des Étroits
Le Chasseron
Fleurier
Couvet
Grd Taureau
Val de Travers
Mont Auber
Col du Mollendruz
Lac de Joux
Mont Tendre
Col du Marchairuz
Cossonay
Echallens
Le Mont-s-Lausanne
Renens
Pully
Lac de Bellefontaine
Forêt du Risoux
Monts Risoux
Vallée de Joux
Dino-Zoo
Col du Tounet
La Roche
Le Suchet
Le Morond
Cuvier
La Brévine
Les Verrières
Vaulion
Le Sentier
L'Abbaye
Le Pont
Bière
Pompaples
La Sarraz
Chavornay
Ballaigues
Jougne
Métabief
Les Hôpitaux-Neufs
Les Fourgs
Doubs
Gilley
Arçon
Vuillecin
Dommartin
Chaffois
Houtaud
Sombacour
Septfontaines
Nods
Vercel
Étray
Vanclans
Fuans
Grandfontaine-Fournets
Les Fins
Montlebon
Grand'Combe-Châteleu
Hauterive-la-Fresse
Maisons-du-Bois-Lièvremont
Les Alliés
St-Sulpice
Buttes
Mauborget
Champagne
Baulmes
Valeyres-s/s-Rances
Montcherand
Agiez
Croy
Juriens
La Praz
Mollens
Montricher
L'Isle
Apples
Ballens
Gollion
Penthaz
Bussigny
Crissier
Ecublens
Prilly
Epalinges

0
5
10 km
C
99
D
1
2
3
4
5
A
B
C
D
LES SABLES-D'OLONNE
Pte de l'Aiguille
La Chaume
L'Aubraie
La Girvière
La Bauduère
Les Barres
Champclou
Olonne-s-Mer
Château-d'Olonne
La Gilardière
La Mouzinière
La Pironnière
Les Arpents
Musée Automobile
L'Epinette
L'Etablière
Ste-Foy
Grosbreuil
La Martinière
Le Moulin-des-Landes
La Dagoterie
Querry-Pigeon
Le Porteau
Port-Bourgenay
Pte du Payré
Talmont-St-Hilaire
La Guittière
La Vinière
Ilaude
Jard-sur-Mer
St-Vincent-s-Jard
Le Bouil
La Guignardière
Clémentinière
Avrillé
Les Côtes
St-Hilaire-la-Forêt
La Raisinière
Longeville-s-Mer
Le Bernard
Forêt de Longeville
Les Rabouillères
Saligotière
Les Conches
Angles
La Ville-d'Angles
La Terrière
Pte du Grouin du Cou
La Tranche-sur-Mer
La Grière
Les Jars
La Faute-sur-Mer
L'Aiguillon-sur-Mer
Le Girouard
La Bourie
Les Clouzeaux
Nieul-le-Dolent
Nesmy
Thibaudière
La Vergne
L'Emerière
La Lièvre
Poiroux
La Janière
La Boissière-des-Landes
La Remelière
St-Avaugourd-des-Landes
Vieux-Bourg
Moutiers-les-Mauxfaits
Pont-Rouge
Le Givre
St-Vincent-sur-Graon
La Glorandière
L'Epinette
La Guitardière
Le Tablier
Fregneau
Le Fief
La Bafardière
Rosnay
Le Champ-St-Père
La Grande-Chevalerie
St-Sornin
Les Aires
La Claye
St-Cyr-en-Talmondais
Parc Floral
La Jonchère
La Cigogne
Fontaine
St-Benoist-sur-Mer
Curzon
Moricq
Le Port-de-Moricq
Grues
Sainte-Marie
Le Grand Clos-Jean
Mainborgère
St-Florent-des-Bois
Chaillé-s/s-les-Ormeaux
La Chapelle-Achard
St-Mathurin
La Brardière
L'Ile-d'Olonne
Côte des Fleurs
Pertuis Breton
Pte d'Arçay
Les Baleines
La Rivière
Les Portes-en-Ré
Le Gillieux
Pte du Fier
Fier d'Ars
St-Clément-des-Baleines
Loix
Rade de St-Martin
St-Martin-de-Ré
Ars-en-Ré
La Passe
La Couarde-sur-Mer
Le Bois-Plage-en-Ré
Morinant
Gros-Jonc
La Flotte
Rivedoux-Plage
La Noue
Pointe de Chanchardon
ÎLE DE RÉ
Ste-Marie-de-Ré
Pointe de Chauveau
PERTUIS D'ANTIOCHE
Phare de Chassiron
Pointe de Chassiron
La Morelière
St-Denis-d'Oléron
La Gautrie
La Brée-les-Bains
Les Boulassiers
Port du Douhet
Les Huttes
St-Georges-d'Oléron
Chaucre
Foulerot
Domino
Chéray
D 949
D 747
D 735
D 201
D 734
D 1046
D 36
D 21
D 19
D 105

Luçon
Fontenay-le-Comte
Marans
Maillezais
Coulon
Arçais
Surgères
Mauzé-sur-le-Mignon
Aytré
Lagord
Nieul-sur-Mer
Châtelaillon-Plage
Île-d'Aix
Fouras
Vouvant
Mervent
Nieul-s-l'Autise
St-Michel-en-l'Herm
Anse de l'Aiguillon
Marais Poitevin
Forêt de Mervent-Vouvant
Parc Ornithologique
Rade des Basques
Pointe de Châtelaillon
Courçon
Aigrefeuille-d'Aunis
La Jarrie
Chaillé-les-Marais
Mareuil-Lay-Dissais
Ste-Hermine
Dompierre-s-Mer
Périgny
La Rochelle

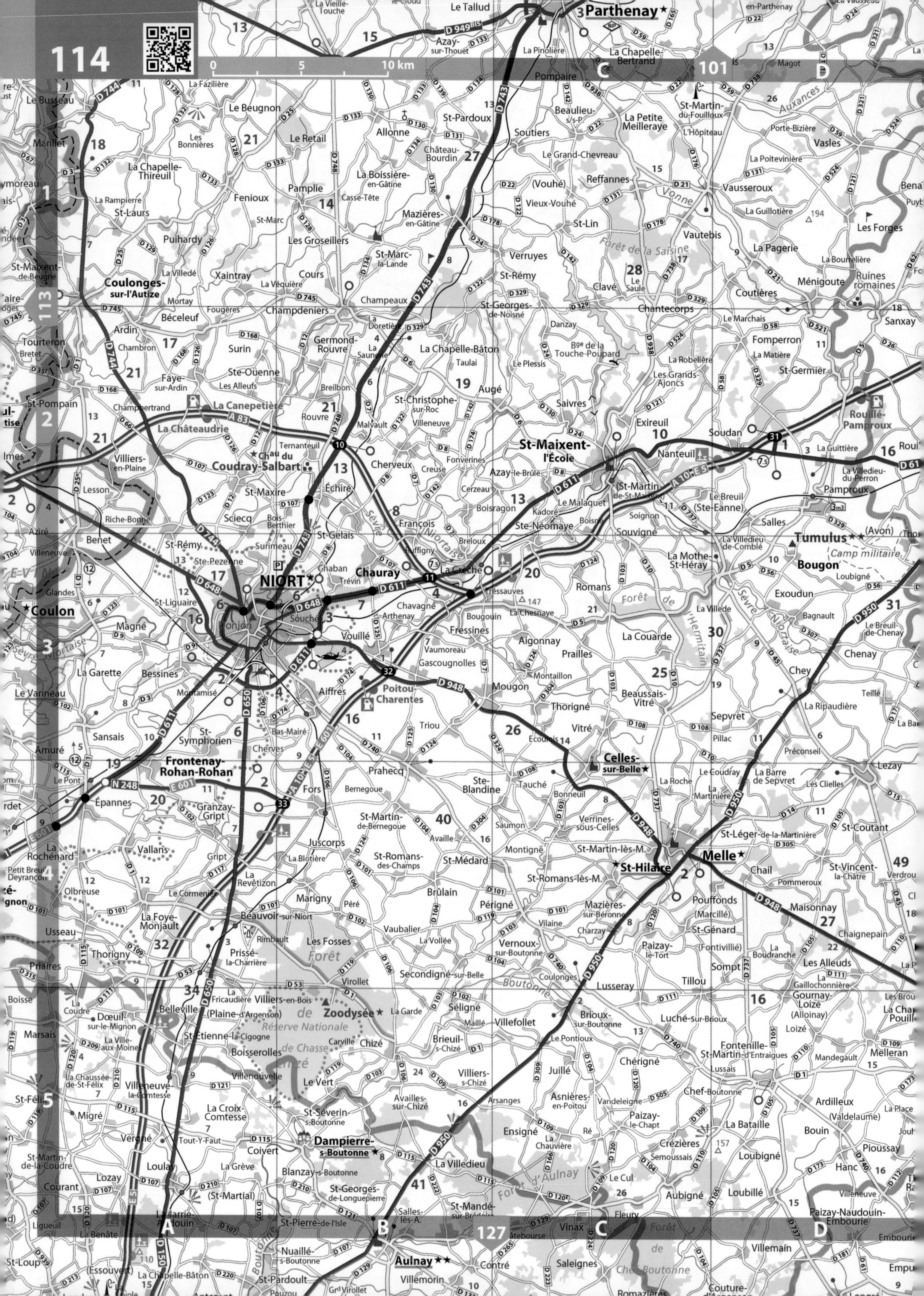

0
5
10 km
101
113
127
Parthenay
La Vieille-Touche
Le Tallud
Azay-sur-Thouet
La Pinolière
La Chapelle-Bertrand
Pompaire
Magot
La Fazilière
Le Busseau
Le Beugnon
Allonne
St-Pardoux
Beaulieu-s/s-P.
La Petite Meilleraye
St-Martin-du-Fouilloux
Auxances
Porte-Bizière
Vasles
Marillet
Les Bonnières
Le Retail
Château-Bourdin
Soutiers
Le Grand-Chevreau
L'Hôpiteau
La Chapelle-Thireuil
La Boissière-en-Gâtine
Reffannes
La Poitevinière
Pamplie
Casse-Tête
(Vouhé)
Vausseroux
Fenioux
Vieux-Vouhé
Vonne
La Rampierre
St-Laurs
St-Marc
Mazières-en-Gâtine
St-Lin
La Guillotière
Les Forges
Puihardy
Les Groseillers
Forêt de la Saisine
Vautebis
La Pagerie
St-Marc-la-Lande
Verruyes
St-Maixent-de-Beugné
La Villedé
Xaintray
La Véquière
Cours
St-Rémy
Le Saule
Clavé
La Bourrelière
Ménigoute
Ruines romaines
Coulonges-sur-l'Autize
Mortay
Champeaux
Coutières
Fougères
Champdeniers
St-Georges-de-Noisné
Chantecorps
Béceleuf
La Doretière
Le Marchais
Sanxay
Ardin
Germond-Rouvre
Danzay
Fomperron
Tourteron
Chambron
La Saunerie
La Chapelle-Bâton
Bge de la Touche-Poupard
La Robelière
La Matière
Bretet
Surin
Taulai
Le Plessis
Les Grands-Ajoncs
St-Germier
Faye-sur-Ardin
Ste-Ouenne
Les Alleufs
Breilbon
Augé
St-Pompain
Champbertrand
La Canepetière
St-Christophe-sur-Roc
Saivres
Rouillé-Pamproux
La Châteaudrie
Rouvre
Malvault
Villeneuve
Exireuil
Soudan
Villiers-en-Plaine
Ternanteuil
Chau du Coudray-Salbart
St-Maixent-l'École
Nanteuil
La Guittière
Cherveux
Fonverines
Creuse
Azay-le-Brûlé
(St-Martin-de-St-Maixent)
La Villedieu-du-Perron
Lesson
St-Maxire
Échiré
Cerzeau
Le Malaquet
Le Breuil (Ste-Eanne)
Pamproux
Riche-Bonne
Sciecq
Bois-Berthier
François
Boisragon
Kadoré
Soignon
Salles
Azire
Benet
St-Gelais
Sèvre Niortaise
Ste-Néomaye
Souvigné
La Villedieu-de-Comblé
Tumulus
(Avon)
St-Rémy
Surimeau
Breloux
Ruffigny
Camp militaire
Villeneuve
Ste-Pezenne
Chaban
La Crèche
La Mothe-St-Héray
Bougon
Glandes
NIORT
Trévin
Chauray
Romans
Loubigné
Coulon
St-Liguaire
Chavagné
Tressauves
Exoudun
Forêt de l'Hermitain
Magné
Souché
Arthenay
La Chesnaye
Bougouin
La Villede
Bagnault
Sèvre Niortaise
Bonjon
Vouillé
Fressines
La Couarde
Le Breuil-de-Chenay
Aigonnay
Prailles
Chenay
La Garette
Bessines
Vaumoreau
Gascougnolles
Montaillon
Chey
Le Vanneau
Montamisé
Aiffres
Poitou-Charentes
Mougon
Beaussais-Vitré
Teillé
Thorigné
La Ripaudière
Sansais
St-Symphorien
Bas-Mairé
Triou
Sepvret
Vitré
Écoulais
Pillac
Amuré
Chervès
Prahecq
Préconseil
Lezay
Frontenay-Rohan-Rohan
Celles-sur-Belle
Le Coudray
La Barre de Sepvret
Les Clielles
Le Pont
Ste-Blandine
Tauché
La Roche
La Martinière
Épannes
Fors
Bernegoue
Bonneuil
Granzay-Gript
St-Martin-de-Bernegoue
Verrines-sous-Celles
St-Léger-de-la-Martinière
St-Coutant
Vallans
Juscorps
Availle
Saumon
La Rochénard
Gript
St-Martin-lès-M.
Melle
La Blotière
St-Romans-des-Champs
St-Médard
Montigné
Chail
St-Vincent-la-Châtre
Verdrou
Petit Breuil
Deyrançon
La Revêtizon
St-Hilaire
St-Romans-lès-M.
Pommeroux
Olbreuse
Le Cormenier
Marigny
Brûlain
Pouffonds (Marcillé)
Péré
Périgné
Mazières-sur-Béronne
Maisonnay
Beauvoir-sur-Niort
La Foye-Monjault
Vaubalier
Vilaine
Charzay
St-Génard
Usseau
Rimbault
La Vollée
Paizay-le-Tort
Chaignepain
Thorigny
Prissé-la-Charrière
Les Fosses
Forêt
Vernoux-sur-Boutonne
(Fontivillié)
La Boudranche
Les Alleuds
Priaires
Sompt
Virollet
Secondigné-sur-Belle
Coulonges
Lusseray
Tillou
La Gaillochonnière
Boutonne
Boisse
La Coudre
La Fricaudière
Villiers-en-Bois
Zoodysée
Séligné
Brioux-sur-Boutonne
Gournay-Loizé
(Alloinay)
Belleville
(Plaine-d'Argenson)
La Garde
Dœuil-sur-le-Mignon
de
Réserve Nationale
de Chasse
Chizé
Maillé
Villefollet
Luché-sur-Brioux
La Chapelle-Pouilloux
Marsais
La Ville-aux-Moines
Le Pontioux
Loizé
St-Étienne-la-Cigogne
Carville
Brieuil-s-Chizé
Fontenille-St-Martin-d'Entraigues
Boisserolles
Mandegault
Melleran
Villenouvelle
Chérigné
Lussais
La Chaussée-de-St-Félix
Villeneuve-la-Comtesse
Le Vert
Villiers-s-Chizé
Juillé
St-Félix
Arsanges
Asnières-en-Poitou
Vandeleigne
Chef-Boutonne
Ardilleux (Valdelaume)
Migré
La Croix-Comtesse
Availles-sur-Chizé
St-Séverin-s-Boutonne
Paizay-le-Chapt
La Bataille
La Place
Ensigné
Bouin
Vergné
Tout-Y-Faut
Coivert
Dampierre-s-Boutonne
La Chauvière
Ré
Crézières
Semoussais
Pioussay
St-Martin-de-la-Coudre
Loubigné
Lozay
Loulay
La Grève
Blanzay-s-Boutonne
La Villedieu
Forêt d'Aulnay
Le Cul
Hanc
Courant
(St-Martial)
St-Georges-de-Longuepierre
Aubigné
Loubillé
Villeneuve
Paizay-Naudouin-Embourie
Ligueuil
La Jarrie-Audouin
Salles-lès-A.
St-Mandé-sur-Brédoire
Vinax
Fleury
La Benâte
St-Pierre-de-l'Isle
Chatebourse
Forêt de Chef-Boutonne
Embourie
Villemain
St-Loup
Nuaillé-s-Boutonne
Aulnay
Contré
Saleignes
Empuré
(Essouvert)
La Chapelle-Bâton
St-Pardoult
Villemorin
Pouzou
Grd Virollet
Romazières
Couture-
A
B
C
D
1
2
3
4
5
E 601
A 10
A 83
N 248
D 611
D 648
D 743
D 744
D 948
D 950
D 949BIS

POITIERS
Chauvigny
Lusignan
Vivonne
Civray
Charroux
Ruffec
Confolens
Migné-Auxances
Buxerolles
St-Benoît
Croutelle
Fontaine-le-Comte
Ligugé
Smarves
Nouaillé-Maupertuis
Mignaloux-Beauvoir
Savigny-Lévescault
Sèvres-Anxaumont
Bignoux
Quinçay
Vouneuil-sous-Biard
Biard
Béruges
Lavausseau
Latillé
Montamisé
Jardres
Lavoux
Liniers
Touffou
Bonnes
St-Julien-l'Ars
Pouillé
Tercé
Fleuré
Dienné
Nieuil-l'Espoir
Roches-Prémarie-Andillé
La Villedieu-du-Clain
Vernon
Gizay
Iteuil
Aslonnes
Marçay
Cloué
Coulombiers
Marigny-Chemereau
Celle-Lévescault
Château-Larcher
Marnay
St-Maurice-la-Clouère
Gençay
Magné
Brion
Civaux
Lhommaizé
Nécropole
Verrières
St-Laurent-de-Jourdes
Mazerolles
Lussac-les-Châteaux
Les Minières
Payré
Anché
Ceaux-en-Couhé
Châtillon
Couhé
Vaux
Champagné-St-Hilaire
La Ferrière-Airoux
St-Secondin
Usson-du-Poitou
Sommières-du-Clain
Romagne
Château-Garnier
Brux
Chaunay
Vallée des Singes
Le Cormenier
St-Romain
Champniers
Payroux
St-Martin-l'Ars
Le Vigeant
L'Isle-Jourdain
Queaux
Moussac
Millac
Blanzay
Champagné-le-Sec
Linazay
La Chapelle-Bâton
Mauprévoir
Availles-Limouzine
St-Pierre-d'Exideuil
Savigné
Sauzé-Vaussais
Limalonges
St-Macoux
Montalembert
Voulême
Lizant
Genouillé
Asnois
Pleuville
Pressac
Surin
Épenède
Lessac
Boisbuchet
Abzac
Bernac
La Chèvrerie
Bioussac
Condac
Benest
Alloue
Hiesse
Vieux-Ruffec
Messeux
Forêt de Vouillé-St-Hilaire
86
E
F
G
H
102
116
128
129
N 10
N 147
N 149
D 148
D 741
D 951
A 10
E 62
E 5
D 611
D 948
Vienne
Clain
Charente

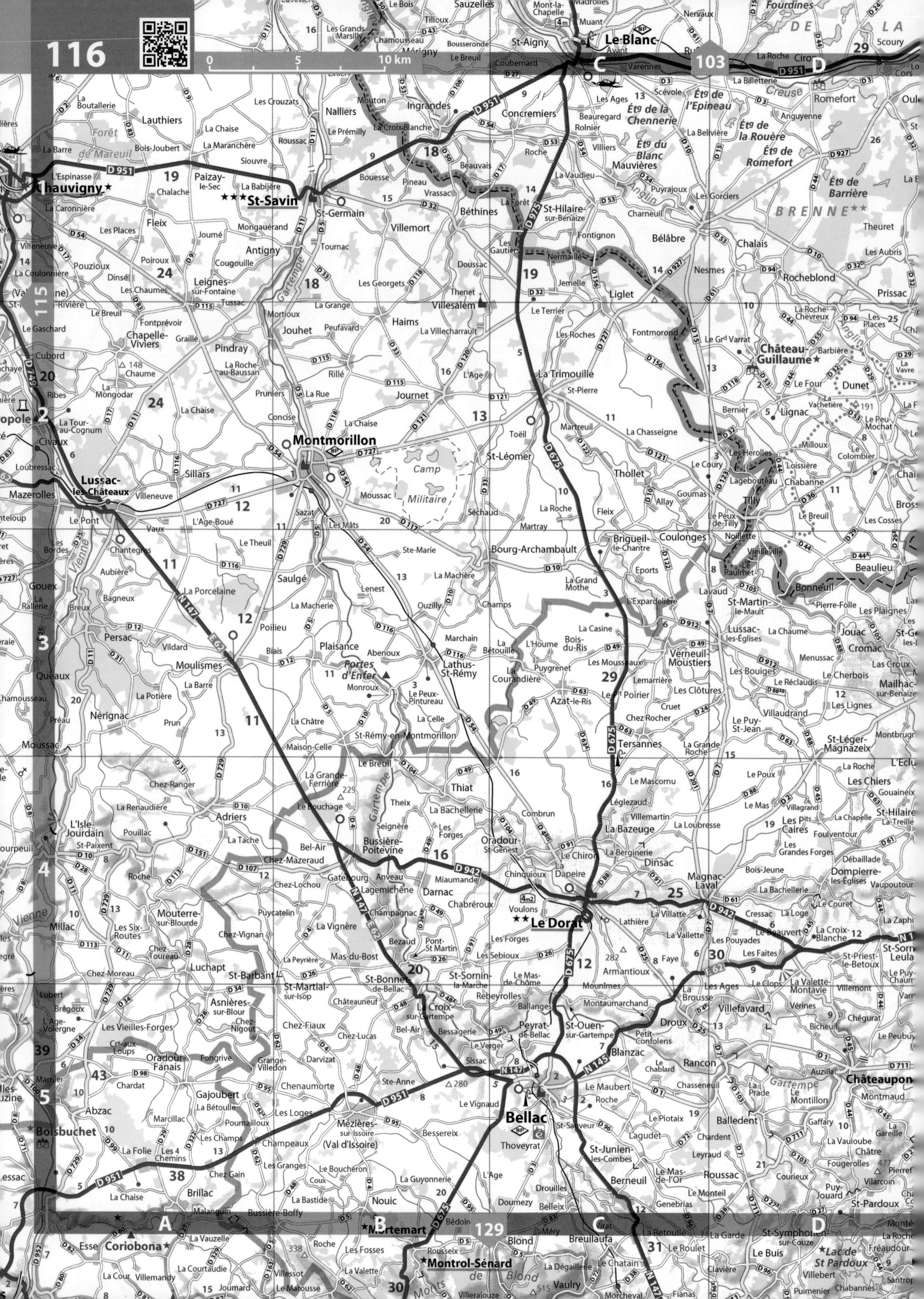

Le Blanc
Chauvigny
St-Savin
Montmorillon
Lussac-les-Châteaux
Le Dorat
Bellac
Château-Guillaume
BRENNE
Camp Militaire
Portes d'Enfer
Mortemart
Montrol-Sénard
Coriobona
Boisbuchet
Châteaupon
103
129
115

117
104
118
130
E
F
G
H
1
2
3
4
5
St-Gaultier
Chasseneuil
Tendu
Rivarennes
Thenay
St-Chrétien-abenet
Mosnay
Bouesse
Buxières-d'Aillac
Lys-St-Georges
Tranzault
Vic
Montgivray
St-Marcel
Argentomagus
Argenton-sur-Creuse
Neuvy-St-Sépulchre
La Châtre
Le Pêchereau
Malicornay
Gournay
Le Menoux
Chavin
Maillet
Cluis
Mouhers
Fougerolles
Le Magny
Luzeret
Celon
Badecon-le-Pin
Ceaulmont
Pommiers
Halle
St-Denis-de-Jouhet
Chassignolles
Chazelet
Vigoux
Gargilesse-Dampierre
St-Civran
Bazaiges
Baraize
Cuzion
Montchevrier
Sacierges-St-Martin
Roussines
St-Gilles
Orsennes
La Buxerette
Crozon-sur-Vauvre
Crevant
Parnac
Bgе d'Eguzon
St-Plantaire
Aigurande
St-Benoît-du-Sault
Éguzon
Lourdoueix-St-Michel
Méasnes
Nouziers
La Forêt-du-Temple
La Châtre-Langlin
St-Sébastien
Crozant
Fresselines
Nouzerolles
Lourdoueix-St-Pierre
Mortroux
Moutier-Malcard
Mouhet
Azerables
La Chapelle-Baloue
Chambon-Ste-Croix
Linard
Bazelat
Maison-Feyne
Chéniers
Malval
Bonnat
Lafat
Villard
Dun-le-Palestel
Fontvieille
St-Germain-Beaupré
Sagnat
La Celle-Dunoise
Fougères
Vareilles
Colondannes
St-Léger-Bridereix
St-Sulpice-le-Dunois
Le Bourg-d'Hem
Champsanglard
Arnac-la-Poste
Naillat
Bussière-Dunoise
Anzême
Jouillat
La Souterraine
Fleurat
Glénic
St-Maurice-la-Souterraine
Noth
Lizières
St-Vaury
St-Priest-la-Feuille
Maubrant
St-Priest-la-Plaine
Guéret
Le Grand-Bourg
St-Pierre-de-Fursac
St-Étienne-de-Fursac
Chamborand
Bénévent-l'Abbaye
Gartempe
Montaigut-le-Blanc
Ste-Feyre
Folles
Parc Animalier
Peyrabout
Fursannes
Marsac
Aulon
Augères
St-Yrieix-les-Bois
Bersac-sur-Rivalier
Laurière
Arrènes
Mourioux-Vieilleville
Azat-Châtenet
La Chapelle-Taillefert
Lépinas
Sous-Parsat
St-Sulpice-Laurière
St-Goussaud
St-Dizier-Leyrenne
Maisonnisses

0
5
10 km
C
105
D
117
131
132
A
B
C
D
1
2
3
4
5
La Châtre
Montgivray
Lacs
Montlevicq
Briantes
Champillet
Châteaumeillant
Néret
St-Jeanvrin
Beddes
Vicq-Exemplet
St-Julien
Maisonnais
Le Châtelet
Ardenais
Loye-sur-Arnon
Fosse-Nouvelle
Faverdines
Ainay-le-Vieil
La Celette
La Perche
Urçay
Saulzais-le-Potier
Bornacq
Forêt de Bornacq
Neuville
Maugenest
L'Alger
Reigny
St-Christophe-le-Chaudry
St-Maur
Culan
Vesdun
St-Vitte
Épineuil-le-Fleuriel
Vallon-en-Sully
Urciers
La Motte-Feuilly
Pouligny-St-Martin
Feusines
Pouligny-Notre-Dame
Ste-Sévère-sur-Indre
Lignerolles
Saturnin
Sidiailles
St-Éloy-d'Allier
St-Désiré
Courçais
Chazemais
Nassigny
Viplaix
St-Palais
Mesples
Préveranges
St-Priest-la-Marche
Pérassay
Le Montet
Vigoulant
Vijon
Sazeray
St-Marien
Chambérat
La Chapelaude
Vaux
Bussière-St-Georges
Tercillat
Nouzerines
St-Pierre-le-Bost
St-Sauvier
Treignat
Leyrat
Archignat
Huriel
Domérat
Boussac-Bourg
Boussac
Malleret-Boussac
Bétête
Genouillac
St-Dizier-Les-Domaines
St-Silvain-Bas-le-Roc
Lavaufranche
Soumans
Quinssaines
St-Martinien
Prémilhat
Lavault-Ste-Anne
Clugnat
Jalesches
Châtelus-Malvaleix
Toulx-Ste-Croix
St-Silvain-sous-Toulx
Nouhant
Verneiges
Lamaids
Teillet-Argenty
Lignerolles
Roches
Ladapeyre
Domeyrot
Bord-St-Georges
Viersat
Lépaud
Ste-Thérence
Mazirat
Blaudeix
Rimondeix
Trois-Fonds
Gorges de la Voueize
Budelière
Évaux-les-Bains
Chambon-sur-Voueize
Ajain
Parsac
Gouzon
Jarnages
Pionnat
St-Laurent
Vigeville
Cressat
Pierrefitte
St-Chabrais
Tardes
St-Julien-la-Genête
Sannat
Chambonchard
Sous-Parsat
St-Hilaire-la-Plaine
Villemonteix
Chénérailles
St-Dizier-la-Tour
St-Priest
Fontanières
Moutier-d'Ahun
Ahun
Issoudun-Létrieix
La Croix-de-l'Arbre
Bussière-Vieille
St-Maurice-près-Pionsat
Rougnat
Puy-Malsignat
St-Médard-la-Rochette
Chamberaud
St-Martial-le-Mont
Mainsat
Charron
D 943
D 940
D 997
D 990
D 916
N 145
E 62
38
39
40
41
42
43
44
45
46
37
595
459

119
106
120
132
133
E
F
G
H
03
1
2
3
4
5
Étang de St-Bonnet
Futaie Colbert
Tronçais
Baignereau
Sologne
Les Brays
Cérilly
La Croix-Rousseau
Lieu-Bourdon
Vellat
Franchesse
St-Plaisir
Chancelaire
Bomplein
Couzon
La Baume
L'Augère
Montilly
Rétif
Les Arpens
Vitray
LaVillette
Les Cabottes
La Chapelle-Dubois
St-Pardoux
La Velle
La Croix-Rouge
Jeu
Agonges
L'ome
Étang de Saloup
Les Loges
La Grange
Le Douat
Les Courteaux
Chappes
Theneuille
Charrière
Vernouillet
Villefranche
Pont-Lung
Le Pou
Le Batardeau
St-Menoux
Marigny
Les Bessays
Chavennes
Toury
Le Châtelet
Avermes
Le Plaix
Grand-Pernier
La Vilhaine
Les Seignes
Le Grd Villers
Le Brethon
La Croix Cornat
La Busserette
Les Bordes
Laume
Le Bois-de-l'Aume
Les Garots
Bourbon-l'Archambault
César
Ates
Les Ramets
Neuvy
St-Caprais
Sébilats
Les Prots
Le Vilhain
La Font-Picard
Ygrande
Les Vignes
Bessais
Provenchère
Autry-Issards
Les Chaumes
Bellevue
Coulandon
La Poterie
Chenillet
Le Lac
Louroux-Bourbonnais
Fromenteau
La Theille
St-Aubin-le-Monial
Souvigny
Chery
Bressolles
Forêt de Soulongis
La Longe
Chateloy
Forme
Les Salles
La Varenne
Les Noix
Forêt des Prieurés
Le Cluzeau
Hérisson
Tivallière
La Louère
Blinière
La Place
Les Noyers
Forêt de Messarges
Moladier
Le Petit Piray
Le Sac
La Côte-du-Lac
Vieure
La Gare
Gipcy
Meillers
La Forge
La Vivayre
Chemil
La Chaise
Les Lamans
Les Tourreaux
Cellière
St-Hilaire
Noyant-d'Allier
Les Rouyaux
Maillet
Cosne-d'Allier
Les Magnoux
Papilotière
Buchatière
Les Coquets
La Chaume
Besson
Les Granges
La Palisse
La Tuilerie
Venas
Forêt de Dreuille
Ferrière
Suivière
Châtillon
(Haut-Bocage)
Buxières-les-Mines
Les Criards
Louroux-Hodement
Tortezais
Montalimbert
Dar
Les Arclans
Cressanges
Fourchaud
Givarlais
Parçais
Baluftière
Lavaud
Le Châtelet
La Côte
La Croix-du-Chêne
Champs-Regneauds
Bresnay
Rincey
Forêt de Lespinasse
Sauvagny
Les Rousseaux
Gd Châtelus
Equaloup
Lariaud
Mauvise
La Goutte
Rocles
Tronget
Bouchon
La Charnay
Savigny
Lindron
La Bilaudière
Vernay
Treban
Haute Brenne
La Roche
Bornais
Neuville
St-Sornin
Le Montet
Thizon
Mirebeau
Le Feuillot
La Jaunerie
Chavenon
Chirons
Bizeneuille
Murat
Pied-de-St-Marc
Morat
Verneix
Villefranche-d'Allier
Chappes
Chaume
Mondric
Senant
Meillard
Deneuille-les-Mines
Argigny
Tarzy
La Foucrière
Le Grd Coudrais
Les Gougnons
La Chatre
Les Varennes
Chaumont
Marçais
La Chaîne
Deux-Chaises
Les Genevriers
Chapillière
Montigny
St-Angel
La Brosse
L'Allier Saulzet
Baucaire
Le Boucher
Le Chy
Ménil-Champ
Colombarault
Préamont
Chiret
Les Auges
Désertines
Le Cros
Les Theix
Rongère
Le Theil
Verneuil-en-Bourbonnais
Cusséjat
L'Allier Doyet
Donjon de la Souche
St-Priest-en-Murat
Sazeret
Mouzelon
Laféline
Commanderie
Chamblet
Le Soudan
Bézenet
Les Merlots
Les Avenées
Saulcet
MONTLUÇON
Doyet
Les Mats
St-Marcel-en-Murat
Voussac
Les Bagnolets
Gallandière
La Roche
Barbery
Chaville
Les Brandes
Reugny
Bransat
Venteuil
Les Thuelles
Chambouly
Montvicq
Varennes
St-Bonnet-de-Four
Montmarault
Pochonnière
Doulauvre
Louchy-Montfand
Breuilly
Bourdesoule
Vieux-Bourg
Malicorne
La Chaume
Villards
Blomard
Target
La Veauvre
Gratteloup
Fleuriel
Cesset
Brosses
Néris-les-Bains
Commentry
Hyds
Louroux-de-Beaune
Tarjazet
Montord
Le Tillou
Durdat
Vergnaud
Beaune-d'Allier
Les Sablons
Vernusse
La Côut
Barbignat
Fourillette
Taxat
Chassignet
Colombier
Les Guillaumets
Les Joberts
La Piraube
Monestier
Chareil-Cintrat
Nérignet
Blanzat
Bazergues
Les Cloux
Durdat-Larequille
Merlon
Boeuf
Rivalais
Les Bournets
Verzun
Deneuille-lès-C.
Fourilles
Bayet
Bois de Tigoulet
Bge des Gannes
Les Monteix
La Maison Rouge
Le Vernet
Louroux-de-Bouble
Chirat-l'Église
Bouble
Chantelle
Étroussat
Vernat
Arpheuilles-St-Priest
La Crx de Fer
Gournet
La Celle
Le Créchol
La Loge
Bost
Chantelle-la-Vieille
Chezelle
Le Theil
Lapeyrouse
Ussel-d'Allier
Barberier
Ranciat
Chardonneau
Buxières-s/s-M.
Coutansouze
Taxat
Cueilhat
Aubeterre
Le Téret
L'Harpe
Ronnet
La Bourse
Les Fayes
Bellenaves
Taxat-Senat
Ars-les-Favets
Pranoix
La Charrière
St-Bonnet-de-Tison
Échassières
Forêt des Colettes
Les Combes
St-Germain-de-Salles
Cherbeix
La Crouzille
Durmignat
La Crx-des-Bois
Valignat
Charroux
Montcocu
Montaigut
La Vernade
La Bosse
Boënat
Chalignat
Jenzat
Marcillat-en-Combraille
Les Vallières
Meaux
Moureuille
Veauce
Naves
Le Mayet-d'École
Puy-Malet
St-Éloy-les-Mines
La Lubière
Nades
Lalizolle
Sussat
Les Georges
Virlet
Monchaujoux
Les Berthons
St-Bonnet-de-Rochefort
Marthuret
Youx
Les Cartonnets
Chalouze
Le Mercurol
Vicq
Rochefort
Mazerier
Les Gaud
Escurolles
St-Fargeol
Aizier
Laval
La Boule
Servant
Chouvigny
Saulzet
Monteignet-s-l'Andelot
Montroy
Querriaux
Montjoie
Le Quartier
Le Piogat
Gorges
St-Gal-s-Sioule
Villeneuve
Bègues
Semautre
Pionsat
La Vialle
Les Ayes
Menat
La Bussière
Ébreuil
PALEOPOLIS
Barrot
Bray
Réraclos
Chantemerle
Gannat
Lyonne
Les Cluseaux
La Cellette
Les Egalennes
Teilhet
Pont-de-Menat
Chaux
Salpaleine
St-Quintin-s-Sioule
St-Maignier
Pouzol
Charmes
Baneize
Neuf-Église
Vialleix
St-Priest-d'Andelot
Biozat
Le Mas
Les Bouchauds
La Vernède
St-Rémy-de-Blot
Les Barraques
Les Poux
Poëzat
Jayet
Le Chier
Les Lamis
Marcillat
Les Boutards
Bussières
Les Verts
Ste-Christine
Les Volcans d'Auvergne
St-Genès-du-Retz
Denone
Les Abouranges
Champeyreux
Gouttières
St-Pardoux
Champs
La Chapelle
Vensat
Montvernoux
St-Julien-la-Geneste
Chazelette
Ayat-s-Sioule
Servant
Montbonne
Le Bet
Ste-Linge
Blot-l'Église
St-Hilaire-la-Croix
Chabrepine
St-Agoulin
Effiat
Roche-d'Agoux
Le Mazet
Espinasse
Châteauneuf-les-Bains
La Faye
Machal
Chaptuzat
Bas-et-
La Bourgeade
Lapeize
Mayet
Les Bernards
Valmort
Le Bois-des-Lapins
La Roche
Montpensier
A 71
A 714
A 719
E 11
E 62
N 79
D 2371
D 2144
D 953
D 978A
D 46
D 2009

120
0 5 10 km
107
119
133
134
Bourbon-Lancy
Moulins
Yzeure
Avermes
Neuvy
Coulandon
Bressolles
Toulon-sur-Allier
Chemilly
Besson
Fourchaud
Bessay-sur-Allier
Châtel-de-Neuvre
La Ferté-Hauterive
Monétay-s-Allier
Contigny
St-Loup
Chazeuil
Varennes-s-Allier
St-Pourçain-sur-Sioule
Louchy-Montfand
Paray-s/s-Briailles
Loriges
Créchy
St-Gérand-le-Puy
Lapalisse
St-Germain-des-Fossés
Billy
Magnet
Vichy
Bellerive-sur-Allier
Cusset
Abrest
Hauterive
St-Yorre
Serbannes
Brugheas
Randan
Effiat
Châtel-Montagne
Le Mayet-de-Montagne
Le Donjon
Neuilly-en-Donjon
Jaligny-sur-Besbre
Dompierre-sur-Besbre
Thiel-sur-Acolin
Montbeugny
Chevagnes
Beaulon
Diou
St-Aubin-sur-Loire
Gilly-sur-Loire
Pierrefitte-sur-Loire
Coulanges
Thoury
Beauvoir
Parc Le Pal
Saligny-sur-Roudon
Monétay-sur-Loire
St-Didier-en-Donjon
Montcombroux-les-Mines
Varennes-sur-Tèche
Trézelles
Droiturier
St-Pierre-Laval
St-Martin-d'Estréaux
La Pacaudière
Arfeuilles
St-Nicolas-des-Biefs
Laprugne
Loire
Allier
Besbre
Sioule

108
E
F
G
H
Gueugnon
Digoin
Paray-le-Monial
Charolles
Marcigny
Semur-en-Brionnais
Anzy-le-Duc
Chauffailles
La Clayette
Charlieu
St-Nizier-sous-Charlieu
Belmont-de-la-Loire
Cours
Lamure-sur-Azergues
Monsols
Matour
Dompierre-les-Ormes
Ambierle
ROANNE
Renaison
Perreux
Thizy-les-Bourgs
St-Vallier
Génelard
Palinges
Digoine
Rigny-sur-Arroux
St-Vincent-Bragny
Vitry-en-Charollais
Hautefond
Lugny-lès-Charolles
Changy-Tourny
Vendenesse-lès-Charolles
Volesvres
Champlecy
Ouroux-sous-le-Bois-Ste-Marie
Colombier-en-Brionnais
St-Julien-de-Civry
Varenne-l'Arconce
Iguerande
Briennon
Pouilly-sous-Charlieu
Châteauneuf
Mussy-sous-Dun
Montagne de Dun
Mont St-Rigaud
Col de la Croix d'Aubigny
Butte de Suin
Mt des Carges
Col des Écorbans
Col de la Bûche
Col de Favardy
Col du Pavillon
Col des Aillets
Col de la Casse-Froide
Col du Champ Juin
Col de Crie
Forêt d'Avaize
LOIRE
Arconce
Canal du Centre
Bois de la Motte
71
134
135
122
N 79
E 62
N 70
E 607
D 985
D 982
D 994
D 482
D 385
D 987
N 7

0 5 10 km
109
135
136
A
B
C
D
1
2
3
4
5
121
Sennecey-le-Grand
Tournus
Chapaize
Cormatin
Brancion
Cluny
Berzé-le-Châtel
Berzé-la-Ville
Hurigny
Lugny
MÂCON
Replonges
Pont-de-Vaux
St-Trivier-de-Courtes
Ferme-musée de la Forêt
Montrevel-en-Bresse
St-Cyr-sur-Menthon
Vonnas
Châtillon-sur-Chalaronne
St-Trivier-sur-Moignans
Villars-les-Dombes
Villefranche-sur-Saône
Belleville
Beaujeu
Monsols
Corcelles-en-B.
La Chapelle-de-Guinchay
Romanèche-Thorins
Touroparc
Fléchères
Cuisery
Romenay
Bâgé-le-Châtel
Pont-de-Veyle
Thoissey
Roche de Solutré
Mont St-Romain
Col de la Pistole
Col de la Croix
Col des Enceints
Col de Gr^d Vent
Col de Fontmartin
Col du Fût d'Avenas
Col de la Croix de Marchampt
La Terrasse
Saône
Seille
Reyssouze
Veyle
Chalaronne
Grosne

Louhans-Châteaurenaud
Cesancey
Bornay
St-Maur
Mesnois
Charézier
Vertamb
Bonnaud (Val-Sonnette)
Ste-Agnès
St-Laurent-la-Roche
Courbette
Nogna
Pont-de-Poitte
Patornay
Boissia
E
F
G
H
110
Flacey-en-Bresse
Vincelles
Grusse
Arthenas
Essia
Clairvaux-les-Lacs
St-Maurice-Crillat
Sagy
Vercia
Rotalier
(La Chailleuse)
Alièze
Le Pavillon
Blaisnay
Piételle
Crillat
L'Etandonne
Orbagna
Véage
Nécudois
Sellières
Beaufort
Reithouse
Dompierre-s-Mont
Marnézia
Largillay-Marsonnay
Hautecour
Les Huichards
Les Bulets
Varessia
Méronа
Soyria
La Frasnée
14
Frontenaud
Les Gugniots
Maynal
Augisey
Présilly
Pont-de-la-Thoreigne
Marsonnay
Barésia-s-l'Ain
Champsigna
Soucia
Augea
Boisdel
Cuisia
Cressia
Rosay
Senay
Moutonne
Plaisia
St-Christophe
Auge
Thoiria
Châtel-de-Joux
Cousance
Le Miroir
Rothonay
Orgelet
La Tour-du-Meix
Coyron
Étival
Prénovel
Gizia
Digna
Chevreaux
Beffia
Sézéria
Écrille
Meussia
Les Ronchaux
Les Piards
Poulet de Bresse
Pimorin
Chavéria
Cuiseaux
Loisia
Montjouvent
Marangea
Bellecin
Maisod
Dommartin-lès-Cuiseaux
Varennes-St-Sauveur
Champagnat
Graye-et-Charnay
Nancuise
Sarrogna
Lac de Vouglans
Charchilla
Les Crozets
La Rixouse
Condal
Joudes
Balanod
Gigny
Monnetay
Chambéria
Fétigny
Onoz
Crenans
Lescheres
Cormoz
Montagna-le-Reconduit
Véria
Savigna
Virémont
Moirans-en-Montagne
Ravilloles
St-Amour
L'Aubépin
Andelot-Morval
Marigna-s-Valouse
La Boissière
Légna
Villards-d'Héria
St-Lupicin
Cuttura
Avignon-lès-St-C.
Beaupont
Domsure
Nanc-lès-St-A.
Thoissia
Louvenne
Montrevel
Dramelay
Chatonnay
Coligny
St-Julien (Val-Suran)
Arinthod
Cernon
Lect
Pratz
Lavans-lès-St-C.
St-Claude
Chazelles
St-Jean-d'Etreux
Lains
Dessia
Chisséria
Vouglans
Martigna
Val d'Epy
La Balme-d'Epy
(Montlainsia)
Cézia
Vescles
Jeurre
Villechantria
Valfin-s-Valouse
Salavre
Pirajoux
Broissia
Bourcia
Montagna-le-Templier
Genod
St-Hymetière
Chemilla
Chancia
Condes
Vaux-lès-St-Claude
Molinges
Chassal
Larrivoire
Coyrière
Villard-St-Sauveur
Verjon
Villemotier
Marboz
Villeneuve-lès-C.
Montgefond
Vosbles
Lavans-s-Valouse
Dortan
Lavancia-Epercy
Rogna
Coiserette
Les Moussières
Courmangoux
Pouillat
Montfleur
Germagnat
Charnod
Cornod
Coisia
Sièges
Viry
Vulvoz
Choux
Bény
Lucinge
Aromas
Ceffia
Thoirette
Arbent
Col de la Croix de la Serra
La Pesse
St-Étienne-du-Bois
Treffort-Cuisiat
Chavannes-sur-Suran
Moux
Samognat
Veyziat
Oyonnax
Belleydoux
Meillonnas
Matafelon-Granges
Géovreisset
Bellignat
Corveissiat
Sonthonnax-la-Montagne
Groissiat
Alex
Lac Genin
Apremont
Chézery-Forens
Col de France
Simandre-sur-Suran
Jasseron
Drom
Izernore
Martignat
Giron
Échallon
Bourg-en-Bresse
Brou
Ramasse
Grand-Corent
Cize
Bolozon
Nurieux-Volognat
Montréal-la-Cluse
Plagne
Charix
St-Germain-de-Joux
Champfromier
Montanges
Pont des Pierres
Ceyzériat
Villereversure
Hautecourt-Romanèche
Col du Berthiand
Brion
Peyriat
Nantua
Port
Les Neyrolles
Châtillon-en-Michaille
Le Poizat-Lalleyriat
Bellegarde-sur-Valserine
Montagnat
Revonnas
Journans
Tossiat
Serrières-sur-Ain
Leyssard
Saint-Martin-du-Frêne
Maillat
Crêt de Beauregard
Col de Cuvéry
Certines
Bohas-Meyriat-Rignat
Challes-la-Montagne
Cerdon
Condamine
Chevillard
Col de Belleroche
Plateau de Retord
Ochiaz
Villes
La Tranclière
St-Martin-du-Mont
Labalme
Vieu-d'Izenave
Outriaz
Crêt du Nu
Billiat
Neuville-sur-Ain
Poncin
Mérignat
Brénod
Les Plans d'Hotonnes
Injoux-Génissiat
Dompierre-sur-Veyle
Druillat
Jujurieux
Boyeux-St-Jérôme
Corlier
Lantenay
Col de Pisseloup
Izenave
Corcelles
Le Grd-Abergement
Le Pt-Abergement
Col de Richemont
Surjoux
Franclens
Varambon
Pont-d'Ain
Châtillon-de-Cornelle
Col de Cuvillat
Chanay
Usinens
Châtenay
Ambronay
St-Jean-le-Vieux
L'Abergement-de-Varey
137
Champdor-Corcelles
Ruffieu
Hotonnes
(Haut Valromey)
Hauteville-Lompnes
Col de la Rochette
Col de la Berche
Priay
Douvres
Nivollet-Montgriffon
Bassy
Corbonod
124

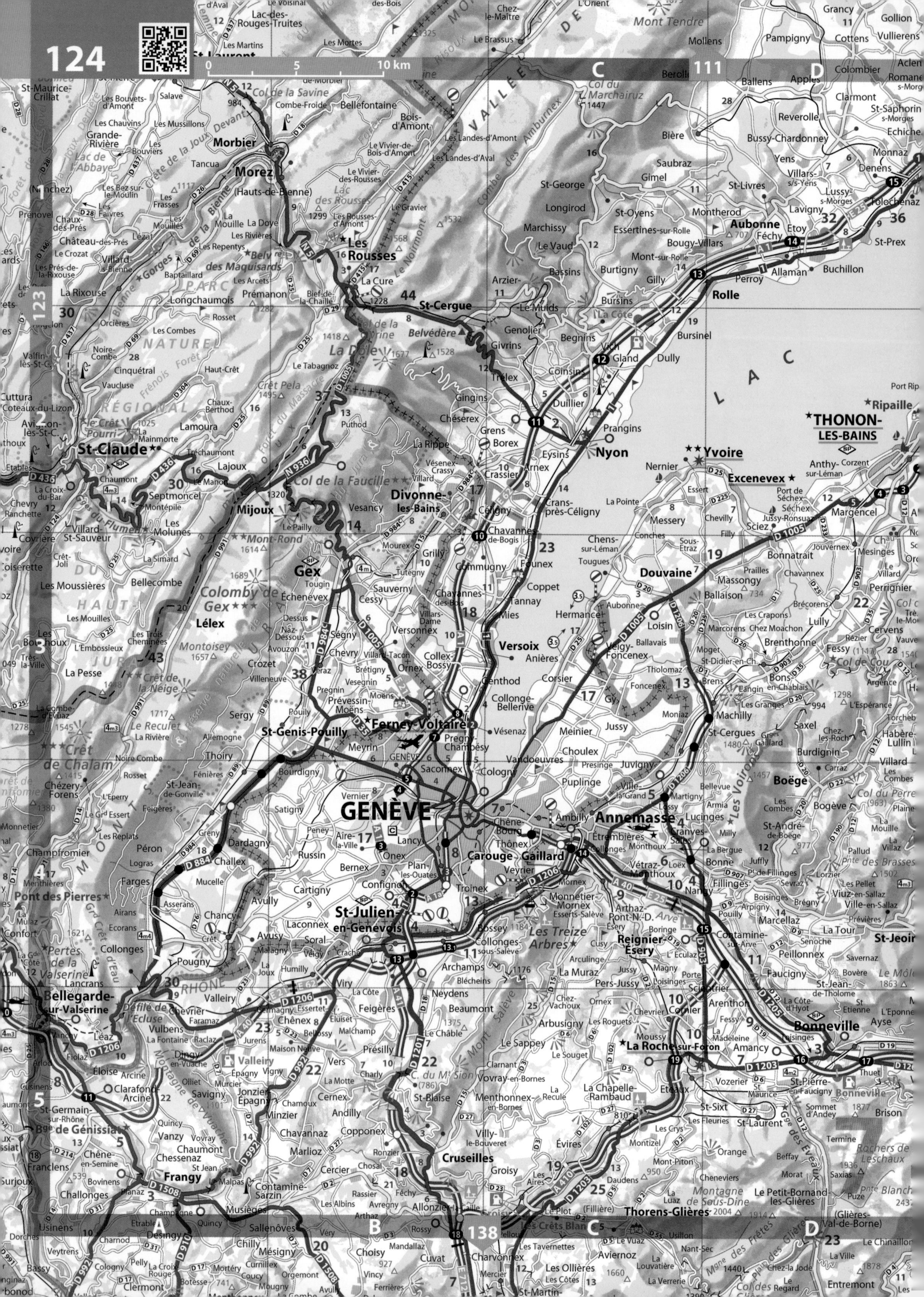

0 5 10 km
C
111
D
Lac-des-Rouges-Truites
Les Martins
St-Laurent
Le Brassus
Mont Tendre
Mollens
Pampigny
Cottens
Grancy
Gollion
Vullierens
St-Maurice-Crillat
Col de la Savine
Combe-Froide
Bellefontaine
Bois-d'Amont
Col du Marchairuz
Ballens
Apples
Colombier
Clarmont
St-Saphorin
Reverolle
Bière
Bussy-Chardonney
Yens
Monnaz
Denens
Morbier
Morez
(Hauts-de-Bienne)
Grande-Rivière
Lac de l'Abbaye
Les Bouviers
Tancua
Les Landes-d'Amont
Les Landes-d'Aval
Le Vivier-de-Bois-d'Amont
Les Rousses
Lac des Rousses
La Doye
Les Rousses-d'Amont
Le Noirmont
Saubraz
Gimel
St-George
St-Livres
Villars-s/s-Yens
Lussy-s-Morges
Tolochenaz
Longirod
St-Oyens
Montherod
Aubonne
Lavigny
Marchissy
Essertines-sur-Rolle
Féchy
Etoy
St-Prex
Le Vaud
Bougy-Villars
Mont-sur-Rolle
Buchillon
Allaman
Perroy
Bassins
Burtigny
Gilly
Rolle
Arzier
Bursins
Belv. des Maquisards
Gorges de la Bienne
Château-des-Prés
Chaux-des-Prés
Prénovel
Villard-s-Bienne
Les Prés-de-la-Rixouse
La Rixouse
PARC
Les Arcets
Prémanon
Longchaumois
Rosset
La Cure
Bief-de-la-Chaille
St-Cergue
Le Muids
La Côte
Genolier
Begnins
Bursinel
Belvédère
Givrins
La Dôle
Vich
Gland
Dully
LAC
Les Combes
NATUREL
Noire-Combe
Valfin-lès-St-C.
Cinquétral
Vaucluse
Haut-Crêt
Le Tabagnoz
Trélex
Coinsins
Crêt Pela
Chaux-Berthod
Lamoura
RÉGIONAL
Le Crêt Pourri
La Mainmorte
Puthod
Gingins
Duillier
Chéserex
Grens
Prangins
Port Ripaille
Ripaille
THONON-LES-BAINS
St-Claude
Tréchaumont
Lajoux
La Rippe
Borex
Eysins
Nyon
Yvoire
Nernier
Excenevex
Anthy-sur-Léman
Corzent
Chaumont
Septmoncel
Le Manon
Col de la Faucille
Vésenex-Crassy
Crassier
Arnex
Mijoux
Vesancy
Divonne-les-Bains
Céligny
Crans-près-Céligny
La Pointe
Messery
Port de Séchex
Séchex
Margencel
Jussy-Ronsuaz
Sciez
Les Molunes
Mont-Rond
Gex
Grilly
Mourex
Tutegny
Chavannes-de-Bogis
Commugny
Founex
Chens-sur-Léman
Sous-Etraz
Tougues
Douvaine
Bonnatrait
Mesinges
La Simard
Bellecombe
Colomby de Gex
Tougin
Échenevex
Sauverny
Cessy
Chavannes-des-Bois
Coppet
Tannay
Mies
Hermance
Aubonne
Massongy
Ballaison
Perrignier
Les Moussières
Les Mouilles
Lélex
Ségny
Versonnex
Versoix
Loisin
Lully
Les Crapons
Marcorens
Chez Moachon
Cervens
Les Trois Cheminées
L'Embossieux
Montoisey
Naz-Dessous
Chevry
Villard-Tacon
Ornex
Collex-Bossy
Anières
Veigy-Foncenex
Tholomaz
Moger
Brenthonne
Fessy
Col de Cou
La Pesse
Crêt de la Neige
Crozet
Villeneuve
Véraz
Brétigny
Vesegnin
Genthod
Corsier
Foncenex
St-Didier-en-Ch.
Brens
Bons-en-Chablais
Pregnin
Prévessin-Moëns
Moëns
Collonge-Bellerive
Gy
Langin
Les Granges
Machilly
L'Espérance
Le Reculet
Sergy
Pouilly
Ferney-Voltaire
Vésenaz
Meinier
Jussy
Moniaz
St-Cergues
Saxel
Habère-Lullin
Crêt de Chalam
La Rivière
Allemogne
St-Genis-Pouilly
Meyrin
Pregny-Chambésy
Choulex
Presinge
Juvigny
Burdignin
Villard
Noire Combe
Thoiry
Bourdigny
GENÈVE
Saconnex
Cologny
Vandoeuvres
Puplinge
Ville-la-Grand
Martigny
Bellevue
Boëge
Col du Perret
Chézery-Forens
Rosset
Fénières
St-Jean-de-Gonville
Vernier
Satigny
Chêne-Bourg
Ambilly
Annemasse
Lucinges
Armia
Bogève
L'Eperny
Feigères
Thônex
Étrembières
Gavard
Cranves-Sales
St-André-de-Boëge
Le Grd Essert
Peney
Aire-la-Ville
Lancy
Carouge
Gaillard
Monthoux
Collonges
La Bergue
Bonne
Les Replats
Péron
Dardagny
Russin
Onex
Plan-les-Ouates
Veyrier
Juffly
Pte des Brasses
Champfromier
Challex
Bernex
Mornex
Vétraz-Monthoux
Loëx
Pt de Fillinges
Fillinges
Lorzier
Menthières
Logras
Farges
Mucelle
Cartigny
Confignon
Troinex
Monnetier-Mornex
Esserts-Salève
Arthaz-Pont-N.-D.
Nangy
Sevraz
Les Pellet
Viuz-en-Sallaz
Ville-en-Sallaz
Pont des Pierres
Asserans
Avully
Chancy
Laconnex
St-Julien-en-Genevois
Bossey
Boisinges
Arpigny
Brégny
Marcellaz
Prévières
Airans
Ecorans
Confort
Soral
Collonges-sous-Salève
Les Treize Arbres
Reignier-Ésery
Contamine-sur-Arve
La Tour
St-Jeoire
Pertes de la Valserine
Collonges
Avusy
Malagny
Veigy
Crache
Archamps
Cusy
Arculinge
L'Éculaz
Peillonnex
Savernaz
Pougny
Humilly
Viry
La Joux
Blécheins
La Muraz
Jussy
Magny
Faucigny
Bovère
Le Môle
Lancrans
RHÔNE
Pers-Jussy
Loisinges
Porte
Scientrier
St-Jean-de-Tholome
Bellegarde-sur-Valserine
Valleiry
Défilé de l'Écluse
Chevrier
Germagny
Essertet
La Côte
Neydens
Chêne
Beaumont
Chez-Vachoux
Ornex
Chevrier
Cornier
Arenthon
La Côte-d'Hyot
St-Étienne
L'Eponnex
Ayse
Bonneville
Vulbens
Faramaz
Chênex
Eluiset
Feigères
Arbusigny
Les Roguets
Fessy
La Madeleine
Léaz
La Fontaine
Raclaz
Jurens
Bellossy
Malchamp
Le Châble
Moussy
La Roche-sur-Foron
Amancy
Dingy-en-Vuache
Valleiry
Maison Neuve
Présilly
Le Sappey
Le Souget
Fiolaz
Éloise
Arcine
Clarafond-Arcine
Epagny
Vigny
Vers
Charly
C. du Mt Sion
Clarnant
Vovray-en-Bornes
La Chapelle-Rambaud
Vozerier
St-Pierre-en-Faucigny
Thuet
St-Germain-sur-Rhône
Ollet
Murcier
Savigny
Jonzier-Epagny
Chamoux
Minzier
La Motte
Cernex
Andilly
St-Blaise
Menthonnex-en-Bornes
La Recule
Etéaux
St-Sixt
St-Maurice
Sommet d'Andey
Brison
Bge de Génissiat
Quincy
Vovray
Vanzy
Chaumont
Chessenaz
Chavannaz
Copponex
Villy-le-Bouveret
Évires
Les Fleuries
St-Laurent
Termine
Rochers de Leschaux
Chêne-en-Semine
Franclens
Bovinens
Challonges
Frangy
St Jean
Le Malpas
Contamine-Sarzin
Marlioz
Cercier
Chosal
Ronzier
Cruseilles
Groisy
Les Crys
Montizel
Mont-Piton
Orange
Beffay
Saxias
Morat
Cheneviers
Daudens
Les Aires
Montagne de Sous-Dine
Le Petit-Bornand-les-Glières
Puze
Pnte Blanche
Surjoux
Usinens
Champagne
Musièges
Rassier
Les Albins
Avregny
Féchy
Allonzier-la-Caille
Le Plot
(Fillière)
Thorens-Glières
(Glières-Val-de-Borne)
A
B
138
C
D
Etrable
Desingy
Quincy
Sallenôves
Arthaz
Rossy
Les Crêts Blancs
Usillon
Le Chinaillon
Dorches
Charnod
Chilly
Very
Mandallaz
Charvonnex
Les Tavernettes
Le Vuaz
Aviernoz
Nant-Sec
Mgne des Frêtes
Plan des Glières
Veytrens
Mésigny
Choisy
Cuvat
La Louvatière
Chez-la-Jode
La Ville
Bassy
Cologny
Pelly
La Croix Rouge
Mortéry
Cruilliex
Vincy
Mercier
Les Ollières
Les Côtes
Col des Glières
Le Regard
Entremont
Clermont
Botesse
Coucy
Orgemont
Mougny
Ferrières
La Verrerie
Gevaiz
St-Martin-

Cheseaux
Montpreveyres
Semsales
Moléson-sur-Gruyères
Cugy
Vuibroye
Oron-la-Ville
Le Mont-s-Lausanne
Les Cullayes
Châtillens
Maracon
Le Moléson
Romanel
Palézieux
Bussigny
Vers-chez-les-Blanc
Essertes
Ecoteaux
Villars-sous-Mont
Crissier
Epalinges
Les Cornes-de-Cerf
Palézieux Gare
Châtel-St-Denis
Neirivue
Renens
Forel
Les Thioleyres
Remaufens
Echandens
Prilly
Savigny
Albeuve
Ecublens
Pigeon
Granges
Les Paccots
Dent de Lys
Bossonnens
Belmont
Lessoc
Denges
Pully
Attalens
Puidoux
Montbovon
Lavaux
Mt Pèlerin
Les Pléiades
Château-d'Oex
Préverenges
St-Sulpice
Ouchy
Lutry
Grandvaux
Chexbres
Rossinière
Morges
LAUSANNE
Villette (Lavaux)
Cully
Chardonne
St-Légier
Blonay
(Bourg-en-Lavaux)
Corniche de Lavaux
Col de Sonloup
Les Moulins
Pays d'Enhaut
Réserve de Pierreuse
Corseaux
Brent
Vevey
Les Avants
Lac de l'Hongrin
La Tour-de-Peilz
Glion
Rochers de Naye
LÉMAN
Clarens
Caux
L'Etivaz
MONTREUX
Territet
Veytaux
Chillon
Col des Mosses
Meillerie
St-Gingolph
Villeneuve
ÉVIAN-LES-BAINS
Grande-Rive
Maxilly-Pte Rive
Lugrin
Le Locum
La Tornette
Amphion-les-Bains
Les Combes
Les Plantets
Noville
Ormont-Dessous
Le Hucel
Brêt
Maxilly-sur-Léman
Thollon-les-Mémises
La Joux
Le Bouveret
Publier
Neuvecelle
Tour d'Aï
Les Diablerets
Rennaz
Moruel
Darbon
Chez-Crosson
Laprau
Praubert
Novel
Port-Valais
Roche
Marin
Larringes
St-Paul-en-Chablais
Creuzat
Pic de Mémise
Les Evouettes
Leysin
Vers-l'Église
Champanges
La Beunaz
Le Grammont
Vallée des Ormonts
Thièze
Chez Portay
Vers-les-Granges
Bernex
Trossy
La Dent d'Oche
Corbeyrier
Chamossaire
Scex Rouge
Ermitage
Chez-Bochet
Féternes
Vouvry
Chessel
Col de la Croix
Châteauvieux
Vinzier
Vougron
Chevenoz
Bise
Le Chablais
Yvorne
Armoy
Les Cornettes de Bises
Lyaud
Flon
La Plantaz
Vacheresse
Fontaine
Aigle
Gorges de la Grande Eau
Chesières
Villars-s-Ollon
Reyvroz
Bioge
Le Fion
Vionnaz
Culan
Trossy
La Forclaz
Le Cruet
Ecotex
La Chapelle-d'Abondance
RHÔNE
Ollon
Jouvernaisinaz
Gges du Pont du Diable
Ubine
Collombey-le-Grand
La Vernaz
Nicodex
La Solitude
Richebourg
La Ville-du-Nant
Pic de Morclan
Le Feu
Vailly
Le Jotty
Le Mont
Gryon
Bonnevaux
Melon
d'Abondance
La Panthiaz
Muraz
Le Lavouet
Dranse
Châtel
Collombey-
Mt Billiat
Abondance
Mont de Grange
Pont de Nant
Lullin
La Baume
Le Corbier
Sur-la-Fontaine
Monthey
Monterrebout
Plan-de-Charmy
Sur-la-Ravine
Pas de Morgins
Le Biot
Vonnes
Les Granges
Urine
Prétairie
Les Plagnes
Bex
Bellevaux
Seytroux
Bas-Thex
Morgins
Massongex
Gd Muveran
L'Ermont
Mont-d'Evian
Pre-de-la-Joux
Les Mouilles
Les Planches
Pointe de Nantaux
Col de Bassachaux
Troistorrents
Lavey-
St-Maurice
Ormont-
La Douai
Le Jourdil
Tête du Linga
Jambaz
Morcles
Vérossaz
La Moussière
Dent de Morcles
La Clusaz
Essert-la-Pierre
L. de Montriond
Ardent
Val-d'Illiez
St-Jean-d'Aulps
Les Lindarets
La Chèvrerie
Le Lavanchy
Col de la Joux Verte
Les Moulins
Graidon
Essert-Romand
Montriond
Croix de Culet
Mex
Collonges
Mégevette
Pied-de-la-Plagne
Dents du Midi
Evionnaz
Les Fornets
Roc d'Enfer
Les Prodains
Avoriaz
Sevillon
Col de l'Encrenaz
La Côte-d'Arbroz
Morzine
Champéry
Haute Pointe
Les Hauts Forts
Dorénaz
Col de la Ramaz
Le Pléney
Lac de Salanfe
Fully
Mont Chéry
Les Gets
Pnte de Nyon
St Denis
Chez-Besson
Sommand
Anglay
Les Chavannes
Branson
Messy
Le Praz-de-Lys
Magy
Les Putay
Col de Joux Plane
Les Dents Blanches
Tour Sallière
Pont du Gueuroz
Vernayaz
St-Bernard
Les Perrières
Salvan
Risse
Ley
Mieussy
Pnte de Marcelly
Fry
Le Sincerneret
Pnte de Chamoissière
Fond de la Combe
Les Marécottes
Rond
Pt des Gets
Lac d'Emosson
Le Trétien
Ravoire
Martigny
Ivoray
Giffre
Les Allamands
Pnte du Tuet
Les Avoudrues
Pic de Tenneverge
Finhaut
Gges du Trient
Vollèges
Taninges
Verdevant
Plonnex
Verchaix
Criou
Martigny-Croix
Cellières
Chantemerle
Le Frénalay
Bge d'Emosson
Défilé de la Tête Noire
Bovernier
Le Châtelard
Mathonex
Samoëns
La Rivière-Enverse
L'Etelley
Giffre
Cirque du Fer à Cheval
Le Catogne
Châtillon-sur-Cluses
Morillon
Les Vallons
Lac du Vx Emosson
Thyez
St-Sigismond
Le Mont
Col de la Forclaz
Trient
Vercland
Béné
Réserve naturelle
Barberine
Cluses
Les Esserts
Sixt-Fer-à-Cheval
Le Mollard
Champex
Le Cheval Blanc
Marnaz
La Frasse
Samoëns 1600
Le Fay
Vallorcine
Scionzier
Le Pontet
Salvagny
Le Morzay
La Breya
Mont-Saxonnex
Arâches
Tête du Pré des Saix
Cade du Rouget
Mt Buet
Nancy-sur-Cluses
Les Carroz-d'Arâches
Le Couteray
Glr du Trient
Romme
Les Grds Vans
Chts du Lignon
Col des Montets
Le Buet
Le Tour
Magland
Aigle du Tour
Chaîne du Bargy
Praz-de-Fort
Flaine
Lac d'Anterne
Aigle du Belvédère
Aiguilles Rouges
Montroc-le-Planet
Trélechamp
Le Reposoir
Gravin
La Tête à l'Âne
Argentière
Chaîne du Reposoir
Luth
Réserves naturelles
Aigle du Chardonnet
Oëx
Cade d'Arpenaz
Les Chosalets
Pnte d'Areu
Col de la Colombière
Les Vorziers
Tête du Colonney
Désert de Platé
Chaîne des Fiz
La Flégère
Aigle d'Argentière
Pragon
Blancheville
Luzier
Le Lavancher
Les Tines
Glacier d'Argentière
Aigle des Grds Montets
Val Ferret
Mont Lachat de Châtillon
Pointe Percée
La Provence
Méribel
Plaine-Joux
Praz-Coutant
Lac Vert
Gges de la Diosaz
Les Praz-de-Chamonix
Planpraz
Les Bois
Mer de Glace
La Fouly
Les Houches
Les Tronçs
Sallanches
Reninge
Plateau-d'Assy
La Côte
Le Mont
Le Montenvers
Aigle Verte
Mt Dolent
139

126
0 5 10 km
113
140
A
B
C
D
1
2
3
4
5
ÎLE D'OLÉRON
Côte Sauvage
Rade des Basques
Fort Boyard
Pointe des Saumonards
Rade de l'Île d'Aix
Pointe de la Fumée
La Fumée
Fouras-les-Bains
Île Madame
Route submersible
Port-des-Barques
ROCHEFORT
Tonnay-Charente
St-Georges-d'Oléron
Chaucre
Domino
Les Sables-Vigniers
Plage des Sables-Vigniers
Chéray
Sauzelle
St-Gilles
Boyardville
St-Pierre-d'Oléron
Le Marais aux Oiseaux
Réserve naturelle des marais de Moëze
Parcs à Huîtres
La Menounière
Parc le Maisonneuve
Bellevue
Les Allards
La Cotinière
Maisonneuve
Dolus-d'Oléron
Martha
La Perroche
La Remigeasse
La Gaconnière
Le Château-d'Oléron
Vert-Bois
Plage de Vert-Bois
Le Grand-Village-Plage
Port des Salines
Fort Louvois
Le Chapus
Brouage
Bourcefranc-le-Chapus
St-Trojan-les-Bains
Viaduc d'Oléron
La Grande Plage
Pertuis de Maumusson
Pointe de Manson
Pointe de Gatseau
Marennes
Marennes-Plage
Ronce-les-Bains
Pointe Espagnole ou Pointe d'Arvert
La Tremblade
Forêt de la Coubre
Arvert
Étaules
Les Mathes
La Coubre
Pointe de la Coubre
La Palmyre
Zoo de la Palmyre
La Grande Côte
St-Palais-sur-Mer
Nauzan
Pontaillac
ROYAN
Phare de Cordouan
St-Georges-de-Didonne
Pointe de Grave
Pointe de Suzac
Le Verdon-sur-Mer
Meschers-sur-Gironde
Talmont-sur-Gironde
Soulac-sur-Mer
Les Huttes
L'Amélie-sur-Mer
Pointe de la Négade
Talais
Grayan-et-l'Hôpital
St-Vivien-de-Médoc
GIRONDE
Mortagne-sur-Gironde
Ermitage St-Martial
Chenac-St-Seurin-d'Uzet
Barzan
Épargnes
Arces
Cozes
Grézac
Semussac
Saujon
Médis
Mornac-sur-Seudre
Chaillevette
Le Gua
L'Éguille
Sablonceaux
St-Romain-de-Benet
Pisany
Thézac
Balanzac
Nancras
Corme-Royal
Ste-Gemme
St-Sulpice-d'Arnoult
Pont-l'Abbé-d'Arnoult
Champagne
St-Jean-d'Angle
St-Agnant
Échillais
Soubise
Moëze
St-Froult
St-Nazaire-s-Charente
Beaugeay
Hiers-Brouage
St-Just-Luzac
Nieulle-sur-Seudre
St-Sornin
Trizay
Cabariot
St-Hippolyte
Lussant
Moragne
Breuil-Magné
Loire-les-Marais
Yves
Voutron
Ballon
Ciré-d'Aunis
Ardillières
Muron
Les Boucholeurs
Breuillet
St-Sulpice-de-R.
Vaux-s-Mer
Saint-Augustin
Meursac
Thaims
Corme-Écluse
Luzac
Mauzac
Artouan
Coux
Avallon
Le Maine-Auriou
Bernon
Didonne
D 733
D 728
D 137
D 150
N 150
D 730
D 25
D 26
D 734
D 1215
E 602

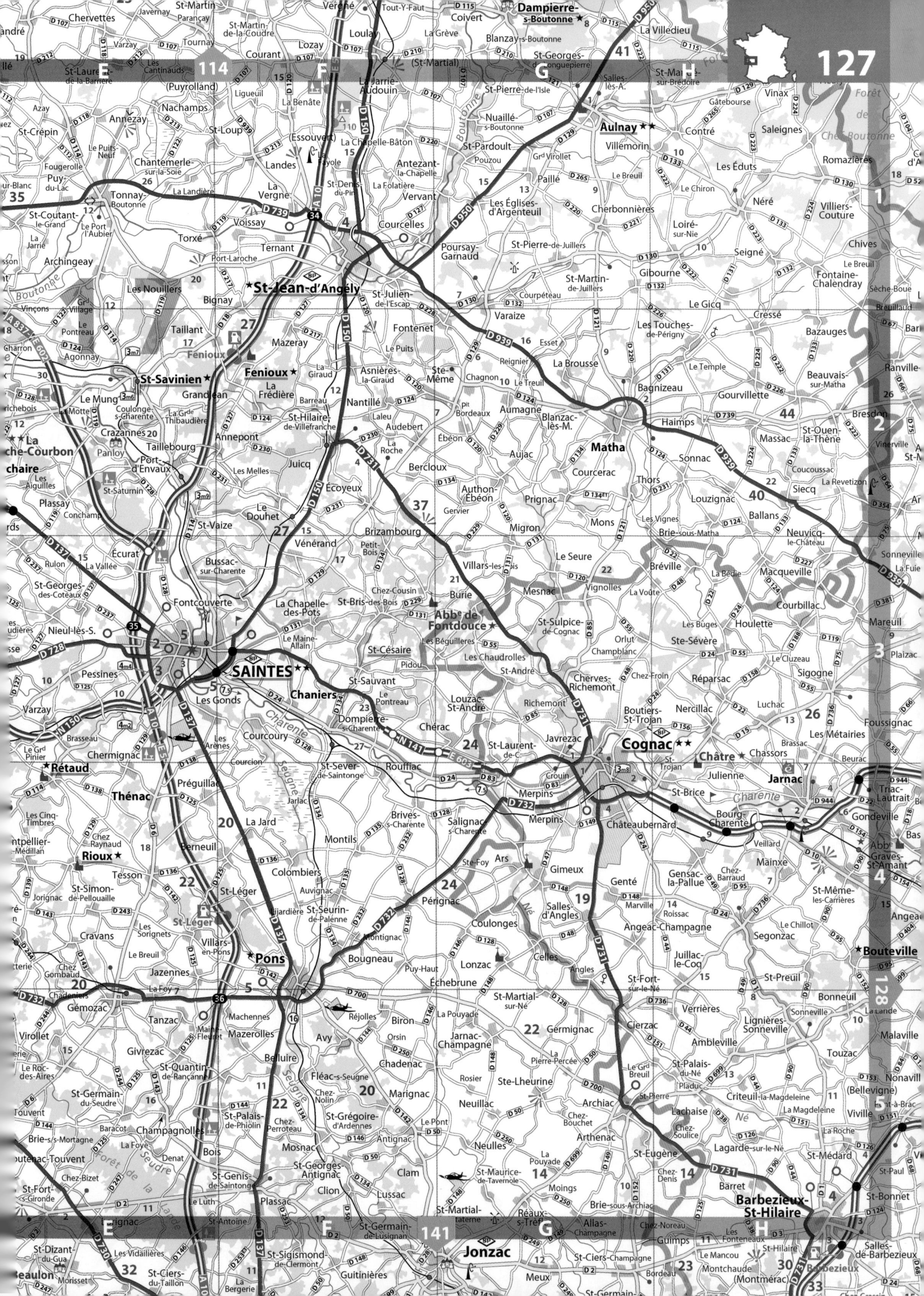
114
141
128
E
F
G
H
St-Jean-d'Angély
Saintes
Cognac
Jarnac
Pons
Matha
Aulnay
St-Savinien
Fenioux
Chaniers
Jonzac
Barbezieux-St-Hilaire
Dampierre-s-Boutonne
Tonnay-Boutonne
Taillebourg
St-Césaire
Abbe de Fontdouce
Burie
Châteaubernard
Segonzac
Archiac
Gémozac
Rioux
Thénac
Rétaud
Bouteville
Châtre
St-Léger
St-Genis-de-Saintonge
Mirambeau
Charente
Seugne
Boutonne
Né
Forêt de la Lande
A 10
E 5
E 603
N 141
N 150
D 150
D 137
D 731
D 732
D 939
D 950
D 739
D 700
Chervettes
Loulay
La Villedieu
Courcelles
Vervant
Poursay-Garnaud
Varaize
Mazeray
Nantillé
Brizambourg
Villars-les-Bois
Mesnac
Cherves-Richemont
Javrezac
Merpins
Salignac-s-Charente
Gimeux
Genté
Ars
Saintes
Pessines
Varzay
Chermignac
Préguillac
Berneuil
Tesson
Montils
Colombiers
Pérignac
Coulonges
Salles-d'Angles
Celles
Lonzac
Échebrune
Biron
Réjolles
Avy
Belluire
Fléac-s-Seugne
Marignac
Neuillac
Ste-Lheurine
Arthenac
St-Eugène
Barret
Lagarde-sur-le-Né
St-Médard
Criteuil-la-Magdeleine
Ambleville
Verrières
Lignières-Sonneville
Bonneuil
Touzac
Malaville
Mainxe
Gondeville
Triac-Lautrait
Bourg-Charente
St-Brice
Julienne
Chassors
Foussignac
Sigogne
Réparsac
Houlette
Courbillac
Macqueville
Neuvicq-le-Château
Siecq
Massac
St-Ouen-la-Thène
Bresdon
Haimps
Sonnac
Thors
Louzignac
Ballans
Brie-sous-Matha
Le Seure
Bréville
Vignolles
Mons
Prignac
Migron
Courcerac
Aujac
Bercloux
Ébéon
Authon-Ébéon
Aumagne
Blanzac-lès-M.
Bagnizeau
Gourvillette
Beauvais-sur-Matha
Bazauges
Cressé
Le Gicq
Gibourne
Seigné
Néré
Villiers-Couture
Chives
Fontaine-Chalendray
Romazières
Les Éduts
Saleignes
Contré
Villemorin
Paillé
Les Églises-d'Argenteuil
Cherbonnières
Loiré-sur-Nie
St-Pierre-de-Juillers
St-Martin-de-Juillers
La Brousse
Les Touches-de-Périgny
Fontenet
Asnières-la-Giraud
Ste-Même
St-Hilaire-de-Villefranche
Écoyeux
Juicq
Annepont
Grandjean
Crazannes
Port-d'Envaux
Plassay
Écurat
St-Vaize
Bussac-sur-Charente
Fontcouverte
La Chapelle-des-Pots
St-Bris-des-Bois
St-Sauvant
Chérac
St-Laurent-de-C.
Rouffiac
Dompierre-s-Charente
Courcoury
Les Gonds
St-Sever-de-Saintonge
Brives-s-Charente
Bougneau
Mosnac
St-Georges-Antignac
Clion
Lussac
St-Germain-de-Lusignan
St-Ciers-Champagne
Allas-Champagne
Réaux-s-Trèfle
Brie-sous-Archiac
Guimps
Montchaude
St-Dizant-du-Gua
St-Ciers-du-Taillon
St-Sigismond-de-Clermont
Guitinières
Meux

0 5 10 km
115
127
142
Ruffec
Angoulême
La Rochefoucauld
Chasseneuil-s-Bonnieure
Mansle
Aigre
St-Amant-de-Boixe
Vars
Rouillac
Châteauneuf-sur-Charente
La Couronne
Roullet-St-Estèphe
Ruelle-sur-T.
Gond-Pontouvre
Villebois-Lavalette
Blanzac-Porcheresse
Montignac-Charente
Champniers
Hiersac
Linars
Touvre
Grottes du Quéroy
Logis de Forge
St-Cybard
la Mercerie
Bouteville
Conzac
Angoulême-Cognac
Forêt de Tusson
Forêt de la Braconne
Forêt de Dirac
Forêt d'Horte
Forêt de Boixe
Bois de Belair
Charente
Tardoire

129
116
143
130
E
F
G
H
Confolens
Lesterps
Mortemart
Montrol-Sénard
Oradour-sur-Glane
St-Junien
Chabanais
Rochechouart
Thermes
Aixe-sur-Vienne
Châlus
Montbrun
Brie
Nontron
Le Chalard
St-Yrieix-la-Perche
Jumilhac
Jumilhac-le-Grand
Coriobona
Boisbuchet
Lac de Mas-Chaban
Lac de Lavaud
Forêt de Brigueil
Monts de Blond
Parc Naturel Régional Périgord-Limousin
Saut du Chalard
Vienne
Charente
Tardoire
Dronne
N 141
N 21
E 603
D 675
D 948
D 951
Brillac
Nouic
Cieux
Blond
Vaulry
St-Christophe
Montrollet
Saint-Maurice-des-Lions
Brigueil
Javerdat
Chirac
Exideuil
Étagnac
Saillat-sur-Vienne
Chaillac-sur-Vienne
St-Brice-sur-Vienne
St-Victurnien
Verneuil-sur-Vienne
Cognac-la-Forêt
St-Auvent
Vayres
Oradour-sur-Vayres
Cussac
Champagnac-la-Rivière
Champsac
Pageas
Les Cars
Flavignac
Séreilhac
Gorre
St-Laurent-sur-Gorre
St-Cyr
Videix
Pressignac
Chassenon
Massignac
Montembœuf
Verneuil
Roussines
Busserolles
Bussière-Badil
Piégut-Pluviers
Marval
St-Mathieu
Dournazac
La Coquille
Firbeix
Mialet
St-Saud-Lacoussière
Champs-Romain
Abjat-sur-Bandiat
Augignac
St-Estèphe
Teyjat
Étouars
St-Martial-de-Valette
Lussas-et-Nontronneau
St-Pardoux-la-Rivière
Chalais
Bussière-Galant
Ladignac-le-Long
St-Priest-les-Fougères
Rilhac-Lastours
Lavignac
Burgnac
Meilhac
Manot
Roumazières-Loubert
Genouillac
Mazières
Lésignac-Durand
Cherves-Châtelars
Mouzon
Sauvagnac
Les Salles-Lavauguyon
Maisonnais-sur-Tardoire
Champniers-et-Reilhac
St-Barthélemy-de-Bussière
La Chapelle-Montbrandeix
Milhac-de-Nontron
St-Front-la-Rivière
St-Paul-la-Roche

130
0 5 10 km
C
117
D
A
B
144
C
D
1
2
3
4
5
129
LIMOGES
Aixe-sur-Vienne
Couzeix
Condat-sur-Vienne
Solignac
Panazol
Isle
Feytiat
Ambazac
Bourganeuf
St-Léonard-de-Noblat
St-Yrieix-la-Perche
Coussac-Bonneval
Le Chalard
Tuilerie de Puycheny
Lac de St Pardoux
Col de la Sablonnade
Monts d'Ambazac
Arboretum
Pont du Dognon
Beaune-les-Mines
Mt Gargan
Porte de Corrèze
Eymoutiers
Masseret
Pierre-Buffière
Nexon
Châteauneuf-la-Forêt
Neuvic-Entier
Sauviat-sur-Vige
Bujaleuf
St-Germain-les-Belles
Magnac-Bourg
Nieul
Chaptelat
Compreignac
Nantiat
Rilhac-Rancon
St-Priest-Taurion
Le Palais-sur-Vienne
Eybouleuf
St-Paul
Linards
Surdoux
St-Gilles-les-Forêts
Chamberet
Meuzac
Benayes
La Porcherie
Châteaux-Chervix
Janailhac
La Meyze
Meilhac
Burgnac
Jourgnac
Bosmie-l'Aiguille
Le Vigen
Boisseuil
Eyjeaux
St-Just-le-Martel
Royères
Aureil
St-Denis-des-Murs
Masléon
Moissannes
Champnétery
Cheissoux
Augne
Domps
Sussac
Meilhards
Soudaine-Lavinadière
Rilhac-Treignac
Lamongerie
Salon-la-Tour
Condat-sur-Ganaveix
Montgibaud
Glanges
St-Méard
St-Vitte-sur-Briance
La Croisille-sur-Briance
Vicq-sur-Breuilh
St-Priest-Ligoure
St-Hilaire-Bonneval
St-Bonnet-Briance
St-Genest-sur-Roselle
Laurière
Bersac-sur-Rivalier
Jabreilles-les-Bordes
St-Goussaud
Châtelus-le-Marcheix
St-Laurent-les-Églises
St-Martin-Terressus
St-Sylvestre
La Jonchère-St-Maurice
St-Léger-la-Montagne
Les Billanges
St-Amand-Jartoudeix
St-Priest-Palus
Auriat
St-Moreil
Bosmoreau-les-Mines
Masbaraud-Mérignat
Montboucher
Vienne
Taurion
Maulde
Forêt de Fayat
87
A20
N520
N21
N141
N147
D941
D979
D704
D920
D914

118
E
F
G
H
Moutier-d'Ahun
Ahun
Sous-Parsat
Aubusson
Felletin
Pont de Sénoueix
Lac de Vassivière
Gentioux-Pigerolles
Peyrelevade
Millevaches
Étang des Oussines
Vestiges gallo-romains des Cars
Tourbière du Longeyroux
Meymac
Ussel
La Courtine
Meymac
Bugeat
Pontarion
Royère-de-Vassivière
Eymoutiers
Plateau de Millevaches
Parc Naturel Régional
Limousin
Camp militaire
Camp de la Courtine
Forêt de Châteauvert
Signal d'Audouze
Source de la Vienne
Puy Pendu
Mont Bessou
Lac de Sechemailles
Suc-au-May
Freysselines
145
132

132
0 5 10 km
C
118 119
D
A
B
146
C
D
131
Reterre
Les Écurettes
St-Hilaire
Le Faux
Baneize
Mazan
St-Maigner
La Cellette
Les Égalennes
Le Mas
Les Bouchauds
La Vernède
Teilhet
Neuf-Église
Doulazet
Les Brégères
Gachard
Maurice-près-Pionsat
Montbobier
Bussières
Ste-Christine
Champeyreux
Arfeuille-Châtain
Soubrebost
Courtioux
Charron
Les Cheix
Montivernoux
Gouttières
St-Julien-la-Geneste
Les Abouranges
Chazelette
Ayat-s-Sioule
Ste-Linge
La Serre-Bussière-Vieille
Mainsat
Arfeuille
Trapas
Rougnat
Villechereix
Frévaleix
Villesaulieux
La Chaux
Roche-d'Agoux
Le Mazet
Espinasse
Châteauneuf-les-Bains
Mayet
St-Domet
Bussière-Vieille
Poux
Marcillat
La Chaumette
Les Villattes
Vergheas
La Bourgeade
Lapeize
Montelladonne
Pont
La Chomette
Bussière-Nouvelle
Auzances
Gibreix
Charonnet
Marmetoux
La Villefranche
Croizet
St-Gervais-d'Auvergne
Les Arbres
Puy-de-Mergue
Chagot
Les Jarasses
Courdemanges
Méandre de Queuille
Genestines
Beauvais
Blavepeyre
Neuvialle
Le Theil
Parazeix
Dontreix
Chassagnette
Sauret-Besserve
St-Angel
Bellegarde-en-Marche
Chez-Latour
Secondat
Le Compas
Les Mars
Frédeval
Charensat
Biollet
St-Priest-des-Champs
La Sioule
Besserve
Queuille
Vitrac
La Vareille
Gouzet
Lupersat
Erollas
Brousse
Chauchady
Hauteserre
Troissagnes
La Faye
Gandichoux
St-Silvain-Bellegarde
Montcorps
Sermur
La Siette
Termes
Les Barses
Cluzet
Bge de Besserve
Viaduc des Fades
Courteix
Montignat
Sannegrand
Le Mazeau
Le Mavier
Lioux-les-Monges
Châtelard
Les Vergnes
La Marzelle
Étang de Chancelade
Mautes
Le Breuil
Le Chassaing
Chard
Lamazière
Comps
Murzeix
Le Montel-au-Temple
Roussines
Les Triomps
Freteix
Montel-de-Gelat
Les Tours
La Chomette
Les Ancizes-Comps
St-Georges-de-Mons
Marmoizoux
Prodessagne
Les Puids
Villevaleix
Source du Cher
La Ribière
Laurière
Pont du Bouchet
Les Richards
Mérillat
Sauteret
La Villetelle
St-Avit-de-Tardes
Naleichard
St-Bard
Mondayraud
Le Boucheix
Villosanges
Grégottier
Tingaud
Tournobert
Mérinchal
La Maison Rouge
Baublange
Tralaigues
La Peyrière
Confolant
Les Giraudes
Les Arbres
Bussière-Maraud
Le Mazendreau
La Villeneuve
La Verneide
Les Isserts
St-Jacques-d'Ambur
Chapdes-Beaufort
Les Farges
Cherbaudy
Létrade
La Bessède
Laschamps
Miremont
Pulvérières
St-Oradoux-près-Crocq
Sonnazet
Cornet
St-Pardoux-d'Arnet
La Mazière-aux-Bons-Hommes
La Chaumette
Landogne
L'Arboulerie
Montfermy
Trimoulet
Le Cheix
Pardanaud
St-Maurice-près-Crocq
Crocq
Basville
St-Avit
Cheval-Blanc
Le Baraque
Le Boueix
Pontaumur
Le Biot
Gorges
St-Alvard
Les Chaumettes
La Chaux
Marcoueix
La Quarte
Villelongue
Cherblanc
Arfeuille
Chalus
Marcollanges
La Rodde
Pranal
St-Ours
Le Naberon
Dimpoux
La Celle
Parsange
Condat-en-Combraille
Bussière
Combrailles
Provenchère
Salmondèche
Bromont-Lamothe
Le Bouchet
La Cour
La Villatte
Le Montaurier
La Goutelle
Beauloup
Lascaux
Dougnat
Montel-Guillaume
Barges
Le Romaneix
La Forêt
Pontgibaud
Puy
Logis-de-Chapal
Lépinas
Fernoël
Bonnafond
St-Étienne-des-Champs
Chapuzat
St-Hilaire-les-Monges
Les Vialles
Les Piquets
Les Peyrouses
Maisons Rouges
Les Roc
La Ribière
Les Pardellières
Laschamps
Le Lery
Lavergne
La Villedieu
St-Pierre-le-Chastel
Bannières
Vulcan
Cherboucheix
Salesses
Manaly
Giat
La Villatte
Voingt
Puy-St-Gulmier
Claveix
Puy-à-l'Âne
Pt-Chambois
Puy de C
St-Agnant-près-Crocq
Chez-Prieuré
Noudière
Flayat
Villemeyre
Foulage
Les Aymards
La Croix
Bunlay
Cisternes-la-Forêt
Neuffonts
Bonnabaud
Gd Chambois
Roure
Mazaye
Champille
Puy de D
Les Moulins
Ligny
Villevergne
Verneugheol
Sauvagnat
Etival
Tracros
La Miouze
Beissat
Malleret
Trabatergue
Chantemerle
Prondines
Pérol
La Narse
Le Montel
Gelles
Varelles
Say
Ceyssat
Coheix
Ségonzat
Le Breuil
La Lignère
Herment
Les Barrichons
L'Eclache
Olby
Montmeyre
Allagnat
Courtine
St-Oradoux-de-Chirouze
Le Besseau
Méouze
Le Moury
St-Merd-la-Breuille
Le Mazergue
Farges
Les Olmes
Tortebesse
Banson
Monge
Prades
Bravant
Les Bramauds
Peumot
Massagette
Forêt de Châteauvert
Bissareix
Le Besth
Le Beix
Malcornet
Chatonnier
(St-Germain-près-Herment)
Chadeaux
Rozet
Buzaudon
Heume-l'Église
Angle-Haut
Angle-Bas
Massage
St-Pierre-Roche
Les 4 Routes
Le Léry
Antérioux
Nébouzat
Les Mottes
Bongue
Les Barlauds
Miozat
Lastic
Muratel
Briffons
Chalusset
Rochefort-Montagne
St-Martin-de-Tours
Villejacques
St-Bonnet-près-Orcival
Neuville
Sarsoux
Laroche-près-Feyt
Montel-Brut
Camp militaire
Le Camp
Soulier
Voissieux
Gioux
Laval
Régional
St-Martial-le-Vieux
Lamazière-Haute
Feyt
La Garde
Bajouve
Puy-Lavèze
Jollere
Perpezat
Orcival
Aurière
Couffy-sur-Sarsonne
Eygurande
Cornes
Ribière
St-Julien-Puy-Lavèze
Les Buges
Ribeyre
Vernines
Fontsalive
St-Rémy
Merlines
La Dreuille
Veyrières
Bourg-Lastic
Préchonnet
Feix
Laqueuille-Gare
Laqueuille
La Plane
La Gratade
Courteix
Limousin
La Vervialle
Pierrefitte
St-Sulpice
Le Cros
Lac Servière
Saulzet-le-Froid
Brou
Le Maraix
Chalons-d'Aix
Monestier-Merlines
La Cellette
Vedrine
Farrérolles
Lestomble
Roche Tuilière
Roche Sanadoire
Pessade
Chavanon
Les Gannes
Bogros
La Banne d'Ordanche
Lac de Guéry
Col de Guéry
Mareug
Aix
La Sauvetté-d'Aix
Bialon
Messeix
La Mine
Choriol
Hors
Chez-Rigaud
Murat-le-Quaire
St-Sauves-d'Auvergne
Fanostre
Le Genestoux
Col de la Cx-Morand ou de Diane
Beaune-le-Froid
Lignareix
St-Pardoux-le-Neuf
Daubech
Le Mas
Les Sauvettes
Gioux
Le Champsel
Gorges d'Avèze
Rùere
Avèze
Feix
Savennes
Planchadelle
Esclaux
Mejanesse
La Bourboule
Le Mont-Dore
Puy de la Tache
Le Montbelier
La Tourette
La Brédèche
Chassagnac-Loches
St-Dézery
Chassanaguilloux
Chassagnac
St-Étienne-aux-Clos
Plantades
Ardot
Trémoulet
Grange
La Chaleille
Col de la Sœur
Roche Vendeix
Cade
Chambon-sur-Lac
Ussel
St-Fréjoux
Charruséjoux
Pradelles
Singles
Journsac
La Guinguette
Serre
Serrette
Tauves
Férérolles
Le Capucin
Col de la Croix St-Robert
Moneaux
Rocher de l'Aigle
Courbanges
Monteil-du-Bos
Bussejoux
Confolent-Port-Dieu
Ribbes
La Roche
St-Pardoux
Chastreix-Sancy
Puy de Sancy
Vallée de Chaudefour
D'Auvergne
Serveix
La Rebière
St-Exupéry-les-Roches
Le Bech
Thalamy
Bourrières
Port-Dieu
Larodde
Pérignat
Les Quatre Vents
Fourroux
Cloux
La Tour-d'Auvergne
Reboisson
Super-Besse
Lestrade
Le Bouboulex
Mestes
Chabanette
Eyrières
St-Bonnet-près-Bort
Monestier-Port-Dieu
Latauverie
Bagnols
La Prugne
Chastreix
Augères-Haute
La Morangie
Col de la Geneste
Lac Pavin
La Serre
Valiergues
Lognac
Pradeix
Labessette
Feneyrol
Trémouille-St-Loup
Plateau de l'Artense
Charreire
Vassivière
Puy de Montchal
La Vialatte
Bessoles
Cros
Cros
St-Donat
Pont de Clamouze
St-Victour
Les Quatre-Vents
Le Longeard
Journiac
Liez

133
119
120
E
F
G
H
1
2
3
4
5
134
147
Gannat
Effiat
Aigueperse
La Roche
Montpensier
Randan
Puy-Guillaume
Châteldon
Châtel-Guyon
Mozac
RIOM
Ennezat
Maringues
Volvic
Châteaugay
Cébazat
Gerzat
Lezoux
Thiers
Pont-de-Dore
Pont-du-Château
Montferrand
Orcines
Chamalières
Royat
Beaumont
Aubière
CLERMONT-FERRAND
Cournon-d'Auvergne
Billom
Ravel
Aulteribe
Courpière
Les Martres-de-Veyre
Busséol
St-Saturnin
Vic-le-Comte
Montpeyroux
Issoire
Usson
Parentignat
St-Nectaire
Murol
St-Floret
Colamine-s/s-V.
Villeneuve
Nonette-Orsonnette
Roche Nité
Gour de Tazenat
Chau de Tournoël
Puy de Pariou
Plau de Gergovie
Puy de St-Romain
Puy d'Ysson
Limagne
LIVRADOIS

121
122
E
F
G
H
La Gresle
Mardore
St-Bonnet-le-Troncy
Lamure-sur-Azergues
Le Perréon
St-Étienne-s-Oullières
St-Georges-de-Reneins
Port-Rivière
Pont-Trambouze
St-Vincent-de-Reins
Grandris
C. de Crx Montmain
Vaux-en-Beaujolais
Salles-Arbuissonnas-en-Beaujolais
Bourg-de-Thizy
Thizy-les-Bourgs
Marnand
Col de la Cambuse
Chambost-Allières
St-Cyr-le-Chatoux
Chambost
Col de St-Bonnet
Montmelas-St-Sorlin
Blacé
St-Julien
Arnas
Villefranche-sur-Saône
Chavalelns
Chaleins
Flécheres
Fareins
Villeneuve
Beauregard
Savigneux
Cublize
St-Jean-la-Bussière
Le Bancillon
Lac des Sapins
Col de la Crx des Fourches
St-Just-d'Avray
Col de la Crx de l'Orme
Col du Chatoux
Le Chatoux
Rivolet
Lacenas
Denice
Gleizé
Frans
Ars-sur-Formans
Cibeins
Misérieux
Jassans-Riottier
St-Victor-sur-Rhins
Ronno
Amplepuis
C. du Pilon
Appolinaire
Chamelet
Létra
Ste-Paule
Cogny
Ville-sur-Jarnioux
Jarnioux
Morgon
Chervinges
Limas
Liergues
Ste-Euphémie
Rancé
Le Limanda
Huissel-St-Claude
Dième
Valsonne
St-Clément-sur-Valsonne
Ternand
St-Laurent-d'Oingt
Oingt
Theizé
Pouilly-le-Monial
Pommiers
Anse
St-Didier-de-Formans
Toussieux
St-Bernard
Trévoux
Reyrieux
Parcieux
Fourneaux
La Fontaine
Le Charpenay
St-Vérand
Le Bois-d'Oingt
Moiré
Le Boitier
Lachassagne
Frontenas
Ambérieux
Quincieux
Massieux
Machézal
L'Aubépin
Les Sauvages
Le Pin Bouchain
Chirassimont
C. du Pin Bouchain
Dareizé
Bagnols
Marcy
Alix
Lucenay
Billy
Genay
Montanay
Croizet-sur-Gand
Tarare
St-Loup
Légny
Le Breuil
Chessy
Charnay
Morancé
Chazay-d'Azergues
Les Chères
St-Germain-au-Mt-d'Or
Chasselay
Ste-Colombe-sur-Gand
St-Cyr-de-Valorges
Joux
Les Olmes
Pontcharra-sur-Turdine
Sarcey
Châtillon
St-Jean-des-Vignes
Curis-au-Mt-d'Or
Albigny-s-S.
Neuville-s-S.
Fleurieu-s-S.
Le Berthier
Grévilly
St-Marcel-l'Éclairé
St-Germain-Nuelles
Belmont-d'Azergues
Marcilly-d'A.
Lissieu
Croix Rampau
Poleymieux
Couzon
Rochetaillée-s-S.
Col de la Crx Casard
Montcellier
Ste-Agathe-en-Donzy
Violay
St-Forgeux
Affoux
St-Romain-de-Popey
Les Arnas
Bully
Nuelles
L'Arbresle
Lozanne
Civrieux-d'A.
Dommartin
Limonest
St-Romain
Fontaines-s-S.
Sathonay
Bussières
Fontanes
Montchal
Albigny
Montmenot
Ancy
Mullin
Éveux
Savigny
Fleurieux-s-l'A.
Lentilly
La Tour-de-Salvagny
Dardilly
St-Fortunat
Collonges
Rillieux-la-Pape
Fenêtres
Trève-Véret
Pouilly-lès-Feurs
Villechenève
Les Chazottes
St-Julien-sur-Bibost
Sain-Bel
Sourcieux-les-Mines
Les Roches
Le Poirier
St-Didier
St-Cyr
Champagne
Caluire-et-Cuire
Rozier-en-Donzy
Longessaigne
Panissières
Cottance
St-Martin
Montrottier
Bibost
St-Pierre-la-Palud
Larny
Marcy-l'Étoile
Écully
La Croix-Rousse
Villeurbanne
Civens
Salvizinet
Le Roule
Chambost-Longessaigne
Bessenay
Lurcieux
Brullioles
La Brévenne
Chevinay
Ste-Consorce
Pollionnay
Charbonnières-les-Bains
Le Quincieux
St-Genis-les-Ollières
Tassin-la-Demi-Lune
LYON
La Vallette
La Grand-Maison
Essertines-en-Donzy
La Giraudière
Les Verchères
Parc animalier
Col de la Luère
Grézieu-la-Varenne
Feurs
Jas
St-Clément-les-Places
Bouchala
Brussieu
La Patte
Courzieu
Vaugneray
Craponne
Francheville
Ste-Foy-lès-Lyon
La Mulatière
Salt-en-Donzy
St-Martin-Lestra
St-Laurent-de-Chamousset
Les Vignes
Lafay
Boussoure
La Brally
La Mte Blanche
Brindas
St-Laurent-de-Vaux
Les Landes
Beaunant
Oullins
St-Fons
St-Barthélemy-Lestra
Les Halles
St-Genis-l'A.
Chaponost
Pierre-Bénite
Vénissieux
Les Places
Valeille
Estaing
Hte-Rivoire
Souzy
Ste-Foy-l'Argentière
Montromant
Col des Brosses
Yzeron
Châteauvieux
Messimy
Thurins
Malataverne
St-Genis-Laval
Le Pont
Brignais
St-Cyr-les-Vignes
Virigneux
Le Bravarel
L'Argentière
Aveize
Duerne
Rochefort
Rontalon
Bas-Marjon
Ht-Marjon
Soucieu-en-Jarrest
Le Boulard
Irigny
Vourles
Vernaison
Feyzin
Solaize
Corbas
Neyrieux
Meys
Grézieu-le-Marché
St-Martin-en-Haut
Orliénas
Les Sept Chemins
Taluyers
Charly
Maringes
Chavannes
Le Puits
La Chapelle-sur-Coise
Signal de St-André
Chaussan
Le Bâtard
Millery
St-André-le-Puy
Bellegarde-en-Forez
Viricelles
Pomeys
Montrond-les-Bains
Meylieu
Chazelles-sur-Lyon
St-Symphorien-sur-Coise
Ancn Bourg
La Bruyère
La Chèvre
St-André-la-Côte
Accole
St-Laurent-d'Agny
Mornant
Montagny
Sérézin-du-Rhône
Grigny
Communay
St-Médard-en-Forez
La Tivillière
Coise
Larajasse
Riverie
St-Sorlin
La Plaine
Chassagny
(Beauvallon)
Ternay
Unias
Cuzieu
St-Denis-sur-Coise
L'Aubépin
Ste-Catherine
St-Didier-sous-Riverie
La Fillonnière
Bellevue
St-Andéol-le-Château
Chuzelles
Rivas
St-Galmier
Chevrières
Savigneux
Lamure
Châtelus
(Chabanière)
St-Martin-de-Cornas
Givors
Chasse-s-Rhône
Seyssuel
Chambœuf
Les Granges
Le Chambon
Marcenod
Barrot
St-Maurice-sur-Dargoire
St-Jean-de-Touslas
St-Romain
Dargoire
La Rodière
Loire-sur-Rhône
Veauchette
St-Laurent
Grammond
Sénevas
Bissieux
St-Joseph
La Roussillière
Tartaras
St-Romain-en-Gier
Chatanay
Veauche
Aveizieux
L'Hôpital
St-Romain-en-Jarez
Zoo
St-Martin-la-Plaine
La Madeleine
Échalas
St-Bonnet-les-Oules
La Coissière
La Gimond
La Cula
Genilac
St-Romain-en-Gal
Andrézieux-Bouthéon
Fontanès
St-Christo-en-Jarez
Col de la Gachet
Chagnon
Trèves
Le Colombet
Ste-Colombe
Lapra
St-Héand
Leymieux
Châteauneuf
Le Coin
Le Pilon
St-Cyr-s-le-R.
Cellieu
Rive-de-Gier
Dizimieux
Les Haies
Verenay
Valfleury
Salcigneux
Pays du Gier
Lorette
La Grand-Croix
Longes
Chassenoud
Tartaras
Ampuis
Tupin-et-Semons
St-Just-s-Loire
La Fouillouse
Peymartin
Le Grd-Quartier
Chavanne
Remillieux
La Chapelle-Villars
St-Just-St-Rambert
L'Étrat
La Tour-en-Jarez
Sorbiers
Farnay
Ste-Croix-en-Jarez
Vaugris
Reventin-Vaugris
St-Priest-en-Jarez
La Talaudière
L'Horme
St-Paul-en-Jarez
Seyoux
Grange Pavezin
Condrieu
Chonas-l'Amballan
Villars
Étrat
Lac de Grangent
Le Chasseur
St-Genest-Lerpt
Les Condamines
St-Victor-
Roche
St-Jean-Bonnefonds
St-Chamond
St-Martin-en-Coailleux
Izieux
La Terrasse-sur-Dorlay
Chuyer
Vérin
St-Michel-s-R.
Les Roches-de-Condrieu
St-Prim
Chevssieu
136
149

136
0
5
10 km
C
122
D
Francheleins
Sandrans
Marlieux
St-Nizier-le-Désert
Druillat
Varambon
Villefranche-sur-Saône
Arnas
Fléchères
Chaleins
Ste-Olive
Bouligneux
Le Plantay
Villars-les-Dombes
Châtenay
Beauregard
Fareins
Villeneuve
Savigneux
Chalamont
Frans
Ars-sur-Formans
Ambérieux-en-Dombes
Parc des Oiseaux
Versailleux
Châtillon-la-Palud
Priay
Villette-sur-Ain
Jassans-Riottier
Misérieux
Lapeyrouse
Joyeux
Crans
St-Maurice-de-Rémens
Limas
Ste-Euphémie
Rancé
Monthieux
Birieux
Rignieux-le-Franc
St-Denis-en-Bugey
St-Didier-de-Formans
Toussieux
St-Marcel-en-Dombes
St-Éloi
Pommiers
St-Bernard
St-Jean-de-Thurigneux
Le Montellier
Villieu-Loyes-Mollon
Anse
Trévoux
Reyrieux
Parcieux
Civrieux
St-André-de-Corcy
Faramans
Ambérieux
Quincieux
Massieux
Mionnay
Ste-Croix
Pizay
Pérouges
Meximieux
Lucenay
Marcy
Alix
Morancé
Chazay-d'Azergues
Les Chères
Chasselay
Genay
Montanay
Tramoyes
Bourg-St-Christophe
Chazey-sur-Ain
St-Julien
Charnoz-sur-Ain
St-Jean-des-Vignes
Curis-au-Mt-d'Or
Albigny
Neuville-s-S.
Les Échets
Montluel
Bressolles
Béligneux
Dagneux
Marcilly-d'A.
Lissieu
Poleymieux
Fleurieu-s-S.
Beynost
La Boisse
Chânes
Blyes
Civrieux-d'A.
Lozanne
Dommartin
Couzon
Rochetaillée-s-S.
Fontaines-s-S.
St-Maurice-de-Beynost
Balan
Camp de la Valbonne
St-Jean-de-Niost
St-Maurice-de-Gourdans
St-Vulbas
Limonest
St-Romain
Collonges
Sathonay-Village
Sathonay-Camp
Rillieux-la-Pape
Miribel
Thil
Niévroz
La Tour-de-Salvagny
Dardilly
St-Cyr
St-Didier
Neyron
Jons
Villette-d'Anthon
Anthon
Caluire-et-Cuire
Champagne
Vaulx-en-Velin
Jonage
Écully
La Croix-Rousse
Villeurbanne
Chavanoz
Loyettes
Charbonnières-les-Bains
Meyzieu
Pont-de-Chéruy
Leyrieu
Décines-Charpieu
Tassin-la-Demi-Lune
LYON
Pusignan
Janneyrias
Charvieu-Chavagneux
St-Romain-de-Jalionas
Chassieu
Genas
Ste-Foy-lès-Lyon
LYON-ST-EXUPÉRY
Craponne
Francheville
Bron
Tignieu-Jameyzieu
Crémieu
La Mulatière
Colombier-Saugnieu
Brindas
Oullins
St-Fons
St-Priest
Chaponost
Pierre-Bénite
Vénissieux
St-Bonnet-de-Mure
Satolas-et-Bonce
Chamagnieu
St-Genis-Laval
St-Laurent-de-Mure
Grenay
Brignais
Irigny
Corbas
Vourles
Feyzin
Mions
Toussieu
La Verpillière
L'Isle-d'Abeau
Solaize
St-Pierre-de-Chandieu
Charly
Millery
St-Symphorien-d'Ozon
Chaponnay
Heyrieux
St-Quentin-Fallavier
Villefontaine
Mornant
Montagny
Grigny
Sérézin-du-Rhône
Communay
Simandres
Marennes
Valencin
Chassagny
Ternay
Chuzelles
Luzinay
St-Just-Chaleyssin
Diémoz
Bonnefamille
Givors
Loire-sur-Rhône
Seyssuel
Serpaize
Septème
Oytier-St-Oblas
St-Georges-d'Espéranche
Charantonnay
Chèzeneuve
Rive-de-Gier
St-Romain-en-Gier
Échalas
VIENNE
St-Romain-en-Gal
Pont-Évêque
Estrablin
Moidieu-Détourbe
Meyrieu-les-Étangs
Ste-Colombe
St-Cyr-s-le-R.
Beauvoir-de-Marc
Royas
St-Jean-de-Bournay
Tupin-et-Semons
Ampuis
Jardin
Savas-Mépin
Villeneuve-de-Marc
Châtonnay
Condrieu
Reventin-Vaugris
Eyzin-Pinet
Lieudieu
A
B
C
D
150
Chonas-l'Amballan
Les Côtes-d'Arey
Chalon
Cour-et-Buis
St-Julien-de-l'Herms
Meyssiez
Chuyer
Vérin
Les Roches-de-Condrieu
St-Prim
Cheyssieu
Montseveroux
Arzay
Commelle
135

137
123
151
138
E
F
G
H
1
2
3
4
5
Pont-d'Ain
Ambronay
Ambérieu-en-Bugey
St-Rambert-en-Bugey
Lagnieu
St-Sorlin-en-Bugey
Hauteville-Lompnes
Champagne-en-Valromey
Seyssel
Rumilly
Culoz
Virieu-le-Grand
Belley
Chanaz
Abbaye de Hautecombe
Lac du Bourget
AIX-LES-BAINS
Grésy-sur-Aix
Yenne
Le Bourget-du-Lac
La Motte-Servolex
CHAMBÉRY
Morestel
Izieu
Walibi
St-Genix-sur-Guiers
La Bâtie-Montgascon
La Tour-du-Pin
Les Abrets en Dauphiné
Le Pont-de-Beauvoisin
Lac d'Aiguebelette
Virieu
Lac de Paladru
St-Geoire-en-Valdaine
Les Échelles
Entre-deux-Guiers
St-Alban-Leysse
Cluse de l'Albarine
Cluse des Hôpitaux
Calvaire de Portes
Grand Colombier
Col du Granier
Col de Couz
Col de la Cluse
Col des Mille Martyrs
Col du Chat
Col de l'Épine
Mont du Chat
RHÔNE
D 1504
D 1075
D 1006
D 904
D 991
D 910
D 1201
A 43
E 70
A 48
E 711
A 41

0 5 10 km
124
C
D
137
152
A
B
C
D
1
2
3
4
5
Cruseilles
Thorens-Glières
ANNECY
Annecy-le-Vieux
Seynod
Sevrier
Lovagny
Menthon-St-Bernard
Talloires-Montmin
Duingt
Doussard
Thônes
Le Grand-Bornand
La Clusaz
MEGÈVE
Praz-sur-Arly
Flumet
N.-D.-de-Bellecombe
Ugine
Faverges
Les Saisies
Beaufort
Albertville
Conflans
Alby-s-Chéran
Gruffy
Pont de l'Abîme
Pont du Diable
Lescheraines
Le Châtelard
Grésy-sur-Aix
St-François-de-Sales
St-Alban-Leysse
La Ravoire
Challes-les-Eaux
Montmélian
St-Pierre-d'Albigny
Miolans
Grésy-sur-Isère
Aiguebelle
La Rochette
Pontcharra
Moûtiers
Salins-Fontaine
Brides-les-Bains
Méribel
Valmorel
Crève Tête
Col de la Madeleine
La Lèchère
Col des Aravis
Col de la Croix-Fry
Col de la Colombière
Col du Marais
Col de la Forclaz
La Tournette
Col de l'Épine
Col de Tamié
Col du Frêne
Col des Prés
Croix du Nivolet
Mont Revard
Crêt de Châtillon
Lac d'Annecy
Montagne du Semnoz
Tête du Parmelan
Massif des Bauges
Parc Naturel Régional
Chaîne des Aravis
Mont Charvin
Pte de la Sambuy
Dent d'Arclusaz
Grd Arc
Combe de Savoie
Grd Pic de la Lauzière
Le Cheval Noir

Flaine
Argentière
Montroc-le-Planet
Trélechamp
Praz-de-Fort
Aigle du Tour
Aigle Chardonnet
Aigle d'Argentière
Aigle des Grds Montets
Aigle Verte
Mt Dolent
Aigle de Triolet
Bourg-St-Pierre
Pragon
La Fouly
Ferret
Tunnel du Grd St-Bernard
Col du Grd St-Bernard
Mt Vélan
Lac d'Anterne
La Tête à l'Âne
Aigle du Belvédère
Aiguilles Rouges
Les Chosalets
Le Lavancher
La Flégère
Les Tines
Les Praz-de-Chamonix
Planpraz
Le Montenvers
Aigle du Dru
Mer de Glace
CHAMONIX-MONT-BLANC
Le Brévent
Balcon de Merlet
Plan de l'Aiguille
Aigle du Plan
Aiguille du Midi
Vallée Blanche
Glier des Bossons
Les Bossons
Les Gaillands
Aigle de Talèfre
Aigle de Leschaux
Jorasses
Walker
Pré de Bar
Grd Golliat
Cade d'Arpenaz
Tête du Colonney
Désert de Platé
Chaîne des Fiz
Luzier
Méribel
Praz-Coutant
Plaine-Joux
Lac Vert
Gges de la Diosaz
La Côte
Le Mont
Reninge
Plateau-d'Assy
Joux
Servoz
St-Martin-sur-Arve
Bay
La Motte
Chedde
Passy
Domancy
Le Châtelard
Vaudagne
Le Coupeau
Les Plagnes
Le Prarion
Le Fayet
Les Chavants
Taconnaz
St-Gervais-les-Bains
Les Houches
Gemoëns
Le Bettex
Petit-Bois
Les Choseaux
Mont d'Arbois
St-Nicolas-de-Véroce
Bellevue
Bionnay
Bionnassay
Tunnel du Mt Blanc
Le Nid d'Aigle
Le Champel
La Villette
La Gruvaz
Dôme du Goûter
Mt Blanc du Tacul
Aigle du Géant
Pte Helbronner
Mt Maudit
Traforo del M. Bianco
Entrèves
Lavachey
Val Ferret
Monte Tapie
Testa Bernarda
La Grde Rochère
St-Rhémy-en-Bosses
St-Oyen
Etroubles
Allein
Gran S. Bernardo
Le Planellet
Plateau de la Croix
Le Tour
La Chapelle
Le Planey
Mont Joly
Aigles de Bionnassay
MONT BLANC
Les Contamines-Montjoie
Le Baptieu
Dômes de Miage
Réserve naturelle
N.-D. de la Gorge
Aigle Croche
Tré-la-Tête
Col du Joly
Glier de Tré-la-Tête
Aigle des Glaciers
Val Veny
Dora di Veny
Cresta d'Arp
Courmayeur
Pré-St-Didier
Morgex
la Salle
Testa di Serena
M. Fallère
AOSTA / AOSTE
Verrogne
Gignod
Le Planay
Lac de la Girotte
Mt Tondu
L. Jovet
Monte Berrio Blanc
Colle San Carlo
Dora Baltea
Tête Nord des Fours
Pte le Léchaud
M. Ouille
Ville des Glaciers
La Thuile
Sarre
St-Pierre
Avise
St-Nicolas
Arvier
Villeneuve
Aymavilles
Introd
Houry
Bge de la Gittaz
Cormet de Roselend
Somt des Rousses
Col du Pit St-Bernard
Les Chapieux
Lancebranlette
Planaval
M. Paramont
Combes
Rhêmes-St-Georges
Bge de Roselend
Aigle du Grd Fond
La Terrasse
Crêt Bettex
Vallée des Chapieux
Versoye-les-Granges
Bonneval
Testa del Rutor
Becca di Tos
Valgrisenche
Dora di Valgrisanche
Val Grisenche
Vieyes
Le Roignais
St-Germain
La Rosière 1850
Becca du Lac
La Sassière
Lago di Beauregard
Villard
Séez
La Grde Parei
Bourg-St-Maurice
Vulmix
Le Noyeray
Le Châtelard
Montvalezan
Le Miroir
Le Crôt
Longefoy
Viclaire
Villaroger
La Masure
Ste-Foy-Tarentaise
Crêt du Rey
Pt de la Gitte
La Thuile
Montgirod
Hauteville-Gondon
Arc 1600
Les Chapelles
Le Pré
Pte d'Archeboc
Valsavarenche
Chanavey
Surier
Les Bergeries
Picollard
Les Arcs
Le Planay
Bonconseil
Val di Rhêmes
Rhêmes-Notre-Dame
Grde Rousse
Granier
Valezan
La Côte-d'Aime
Montvenix
Landry
Arc 1800
Arc 2000
La Thuile
La Raie
La Thuile
Le Martorey
Montchavin
Bellentre
Aime-la-Plagne
Sangot
(La Plagne Tarentaise)
Aigle Rouge
Le Monal
Aigle Grive
Chenal
La Gurraz
Tessens
Mâcot-la-Plagne
Les Coches
Peisey-Nancroix
La Savinaz
Piperon
Mt Pourri
Pnte du Nantcruet
Grde Traversière
M. Tout Blanc
Pont
Les Granges
Montvilliers
Montalbert
Prariond
Ponturin
Les Lanches
Dôme de la Sache
Le Villaret
Aigle de la Grde Sassière
Lac Rosset
Ciarforon
Longefoy
Montgesin
Plagne 1800
Plagne-Bellecôte
Belle-Plagne
Les Brévières
Réserve naturelle
L. del Nivolet
Colle del Nivolet
Aime 2000
N.-D.-du-Pré
Mt Jovet
La Plagne
Sommet de Bellecôte
Les Boisses
Bge de Tignes
Le Saut
Lac de la Sassière
Glacier de Rhême-Golette
Tsanteleina
Pnte de la Galise
La Grde Rochette
Tignes
Lac du Chevril
La Daille
Val-d'Isère
Chiapili di Sotto
L. Serrù
Orco
Ceresole Reale
Miraboson
La Chiserette
Le Bois
Friburge
Laisonnay-d'en-Bas
Val-Claret
La Tovière
La Cour
Le Planay
La Chenal
Montagny
Bozel
Champagny-en-Vanoise
Rer de Bellevarde
Le Joseray
Tête du Solaise
Belvre de la Tarentaise
Col de l'Iseran
Grde Aigle Rousse
La Roche
St-Bon-Tarentaise
Carrey
Planay
Grd Bec
Chambéranger
Glier de la Grde Motte
Pnte des Lessières
Levanna Centrale
Tania
La Jairaz
Grde Motte
Belvre de la Maurienne
Moriond
Courchevel
La Croix
Les Granges
Pnte de la Grde Casse
Pnte de la Sana
L'Ecot
Roc du Mulinet
Mt Bel-Air
Mt Bochor
Col de la Vanoise
Pnte de Méan Martin
Bonneval-
Forno
Glaciers des Sources de l'Arc

Brie-s/s-Mortagne
La Foye
Denat
Bois
Mosnac
Neulles
St-Eugène
Boutenac-Touvent
St-Georges-Antignac
Clam
La Pouyade
St-Maurice-de-Tavernole
Chez-Denis
St-Genis-de-Saintonge
Chez-Bizet
Clion
Lussac
Moings
St-Fort-s-Gironde
Plassac
St-Martial-de-Vitaterne
Réaux-s-Trèfle
Brie-sous-Archiac
E
F
G
H
127
Lorignac
St-Antoine
St-Germain-de-Lusignan
Jonzac
Allas-Champagne
Chez-Noreau
Guimps
Les Fonteneaux
St-Hilaire
Salles-de-Barbezieux
St-Dizant-du-Gua
Les Vidailières
St-Sigismond-de-Clermont
Guitinières
Meux
St-Ciers-Champagne
Le Mancou
Montchaude (Montmérac)
Barbezieux
Beaulon
Morisset
St-Ciers-du-Taillon
La Bergerie
Bordeau
Ste-Ramée
St-Hilaire-du-Bois
Champagnac
St-Germain-de-Vibrac
Lamérac
Chez Desmard
Chez-Grassin
Consac
Nieul-le-Virouil
Chez-Gentet
Martinaud
St-Maigrin
Reignac
Challignac
St-Nicolas
Chez-Vieville
St-Thomas-de-Conac
Semillac
Pérou
St-Simon-de-Bordes
St-Médard
Mortiers
Condéon
Conac
Semoussac
St-Dizant-du-Bois
Le Pain
Ozillac
Le Tâtre
La Croix-Belet
St-Georges-des-Agoûts
St-Martial-de-M.
Allas-Bocage
Agudelle
Fontaines-d'O.
Léoville
Ste-Radegonde
Berneuil
St-Sorlin-de-Conac
Mirambeau
Berceleu
Villexavier
Barbegillet
Baignes-Ste-Radegonde
Touvérac
Pt Niort
Chaunac
Vanzac
Oriolles
de Cônac
St-Bonnet-sur-Gironde
La Croisette
Soubran
Salignac-de-M.
Tugéras-St-Maurice
Vibrac
Bran
Bois-Vert
La Gâtine
St-Maurice-de-Laurençanne
Toutvents
Chez Pidoux
Pleine-Selve
Courpignac
Rouffignac
Chartuzac
Messac
Chantillac
Moulons
Mérignac
La Crx de Jean-Vérat
Expiremont
Bors
Boisredon
Pommiers-Moulons
Boisbreteau
St-Palais
Chamouillac
Chez-Galant
Coux
La Crx-Rouge
Le Pin
Port des Callonges
St-Ciers-sur-Gironde
Sousmoulins
Guizengeard
Ferchaud
St-Caprais-de-Blaye
(Souméras)
Chardes
Chatenet
Chevanceaux
Montendre
Vallet
Ste-Colombe
Polignac
Chez-Les Roux
Les Ferrés
Marcillac
Jussas
Boresse-et-Martron
les Augirons
Gablezac
St-Palais-de-Négrignac
Pouillac
Braud-et-St-Louis
St-Aubin-de-Blaye
Reguignon
Chez-Pelet
Azac
Donnezac
Corignac
Montlieu-la-Garde
Martron
Reignac
Renard
Sauvignac
Chepniers
la Blancheterie
Les Viauds
les Gourdines
Neuvicq
Étauliers
Orignolles
Les Maines
Anglade
Fraineau
St-Martin-d'Ary
Bussac-Forêt
Île Philippe
le Pas-de-Bret
Brignac
Montguyon
Martinettes
Verdot
Chierzac
Guillonnet
St-Androny
Lampiat
Le Pontet
Gadebourg
Fradon
Millet
La Belle-Étoile
Le Grd Touzin
Camp militaire
Cartelègue
le Jard-de-Bourdillas
Le Grd Pineau
Eyrans
Générac
Saugon
Le Jarculet
Le Fouilloux
St-Julien-Beychevelle
Fours
Campugnan
Lugéras
Bedenac
Le Pit Pineau
Île Bouchaud
Saugon
St-Seurin-de-Cursac
Ragonneau
Clérac
Le Gibeau
Mazion
Coudurat
Simonneau
St-Genès-de-Blaye
St-Paul
St-Girons-d'Aiguevives
Bedenac
Jeancolin
St-Martin-L.
St-Yzan-de-Soudiac
La Péguille
St-Pierre-du-Palais
St-Savin
Pierrebrune
Corcin
St-Martin-de-Coux
Blaye
La Pistolette
Veyrines
La Vergne
Cars
Brillouet
la Gare
Cercoux
Cussac-Fort-Médoc
Bel-Air
Duret
Berson
St-Christoly-de-Blaye
Beloute
Valin
La Pte Glaive
St-Mariens
Montuzet
Lamarque
St-Vivien-de-Blaye
Laruscade
Mirambeau
Moinet
La Clotte
Plassac
St-Ciers-de-Canesse
Teuillac
Cavignac
Civrac-de-Blaye
St Urbain
Villeneuve
Île Verte
Lafosse
les Coureaux
Baudet
Tizac-de-Lapouyade
Lapouyade
Le Gautreau
Chamadelle
St-Trojan
Arcins
Mombrier
Cézac
Le Grand Jard
La Guirande
Tayac
Gauriac
Pugnac
Cubnezais
Île du Nord
Samonac
Lansac
Peugeais
Sepeau
Lagorce
Sablons
Soussans
Comps
Marsas
Maransin
Lainier
Bayon-sur-Gironde
Tauriac
Margaux
Bec d'Ambès
St-Seurin-de-Bourg
Magrigne
Gueynard
Marcenais
Mérigot
Bayas
Les Peintures
Issan
Cantenac
La Lustre
St-Laurent-d'Arce
Peujard
Gauriaguet
St-Ciers-d'Abzac
St-Martin-de-Laye
Guîtres
Coutras
Siran
Le Mayne
Bourg
Andreau
Bernon
Prignac-et-Marcamps
Aubie-et-Espessas
St-Genès-de-Fronsac
Isle
Ligondras
Labarde
Macau
Port-d'Espeau
Virsac
(Val de Virvée)
St-Martin-du-Bois
Sablons
Le Pys
Arsac
GARONNE
Dordogne
St-Gervais
St-Antoine
Salignac
Périssac
Grimard
Bonzac
Abzac
Ambès
Mouillac
La Mongie
Les 4 Vents
Labric
Lafont
St-André-de-Cubzac
Savignac-de-l'Isle
St-Denis-de-Pile
Tripoteau
St-Sauveur-de-Puynormand
Paloumey
L'Estalot
La Lande-de-Fronsac
Vérac
Galgon
Le Pian-Médoc
Ludon-Médoc
Cubzac-les-Ponts
Meillac
Tarnès
Frappe
Les Chapelles
Sénejac
St-Romain-la-Virvée
Villegouge
Girard
Les Eymerits
Grézard
Bertranot
St-Louis-de-Montferrand
St-Vincent-de-Paul
Cadillac-en-Fronsadais
Saillans
Lalande-de-Pomerol
La Marche
Les Artigues-de-Lussac
La Grange
Lugon-et-l'Île-du-Carnay
Louens
Garlop
Asques
Les Billaux
Caychac
Parempuyre
St-Germain-de-la-Rivière
St-Aignan
Bertineau
Lussac
Larivière
Bernalet
Cavernes
la Chapelle
La Rivière
Néac
St-Aubin-de-Médoc
Ambarès-et-Lagrave
Fronsac
Montagne
Germignan
Blanquefort
St-Loubès
St-Michel-de-Fronsac
Pomerol
St-Georges
Puisseguin
Bassens
Izon
Perpignan
Libourne
St-Médard-en-Jalles
Le Taillan-Médoc
Aquitaine
Lac Nord
Ste-Eulalie
St-Sulpice-et-Cameyrac
St-Pardon
Parsac
Carbon-Blanc
Uchamp
Vayres
Condat
Le Cros
St-Christophe-des-Bardes
Eysines
Bruges
Bordeaux-Lac
Aquitaine Sud
Beychac-et-Caillau
Canteloup
Arveyres
St-Émilion
St-Étienne-de-Lisse
Le Haillan
Le Bouscat
Lormont
Moulinat
Montussan
Yvrac
Port de Genissac
Les Bigaroux
St-Laurent-
Caillau
St-Germain-
St-Sulpice-
155
142

0 5 10 km
128
C
D
Champagne-Vigny
Bécheresse
Rouffiac
Vouilezac
Chadurie
Magnac-Lavalette-Villars
la Mercerie
Charmant
(Boisné-Le tude)
Ronsenac
Le Peyrat
Combiers
Les Graulges
Beaussac
La Rochebeaucourt-et-Argentine
Puyrenier
Ste-Croix-de-Mareuil
Villebois-Lavalette
Blanzaguet-St-Cybard
Salles-de-Barbezieux
St-Aulais-la-Chapelle
Malatret
Pérignac
St-Léger
Juillaguet
Chavenat
Conzac
Cressac-St-Genis
Porcheresse
Aignes-et-Puypéroux
Apremont
Gurat
Jaufrenie
Fontaine
Mareuil
Vieux-Mareuil
La Chapelle
Bessac
Nonac
(Montmoreau)
Champagne-et-Fontaine
Challignac
Brie-s/s-Barbezieux
St-Cybard
Montardy
Rossignol
Condéon
Deviat
St-Eutrope
Vaux-Lavalette
Vendoire
Gouts-Rossignol
La Croix-Belet
Poullignac
Montmoreau-St-Cybard
Berneuil
Chez-le-Blais
Courgeac
St-Amant-de-Montmoreau
Nanteuil-Auriac-de-Bourzac
Cherval
Grenouillier
La Buisson
Ste-Souline
St-Martial
St-Laurent-de-Belzagot
Juignac
Salles-Lavalette
La Chapelle-Grésignac
Billac
La Chapelle-Montabourlet
141
Chillac
St-Félix
Toutvents
Châtignac
St-Laurent-des-Combes
Les Perrotins
Peudry
Servolle
Auriac-de-Bourzac
Montignac
St-Martial-Viveyrol
La Tour-Blanche
Cercles
Passirac
Brossac
Bors
Palluaud
Bouteilles-St-Sébastien
Le Pontis
Montboyer
Verteillac
Chapdeuil
Boisbreteau
Brie-sous-Chalais
Montignac-le-Coq
Bourg-des-Maisons
Guizengeard
Bardenac
Bellon
Pillac
Lusignac
Coutures
Brie
Flayac
Puygironde
St-Paul-Lizonne
Bertric-Burée
Curac
Ste-Marie
Courlac
St-Séverin
Boresse-et-Martron
St-Vallier
Yviers
Orival
St-Romain
Nabinaud
Allemans
Celles
Comberanche-et-Epeluche
Le Pérat
Chalais
Rouffiac
Laprade
Petit-Bersac
Grand-Brassac
Sauvignac
Chez-Tureau
St-Christophe
Aubeterre-sur-Dronne
Bourg-du-Bost
Epeluche
Villetoureix
St-Victor
Montagrier
Martron
Mélac
Rioux-Martin
St-Quentin-de-C.
St-Antoine-Cumond
Dronne
Faye
Léparre
Chassaignes
St-Martial
Cressac
Médillac
St-Avit
La Traverserie
Bonnes
(St-Privas-en-Périgord)
Ribérac
St-Méard-de-Drône
Bazac
Le Ht Mont
Jourdain
Puychaud
Les Essards
Ramouly
St-Privat-des-Prés
Cumond
le Pauly
St-Martin-de-Ribérac
Douchapt
Lampiat
La Genétouze
Les Fouilloux
Chenaud
Festalemps
Chignac
St-Pardoux-de-Drône
Parcoul-Chenaud
Bouffard
St-Vincent-Jalmoutiers
Vanxains
St-Sulpice-de-Roumagnac
La Martinie
Le Gd Pineau
Boscamnant
Le Fouilloux
Fayette
Puymangou
St-Aulaye-Puymangou
Ponteyraud
La Garde
Segonzac
Chantérac
Pilet
Champagne
Les Moucauds
Siorac-de-Ribérac
L'Hôpital
Pineau
Le Gibeau
Malleville
Veyssière
L'Héritier
Creyssac
La Gilardie
La Jemaye
St-Aquilin
Jeancolin
St-Aigulin
La Poste
Beaume
Chantérac
St-Martin-de-Coux
Léparon
La Calonie
La Faye
Les Lamauds
St-Vincent-de-Connezac
Le Nicoulou
La Vergne
Mesmain
La Roche-Chalais
Servanches
Grand Etang de la Jemaye
St-Astier
St-Michel-de-Rivière
St-Michel-l'Écluse-et-Léparon
Eycuras
St-André-de-Double
St-Jean-d'Ataux
St-Germain-du-Salembre
La Barde
La Coudre
Capet
La Barrière
La Veyssière
Planèze
La Clotte
Mauzet
Échourgnac
Les Mignots
Les Vaureix
Les Meuniers
Chamadelle
Les Églisottes-et-Chalaures
Le Fénage
Lavautour
Marot
Le Perrier
Neuvic-Gare
Bignac
Le Fougereau
Forêt de la Double
St-Étienne-de-Puycorbier
Beauronne
Mauriac
Neuvic
Benauge
St-Christophe-de-Double
La Ronze
Les Tuiles
Le Bost
Gardedeuilh
Charpenterie
St-Michel-de-Double
Boissonnie
Sablon
Rolland
Le Pin
Les Roudiers
Maison-Rouge
Chadene
Dreille
Douzillac
Les Peintures
La Chaux
St-Barthélemy-de-Bellegarde
Faye
Le But
Coutras
Le Fieu
Beytoure
Eygurande-et-Gardedeuil
Seneuil
St-Martin-l'Astier
St-Front-de-Pradoux
St-Louis-en-l'Isle
Vallereuil
Fontenelle
La Grave
Larret
St-Antoine-sur-l'Isle
Montignac
St-Laurent-des-Hommes
La Faurie
Sourzac
St-Séverin-d'Estissac
Lauvirat
Le Pizou
St-Médard-de-Mussidan
Leymonie-du-Maupas
St-Médard-de-Guizières
Camps-s-l.
Porchères
Marcillac
Isle
St-Martial-d'Artenset
Bénévent
Mussidan
Ménesplet
Ménestérol
Cousseau
St-Seurin-sur-l'Isle
Moulin-Neuf
Le Mas
Les Fouchers
Issac
Bourgnac
St-Hilaire-d'Estissac
St-Sauveur-de-Puynormand
Tripoteau
Gours
Les Palombières
Lalande
La Mouthe
Grd Charretier
Montpon-Ménestérol
Very
Ribes
Montréal
Cornemps
Litout
Le Bournazeaux
Beaupouyet
Le Puy
Grézard
Petit-Palais-et-Cornemps
Puynormand
St-Sernin
Les Lèches
Église-Neuve-d'Issac
Beleymas
Minzac
Les Corres
Puy Chalud
La Tour
St-Sauveur-Lalande
St-Géry
Les Gaumes
Lagudal
Tayac
Villefranche-de-Lonchat
Carsac-de-Gurson
St-Martin-de-Gurson
St-Géraud-de-Corps
Maine-Leva
Roquepine
Lussac
Monbadon
Francs
Bosset
Le Cluzeau
St-Jean-d'Eyraud
St-Cibard
St-Rémy
Forêt du Landais
Puisseguin
St-Philippe-d'Aiguille
Montpeyroux
Pourcaud
Barat
Fraisse
St-Georges-Blancaneix
Alix
Laveyssière
Les Salles
Le Bost-Vieux
Monfaucon
Lunas
Maurens
Parsac
St-Genès-de-Castillon
A
B
156
La Cabane
Le Théolat
Gardegan-et-Tourtirac
St-Vivien
Pt. Cluzeau
Le Tulen
Ginestet
St-Étienne-de-Lisse
St-Cloud
Montazeau
Laubanie
Ste-Colombe
Montaigne
Bonneville-et-St-Avit-de-Fumadières
Ponchapt
Le Bigounin
Ste-Foy-des-Vignes
St-Magne-
Belvès-de-Castillon
Les Gauchers
Le Fleix
Cantemerle
D 674
D 708
D 730
D 6089
D 1089
A 89 - E 70

Fontroubade
Lussas-et-Nontronneau
St-Martial-de-Valette
Saut du Chalard
Dronne
Veyrinas
St-Pardoux-la-Rivière
Chalais
Les Rivaux
Labey
les Feynières
St-Jory-de-Chalais
21
E
Rapevache
129
F
Chantres
Beynac
G
Mavaleix
La Peyze
H
St-Front-sur-Nizonne
Champeaux-et-la-Chapelle-Pommier
Sceau-Saint-Angel
St-Front-la-Rivière
33
Milhac-de-Nontron
Jumilhac
Jumilhac-le-Grand
Nègreloube
Maison-Rouge
St-Paul-la-Roche
Mériol
Filoine
Le Caneau
Vauriac
La Vallade
Montardy
Queroix
La Chapelle-Montmoreau
La Chapelle-Pommier
Lage
Pierrefiche
Lacour
Teillac
18
Croze
St-Martin-de-Fressengeas
Pontarneaud
St-Crépin-de-Richemont
Puyguilhem
Grottes de Villars
Isle
Sarlande
L'Hôpital
Thiviers
Sarrazac
St-Pancrace
Quinsac
Villars
St-Jean-de-Côle
St-Romain-et-St-Clément
Nantheuil
Angoisse
Chalard
St-Félix-de-Bourdeilles
les Potences
Cantillac
Puyfavard
St-Clément
Nanthiat
Boueysseix
Champagnac-de-Belair
Béloffie
21
Dussac
Le Brouillac
Rousselières
Eyzerac
Éguillac-de-Cercles
Les Bouriaux
Lardailler
Lanouaille
La Négrerie
La Gonterie-Boulouneix
Condat-sur-Trincou
Pit Jumilhac
St-Sulpice-d'Excideuil
22
Brantôme-en-Périgord
La Chapelle-Faucher
Lempzours
Vaunac
Corgnac-sur-l'Isle
St-Jory-las-Bloux
339
La Reille
Au Puy
St-Julien-de-Bourdeilles
Valade
St-Pierre-de-Côle
Gandumas
Le Breuil
Gueyzat
22
24
L'Eymeronie
Clermont-d'Excideuil
La Merlie
Paussac-et-St-Vivien
Négrondes
St-Germain-des-Prés
6
St-Médard-d'Excideuil
26
La Renaudie
20
La Pomélie
Lombraud
Puyzaraux
Piorioi
Vivien
Puychautu
St-Front-d'Alemps
Le Maine
Les Maisons
Lage
Excideuil
Preyssac-d'Excideuil
Valeuil
La Besse
Eyvirat
St-Pantaly-d'Excideuil
Génis
Bourdeilles
Puy-de-Fourches
Erchose
St-Martial-d'Albarède
Anlhiac
Sencenac-Puy-de-Fourches
Les Palissoux
Sorges-et-Ligueux-en-Périgord
Creyssac
26
Ligueux
Coulaures
La Gondie
Agonac
224
Puymaurin
la Bertinie
25
St-Raphaël
291
Lisle
Biras
Mayac
St-Martial-Laborie
Savignac-les-Eglises
Cherveix-Cubas
Boisseuil
Bussac
Preyssac
Laudonnie
21
Panassac
Bujadelle
St-Agnan
Hautefort
Tourtoirac
La Lande
Château-l'Évêque
Saleuil
Cornille
les Pilles
La Grange
St-Pantaly-d'Ans
Ste-Eulalie-d'Ans
Les Charraux
Le Fornial
Lembertie
Prieuré de Merlande
Forêt de Lanmary
Sarliac-sur-l'Isle
St-Vincent-sur-l'Isle
(Cubjac-Auvézère-Val-d'Ans)
Temple-Laguyon
La Chabroulie
Sourbarie
33
Laurière
Cubjac
38
Chourgnac
26
La Fayolle
Mensignac
La Chapelle-Gonaguet
Champcevinel
Les Bories
11
Auberoche
La Boissière-d'Ans
St-Pardoux
Abbe
Périgueux
Trélissac
Antonne-et-Trigonant
Paullac
Granges-d'Ans
Nailhac
La Croze
Chancelade
Isle
Escoire
Puyboucher
Brouchaud
Gabillou
La Chapelle-St-Jean
Léguillac-de-l'Auche
Pit Rognac
Lamboucade
Mon Neuve
Le Change
Montagnac-d'Auberoche
La Prunerède
Ste-Orse
Bassillac
Auvézère
14
17
Gravelle
La Cave
Marsac-sur-l'Isle
La Roquette
32
Bauzens
Châtres
Annesse-et-Beaulieu
Boulazac-Isle-Manoire
Blis-et-Born
Razac-sur-l'Isle
Coulounieix-Chamiers
Limeyrat
La Pinolie
Fouilloux
St-Rabier
Pommier
Le Manoire
Eyliac
Veyre
Peyrig
Montanceix
Pont-du-Cerf
St-Laurent-sur-Manoire
La Raffinie
Vertiol
Ajat
Montrem
13
Coursac
Atur
Ste-Marie-de-Chignac
St-Crépin-d'Auberoche
St-Antoine-d'Auberoche
Azerat
La Bachellerie
9
Bramefond
32
Thenon
La Faye
St-Pierre-de-Chignac
Milhac-d'Auberoche
Fossemagne
Le Jarripigier
11
La Rivière
Les Farges
La Séguinie
Notre-Dame-de-Sanilhac
Lavignac
Barade
Les Rolphies
Chalagnac
St-Paul-de-Serre
16 (Sanilhac)
Marsaneix
Forêt de
Auriac-du-Périgord
Bars
4
Bruc
Manzac-sur-Vern
Rossignol
les Versannes
La Martinie
Rignols
Creyssensac-et-Pissot
Église-Neuve-de-Vergt
St-Geyrac
Chambon
22
Chau de l'Herm
Balou
Jaures
Grun-Bordas
Lauzellie
Malusson
16
La Douze
Montignac
Bourrou
Pissot
Le Cluzeau
Breuilh
Chau Missier
Rouffignac
Fanlac
26
Sargaillou
18
Tessonnière
La Forge
La Coste
Bordas
La Gélie
Le Bos
le Thot
144
Peyrefond
Lacropte
St-Cernin-de-Reilhac
Plazac
Maison-Jeannette
Les Trois-Frères
Thonac
St-Maime-de-Péreyrol
Vergt
13
St-Félix-de-Reillac-et-Mortemart
Valojoulx
Villamblard
Salon
Grotte de Rouffignac
St-Léon-s-Vézère
Chabans
Douville
St-Amand-de-Vergt
Veyrines-de-Vergt
Mortemart
Puybazet
Fleurac
Sergeac
Bassac
Allier
La Chapelle
La Chapelle-Aubare
Pont-St-Mamet
Cendrieux
Le Moustier
Peyzac-le-Moustier
Beauregard-et-Bassac
Fouleix
St-Michel-de-Villadeix
Mauzens-et-Miremont
21
Reignac
Galinat
La Peyre
Lespinasse
La Roque St-Christophe
5
27
Journiac
Site de la Madeleine
Tursac
Tamniès
la Brande
St-Laurent-des-Bâtons
Savignac-de-Miremont
Manaurie
La Tache
40
24
Lavalade
Les Bories
St-Martin-des-Combes
Clermont-de-Beauregard
Lapeyrouse
Ste-Alvère
Cumont
Les Eyzies-de-Tayac
Tayac
Bardenat
Marquay
Estampes
Grotte du Grand Roc
St-Quentin
Lapouleille
St-Avit-de-Vialard
Sireuil
Chau de Commarque
St-Georges-de-Montclard
St-Félix-de-Villadeix
Grotte de Font-de-Gaume
Puymartin
17
E
Forêt de Montclard
F
St-Foy-de-Longas
157
Le Bugue
G
St-Cirq
H
St-Marcel-du-Périgord
Pezuls
Carmensac
Combe-Nègre
Campagne
22
Grand-Castang
Paunat
Lussac
Meyrals
Allas
Pressignac-Vicq
Vicq
Liorac-sur-Louyre
Forêt de Trémolat
Limeuil
Vézère
Lamonzie-Montastruc
Millac

0 5 10 km
130
143
158
A
B
C
D
★Coussac-Bonneval
Ségur-le-Château★
Arnac-Pompadour★
★★Uzerche
Lubersac
Vigeois
Seilhac
Naves
Hautefort★★
★St-Robert
Ayen
Objat
Allassac
Donzenac
Malemort
Aubazine★
BRIVE-LA-GAILLARDE
St-Pantaléon-de-Larche
★Terrasson-Lavilledieu
St-Amand-de-Coly★
★★★Grotte de Lascaux
St-Geniès★
Jardins d'Eyrignac
★Turenne
★★Collonges-la-Rouge
Beynat
★Martel
Curemonte
★Carennac
★Souillac
★★★Sarlat-la-Canéda
Gouffre de la Fage
Lac du Causse
Puy d'Yssandon
Mont d'Ayen
Pays de Brive
Camp militaire
Puy de Pauliat
Puy d'Issolud
Belvre de Copeyre★
Vézère
Corrèze
Dordogne

145
131
159
146
Meymac
Égletons
Neuvic
Ussel
Mauriac
Argentat
Aurillac
Laroquebrou
Beaulieu-sur-Dordogne
Gimel-les-Cascades
Ydes
Freysselines
Suc-au-May
Col des Géants
Massif des Monédières
Chau de Ventadour
Lac de la Triouzoune
Site de St-Nazaire
Belvédère de Gratte-Bruyère
Gorges de la Dordogne
Étang des Ramandes
Bge de l'Aigle
Bge du Chastang
Lac de Feyt
Tours de Merle
Barrage d'Enchanet
Gges de la Maronne
Barrage de St-Étienne-Cantalès
Cades de Murel
La Vigne
Lapleau
Soursac
Pleaux
Salins
Saignes
St-Privat
Saint-Paul-des-Landes
Biars-s-Cère
Castelnau
Tulle
Corrèze
Rosiers-d'Égletons
Montaignac-St-Hippolyte
Marcillac-la-Croisille
St-Pardoux-la-Croisille
Servières-le-Château
St-Martin-Valmeroux
Naucelles
Ytrac
D 1089
D 1120
D 979
D 922
D 120
A 89

0
5
10 km
132
145
160
A
B
C
D
1
2
3
4
5
15
Puy de Sancy
Besse-et-St-Anastaise
Lac Pavin
Puy de Montchal
Col de la Geneste
Super-Besse
Bagnols
Trémouille-St-Loup
Plateau de l'Artense
St-Donat
Picherande
Lac Chauvet
Compains
Valbeleix
Roche Nité
Roche-Charles-la-Mayrand
Égliseneuve-d'Entraigues
Col de la Chaumoune
Espinchal
La Godivelle
St-Alyre-ès-Montagne
Bort-les-Orgues
Site de Nazaire
Orgues
Val
Lanobre
Beaulieu
Champs-s-Tarentaine-Marchal
Barrage de Lastioulles
St-Genès-Champespe
Madic
Ydes
Saignes
Antignac
St-Étienne-de-Chomeil
Gges de la Rhue
Trémouille
Montboudif
Chanterelle
Condat
Marcenat
Montgreleix
Le Luguet
Cézallier
Col de la Pierre Plantée
St-Amandin
PARC NATUREL RÉGIONAL DES VOLCANS D'AUVERGNE
Riom-ès-Montagnes
Marchastel
Lugarde
St-Bonnet-de-Condat
Landeyrat
Allanche
Vernols
Ségur-les-Villas
Pradiers
Auzers
Méallet
Trizac
Moussages
Apchon
Collandres
St-Hippolyte
Cheylade
Vallée de Cheylade
Cascade du Sartre
Col d'Aulac
Trémolière
Anglards-de-Salers
Vallée du Mars
Gorge de St-Vincent
St-Vincent-de-Salers
Le Vaulmier
Plateau du Limon
Dienne
Col de Néronne
Le Falgoux
Cirque du Falgoux
Salers
St-Paul-de-Salers
Fontanges
Puy Violent
Pas de Peyrol
Puy Mary
Col d'Eylac
Le Claux
Col de Serre
Col d'Entremont
Lavigerie
Laveissière
Murat
Bredons
(Albepierre-Bredons)
Gorges de l'Alagnon
Le Lioran
Super-Lioran
Puy Griou
Plomb du Cantal
Neussargues-Moissac
Chalinargues
Ste-Anastasie
Celles
Coltines
Le Sailhant
Ussel
St-Martin-Valmeroux
St-Chamant
Tournemire
Anjony
Col de Légal
Vallée de la Jordanne
Mandailles-St-Julien
St-Julien-de-Jordanne
St-Jacques-des-Blats
L'Élancèze
MONTS DU CANTAL
St-Cernin
Col de Bruel
Girgols
Col de Fontbulin
Laroquevieille
Marmanhac
Route des Crêtes
St-Cirgues-de-Jordanne
Lascelle
Thiézac
Pas de Compaing
Pas de Cère
Vic-sur-Cère
Naucelles
Pesteils
Polminhac
Rocher des Pendus
St-Clément
Malbo
Brezons
Cézens
Paulhac
Valuéjols
Tanavelle
Cussac
Pierrefort
Neuvéglise
Arpajon-s-Cère
AURILLAC
Yolet
Raulhac
Vallée de Brezons
N122
D922
D679
D3
D680

133
E
F
G
H
Usson
Parentignat
Puy d'Ysson
Tourzel-Ronzières
Solignat
Vodable
Le Broc
Les Pradeaux
St-Rémy-de-Chargnat
Chaméane
St-Genès-la-Tourette
Aix-la-Fayette
Fournols
Colamine-s/s-V.
Antoingt
Nonette-Orsonnette
Sarpoil
St-Étienne-sur-Usson
Chambon-sur-Dolore
Villeneuve
Le Breuil-s-C.
Orsonnette
Bansat
La Chapelle-s-Usson
St-Germain-l'Herm
St-Bonnet-le-Chastel
St-Hérent
Boudes
St-Germain-Lembron
Auzat-la-C.
Champagnat-le-Jeune
Ste-Catherine
Peslières
Collanges
Beaulieu
Esteil
Novacelles
Vichel
Jumeaux
Charbonnier-les-Mines
Brassac-les-Mines
Fayet-Ronaye
Rentières
St-Gervazy
Ste-Florine
St-Jean-St-Gervais
St-Martin-d'Ollières
Doranges
Ardes-s-Couze
Augnat
Moriat
Frugerès-les-Mines
Vézézoux
Chassignolles
Mayres
Apchat
Lempdes-s-A.
Auzon
St-Hilaire
St-Sauveur-la-Sagne
Chambezon
St-Alyre-d'Arlanc
St-Vert
Léotoing
Vergongheon
Laval-sur-Doulon
La Chapelle-Geneste
Torsiac
La Fayette
St-Géron
Bournoncle-St-Pierre
Azérat
Champagnac-le-Vieux
Cohade
Agnat
Lorlanges
Allevier
La Chaise-Dieu
Blesle
Beaumont
Lamothe
Chaniat
Cistrières
St-Étienne-sur-Blesle
Espalem
Clamont
St-Didier-s-Doulon
Paulhac
Brioude
Javaugues
Connangles
St-Laurent-Chabreuges
Fontannes
Berbezit
Montclard
Sembadel
St-Beauzire
Lespinasse
Vieille-Brioude
Lavaudieu
Frugières-le-Pin
Vals-le-Chastel
St-Pal-de-Senouire
Massiac
Lubilhac
St-Just-près-Brioude
St-Préjet-Armandon
Domeyrat
Molompize
Collat
La Chomette
La Chapelle-Bertin
Chassagnes
Josat
Ste-Marguerite
Villeneuve-d'Allier
Mercœur
Allègre
Sargues
St-Ilpize
Paulhaguet
Couteuges
La Chapelle-Laurent
St-Mary-le-Plain
St-Privat-du-Dragon
Mazerat-Aurouze
Varennes-St-Honorat
Blassac
Chavaniac-Lafayette
St-Poncy
Ally
Lavoûte-Chilhac
Chilhac
Cerzat
St-Georges-d'Aurac
Celoux
St-Cirgues
Ste-Eugénie-de-Villeneuve
Fix-St-Geneys
Vernassal
Aubazat
Mazeyrat-d'Allier
St-Austremoine
Arlet
Vieillespesse
Vissac-Auteyrac
Vazeilles-Limandre
Lastic
Rageade
Chazelles
Langeac
Siaugues-Ste-Marie
Col de la Fageole
Soulages
Cronce
Ferrussac
St-Arcons-d'Allier
Chastel
Montchamp
Mentières
Tiviers
Védrines-St-Loup
Chanteuges
Pinols
Mons
Fontchave
St-Julien-des-Chazes
St-Georges
Vabres
Tailhac
Desges
Pébrac
Charraix
Prades
St-Bérain
Ruynes-en-Margeride
Cubelles
St-Privat-d'Allier
Clavières
Mont Mouchet
Auvers
Venteuges
Anglards-de-St-Flour
Viaduc de Garabit
La Besseyre-St-Mary
Saugues
Monistrol-d'Allier
Chaliers
Lorcières
Ch^au d'Alleuze
Loubaresse
Faverolles
Paulhac-en-Margeride
Chaulhac
Julianges
161
Grèzes
St-Préjet-d'Allier
Belvédère de Mallet
Alleyras
St-Privat-du-Fau
Esplantas-Vazeilles
Croisances
Albaret-Ste-Marie
Vazeilles-près-Saugues
148
A75
E11
N102
N122

0
5
10 km
134
162
147
A
B
C
D
1
2
3
4
5
St-Jean-Soleymieux
St-Just St-Rambert
St-Bonnet-le-Château
Montarcher
Estivareilles
Usson-en-Forez
Apinac
Aurec-sur-Loire
Firminy
St-Pal-de-Chalencon
Craponne-sur-Arzon
La Chaise-Dieu
Arlanc
Marsac-en-Livradois
Viverols
Eglisolles
Saillant
St-Hilaire-Cusson-la-Valmitte
Malvalette
Bas-en-Basset
Monistrol-sur-Loire
Pont-Salomon
Ste-Sigolène
St-Didier-en-Velay
Tiranges
Chalencon
Valprivas
Retournac
Beauzac
Allègre
Chomelix
Bellevue-la-Montagne
Roche-en-Régnier
Chamalières-sur-Loire
St-Paulien
St-Geneys-près-St-Paulien
Yssingeaux
Bessamorel
Lapte
Grazac
Raucoules
Montfaucon
Tence
St-Vidal
Polignac
Le Puy-en-Velay
Espaly-St-Marcel
Vals-près-le-Puy
Brives-Charensac
St-Germain-Laprade
St-Julien-Chapteuil
Les Maziaux-Bigorre
Massif du Meygal
Grd Testavoyre
Pic du Lizieux
Bouzols
Cussac-s-L.
Solignac-sur-Loire
Le Monastier-sur-Gazeille
Moudeyres
Fay-sur-Lignon
St-Clément
Mt Mézenc
Les Estables
Lac du Bouchet
Le Bouchet-St-Nicolas
Costaros
Cayres
Monistrol-d'Allier
St-Privat-d'Allier
Loudes
Vergezac
Bains
Rocher Tourte
Col de Chemintrand
Col des Dansadoux
Col de la Crx de l'Arbre
Col du Pertuis
Gorges de la Loire
Loire
Lignon
Dore
N 88
N 102
D 906
D 498
D 105
D 15

135
150
163
E
F
G
H
1
2
3
4
5
Lorette
La Grand-Croix
Sorbiers
St-Chamond
Condrieu
Ampuis
Tupin-et-Semons
St-Étienne
Terrenoire
La Ricamarie
Guizay
Pélussin
Roussillon
Le Péage-de-Roussillon
Le Bessat
St-Genest-Malifaux
Crêt de l'Œillon
Crêt de la Perdrix
Parc Naturel Régional du Pilat
Col du Grand Bois ou de la République
Bourg-Argental
Serrières
Sablons
Chanas
St-Rambert-d'Albon
Colombier-le-Cardinal
Safari-parc
Annonay
Davézieux
St-Désirat
Andancette
Albon
Tour
Hauterives
Riotord
Dunières
Monestier
Vocance
Sarras
St-Vallier
Satillieu
Lalouvesc
Col du Rouvey
Col du Faux
St-Félicien
Col de Fontay
Tain-l'Hermitage
Tournon-sur-Rhône
Boucieu-le-Roi
Col du Buisson
Rochebloine
St-Agrève
Lamastre
Désaignes
Col de St-Genest
Col de la Rouveure
Col des Fans
St-Romain-de-Lerps
St-Péray
Chau de Crussol
Guilherand-Granges
Valence
Bourg-lès-V.
Chau de Rochebonne
St-Martin-de-Valamas
Rocher de Brion
Le Cheylard
Col de Montreynaud
Soyons
Portes-lès-Valence
Col de Rôtisson
Latitude 45

Condrieu
Pélussin
Roussillon
Le Péage-de-Roussillon
Beaurepaire
La Côte-St-André
Serrières
Annonay
St-Vallier
Hauterives
Tain-l'Hermitage
Tournon-sur-Rhône
Romans-sur-Isère
Bourg-de-Péage
St-Donat-sur-l'Herbasse
Chatuzange-le-Goubet
Bourg-lès-V.
Guilherand-Granges
VALENCE
St-Péray
Portes-lès-Valence
St-Félicien
Satillieu
St-Jean-en-Royans
St-Antoine-l'Abbaye
Chabeuil

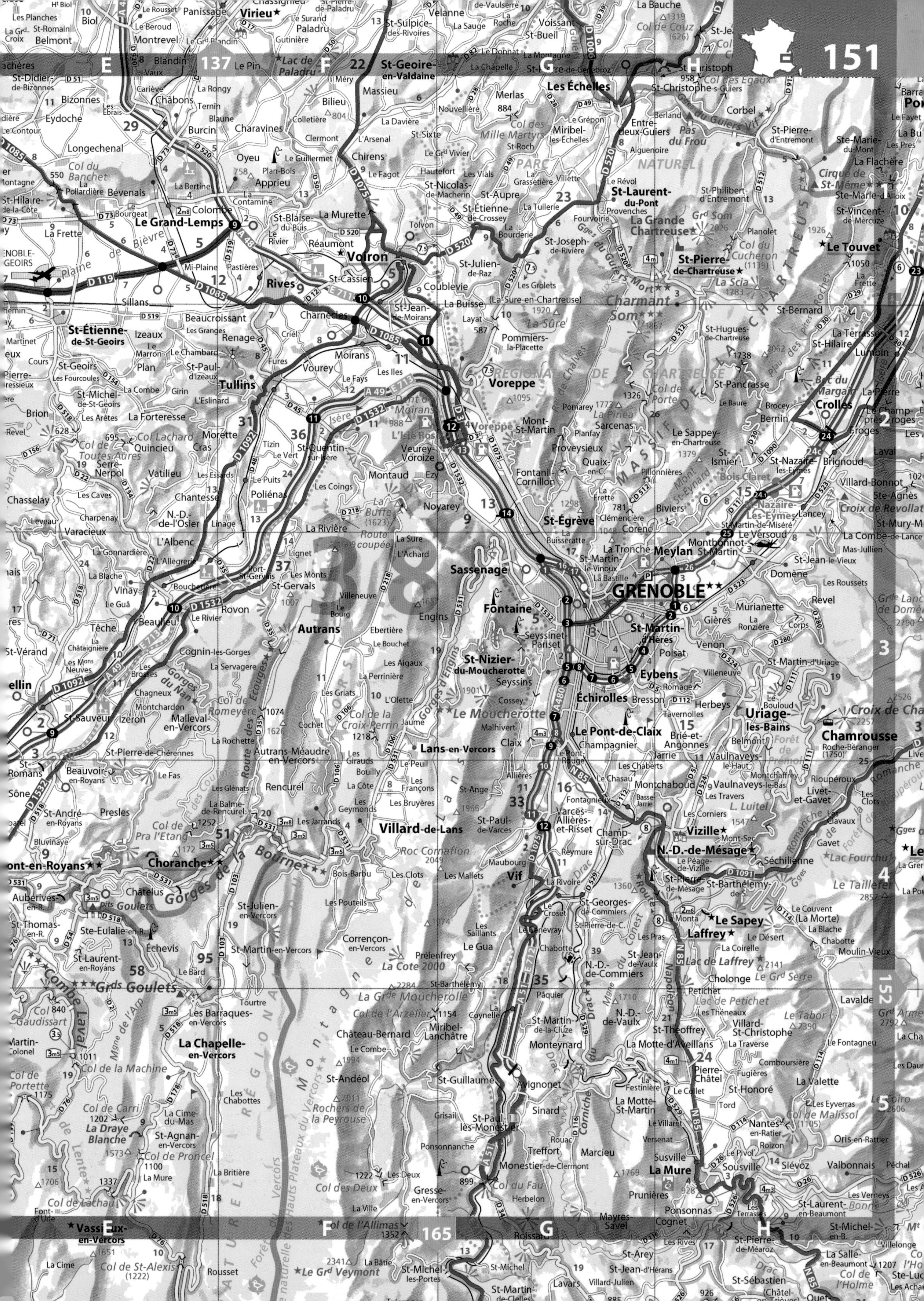

151
137
165
152
E
F
G
H
38
GRENOBLE
Voiron
Les Échelles
St-Geoire-en-Valdaine
Le Grand-Lemps
St-Étienne-de-St-Geoirs
Rives
Tullins
Voreppe
Meylan
Crolles
Le Touvet
St-Pierre-de-Chartreuse
St-Laurent-du-Pont
La Grande Chartreuse
Charmant Som
St-Égrève
Sassenage
Fontaine
Échirolles
Eybens
St-Martin-d'Hères
Le Pont-de-Claix
Uriage-les-Bains
Chamrousse
Vizille
N.-D.-de-Mésage
Vif
Lans-en-Vercors
Villard-de-Lans
Autrans
St-Nizier-du-Moucherotte
Le Moucherotte
Laffrey
Le Sapey
Lac de Laffrey
La Mure
Choranche
Gorges de la Bourne
Pont-en-Royans
La Chapelle-en-Vercors
Vassieux-en-Vercors
Col de la Croix-Perrin
Roc Cornafion
La Cote 2000
Col de Rousset
Col de l'Allimas
Le Grd Veymont
Monestier-de-Clermont
Virieu
Paladru
Lac de Paladru
Chirens
Moirans
Vinay
St-Marcellin
St-Quentin-sur-Isère
Massif de la Chartreuse
Parc Naturel Régional de Chartreuse
Parc Naturel Régional du Vercors

0
5
10 km
138
166
151
A
B
C
D
1
2
3
4
5
La Rochette
La Croix-de-la-R.
Le Verneil
Étable
St-Pierre-de-Belleville
Épierre
La Lauzière
Valmorel
Crève Tête
Col de la Madeleine
Brides-les-Bains
Le Villard
La Côte-Derrière
Les Allues
Novalay
St-Jean-de-Belleville
St-Laurent-de-la-Côte
Chandon
Le Raffort
St-Léger
Barraux
Pontcharra
Bréda
Les Bretonnières
Le Moutaret
St-Maximin
Château-Bayard
Le Fayet
La Buissière
Villard-Noir
Ste-Marie-du-Mont
Les Pres
La Flachère
Allevard
Montgaren
La Chapelle-du-Bard
Le Buisson
Le Guillet
La Grde Mgne d'Arvillard
Pnte du Rognaix
Le Grivolley
Forêt de St-Hugon
Les Grds Moulins
Grd Collet
Le Collet d'Allevard
Tigny
La Chapelle
Gondran
L'Epalud
Longchamp
St-François-Longchamp
Le Cheval Noir
La Sauce
Le Villard
Planvillard
La Rochette
La Flachère
Béranger
Méribel
Villarabout
St-Rémy-de-Maurienne
Les Chavannes-en-Maurienne
Montgellafrey
La Perrière
N.-D.-du-Cruet
Le Mollard des Bœufs
Montaimont
Le Girard
Le Châtelard
Méribel Mottaret
St-Marcel
St-Martin-de-Belleville (Les Belleville)
Tougnète
Les Granges
St-Vincent-de-Mercuze
Le Cheylas
Mailles
Montouvrard
St-Pierre-d'Allevard (Crêts en Belledonne)
Les Ayettes
Le Grd Charnier
Le Replat
St-Martin-sur-la-Chambre
La Chambre
St-Avre
Aigle de la Grde Moenda
Praranger
Le Touvet
Morêtel-de-Mailles
Montgoutoux
Les Fontaines
Le Feyjoux
Pinsot
La Piat
Pic du Frêne
St-Etienne-de-Cuines
Les Côtes
Montpascal
Le Bettaix
Goncelin
Le Charpieux
Col du Barioz
Ste-Marie-de-Cuines
Montbrunal
Le Noirey
Montvernier
Les Menuires
Les Bruyères
Le Premier-Villard
Les Champagnes
Pontamafrey-Montpascal
Le Châtel
Hermillon
Pnte de la Masse
Ruche
Vautravers
La Ferrière
St-Alban-des-Villards
Le Bessay
Grd Châtelard
St-Jean-de-Maurienne
Champsuit
Mont-Denis
Grd Perron des Encombres
Cime de Caron
La Terrasse
Tencin
Lumbin
Theys
Grd Thiervoz
l'Adret
St-Colomban-des-Villards
Les Roches
Puy Gris
Valmaure
Hurtières
Les Glapigneux
Le Curtillard
Notre-Dame
Jarrier
St-Pancrace
Villarclément
St-Julien-Mont-Denis
La Planchette
Mt Bréguin
La Pierre
Le Champ-près-Froges
Froges
Villard-Bernard
Les Ayes
Col des Ayes
Le Pleyney
Fond-de-France
Bec d'Arguille
La Chal
Léchet
La Toussuire
La Rochette
Pierrepin
Villargondran
Albiez-le-Jeune
St-Martin-de-la-Porte
Beaune
Les Adrets
Pipay
Prapoutel-les-Sept-Laux
Lac de la Mothe
Villarembert
Laval
Prabert
Brignoud
Dent du Pra
Lac Carré
Lac Cottepens
Col du Glandon
Le Corbier
Fontcouverte-La-Toussuire
Montricher-Albanne
Villarbernon
La Traversaz
Thyl
Villard-Bonnot
Ste-Agnès
Le Rocher Blanc
Combe d'Olle
Pnte de Corbier
La Cochette
Les Karellis
St-Michel-de-Maurienne
Croix de Revollat
La Boutière
Lac du Cos
Massif d'Allevard
Col de la Croix de Fer
Pierre-Aigüe
St-Sorlin-d'Arves
Le Collet
La Chal
Combe Genin
Albiez-Montrond
Albanne
La Buffaz
Orelle
St-Martin-d'Arc
St-Mury-Monteymond
La Combe-de-Lancey
Mas-Jullien
St-Jean-d'Arves
Le Chambon
Le Mollard
La Villette
Les Rieux
Col du Mollard
Les Seignières
Albannette
Col du Télégraphe
Les Combes
La Léchère
Valmeinier
Défilé de Maupas
Bge de Grand Maison
Pré-Plan
Entraigues
Montrond
Le Chalmieu
Le Villard
Le Col
La Combaz
Valloire
Les Déserts
Le Rivier-d'Allemont
Cimes de la Cochette
Les Roussets
Grde Lance de Domène
Grd Pic de Belledonne
Le Molard
La Villette
Collet de Vaujany
Vaujany
Mt Falcon
Roche Noire
Cade de la Fare
Pic de l'Étendard
Cime des Torches
Les Verneys
Grde Lance d'Allemont
Le Verney
Oz
Pourchery
Le Bessay
La Rivine
Aigle de l'Épaisseur
Mt Thabor
Allemont
Dôme des Rousses
Pic Bayle
Les Aigles d'Arves
La Sétaz Vieille
Bonnenuit
Roche Château
Croix de Chamrousse
Chamrousse
Roche-Béranger
La Voûte
Oz station
Pic du Lac Blanc
Pic du Mas de la Grave
Lac Besson
Sardonne
La Grde Sure
Plan-Lachat
Camp des Rochilles
Livet
Rochetaillée
Villard-Reculas
Les Sables
Alpe-d'Huez
Le Perron
Le Goléon
Pic des Trois Évêchés
Les Mottets
Romanche
Le Grd Galbert
Gorge de Rioupéroux
Col de Sarenne
Clavans-le-Haut
Besse-en-Oisans
Valfroide
Les Clots
Oulles
La Paute
Bassey
Huez
Clavans-en-Hte-Oisans
Oratoire du Chazelet
Les Hyères
Pic Blanc du Galibier
Col du Galibier
Clarée
Forêt de Clavaux
Gges de la Lignarre
Sarennes
Châtelard
La Garde
Le Freney-d'Oisans
Mizoën
Cade de la Pisse
Plau d'Emparis
Le Chazelet
Ventelon
La Grave
Pic de la Moulinière
Le Bourg-d'Oisans
Lac Fourchu
La Grenonière
L'Armentier
La Pallud
Les Cours
Le Puy
Singuigneret
Combe de Malaval
Les Cours
Col du Lautaret
Le Taillefer
Ornon
Prégentil
Auris
Les Châtains
La Balme
Les Fréaux
Les Terrasses
Villar-d'Arêne
Le Pied-du-Col
La Pouthuire
Bge du Chambon
Romanche
Mont-de-Lans
Le Pontet
La Rivoire
Les Alberges
Villard-Reymond
Les Clapiers
L'Alpe-de-Mont-de-Lans
Gler de la Girose
Gler de la Meije
Pics de Combeynot
Le Lauzet
Vallée de la Guisane
Chabotte
Moulin-Vieux
Col d'Ornon
Villard-Notre-Dame
Belvre des Cimes
Les Deux-Alpes
Glacier du Mont-de-Lans
La Meije
Pic Gaspard
Lac du Combeynot
Le Casset
Roche Mantel
Le Rateau
L'Alpe-de-Venosc
Les Siauds
Les Gauchoirs
Les Ougiers
Venosc
Le Diable
Le Monêtier-les-Bains
Les Guibertes
Lavaldens
Les Faures
La Danchère
Le Bourg-d'Arud
Mt du Soreiller
La Grde Ruine
Pic de Neige Cordier
Grd Armet
(Chantelouve)
Le Chalp
Lac Lauvitel
St-Christophe-en-Oisans
Pic des Agneaux
Le Fontagneu
Pré-Clot
Tête de la Maye
Gler Blanc
Lac de l'Eychauda
Villeneuve
Les Daurens
Cade de Confolens
Clapier du Peyron
Roche de la Muzelle
Champhorent
Roche Faurio
Serre-Chevalier
Le Coiro
Malissol
Barre des Écrins
La Bérarde
Massif des Écrins
Plan du Carrelet
Pré de Mme Carle
L'Eychauda
Le Périer
Dessous-la-Roche
Chambran
Oris-en-Rattier
Valsenestre
L'Arcanier
Gorges du Béranger
Gler Noir
Aigle des Arias
Mt Pelvoux
Ailefroide
Cime de Condamine
Valbonnais
Péchal
Entraigues
Pic de Valsenestre
Pnte du Vallon des Étages
Monts de l'Ailefroide
Parc National des Écrins
Les Claux
St-Antoine
Les Verneys
Les Angelas
Gragnolet
Le Villard
Le Sarret
Pelvoux
Le Poët-en-Pelvoux
St-Michel-en-B.
La Chapelle-en-Valjouffrey
La Chalp
Valjouffrey
Les Rouies
Puy-Aillaud
Mt Gargas
Villelonge
Le Désert
Pic des Souffles
La Salle-en-Beaumont
Col de l'Homme
Ste-Luce
Col de l'Holme
Les Achards
Les Faures
N.-D. de la Salette
Les Abladins
La Salette-Fallavaux
Lac du Lauzon
Somt des Bans
La Rouye
Le Gioberney
Cade du Casset
Villar-Loubière
La Chapelle
Le Clot
Puy-St-Vincent
Puy-St-Vincent 1600
Vallouise
A 41
A 43
E 70
D 1006
D 1091
D 1090
D 523
D 526
D 530
D 902
D 926
D 927
D 994E

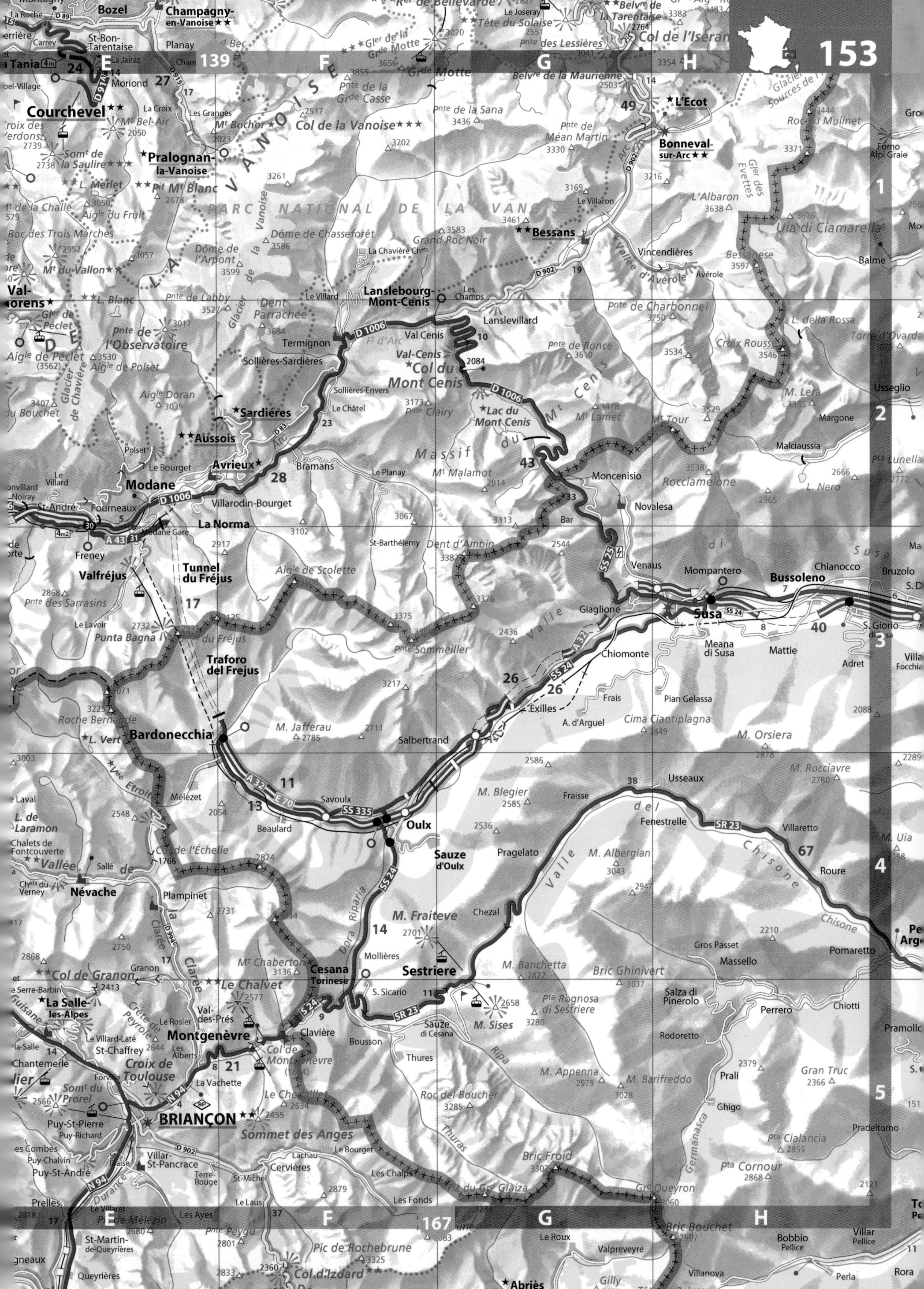

E
F
G
H
139
167
1
2
3
4
5
Bozel
Champagny-en-Vanoise
Courchevel
Pralognan-la-Vanoise
Col de la Vanoise
Parc National de la Vanoise
Bessans
Bonneval-sur-Arc
L'Ecot
Col de l'Iseran
Lanslebourg-Mont-Cenis
Lanslevillard
Termignon
Val Cenis
Col du Mont Cenis
Lac du Mont Cenis
Sardières
Aussois
Avrieux
Modane
Villarodin-Bourget
La Norma
Valfréjus
Tunnel du Fréjus
Traforo del Frejus
Bardonecchia
Oulx
Sauze d'Oulx
Sestriere
Cesana Torinese
Clavière
Montgenèvre
BRIANÇON
Névache
Susa
Bussoleno
Chianocco
Venaus
Novalesa
Moncenisio
Giaglione
Chiomonte
Exilles
Salbertrand
Fenestrelle
Usseaux
Pragelato
Massif du Mt Cenis
Rocciamelone
Pte de Charbonnel
Uia di Ciamarella
Dent d'Ambin
Pte Sommeiller
M. Jafferau
M. Fraiteve
M. Orsiera
Valle di Susa
Valle del Chisone
Usseglio
Pomaretto
Perrero
Prali
Cervières
Sommet des Anges
Col d'Izoard
Abriès

0 5 10 km
140
33
Le Porge-Océan
Le Porge
Lège-Cap Ferret
Grand Crohot Océan
Arès
Andernos-les-Bains
BASSIN
D'ARCACHON ★★
Ile aux Oiseaux
ARCACHON ★★
★ Cap Ferret
Cap Ferret
Pyla-sur-Mer
Gujan-Mestras
La Teste-de-Buch
★★ Dune du Pilat
Réserve naturelle du Banc d'Arguin
Forêt usagère de la Teste
Lanton
Audenge
Biganos
Le Teich
Parc ornithologique du Teich
Marcheprime
Mios
Salles
Belin-Béliet
Le Barp
Cazaux
Étang de Cazaux et de Sanguinet
Sanguinet
Biscarrosse-Plage
Biscarrosse
Parentis-en-Born
Étang de Biscarosse et de Parentis
Zone militaire interdite
CENTRE D'ESSAIS DES LANDES
Camp militaire de Souge
Terrain militaire
St-Jean-d'Illac
Martignas-sur-Jalle
PARC NATUREL RÉGIONAL DES LANDES DE GASCOGNE
Saugnacq-et-Muret
La Porte des Landes
Moustey
Pissos
Liposthey
Ychoux
Lugos
Sainte-Eulalie-en-Born
Mimizan
Éch.: Mi-2021
Forêt Nezer
Forêt de Lagnereau
Lacanau-de-Mios
Hourtiquets
Navarosse
Gastes
169
A B C D
1 2 3 4 5

141
156
170
171
E F G H

0 5 10 km
142
155
171
172
A
B
C
D
Castillon-la-Bataille
Vélines
Port-Ste-Foy-et-Ponchapt
Ste-Foy-la-Grande
Pineuilh
BERGERAC
Prigonrieux
Monbazillac
Bridoire
Duras
Eymet
Miramont-de-Guyenne
La Réole
Marmande
Tonneins
Casteljaloux
Monségur
Pellegrue
Sauveterre-de-Guyenne
Lauzun
Seyches
Virazeil
Le Mas-d'Agenais
Bouglon
Sigoulès
Gardonne
Le Fleix
St-Méard-de-Gurçon
Montcaret
Castelmoron-sur-Lot
Clairac
Meilhan-sur-Garonne
Cocumont
Allemans-du-Dropt
Puymiclan
Tombebœuf
Dordogne
Dropt
GARONNE
Canal Latéral à la Garonne
Forêt du Mas-d'Agenais
D 936
D 708
D 933
D 813
D 668
A 62-E 72
D 655

Les Eyzies-de-Tayac
Grotte du Grand Roc
Grotte de Font-de-Gaume
Puymartin
Le Bugue
Paunat
Limeuil
Cingle de Trémolat
Gouffre de Proumeyssac
St-Cyprien
Beynac-et-Cazenac
Lalinde
Le Buisson-de-Cadouin
Lanquais
Cadouin
Castelnaud-la-Chapelle
La Roque-Gageac
Belvès
St-Avit-Sénieur
Forêt de la Bessède
Monpazier
Prats-du-Périgord
Biron
Bonaguil
Fumel
Monsempron-Libos
Puy-l'Évêque
Monflanquin
Villeneuve-sur-Lot
Ste-Livrade-sur-Lot
Penne-d'Agenais
Gavaudun
Villeréal
Castillonnès
Issigeac
Beaumont-du-Périgord
Cancon
Montayral
Tournon-d'Agenais
Vézère
Dordogne
Dropt
Lot
Séoune
St-Germain-et-Mons
Creysse
Mouleydier
Trémolat
Siorac-en-Périgord
Villefranche-du-Périgord
Sauveterre-la-Lémance
Lacapelle-Biron
Montcabrier
Duravel
Touzac
Soturac
Vire-sur-Lot
Lagardelle
Frayssinet-le-Gélat
Castelnaud-de-Gratecambe
Monségur
Trentels
St-Sylvestre-sur-Lot
Pujols
Allez-et-Cazeneuve
Forêt de Montclard
Monsaguel
Eyrenville
Ferrensac
Lougratte
Montauriol
Montaut
Naussannes
Bardou
Faurilles
Rampieux
Lolme
Capdrot
Marsalès
Gaugeac
Soulaures
Vergt-de-Biron
Dévillac
Laussou
Paulhiac
Salles
Montagnac-sur-Lède
Lacaussade
Condezaygues
St-Vite
St-Georges
Cuzorn
St-Front-sur-Lémance
Blanquefort-sur-Briolance
St-Cernin-de-l'Herm
Lavaur
Loubejac
Besse
Campagnac-les-Quercy
Daglan
St-Pompont
Cénac-et-St-Julien
Vézac
Allas-les-Mines
Berbiguières
Marnac
Coux-et-Bigaroque
Audrix
St-Chamassy
Campagne
Meyrals
Castels
St-André-d'Allas
Cazenac
St-Vincent-de-Cosse
Bézenac
Mauzac-et-St-Meyme-de-Rozens
Calès
Badefols-sur-Dordogne
Pontours
Couze-et-Saint-Front
Varennes
Verdon
Bayac
Monsac
Molières
Urval
Paleyrac
Sagelat
Carves
Veyrines-de-Domme
St-Cybranet
Grives
St-Amand-de-Belvès
Doissat
Larzac
Orliac
Salles-de-Belvès
Fongalop
Montferrand-du-Périgord
St-Avit-Rivière
Bouillac
St-Marcory
St-Romain-de-Monpazier
Lavalade
St-Cassien
Tourliac
Parranquet
Rives
Rayet
Doudrac
Mazières-Naresse
Born-de-Champs
Roquépine
Cavarc
St-Quentin-du-Dropt
Ste-Radegonde
Cahuzac
Bournel
Born
Laborde
St-Eutrope-de-Born
Boudy-de-Beauregard
St-Vivien
Envals
Laurès
Roquefère
Beauregard
Tuilerie-de-Pech-Redon
Costes
Calviac
Corconat
Labarthe
Savignac-sur-Leyze
St-Aubin
La Sauvetat-sur-Lède
Lamothe-Feyt
Diodé
St-Aignan
Trémons
Cauzade
Bourlens
Thézac
Barrou
Mauroux
Lacapelle-Cabanac
Floressas
Sérignac
Masquières
St-Matré
Le Boulvé
Fargues
Courbiac
Anthé
Dausse
Cazideroque
Saux
Belmontet
Valeilles
Montaigu-de-Quercy
Massoulès
Auradou
Hautefage-
St-Antoine-de-Ficalba
Ste-Colombe-de-Villeneuve
Lacenne
Noaillac
Cours
Dolmayrac
Cazeneuve
Bias
Casseneuil
Le Lédat
Pailloles
Gaffarot
St-Pastour
Senezelles
Beaugas
St-Pierre-de-Caubel
Moulinet
Lespinasse
Cardayres
St-Maurice-de-Lestapel
Bournazel
St-Aubin-de-Lanquais
Faux
Conne-de-Labarde
Monmadalès
St-Cernin-de-Labarde
Leydou
Montaut
St-Léon-d'Issigeac
Nojals-et-Clotte
Boisse
Monmarvès
St-Agne
Baneuil
Cause-de-Clérans
Liorac-sur-Louyre
Lamonzie-Montastruc
St-Sauveur-de-Bergerac
St-Capraise-de-Lalinde
St-Marcel-du-Périgord
Pressignac-Vicq
Ste-Foy-de-Longas
Ste-Alvère
St-Avit-de-Vialard
Pezuls
Grand-Castang
Ste-Colombe
St-Martin-des-Combes
Clermont-de-Beauregard
St-Georges-de-Montclard
Lapeyrouse
Cumont
Manaurie
St-Cirq
Tayac
Carmensac
Combe-Nègre
Lussac
La Chapelle
Allas
Mouzens
Bigaroque
Reilhac
Alles-sur-Dordogne
Traly
Larives
Millac
Sauveboeuf
Tuilières
Cussac
Cladech
La Cavalerie
Pont-de-Cause
Monplaisant
St-Germain-de-Belvès
St-Pardoux-et-Vielvic
Vielvic
Ste-Foy-de-Belvès
Latrape
Babiot
Ruffel
St-Laurent-la-Vallée
Le Maine
Boissac
La Chapelle-Péchaud
Segonzac
Le Got
Pecestier
Mazeyrolles
Le Roussel
Fontenilles
Aigueparse
Le Fresquet
Bezet
St-Étienne-des-Landes
St-Caprais
La Thèze
Lastreilles
Peméja
Pourquiès
Couvert
Boussac
St-Martin-le-Redon
Cavagnac
Condat
Tempoure
Cazès
Martignac
Loupiac
Pescadoires
Grézels
St-Jean
Bélaye
Lalande
Pellatou
Ferrières
Rouffiac
Caux
Bovila
Calprionde
La Briguerie
Pervillac
Le Barry
Mln Bessou
Ste-Croix
St-Félix
Belvèze
Roquecor
St-Julien
St-Beauzeil
St-Amans
Goûts
Couloussac
Ladignac
Lustrac
St-Marcel
St-Martin-des-Cailles
Porte-de-Penne
La Grâce
St-Germain
Ste-Foy-de-Penne
Giget
Piquepoule
Pépines
Pérignac
Laurelle
Boissie
Campagnac
Massanes
Soubirous
la Dardenne
Pinel-Hauterive
Pinel
Pompiac
St-Grégoire
Mandacou
Les Bories
St-Dizier
St-Étienne-de-Villeréal
Genibrede
St-Avit
la Sauvetat-de-Blanquefort
Bonnenouvelle
St-Sardos-de-Laurenque
Tesquet
Soulies
Pis
Petit Brassac
Labouquerie
Ste-Croix
Les Peyrouliers
Ste-Sabine
Monseyrou
Labrame
St-Martin-de-Villeréal
(Beaumontois-en-Périgord)
(Pays de Belvès)
La Micalie
St-Nexans
Verdon
Vicq
St-Laurent-des-Bâtons
Lavalade
de-Miremont
Jardin
Marque
Montclé
Les Gunies
Gou
Pomarè
Lasbou
Mon
Peyru
Céou
E
F
G
H
1
2
3
4
5
143
158
172
40
41
38
50

0 5 10 km
Sarlat-la-Canéda
Souillac
Martel
Carennac
Belvre de Copeyre
Carlux
Beynac-et-Cazenac
Montfort
Carsac-Aillac
Jardins de Marqueyssac
Cingle de Montfort
La Roque-Gageac
Domme
Dordogne
Lanzac
Pinsac
Meyronne
Lacave
Grottes
Gouffre de Padirac
Alvignac
Padirac
Rocamadour
Gramat
Payrac
Loupiac
Grottes de Cougnac
Gourdon
Reilhaguet
PARC NATUREL RÉGIONAL DES CAUSSES DU QUERCY
Camp militaire
Soucirac
Labastide-Murat
Jardin des Causses du Lot
Montfaucon
Les Arques
Cazals
Catus
Frayssinet
Grotte du Pech-Merle
Cabrerets
Gontaut-Biron
St-Cirq-Lapopie
Cénevières
CAHORS
Mont St-Cyr
Luzech
Espère
Mercuès
Plage aux Ptérosaures
Prayssac
Castelfranc
Puy-l'Évêque
Lalbenque
Bach
Phosphatières du Cloup d'Aural
Réserve Naturelle Géologique
46
A B C D
1 2 3 4 5
144 157 173
A 20
D 820
D 911
D 653
D 811
D 704

AURILLAC
Figeac
Decazeville
Villefranche-de-Rouergue
St-Céré
Conques-en-Rouergue
Capdenac-Gare
Maurs
Aubin
Lacapelle-Marival
Castelnau
Montal
Assier
Cajarc
Belcastel
Latronquière
St-Étienne-Cantalès
Barrage de St-Étienne-Cantalès
Site médiéval
Grottes
Saut de la Mounine
Abbé de Loc-Dieu
N.D. de Verdale
Grotte de Presque

0 5 10 km
146
159
175
A
B
C
D
1
2
3
4
5
Aurillac
Arpajon-s-Cère
Pesteils
Rocher des Pendus
Vixouze
Lacapelle-Barrès
Narnhac
Pierrefort
Neuvéglise (Neuvéglise-s-Truyère)
Yolet
Raulhac
St-Étienne-de-Carlat
St-Martin-s/s-Vigouroux
Carlat
Vézac
Messilhac
Thérondels
Belvre du Vezou
Pont de Tréboul
Gorges de la Truyère
Rochers de Turlande
Ste-Marie
Espinasse
Chaudes-Aigues
Roannes-St-Mary
Labrousse
Mur-de-Barrez
Brommat
Bge de Sarrans
Cantoin
Lieutadès
Teissières-lès-Bouliès
Taussac
Vezels-Roussy
Rocher
Orlhaguet
Jabrun
Deux-Verges
Prunet
Lafeuillade-en-Vézie
Lacapelle-del-Fraisse
Leucamp
Lacroix-Barrez
Ste-Geneviève-sur-Argence
Vitrac-en-Viadène
(Argences en Aubrac)
Lacalm
St-Rémy-de-Chaudes-Aigues
Sansac-Veinazès
Ladinhac
Murols
Gorges de la Truyère
St-Symphorien-de-Thénières
Cassuéjouls
La Trinitat
Labesserette
Lapeyrugue
Puy de l'Arbre
St-Hippolyte
Rvoir de Montézic
Roc du Cayla
Junhac
Montsalvy
Bge de Couesque
Montézic
Huparlac
St-Urcize
Campouriez
St-Amans-des-Cots
Soulages-Bonneval
Laguiole
Recoules-d'Aubrac
Puy de Montabès
Nasbinals
Entraygues-sur-Truyère
Lac de la Selves
Montpeyroux
Curières
Les Trucs d'Aubrac
Aubrac
Gorges du Lot
Espeyrac
Florentin-la-Capelle
St-Rémy-de-Montpeyroux
Le Nayrac
Condom-d'Aubrac
Sénergues
Golinhac
Site du Bancarel
St-Chély-d'Aubrac
Campuac
St-Félix-de-Lunel
Lunel
Estaing
Coubisou
Espalion
Castelnau-de-Mandailles
Prades-d'Aubrac
Villecomtal
Bessuéjouls
Pruines
Nauviale
Sébrazac
Chau
St-Côme-d'Olt
Bge de Castelnau
Muret-le-Château
Clapas
Lassouts
Marcillac-Vallon
Rodelle
Bozouls
Trou de Bozouls
Ste-Eulalie-d'Olt
St-Geniez-d'Olt et d'Aubrac
Causse de Lanhac
Valady
Causse du Comtal
Gabriac
Salles-la-Source
Pierrefiche
Montrozier
Sébazac-Concourès
Palmas d'Aveyron
Causse de
Bertholène
Laissac-Sévérac l'Église
Rodez
Druelle
Olemps
Agen-d'Aveyron
Gaillac-d'Aveyron
Lapanouse

St-Chély-d'Apcher
Aumont-Aubrac
Marvejols
Mende
Chirac
St-Germain-du-Teil
La Canourgue
Chanac
Le Malzieu-Ville
St-Alban-sur-Limagnole
Serverette
Châteauneuf-de-Randon
Grandrieu
St-Étienne-du-Valdonnez
Ste-Enimie
Castelbouc
Florac
Parc à loups du Gévaudan
La Baume
Col de Montmirat
Plateau du Palais du Roi
Causse de Mende
Chaliers
de Garabit
147
176
177
162
48

148
161
177
0 5 10 km
A
B
C
D
1
2
3
4
5
Séneujols
Bonnefont
Solignac-sur-Loire
Chadron
Moudeyres
Le Monastier-sur-Gazeille
Freycenet-la-Tour
Chaudeyrolles
St-Clément
Château-Neuf
Crouzet-de-Meyzoux
Vduc de Recoumène
Mt Mézenc
La Rochette
Le Pont-d'Alleyras
Masfrayt
Tarret
St-Martin-de-Fugères
Petit Salettes
Avouac
Crouziols
La Vacheresse
Lac du Bouchet
Alleyras
Ouides
Le Bouchet-St-Nicolas
Costaros
Ussel
Goudet
Présailles
Rocher Tourte
Les Estables
Borée
Vabres
Mazemblard
Preyssac
Bargettes
Alleyrac
Vachères
Freycenet-la-Cuche
Deux-Rabbes
St-Martial
St-Christophe-d'Allier
St-Haon
Charbonnier
Landos
Arlempdes
Salettes
Peyrelor
Gerbier de Jonc
Vielprat
St-Arcons-de-B.
Lafarre
Issarlès
Le Béage
Suc de Montfol
St-Andéol-de-Fourchades
Source de la Loire
Ferme du Bourlatier
Chapeauroux
Barges
Le Lac-d'Issarlès
Ste-Eulalie
Cascade du Ray-Pic
Atger
Rauret
St-Paul-de-Tartas
Coucouron
Lachapelle-Graillouse
St-Bonnet-de-Montauroux
Le Malzieu
Arquejols
Freycenet
Espinassac
Cros-de-Géraud
Sagnes-et-Goudoulet
Grandrieu
Montgros
Joncherette
Beaune
La Villette
Montlor
Chabanes
Col de Fioulebise
Usclades-et-Rieutord
Péreyres
Fontanes
St-Étienne-du-Vigan
Freydemeysous
Mézeyrac
Issanlas
St-Cirgues-en-Montagne
Pomeyrols
Pradelles
Belvézet
Suc de Bauzon
Langogne
La Ribeyre
Lavillatte
Lanarce
Burzet
Barrage de Naussac
Naussac-Fontanes
Lespéron
Mazan-l'Abbaye
Le Roux
Chastanier
Rocles
Labastide-sur-Bésorgues
Éperon de Pourcheyrolles
Montpezat-sous-Bauzon
Col de la Chavade
St-Alban-en-Montagne
Le Plagnal
St-Flour-de-Mercoire
Thueyts
Mayres
Astet
Pierrefiche
Cellier-du-Luc
Neyrac-les-Bains
Coulées basaltiques
Chaudeyrac
Espradels
St-Étienne-de-Lugdarès
Serre de la Croix de Bauzon
Col du Pendu
Barnas
Jaujac
Luc
Cheylard-l'Évêque
Laveyrune
Col de la Crx de Bauzon
La Souche
Forêt de Mercoire
Col de Meyrand
Le Tanargue
Borne
Loubaresse
St-Laurent-les-Bains
Valgorge
La Bastide-Puylaurent
Le Moure de la Gardille
Montbel
St-Frézal-d'Albuges
Chasseradès
Massif de Prataubérat
Chastanet
Dompnac
Rocles
Largentière
Belvezet
Montagne du Goulet
Puylaurent
Prévenchères
Sablières
St-Mélany
Montselgues
St-André-Lachamp
St-Jean-Chazorne
Thines
St-Jean-de-Pourcharesse
Joyeuse
Le Bleymard
Belvre du Chassezac
Altier
Pourcharesses
La Garde-Guérin
Ste-Marguerite-Lafigère
St-Pierre-le-Déchausselat
Planzolles
Lablachère
Lac de Villefort
Villefort
Gagnières
St-Genest-de-Beauzon
Cubières
Cubiérettes
Sommet de Finiels
Col de Finiels
P A R C N A T I O N A L
M O N T L O Z È R E
Pic Cassini
Mas Camargues
St-André-Capcèze
Malons-et-Elze
Chambonas
Les Vans
Les Salelles
Chandolas
Ponteils-et-Brésis
Bois de Païolive
Berrias-et-Casteljau
Concoules
Bonnevaux
Le Pont-de-Montvert
Belvédère des Bouzèdes
Génolhac
Aujac
Malbosc
Vialas
N 88
N 102
D 906
D 901
D 104

149
E
F
G
H
St-Martin-de-Valamas
Le Cheylard
Rochebonne
St-Jean-Roure
St-Prix
Nonières
Col de Montreynaud
St-Apollinaire-de-Rias
Châteauneuf-de-Vernoux
Vernoux-en-Vivarais
Boffres
Alboussière
Toulaud
Soyons
Col de Rôtisson
Charmes-sur-Rhône
Portes-lès-Valence
Beauvallon
Montéléger
Étoile-sur-Rhône
Malissard
Jaunac
Rocher de Brion
Arcens
St-Michel-d'Aurance
Col de Ceyssouan
St-Jean-Chambre
Chalencon
Vallée de l'Eyrieux
Silhac
St-Julien-le-Roux
Col de la Mûre
Gilhac-et-Bruzac
Chau de Pierre-Gourde
Corniche de l'Eyrieux
St-Georges-les-Bains
Accons
Mariac
St-Barthélemy-le-Meil
St-Christol
Beauvène
St-Maurice-en-Chalencon
St-Michel-de-Chabrillanoux
St-Fortunat-sur-Eyrieux
St-Laurent-du-Pape
Beauchastel
Dornas
Gluiras
Col de la Faye
St-Genest-Lachamp
St-Sauveur-de-Montagut
Marcols-les-Eaux
Albon-d'Ardèche
St-Pierreville
Dunière-sur-Eyrieux
St-Vincent-de-Durfort
La Voulte-sur-Rhône
Mézilhac
Les Ollières-sur-Eyrieux
St-Étienne-de-Serre
Col des Quatre Vios
Issamoulenc
Pranles
Le Chambon-de-Bavas
Col du Trible
St-Cierge-la-Serre
Rompon
Livron-sur-Drôme
Loriol-sur-Drôme
Allex
Le Champ de Mars
St-Julien-en-St-Alban
Les Fonts-du-Pouzin
Le Pouzin
Laviolle
St-Julien-du-Gua
Ajoux
Creysseilles
Lyas
Pourchères
Flaviac
Col de la Fayolle
St-Joseph-des-Bancs
Gourdon
Col de l'Arénier
Veyras
Coux
Privas
St-Symphorien-sous-Chomérac
Cliousclat
Chabrillan
Antraigues-sur-Volane
Genestelle
Col de l'Escrinet
St-Priest
Alissas
Chomérac
Baix
Saulce-s-Rhône
Mirmande
La Roche-s-Grane
St-Étienne-de-Boulogne
St-Andéol-de-Vals
St-Michel-de-Boulogne
Freyssenet
Rochessauve
St-Lager-Bressac
St-Bauzile
Les Reys-de-Saulce
Col de Tartaiguille
Chau de Boulogne
Plateau du Coiron
Le Logis-Neuf
Col de la Gde Limite
Vals-les-Bains
Taverne
St-Pierre-la-Roche
Cruas
Les Tourrettes
La Coucourde
Marsanne
Roynac
St-Julien-du-Serre
Darbres
Berzème
St-Vincent-de-Barrès
Ucel
Vesseaux
Col de Fontenelle
St-Gineis-en-Coiron
St-Martin-le-Supérieur
Condillac
Labégude
St-Laurent-sous-Coiron
Derbières
Mercuer
St-Privat
(St-Martin-sur-Lavezon)
St-Martin-l'Inférieur
Savasse
Sauzet
La Laupie
Aubenas
Mirabel
Sceautres
Pic de Chenavari
Meysse
Bonlieu-sur-Roubion
St-Didier-sous-Aubenas
Lussas
St-Pons
Aubignas
Rochemaure
L'Homme-d'Armes
St-Marcel-lès-Sauzet
St-Étienne-de-Fontbellon
St-Jean-le-Centenier
Ancône
Montélimar
St-Gervais-sur-Roubion
Lavilledieu
St-Sernin
Villeneuve-de-Berg
Alba-la-Romaine
Muséal
Le Teil
Montboucher-sur-Jabron
La Bâtie-Rolland
Lachapelle-sous-Aubenas
Vogüé
St-Germain
Puygiron
Portes-en-Valdaine
Lanas
Sauveplantade
St-Andéol-de-Berg
Espeluche
Rochecolombe
La Touche
Balazuc
St-Maurice-d'Ardèche
St-Maurice-d'Ibie
Valvignères
St-Thomé
Châteauneuf-du-Rhône
Allan
Rochefort-en-Valdaine
Aleyrac
Viviers
Malataverne
Montjoyer
Chauzon
Défilé de Donzère
N.-D. de Montcham
N.-D. d'Aiguebelle
Pradons
Les Salelles
Lafare
Gge de la Ste-Baume
Les Joannins
Réauville
Ruoms
Lagorce
Larnas
St-Montan
Donzère
Roussas
Valaurie
Grignan
Dent de Rez
Sampzon
Vallon-Pont-d'Arc
Grotte Chauvet 2-Ardèche
Mas du Gras
Les Granges-Gontardes
Chamaret
Rocher
St-Remèze
N.-D. de Cousignac
Pierrelatte
La Garde-Adhémar
Chantemerle-lès-Grignan
Colonzelle
Grillon
Pont d'Arc
Plateau
Aven de Marzal
Bourg-St-Andéol
Clansayes
Montségur-sur-Lauzon
Gorges
Bidon
St-Paul-Trois-Châteaux
Richerenche
Réserve naturelle
Ferme aux crocodiles
Solérieux
177
178
Labastide-de-Virac
Corniche
St-Marcel
St-Restitut
La Baume-de-Transit
Aven de la Forestière
Aven d'Orgnac
L'Ardèche
Lapalud
St-Martin-d'Ardèche
Rhône
Montélimar
164

164
150
163
179
A
B
C
D
1
2
3
4
5
0
5
10 km
Guilherand-Granges
Chau de Crussol
Alboussière
Vernoux-en-Vivarais
St-Jean-Chambre
Toulaud
Soyons
Charmes-sur-Rhône
Portes-lès-Valence
Malissard
Chabeuil
Montélier
Parlanges
Les Bérards
St-Vincent-la-Commanderie
Peyrus
Léoncel
Châteaudouble
Montvendre
Combovin
Col des Limouches
Commune du Chaffal
Barcelonne
Beaumont-lès-Valence
Col de Bacchus
Gorges d'Omblèze
Col de Rôtisson
Commune de Gilhac-et-Bruzac
Gilhac
Girbaud
Silhac
St-Julien-le-Roux
Chau de Pierre-Gourde
Corniche de l'Eyrieux
St-Georges-les-Bains
Château-Rouge
Beauvallon
Montéléger
La Paillette
Montmeyran
La Baume-Cornillane
St-Maurice-en-Chalencon
St-Michel-de-Chabrillanoux
St-Fortunat-sur-Eyrieux
St-Laurent-du-Pape
RHÔNE
Beauchastel
Étoile-sur-Rhône
Le Moulin-la-Pipe
La Blache
Plan-de-Baix
Ansage
Les Maillet
St-Sauveur-de-Montagut
Les Menets
Eyrieux
Dunière-sur-Eyrieux
La Voulte-sur-Rhône
Fiancey
Upie
Ourches
Lozeron
Gigors-et-Lozeron
St-Vincent-de-Durfort
Les Petits-Robins
Ambonil
Montoison
Les Massones
Les Ollières-sur-Eyrieux
St-Cierge-la-Serre
Les Davids
La Rochette-sur-Crest
Beaufort-sur-Gervanne
Le Bouschet
Col du Trible
Laval
Rompon
Livron-sur-Drôme
Allex
Eurre
Vaunaveys-la-Rochette
Suze
Les Jaux
Vaugelas
Le Chambon-de-Bavas
Limouze
Les Fonts-du-Pouzin
St-Julien-en-St-Alban
Cobonne
Montclar-sur-Gervanne
Les Blaches
Lyas
Le Pouzin
Loriol-sur-Drôme
Grane
Drôme
Donjon
Crest
La Négociale
St-Bardoux
Aouste-sur-Sye
Les Berthalais
Mirabel-et-Blacons
Flaviac
Payre
Saulce
Coux
St-Symphorien-sous-Chomérac
Cliousclat
Chabrillan
Lambres
L'Homme
Privas
Saillans
La Neuve
Brune
Baix
Saulce-s-Rhône
La Colline
(Divajeu)
Piégros-la-Clastre
Baudoin
Alissas
Chomérac
Mirmande
Autichamp
Aubenasson
Champ-la-Lioure
St-Lager-Bressac
Les Reys-de-Saulce
La Roche-s-Grane
Rochessauve
St-Bauzile
Le Logis-Neuf
Col de la Gde Limite
Col de Tartaiguille
La Répara-Auriples
Piégros
St-Sauveur-en-Diois
Pas de Lauzens
Plateau du Coiron
Laval
Taverne
St-Pierre-la-Roche
Cruas
Les Tourrettes
Ft de Marsanne
Le Péage
Col du Devès
Les Lombards
Saou
Forêt de Saou
St-Vincent-de-Barrès
La Coucourde
St-Martin-le-Supérieur
Col de Fontenelle
Marsanne
Condillac
Roynac
Puy-St-Martin
Talon
Soyans
Francillon-sur-Roubion
Col de Gourdon
Mornans
Le Verna
Derbières
Cléon-d'Andran
Le Poët-Célard
(St-Martin-sur-Lavezon)
St-Martin-l'Inférieur
Sauzet
La Laupie
Pont-de-Barret
Sceautres
Savasse
Bonlieu-sur-Roubion
Manas
Bézaudun-sur-Bine
La Rochechérie
Pic de Chenavari
Meysse
Félines-sur-Rimandoule
St-Pons
Aubignas
L'Homme-d'Armes
St-Marcel-lès-Sauzet
Charols
Truinas
Bourdeaux
Chau Rochemaure
Ancône
Montélimar
St-Gervais-sur-Roubion
Le Planas
Rochebaudin
Salettes
Eyzahut
Crupies
Le Pont
Buis d'Aps
Muséal
Montboucher-sur-Jabron
La Bâtie-Rolland
Chateauneuf-de-Mazenc
La Bégude-de-Mazenc
Comps
Alba-la-Romaine
Mélas
Puygiron
Portes-en-Valdaine
Souspierre
Vieux-Village
Les Lombards
Orcinas
Le Teil
St-James
Le Plat
Dieulefit
La Rouvière
Frayol
La Violette
Espeluche
Le Poët-Laval
Vesc
Le Ferrent
Chambaud
La Touche
Paulhiet
Bouvière
St-Thomé
St-Alban
Allan
Rochefort-en-Valdaine
Le Colombier
Aleyrac
Montjoux
La Paillette
Châteauneuf-du-Rhône
Malataverne
St-Pierre
Béconne
Roche-St-Secret-Béconne
B. de Taulignan
Viviers
Rac
Montjoyer
Basse-Valgayette
Bayne
Haute-Valgayette
N.-D. de Montcham
N.-D. d'Aiguebelle
Le Fraysse
Les Joannins
Défilé de Donzère
Les Jaillets
Mgne de la Lance
Fontfreyde
Gge de la Ste-Baume
Bois de Grignan
Salles-sous-Bois
Valouse
Col de Valouse
Larnas
La Combe
Réauville
Montbrison
Le Célas
Teyssières
St-Montan
Donzère
Roussas
Bayonne
Taulignan
Le Pègue
Les Guilles
Valaurie
Grignan
Rousset-les-Vignes
Les Cognets
Mas du Gras
Les Margeries
La Combe-de-Sauve
Condorcet
Rimouren
Les Granges-Gontardes
Font-de-Barral
Novézan
Venterol
Les Faviers
N.-D. de Cousignac
Chamaret
Chantemerle-lès-Grignan
Colonzelle
Grillon
St-Pantaléon-les-Vignes
Valréas
La Bonté
Aubres
Pierrelatte
La Garde-Adhémar
Les Barquets
Margerie
Le Liby
Bourg-St-Andéol
Clansayes
Montségur-sur-Lauzon
St-Pierre
Les Estangs
Marzal
St-Paul-Trois-Châteaux
Richerenches
Les Cornuds
Nyons
Ferme aux crocodiles
Solérieux
Les Blachès
Vinsobres
St-Marcel-d'Ardèche
St-Restitut
La Baume-de-Transit
Le Pont-de-Mirabel
St-Marcel
La Rouverette
Visan
St-Turquoit
St-Maurice-sur-Eygues
Mirabel-aux-Baronnies
Piégon
St-Martin-d'Ardèche
Lapalud

165
151
E
F
G
H
Col de Lachau
Col de Proncel
La Mure
en-Vercors
La Britière
Réserve naturelle des Hauts Plateaux du Vercors
Forêt du Vercors
Ponsonnanche
Treffort
Marcieu
Monestier-de-Clermont
Col du Fau
Herbelon
Les Deux
Col des Deux
Gresse-en-Vercors
La Ville
Col de l'Allimas
Mayres-Savel
Prunières
Cognet
Roissard
St-Arey
St-Pierre-de-Méaroz
St-Jean-d'Hérans
La Salle-en-Beaumont
Vassieux-en-Vercors
Col de St-Alexis
Rousset
Le Grd Veymont
La Bâtie
St-Michel-les-Portes
St-Michel
St-Martin-de-Clelles
Lavars
Villard-Julien
St-Sébastien
(Châtel-en-Trièves)
Quet-en-Beaumont
La Cime
Les Boutons
Trésannes
Mt Aiguille
Cornillon-en-Trièves
Col Accarias
Col St-Sébastien
Ribeyre
Cordéac
Les Gautiers
Bge du Sau
Arbods
St-Julien-en-Quint
Col de Rousset
Mgne de Beurre
Donnière
Ruthière
Clelles
La Gare
D 1075
Longefonds
Le Grd-Oriol
Le Pt-Oriol
St-Genis
Mens
La Croix-de-la-Pigne
Col de Marignac
St-Etienne-en-Quint
Marignac-en-Diois
Chamaloc
Chichilianne
Les Blancs
Le Percy
Le Monestier-du-Percy
Prébois
Le Perrier
Longueville
St-Baudille-et-Pipet
Les Marceaux
L'Obiou
St-Andéol
Les Planeaux
Ponet-et-St-Auban
(Romeyer)
Vachères-en-Quint
Serre-des-Bailes
St-Maurice-en-Trièves
Lalley
Avers
Les Pts Moulins
Col de Mens
Tréminis
Le Serre
Ste-Croix
Les Vignons
Mgne de Glandasse
Col de Menée
Pontaix
Die
Valcroissant (Ancne Abbe)
Cirque d'Archiane
Archiane
Les Nonières
Lalley-le-Jocou
Le Château-Bas
Château Méa
St-Disdier
Villard-Joli
Truchières
Grand Villard
Grd Ferrand
26
Sallières
Treschenu-Creyers
Bénévise
Mgne de Jocou
Col de la Croix-Haute
Col de Rioupe
Maubourg
Barsac
Molières-Glandaz
Pont-de-Quart
Laval-d'Aix
Châtillon-en-Diois
Aix-en-Diois (Solaure en Diois)
Menée
Borne
Col de Grimone
La Croix Haute
Les Sièzes
Les Lussettes
Granges des Forêts
Vallon de la Jarjatte
Agnières-en-Dévoluy
La Chaup
Vercheny
Aurel
La Plaine
St-Roman
Mensac
Grimone
Glandage
La Jarjatte
Lus-la-Croix-Haute
Vachères
Roanne
St-Pierre
Montmaur-en-Diois
Le Seillon
Les Payats
Les Gallands
Ravel
Gorges des Gats
La Vière
Roc de Garnesier
Espenel
St-Benoit-en-Diois
Rimon-et-Savel
Les Bâties
Barnave
Mln de Jansac
Ravel-et-Ferriers
Boulc
Les Tatins
Toussière
La Caire
Col du Festre
Les Garcins
St-Moirans
Chastel-Arnaud
Savel
Col de Pennes
Jansac
Menglon
Luzerand
Les Ferriers
Vaunières
Durbon
La Cluse
Recoubeau-Jansac
Miscon
Montama
St-Julien-en-Beauchêne
Forêt
La Chaudière
Pennes-le-Sec
Montlaur-en-Diois
Mgne d'Aucelon
Aucelon
Luc-en-Diois
Bonneval-en-Diois
Mgne Durbonas
La Montagne
Pradelle
Poyols
Lesches-en-Diois
Val-Maravel
Le Pilhon
Combe-Chaude
Creyers
Combefère
Rochefourchat
Les Raynauds
Brette
Le Monestier
Jonchères
58
Beaurières
La Hte-Beaume
Montbrand
St-André
La Faurie
Le Pt Vaux
Glaise
Buëch
Les Granges
Seille
St-Nazaire-le-Désert
Volvent
Beaumont-en-Diois
St-Martin
Haut-Charens
Le Villard
Châteauvieux
Veynes
Petit-Paris
Les Roustans
Col de Prémol
Col de Cabre
La Beaume
Chaures
Fons-Vineuse
La Bégüe
Aspres-sur-Buëch
St-Marcellin
Col des Roustans
Bellegarde-en-Diois
Montlahuc
Charens
Les Chitons
Les Présières
Drôme
Chamel
La Bâtie-des-Fonds
St-Martin
St-Pierre-d'Argençon
Château
Gumiane
Chamauche
Chalancon
Establet
St-Dizier-en-Diois
Brezès
Col de la Rossas
Vaugelas
Valdrôme
Le Cheylard
Col de Carabès
Le Château
Thuoux
Aspremont
Pit Buëch
Pic d'Oule
Oze
St-Auban-d'Oze
Chabestan
Col de Pré Guittard
Col de la Pertie
Col des Fays
Rossas
Les Fontettes
Rottier
La Charce
Bruis
(Valdoule)
Montagne de Rame
La Piarre
Le Forest
Le Saix
La Bâtie-Montsaléon
Mgne d'Angèle
Arnayon
La Motte-Chalancon
Chaudebonne
Léoux
Cornillon-sur-l'Oule
Ste-Marie
Montmorin
La Montagne
Serre de la Bouisse
Sigottier
Serre-Boyer
L'Abbaye
Mgne d'Aujour
Les Chaudrons
Villeperdrix
Cornillac
Pommerol
Col des Tourettes
Le Sarret
Serres
Le Monestier
Tamizat
Mgne de Raton
La Fromagère
Mgne de Maraysse
Les Struis
La Villette
L'Épine
Savournon
Le Bersac
Les Arnauds
St-May
Gorges
Col de Pommerol
Ribeyret
Col de la Saulce
Montclus
Col de Faye
Sahune
Rémuzat
Moydans
Col de Palluel
Les Clavelas
Eyroles
Montréal-les-Sources
Le Chambon
Chatusse
Rosans
La Baume
Rer de Beaumont
Méreuil
St-Genis
Eygues
Les Baronnies
Col de Soubeyrand
Pelonne
Verclause
L'Aubergerie
St-André-de-Rosans
Sorbiers
Vaucluse
Les Courtilles
Montrond
Mgne de St-Genis
Curnier
Arpavon
Chalabrus
Les Isnières
Les Chabanas
La Tuilière
Colombe
L'Écluse
Le Poët-Sigillat
Sironne
Montjay
Trescléoux
Eyguians (Garde-Colombe)
Lazer
Tarendol
Bellecombe-Tarendol
Montferrand-la-Fare
Moulin de Mange-Fèves
Col de Flachière
Chapaïsses
Chanousse
Arzeliers
Lemps
Lagrand
Ste-Jalle
St-Sauveur-Gouvernet
La Fare
Roussieux
Saléon
Laragne-Montéglin
Gouvernet
PARC NATUREL RÉGIONAL
Villebois-les-Pins
Pras d'Albis
La Tuilière
166
180
Mgne de la Clavelière
Laux-Montaux
Étoile-St-Cyrice
La Bâtie-Verdun
St-Quenin
Besignan
Col de Peyruergue
Col du Reychasset
Orpierre
Pige-Bouin
(Nossage-et-Bénévent)
La Blove
Autanne
Vercoiran
Ste-Euphémie-sur-Ouvèze
Montaux
Les Bègues
Col d'Ey
Douas
Col de Perty
Laborel
Chevalet
Montagne de Chabre
(Châteauneuf-de-Chabre)
Beauvoisin
Les Jonchiers
Colombrette
Montguers
Ruissas
Ste-Colombe
Barret-le-Haut
Le Plan
La Grge Neuve

0 5 10 km
152
165
181
A B C D
1 2 3 4 5
L'Arcanier
Gorges du Béranger
Pic de Valsenestre
Aigle des Arias
Pnte du Vallon des Etages
Mt Pelvoux
Ailefroide
Pelvoux
Puy-Aillaud
St-Michel-en-B.
Mt Gargas
La Chapelle-en-Valjouffrey
Valjouffrey
Le Désert
Pic d'Olan
Lac du Lauzon
Somt des Bans
Puy-St-Vincent
La Salle-en-Beaumont
Col de l'Homme
Col de l'Holme
Ste-Luce
N.-D. de la Salette
Les Abladins
Les Achards
La Salette-Fallavaux
La Rouye
Cade du Casset
Le Gioberney
Puy-St-Vincent 1600
Quet-en-Beaumont
Villar-Loubière
La Chapelle-en-Valgaudémar
Le Clot
Rif-du-Sap
Pnte de l'Aiglière
Les Gautiers
Les Côtes-de-Corps
Corps
Bge du Sautet
La Croix-de-la-Pigne
St-Maurice-en-Valgodemard
Les Andrieux
Le Bourg
Valgaudemar
Les Oulles du Diable
Aigle de Morges
Aspres-lès-Corps
Les Moras
Les Payas
Ambel
Pellafol
Les Reculas
Le Motty
L'Esparcelet
La Chaup
Les Portes
Sirac
Beaufin
La Trinité
Monestier-d'Ambel
St-Firmin
Lallée
Le Séchier
St-Jacques-en-Valgodemard
Pic Pétarel
PARC NATIONAL
Les Choucières Vertes
Pntes de Rougnoux
Crête de Dormillouse
Broue
Combardenq
Les Blachus
Chauffayer
Pic de Colle Blanche
Drac Blanc
Les Clots
Dormillouse
Le Glaizil
Défilé de la Souloise
Les Costes
Mgne du pit Chaillol
Les Courts
La Motte-en-Champsaur
Vée de la Séveraissette
Molines-en-Champsaur
Vieux Chaillol
Mgne de Cédera
Les Gondouins (Champoléon)
Grd Pinier
St-Disdier
Villard-Joli
Truchières
Grand Villard
Pouillardenq
Les Gicons
La Guinguette
La Coue
Le Collet
St-Eusèbe-en-Champsaur
(Aubessagne)
Le Villardon
Charbillac
Les Infournas
Les Fermons
Les Borels
Somt Drouvet
Orcières-Merlette
Col de Rioupes
Maubourg
Rioupes
Le Courtil
Dévoluy
St-Étienne-en-Dévoluy
Les Evarras
Le Serre
Napoléon
Le Villard
Pisançon
L'Auberie
Les Gentillons
Pic Queyrel
Les Martins
Les Marches
Les Garnauds
Les Estaris
Prapic
Agnières-en-Dévoluy
La Joue du Loup
Défilé des Étroits
Col du Noyer
Le Noyer
Le Pré
Villeneuve
Les Forestons
St-Bonnet-en-Champsaur
Poligny
Champsaur
Chaillolet
Chaillol 1600
(St-Jean-St-Nicolas)
Chaillol
Vallée du Drac
Orcières
Les Veyers
Drac Noir
La Chaup
L'Ubac
Truziaud
Les Allards
Les Barraques
L'Aulagnier
Le Chanet
Chataussel
(St-Michel-de-Chaillol)
St-Jean
Les Usclas
Les Ricous
Serre-Eyraud
Les Audiberts
Le Carabrut
Superdévoluy
Les Cypières
Bec de l'Aigle
La Fare-en-Champsaur
St-Julien-en-Champsaur
Rissents
St-Michel
Les Marrons
Chabottonnes
Pont-du-Fossé
Col du Festre
L'Enclus
Mgne d'Aurouze
Le Cros
Forest-St-Julien
Buissard
Chabottes
Grde Autane
Le Mourre Froid
Les Garcins
La Plaine
St-Léger-les-Mélèzes
Tête de l'Hiverne
Pic de Gleize
Laye
St-Laurent-du-Cros
Serre Richard
Le Villard
St-Hilaire
Ancelle
La Cluse
Plateau de Bure
Pic de Bure
Les Farauds
Les Gourniers
Tête de Lucy
Col de Manse
Col Bayard
Chau d'Ancelle
Col de Moissière
Les Parias
Réallon
Col de Gaspardon
Pit Buëch
Chauvet
Les Jaussaud
La Rochette
Mt Guillaume
La Montagne
Tête de Clappe
La Rivière
Rabou
La Chau
Montreviol
Naune-Raze
Les Rousses
Les Sauvas
Romette
Les Borels
Aiguilles de Chabrières
Puy-St-Eusèbe
Le Pt Vaux
Les Roux
Les Baux
Les Andrieux
Le Bourget
St-Apollinaire
Les Truches
Glaise
Montmaur
La Roche-des-Arnauds
Hte Corréo
Pont-Sarrazin
Grand Larra
La Bâtie-Neuve
La Plaine
GAP
La Bâtie-Vieille
Chorges
Chérines
Prunières
(Puy-Sanières)
Bse Corréo
Trèschâtel
Montgardin
Les Olliviers
Les Bernards
Châteauvieux
La Madeleine
Le Villard
Les Allemands
Manteyer
Rambaud
Les Massots
Savines-le-Lac
Veynes
Furmeyer
La Freissinouse
St-Jean
Les Emeyères
N.-D. du Laus
Les Oliviers
Avançon
Le Fein
Lac de Serre-Ponçon
Les Villarons
Ste-Marguerite
Chanteloube
Les Chappas
Pontis
Forêt de Boscodon
Céüse
Pelleautier
Col de la Sentinelle
Jarjayes
Col Lebraut
Demoiselles coiffées
Châteauneuf-d'Oze
Mgne de Céüse
Les Durandons
Tourronde
Mt Colombis
St-Étienne-le-Laus
Neffes
Pic de Morgon
Pic d'Oule
Col du Villar
Demoiselles coiffées
Rousset
Col de Pontis
Sauze-du-Lac
L'Adroit-de-Pontis
Oze
Sigoyer
Valserres
Théus
Bge de Serre-Ponçon
St-Auban-d'Oze
Espréaux
St-Laurent
Châteauvieux
Lettret
Remollon
Espinasses
Les Celliers
Col d'Espréaux
Les Tourniaires
Durance
(Ubaye-Serre-Ponçon)
Le Saix
Fouillouse
Rochebrune
La Bréole
Costebelle
Ubaye
Esparron
Col de Foureyssasse
Tallard
Le Banchet
Piégut
La Garde
Le Lautaret
St-Vincent-les-Forts
L'Abbaye
Lardier-et-Valença
Les Faysses
Ventérol
Brèziers
L'Eygaye
Les Berlies
Mgne d'Aujour
La Saulce
Gigors
Col St-Jean
Le Seuil
Le Sarret
Barcillonnette
Vitrolles
Curbans
Urtis
Bellaffaire
Champdarène
Col des Fillys
Fermeyer
Les Allards
Risolet
St-Jean
Dormillouse
Le Villard
Col de Sarraut
Savournon
Plan-de-Vitrolles
La Cumerie
Le Col de Blaux
La Frayssinie
Chaumenc
Villaudemard
(Montclar)
Serre-Nauzet
Les Arnauds
Col de Faye
Rousset
Les Roches
Le Forest-Loin
Col des Garcinets
La Chapelle
Hauts Savornins
Le Villard
Malaup
Faucon-du-Caire
Turriers
St-Martin-lès-Seyne
Les Sagnières
Pompiéry
Monêtier-Allemont
Col des Sagnes
Les Rougiers
Selonnet
Surville
Pic de Bernardez
Mgne de Genis
Faye
Le Caire
Claret
Bois-Noir
Astoin
Seyne
Valenty
Ventavon
Grde Gautière
Chardavon
St-Pons
Colombe
L'Écluse
Les Bertrands
Lazer
Melve
Bayons
Chabanon
Le Fau
Sasse
Arzeliers
Les Hautes-Graves
Les Basses-Graves
Col du Fanget
Ste-Rose
Maure
Laragne-Montéglin
La Motte-du-Caire
Clamensane
Le Bédouin
Forest-Lacour
La Rouchaye
Grand-Puy
Col de Maure
Upaix
Thèze
Villarnaud
Brunet
L'Oratoire
L'Infernet
Couloubroux
Beauvoir
Sigoyer
Auzet
Montéglin
Rourebeau
Ste-Colombe
Col de Grèle
Escuyer
Reynier
Sparron-Bâtie
Les Cimettes
La Sambue
Le Poët
Les Concis
Borelly
St-Véran
Mgne de Jouère
Le Vernet
Châteauneuf-de-Chabre
Vaumeilh
Nibles
Valavoire
Bès
Verdaches
Les Donnets
Les Fourniers
La Grge Neuve
Le Plan
Châteaufort
Les Monges
Barles
Le Ht Vernet
Durance

Sommet des Anges
Puy-Richard
Cime de la Condamine
Les Combes
Puy-Chalvin
Puy-St-André
Villar-St-Pancrace
Les Claux
St-Antoine
Le Sarret
Prelles
Terre-Rouge
Lachau
Cervières
Le Bourget
St-Michel
Les Chalps
Bric Froid
3302
153
E
F
G
H
Le Laus
Les Fonds
Pic de Glaiza
3286
Le Poët-en-Pelvoux
Le Villaret
Pic de Mélézin
Les Ayes
Pic de Pt Rochebrune
3083
Bric Bouchet
2997
Vallouise
St-Martin-de-Queyrières
Pointe Peygu
2801
Pic de Rochebrune
3325
Le Roux
Valpreveyre
Bobbio Pellice
Les Vigneaux
Queyrières
Col d'Izoard
2360
2833
Villanova
Perla
Les Alberts
La Bâtie
Belvre du Pelvoux
Casse Déserte
Abriès
Gilly
2467
Tête du Pelvas
2929
1763
Col de la Pousterle
Ste-Marguerite
Pic de Ht Mouriare
2810
Brunissard
Tête du Puy
2527
58
La Chalp
PARC
Aiguilles
Forêt de Marassan
NATUREL
Ristolas
La Monta
1
du Fournel
L'Argentière-la-Bessée
Plan-Léothaud
Géro
(Château-Ville-Vieille)
Meyriès
Château Queyras
Ville-Vieille
D 947
D 902
Pellice
La Pareat
2656
L'Echalp
M. Friola
2720
Pic du Béal Traversier
2912
Arvieux
Les Prats
Pic du Fond de Peinin
2897
Freissinières
33
La Roche-de-Rame
Villargaudin
Molines-en-Queyras
2257
Somt Bucher
Pierre-Grosse
M. Granero
3171
Champcella
Gouffre de Gourfouran
Prareboul
Le Veyer
16
Fontgillarde
21
3114
Le Pain de Sucre
3208
Pian del Re
Le Villard
St-Crépin
RÉGIONAL
Bramousse
Combe du Queyras
St-Véran
Pic Traversier
2839
Col Agnel
(2744)
La Grde Aiguillette
de Rochelaire
Les Achards
Eygliers
La Font-d'Eygliers
Pointe des Marcellettes
2910
Pic de Caramantran
M. Viso
3841
2
Réotier
Gros
La Clapière
Ceillac
Tête de Toillies
3026
Mont-Dauphin
Guillestre
D 60
DU
QUEYRAS
Vallon du Mélezet
3175
Chianale
Les Clots
Barbein
Risoul
Peyre-Haute
Pointe de Saume
3035
Cime-du-Mélezet
22
Pontechianale
3015
Cma delle Lobbie
St-Clément-sur-Durance
Gaudissard
La Raille
Béouvou
3233
Varaita
Castello
St-Étienne
19
Lac Ste-Anne
Bric de Rubren
3340
St-Marcellin
Risoul 1850
Réserve Naturelle du Val d'Escreins
Pic de la Font Sancte
3387
Ubaye
3203
3094
Châteauroux-les-Alpes
2473
18
St-Marcellin-de-Vars
Combe-Brémond
Casteldelfino
Siguret
Ste-Marie-de-Vars
2578
Ste-Catherine
3236
Maurin
Bellino
Pusterle
La Reste
(Vars)
Pic des Houerts
La Barge
S. Anna
Valle
St-André-d'Embrun
Les Claux
Pointe du Fond du Roure
3179
Pelvo d'Elva
3064
2495
Château-Rayère
Pic de Chabrières
2746
Tête de Paneyron
2787
Aigle de Chambeyron
3017
3046
Elva
3
Embrun
38
Praveyral
La Chalp
Pont du Châtelet
L. des Neuf Couleurs
Les Gaillards
Crévoux
Col de Vars
2109
Serennes
3389
Brec de Chambeyron
3026
De Costanzi
St-Sauveur
2503
Melezen
20
Fouillouse
M. Boulliagna
2908
Crots
Les Orres
St-Paul-sur-Ubaye
Rocca Bianca
3021
Les Salettes
St-Jean
2940
Chiappera
Le Mélezet
Pramouton
Grd Parpaillon
3159
Prazzo
Abbe de Boscodon
2988
Tournoux
Fort de Tournoux
Meyronnes
St-Ours
Tête de Sautron
Acceglio
SP 422
Les Fabres
2832
Ste-Anne
Les Gleizolles
(Val d'Oronaye)
2703
Marmora
Ste-Anne-la Condamine
2375
Le Pouzenc
2898
L'Aupillon
2917
Grd Bérard
3048
Châtelard
La Condamine-Châtelard
Ubayette
Larche
17
Tête de Moïse
3104
Preit
4
2884
Clausal
Villard
Tête de Siguret
3032
D 900
2878
1948
Viviere
2776
7
Col de Larche
Colle della Maddalena
Jausiers
Guégnier
Tête de Fer
2885
Von du Lauzanier
Rca la Meia
2831
2686
L'Aubrée
Les Sanières
Les Davids
16
Lans
M. Oserot
2780
(Méolans-Revel)
Rioclar
Bouzoulières
La Chanenche
Les Prats
Miraval
St-Pons
Faucon-de-B.
La Chalannette
2497
Argentera
SS 21
23
Chaudon
La Lauze
L. des Sagnes
Bersezio
M. Giordano
2766
Méolans
Les Thuiles
Les Guérins
9
31
Martinet
D 109
Barcelonnette
L. du Lauzanier
Tête de l'Enchastraye
2955
Gaudeissard
Clot Meyran
La Maure
24
Le Sauze
2591
Ferrere
Stura
31
Pra Loup
D 902
Uvernet
Enchastrayes
2663
Pietraporzio
Sambuco
Les Clarionds
Super-Sauze
5
Grde Séolane
2909
20
D 908
Gges du Bachelard
2685
Le Chapeau de Gendarme
2886
Col de la Bonette
2715
Bousiéyas
26
Lacs de Vens
Roche Close
Les Agneliers
Le Villard-d'Abas
Les Longs
Cime de la Bonette
(2860)
M 64
Le Pra
Vens
2942
2472
Bagni di Vinadio
Demonte
2739
44
Fours-St-Laurent
Bayasse
Col de la Moutière
(2454)
M. Vallonnet
2247
Grd Cheval de Bois
2839
30
M. Ténibre
Les Trois Evêchés
Col d'Allos
La Foux-d'Allos
Mont Pelat
182
PARC
St-Dalmas-le-Selvage
M 63
M 2205
58
Corborant
3007
2612
2961
Tête de l'Estrop
2600
3051
2862
Tinée
St-Étienne-de-Tinée
La Foux
La Baume
Col de la Cayolle
2326
2916
Saume-Longe
Bouchier
Le Brec
2817
Allos
24
Val d'Allos
Les Super-Allos
Somt des Garrets
Pointe Côte de l'Âne
3
Asuéros
2547

0 5 10 km
A
B
C
D
154
184
1
2
3
4
5
Mimizan-Plage
Mimizan
Aureilhan
Contis-Plage
Côte d'Argent
Golfe de Gascogne
St-Julien-en-Born
Lit-et-Mixe
Mézos
Lévignacq
St-Girons-Plage
(Vielle-St-Girons)
Linxe
Léon
Castets
Moliets-Plage
Moliets-et-Maa
Messanges-Plage
Messanges
Vieux-Boucau-les-Bains
Azur
Magescq
Soustons
Seignosse-le Penon
Étang de Soustons
Étang de Léon
Courant d'Huchet
Forêt de Mimizan
Forêt de-St-Julien-en-Born
Forêt de Lit-et-Mixe
Ste-Eulalie-en-Born
Bias
Uza
Herm

E
F
G
H
154
185
170
1
2
3
4
5
40
PARC NATUREL DES LANDES DE
Forêt de Trensacq
Le Lac
Les Espalanques
Gastes
Bourruque
Poms
Mothes
Malet
Castelnau
La Porte des Landes
Montauzey
Botte
MousteY
Richet
Argelos
Ychoux
Liposthey
Menroux
Pissos
Haut-Richet
Harri
Sore
Esleys
Dupouy
Lucats
Lavigne
St-Trosse
Escourssolles
Bern
Gruey
Daugnague
Le Thus
Dumène
Luxey
Écomusée
Le Hallot
Mahan
Grand Ligautenx
Petit Ligautenx
Menaut
Bouricos
Baxente
Lüe
Gaillard
Houssats
Labouheyre
Larrousseau
Jean de-Crabe
Médous
Grué
Guidenson
Ménèou
Terrenave
Commensacq
Trensacq
Angoulin
Gaye
Jouanicot
Escource
Écomusée la Grande Lande (Marquèze)
Lesgoudies
Nan
Sarroucas
Solférino
Sabres
Bouheben
Cap-de-Pin
Perrègue
Lompré
Lestajaou
Lesbordes
Peyticq
Le Sen
Labrit
Couartes
Maguide
Luglon
Cornalis
Vert
Onesse-Laharie
Laharie
Garein
Bélis
Harenoin
Hourre
Morcenx
Sanglia
Bezin
Réserve de chasse d'Arjuzanx
Brocas
Sindères
Arjuzanx
Parc-de-Poussade
Garrosse
Morcenx-Bourg
Arengosse
Bagatelle
La Chapelle
Canenx-et-R
Le Fruit
Cère
Le Souquet
Boucaou
Serroun
Villenave
La Bastide
Ygos-Saint-Saturnin
Geloux
Marais de la Coumme
Parentis-d'Uchacq
Péliou
Gournau
Rey
Ousse-Suzan
Suzan
Rion-des-Landes
St-Martin-d'Oney
Uchacq-et-Parentis
Beylongue
Pouy
Coumet
Campet-et-Lamolère
MONT-DE
Lamolère
St-Jean-d'Août
Quartier-de-Marcel
Boos
Taller
Carsen-Ponson
St-Yaguen
Midouze
Ste-Croix
Meilhan
Bertheuil
St-Pierre-du-Mont
Laluque
Lesgor
Cangrand
Ponson
Carcarès-Ste-Croix
Campagne
St-Perdon
Tartas
Gourbera
Bégaar
Lestronques
Le Leuy
Haut-Mauco
Benquet
Petche
Pontonx-sur-l'Adour
St-Jean-de-Lier
Vicq-d'Auribat
Audon
Marrein
St-Etienne
Aurice
Bas-Mauco
Buglose
Gouts
Lamothe
Souprosse
Lagastet
Gousse
Cassen
Onard
Cauna
Péré
St-Maurice-sur-Adour
Adour
Préchacq-les-Bains
Téthieu
St-Vincent-de-Paul
Louer
St-Geours-d'Auribat
Mugron
Laurède
Toulouzette
St-Sever
Augreilh
Goos
Gamarde-les-Bains
Banos
Cazaubon
DAX
Yzosse
Candresse
Nousse
Lourquen
Montaut
Montgaillard
A 63
E 5
E 70
D 43
D 140
D 400
D 46
D 626
D 834
D 45
D 651
D 143
D 315
D 9
D 63
D 140
D 44
D 34
D 325
D 77
D 385
D 327
D 38
D 14
D 353
D 57
D 392
D 152
D 41
D 27
D 422
D 31
D 383
D 365
D 380
D 364
D 413
D 824
D 42
D 150
D 110
D 10
D 352
D 18
D 924
D 3
D 404
D 933
D 351
D 7
D 32
D 25
D 524
D 947

0 5 10 km
C
155
D
169
186
A
B
C
D
1
2
3
4
5
40
Labouheyre
Pissos
Sabres
Luxey
Labrit
Mont-de-Marsan
Tartas
Morcenx-Bourg
Arjuzanx
Solférino
Commensacq
Trensacq
Écomusée la Grande Lande (Marquèze)
Parc Naturel Régional des Landes de Gascogne
Forêt de Trensacq
Luglon
Garein
Brocas
Ygos-Saint-Saturnin
Villenave
Ousse-Suzan
Beylongue
Campet-et-Lamolère
Uchacq-et-Parentis
St-Perdon
Meilhan
Campagne
Saint-Avit
Lucbardez-et-Bargues
Canenx-et-Réaut
Cère
Geloux
Bretagne-de-Marsan
Benquet
Grenade-sur-l'Adour
St-Sever
Cazalis
Callen
Sore
Lencouacq
Cachen
Arue
Bélis
Maillères
Sarbazan
Pouydesseaux
Gaillères
Villeneuve-de-Marsan
Mazerolles
Bougue
Laglorieuse
Artassenx
Bascons
Castandet
Bordères-et-Lamensans
Cazères-sur-l'Adour
Le Vignau
Larrivière-St-Savin
St-Maurice-sur-Adour
Souprosse
Cauna
Aurice
Bas-Mauco
Haut-Mauco
Lamothe
Audon
Bégaar
Gouts
Mugron
Onard
Cassen
Gousse
Louer
Poyanne
Laurède
Nerbis
Toulouzette
Carcarès-Ste-Croix
St-Yaguen
Carsen-Ponson
Lesgor

155
156
187
172
E
F
G
H
1
2
3
4
5
Bernos-Beaulac
Beaulac
Sillas
Marions
Cours-les-Bains
Argenton
Ruffiac
Musset
Lavagnan
Lavagnan
Le Clavier
Labastide-Castel-Amouroux
Razimet
Antagnac
Heulies
Pétron
Lerm-et-Musset
Poussignac
Plantey
Veyries
Leyritz-Moncassin
St-Christophe
Unet
St-Martin-de-Curton
Goualade
Les Bordes
Escaudes
Saurine
Le Tren
Beauziac
Casteljaloux
Courbian
Puch-d'Agenais
Monheurt
Nicole
Villefranche-du-Queyran
Monluc
Aiguillon
Captieux
Coeur d'Aquitaine
Castelnau
St-Michel-de-Castelnau
Péjouans
La Réunion
Damazan
St-Léon
La Forge
Anzex
St-Léger
Giscos
Pindères
Couthures
Caubeyres
Cap-du-Bosc
Buzet-sur-Baïse
Maillas
Lartigue
Pompogne
Auba
Fargues-sur-Ourbise
St-Pierre-de-Buzet
Thouars-sur-Garonne
Parsol
Sauméjan
St-Julien
Publanc
Rieussout
Monturon
Ambrus
Calezun
Meneaux
Allons
Houeillès
Xaintrailles
Mongaillard
Vianne
Feugarolles
Forêt de Campet
Coupard
Pompiey
Estussan
Lavardac
La Tucolle
Lausseignan
Barbaste
Bréchan
Durance
Béas
Au Matha
Bourriot-Bergonce
Boussès
Le Marensin
Cauderoue
Carref' du Tremblant
Male
Bergonce
La Pomme-d'or
Tustem
Tauziette
Losse
Arx
Retjons
Vialote
Lussole
Lubbon
Lisse
Asquet
Andiran
Baudignan
Réaup
Hougaillard
Mazéret
Estampon
Lapeyrade
Le Fréchou
Meylan
Cieuse
St-Gor
Loulie
Poudenas
Vielle-Soubiran
Mézin
Pouy
Bellevue
Rimbez-et-Baudiets
Gueyze
Sos
Artigues
Cazaubon
Lannes
Estigarde
les Anges
St-Martin-de-Noët
Laslangaches
Arbussan
Villeneuve-de-Mézin
Marcadis
Herré
Ste-Maure-de-Peyriac
Fousserie
Créon-d'Armagnac
St-Pé-St-Simon
St-Justin
Parissot
Torrebren
Fourcès
Heux
Grazimis
St-Julien-d'Armagnac
Gabarret
Corneillan
Betbezer-d'Armagnac
Labastide-d'Armagnac
Lagrange
Barbotan-les-Thermes
Escalans
Larroque-sur-l'Osse
Lacquy
Arech
Labarrère
Balarin
Castelnau-d'Auzan Labarrère
Villa gallo-romaine
Larressingle
Le Goalard
Le Frêche
Mauvezin-d'Armagnac
Tavernes
St-Cricq
Parleboscq
Séviac
Montréal-du-Gers
Lauraët
Beaumont
Cazaubon
Lac d'Uby
Arquizan
St-Vidou
Brechan
Bouau
Mauléon-d'Armagnac
Monclar
Ste-Fauste
Vopillon
Arthez-d'Armagnac
Lacs d'Armagnac
Lamothe
Castaigne
Lannemaignan
Soubère
Larée
Cutxan
Montégut
Le Tourné
Berduquet
Maignan
Bretagne-d'Armagnac
Lagraulet-du-Gers
Mouchan
Flaran
Castagnet
Marguestau
Cap-Pelat
Cazeneuve
Gondrin
Valence-sur-Baïse
Estang
Castex-d'Armagnac
Campagne-d'Armagnac
Larroudé
St-Cane
Eauze
La Pelinguette
Mansencôme
Gaube
Lias-d'Armagnac
Le Pin
Ayzieu
Réans
Courrensan
Polignac
Roques
Monguilhem
Maupas
Bourdalat
Artigau
Le Prada
St-Roch
Pennevert
St-Amand
Ampeils
Hontanx
Toujouse
Monlezun-d'Armagnac
Panjas
Bourrouillan
Sauboires
Cacarens
Cadignan
Lagardère
Pardailhan
Bazibat
Laujuzan
Le Laca
Justian
Mormès
Salles-d'Armagnac
Manciet
Ramouzens
Noulens
Bezolles
Cantiran
Rageperdix
Lannepax
Rozès
Les Quatre Chemins
Lau
Joučou
Le Houga
Perchède
Bascous
Caupenne-d'Armagnac
Bouit
Ste-Christie-d'Armagnac
Espas
Mourède
Marambat
Nassagnet
Espagnet
La Parisienne
Daugue
Magnan
Daunian
Arblade-le-Haut
Lagraulas
St-Paul-de-Baïse
Hitère
Toujun
Nogaro
Cravencères
Démú
Vic-Fezensac
Luppé-Violles
Lanne-Soubiran
Loubédat
Séailles
Ciron
Gélise
Osse
Auzoue
Douze
Baïse
D 115
D 114
D 10
D 124
D 12
D 291
D 157
D 655
D 933
D 230
D 261
D 11
D 120
D 108
D 8
D 285
D 214
D 283
D 154
D 434
D 665
D 24
D 224
D 379
D 377
D 59
D 109
D 149
D 656
D 323
D 933
D 51
D 626
D 35
D 295
D 114
D 270
D 254
D 36
D 15
D 209
D 31
D 113
D 142
D 931
D 30
D 626
D 924
D 6
N 524
N 124
A 65
A 62
D 932

0 5 10 km
Granges-sur-Lot
Le Temple-sur-Lot
Gouneau
Boissie
Allez-et-Cazeneuve
Cazeneuve
Pujols
Villeneuve-sur-Lot
La Grâce
Penne-d'Agenais
Dausse
St-Germain
C
157
D
Ste-Foy-de-Penne
Dolmayrac
Lamaurelle
Ste-Colombe-de-Villeneuve
Giget
Piquepoule
St-Léger
Valeilles
Unet
Longueville
Lafitte-sur-Lot
Montpezat-d'Agenais
St-Brice
Bourran
Nicole
Pérignac
Lacenne
Noaillac
St-Antoine-de-Ficalba
Auradou
Pépines
Massoulès
St-Beauzeil
33
Colleignes
St-Sardos
Lacépède
St-Médard
Cours
Castella
Hautefage-la-Tour
St-Amans-du-Pech
Monluc
Ste-Radegonde-sur-Lot
Aiguillon
St-Vincent
Quittimont
Arpens
Sembas
Monbalen
Frespech
Massels
St-Salvy
Laugnac
Cassignas
Blaymont
Lagarrigue
Galapian
Lesterne
Prayssas
La Croix-Blanche
St-Léger
St-Côme
St-Avit
Frégimont
Galimas
Laroque-Timbaut
St-Victor
Bousséres
Bazens
Gaujac
Lusignan-Petit
St-Julien
Fraysses (Madaillan)
St-Arnaud
Les Tricheries
Beauville
Port-Ste-Marie
Artigues
Cauzac
Thouars-sur-Garonne
Maurignac
Cardonnet
Bajamont
St-Robert
Engayrac
Clermont-Dessous
Puymasson
Lusignan-Grand
Foulayronnes
Sauvagnas
Dondas
Meneaux
St-Laurent
Lacépède
Colayrac-St-Cirq
St-Hilaire-de-Lusignan
Le Caoulet
Cassou
La Sauvetat-de-Savères
St-Martin-de-Beauville
Garonne
Canal Latéral à la Garonne
Béquin
Monbran
Pont-du-Casse
St-Caprais-de-Lerm
Feugarolles
Sérignac-s-Garonne
Brax
St-Ferréol
Malbes
St-Maurin
Vianne
Bruch
Montesquieu
Le Passage
Agen
Bon-Encontre
Tayrac
Montjoi
Limon
Mourrens
Agen Porte d'Aquitaine
Walibi Aquitaine
Castelculier
St-Pierre-de-Clairac
Lavardac
La Garenne
Dolmayrac
Grandfonds
Séoune
Perville
Bréchan
Espiens
Ste-Colombe-en-Bruilhois
Roquefort
Puymirol
La Garde
Montagnac-sur-Auvignon
Boé
Lafox
St-Jean-de-Thurac
St-Urcisse
St-Pierre-de-Gaubert
Vieux-Crubelets
St-Romain-le-Noble
St-Pierre-de-Malaure
Grayssas
Calignac
Pléichac
Estillac
Sauveterre-St-Denis
Clermont-Soubiran
Male
Moncaut
Moirax
Laspeyres
Gasques
Fontarède
Aubiac
Layrac
St-Nicolas-de-la-Balerme
Coupet
Lamagistère
Lalande
Tauziette
Nérac
Saumont
Puy-Fort-Eguille
Laplume
St-Sixte
Golfech
Garlies
Caudecoste
Asquet
Nomdieu
Contras
Brimont
Goulens
Donzac
Valence
Goudou
Tartifume
Fieux
Marmont-Pachas
Pommevic
St-Ourens
Le Fréchou
St-Vincent-de-Lamontjoie
Fals
Mondou
Lasserre
Lamontjoie
Pachas
Cuq
Dunes
St-Loup
Espalais
Francescas
Baulens
Auvillar
Pouy
Artigues
La Croix-Blanche
Astaffort
Andiran
Sistels
Carhaule
St-Cirice
Pergain-Taillac
Gimbrède
St-Cirice
Bardigues
Moncrabeau
Ligardes
Pouy-Roquelaure
Auroue
St-Antoine
Estrépouy
St-Mézard
Marcadis
Barbonvielle
Lafitte
Rignac
Lourtiguet
St-Michel
Lialores
Vicnau
Gazaupouy
Berrac
Mansonville
St-Caprais
Sempesserre
Rouillac
Cannes
St-Martin-de-Goyne
Heuguère
Ste-Mère
Flamarens
Caubel
Castéra-Bouzet
Grazimis
St-Aignan
Peyradis
Miradoux
St-Jean-du-Bouzet
Lasserre
Larroque-Engalin
Castéra-Lectourois
St-Avit-Frandat
Mérigon
Peyrecave
Asques
Le Macon
La Romieu
La Gravette
Castelnau-sur-l'Auvignon
Castet-Arrouy
Lachapelle
Puygaillard-de-Lomagne
Le Goalard
Condom
Le Baradieu
Aurens
Lagarde
Lavit
Plieux
Poupas
Tressens
Lançon
Balignac
Caussens
Marsolan
Heure-et-Bartens
Gramont
Marsac
Herret
St-Orens-Pouy-Petit
Blaziert
Lectoure
L'Isle-Bouzon
Montgaillard
Cassaigne
Roquepine
St-Geny
St-Créac
Béraut
Maumusson
Pouy-Petit
Terraube
St-Martin-de-las-Oumettes
Abbe de Flaran
Maignaut-Tauzia
Ordac
Aurenque
Magnas
Le Lau
Mauroux
Esparsac
Valence-sur-Baïse
Mas-d'Auvignon
St-Clar
Castéron
St-Puy
Pauilhac
Castelnau-d'Arbieu
Avezan
Tudet
Gaudonville
Glatens
Mansencôme
les Boulets
St-Léonard
Cumont
Lamothe-Cumont
Lamothe-Goas
Ampeils
La Sauvetat
St-Jau
Urdens
Tournecoupe
Pordiac
Beaucaire
Ayguetinte
La Bâtisse
Mestres
Larroumiouac
Fleurance
Lamothe-Endo
Pessoulens
Pardailhan
Larroque-St-Sernin
Ste-Radegonde
Brugnens
Cadeilhan
Bivès
Estramiac
Marignac
Bezolles
Réjaumont
Lagarde
Avensac
Rozès
Castéra-Verduzan
Cézan
Céran
Bajonnette
Homps
Jourdain
Maubec
Montestruc-sur-Gers
Baleyron
Goutz
Monfort
Solomiac
Marambat
Massa
A
B
Préchac
188
C
La Bordette
Pis
D
Le Ca
Bonas
St-Paul-de-Baïse
Puységur
Ste-Gemme
Sarrant
Lavardens
Clarac
Casteljaloux
Gavarret-sur-Aulouste
Miramont-Latour
Taybosc
St-Brès
Sérempuy
Mérens
Roquefort
Tourrenquets
Maravat
Labrihe
Jegun
Baïse
Gers
Arrats
Barguelonne

158
189
174
E
F
G
H
1
2
3
4
5
82
Courbiac
Saux
Bovila
Lasbouygues
Bagat-en-Quercy
Villesèque
Le Cluzel
St-Rémy
Labastide-Marnhac
Le Montat
Belmontet
St-Pantaléon
Valprionde
Couloussac
Goufs
Pervillac
Montaigu-de-Quercy
Le Barry
Mln Bessou
St-Daunès
La Briguerie
Pechpeyroux
Lhospitalet
Salgues
La Tuilerie
Granéjouls
Le Cayran
Cieurac
Mas-de-Vers
Lascabanes
Cézac
Ventaillac
Terry
St-Cevet
Pibroulède
Lalbenque
Belvèze
Ste-Croix
Montcuq-en-Quercy-Blanc
Escayrac
Pern
Roquecor
St-Félix
Lebreil
Caminel
Ferrussac
Ste-Cécile
Le Claux
Bouloc-en-Quercy
Rouillac
St-Cyprien
Boisse
Fontanes
Paillas
Ste-Alauzie
St-Paul-de-Loubressac
St-Geniès-de-la Millau
Lacour
Montlauzun
St-Laurent-Lolmie
St-Anthet
Barguelonne
St-Paul-Flaugnac
La Madeleine d'Aussac
Montdoumerc
Labastide-de-Penne
St-Gervais
Moissaguel
Ste-Juliette
Castelnau-Montratier
Touffailles
Bourg-de-Visa
Ginouilhac
Tréjouls
Sauveterre
Saux
Belfort-du-Quercy
Lauzerte
St-Urcisse
Cazillac
Lamolayrette
La Baraque
Fauroux
St-Romain
Montagudet
St-Aureil
Ganic
Miramont-de-Quercy
Canhac
La Cabrette
La Salvetat
Le Bois de Dourre
Veysset
St-Amans-de-Pellagal
Cazes-Mondenard
Montfermier
Montpezat-de-Quercy
Lapenche
St-Pierre-de-Nazac
St-Jean-de-Perges
St-Nazaire-de-Valentane
Montbarla
St-Hilaire-de-Durfort
St-Quintin
Labarthe
St-Laurent
Montalzat
Espanel
St-Jean-du-Frust
Montesquieu
Ste-Thècle
Vazerac
Castelsagrat
Durfort-Lacapelette
Moncalvignac
St-Arthemie
Molières
St-Christophe
Auty
Monteils
Fourquet
Sécot
St-Paul-de-Burgues
St-Martin-de-Durfort
Martissan
Mazères
St-Vincent
St-Clair
St-Julien
La Fargue
Rouzet
St-Amans
La Capelle
Caussade
St-Jean-de-Cornac
Viminies
Lafargue
St-Paul-d'Espis
St-Christophe
Montescot
La Lande
Lunel
Puycornet
Mirabel
Piac
St-Amans
L'Apeyrouse
St-Romain
St-Martin
St-Vincent-Lespinasse
St-Laurent
Mégère
Lafrançaise
Lériboscs
Les Paulous
Ste-Livrade
Aussac
La Benèche
Moissac
Sèges
St-Michel
St-Maurice
St-Nazaire
Réalville
Pech-Del-Barry
Boudou
Lizac
Piquecos
L'Honor-de-Cos
Montastruc
Meauzac
Cos
La Bouffière
St-Laurent-de-Maynet
Tarn
Les Barthes
Loubéjac
Cayrac
Bioule
La Pointe
St-Benoît
Aveyron
Gandalou
Labastide-du-Temple
Villemade
Pelut
Lamothe-Capdeville
Albias
Nègrepelisse
Merles
St-Nicolas-de-la-Grave
Barry-d'Islemade
Ardus
Reys
Le Moutet
Courbieu
Lagarde
Falguières
Albefeuille-Lagarde
Fontneuve
Birac
Rastel
St-Etienne-de-Tulmont
Revel
Garonne
Castelsarrasin
La Ville-Dieu-du-Temple
La Paillole
St-Hilaire
Montauban
Le Pin
Castelmayran
Capou
Léojac
Vaïssac
St-Aignan
Caumont
St-Martin-Belcasse
Montbeton
Sasseras
Pénardières
Gayssanès
Angeville
Bénis
Castelferrus
St-Porquier
Lacourt-St-Pierre
Verlhaguet
Génébrières
Cordes-Tolosannes
Bonanech
St-Arroumex
Escatalens
Pente d'eau
Pech-Boyer
Carreyrat
St-Martial
Bellegarde
La Grimaudié
St-Blaise
Garganvillar
Canal
Bressols
La Salvetat-Belmontet
Fajolles
Lafitte
Pérayrols
Le Fau
St-Nauphary
Belmontet
Coutures
Gabachoux
La Vitarelle
Montech
Nouze-Vert
St-Caprais
Labourgade
Montaïn
Brial
Corbarieu
Bonrepos
Montdurausse
Verlhac-Tescou
Forêt d'Agre
Larrazet
Bourret
Moulis
Reyniès
Puylauron
Rouqueyral
Sérignac
Hautmont
Finhan
Bariès
Villebrumier
Belbèse
Montbartier
Labastide-St-Pierre
Varennes
Beauvais-sur-Tescou
Gimone
St-Sardos
Mas-Grenier
Monbéqui
Orgueil
Nohic
Ste-Catherine
Beaumont-de-Lomagne
Vigueron
Lapeyrière
Campsas
Le Born
Brivecastel
Bessens
Peyroulies
Le Terme
Comberouger
N.D. de-la-Croix
Dieupentale
Fabas
Auterive
St-Jean-de-Cauquessac
St-Salvy
Grand Selve
Verdun-sur-Garonne
Canals
Magnanac
Villemur-sur-Tarn
Bouillac
Villelongue
Fronton
Peyronnets
Sayrac
Pechnauquié
Escazeaux
Grisolles
Villaudric
Bondigoux
Lyarac-sur-Tarn
Savenès
Les Quatre Chemins
Escufès
Pompignan
Villematier
Mirepoix-sur-Tarn
Les Oulès
Beaupuy
Capmas
Frontonnais
Gariès
Lagraulet-St-Nicolas
Le Burgaud
Aucamville
St-Rustice
La Magdelaine-sur-Tarn
Séguenville
Cabanac-Séguenville
Bellesserre
Bordeneuve
Bouloc
Bessière
Les Friques
St-Cézert
Ondes
Castelnau-d'Estrétefonds
Vacquiers
Montjoire
Cox
Galembrun
Villeneuve-lès-B.
Gargas
La Verrière
D 820
D 953
D 928
D 958
D 999
D 930
D 813
A 20
A 62
E 72
E 9
D 653
D 656
D 926

Villefranche-de-Rouergue
Caylus
Septfonds
Caussade
St-Antonin-Noble-Val
Najac
Cordes-sur-Ciel
Penne
Bruniquel
Puycelsi
Monestiés
Gaillac
ALBI
Rabastens
Lisle-sur-Tarn
Mauriac
Abbe de Beaulieu-en-Rouergue
Abbe de Loc-Dieu
Phosphatières du Cloup d'Aural
Forêt de Grésigne
Gorges de l'Aveyron
Lagrave
Carmaux
St-Sulpice
Limogne-en-Quercy
Puylaroque
Laguépie
Vaour
Castelnau-de-Montmiral
Labastide-de-Lévis
Salvagnac
Montricoux
Varen
Milhars
Feneyrols
Lexos

159
173
190

Belcastel
Balsac
Sébazac-Concourès
Onet-le-Château
RODEZ
Olemps
Le Monastère
Ste-Radegonde
Druelle
Moyrazès
Colombiès
Rieupeyroux
Luc-la-Primaube
La Primaube
Baraqueville
Flavin
Pont-de-Salars
Lac de Pont de Salars
Ségur
Arques
Le Vibal
Palanges
Agen-d'Aveyron
Gages-le-Haut
La Loubière
Calmont
Manhac
Camboulazet
Ste-Juliette-sur-Viaur
Comps-la-Grand-Ville
Trémouilles
Lac de Pareloup
Salles-Curan
Arvieu
Salmiech
Cassagnes-Bégonhès
Sauveterre-de-Rouergue
Naucelle
Pradinas
La Salvetat-Peyralès
Tayrac
Castelmary
Crespin
Camjac
Centrès
Tauriac-de-Naucelle
La Baraque-St-Jean
Viaduc du Viaur
Gorges du Viaur
Pampelonne
Tanus
Tréban
Meljac
Rullac-St-Cirq
La Selve
Durenque
Alrance
Lac de Villefranche-de-Panat
Villefranche-de-Panat
Lédergues
Lédas-et-Penthiès
Montauriol
Moularès
Lacapelle-Pinet
Lestrade-et-Thouels
Réquista
Connac
Le Truel
Ayssènes
St-Jean-Delnous
Valence-d'Albigeois
Le Dourn
St-Michel-Labadié
St-Julien-Gaulène
Brousse-le-Château
Broquiès
St-Izaire
Presqu'île d'Ambialet
Ambialet
St-Juéry
Trébas
Coupiac
Plaisance
Martrin
Calmels-et-le-Viala
St-Christophe
St-Juéry
Balaguier-sur-Rance
St-Sernin-sur-Rance
Rebourguil
Bellegarde-Marsal
Villefranche-d'Albigeois
Alban
Montredon
Miolles
Le Fraysse
Mouzieys-Teulet
St-Salvy-de-Fourestes
Paulinet
Massals
Montfranc
Pousthomy
Combret
Belmont-sur-Rance
PARC NATUREL DES GRANDS CAUSSES
Tarn
Aveyron
Dourdou
Rance
Dadou
Viaur
Mont-Roc
Le Masnau-Massuguiès
Laval-Roquecezière
St-Sever-du-Moustier
St-Crépin
N 88
D 911
D 999
D 902
D 994
E
F
G
H
1
2
3
4
5
160
176
191
12

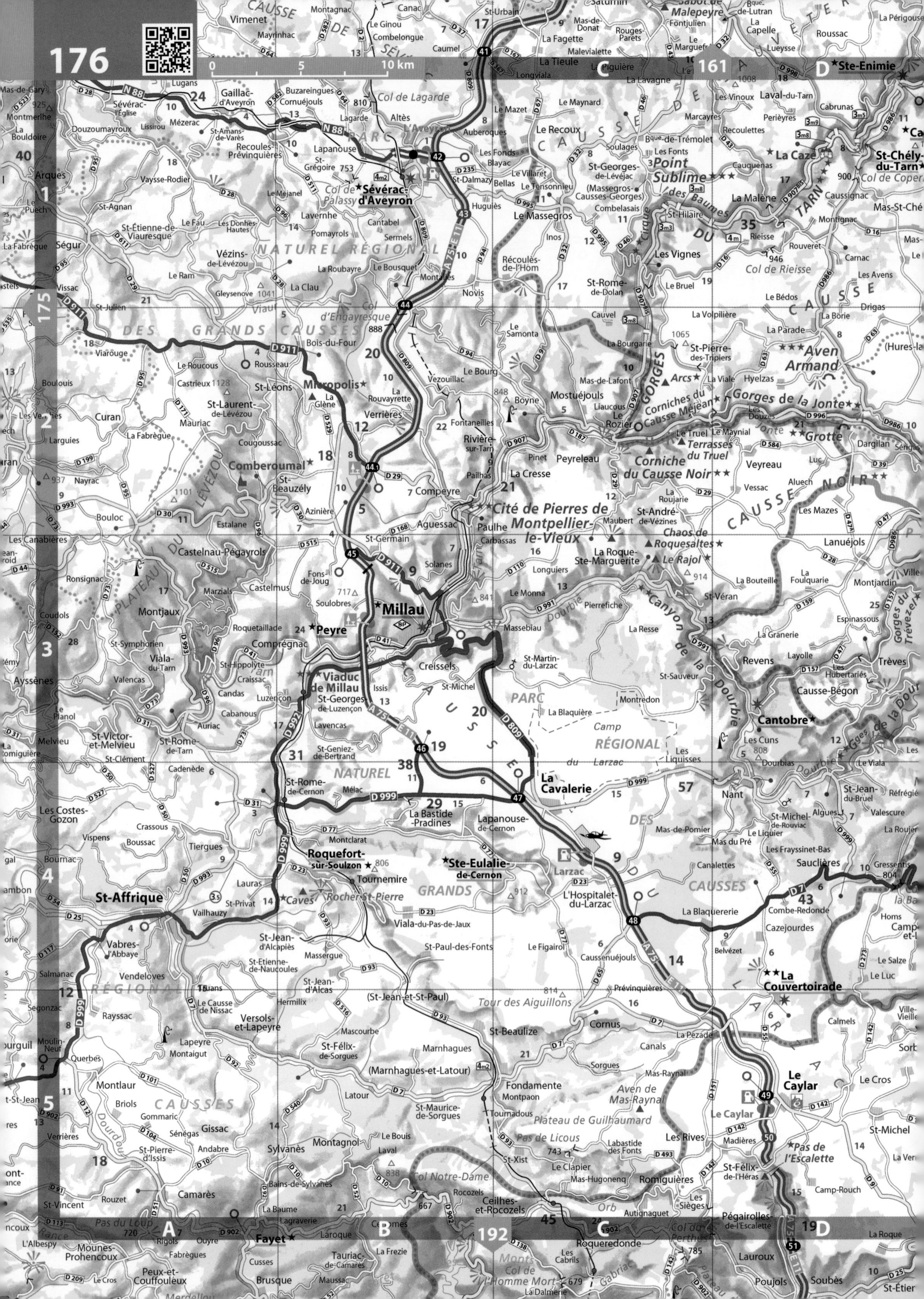

0 5 10 km
161
175
192
Sévérac-d'Aveyron
Millau
Viaduc de Millau
Micropolis
Comberoumal
Peyre
Cité de Pierres de Montpellier-le-Vieux
Chaos de Roquesaltes
Canyon de la Dourbie
Corniche du Causse Noir
Terrasses du Truel
Gorges de la Jonte
Aven Armand
Point Sublime
Cirque des Baumes
Gorges du Tarn
La Caze
St-Chély-du-Tarn
Ste-Enimie
Causse Noir
Causse Méjean
Causse de Sauveterre
Parc Naturel Régional des Grands Causses
Causse du Larzac
Camp du Larzac
La Cavalerie
L'Hospitalet-du-Larzac
Roquefort-sur-Soulzon
Caves
Rocher St-Pierre
Ste-Eulalie-de-Cernon
St-Affrique
Vabres-l'Abbaye
Cantobre
La Couvertoirade
Le Caylar
Pas de l'Escalette
Tour des Aiguillons
Plateau de Guilhaumard
Aven de Mas-Raynal
Fayet
Pas du Loup
Col Notre-Dame
Col de l'Homme Mort
Col de Lagarde
Col d'Engayresque
Plateau du Lévezou
Ceilhes-et-Rocozels
Camarès
Sylvanès
Cornus
Nant
St-Jean-du-Bruel
Peyreleau
Le Rozier
Aguessac
St-Georges-de-Luzençon
Lapanouse-de-Cernon
Castelnau-Pégayrols
St-Rome-de-Tarn
St-Beauzély
Vézins-de-Lévézou
Ségur
Gaillac-d'Aveyron
Lugans
Montjaux
Mostuéjouls
Veyreau
Lanuéjols
Trèves
Sauclières
St-Michel
Le Massegros
St-Georges-de-Lévéjac
La Malène
Les Vignes
Dargilan
Grotte
A75
E11
N88
D809
D911
D999
D992

Sauveterre
Lonjagnes
Nozières
Les Bondons
Paros
Molines
Quézac
Ispagnac
162
Faux
Finialette
Rûnes
Ruas
Rieumal
Finiels
L'Hôpital
Pic Cassini
Mas Camargues
Villeneuve
Concoules
Planzolles
Vielvic
Nissoulogres
Le Mas-André
Le Chambonnet
Prades
Blajoux
Montbrun (Gorges-du-Tarn-Causses)
Bédouès-Cocurès
Le Pont-de-Montvert (Pont de Montvert-Sud Mont Lozère)
Saliège
Rampon
Grizac
Masméjan
La Vialasse
Belvédère des Bouzèdes
Nojaret
Génolhac
Aujac
Bedousse
Malbosc
Sénéchas
Montels
Bédouès
Florac
Frassinet-de-Poujols
Valbelle
Grandville
Mijavols
St-Maurice-de-Ventalon
Vialas
Polimies
Col de la Croix de Berthel
Soleyrols
L'Espinas
Col de Valousière
Belle-Poèle
Pont de Rastel
Dieusses
Tarabias
Chambon
Chamborigaud
Vallongue
La Salle-Prunet
St-Julien-d'Arpaon
Montagne du Bougès
St-Andéol-de-Clerguemort
Vimbouches (Ventalon en Cévennes)
La Jasse
Peyremale
Rochessadoule
Crosgarnon
La Fajole
Le Mazel
Tardonnenche (Cans et Cévennes)
Bougès
Currières
Les Crozes
Col de Jalcreste
Le Rouve
St-Privat-de-Vallongue
St-Frézal-de-Ventalon
Pénens
La Vernarède
Portes
Méjean
Puychauzier
St-Laurent-de-Trèves
Ferrières
Col de l'Houmenet
Col du Rey
Cassagnas
La Rivière
Gardon
La Bertresque
St-Julien-des-Points
Ste-Cécile-d'Andorge
L'Affenadou
Col de Trélis
Nivoliers
Salgas
Barre-des-Cévennes
St-André-de-Lancize
St-Hilaire-de-Lavit
Le Collet-de-Dèze
Champclauson
Racoules
Flandre
St-Michel-de-Dèze
Blannaves
Chaos de Nîmes le Vieux
Villeneuve
Vebron
L'Hospitalet
Col des Faïsses
Nogaret
La Viale
La Levade
Trescol
Le Pradel
Les Vanels
Masbonnet
Branoux-les-Taillades
Les Taillades
La Grand-Combe
Le Veygalier
Corniche
St-Martin-de-Lansuscle
St-Germain-de-Calberte
Col de Pendédis
Les Salles-du-Gardon
Aures
Col de Perjuret
Moncamp
Rousses
Molezon
Col de Malhausette
Col de la Baraque
Laval-Pradel
Fraissinet-de-Fourques
Biasses
La Rouvière
Pont Ravagers
Fabrègues
Thonas
St-Martin-de-Boubaux
La Roque
Lamelouze
Le Mas-Dieu
Gatuzières
Massevaques
Bassurels
Le Pompidou
Massaribal
Ste-Croix-Vallée-Française
Mandajors
Soustelle
La Tour
Meyrueis
Gabriac
Notre-Dame-de-Valfrancesque
La Pélucarié
St-Étienne-Vallée-Française
Roubarbel
Cabrillac
Gges du Tapoul
Pont-Marès
Cévennes
Moissac-Vallée-Française
Le Martinet
Col d'Uglas
Brugairolles
St-Paul-la-Coste
L'Abbaye
Campis
Gaseiral
Col Salidès
Les Oubrets
Ferrussac
Le Villaret
St-André-de-Valborgne
St-Roman-de-Tousque
Col de St Pierre
L'Église
La Baume
Cendras
Mont Aigoual
Abîme de Bramabiau
Tourgueille
Les Plantiers
Col de l'Exil
Falguières
Aubignac
(St-Sébastien-d'Aigrefeuille)
Les Puechs
Carnoulès
Auzas
Alès
Prat-Peyrot
Col de l'Espinas
Faveyrolle
Saumane
L'Estréchure
Peyrolles
Cachar
St-Jean-du-Gard
Mialet
Grte de Trabuc
La Fabrègue
Les Promelles
St-Sauveur-Camprieu
Le Devois
Col de la Serreyrède
Bécédelle
St-Martin-de-Corconac
Gardon de St Jean
Musée du Désert
St-Jean-du-Pin
Camprieu
Les Salles
Col du Pas
Mas-Lautal
Les Fournels
Corbès
Le Ranc
St-Christol-lès-Alès
Les Monts
L'Espérou
Mas Méjean
Col du Mercou
Les Laupiettes
Le Cros
Col de l'Asclier
Milliérines
Ste-Croix-de-Caderle
Thoiras
Générargues
Bagard
Dourbies
Les Laupies
Valleraugue
Ardaillers
Mas-Gibert
La Coste
Vermeil
Prunaret
Mgne de l'Espérou
Bambouseraie de Prafrance
Béthanie
Boisset-et-Gaujac
Ribaute-les-Tavernes
Mourier
Col du Minier
La Valette
Col des Vieilles
Le Mazel
N. D. de-la-Rouvière
Mgne du Liron
Soudorgues
Lasalle
Calviac
Anduze
Pradals
Col de la Triballe
Les Vignoles
Vabres
Lale
Attuech
Lingas
Salagosse
St-André-de-Majencoules
Peyregrosse
St-Martial
Colognac
Col de Bane
La Madeleine
Gardon d'Anduze
Arphy
Beaulieu
La Rouvierette
Le Villaret
La Rouvière
St-Bonnet-de-Salendrinque
St-Félix-de-Pallières
Tornac
La Cravate
Le Travers
Col de Mouzoules
Peyraube
Aumessas
Mandagout
Aulas
Mars
Le Vigan
Le Rey
Sanissac
Pinoch
Villaret
Le Savel
St-Roman-de-Codières
Bouras
Cros
Col de Bantarde
St-Martin-de-Sossenac
Massillargues-Attuech
Lézan
Fressac
Monoblet
St-Nazaire-des-Gardies
Canaules-et-Argentières
Villaret
Arrigas
Bréau-et-Salagosse
Rochebelle
Pont-d'Hérault
Espéries
Sumène
Mgne de la Fage
Cézas
Cambo
L'Église-de-Cros
Durfort-et-St-Martin-de-Sossenac
Les Gardies
St-Jean-de-Crieulon
Alzon
Estelle
Arre
Esparon
Bez-et-Esparon
Avèze
Molières-Cavaillac
Roquedur
St-Julien-de-la-Nef
(Moulès-et-Baucels)
Moulès
St-Hippolyte-du-Fort
Mandiargues
La Cadière-et-Cambo
Logrian-Florian
Puechredon
Savignargues
Le Quintanel
Navas
Pommiers
St-Bresson
Ganges
Montoulieu
La Gardiole
Sauve
(Conqueyrac)
Bgde de la Rouvière
Bragassargues
Col de Campviel
Montdardier
St-Laurent-le-Minier
Cazilhac
Laroque
Grotte des Lauriers
La Vieille
Ceyrac
Vidourle
Le Barral
Les Malines
Cirque
Blandas
Agonès
Grotte des Demoiselles
Pompignan
Quissac
Orthoux
Rogues
Gorniès
Col de la Cyre
Coupiac
St-Bauzille-de-Putois
Mirabel
Guillaumand
Forêt de Coutach
Liouc
Sardan
Crespian
Cirque de Navacelles
La Baume-Auriol
Le Claux
Le Croc
Brissac
Montagne de la Séranne
Ferrières-les-Verreries
Les Embruscalles
Corconne
Brouzet-lès-Quissac
Quilhan
Le Viala
La Jurade
N.-D. du Suc
Col de la Cardonille
Claret
Cabanes
Gailhan
St-Maurice-Navacelles
Gges de la Vis
Montagne de la Séranne
St-André-de-Buèges
Mastargues
Le Pous
Vacquières
Lecques
Les Besses
Madières
St-Étienne-d'Issensac
Notre-Dame-de-Londres
Les Rives
Sauteyrargues
St-Jean-de-Buèges
Vareilles
Ravin des Arcs
Lauret
Vabre
Carnas
St-Clément
Le Coulet
Frouzet
Pont de Janucq
Aspères
Salinelles
Le Méjanel
Gervais
Mascla
Rouet
Le Camp
Valflaunès
Fontanès
Valcyre
Garrigues
Campagne
La Vacquerie-et-St-Martin-de-Castries
Pégairolles-de-Buèges
Causse-de-la-Selle
St-Martin-de-Londres
193
Mas-de-Londres
Pic St Loup
Sommières
Ste-Croix-de-Quintillargues
Buzignargues
Galargues
La Trivalle
Les Lavagnes
St-Mathieu-de-Tréviers
Tréviers
St-Bauzille-de-Montmel
Saussines
Cazevieille
178

178
163
194
177
0 5 10 km
A
B
C
D
1
2
3
4
5
Gorges de l'Ardèche
Aven d'Orgnac
Barjac
St-Ambroix
Bessèges
La Grand-Combe
Rousson
Salindres
Alès
Vézénobres
Uzès
Pont du Gard
Remoulins
Bagnols-sur-Cèze
Pont-St-Esprit
Bourg-St-Andéol
La Roque-sur-Cèze
Guidon du Bouquet
Castillon-du-Gard
Marguerittes
Redessan
NÎMES
Beaucaire
Calvisson
Sommières
St-Mamert-du-Gard
Abbé de St-Roman
Camp militaire
Nîmes-Garons
30

164
E
F
G
H
Clansayes
Montségur-sur-Lauzon
Richerenches
Nyons
St-Paul-Trois-Châteaux
Vinsobres
Châteauneuf-de-Bordette
St-Restitut
La Baume-de-Transit
Visan
St-Maurice-sur-Eygues
Mirabel-aux-Baronnies
Piégon
Beauvoisin
Bénivay-Ollon
Bouchet
Villedieu
Suze-la-Rousse
Tulette
Buisson
Puyméras
Propiac
Buis-les-Baronnies
Bollène
Rochegude
St-Roman-de-Malegarde
Vaison-la-Romaine
Mérindol-les-Oliviers
La Penne-sur-l'Ouvèze
Pierrelongue
Ste-Cécile-les-Vignes
Roaix
St-Romain-en-Viennois
Eygaliers
Rasteau
St-Marcellin-lès-Vaison
Mollans-sur-Ouvèze
Cairanne
Crestet
Entrechaux
St-Léger-du-Ventoux
Mondragon
Lagarde-Paréol
(Uchaux)
Séguret
Mornas
Sérignan-du-Comtat
Sablet
Col de Fontaube
Mt Serein
Beaumont-du-Ventoux
St-Étienne-des-Sorts
Piolenc
Travaillan
Gigondas
Dentelles de Montmirail
Malaucène
Mornas Village
Camaret-sur-Aigues
Violès
Suzette
La Roque-Alric
Lafare
MONT VENTOUX
Le Chalet-Reynard
Belvédère de Marcoule
ORANGE
Vacqueyras
Montmirail
N.-D. d'Aubune
St-Hippolyte-le-Graveyron
Le Barroux
Bédoin
Ste-Colombe
Jonquières
Crillon-le-Brave
Caromb
Codolet
Caderousse
Beaumes-de-Venise
Aubignan
Modène
St-Pierre-de-Vassols
Flassan
Courthézon
Sarrians
Loriol-du-Comtat
Montfaucon
Châteauneuf-du-Pape
Mormoiron
Roquemaure
Mazan
Villes-sur-Auzon
Bédarrides
Carpentras
Blauvac
Traslepuy
Monteux
Malemort-du-Comtat
Méthamis
Sauveterre
Entraigues-sur-la-Sorgue
Althen-des-Paluds
St-Didier
Gorges de la Nesque
Sorgues
Pujaut
St-Félix
Venasque
Pernes-les-Fontaines
Vedène
Le Beaucet
PLATEAU DE VAUCLUSE
Villeneuve-lès-Avignon
AVIGNON
Le Pontet
La Roque-sur-Pernes
Velleron
Abbe de Sénanque
Les Angles
St-Saturnin-lès-Avignon
Morières-lès-A.
Jonquerettes
L'Isle-sur-la-Sorgue
Saumane-de-Vaucluse
Murs
Joucas
Montfavet
Le Thor
Fontaine-de-Vaucluse
La fontaine de Vaucluse
Gordes
Barbentane
Châteauneuf-de-Gadagne
Village des Bories
Rognonas
Caumont-sur-Durance
Velorgues
Lagnes
Cabrières-d'Avignon
Roussillon
Châteaurenard
Noves
Petit Palais
St-Pantaléon
Goult
Boulbon
Graveson
Cabannes
Cavaillon
Robion
Beaumettes
Oppède
Lacoste
Ménerbes
Abbe St-Michel-de-Frigolet
Maillane
Verquières
St-Andiol
Taillades
Oppède le Vieux
Eyragues
Plan-d'Orgon
Combe de Vidauque
Pt Luberon
Tarascon
Mollégès
St-Rémy-de-Provence
Cheval-Blanc
MONTAGNE DU LUBERON
Orgon
Mas-Blanc-des-Alpilles
PARC NATUREL RÉGIONAL
Les Antiques
Glanum
195
Mérindol
St-Gabriel
La Caume
Chaîne des Alpilles
Eygalières
Sénas
Les Baux-de-Provence
Mallemort
180

0
5
10 km
165
196
179
30
A
B
C
D
1
2
3
4
5
Montferrand-la-Fare
Moulin de Mange-Fèves
Sironne
Col de Flachière
Montjay
Chapaïsses
Trescléoux
Chanousse
Eyguians (Garde-Colombe)
Lazer
Arzeliers
Laragne-Montéglin
Lagrand
Upaix
Villebois-les-Pins
Laux-Montaux
Étoile-St-Cyrice
Orpierre
Pige-Bouin
(Nossage-et-Bénévent)
Beauvoir
Montéglin
Rourebeau
St-Quenin
Bésignan
La Bâtie-Verdun
Col de Peyruergue
Mgne de la Clavelière
Chauvac-Laux-Montaux
Col du Reychasset
Les Bègues
Autanne
Vercoiran
Ste-Euphémie-sur-Ouvèze
Douas
Laborel
Chevalet
(Châteauneuf-de-Chabre)
Le Poët
Montguers
Col de Perty
Ruissas
Montauban-sur-l'Ouvèze
Ste-Colombe
Montagne de Chabre
Barret-le-Haut
La Grge Neuve
Les Fourniers
Les Armands
Colombrette
La Roche-sur-le-Buis
St-Auban-sur-l'Ouvèze
Le Plan
Mison
La Clapisse
Rioms
La Combe
Bons
Somecure
Col St-Jean
Barret-sur-Méouge
Gges de la Méouge
Antonaves
Buis-les-Baronnies
Les Sias
Le Poët-en-Percip
La Rochette-du-Buis
Izon-la-Bruisse
Ballons
St-Pierre-Avez
La Silve Roman
La Nible
Les Granges
Gresse
La Calandre
Salérans
Somt de la Platte
Eygaliers
Pelleret
Vers-sur-Méouge
Voluy
Eygalayes
Lachau
Ribiers
Servoules
Mévouillon
Plaisians
Aulan
La Farette
Pré-Rond
Aiguières
Le Col
Rioufret
Les Peyres
Gorges du Toulourenc
Villefranche-le-Château
Éourres
Les Chabanons
Brantes
Col de Fontaube
Séderon
Le Rancurel
La Mourier
Barret-de-Lioure
Briançon
Montbrun-les-Bains
Col de la Pigière
Les Parrichaux
Montfroc
Curel
Les Remises
St-Vincent-sur-Jabron
St-Martin
Le Couvent
Bevons
St Serein
Le Contrat
Granges-de-Bernard
Le Moulin
Col de Macuègne
Col du Négron
Les Omergues
La Bègue
Lange
Noyers-sur-Jabron
(Valbelle)
Col des Tempêtes
Savoillan
Mgne d'Albion
Reilhanette
Col de l'Homme Mort
Villevielle
Châteauneuf-Miravail
La Tour
Le Chalet-Reynard
VENTOUX
Les Richaud
Hautes-Ferrassières
Ferrassières
MONTAGNE DE LURE
Signal de Lure
Le Ventouret
Aurel
Pas de la Graille
Les Michouilles
Les Martins
Les Girons
St-Estève
Le Contadour
Les Bastians
Champ de l'Amant
Saumane
Châteaune
Verdolier
St-Trinit
Col N.-D. des Abeilles
Les Isnards
La Loge
Sault
Les Petites Pourraches
Le Jonquet
L'Hospitalet
Jas-de-Berle
Mallefougasse-Augès
(Redortiers)
Revest-du-Bion
La Rochegiron
Forêt de St-Étienne
Cruis
La Gabelle
Monieux
Les Perrets
Plateau d'Albion
St-Pancrace
Les Gipières
(Montlaux)
Lardiers
Les Jacons
Belvé de Castellaras
Gorges de la Nesque
St-Étienne-les-Orgues
St-Jean-de-Sault
St-Christol
Banon
Ganas
Ongles
Le Revest
Revest-St-Martin
Brouville
Le Largue
St-Hubert
VAUCLUSE
Chavon
Montsalier
Fontienne
Monastère
Cheyran
Sarraud
La Pourcine
Limans
Sigonce
Col de la Liguière
Simiane-la-Rotonde
Le Plan
Melve
Les Tourettes
St-Pierre
Lurs
Lagarde-d'Apt
Carniol
Forcalquier
Le Château
Revest-des-Brousses
Ybourgues
Pierrerue
Les Beylons
Forêt de la Plate
Pichovet
Mane
Niozelles
Fontjouvale
Le Château
Lioux
St-Saturnin-lès-Apt
L'Abbadie
Observatoire de Hte Provence
Murs
Les Grands Clements
Vachères
Aubenas-les-Alpes
Prieuré de Salagon
La Brillanne
Le Parrot
Croagnes
Les Redons
Oppedette
Fenouillet
Joucas
La Tuilière
Les Cordiers
Les Petits Clements
Rustrel
Sauvan
St-Maime
Les Barbiers
Les Lombards
Villars
Bouvène
Colorado de Rustrel
Gignac
Ste-Croix-à-Lauze
St-Michel-l'Observatoire
Villeneuve
Chée des Géants
Gargas
Jean-Jean
St-Amas
Dauphin
Volx
Roussillon
Perrotet
Apt
Blace
Caseneuve
Viens
Courennes
Reillanne
Lincel
St-Martin-les-Eaux
Col de la Mort d'Imbert
Les Huguets
Le Chêne
St-Paul
Les Granons
Goult
Pont Julien
Saignon
St-Martin-de-Castillon
Céreste
Villemus
Manosque
Mt d'Or
Manosque
St-Véran
Les Chapelins
Le Boisset
La Bègude
Tour d'Embarbe
Montjustin
Montfuron
Buoux
Auribeau
Glorivette
Castellet-en-Luberon
Lacoste
Sivergues
Mourre Nègre
Vitrolles-en-Luberon
Pierrevert
Bonnieux
Grd Luberon
Ste-Marguerite
LUBERON
Peypin-d'Aigues
Ste-Tulle
Cabrières-d'Aigues
Vaugines
St-Martin-de-la-Brasque
La Bastide-des-Jourdans
Corbières-en-Provence
Gréoux-les-Bains
Lourmarin
Cucuron
La Motte-d'Aigues
Grambois
Les Beaumes
Puget
Puyvert
Sannes
Ste-Croix
Pigette
Lauris
Soulière
Le Hameau
Beaumont-de-Pertuis
Verdon
Abbe de Silvacane
Cadenet
Ansouis
Vinon-sur-Verdon
D 950
D 900
D 4100
D 973
D 952
A 51

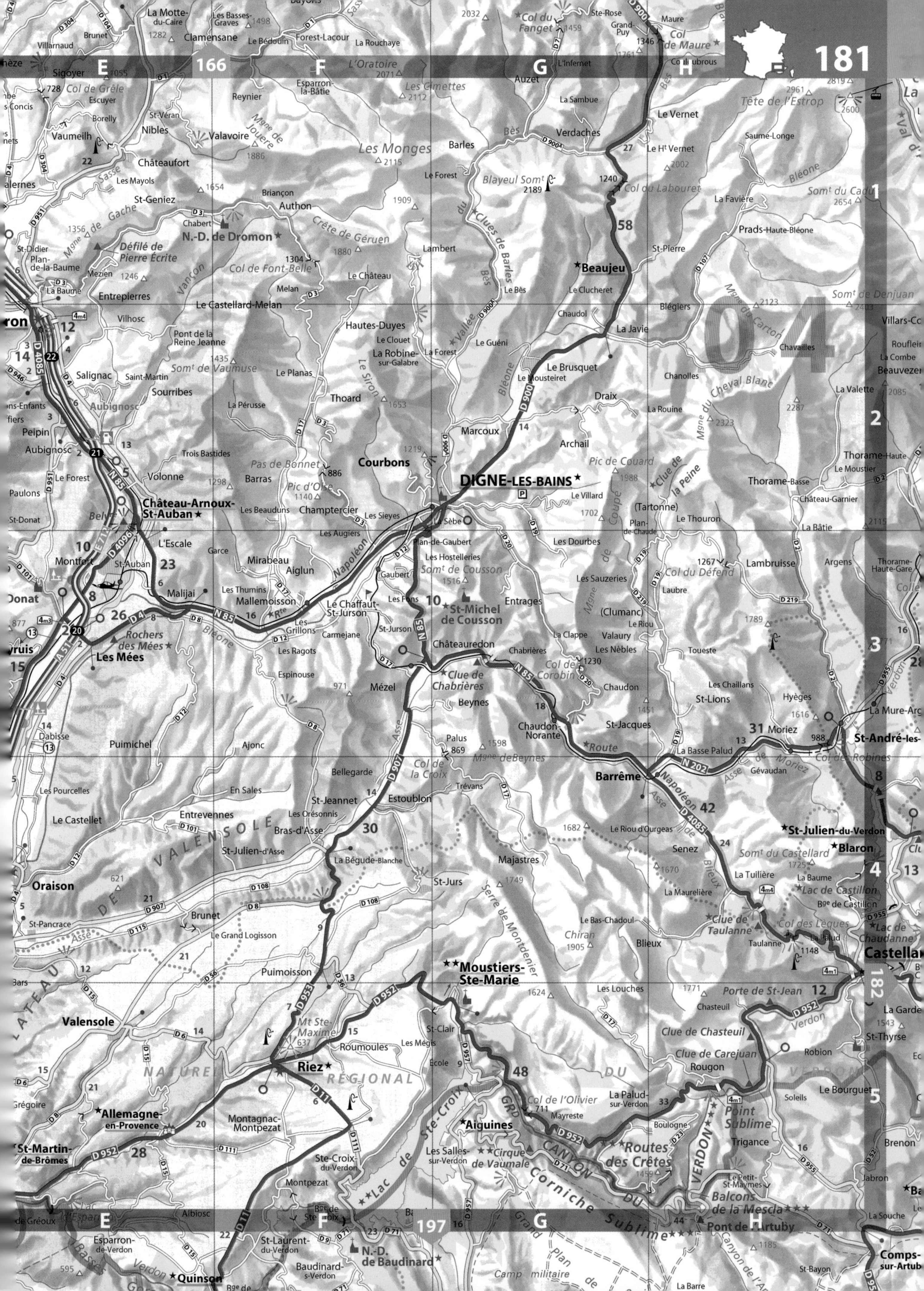

E
F
G
H
166
197
182
1
2
3
4
5
04
La Motte-du-Caire
Clamensane
Les Basses-Graves
Forest-Lacour
La Rouchaye
Col du Fanget
Col de Maure
Maure
Sigoyer
Col de Grèle
L'Oratoire
Auzet
Tête de l'Estrop
Reynier
Valavoire
Vaumeilh
Nibles
Les Cimettes
Verdaches
Le Vernet
Châteaufort
Les Monges
Barles
Col du Labouret
Blayeul Somt
St-Geniez
Authon
Prads-Haute-Bléone
N.-D. de Dromon
Crête de Géruen
Défilé de Pierre Écrite
Col de Font-Belle
Lambert
Clues de Barles
Beaujeu
Entrepierres
Le Castellard-Melan
Hautes-Duyes
La Javie
Blégiers
Villars-Colmars
Salignac
Sourribes
Somt de Vaumuse
La Robine-sur-Galabre
Le Brusquet
Beauvezer
Thoard
Draix
Aubignosc
Peipin
Marcoux
Archail
Thorame-Haute
Courbons
Volonne
Barras
Pas de Bonnet
DIGNE-LES-BAINS
Pic de Couard
Clue de la Peine
Thorame-Basse
Château-Arnoux-St-Auban
Champtercier
(Tartonne)
L'Escale
Montfort
Mirabeau
Aiglun
Somt de Cousson
Col du Défend
Lambruisse
Malijai
Mallemoisson
Le Chaffaut-St-Jurson
St-Michel de Cousson
Entrages
Les Mées
Rochers des Mées
Châteauredon
(Clumanc)
Clue de Chabrières
Col de Corobin
Mézel
Beynes
Chaudon-Norante
St-Jacques
St-Lions
Moriez
St-André-les-Alpes
Puimichel
Route Napoléon
Barrême
Col de Robines
Bellegarde
Col de la Croix
Estoublon
Le Castellet
Entrevennes
St-Jeannet
Bras-d'Asse
St-Julien-d'Asse
Senez
St-Julien-du-Verdon
Blaron
Oraison
La Bégude-Blanche
Majastres
St-Jurs
Lac de Castillon
Brunet
Clue de Taulanne
Col des Lèques
Castellane
Puimoisson
Moustiers-Ste-Marie
Porte de St-Jean
Valensole
Mt Ste-Maxime
Roumoules
Clue de Chasteuil
Clue de Carejuan
Riez
Rougon
Allemagne-en-Provence
Montagnac-Montpezat
La Palud-sur-Verdon
Point Sublime
Aiguines
Routes des Crêtes
Trigance
St-Martin-de-Brômes
Ste-Croix-du-Verdon
Lac de Ste-Croix
Cirque de Vaumale
Corniche Sublime
Canyon du Verdon
Balcons de la Mescla
Pont de l'Artuby
Esparron-de-Verdon
St-Laurent-du-Verdon
N.-D. de Baudinard
Quinson
Comps-sur-Artuby
Plateau de Valensole
Parc Naturel Régional du Verdon

0 5 10 km
C
167
D
181
198
A
B
C
D
1
2
3
4
5
Cime de la Bonette
(2860)
Col de la Moutière
(2454)
Bayasse
Fours-St-Laurent
Vens
Mt Vallonnet
Mt Ténibre
Bagni di Vinadio
PARC
NATIONAL
DU
MERC
St-Dalmas-le-Selvage
St-Étienne-de-Tinée
Corborant
La Foux-d'Allos
Tête de l'Estrop
La Foux
La Baume
Bouchier
Allos
Le Super-Allos
Le Brec
Mont Pelat
Col de la Cayolle
Somt des Garrets
Pte Côte de l'Âne
Auron
Nabinas
Asuéros
Le Bourguet
Douans
Pont-Rouge
Tête de l'Autaret
Saume-Longe
Bléone
Somt du Caduc
Le Seignus
Villard
Lac d'Allos
Estenc
Las Donnas
La Blache
Isola
Vallée de la Tinée
Prads-Haute-Bléone
Bas-Chaumie
Haut-Clignon
Val d'Allos
Val d'Entraunes
Cime de Pal
Roya
Colmars
Entraunes
Somt de Denjuan
Col des Champs
Mgne de l'Alp
Mt Mounier
Villars-Colmars
Chastelonnette
Chavailles
Roufleiran
La Combe
Beauvezer
Somt de la Frema
Val-Pelens
St-Martin-d'Entraunes
Châteauneuf-d'Entraunes
La Baumette
Vignols
La Valle
La Valette
Villars-Heyssier
Villeneuve-d'Entraunes
Bouchanières
Péone
Le Villard
Valberg
Col de la Couillole
Roubion
Gges de St-Pierre
Le Grd Coyer
Enaux
La Ribière
Les Amignons
Les Launes
Guillaumes
Beuil
Les Bouisses
Thorame-Haute
Le Moustier
Thorame-Basse
Château-Garnier
Sauze
Pra-d'Airand
Villetalle
St-Brés
Croix du Sapet
Mt St-Honorat
Peyresq
Sauze-Vieux
Villeplane
La Saussette
Lauvet d'Ilonse
Les Cluots
Gges supres du Cians
La Bâtie
Tête de Travers
Le Ruch
Dôme de Barrot
Lambruisse
Argens
Thorame-Haute-Gare
Col de la Colle-St-Michel
Méailles
Gges de Daluis
Daluis
Pierlas
Le Puy de Rent
Sausses
Léouvé
St-Léger
Pra-d'Astier
Lieuche
Quatre
Le Fugeret
Castellet-lès-Sausses
La Croix-sur-Roudoule
Col de St-Léger
Agnerc-Haut
Agnerc-Bas
Villard-la-Croix
Auvare
Rigaud
Mt Mairole
Thiéry
La Mador
Hyèges
Braux
Enriez
Le Villard
St-Benoît
Pont de St-Léger
Puget-Rostang
Puget-Théniers
Gges infres du Cians
La Mure-Argens
Allons
Annot
Le Plan
Entrevaux
Touët-sur-Var
Moriez
St-André-les-Alpes
Col de Robines
Les Scaffarels
Clue de Rouaine
Col de St-Raphaël
Besseuges
Rourebel
Ascros
Villar
Gévaudan
Angles
Pic de Chamatte
Rouaine
Le Champ
Col du Trébuche
Montagne de Gourdan
La Rochette
La Penne
Col de Félines
Avenos
Col de Toutes Aures
Rouainette
Ubraye
Vergons
Villevieille
Val-de-Chalvagne
St-Pierre
St-Antonin
St-Julien-du-Verdon
Le Touyet
Fontane
Collongues
Amirat
Clue du Riolan
Cuébris
Blaron
Clue de Vergons
Somt du Castellard
Somt de la Bernarde
Laval
Col de Laval
Montblanc
St-Jeannet
Maupoil
Sigale
La Tuilière
La Baume
Lac de Castillon
Bge de Castillon
Vauplane
Col du Buis
Les Mujouls
Sallagriffon
Roquesteron
Clue d'Aiglun
Aiglun
Roquesteron-Grasse
La Sagne
Le Prignolet
Gars
Vascognes
Col des Lèques
Demandolx
Lac de Chaudanne
Col de St-Barnabé
Soleilhas
Brianconnet
Mgne de Charamel
Taulanne
Le Poil
Castellane
Bge de Chaudanne
St-Auban
Clue de St-Auban
Col de Pinpinier
Le Mas
Les Tardons
Montagne du Cheiron
Gréolières-les-Neiges
Conségudes
Mgne de Teillon
Les Sausses
Bézaudun
Porte de St-Jean
La Garde
Col de Luens
Les Lattes
Col de Bleine
Mgne de Thorenc
NATUREL
RÉGIO
Verdon
Peyroules
La Foux
La Bâtie
Le Mousteiret
Artuby
Valderoure
La Ferrière
Bas-Thorenc
Thorenc
Gréolières
St Pons
Coursegoules
St-Thyrse
Robion
Eoulx
Malamaire
La Basse-Vallette
Clue
Cipières
St-Barnabé
Col de Vence
Soleils
Le Bourguet
Châteauvieux
Malamaire
Col Bas
Caille
Séranon
Loup
DES
Plateau de Calern
Bramafan
Point Sublime
Le Logis-du-Pin
La Doire
Route Napoléon
La Moulière
Andon
L'Audibergue
La Pinée
Col de la Sine
Cresp
Le Revest
Trigance
La Martre
Villaute
Col de Valferrière
Mgne de l'Audibergue
Canaux
Caussols
Gges du Loup
Courmes
Cascade
Tourrettes
Brenon
Le Plan-d'Anelle
Col de Clavel
PRÉALPES
D'AZUR
Plateau de Caussols
Gourdon
Le Petit-Maymes
Jabron
Bargème
La Bastide
Mgne de Malay
Escragnolles
Bail
Pas de la Faye
Nans
Col de Ferrier
Le Bar-sur-Loup
Icons la Mescla
Le Collet
La Souche
La Roque-Esclapon
Le Moutet
St-Vallier-de-Thiey
St-Christophe
Magagnosc
Le Rouret
Comps-sur-Artuby
St-Marcelin
Mons
Baume Obscure
Col de la Lèque
Col du Pilon
Canyon de l'Artuby
St-Bayon
GRASSE
Châteauneuf-
St-Pons
Le Collet
Val Blanc
Mgne du Carton
04
06

E
F
G
H
1
2
3
4
5
Festiona
Brignola
S. Bernardo
S. Giacomo
Stura
Valdieri
Roaschia
Snive
S. Lorenzo
Entracque
Vernante
Certosa di Pesio
Cma Gorga Cagna
2718
S. Anna di Valdieri
Pta Maladecia
2745
L. della Sella
PARCO
REGIONALE
ALTA VALLE PESIO
M. Matto
3088
2972
Gesso
Trinità
M. Bussaia
2451
1867
2157
2687
Limone Piemonte
Vermenagna
Col de la Lombarde
Mt Malinvern
2938
Terme di Valdieri
Palanfre
Pnte Marguareis
2650
2387
2350
M 97
Chastillon
Isola 2000
L. de Terre Rouge
Cma di Argentera
3297
Limonetto
ALPI MARITTIME
Mt St-Sauveur
2711
Mollières
Digo del Chiotas
M. Carbone
2873
Tunnel de Tende
Upega
2772
2927
2755
Vacherie du Collet
Cime du Gélas
Mt Clapier
Vievola
Mt Bertrand
2482
2651
2674
Le Boréon
Cascade
2699
Cascade de l'Estrech
L. du Basto
Casterino
2293
Morignole
Monesi di Triora
Valabres
Les Clots
La Trinité
Von de la Madonne de Fenestre
Mt Neillier
2785
Mt Bégo
2872
Tende
La Minière-de-Vallauria
Bosio
Bens
N.-D. des Fontaines
La Brigue
St-Sauveur-sur-Tinée
La Bolline
La Colmiane
2132
St-Martin-Vésubie
2496
Vallée des Merveilles
PARC
Les Mesches
Mt Saccarel
Verdéggia
Rimplas
La Roche
St-Dalmas (Valdeblore)
Col St-Martin (1500)
1795
Berthemont-les-Bains
Saint-Grat
2685
Lac Long
2207
St-Dalmas-de-Tende
Val-del-Prat
Granile
Pic de Colmiane
Venanson
Cime du Diable
Bergue-Supérieur
Blancons
Von de la Gordolasque
Cascade du Ray
NATIONAL
Bergue-Inférieur
Cime de Marte
2136
Rigons
La Lauze
Gges de Bergue
Marie
Mt Tournairet
2085
Roquebillière-Vieux
Belvédère
L'Authion
Pnte des Trois-Communes
2082
Maurioun
Fontan
Granges-de-la-Brasque
Roquebillière
La Bollène-Vésubie
Forêt de Caïros
Mt Pétrevieille
2038
Saorge
Clans
Chabanette
1681
Col d'Andrion
Forêt de Turini
Col de Turini
1604
1127
Buggio
Bairols
Pont-de-Clans
Lantosque
MERCANTOUR
Gges de Saorge
La Giandola
L'Arpette
1610
Nervia
31
Roussillon
Pélasque
Grges-de-la Mairis
Mt Ventabren
1976
Breil-sur-Roya
Tête d'Alpe
1587
Pigna
La Tour
Brec d'Utelle
1606
St-Colomban
Moulinet
77
86
Castel Vittorio
St-Arnoux
Le Figaret-d'Utelle
1801
Tournefort
Pierre Plate
Col de Brouis
879
Pso Ghimbegna
Massoins
Le Suquet
Peïra-Cava
Utelle
Baiardo
898
La Courbaisse
Gges de la Mescla
St-Jean-la-Rivière
Col de la Porte
1372
La Cabanette
Gges du Piaon
Piène-Haute
Piène-Basse
Libre
Rocchetta Nervina
Malaussène
Defilé du Chaudan
1068
Piaon
Beroulf
Col du Pérus
654
89
M. Bignone
Toudon
Mt Vial
1549
La Madone d'Utelle
Belvre du Saut-des-Français
990
Col St-Roch
Col de Vescavo
Fanghetto
Isolabona
Apricale
1299
Revest-les-Roches
Duranus
Lucéram
Airole
Perinaldo
Tourette-du-Château
Gges de la Vésubie
1015
Col de Braus
Sospel
Olivetta S. Michele
S. Romolo
1413
St-Roch
1002
642
Dolceacqua
613
29
Bonson
Levens
Coaraze
St-Laurent
Col St-Jean
Mt Grammont
1378
Bévéra
Vescous
Plan-du-Var
Les Traverses
Chaîne de Férion
Berre-les-Alpes
Col de Castillon
707
Torri
Trucco
Soldano
Seborga
Les Ferres
Pont Charles-Albert
Ste-Claire
Touët-de-l'Escarène
L'Escarène
Castillon
Villatella
514
S. Biagio della Cima
Gilette
Bendejun
Col de Nice
Gges du Paillon
Vallebona
Camporosso
St-Antoine
Le Vignal
Sclos
Pic de Baudon
1264
Sealza
Bouyon
La Roquette-sur-Var
St-Blaise
Châteauneuf-Villevieille
Contes
Blausasc
Peille
927
Ste-Agnès
Monti
Castellar
Ventimiglia
Les Moulins
St-Martin-du-Var
879
Le Broc
Castagniers
Tourrette-Levens
La Vernéa
La Grave
Gorbio
Mortola Inferiore
Giardini Hanbury
Vallecrosia
Bordighera
Route des Crêtes
Mgne du Chiers
Carros-Village
1085
La Pointe-de-Contes
Peillon
St-Martin-de-Peille
Mt Agel
1110
Roquebrune
MENTON
Aspremont
Mt Chauve
854
Les Moulins
Ste-Thecle
Scoperta
Beausoleil
Cap-Martin
La Clapière
Carros
Cantaron
La Revère
Cap Martin
Baou de St-Jeannet
Gattières
St-Jeannet
Les Cabanes
La Sirole
Falicon
Drap
Laghet
Beausoleil
MONTE-CARLO
800
Colomars
L'Abadie
St-André-de-la-Roche
La Trinité
La Turbie
La Condamine
Vence
St-Roman-de-Bellet
St-Pancrace
Gairaut
Eze
MONACO
Plan-du-Bois
La Gaude
St-Isidore
St-Pierre-de-Féric
Cimiez
Belvre
Eze-Bord-de-Mer
Cap-d'Ail
33
La Baronne
La Madeleine
Fabron
Beaulieu-sur-Mer
St-Paul-de-Vence
St-Antoine
Corniche du Var
Villefranche-sur-Mer
Mt Alban (222)
Villa Ephrussi
La Colle-sur-Loup
Magnan
St-Laurent-du-Var
Ste-Hélène
NICE
St-Jean-Cap-Ferrat
Cagnes-s-Mer
La Californie
St-Augustin
Cap Ferrat
CÔTE D'AZUR

199

0 5 10 km
C
168
D
Etang de Pinsolle
Étang de Soustons
Seignosse-le Penon
Seignosse-les Estagnots
Seignosse
Etang Blanc
Tosse
la Bagnère
Lac d'Hossegor
Soorts-Hossegor
Saubion
Hossegor
Capbreton
Gouf de Capbreton
GOLFE
Pont d'Hiern
Angresse
Bénesse-Maremne
Labenne
Labenne-Océan
Orx
Saubrigues
Ugne
St-Martin-de-Hinx
Ondres-Plage
Ondres
St-André-de-Seignanx
Tarnos-Plage
St-Martin-de-Seignanx
Biaudos
Tarnos
Quartier-Neuf
Chiberta
St-Barthélemy
Grand Villenave
Boucau
Les Barthes
Chambre d'Amour
BIARRITZ
BAYONNE
Anglet
Lahonce
Urcuit
Mouguerre
Asserol
Ilbarritz
La Négresse
St-Pierre-d'Irube
Briscous
Briscous les-Salines
Côte Basque
Bidart
Bassussarry
Villefranque
Guéthary
Alotz
Arcangues
Arraunitz
Elizaberry
Pilota-Plaza
Arbonne
Ahetze
Hérauritz
Route impériale des Cimes
Landes d'Hasparren
La Bastide-Clairence
Qr d'Hasquette
Cabo Higer
ST-JEAN-DE-LUZ
Corniche Basque
Socoa
Abbadie
Hondarribia / Fuenterrabía
Hendaye-Plage
Ciboure
Chantaco
Ustaritz
Jatxou
Hendaye
Urrugne
Serres
Halsou
Haspa
VIZCAYA
Monte Jaizkibel
Béhobie
Ibarron
Larressore
Bas-Combo
Zelai
Ascain
St-Pée-sur-Nivelle
Arraga
Urcuray
Renteria / Errenteria
Irún
Col de Courlecou
Olhette
Souraïde
Espelette
Cambo-les-Bains
Gréciette
Biriatou
Herboure
Col de St-Ignace
Amotz
Mendionde
San Martzial
Oiartzun
Elizalde
Col d'Ibardin
Sare
Amezpetu
Cherchebruit
Col de Pinodiéta
Itxassou
Macaye
La Rhune
Lehenbiscay
Ainhoa
Laxia
Ugaldetxo (Oiartzun)
Istilharte
Dancharia
Guibelarte
Louhossoa
Peñas de Haya
Artzamendi
Bera / Vera de Bidasoa
Col de Lizuniaga
Dantxarinea
Grottes de Sare
Mont Baygoura
Col de Lizarrieta
Zugarramurdi
Blanditz
Alto de Blanditz
Lesaka
Urdazubi / Urdax
Irusquieta
Bidarray
Puerto de Otxondo
Etxalar
Igantzi
Berrizaun
Pico Gorramakil
Ossès
Gahardou
Artikutza
Alcurrunz
Amaiur / Maya
St-Martin-d'Arrossa
Eyharce
Arantza
Valle del Bidasoa
La Bastide
Parque Natural Señorío de Bertiz
Goizueta
Montes de
Azpilkueta
Urdos
Erratzu
Lespars
Col d'Ispéguy
Irouléguy
Legate
Sunbilla
A
B
C
D
Izkun
St-Étienne-de-Baïgorry
Anhaux
Uhart-Cize
Ecaitza
Mendaur
(Bertizarana)
Oieregi
Oronoz-Mugairi
Valle del Baztan
Autza
R. Bidasoa
Elgorriaga
Ituren
Elbete (Baztan)
Lasse
Zubieta
Elizondo
Burga
1
2
3
4
5

Magescq
le Houdin
Buglose
St-Jean-de-Lier
Vicq-d'Auribat
Gouts
Gousse
Onard
Cassen
Poyanne
Préchacq-les-Bains
Louer
St-Geours-d'Auribat
Mugron
Nerbis
Toulouzette
Laurède
Téthieu
St-Vincent-de-Paul
Goos
Gamarde-les-Bains
Nousse
Lourquen
Montaut
Hauriet
Brocas
Audignon
St-Paul-lès-Dax
DAX
Yzosse
Candresse
Eyranx
Mées
St-Vincent-de-Xaintes
Hinx
Lahosse
Poyaller
Larbey
St-Aubin
Aulès
Doazit
Saas
Angoumé
St-Geours-de-Maremne
Narrosse
Montfort-en-Chalosse
Saugnac-et-Cambran
Poyartin
Baigts
Caupenne
Maylis
Thermes-de-Saubusse
Rivière-Saas-et-Gourby
Tercis-les-Bains
Seyresse
Bégu
Sort-en-Chalosse
Garrey
Gibret
Castelnau-Chalosse
Bergouey
Serreslous-et-Arribans
St-Vincent-de-Tyrosse
Saubusse
Oeyreluy
St-Pandelon
Ozourt
Donzacq
Josse
Mahourat
Siest
Bénesse-lès-Dax
Clermont
Bastennes
St-Cricq-Chalosse
Pey
Orist
Heugas
Mimbaste
Brassempouy
St-Jean-de-Marsacq
St-Lon-les-Mines
Pomarez
Gaujacq
Cazalis
Lembeye
Saint-Étienne-d'Orthe
Tastet
Gaas
Pouillon
Castel-Sarrazin
Momuy
Bélus
Estibeaux
Mouliéron
Le Bourgadot
Nassiet
Rasport
Cagnotte
Port-de-Lanne
Misson
Amou
Castaignos-Souslens
Arsague
Tilh
Habas
Mouscardès
Bonnegarde
Marpaps
Ste-Marie-de-Gosse
Peyrehorade
Labatut
Ossages
St-Girons-en-Béarn
Orthevielle
Beyries
Bonnut
St-Laurent-de-Gosse
Hastingues
Cauneille
Oeyregave
Sorde-l'Abbaye
St-Cricq-du-Gave
Puyoô
St-Boès
Ste-Marie
Sault-de-Navailles
La Bourgade
Sames
Lahontan
Ramous
Baigts-de-Béarn
Guiche
Léren
Bellocq
Lacadée
Sallespisse
Hagetaubin
Bardos
Bidache
Les Cinq-Cantons
St-Pé-de-Léren
Cassaber
Bérenx
Castétarbe
Mantette
Balansun
Nogués
la Gaité
Carresse-Cassaber
Cazenave
Salles-Mongiscard
Orthez
Mesplède
Came
St-Dos
Quartier du Battan
Auterrive
Salies-de-Béarn
Ste-Suzanne
Magret
Castétis
Argagnon
Arthez-de-Béarn
Labastide-Villefranche
Castagnède
Lanneplaà
Laà-Mondrans
Biron
Arancou
Escos
Oraàs
L'Hôpital-d'Orion
Lasbordes
Ozenx
Sarpourenx
Bergouey
La Saline
Q' des Antys
Castetner
Maslacq
Quartier de la Chapelle
Charritte
Abitain
Athos-Aspis
Orion
Montestrucq
Loubieng
Gouze
Burgaronne
Viellenave-sur-Bidouze
Autevielle-St-Martin-Bideren
Sauveterre-de-Béarn
Lendresse
Quartier de Pessarou
Orègue
Arraute-Charritte
Beüsse
Orriule
Andrein
Ilharre
Arance
Abidos
La Haranne
Masparraute
Succos
Castetbon
Laàs
Sauvelade
Guinarthe-Parenties
Amorots-Succos
Labets-Biscay
Sumberraute
Osserain-Rivareyte
St-Gladie-Arrive-Munein
Barraute-Camu
Narp
Lagor
Isturits
Grottes d'Isturitz et Oxocelhaya
St-Martin-d'Arberoue
Béguios
Gabat
Arbouet-Sussaute
Montfort
Taballle-Usquain
Ossenx
Audaux
Vielleségure
Mourenx
Luxe-Sumberraute
Amendeuix-Oneix
Espiute
Araujuzon
Bugnein
St-Esteben
Colorotz
Méharin
Garris
Aïcirits
Arbérats-Sillègue
Sillègue
Gestas
Rivehaute
Araux
Viellenave-de-Navarrenx
Bastanès
Lahourcade
St-Palais
Béhasque-Lapiste
Etcharry
Nabas
Méritein
Hélette
Beyrie-sur-Joyeuse
Domezain-Berraute
Berraute
Castetnau-Camblong
Camptort
Armendarits
Aroue
Lichos
Charre
Susmiou
Navarrenx
Casaubon
Iholdy
Larribar-Sorhapuru
Olhaïby
Jasses
Ogenne-Camptort
Orsanco
Charritte-de-Bas
Angous
Sorhapuru
Uhart-Mixe
Lohitzun-Oyhercq
Oyhercq
Undurein
Arrast-Larrebieu
Larrebieu
Larrory
Sus
Dognen
Lay-Lamidou
Lucq-de-Béarn
Préchacq-Navarrenx
Ascombéguy
Ostabat-Asme
Ainharp
Espès-Undurein
Moncayolle-Larrory-Mendibieu
Gurs
Préchacq-Josbaig
Saucède
Arhansus
Aren
Suhescun
St-Martin (Lantabat)
St-Étienne
Col des Palombières
Juxue
Viodos-Abense-de-Bas
Berrogain-Laruns
Geüs-d'Oloron
Poey-d'Oloron
Larceveau-Arros-Cibits
Chéraute
L'Hôpital-St-Blaise
St-Goin
Cibits
Ainhice-Mongelos
Géronce
Verdets
Pagolle
Orin
Jaxu
Gamarthe
Bunus
Garindein
Mauléon-Licharre
Moumour
Ibarrolle
Musculdy
Libarrenx
Bois de Josbaig
Bustince-Iriberry
Ispoure
Lacarre
St-Just-Ibarre
Col d'Osquich
Roquiague
Gotein-Libarrenx
Barcus
Esquiule
Légugnon
Pondeilh
Ordiarp
Idaux-Mendy
Caparnia
St-Pée-d'En-Bas
St-Pée-d'En-Haut
Bussunarits-Sarrasquette
Mendy
Menditte
Paradis
Caro
St-Jean-le-Vieux
Ahaxe-Alciette-Bascassan
Hosta
Aussurucq
St-Étienne
Agnos
Adour
Luy
Gave de Pau
Gave d'Oloron
Bidouze
Saison
Bois de Mixe
E
F
G
H
169
202
186
1
2
3
4
5

186
0
5
10 km
170
185
203
A
B
C
D
1
2
3
4
5
St-Sever
Toulouzette
Augreilh
Banos
Montaut
Hauriet
Brocas
Audignon
Aules
Doazit
Maylis
Horsarrieu
Dumes
Eyres-Moncube
Cazaubon
Serreslous-et-Arribans
Crypte
Hagetmau
St-Girons
Cricq-Chalosse
Serres-Gaston
Bellegarde
Samadet
Cazalis
Momuy
Labastide-Chalosse
Lacrabe
Morganx
Monségur
Nassiet
Castaignos-Souslens
Argelos
Poudenx
Peyre
Marpaps
Beyries
Bassercles
Labeyrie
Castelner
Arget
Montagut
Monget
Mant
Malaussanne
Philondenx
Luy de France
St-Médard
Moustrou
Lacadée
Hagetaubin
Casteide-Candau
Morlanne
Mascouette
Bouillon
Balansun
Mesplède
Pomps
N'Haux
Géus-d'Arzacq
Arthez-de-Béarn
Castillon
Argagnon
Caubin
Doazon
Cagnez
Audéjos
Urdès
Arnos
Uzan
Mont
Gouze
Lacq
Audéjos
Serres-Ste-Marie
Casteide-Cami
Arance
Abidos
Artix
Os-Marsillon
Labastide-Monréjeau
Lagor
Labastide-Cézéracq
Noguères
Mourenx
Bésingrand
Denguin
Pardies
Abos
Tarsacq
Lahourcade
Mautalen
Parbayse
Arbus
Monein
Cuqueron
Artiguelouve
Casaubieil
Lucq-de-Béarn
Lacommande
Saucède
Aren
Cardesse
Poey-d'Oloron
Verdets
Le Faget
Estialescq
Orin
Ledeuix
Estos
Goès
Oloron-Ste-Marie
Bidos
Agnos
Escout
Escou
Lasseube
Lasseubetat
Haut-de-Gan
Herrère-de-Bas
St-Pée-d'En-Bas
St-Pée-d'En-Haut
Légugnon
Pondeilh
Mauco
Lahemme
Castandet
Rondebœuf
Grenade-sur-l'Adour
Bordères-et-Lamensans
Lamensans
Le Vignau
Larrivière-St-Savin
Montgaillard
Fargues
Montsoué
Bahus
Sarraziet
Buanes
Renung
Classun
Coudures
Eugénie-les-Bains
Ste-Colombe
Aubagnan
St-Loubouer
Vielle-Tursan
Les Castagnons
Bahus-Soubiran
Castelnau-Tursan
Pécorade
Bats
Urgons
Geaune
Payros-Cazautets
Clèdes
Arboucave
Puyol-Cazalet
Lacajunte
Miramont-Sensacq
Pimbo
Lauret
Poursiugues-Boucoue
Cabidos
Arzacq-Arraziguet
Boueilh-Boueilho-Lasque
Piets-Plasence-Moustrou
Vignes
Coublucq
Lacarrère
Louvigny
Méracq
Pouliacq
Garlède-Mondebat
Garos
Fichous-Riumayou
Beyrie
Mialos
Séby
Lème
Lonçon
Auga
Thèze
Larreule
Viven
Mazerolles
Momas
Argelos
Boumourt
Aubin
Doumy
Astis
Bournos
Angos
Cescau
Caubios-Loos
Viellenave-d'Arthez
Navailles-Angos
Uzein
Bougarber
Sauvagnon
Serres-Castet
Beyrie-en-Béarn
Pau-Pyrénées
Lespiau
Aussevielle
Montardon
Poey-de-L.
Siros
Lescar
Sers
Buros
Lons
Billère
PAU
Laroin
Jurançon
Aubertin
Bizanos
Aressy
Idron
Mazères-Lezons
Uzos
St-Faust
Chapelle-de-Rousse
Rontignon
Narcastet
Gan
Brana
Baliros
Bosdarros
Pardies-Piétat
St-Abit
Arros-de-Nay
Bourdettes
Mirepeix
les Pindats
Nay
Cazères-sur-l'Adour
Les Arrats
Duhort-Bachen
Aire-sur-l'Adour
Barcelonne-du-Gers
le Boué
Pourrin
Sorbets
Latrille
Mauries
Sarron
Garlin
Lasque
Boueilho
Claracq
Lalonquette
Carrère
Menjou
Miossens-Lanusse
Auriac
Lasclaveries
St-Armou
Anos
Bernadets
St-Castin
Maucor
Sendets
Andoins
Ousse
Lée
Le Hameau d'Ousse
Meillon
Assat
Bordes
Angaïs
Boeil-Bezing
Baudreix
Lagos
Bordères
Bénéjacq
Les Arbouts
Bazibat
Marquestau
Les Quatre Chemins
Lussagnet
Subehargues
Cap de la Coste
Vergoignan
Bernède
Corneillan
Lannux
Ségos
Saint-Agnet
Projan
Moncla
Castetpugon
Tadousse-Ussau
Baliracq-Maumusson
Mascaraàs-Haron
Ribarrouy
Taron-Sadirac-Viellenave
Burosse-Mendousse
Mouhous
Lannecaube
Coslédaà-Lube-Boast
Lube
Boast
Lussagnet-Lusson
Sévignacq
Monassut-Audiracq
Escoubès
Barinque
Riupeyrous
Higuères-Souye
Morlaàs
Serres-Morlaàs
Ouillon
Espéchède
Arrien
Lourenties
Limendous
Nousty
Gomer
Lucgarier
Beuste
Hours
Labatmale
St-Jammes
Sedzère
Gabaston
Lespourcy
Gerderest
Abère
St-Laurent-Bretagne
Bretagne
Saint-Germé
Laujuzan
Mormès
Cantiran
Lau
Houga
Perchède
Caupenne-d'Armagnac
Magnan
Toujun
Daunian
Espagnet
Arblade-le-Haut
Hitère
Luppé-Violles
Violles
Lanne-Soubiran
Arblade-le-Bas
St-Griède
Lelin-Lapujolle
St-Martin-d'Armagnac
Loissan
Tinarage
Lapujolle
Castagnet
Caumont
Gée-Rivière
Monplaisir
Tarsac
Donjon
Riscle
St-Mont
Labarthète
Aurensan
Maumusson-Laguian
Verlus
Portet
Viella
Candelle
Aubous
Diusse
Aydie
Mont-Disse
Conchez-de-Béarn
Arrosès
Aurions-Idernes
Cadillon
Crouseilles
St-Jean-Poudge
Lasserre
Séméacq-Blachon
Monpezat
Vialer
Arricau-Bordes
Bordes
Castillon
Gayon
Lalongue
Lespielle
Escurès
Bassillon-Vauzé
Simacourbe
Samsons-Lion
Lembeye
Juillacq
Maspie-Lalonquère-Juillacq
Peyrelongue-Abos
Luc-Armau
Lucarré
Momy
Anoye
Baleix
Villenave-près-Béarn
Sedze-Maubecq
Bédeille
Urost
Escaunets
Lombia
Séron
Saubole
Eslourenties-Daban
Aast
Gardères
Luquet
Soumoulou
Haut-d'Espoey
Espoey
Livron
Les Pyrénées
Barzun
Pontacq
Gardia
Ponson
Gave de Pau
Adour
Bois du Laring

187
E
F
G
H
171
204
188
32
Salles-d'Armagnac
Manciet
Noulens
Ramouzens
Lannepax
Justian
Bezolles
Rozès
Castéra-Verduzan
Rageperdix
Bascou
Ste-Christie-d'Armagnac
Espas
Bouit
Nogaro
Cravencères
Loubédat
Séailles
Démû
La Parisienne
Daugue
Lagraulas
Mourède
Marambat
Vic-Fezensac
St-Paul-de-Baïse
Bonas
Lavardens
Jegun
La Batisse
Mérens
Roquefort
Peyrusse-Massas
Castillon-Massas
Pléhaut
Herrebouc
St-Jean-Poutge
Antras
St-Lary
Lasserre
Castin
Sion
Avéron-Bergelle
Margouët-Meymes
Réchet
Castillon-Debats
Préneron
Bats
Le Parré
Bétous
Sorbets
Mauriet
Bouzon-Gellenave
Sabazan
Cahuzères
Roquebrune
Caillavet
Le Boupat
Aignan
Lupiac
Belmont
Tudelle
Las
Biran
Ordan-Larroque
Duran
Fustérouau
Lartigue
Gellenave
Castelnavet
Termes-d'Armagnac
Mimort
Pouydraguin
Fromentas
Pujos
Cazaux-d'Anglès
Bazian
Le Mas
Le Brouilh-Monbert
St-Jean-de-Bazillac
Tufferis
Izotges
Loussous-Débat
Bières-En-Armagnac
Ardens
Montgaillard
Riguepeu
Castel St-Louis
Nux
Embats
Tasque
Croute
Couloumé-Mondebat
St-Pierre-d'Aubézies
Peyrusse-Grande
Callian
St-Arailles
Barran
Bonnefont
Galiax
Lasserade
Mondebat
Peyrusse-Vieille
Gazax-et-Baccarisse
Castelnau-d'Anglès
Mirannes
Soubaignan
Préchac-sur-Adour
Plaisance
Ricau
Malajasse
Baccarisse
Sabarros
Cadiran-de-Bas
L'Isle-de-Noé
Lasséran
Pavie
Baulat
Beaumarchés
Louslitges
Jû-Belloc
St-Aunix-Lengros
Armous-et-Cau
Bassoues
Montesquiou
St-Jean-le-Comtal
Belloc
Cayron
Courties
Les Oulès
Carole
En-Martet
Ladevèze-Rivière
Tieste-Uragnoux
Scieurac-et-Flourès
Pouylebon
Le Prat
Mouchès
Lamazère
Bucagnère
Hères
Tourdun
Mascaras
Soublecause
Ladevèze-Ville
Juillac
Laveraët
Monclar-sur-Losse
Estipouy
Le Trouette
Miramont-d'Astarac
Orbessan
Hagedet
Armentieux
St-Christaud
Mirande
Labéjan
Durban
Labatut-Rivière
Marciac
Pallanne
Idrac-Respaillès
Caussade-Rivière
Auriébat
Bars
Les Perdigues
Ornézan
Estirac
Samazan
St-Justin
Ricourt
Monlezun
St-Martin
St-Médard
Loubersan
Artiguedieu
Villefranque
Sombrun
Lahitte-Toupière
Sauveterre
Marseillan
Mongardin
Seissan
Maubourguet
La Carrère
Blousson-Sérian
Peymoune
Tillac
Le Choumac
Berdoues
Clermont-Pouyguillès
Labarthe
Troncens
Laas
St-Maur
Lapalu
Lafitole
Semboùès
Monpardiac
Bazugues
Larreule
Monfaucon
Buzon
Cazaux-Villecomtal
Argounès
Aux-Aussat
Ponsampère
Belloc-St-Clamens
Moncassin
Lourties-Monbrun
Monségur
Ansost
Mourillon
St-Jaymes
St-Arroman
Nouilhan
Gensac
Beccas
Malabat
Miélan
St-Michel
Labatut
Caixon
Barbachen
Haget
Laguian-Mazous
Ste-Dode
St-Élix-Theux
Esclassan-Labastide
Liac
Betplan
342 Mazous
Puntous de Laguian
Castelfranc
Forcets
Souques
Sauviac
Lagarde-Hachan
Castéra-Loubix
Vic-en-Bigorre
Artagnan
Ségalas
Villecomtal-sur-Arros
Guilleri
Estampes
Mariachous
Mont-de-Marrast
Montaut
Viozan
Samaran
Panassac
Sanous
Rabastens-de-Bigorre
Sadeillan
Ste-Aurence-Cazaux
Camalès
Sarriac-Bigorre
St-Aunis
Montégut-Arros
Castex
Carrère
Barcugnan
St-Ost
Aujan-Mournède
St-Lézer
Mingot
Fréchède
Estampures
Manas-Bastanous
Mournède
Arrouède
Bazillac
Sénac
St-Sever-de-Rustan
Moumoulous
Montagnan
St-Arailles
Cuélas
Monlaur-Bernet
Montaner
Ugnouas
Escondeaux
Lacassagne
Pujo
Mazerolles
Bernadets-Debat
Sarraguzan
Chélan
Talazac
Villenave-près-Marsac
Lescurry
Mansan
Antin
Ponsan-Soubiran
Duffort
Tarasteix
Siarrouy
Tostat
Castéra-Lou
Peyrun
Laméac
Bouilh-Devant
Lubret-St-Luc
Cestias
Lapeyre
Fontrailles
Trie-sur-Baïse
Parribets
Guizerix
Peyret-St-André
Sariac-Magnoac
Mont-d'Astarac
Marsac
Andrest
Sarniguet
Soréac
Jacque
Bouilh-Péreuilh
Marseillan
Trouley-Labarthe
Lalanne-Trie
Sadournin
Larroque
Castérets
Gayan
Aurensan
Louit
Osmets
Vidou
Lapène
La Rivière
Puntous
Castelnau-Magnoac
Lagarde
Bazet
Chis
Dours
Collongues
Chelle-Debat
Mun
Luby-Betmont
Puydarrieux
Hachan
Barthe
Ourbelille
Bours
Orleix
Sabalos
Castelvieilh
Aubarède
Tournous-Darré
Campuzan
Organ
Ariès-Espénan
Bordères-sur-l'Échez
Oléac-Debat
Pouyastruc
Cabanac
Lamarque-Rustaing
Villembits
Sentous
Betpouy
Lalanne
Lizos
Sère-Rustaing
Bugard
Lustar
Cizos
Devèze
Boulin
Hourc
Marquerie
Peyriguère
Libaros
Vieuzos
Claret
Espénan
Pouy
Thuy
Goudon
Tournous-Devant
Caubous
Villemur
Aureilhan
Ibos
TARBES
Séméac
Souyeaux
Laslades
Coussan
Mouledous
Meilhas
Bonnefont
Lahitte
Monléon-Magnoac
St-Loup
Gonez
Orieux
Galan
Sabarros
Laran
Gaussan
Bazordan
Sarrouilles
Lansac
Montastruc
Recurt
Lassales
Juillan
Laloubère
Soues
Lespouey
Calavanté
Lhez
Bordes
Bernadets-Dessus
Tamboury
Monlong
N.-D.-de-Garaison
Barèges
Horgues
Barbazan-Debat
Peyraube
Bonrepos
Odos
Angos
Mascaras
Burg
Galez
Hourcau
Tajan
Boudrac
Balesta
Masseube
Pinas
Sarrecave

0 5 10 km
172
187
205
A
B
C
D
1
2
3
4
5
31
Brugnens
Céran
Bajonnette
Avensac
Homps
Jourdain
Maubec
Faudoas
Les Oulès
Escazeaux
Beaupuy
Les Quatre-Chemins
Monfort
Solomiac
Goas
Le Causé
Sariès
Lagraulet-St-Nicolas
Le Burgaud
Préchac
Lalanne
La Bourdette
Pis
Ste-Gemme
Brignemont
Séguenville
Cabanac-Séguenville
Puységur
Clarac
Casteljaloux
Gavarret-sur-Aulouste
Miramont-Latour
Taybosc
St-Brès
Sarrant
Bellesserre
Mérens
Roquefort
Tourrenquets
Maravat
Sérempuy
Labrihe
Bouvées
Cox
Galembrun
Drudas
Ste-Christie
Lauret
En Galin
Lamothe
Peyrusse-Massas
Tourrens
Puycasquier
Mansempuy
Ste-Anne
St-Pierre
Laréole
Puysségur
Gaudoux
Mirepoix
Mauvezin
St-Georges
Pelleport
Hardéou
Rambert
Mons
Crastes
Augnax
St-Antonin
Cologne
Cadours
Le Grès
Roquelaure
Lestangue
St-Orens
Sirac
Ardizas
Caubiac
Beauregard
Thil
Preignan
Montaut-les-Créneaux
Couayroux
Les Quatre-Chemins
St-Cricq
Castin
Ansan
Touget
Eglise-du-Pin
Malartic
Coignax
Nougaroulet
St-Sauvy
St-Martin-du-Hour
Thoux
Encausse
Garac
St Cricq
Leboulin
Labbubée
Ste-Agathe
Vignaux
Le Castéra
Duran
Blanquefort
Les Barraques
St-Germier
Lahitte
Marsan
Travès
Roulan
Roquelaure-St-Aubin
Monbrun
Bellegarde-Ste-Marie
Larmont
Soulan
Ste-Marie
Escornebœuf
Montégut
AUCH
Lasserre
Aubiet
Catonvielle
Cassemartin
Les Bourguets
Beaupuy
Ste-Livrade
Gimont
Razengues
Ségoufielle
Lussan
Campezaygues
Garbic
St-Aguets
Clermont-Savès
La Girette
Mérenville
Pessan
La Sardine
L'Isle-Jourdain
Pavie
L'Isle-Arné
Juilles
Giscaro
Monferran-Savès
St-Caprais
Montiron
Maurens
Frégouville
Pujaudran
Lasseube-Propre
Les Lannes
Auterive
St-Guiraud
Marestaing
Entiau
Castelnau-Barbarens
Bédéchan
Aurimont
Gramont
Goudourvielle
Boucagnères
Haulies
Tirent-Pontéjac
St-André
Castillon-Savès
Lias
Hillet
Le Cape
Pontéjac
En Brusc
Laurac
Lahas
Baupas
Caumont
Auradé
Endoufielle
Orbessan
Traversères
Lartigue
Boulaur
Bézéril
Le Garros
Bonrepos-sur-Aussonnelle
Durban
Aulin
Tirent
Polastron
Cazaux-Savès
Empeaux
Sansan
Saramon
Noilhan
Le Peyrigué
Ornézan
Héréchou
St-Martin-Gimois
Labastide-Savès
Pompiac
St-Thomas
Saiguède
Artiguedieu
Sémézies
Sémézies-Cachan
Mongausy
Larroucau
St-Soulan
Le Mona
Nizas
St-Lys
Seissan
Monferran-Plavès
Faget-Abbatial
Cachan
Seysses-Savès
Ste-Foy-de-Peyrolières
Labarthe
Lamaguère
Libou
Saintes
St-Élix-d'Astarac
Gaujac
Montamat
Samatan
La Rente
Lahillaire
Savignac-Mona
Bragayrac
La Salvetat-de-Ste-Foy
Pouy-Loubrin
Tachoires
Pellefigue
Lombez
Monblanc
Sabonnères
Lourties-Monbrun
Lamothe
Simorre
Sauveterre
Sauvimont
Pébées
Beaufort
Parayre
Moncorneil-Grazan
Les Aubes
Sabaillan
Puylausic
St-Loube
Montgras
Arroman
Masseube
Les Adoulins
Betcave-Aguin
En-Bernadas
La Prade
Montadet
Amades
Montégut-Savès
Lahage
Bellegarde
Meilhan
Tournan
Laudine
L'Espienne
Garravet
Forgues
St-Christophe
Les Quatre Routes
Villefranche
Cadeillan
Espaon
Laymont
Mones
Plagnole
Sère
Le Mounet
Gaujan
Boissède
Frontignan-Savès
St-Lizier-du-Planté
Le Pin-Murelet
Rieumes
Panassac
Marrast
Molas
Les Plagnes
Mirambeau
Gensac
Pesquières
Bézues-Bajon
Monties
Monbardon
L'Isle-en-Dodon
Martisserre
Mauvezin
Montpézat
Goudex
Sajas
Lautignac
Aussos
Sarcos
Le Sentouret
Puymaurin
Agassac
Ambax
Montastruc-le-Vieux
Arrouède
Nénigan
Anan
Castelgaillard
St-Araille
Montastruc-Savès
Savères
Cap-Dessus
Chélan
Cabas-Loumassès
St-Blancard
Duprat
Cazac
Montesquieu-Guittaut
Lunax
St-Frajou
Coueilles
Riolas
Sénarens
Pouy-de-Touges
Labastide-Clermont
Manent-Montané
Lalanne-Arqué
la Gimone
St-Ferréol-de-Comminges
L'Arrouy
Labastide-Paumès
Touch
Mont-d'Astarac
Guittaut
St-Laurent
Polastron
Casties-Labrande
Carretère
Gratens
Crabères
Sariac-Magnoac
La Camelle
Escoubas
Fabas
Peyssies
Castérets
Péguilhan
Milor
Salerm
Lussan-Adeilhac
Fustignac
Marignac-Lasclares
Les Arrougès
Lafitte-Vigordane
La Pouche
Castelnau-Picampeau
Thermes-Magnoac
Mondilhan
Montbernard
Betbèze
Boulogne-sur-Gesse
Guillanat
Peyrissas
Montégut-Bourjac
St-Élix-le-Château
St-Pé-Delbosc
Lilhac
La Carretère
Eoux
Le Fousseret
Lalanne
Castéra-Vignoles
St-André
Rebirechioulet
Escanecrabe
Samouillan
Montoussin
Benque
Francon
Tachoires
Salles-s-Garonne
Blajan
Pouy
Benque
Gensac-de-Boulogne
Esparron
Ciadoux
Villemur
Avezac
Montgaillard-sur-Save
Lavelanet-de-Comminges
St-Julien-sur-Garonne
St-Loup-en-C.
Houeganac
Bachas
Les Benbscasses
Mondavezan
Gargaillous
Larrouset
Lespugue
Saman
Micous
Mouran
Cassagnabère-Tournas
Boussan
Louge
Nizan-Gesse
St-Lary-Boujean
Terrebasse
Lescuns
Blanco
Labernède
Charlas
Montoulieu-St-Bernard
Donj
Sana
Barères
Montmaurin
Boujean
Ruère
Marignac-Laspeyres
Cazères
Sarrecave
Sarremezan
Mengué
Peyrouzet
Aurignac
Gensac-s-Garonne
Berdots
Cardeilhac
Prat-Bediau
Balesta
Larroque
St-Marcet
St-Élix-Séglan
Martres-Tolosane
Palaminy
Goudalère
Save
Gimone
Arrats
Gers
Gesse
Garonne
Forêt de Rieumes
N 124
N 21
D 928
D 929
D 632
D 634
D 17
A 64
E 80

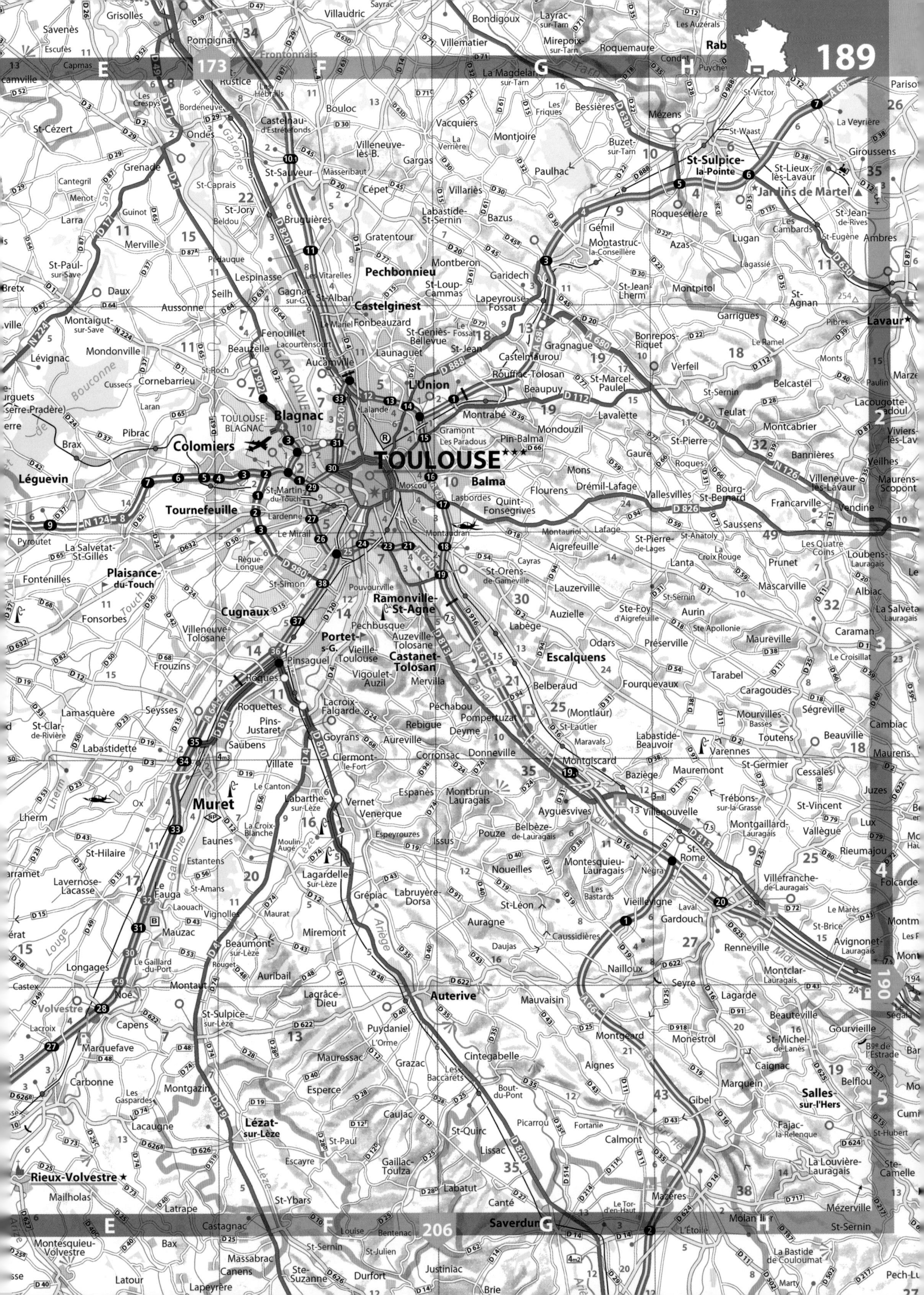

189
173
E
F
G
H
206
190
TOULOUSE★★★
Blagnac
TOULOUSE-BLAGNAC
Colomiers
Tournefeuille
Léguevin
Plaisance-du-Touch
Cugnaux
Villeneuve-Tolosane
Frouzins
Seysses
Muret
Portet-s-G.
Ramonville-St-Agne
Castanet-Tolosan
Balma
L'Union
Castelginest
Pechbonnieu
Aucamville
Fenouillet
Escalquens
St-Orens-de-Gameville
Labège
Quint-Fonsegrives
Montrabé
Auterive
Saverdun
Lézat-sur-Lèze
Rieux-Volvestre★
Volvestre
Noé
Carbonne
Villefranche-de-Lauragais
Salles-sur-l'Hers
Lavaur★
St-Sulpice-la-Pointe
Jardins de Martel
Grenade
Bouloc
Castelnau-d'Estrétefonds
Verfeil
Montgiscard
Baziège
Villenouvelle
Ayguesvives
Nailloux
Montgeard
Cintegabelle
Mazères
Pompignan
Villaudric
Bondigoux
Villematier
La Magdelaine-sur-Tarn
Roquemaure
Montjoire
Gargas
Bessières
Buzet-sur-Tarn
Paulhac
Mézens
Garonne
Ariège
Lèze
Save
Touch
Canal du Midi
Tarn
A 61
A 62
A 64
A 66
A 68
A 620
A 680
N 124
N 126
N 224
D 820
D 813
D 980
D 632
D 826
D 888
D 112
D 902

0
5
10 km
174
189
208
Orban
St-Jean-du-Vigan
Vitrac
Belsoleil
St-Pierre-de-Conils
Viguier
Fauch
Calvayrac
Teillet
Ronel
Le Trivalou
Champagnol
Lombers
Le Travet
Parisot
Ste-Ségolène
Peyrole
St-Laurent
Candeil
Sieurac
Puybegon
Busque
Laboutarie
Réalmont
Roumégoux
St-Antonin-de-Lacalm
Gratéloup
Mont-Roc
St-Paul
Roquegardie
La Veyrière
Col des Calmettes
St-Mémy
Le Pont-Vieux
Le Bruc
La Ventenaye
Montdragon
Giroussens
St-Anatole
Galiniers
St-Sernin
Briatexte
Graulhet
Les Martys
St-Julien-du-Puy
St-Genest-de-Contest
St-Lieux-Lafenasse
Travanet
Arifat
La Lautardie
Salclas
Paulhe
Dadou
Martel
St-Jean-de-Rives
St-Eugène
Ambres
St-Gauzens
Montferrier
Pont-d'Ambres
St-Martin
La Trucarié
Finotes
Cabanès
St-Sernin
La Jalabertie
Brousse
Vènès
St-Martin-de-Calmes
St-Amans-de-Négrin
Les Fournials
La Camboussié
Montredon-Labessonnié
Labastide-St-Georges
Missècle
Lautrec
Peyregoux
La Chicane
Fiac
Moulayrès
Bertrandie
Montfa
St-Jean-de-Vals
La Cazalié
Bouyrol
Blaucavet
Lavaur
Agout
En Gary
Viterbe
Puycalvel
(Montpinier)
Mazières
St-Germier
Vialas
La Broque
Massac-Séran
Serviès
Coustelies
Laboulbène
Puech-Auriol
Lacrouzette
Peyro-Clabado
Monts
Paulin
Marzens
St-Germier
Damiatte
Varagnes
Roquecourbe
Campselves
Lacougotte-Cadoul
St-Sauveur
Teyssode
Cuq
Guitalens-Lalbarède
La Mouline
Jonquières
Campans
Burlats
Pratviel
St-Paul-Cap-de-Joux
Guitalens
Carbes
Tournemire
Les Salvages
Viviers-lès-Lavaur
St-André
Magrin
Maurel
Andrieux
Vielmur-sur-Agout
Avits
La Fontasse
St-Salvy-de-la-Balme
Veilhes
Roquevidal
Prades
En Guibaud
Lambert
Galibran
La Sigarrie
Maurens-Scopont
St-Perdouls
Magrin
St-Bébastien
Fréjeville
Les Farguettes
Castres
Teillède
Vendine
Algans
Bertre
St-Théodard
Ardialle
Sémalens
Pujol
Langlade
St-Hippolyte-de-Lagriffoul
Cambon-lès-Lavaur
Appelle
Entounty
Lameilhe
Malacan
Lacroisille
Puylaurens
Cambounet-sur-le-Sor
Longuegineste
Saïx
Pioch-de-Gaix
Noailhac
Loubens-Lauragais
Cuq-Toulza
St-Germain-des-Prés
Lagarrigue
La Pouzencarie
Le Faget
Soual
Viviers-lès-Montagnes
Navès
Valdurenque
Albiac
Hauterive
Perboles
Augmontel
La Vitarelle
La Salvetat-Lauragais
Bajos
Péchaudier
St-Sernin-lès-Lavaur
La Barthe
Lescout
St-Affrique-les-Montagnes
Labruguière
Caraman
Mouzens
Aguts
Lempaut
Le Gua
La Coutarie
Larècuquèle
Thoré
Payrin-Augmontel
Le Croisillat
Auriac-sur-Vendinelle
Puéchoursi
Poudis
Blan
Lamothe
St-Avit
Troupiac
Les Auriols
Caucalières
Rigautou
Le Cabanial
Montgey
La Griffoul
Auvezines
Lagardiolle
Verdalle
Les Gaux
St-Alby
Aussillon
Tourrettes
Nogaret
Palleville
Couffinal
En Calcat
Escoussens
La Faurinié
Aiguefonde
Cambiac
St-Julia
Garrevaques
Gandels
Belleserre
Massaguel
Calmon
Falga
Beauville
La Pastourié
Montégut-Lauragais
Aussillon-Village
Forêt de Montaud
Maurens
Vauré
Cahuzac
La Montagnarié
Dourgne
Maza
Roumens
Pont-Crouzet
Pic de Montaud
1031
Les Montagnès
Hautpoul
Juzes
Vaux
Revel
St-Amancet
Mont Alric
813
Fontbruno
Lacalmille
Labrespy
Jalabertie
Sorèze
Les Baragans
Laurens
Bélesta-en-Lauragais
St-Félix-Lauragais
Les Rousses
Lux
Les Thomasses
St-Ferréol
Les Escudiès
Laprade
Mourvilles-Hautes
Dreuilhe
Bassin de St-Ferréol
Durfort
Laprade Basse
Rieumajou
Vaudreuille
Arfons
Les Cassés
Le Montagnet
Les Martys
Folcarde
St-Paulet
Les Brunels
493
Les Cammazes
Alzeau
Montagne Noire
Forêt de la
La Loubatière
Les Salvis
Lacoste
La Pomarède
Prise d'Alzeau
Cals
La Tourette-Cabardès
Le Marès
Montmaur
Le Cammas
Tréville
Labécède-Lauragais
Lacombe
Caudebronde
Miraval-C.
Cupserviès
Les Pagès
Avignonet-Lauragais
Jean-Raymond
Saissac
Montferrand
Soupex
Puginier
Issel
Fontiers-C.
Mas-Cabardès
Seuil de Naurouze
194
Airoux
Verdun-en-Lauragais
Villemagne
Cuxac-Cabardès
Ricaud
Souilhe
St-Denis
Villaret
Les Ilhes
Le Ségala
Peyrens
Constans
Villanière
Gourvielle
Labastide-d'Anjou
Souilhanels
Les Croses
Cenne-Monestiés
Brousses-et-Villaret
Villardonnel
Castelnaudary
St-Papoul
Baraigne
Bge de l'Estrade
Canal
Villespy
Salsigne
Lastours
Fraisse-Cabardès
La Rouquette
Belflou
Molleville
Mas-Stes-Puelles
St-Martin-Lalande
Villesplas
Carlipa
Villelongue
Montolieu
Aragon
Lacombe-du-Sault
Cumiès
Lasbordes
St-Martin-le-Vieil
St-Hubert
Villeneuve-la-Comptal
Raissac-s-Lampy
Moussoulens
St-Charles
Montauriol
Brézil
Fendeille
Pexiora
du
Villepinte
Ventenac-Cabardès
Conques-sur-Orbiel
Louvière-Lauragais
Ste-Camelle
Payra-sur-l'Hers
Sauzens
Belloc
Villegailhenc
Peyrefitte-sur-l'Hers
Mireval-Lauragais
Bram
Alzonne
Ste-Eulalie
Pezens
Villemoustaussou
Mézerville
St-Sernin
Laurabuc
Mayreville
Fonters-du-Razès
Laurac
Villesiscle
Villesèquelande
et-Sauzens
Penautier
Herminis
Rolland
Les Alauses
St-Amans
Villasavary
Pech-Luna
Generville
La Cassaigne
Carcassonne-Arzens
Grèzes
Montredon
CARCASSONNE

175
E
F
G
H
192
209
1
2
3
4
5
Montfranc
St-Maurice
Belmont-sur-Rance
Camarès
Fayet
Lacaune
La Salvetat-sur-Agout
Brassac
Anglès
St-Pons-de-Thomières
St-Amans-Valtoret
Labastide-Rouairoux
Olargues
St-Chinian
Minerve
Centeilles
Peyriac-Minervois
Rieux-Minervois
Ginestas
Le Somail
Amphoralis
Sallèles-d'Aude
Quarante
Capestang
Lézignan-Corbières
Trèbes
NARBONNE
MONTS DE LACAUNE
PARC NATUREL RÉGIONAL DU HAUT-LANGUEDOC
MONTS DE L'ESPINOUSE
Lac du Laouzas
Lac de la Raviège
Lac des Sts-Peyres
Gorges d'Héric
Mont Caroux
Grotte de la Devèze
Pic de Nore
Canal du Midi
D 612
D 607
D 908
D 622
D 11
D 5
D 610

0 5 10 km
176
191
209
A B C D
1 2 3 4 5
Lodève
Clermont-l'Hérault
Bédarieux
Lamalou-les-Bains
Pézenas
BÉZIERS
Agde
Le Cap-d'Agde
Florensac
Marseillan
Montagnac
Gignac
Aniane
St-Guilhem-le-Désert
Sérignan
Capestang
Coursan
NARBONNE
Murviel-lès-Béziers
Cazouls-lès-Béziers
Servian
Roujan
Lac du Salagou
Cque de Mourèze
Écluses de Fonséranes
Oppidum d'Ensérune
BÉZIERS CAP D'AGDE
Béziers-Montblanc
Narbonne-Vinassan
Grotte de Clamouse
Gorges de l'Hérault
Abbe de Valmagne
Abbe de Fontcaude
Abbe de Cassan
Mont Caroux
Pas de l'Escalette
Valras
Vias
Portiragnes
Marseillan-Plage
Grau de Vendres

177
E
F
G
H
St-Martin-de-Londres
Mas-de-Londres
Pic St Loup
St-Mathieu-de-Tréviers
Tréviers
Ste-Croix-de-Quintillargues
Buzignargues
Galargues
Sommières
Villevieille
Congénies
Nages-et-Solorgues
Lauret
Vabre
Carnas
St-Clément
Aspères
Salinelles
Souvignargues
Aujargues
Valflaunès
Fontanès
Garrigues
Campagne
Saussines
Boisseron
Junas
Aubais
Boissières
Uchaud
Vergèze
Aigues-Vives
Mus
Cazevieille
Sueilles
St-Jean-de-Cuculles
N.-D. des champs
Le Triadou
St-Bauzille-de-Montmel
Montaud
Lirou
St-Jean-de-Cornies
St-Hilaire-de-Beauvoir
Beaulieu
St-Christol
St-Sériès
Villetelle
Ambrussum
Viols-le-Fort
Lavit
(Viols-en-Laval)
Les Matelles
St-Vincent-de-Barbeyrargues
Guzargues
St-Drézéry
Restinclières
Saturargues
Vérargues
Gallargues-le-Montueux
Codognan
Vestric-et-Candiac
Les Bouillens
Cantagrils
Argelliers
Murles
St-Gély-du-Fesc
Prades-le-Lez
Assas
Sussargues
Fontmagne
St-Geniès-des-Mourgues
Mas d'Hivernaty
Aimargues
Vailhauquès
Combaillaux
St-Clément-de-Rivière
Teyran
Castries
Lunel-Viel
Lunel
Montferrier-sur-Lez
Clapiers
Jacou
Vendargues
St-Brès
Valergues
Le Cailar
Montarnaud
Montlobre
Grabels
Le Crès
Baillargues
Castelnau-le-Lez
St-Aunès
St-Just
Marsillargues
St-Nazaire-de-Pézan
Mas de Carthagène
St-Brancard
St-Laurent-d'Aigouze
Bel-Air
Montpellier-la-Paillade
Mudaison
Lansargues
Tartuguière
Juvignac
Celleneuve
MONTPELLIER
Auroux
Candillargues
Mauguio
Tamariguières
Mas de Terre-de-Port
Mas Psalmody
P. des Tourradons
St-Paul-et-Valmalle
Valmalle
St-Georges-d'Orques
La Mosson
Murviel-lès-Montpellier
Lavérune
Le Haut-Vauguière
Le Destrech
Les Cabanes
La Malgue
Pignan
Boirargues
Vauguières-le-Bas
Étang de Mauguio ou de l'Or
St-Jean-de-Védas
Lattes
MONTPELLIER-MÉDITERRANÉE
Aigues-Mortes
Saussan
St-Jean-le-Sec
Pérols
Port de Carême
Cournonterral
Fabrègues
Maurin
La Grande-Motte
Le Boucanet
Le Perrier
Cournonsec
Les Quatre Vents
Carnon-Plage
Le Grau-du-Roi
Seaquarium
Launac-St-André
Montpellier-Fabrègues
Villeneuve-lès-Maguelone
Palavas-les-Flots
Port-Camargue
Montbazin
Maguelone
Beauregard
Golfe d'Aigues-Mortes
Pointe de l'Espiguette
Étang du Roi
Gigean
Mireval
Montagne de la Gardiole
Vic-la-Gardiole
Le Mas-Vieux
Les Aresquiers
Étang des Salants
Balaruc-le-Vieux
Les Usines
Frontignan
La Peyrade
Mas des Dunes
Balaruc-les-Bains
Barrou
Frontignan-Plage
Mt St Clair
Sète
Canal du Rhône à Sète
GOLFE DU L
194
E
F
G
H

178
193
0 5 10 km
A
B
C
D
1
2
3
4
5
Beaucaire
Tarascon
St-Rémy-de-Provence
Rodilhan
Manduel
Salleles
Mas-Blanc-des-Alpilles
Laurade
Massane
Le Roubian
Nages-et-Solorgues
Milhaud
La Bastide
Barnier
Garons
Campagne
Bernis
Uchaud
Vergèze
Aubord
NÎMES-ARLES-CAMARGUE
La Balandran
Bellegarde
Bonnafoux
Mas-de-Ranguy
Les Grands-Patis
Lansac
Les Ségonnaux
St-Roch
St-Étienne-du-Grès
St-Gabriel
Les Antiques
Glanum
Chaîne des Alpilles
Les Baux-de-Provence
Auge
St-Jean
Fontvieille
Moulin de Daudet
Camp militaire
Paradou
Maussane-les-Alpilles
Les Calans
Vestric-et-Candiac
Les Bouillens
Générac
St-Bénézet
Codognan
Candiac
Grd Estagel
Pichegu
La Grand-Cabane
Pit Argence
Saujean
Beauvoisin
Fourques
Abbe de Montmajour
Le Grand Berbegal
ARLES
Mas d'Hivernaty
Vauvert
Canal Philippe
St-Gilles
Les Passerons
Pont-de-Crau
Tourniaire
Caphan
St-Martin-de-Crau
Le Cailar
La Margue
Saliers
Gimeaux
Balarin
Raphèle-les-Arles
Moulès
St-Brancard
Gallician
Franquevaux
Espeyran
PARC
Les Cantarelles
St-Hippolyte
Mas Teissier
Bouchaud
Mas du Pt de Rousty
La Fosse
Albaron
Musée Camarguais
Ste-Cécile
Étang de Scamandre
Étang du Charnier
Grd-Canavère
P. des Tourradons
Psalmody
Gageron
Mas de l'Hoste
La Dynamite
Mas des Iscles
La Malgue
Quatret
Marais de la Grand Mar
Le Paty-de-la-Trinité
NATUREL
Bellan
Mas de Pernes
PLAINE DE LA CRAU
Montcalm
Mas de Capette
Les Bruns
Méjanes
Villeneuve
Vergières
Aigues-Mortes
Avignon
PLAINE DE LA CAMARGUE
Étang de Vaccarès
RÉGIONAL
Mas-Thibert
Marais du Vigueirat
Mas d'Icart
Étg du Lairan ou du Grd Palus
Sylvéréal
Mas de la Cure
Mas Sénébier
Mas de Pioch
Cabanes de Cambon
Pioch-Badet
La Capelière
Le Sambuc
Étg des Caitives
Étg des Fourneaux
Pin-Foucat
Mas Badet
Étang de Malagroy
Fiélouse
Grd Boisviel
Mas d'Icard
Étang de Rollan
Pont-de-Gau
Étg de Ginès
Mas de Cacharel
Étang de l'Impérial
Étg du Lion
Étg du Fournelet
Salin-de-Badon
La Porcelette
Le Radeau
Le Relais
Étang des Salants
Petite Camargue
Maguelonne
Étang du Cabri
Étang d'Icard
Peaudure
St-Bertrand
Grd-Badon
Salins du Relais
Stes-Maries-de-la-Mer
Étang de Galabert
Étg du Fangassier
L'Eysselle
La Bélugue
Golfe de Beauduc
Étg du grd Rascaillan
Salin-de-Giraud
Beauduc
Faraman
LION
Pointe du Sablon
Étg du Vaisseau
Étang de Faraman
Salin de Giraud
La Palissade
Port-St-Louis
Étg de Beauduc
Vieux Rhône
Plage de Piémanson
GRD RHÔNE
Pit RHÔNE
Pit Plan du Bourg
Canal d'Arles à Fos-sur-Mer
CAMARGUE
A 54
N 113
E 80
N 568
D 570
D 572n
D 6113
D 6572
D 570n

E
F
G
H
179
196
Mollégès
Cheval-Blanc
MONTAGNE DU LUBERON
Lourmarin
La Font-de-l'Orme
Puyvert
Puget
Lauris
Les Beaumes
Les Borrys
Mérindol
Sannes
Soulière
Eygalières
NATUREL
Sénas
Durance
Cadenet
Ansouis
Brame-Jean
Mallemort
Abbe de Silvacane
Charleval
Villelaure
Castelas de Roquemartine
Les Plaines
Le Destet
Aureille
Les Baumettes
Eyguières
Lamanon
Grottes de Calès
Alleins
Pont Royal
Canal de Marseille
La Roque-d'Anthéron
St-Estève-Janson
Les Regres
Vernègues
Colline de Roque Rousse
Château-Bas
Badasset
Cazan
Chaîne des Côtes
Le Puy-Ste-Réparade
Rognes
Pit-St-Paul
Aiguebelle
ALPILLES
Craponne
La Jasse
Mas-Neuf
Aurons
Lambesc
Les Cabanes
Salon-de-Provence
La Cride
Château la Coste
Meyrargues-Fontbelle
Chaîne de la Trévaresse
St-Canadet
Pélissanne
La Barben
St-Cannat
Canal de Provence
Ganay
Font-Rousse
Venelles
Grans
Étang d'Entressen
Camp militaire
Lançon-Provence
Les Quatre-Termes
Lignane
Grd-St-Jean
Les Logis
Puyricard
La Pite Calade
Entressen
Le Pont-de-Rhaud
Lançon-Provence
Les Logissons
Miramas
Miramas-le-Vieux
Cornillon-Confoux
La Fare-les-Oliviers
Coudoux
Camaïsse
Chaîne de Marseille
Éguilles
St-Marc-Jaumegarde
Celony
Lançon
Les Guigues
St-Chamas
Calissanne
Moulin-du-Pont
Ventabren
AIX-EN-
Le Tholonet
Les Baïsses
La Bayanne
Étg de l'Olivier
Velaux
Les Milles
Palette
Meyreuil
St-Estève
Aqueduc de Roquefavour
Istres
Mauran
La Suzanne
ÉTANG
Rognac
La Mérindolle
Luynes
Rassuen
Berre-l'Étang
DE
Lavalduc
Varage
Massane
Étg de Lavalduc
Les Carabins
Valin
Oppidum St-Blaise
St-Mitre-les-Remparts
Fos-sur-Mer
Étang de Vaïne
L'Agneau
Rocher
Vitrolles
Calas
La Mounine
La Champouse
Bouc-Bel-Air
Gardanne
Les Plaines-d'Arbois
Cabriès
La Salle
Biver
MARSEILLE-PROVENCE
BERRE
Marignane
Les Pinchinades
Plan-de-Campagne
Les Pennes-Mirabeau
Chabauds
Simiane-Collongue
La Malle
Les Peyrets
Septèmes-les-Vallons
Pilon du Roi
Port-de-Bouc
Martigues
St-Victoret
Pas-des-Lanciers
Gignac-la-Nerthe
La Mède
Les Tourels
Laure
Plan-de-Pennes
Les Cadeneaux
N.-D.-Limite
Grde Étoile
Chaîne de l'Étoile
Lavera
Port pétrolier de Lavera
Châteauneuf-les-Martigues
Bricard
La Nerthe
Le Rove
La Gavotte
St-Antoine
Les Ventrons
L'Estaque
Chau Gombert
Ponteau
GOLFE DE FOS
St-Pierre
St-Julien-les-Martigues
Chaîne de l'Estaque
Le Douard
La Vesse
Les Aygalades
La Batarelle
Croix-Rouge
Plage des Laurons
Ensuès-la-Redonne
Niolon
St-Louis
La Madrague-de-la-Ville
St-Jérôme
Les Olives
La Couronne
Ste-Croix
Carro
Les Tamaris
Le Rouet-Plage
Madrague-de-Gignac
Rade de Marseille
St-Just
St-Julien
Cap Couronne
Sausset-les-Pins
Carry-le-Rouet
MARSEILLE
St-Barnabé
Île Ratonneau
St-Marcel
St-Loup
Le Frioul
Île Pomègues
Chau d'If
Îles du Frioul
Prado
Borely
Ste-Marguerite
Le Redon
Vaufrèges
Bonneveine
La Madrague-de-Montredon
Mazargues
Luminy
Montredon
Msif de Marseilleveyre
Cap Croisette
Callelongue
Sormiou
Morgiou
Les Goudes
Île de Planier
Île de Riou
Cal. de Sormiou
Cal. de Morgiou
Cal. de Sugiton

0 5 10 km
180
195
200
A
B
C
D
1
2
3
4
5
Ste-Tulle
La Bastide-des-Jourdans
Corbières-
Gréoux-les-Bains
St-Martin-de-Brômes
Sannes
Ste-Croix
Pigette
Bge de Gréoux
Albiosc
Esparron-de-Verdon
St-Laurent-du-Verdon
Beaumont-de-Pertuis
Le Hameau
Verdon
Vinon-sur-Verdon
Quinson
Bge de Quinson
Ansouis
La Tour-d'Aigues
Mirabeau
Bge de Cadarache
Boutre
St-Pierre
L'Eclou
Les Rouvières
Gorges du Verdon
Pertuis
La Bastidonne
Pont de Mirabeau
CENTRE D'ÉTUDES DE CADARACHE
St-Julien
Les Maisons
La Mourotte
Villeneuve
Durance
Puy-Ste-Réparade
St-Paul-lès-Durance
Ginasservis
Le Pardigaou
La Grde-Bastide
Les Bourdas
N.-D. d'Eglise
La Bastide-Blanche
La Verdière
Montmeyan
La Grange
Jouques
Peyrolles-en-Provence
Meyrargues
Traconnade
Mgne de Vautubière
St-Antoine
Canal de Provence
Forêt de Peyrolles
St-Antonin
Rians
Bois de Mont Major
Varages
Venelles
Les Logis
Circuit du Grd Sambuc
Artigues
Esparron
St-Martin-de-Pallières
Tavernes
Le Logis
Le Puits-de-Rians
Gorges de l'Infernet
Barjols
Pontevès
Les Logissons
Vauvenargues
St-Marc-Jaumegarde
Col des Portes
Brue-Auriac
Le Pigeonnier
Mgne Ste-Victoire
Bge de Bimont
La Croix de Provence
Puyloubier
Bois de Pourrières
Source d'Argens
Notre-Dame
AIX-EN-PROVENCE
Le Tholonet
St-Antonin-sur-Bayon
Pourrières
Seillons-Source-d'Argens
St-Estève
Châteauvert
Palette
Beaurecueil
Mgne du Cengle
Les Bannettes
Meyreuil
Châteauneuf-le-Rouge
St-Hilaire
Ollières
Argens
Rousset
Arc
Bras
Le Plan
La Barque
Pourcieux
La Grde-Bastide
Gardanne
Fuveau
Les Michels
Peynier
Trets
Mt Aurélien
St-Maximin-la-Ste-Baume
Le Val
Cambarette
Les Terrasses de Provence
Les Gaëtans
Biver
Gréasque
Belcodène
Oratoire St-Jean-du-Puy
Valiancelle
Tourves
La Celle
Simiane-Collongue
Mimet
La Valentine
Pomme
Baume de Marron
Mgne de Regagnas
St-Zacharie
Moulin-de-Caramy
St-Savournin
Cadolive
Le Pigeonnier
La Bouilladisse
Moulin-de-Redon
Rougiers
Montagne de la Loube
Pilon du Roi
Chaîne de l'Etoile
Peypin
Auriol
La Destrousse
Le Pujol
Nans-les-Pins
PARC NATUREL RÉGIONAL DE LA SAINTE BAUME
La Montade
Château-Gombert
La Bourdonnière
Roquevaire
Lascours
Le Logis-Neuf
Plan-d'Aups-Ste-Baume
Signal de la Ste-Baume
Mazaugues
Les Mollières
Garéoult
La Roquebrussanne
Plan-de-Cuques
Croix-Rouge
Allauch
La Coutronne
Hôtellerie
Pont-de-l'Etoile
St-Pierre-lès-A.
Col de l'Espigoulier
St-Pilon
Les Olives
La Treille
Napollon
Néoules
St-Julien
Les Trois-Lucs
Camoins-les-Bains
Aubagne
St-Jean-de-Garguier
Gémenos
MASSIF DE LA SAINTE BAUME
Riboux
Eoures
Signes
La Valentine
Les Camoins
La Bastidonne
Parc de St-Pons
Méounes-lès-Montrieux
St-Marcel
St-Loup
Cuges-les-Pins
O.K. Corral
Beaupré
La Penne-sur-Huveaune
Petit-Rouvière
Col de l'Ange
Le Camp-du-Castellet
Circuit du Castellet Paul Ricard
Le Martinet
Montrieux-le-Vieux
PARC NATIONAL DES CALANQUES
Carnoux-en-Provence
Camp militaire
Roquefort-la-Bédoule
Roquefort
Forêt de Morières-Montrieux
Valcros
Belgentier
Cuers
Vaufrèges
Luminy
Morgiou
Ceyreste
Grd Caunet
La Bégude
Ste-Anne-du-Castellet
Le Brûlat
Solliès-Toucas
Grand Cap
Mt Caume
Cassis
Forêt de la Gardiole
Les Plaines Baronnes
Le Castellet
Le Beausset
Valaury
Solliès-Ville
Cap Canaille
La Cadière-d'Azur
Camp militaire
Le Broussan
Baou de Quatre Oures
Le Revest-les-Eaux
La Farlède
La Ciotat
Les Lecques
St-Cyr-sur-Mer
Le Plan-du-Castellet
Ste-Anne-d'Évenos
Évenos
Les Pomets
Les Moulins
Mt Faron
Tourris
Le Coudon
La Chaberte
Sémaphore
La Madrague
Gorges du Gros Cerveau
TOULON
La Valette-du-Var
Cal. de Sormiou
Cal. de Sugiton
Cal. de Morgiou
Cal. d'En-Vau
Cal. de Port-Pin

Ste-Croix-du-Verdon
Les Salles-sur-Verdon
Cirque de Vaumale
Routes des Crêtes
Trigance
Brenon
Le Plan-d'Anelle
Corniche Sublime
Balcons de la Mescla
Pont de l'Artuby
Bargème
La Roque-Esclapon
Bauduen
N.-D. de Baudinard
Comps-sur-Artuby
Mons
Grand Plan de Canjuers
Camp militaire de Canjuers
La Barre
St-Bayon
Sauvechane
St-Marcelin
Pampelonne
La Grde-Nouguière
Mne de Barjaude
Col du Bel-Homme
Moissac-Bellevue
Régusse
Vérignon
Seillans
Fayence
Callian
Aups
Montferrat
Bargemon
Tourrettes
Bois de Pélenq
Les Vergelins
Ampus
Route coupée
Col de Boussague
Claviers
Brovès-en-Seillan
Les Selves
Les Terras
St-Pierre-de-Tourtour
Châteaudouble
Callas
Amphoux
Fox-Amphoux
Tourtour
Gges de Châteaudouble
St-Paul-en-Forêt
Les Quatre Chemins
Sillans-la-Cascade
Villecroze
Les Mandins
Rebouillon
Figanières
La Tuilière
Belvre
Le Villard
Lentier
Forêt de St-Paul
Cascade
Salernes
St-Jean
Matourne
Le Malmont
Draguignan
St-Romain
Le Flayosquet
Camp militaire
Bagnols-en-Forêt
Cotignac
Mentone
Flayosc
St-Michel-d'Esclans
Sauve-Clare
Trans-en-Provence
La Bouverie
Massebœuf
Entrecasteaux
La Motte
La Lieutenante
Le Capitou de l'Esterel
St-Antonin-du-Var
Les Nourradons
Zoo
Le Muy
le Canaver
Montfort-sur-Argens
Lorgues
Ste-Roseline
Abbe du Thoronet
Vignaubière
Pont-d'Argens
Taradeau
Les Arcs
Puget-sur-Argens
Carcès
Lac de Carcès
Le Thoronet
Les Preyres
Roquebrune-sur-Argens
St-Pierre
Fréjus
Pomples
Les Bertrands
Vidauban
Vins-sur-Caramy
Cabasse
Entraygues
Forêt des Arcs
Les Baux
Étang de Villepey
St-Pastour
Le Vieux-Cannet
Col de Valdingarde
Brignoles
La Bastide-Rouge
Le Luc
Le Cannet-des-Maures
Le Revest
Col de Gratteloup
Col de Bougnon
Camps-la-Source
La Hte-Verrerie
Les Pierrons
Les Ricards
La Gail
La Lauzade
Flassans-sur-Issole
Vallaury
Val d'Esquières
Repenti
La Bse-Verrerie
La Moure
Le Plan-de-la-Tour
La Garonette
San-Peïre-s-Mer
Ste-Anastasie-sur-Issole
Besse-sur-Issole
Autodrome du Var
Préconil
Col de Vignon
La Nartelle
Prat-Bourdin
Courruero
Cap des Sardinaux
Forcalqueiret
Gonfaron
La Garde-Freinet
Guerre-Vieille
Ste-Maxime
Beauvallon
Rocbaron
Carnoules
Pignans
Les Mayons
Roches Blanches
Les Mûres
La Foux
N.D. des Anges
Court
Valdegilly
Grimaud
St-Pons-les-Mûres
Golfe de St-Tropez
ST-TROPEZ
Port-Grimaud
Col des Fourches
Valescure
Puget-Ville
La Sauvette
St-Maur
Marines-de-Cogolin
Les Salins
Col de Taillude
Les Crottes
Cogolin
Anse de Pampelonne
La Portanière
St-Marc
Gassin
Pampelonne
La Rivière
Collobrières
Monastère de la Verne
Les Guiols
Ramatuelle
Pierrefeu-du-Var
La Môle
Col de Babaou
La Croix-Valmer
Col de Collebasse
Cap Camarat
La Mayonnette
La Grde-Bastide
Camp-Long
Forêt du Dom
Les Pradels
Bouillabaisse
L'Escalet
Gigaro
Baie de Cavalaire
Valcros
Les Hauts-de-Porquerolles
Col du Canadel
Sauvebonne
Forêt des Maures
Col de Gratteloup
Rayol-Canadel-sur-Mer
Cap Taillat
Pas-du-Cerf
Cavalière
Le Rayol
Cavalaire-sur-Mer
Cap Lardier
Les Borrels
N.-D.-des-Maures
Bormes-les-Mimosas
La Fossette
Domaine du Rayol
St-Honoré
La Verrerie
Les Jassons
Pramousquier
Mesclans
La Crau
La Londe-les-Maures
Le Fenouillet
Mauvanne
Le Pin
St Clair
Cap Nègre
Le Lavandou
MASSIF DES MAURES
83
181
198
201
E
F
G
H
1
2
3
4
5

0 5 10 km
Draguignan
Fréjus
St-Raphaël
Ste-Maxime
ST-TROPEZ
GRASSE
Le Muy
Les Arcs
Vidauban
Le Luc
Lorgues
Flayosc
Fayence
Seillans
Mons
Comps-sur-Artuby
Callas
Bargemon
Claviers
Figanières
Montferrat
Châteaudouble
Ampus
Tourtour
Trans-en-Provence
La Motte
Roquebrune-sur-Argens
Puget-sur-Argens
Bagnols-en-Forêt
Les Adrets-de-l'Esterel
Mandelieu-la-Napoule
Agay
Boulouris
St-Aygulf
Les Issambres
La Garde-Freinet
Grimaud
Port-Grimaud
Cogolin
Gassin
Ramatuelle
La Croix-Valmer
Cavalaire-sur-Mer
Rayol-Canadel-sur-Mer
Collobrières
Bormes-les-Mimosas
Le Lavandou
Domaine du Rayol
Cap Camarat
Cap Lardier
Golfe de St-Tropez
Golfe de Fréjus
Corniche
Massif des Maures
Massif de l'Esterel
Camp militaire de Canjuers
St-Cézaire-sur-Siagne
St-Vallier-de-Thiey
Cabris
Montauroux
Callian
Tourrettes
Auribeau-sur-Siagne
Lac de St-Cassien
Pont de l'Artuby
Col du Bel-Homme
Taradeau
Le Cannet-des-Maures
Gonfaron
N.-D. des Anges
Autodrome du Var
A B C D
1 2 3 4 5
182
197

183
E
F
G
H
1
2
3
4
5
Vence
Tourrettes-sur-Loup
Cagnes-s-Mer
St-Laurent-du-Var
NICE
Villefranche-sur-Mer
Beaulieu-sur-Mer
Cap-d'Ail
Villa Ephrussi
St-Jean-Cap-Ferrat
Cap Ferrat
NICE CÔTE-D'AZUR
La Californie
St-Augustin
Cros-de-Cagnes
Villeneuve-Loubet
Villeneuve-Loubet-Plage
Baie des Anges
CÔTE D'AZUR
Valbonne
Biot
Sophia-Antipolis
Mouans-Sartoux
Marineland
La Brague
ANTIBES
Jardin Thuret
Plau de la Garoupe
Plage de la Garoupe
Cap d'Antibes
Mougins
Vallauris
Golfe-Juan
Le Cannet
Juan-les-Pins
Golfe Juan
Palm Beach
Pnte de la Croisette
CANNES
La Bocca
Golfe de la Napoule
La Napoule
Théoule-sur-Mer
Monastère
Île Ste-Marguerite
Île St-Honorat
Îles de Lérins
La Galère
Pnte de l'Esquillon
Miramar
Le Trayas
l'Esterel
de l'Observatoire

201
197
198
E
F
G
H
1
2
3
4
5
Brignoles
Le Luc
Le Cannet-des-Maures
Vidauban
Taradeau
Le Thoronet
Abbe du Thoronet
Carcès
Lac de Carcès
Cabasse
Vins-sur-Caramy
Le Val
Cambarette
Terrasses Provence
Les Gaëtans
La Celle
Camps-la-Source
Flassans-sur-Issole
Besse-sur-Issole
Ste-Anastasie-sur-Issole
Montagne de la Loube
Les Mollières
Garéoult
Forcalqueiret
Rocbaron
Néoules
Carnoules
Pignans
Gonfaron
Autodrome du Var
Repenti
La Lauzade
Pompiès
St-Pastour
Le Vieux-Cannet
Entraygues
Les Bertrands
La Bastide-Rouge
Le Revest
Les Pierrons
Vallaury
La Moure
Le Plan-de-la-Tour
Préconil
Col de Vignon
La Garde-Freinet
Les Mayons
Roches Blanches
N.-D. des Anges
Col des Fourches
Valescure
La Sauvette
Court
Valdegilly
Grimaud
St-Maur
Cogolin
Les Crottes
St-Marc
Les Guiols
La Môle
La Croix-Valmer
Col de Taillude
Monastère de la Verne
Collobrières
La Rivière
La Portanière
Puget-Ville
La Foux
Col de la Bigue
La Ruol
Méounes-lès-Montrieux
Le Martinet
Belgentier
Valcros
Cuers
Pierrefeu-du-Var
Solliès-Toucas
La Mayonnette
Solliès-Pont
Solliès-Ville
Les Laugiers
Camp militaire
Valaury
Revest-les-Eaux
Tourris
La Farlède
Le Coudon
La Chaberte
La Valette-du-Var
La Bigue
La Moutonne
La Garde
La Crau
Le Fenouillet
St Augustin
Hyères
Mesclans
Sauvebonne
Camp-Long
La Grde Bastide
Pas-du-Cerf
Les Borrels
N.-D.-des-Maures
Les Jassons
La Londe-les-Maures
Mauvanne
Col de Babaou
MASSIF DES MAURES
Valcros
Les Hauts-de-Porquerolles
Col de Gratteloup
Col de Caguo-Ven
St-Honoré
La Verrerie
Bormes-les-Mimosas
Le Pin
Aiguebelle
La Fossette
Cavalière
Rayol-Canadel-sur-Mer
Col du Canadel
Les Pradels
Le Rayol
Cavalaire-sur-Mer
Domaine du Rayol
Pramousquier
Cap Nègre
St Clair
Le Lavandou
Corniche des Maures
La Favière
Cap Bénat
Cabasson
Cap de Brégançon
Les Bormettes
Port-de-Miramar
Les Salins-d'Hyères
Ayguade-Ceinturon
Hyères-Plage
Carqueiranne
Costebelle
Le Pradet
La Garonne
Les Oursinières
Le Pradon
Les Salettes
Font-Brun
L'Almanarre
Le Mourillon
St-Mandrier-sur-Mer
Cap Cépet
Cap de Carqueiranne
Golfe de Giens
Salins des Pesquiers
La Capte
Presqu'île de Giens
Giens
La Madrague
La Tour-Fondue
RADE D'HYÈRES
ÎLES D'HYÈRES
Grande Passe
Île de Bagaud
Port-Cros
Île de Port-Cros
(Parc National)
Île du Levant
Le Grd-Avis
Heliopolis
Notre-Dame
Porquerolles
Île de Porquerolles
Cap d'Arme

0 5 10 km
St-Etienne-de-Baïgorry
St-Jean-Pied-de-Port
Orreaga / Roncesvalles
Aoiz
Ochagavía
Ahusquy
Ordiarp
Aussurucq
Col d'Osquich
Col Bagargui
Sierra de Abodi
Embalse de Itoiz
Hoz de Arbayún
Hoz de Lumbier
Monasterio de Leyre
Sierra de Leyre
Embalse de Yesa
Valle del Roncal
Isaba
Roncal
Burgui
Lumbier
Liédena
Yesa
Javier
Sangüesa
Esparza de Salazar
Orzanzurieta
Auritz / Burguete
Luzaide / Valcarlos
Aldudes
Urepel
Elizondo
Forêt d'Iraty
Pic d'Orhy
Port de Larrau
Larrau
Crevasses d'Holçarté
Forêt des Arbailles

185

Mauléon-Licharre
Oloron-Ste-Marie
Arette-Pierre-St-Martin
Ste-Engrâce
Lescun
Borce
Fort du Portalet
Col du Somport
Tunnel du Somport
Candanchú
Canfranc-Estación
Canfranc
Pic du Midi d'Ossau
Col du Pourtalet
Laruns
Eaux-Bonnes
Gourette
Col d'Aubisque
Bielle
Arudy
Sallent de Gállego
Biescas
Hecho
Ansó
Vallée d'Aspe
Vallée d'Ossau
Parc National des Pyrénées
186
204

0 5 10 km
TARBES
Aureilhan
Séméac
Ibos
Juillan
Laloubère
Soues
Sarrouilles
Barbazan-Debat
Horgues
Odos
Ossun
TARBES-LOURDES-PYRÉNÉES
Pontacq
Lamarque-Pontacq
Nay
Coarraze
Bénéjacq
Labatmale
Bordères
Baudreix
Lagos
Arros-de-Nay
Bourdettes
Mirepeix
Igon
Asson
St-Vincent
Montaut
Lestelle-Bétharram
Zoo
St-Pé-de-Bigorre
Grottes de Bétharram
LOURDES
Peyrouse
Poueyferré
Bartrès
Loubajac
Adé
Barlest
Lanne
Bénac
Averan
Julos
Paréac
Bourréac
Lézignan
Omex
Ossen
Ségus
Aspin-en-Lavedan
Pic du Jer
Le Béout
Pic de Pibeste
Lugagnan
Agos-Vidalos
Ayzac-Ost
Gez
Argelès-Gazost
Arras-en-Lavedan
Arcizans-Dessus
Gaillagos
Col du Soulor
Arrens-Marsous
Aucun
Bun
Sireix
Arcizans-Avant
St-Savin
Uz
Soulom
Pierrefitte-Nestalas
Villelongue
Donjon des Aigles
Hautacam
Artalens-Souin
Beaucens
Préchac
Lau-Balagnas
Adast
Vier-Bordes
Ayros-Arbouix
St-Pastous
Boô-Silhen
Geu
Ger
Ouzous
Salles
Col de Spandelles
Ferrières
Soum de Granquet
Pic de Bazès
Estaing
Lac d'Estaing
Pic de Cabaliros
Col des Bordères
Pic du Midi d'Arrens
Soum de Bassia du Hoo
Moun Né
Cauterets
Cque du Lys
Pont d'Espagne
Cascades
Vallée du Marcadau
Val de Jéret
Lac de Gaube
Luz-Ardiden
Cade de Lutour
Viscos
Pic de Viscos
Chèze
Saligos
Vizos
Grust
Sazos
Sassis
Esquièze-Sère
Luz-St-Sauveur
St-Sauveur-les-Bains
Pont Napoléon
La Fruitière
Pic d'Ardiden
Esterre
Viella
Vieu
Betpouey
Sers
Barèges
Soum de Nère
Pène Taillade
Lac Bleu
Lac d'Isaby
Pic du Midi de Bigorre
Taoulet
Super-Barèges
Col du Tourmalet
La Mongie
Pic des Quatre Termes
Pic d'Ayré
MASSIF DE NÉOUVIELLE
Pic de Néouvielle
Lac d'Aumar
Lac d'Orédon
Barrage de Cap-de-Long
Pic Long
Pragnères
Gavarnie-Gèdre
Bué
Soum d'Aspé
Pic de la Sède
Vignemale
Vallée d'Ossoue
Bge d'Ossoue
Bareilles
Gavarnie
N.-D. de Héas
Pic de Gerbats
Cirque de Troumouse
Cirque d'Estaubé
Pic des Tentes
Cirque de Gavarnie
Pic Gabiet
Port de Boucharo
Bujaruelo
le Taillon
Marboré
Pic de Pinède
Pic de la Munia
Monte Perdido
Valle de Pineta
Valle de Ordesa
PARQUE NACIONAL
PARC NATIONAL DES PYRÉNÉES
Balaïtous
Pic Chabarrou
E. de Bachimaña
Balneario de Panticosa
Picos del Infierno
Garganta del Escalar
Pico de Baldairan
Panticosa
El Pueyo
Hoz de Jaca
Sierra de Tendeñera
Torla
Espierba
Parzán
Bielsa
Rio Cinca
Punta Suelza
Tunnel d'Aragnouet-Bielsa
Aragnouet
Le Plan d'Aragnouet
Fabian
Piau-Engaly
Tramezaïgues
Vallée du Rioumajou
Pic d'Aret
Pic d'Arriouère
Rioumajou
St-Lary-Soulan
Vignec
Cadeilhan-Trachère
Pic d'Arrouye
Soulan
Espiaube
Vielle-Aure
Lac de l'Oule
Aulon
Pic de Baztan
l'Arbizon
Hourquette d'Ancizan
Barrancoa
Cascade du Garet
Artigues-Campan
Gripp
Payolle
Col d'Aspin
La Séoube
Espiadet
Sarrat de Bon
Vallée de Campan
Ste-Marie-de-Campan
Signal de Bassia
Rimoula
St-Roch
Campan
Peyras
Lesponne
Vallée de Lesponne
Pic de Montaigu
Chiroulet
Beaudéan
Grotte de Médous
Le Bédat
Labassère
Bagnères-de-Bigorre
Pouzac
Neuilh
Germs-sur-l'Oussouet
Ourdis-Cotdoussan
Juncalas
Lanse
St-Créac
Jarret
Les Angles
Gez-ez-Angles
Ossun-ez-Angles
Arrodets-ez-Angles
Arrayou-Lahitte
Astugue
Escoubès
Trébons
Ordizan
Hauban
Mérilheu
Uzer
Lies
Gerde
Asté
Esconnets
Marsas
Banios
Asque
Bulan
Arrodets
Laborde
Casque du Lhéris
Castillon
Bettes
Espieilh
Fréchendets
Sarlabous
Bastère
Escots
Lomné
Argelès-Bagnères
Bourg-de-Bigorre
Bonnemazon
Mauvezin
Molère
Benqué
Capvern-les-Bains
Artiguemy
Cieutat
Orignac
Antist
Montgaillard
Hiis
Vielle-Adour
Arcizac-Adour
Visker
Layrisse
St-Martin
Hibarette
Momères
Louey
Salles-Adour
Allier
Bernac-Debat
Bernac-Dessus
Barbazan-Dessus
Montignac
Angos
Fréchou-Fréchet
Oueilloux
Mascaras
Oléac-Dessus
Hitte
Luc
Poumarous
Chelle-Spou
Lanespède
Ricaud
Gourgue
Péré
Tournay
Ozon
Calavanté
Lhez
Lespouey
Sinzos
Gonez
Lansac
Bordes
Clarac
Peyraube
Orieux
Mouledous
Coussan
Marquerie
Thuy
Goudon
Hourc
Boulin
Souyeaux

187
203

188
E
F
G
H
1
2
3
4
5
206
Lannemezan
St-Gaudens
Montréjeau
Valcabrère
St-Bertrand-de-Comminges
Bagnères-de-Luchon
Superbagnères
Bossòst
Vielha
Salardú
Arties
Betren
Escunhau
Túnel de Vielha
Asseradora
Pico de la Maladeta
MALADETA
Pic Perdiguère
Pic Schrader
Pic des Gourgs blancs
Pic des Crabioules
Pic de Sauvegarde
Lac d'Oô
Vallée du Lys
Vallée de la Pique
Vallée de Louron
Vallée d'Oueil
Vallée d'Aure
Neste d'Aure
VAL D'ARAN
Uelhs deth Joèu
Col du Portillon
Col de Peyresourde
Col des Ares
Col de Buret
Col de Menté
Col de Portet d'Aspet
Col d'Artigascou
Pic de Cagire
Pic de Crabère
Pic de Mauberme
Étang d'Araing
Cap de la Pique
Pic de Bacanère
Mont Né
Port de Pierrefite
Kiosque de Mayrègne
Peyragudes
Germ
Loudenvielle
Arreau
Sarrancolin
Bagnères
Aspet
Saléchan
Cierp-Gaud
Marignac
St-Béat
Fos
Melles
Canejan
Les
Arres
Vilamòs
Es Bòrdes
Vilac
Barbazan
Aurignac
Boussens
Salies-du-Salat
Montsaunès
Estancarbon
Valentine
Labarthe-Inard
Miramont-de-Comminges
Rieucazé
Aspret-Sarrat
Encausse-les-Thermes
Cabanac-Cazaux
Arbon
Sengouagnet
Milhas
Herran
Razecueillé
Portet-d'Aspet
St-Lary
Galey
Orgibet
Augirein
Antras
Sentein
Eylie
Montespan
Ganties
Rouède
Castelbiague
Estadens
Pujos
Soueich
Lannes
Arbas
Fougaron
Aulon
Castillon-de-St-Martory
St-Martory
Lestelle-de-St-Martory
Proupiary
Sepx
Latoue
Lodes
Larcan
Lalouret-Laffiteau
Cardeilhac
St-Plancard
Montmaurin
Boulogne
Sarrecave
Balesta
Boudrac
Villeneuve-Lécussan
Loudet
Le Cuing
St-Ignan
Villeneuve-de-Rivière
Landorthe
Savarthès
Gaudines
St-Médard
Beauchalot
Pointis-Inard
Figarol
Pinas
Cantaous
St-Laurent-de-Neste
Mazères-de-Neste
Gourdan-Polignan
Huos
Ausson
Clarac
Martres-de-Rivière
Pointis-de-Rivière
Labarthe-Rivière
Ardiège
Cier-de-Rivière
Sauveterre-de-Comminges
Régades
Lôo
Payssous
Malvezie
Génos
Lourde
Moncaup
Arguenos
Juzet-d'Izaut
Izaut-de-l'Hôtel
Frontignan-de-Comminges
Antichan-de-Frontignes
Fronsac
Chaum
Eup
Boutx
Lez
Argut-Dessus
Argut-Dessous
Arlos
Burgalays
Baren
Gouaux-de-Luchon
Cier-de-L.
Guran
Lège
Bachos
Binos
Signac
Esténos
Sost
Cazarilh
Thèbe
Siradan
Ferrère
Mauléon-Barousse
Troubat
Bramevaque
Gembrie
Sacoué
Antichan
Samuran
Bagiry
Ore
Galié
Bertren
Ilheu
Anla
Izaourt
Luscan
Loures-Barousse
Labroquère
Seilhan
Tibiran-Jaunac
Lombrès
Générest
Sarp
Aveux
Créchets
Gaudent
Nistos
Sauveterre
Seich
Haut-Nistos
Mazouau
Gazave
Montsérié
Bize
St-Arroman
Montoussé
Nestier
Hautaget
Montégut
St-Paul
Aventignan
Bizous
Anères
Tuzaguet
Escala
La Barthe-de-Neste
Izaux
Lortet
Labastide
Bazus-Neste
Hèches
Rebouc
Ilhet
Beyrède-Jumet
Camous
Jumet
Fréchet-Aure
Ardengost
Pailhac
Jézeau
Bareilles
Cazaux-Debat
Ris
Bordères-Louron
Lançon
Grézian
Gouaux
Bazus-Aure
Grailhen
Camparan
Avajan
Bourisp
Vielle-Louron
Adervielle-Pouchergues
Cazaux-Fréchet-Anéran-Camors
Estarvielle
Jurvielle
Poubeau
Portet-de-Luchon
Cathervielle
Garin
Billière
Benque
Antignac
Saccourvielle
Moustajon
Juzet-de-Luchon
Salles-et-Pratviel
Artigue
Bausen
Sode
St-Aventin
Cazeaux-de-L.
Oô
Castillon-de-Larboust
Gouaux-de-Larboust
Montauban-de-Luchon
St-Mamet
Granges-d'Astau
Pont du Prat
Tramezaygues
Pic de Hourgade
Pic de Cécire
Bordes-du-Lys
Pont de Ravi
Bourg-d'Oueil
Cirès
Mayrègne
Caubous
Cazaux-Layrisse
Montmajou
Sailhan
Estensan
Azet
Génos
Ens
Val-Louron
Pic de la Calabasse
Cap de Gauch
Estany de Liat
Sascorjada
Sierra
Pradet
Arròs
Vila
Pont d'Arròs
Garòs
Bagergue
Tredòs
Baqueira
Posets
Montardo
Mail de Bulard
V. de Varradès
R. Esera
A 64
E 80
D 817
N 125
N 230
D 618
D 8
D 929

St-Girons
St-Lizier
La Bastide-de-Sérou
Rieux-Volvestre
Cazères
Montagnes
Massif de l'Arize
Parc Naturel Régional des Pyrénées Ariégeoises
Sommet de Portel
Mont Valier
Pic de Montcalm
Pic d'Estats
Sant Joan d'Isil
09
189
205
210

190
E
F
G
H
Calmont
La Louvière-Lauragais
Ste-Camelle
Montauriol
Villeneuve-la-Comptal
Fendeille
Pexiora
Mazères
Mézerville
Peyrefitte-sur-l'Hers
Mireval-Lauragais
Molandier
St-Sernin
Mayreville
Fonters-du-Razès
Laurabuc
Villesiscle
L'Étoile
La Bastide-de-Couloumat
St-Amans
Laurac
Rolland
Villasavary
La Cassaigne
Pech-Luna
Generville
Marty
Gaja-la-Selve
Prouille
La Force
Montaut
Belpech
Cahuzac
Pécharic-et-le-Py
Cazalrenoux
Fanjeaux
Montréal
Le Vernet
Bonnac
Gaudiès
Crieu
Ribouisse
Lasserre-de-Prouille
Villeneuve-lès-Montréal
Plaigne
Villautou
Lafage
St-Julien-de-Briola
Orsans
Fenouillet-du-Razès
Brézilhac
Salvayre
Tremoulet
Les Cazazils
Plavilla
Ferran
Cailhavel
Bézac
Villeneuve-du-Paréage
Lapenne
Taillefer
La Courtète
Gramazie
Cailhau
La Bardaille
George
La Bastide-de-Lordat
Le Carlaret
St-Gaudéric
Hounoux
Mazerolles-du-Razès
Cambieure
Escosse
Pamiers
Ludiès
St-Félix-de-Tournegat
Ste-Foi
Brugairolles
St-Victor-Rouzaud
La Tour-du-Crieu
St-Amadou
St-Aulin
Malegoude
Escueillens
Montgradail
Belvèze-du-Razès
Malviès
St-Jean-du-Falga
Vals
Manses
Peyrie-et-Peyrot
Seignalens
Bellegarde-du-Razès
Routier
St-Bauzeil
Font Communal
Rieucros
Teilhet
Cazals-des-Baylès
Lignairolles
Alaigne
Lauraguel
Les Pujols
Vernolle
Mirepoix
Caudeval
La Cloterie
Monthaut
Donazac
Benagues
Les Issards
Coutens
Besset
Pech Salamou
Rieux-de-Pelleport
Les Bordes
Viviès
Tourtrol
Roumengoux
Moulin-Neuf
Gueytes-et-Labastide
Pauligne
Coussa
Mazeroles
La Bastide-de-Bousignac
Tréziers
Pomy
Loupia
Varilhes
St-Félix-de-Rieutord
Arvigna
Vira
Senesse-de-Senabugue
Lagarde
Corbières
Peyrefitte-du-Razès
Villelongue-d'Aude
Malras
Malléon
Calzan
Roussinergue
Sibra
Courtauly
La Bezole
Dalou
Ségura
Engraviès
St-Julien-de-Gras-Capou
St-Quentin-la-Tour
Camon
Ajac
La Digne-d'Amont
Crampagna
Carol
Dun
Troye-d'Ariège
Col de l'Espinas
Castelreng
Loubières
St-Jean-de-Verges
Gudas
Ventenac
Merviel
Limbrassac
Belloc
St-Benoît
Col de Dieude
Tourreilles
R. souterraine de Labouiche
Villeneuve-du-Bosc
Aigues-Vives
Léran
Sonnac-s-l'Hers
St-Couat-du-Razès
Col de Sarnac
Pradettes
Bge de Montbel
Col de St-Benoît
Bourigeole
Bouriège
Vernajoul
Arabaux
P L A N T A U R E L
Carla-de-Roquefort
Tabre
Régat
Chalabre
Montbel
Montjardin
Tournebouich
Cos
Col de Py
Sautel
Lieurac
Esclagne
Pierre-Rivière
FOIX
L'Herm
Laroque-d'Olmes
Villaret
Le Cazal-Ste-Marie
Festes-et-St-André
Pradières
Roquefort-les-Cascades
Ilhat
Le Peyrat
Villefort
Le Serpent
St-André
Pic de l'Aspre
Soula
Rappy
Dreuilhe
La Bastide-sur-l'Hers
Col de Festes
Ganac
Caraybat
Leychert
Raissac
Fontcirgue
Ste-Colombe-sur-l'Hers
Rivel
Rouvenac
Ferrières-sur-Ariège
Montgaillard
Forges de Pyrène
St-Cirac
Palot
Péreille
Lavelanet
Lesparrou
Engauly
Les Arnoulats
Puivert
Col des Tougnets
St-Jean-de-Paracol
Prayols
Roquefixade
Les Chaubets
L'Aiguillon
Vilhac
Celles
Nalzen
St-Jean-d'Aigues-Vives
La Borie
Les Bordes
Fauruc
Les Sauzils
Montoulieu
St-Paul-de-Jarrat
Le Gabachou
Freychenet
Villeneuve-d'Olmes
Bénaix
Bélesta
Col Del Teil
Campgast
Nébias
Seignaux
Labat
Antras
Montferrier
Col de la Babourade
Brenac
Amplaing
Garrabet
Lescale
Lasserre
Mercus-Garrabet
Fougax-et-Barrineuf
Col de la Croix des Morts
La Malayrède
La Fage
Arignac
Montségur
L'Espine
Le Sarrat
Coudons
Bompas
La Peyregade
Croquié
Mont Fourcat
Lalibert
Ginoles
Arnave
Pelail
La Rouquette
Belvis
Tarascon-s-Ariège
Serres
Montagne de la Frau
Langarail
Plateau de Sault
Belvianes-et-Cavirac
Quié
Ussat
Cazenave-Serres-et-Allens
les Monts d'Olmes
Pas de l'Ours
Trassoulas
La Peyre
Ornolac-Ussat-les-Bains
Gges de la Frau
Espezel
Belfort-s-Rebenty
Quirbajou
Pic de St-Barthélemy
C. de la Gargante
Forêt de la Plaine
Joucou
Alliat
Niaux
Grte de Lombrives
Montagne de Tabe
Carrière de Trimouns
Roquefeuil
Galinagues
Marsa
Capoulet-et-Junac
Bouan
Sinsat
Senconac
Comus
Camurac
Belcaire
Rebenty
Verdun
Caychax
55
Aunat
Bessède-de-Sault
Larnat
Aulos
Les Cabannes
Appy
Pic Fourcat
Prades
Col des Sept Frères
Niort-de-Sault
Mazuby
Rodome
208
Arquizat
Miglos
Château-Verdun
Albiès
Axiat
Lordat
Montaillou
Gorges du Rebenty
Mérial
Norgeat
Larcat
Vèbre
Vernaux
Bestiac
Caussou
Fontanès-de-Sault
Aston
Pech
La Remise
Lassur
Garanou
Col de Marmare
Col du Pradel
La Fajolle
Gesse
Aude
Gestiès
Siguer
Luzenac
Unac
Col de Chioula
Pic de Serembarre
Campagna-de-Sault
Forêt de Gesse
Tignac
Signal de Chioula
Picaucel
Le Bousquet
Vaychis
Perles-et-Castelet
Escouloubre
Sarradeil
Bouychet
Le Castelet
Savignac-les-Ormeaux
Ignaux
Sorgeat
Goulours
Port de Pailhères
Mijanès
Rouze
Col de Moulis
Col de Garavel
Station de Beille
Ascou
Ascou-Pailhères
Artigues
Le Puch
Pic de Baljésou
Bois de Gudanes
Bge de Riète
Ax-les-Thermes
Orgeix
Pic de Tarbezou
Le Pla
Carcanières
Ax-Bonascre
Orlu
Le Mas
Plateau de Bonascre
Petches
Vallée d'Orlu
Dent d'Orlu
Quérigut
Pic Espaillat
Bge de Laparan
Forge d'Orlu
211
Pic du Thoumasset
Pic de Riet
Pic de Lauzate
Tute de l'Ours
Mérens-les-Vals
Lac de Naguilles
Le Roc Blanc
Rieutort
Puyvalador
Odeillo
Fontrabiouse

0 5 10 km
C
191
D
207
11
212
A
B
C
D
CARCASSONNE
La Cité
Conques-sur-Orbiel
Villemoustaussou
Pennautier
Villesèquelande
Caux-et-Sauzens
Grèzes
Montredon
Berriac
Trèbes
Rustiques
Marseillette
Badens
Aigues-Vives
Puichéric
La Redorte
Capendu
Blomac
Douzens
Moux
Comigne
Fontcouverte
Fabrezan
Montréal
Arzens
Lavalette
Cazilhac
Palaja
Montirat
Fontiès-d'Aude
Floure
Les Corbières
Montagne d'Alaric
Monze
Pradelles-en-Val
Camplong-d'Aude
Montlaur
Lagrasse
Abbaye
Ribaute
Tournissan
St-Laurent-de-la-Cabrerisse
Talairan
Coustouge
Jonquières
Villarzel-du-Razès
Preixan
Rouffiac-d'Aude
Leuc
Couffoulens
Cavanac
Verzeille
Villefloure
Mas-des-Cours
Fajac-en-Val
Arquettes-en-Val
Serviès-en-Val
Villemagne
Villetritouls
Villar-en-Val
Rieux-en-Val
Labastide-en-Val
Taurize
Mayronnes
Caunettes-en-Val
St-Pierre-des-Champs
Col de Taurize
Forêt des Corbières Occidentales
St-Hilaire
Pomas
Cépie
Pieusse
Limoux
Gardie
Villebazy
Greffeil
Ladern-sur-Lauquet
Villar-St-Anselme
St-Polycarpe
Clermont-sur-Lauquet
Plateau de Lacamp
St-Martin-des-Puits
Lairière
Caunette-s-Lauquet
Col de Louviéro
Villardebelle
Belcastel-et-Buc
Arce
Vendémies
Cournanel
La Digne-d'Aval
La Digne-d'Amont
Malras
Magrie
Tourreilles
Roquetaillade
St-Salvayre
Alet-les-Bains
Missègre
Bouisse
Vignevieille
Montjoi
Termes
Col de Villerouge
Villerouge-Termenès
Col du Prat
Albas
Col de l'Espinas
Véraza
Valmigère
Terroles
Salza
Lanet
Mouthoumet
Col de Bedos
Davejean
Félines-Termenès
Col de la Gineste
Palairac
Quintillan
Conilhac-de-la-Montagne
Antugnac
Luc-s-Aude
Peyrolles
Donjon
St-Pancrasse
Albières
Pont d'Orbieu
Laroque-de-Fa
Col du Prat
La Serpent
Montazels
Espéraza
Cassaignes
Arques
Col du Paradis
Couiza
Coustaussa
Serres
Forêt de Rialsesse
Savignan
Auriac
Dernacueillette
Col de Ferréol
Maisons
Ségure
Rennes-le-Chau
Rennes-les-Bains
Les Moulines
Fourtou
Massac
Col de Cédeillan
Col de Redoulade
Sougraigne
Col de la Fage
Campagne-sur-Aude
Granès
La Maurine
Les Clamenèes
Montgaillard
Tuchan
Le Bézu
St-Ferriol
Bugarach
Col du Linas
Soulatgé
Rouffiac-des-Corbières
Col de la Croix dessus
Padern
Quillan
St-Just-et-le-Bézu
Cubières-sur-Cinoble
Chau de Peyrepertuse
Duilhac-s/s-Peyrepertuse
Ginoles
Laval
Pic de Bugarach
Parahou-Grand
La Bastide
Camps-sur-l'Agly
Gorges de Galamus
Cucugnan
Chau de Quéribus
Paziols
St-Julia-de-Bec
St-Louis-et-Parahou
Défilé de Pierre-Lys
Belvianes-et-Cavirac
Forêt des Fanges
Col de St-Louis
Prugnanes
La Quille
Grau de Maury
Quirbajou
St-Martin-Lys
Col Camperié
Lavagnac
Caudiès-de-Fenouillèdes
St-Paul-de-Fenouillet
Mas-de-Las-Frèdes
La Devèze
Marsa
Cailla
Lapradelle
Chau Puilaurens
Axat
Artigues
Maury
Lesquerde
Alzine
Le Clat
Gorges de St-Georges
Puilaurens
Fenouillet
Col del Mas
Fosse
Les Cabanes
Borde-Neuve
Latour-de-France
Estagel
Salvezines
Vira
St-Martin
St-Arnac
Rasiguères
Le Vivier
Felluns
Ansignan
Planèzes
Ste-Colombe-sur-Guette
Gincla
Lansac
Barrage de Caramany
Le Bousquet
Buillac
Montfort-sur-Boulzane
Rabouillet
Prats-de-Sournia
Sournia
Trilla
Cuchous
Montner
Col de la Bataille
Força Réal
Col de Garavel
Roquefort-de-Sault
Counozouls
Pézilla-de-Conflent
Caramany
Cassagnes
Col d'Aussières
Col des Auzines
Trévillach
Bélesta
Pic Dourmidou
Corneilla-la-Rivière
Campoussy
Néfiach
Col de Jau
Tarerach
Montalba-le-Château
Millas
Orgues
Ille-sur-Têt
St-Féliu-d'Amont
Mosset
Marcevol
Rodès
Têt
Molitg
Arboussols
Corbère-les-Cabanes
Corbère
Puyvalador
Madrès
Campôme
Eus
Bouleternère
St-Michel-
Odeillo
Catllar
D 610
D 6113
A 61
D 118
D 117
D 613
D 612
D 614

192
E
F
G
H
Ste-Valière
Ginestas
Le Somail
Amphoralis
Sallèles-d'Aude
Rabbes
Périès
Pont des Graves
Lespignan
Vendres
La Vistou
Roubia
Paraza
Ventenac-en-M.
Cuxac-d'Aude
Salles-d'Aude
Coursan
Valras-Plage
Argens-Minervois
St-Nazaire-d'A.
Moussoulens
Vedilhan
Canal de
Marcorignan
Canet
Raissac-d'Aude
Moussan
Fleury
La Pagèze
La Yole
Narbonne-Vinassan
St-Félix
Vinassan
Les Cabanes-de-Fleury
Grau de Vendres
Villedaigne
Cruscades
Névian
Montredon-des-Corbières
NARBONNE
Marmorières
Armissan
Luc-sur-O.
Orbieu
Ornaisons
Bizanet
Les Hauts de Narbonne
St-Pierre-la-Mer
Port de Brossolette
Narbonne-Plage
Montagne de la Clape
Coffre de Pech Redon
Les Monges
Ricardelle
La Nautique
Boutenac
Gasparets
Joncquières
Saint-Julien
Villemajou
Rochegrise
Les Olieux
Abbe de Fontfroide
Prat de Cest
Bages
Estarac
Étang de Bages
Robine
Gruissan
Montséret
St-André-de-Roquelongue
Mont-Milan
Île St-Martin
Gruissan-Plage
Mé Fioulés
Massif de Fontfroide
Pradines
PARC NATUREL RÉGIONAL
L'Évêque
L'Ayrolle
Étang de L'Ayrolle
Donos
Peyriac-de-Mer
Réserve africaine
Île de l'Aute
Montplaisir
Les Campets
Le Hameau du Lac
Les Cabanes
Sigean
Île Ste-Lucie
Grau de la Vieille Nouvelle
Ripaud
Portel-des-Corbières
Fontjoncouse
Villesèque-des-Corbières
DE LA
Montpezat
Port-la-Nouvelle
NARBONNAISE
Parc éolien des Corbières maritimes
Durban-Corbières
EN
Roquefort-des-Corbières
La Palme
Col de souil
St-Jean-de-Barrou
Fraissé-des-Corbières
Les Cabanes de Lapalme
MÉDITERRANÉE
Col de Canteloup
Feuilla
Lapalme
La Franqui
Col Extrême
Embres-et-Castelmaure
Montoulié de Périllou
Caves
Cap Leucate
Leucate
Treilles
Fitou
Leucate-Plage
Les Cabanes-de-Fitou
Port-Fitou
Opoul-Périllos
Étang de Leucate ou de Salses
Port-Leucate
Fort de Salses
Vingrau
Mas Vespeil
Salses-le-Château
Garrieux
Port-Barcarès
Centre européen de Préhistoire
Montpins
Terrain militaire
Camp militaire
Cases-de-Pène
Espira-de-l'Agly
St-Hippolyte
Le Barcarès
Rivesaltes
St-Laurent-de-la-Salanque
Torreilles-Plage
Baixas
Claira
Pia
Agly
Torreilles
Peyrestortes
Villelongue-de-la-Salanque
Ste-Marie-la-Mer
Ste-Marie-Plage
St-Estève
Bompas
Le Vernet
Têt
Canet-en-Roussillon
Baho
Château Roussillon
Villeneuve-la-Rivière
PERPIGNAN
Canet-Plage
Étang de Canet et de St-Nazaire
Le Soler
Toulouges
Moulin à Vent
Cabestany
St Nazaire
Canohès
Saleilles
Mas Palégry
Pollestres
Alénya
213
1
2
3
4
5

206
0 5 10 km
A
B
C
D
1
2
3
4
5
Sentein
Bonac-Irazein
Lascoux
Ayer
Castillon-en-Couserans
Villargein
Arrien-en-Bethmale
Tournac
La Rivière
Alos
St-Sernin
St-Pierre
Buleix
Castet-d'Aleu
Les Rodes
Les Arils
Biert
Jacoy
Rieuprégon
Pic de Fontfrède
Col de Port
Rocher de Batail
Fraymène
Soueix-Rogalle
Aleu
Col de Saraillé
Massat
Boussenac
Col des Caougnous
Bougarelt
Pic d'Estibat
Prat Communal
Cap de Bouirex
Sentenac-d'Oust
Oust
Pic du Midi de Bordes
Pic de Courbayran
Biac
Estouéou
Luentein
Col de la Core
Seix
Aunac
Saraillé
Cominac
Naudou
Vallée du Garbet
Ercé
Carré
Costes
Le Port
Arac
Le Carol
Pic de la Journalade
Eylie
La Pucelle
Tuc de Quer Ner
Pont de la Taule
Vallée d'Ustou
Pic des Trois Seigneurs
Peyre-Auselère
Parc de la P
Pic de Pioulou
Grotte
Mail de Bulard
Mont Valier
Pic de Fonta
Pic de Barlonguère
Pic de la Pale
Col de Pause
Faup
Angouls
Couflens
Le Trein
Bielle
St-Lizier
(Ustou)
Sérac
Les Jammets
Pic de Montbéas
Aulus-les-Bains
Étg de Lers
Port de Lers
Col d'Agnès
Pic de Girantes
Suc-et-Sentenac
Illiers-et-Laramade
Orus
Sentenac
Saleix
Auzat
Vicdessos
Sem
Goulier
Stillon
Prat Mataou
Guzet-Neige
Cascade d'Arse
Ossèse
Salau
Pic de Soubirou
Port d'Aula
Pic de Montaud
La Noguera Pallaresa
Étangs de Bassiès
Pic Rouge de Bassiès
Artiès
Pique d'Endron
R. Ylnola
Cap de Ruhos
Pic de Certascan
Pic de Turguilla
Pointe des Trois Comtes
L'Artigue
Mounicou
Marc
Beret
Pico de Moredo
Mont Rouch
Port de Beret
Baquèira
Alòs d'Isil
Estany de Certascan
E. de Romedo
Pic de Brougat
Pico de Ventolao
Isil
Sant Joan d'Isil
Port de la Bonaigua
Arriu de Ruda
Pic de Montcalm
Bge de Pla de Soulcem
Pic de Malcaras
Pic de Tristagne
Campirme
Sorpe
Vall d'Àneu
Gavàs
Unarre
Tavascan
la Noguera de Cardós
Pic d'Estats
Pic de Canalbonne
Montarenyo
València d'Àneu
Esterri d'Àneu
Son
Tuc de Saboredo
Lladorre
Pic de la Rouge
Pic de Médecourbe
Parc Nacional d'Aigüestortes i Estany de Sant Maurici
Tuc de Colomers
Jou
La Guingueta
Espot
Pantà de la Torrassa
Lladrós
Monteixo
Vall Ferrera
Esterri de Cardós
Areu
Alt de Comapedrosa
Llorts
Ribera de Cardós
Norís
Tor
Arinsal
Ordino
Erts
Escaló
Vall de Cardós
Ainet de Besan
Araós
Alins
Pal
La Massana
Sispony
Anyós
E. Negre
E. Gento
Sierra de Màniga
Salòria
ANDORRA LA VELLA
Montsent de Pallars
Llessui
Vall de Llessui
Tírvia
Llavorsí
Farrera
Santa Coloma
Bixessarri
Aixovall
Sant Julià de Lòria
Gran Valira
Certers
Cabdella
Caregue
Surp
Roní
Montenartró
Os de Civís
Altron
Rialp
Bernui
Ars
Asnurri
Fontaneda
Juberri
Vall Fosca
Olp
Port Ainé
Sort
Solanell
Sant Joan Fumat
La Torre de Cabdella
Enviny
Torreta de l'Orri
Mont-ros
La Plana
Vilamur
Sant Andreu
Anserall
Vall del Noguera Pallaresa
La Noguera Pallaresa
Coll. del Cantó
Soriguera
Tornafort
Baro
La Pobleta de Bellveí
Feixa
Castellbó
Pallerols
Aravell
La Seu d'Urgell / Seo de Urgel
Guils
Avellanet
La Parròquia d'Hortó
Adrall
Castellciutat
Montferrer i Castellbò
Alàs i Ce
Ortedó
El Segre
Vall
Montcortès
Gerri de la Sal
Llano de Calderes

207
E
F
G
H
1
2
3
4
5
212
Montoulieu
St-Paul-de-Jarrat
Celles
Nalzen
Les Chaubets
St-Jean-d'Aigues-Vives
L'Aiguillon
Vilhac
La Borie
Les Bordes
Puivert
Seignaux
Antras
Labat
Freychenet
Le Gabachou
Montferrier
Villeneuve-d'Olmes
Bénaix
Bélesta
Col Del Teil
Col de la Babourade
Amplaing
Garrabet
Aynat
Mercus-Garrabet
Arignac
Bompas
Croquié
La Peyregade
Montségur
Fougax-et-Barrineuf
Col de la Croix des Morts
L'Espine
Le Sarrat
La Malayrède
La Fage
Coudons
Ginoles
Surba
Arnave
Mont Fourcat
Pelail
Lalibert
La Rouquette
Belvis
Banat
Tarascon-s-Ariège
Serres
Quié
Montagne de la Frau
Langarail
Trassoulas
Plateau de Sault
Belvianes-et-Cavirac
Cazenave-Serres-et-Allens
les Monts d'Olmes
Gges de la Frau
Pas de l'Ours
Belfort-s-Rebenty
La Peyre
Quirbajou
Ussat
Espezel
Ornolac-Ussat-les-Bains
C. de la Gargante
Forêt de la Plaine
Pic de St-Barthélemy
Joucou
Niaux
Grte de Lombrives
Montagne de Tabe
Carrière de Trimouns
Roquefeuil
Galinagues
Marsa
Alliat
Capoulet-et-Junac
Bouan
Sinsat
Verdun
Senconac
Caychax
Comus
Camurac
Belcaire
Junac
Larnat
Aulos
Appy
Prades
Col des Sept Frères
Niort-de-Sault
Mazuby
Rodome
Aunat
Bessède-de-Sault
Arquizat
Norrat
Château-Verdun
Les Cabanes
Albiès
Axiat
Lordat
Pic Fourcat
Miglos
Larcat
Vèbre
Montaillou
Mérial
Gorges du Rebenty
Norgeat
Vernaux
Bestiac
Caussou
Fontanès-de-Sault
Gesse
Gestiès
Aston
Pech
La Remise
Lassur
Garanou
Luzenac
Unac
Col de Marmare
Col du Pradel
La Fajolle
Forêt de Gesse
Siguer
Col de Chioula
Pic de Serembarre
Campagna-de-Sault
Le Bousquet
Tignac
Vaychis
Signal de Chioula
Picaucel
Escouloubre
Sarradeil
Perles-et-Castelet
Le Castelet
Ignaux
Sorgeat
Port de Pailhères
Mijanès
Rouze
Bouychet
Station de Beille
Savignac-les-Ormeaux
Goulours
Ascou
Ascou-Pailhères
Artigues
Col de Garavel
Col de Moulis
Le Puch
Pic de Baljésou
Bge de Riète
Ax-les-Thermes
Orgeix
Pic de Tarbezou
Le Pla
Carcanières
Ax-Bonascre
Plateau de Bonascre
Petches
Orlu
Vallée d'Orlu
Dent d'Orlu
Le Mas
Quérigut
Bge de Laparan
Pic Espaillat
Forge d'Orlu
Hares
Pic du Thoumasset
Pic de Lauzate
Mérens-les-Vals
Le Roc Blanc
Pic de Riet
Tute de l'Ours
Lac de Naguilles
Rieutort
Puyvalador
Odeillo
Pic de Serrère
Pic de la Portaneille
Pic de Ruille
Etg de Beys
Fontrabiouse
Réal
Pic de l'Estanyó
Mérens
Pic d'Ét Faury
Pic Péric
Espousouille
Villeneuve
Pic d'Auriol
Camporells
Formiguères
Col de Creu
La Baladosa
Es de Juclar
L'Hospitalet-près-l'Andorre
Pic du Pam
Matemale
d'Andorra
Ransol
Pic Pédrous
Etang de Lanous
Lac des Bouillouses
Mont Llaret
Les Angles
l'Aldosa
Pic de la Cabanette
Vall d'Incles
Soldeu
Tunnel de Puymorens
Pic Carlit
Roc d'Aude
Valira d'Orient
Canillo
Túnel d'Envalira
Col de Puymorens
Lac de Matemale
Caudiès-de-Conflent
Prats
Coll. d'Ordino
Col de la Quillane
Pic Occtal de Col Rouge
Combeleran
Les Bons
Port d'Envalira
Pas de la Casa
Porté-Puymorens
Col del Pam
Col de la Llose
Alt del Griu
Pics Orientaux de Font Nègre
Porta
Font-Romeu-Odeillo-Via
Pyrénées 2000
La Llagonne
Sant Miquel d'Engolasters
Circ dels Pessons
Mont-Louis
Sauto
Pic dels Pessons
Tours Carol
Targassonne
Égat
Bolquère
La Cabanasse
Puigpedrós
Les Escaldes
Angoustrine
Odeillo
Four Solaire
St-Pierre-dels-Forcats
Planès
Béna
Dorres
Brangoly
Via
Latour-de-Carol
Villeneuve-des-Escaldes
Estavar
Eyne
Eyne 2600
Enveitg
Ur
Llívia
Saillagouse
Llo
Guils de Cerdanya
P. de Monturull
Puigcerdà
Segre
Caldégas
Védrignans
Err
Réserve Naturelle d'Eyne
Gorges du Sègre
Meranges
Sant Martí d'Aravó
Bolvir de Cerdanya
Bourg-Madame
Hix
Nahuja
Ste-Léocadie
Llous
Osséja
La Jassette
Eller
Ger
Aránser
Talltendre
Vilallobent
Palau-de-Cerdagne
Err-Puigmal 2900
Pic de Finestrelles
Vall de Núria
Lles de Cerdanya
All
Olopte
Queixans
Las Planes
Aristot
Músser
Isòvol
Prullans
El Vilar
Urtx
Valcebollère
Puigmal
El Pont de Bar
Traveseres
Baltarga
Prats de Cerdanya
Bellver de Cerdanya
Riu
Das
Alp
Pic de Dorria
Segre
Martinet
Tolóriu
El Segre
Salines
Montellà
Arsèguel
Urús
Masella
Coll. de Toses
Queralbs
Dòrria
Super Molina
La Molina
Parc Natural de Cadí - Moixeró
Toses

0 5 10 km
208
211
A
B
C
D
1
2
3
4
5
Rennes-les-Bains
Fourtou
Sougraigne
Massac
Col de Céd eillan
Col de Redoulade
Col de la Fage
Maisons
Montgaillard
Ségure
Tuchan
La Maurine
Granès
St-Ferriol
Quillan
Laval
St-Just-et-le-Bézu
Le Mas
Bugarach
Col du Linas
Cubières-sur-Cinoble
Soulatgé
Rouffiac-des-Corbières
Col de la Croix dessus
Duilhac-s/s-Peyrepertuse
Chau de Peyrepertuse
Padern
Paziols
Cucugnan
Chau de Quéribus
Ginoles
Belvianes-et-Cavirac
St-Julia-de-Bec
St-Louis-et-Parahou
Parahou-Grand
Pic de Bugarach
La Bastide
Camps-sur-l'Agly
Gorges de Galamus
La Quille
Défilé de Pierre-Lys
Forêt des Fanges
Col de St-Louis
Quirbajou
St-Martin-Lys
Caudiès-de-Fenouillèdes
Prugnanes
St-Paul-de-Fenouillet
Grau de Maury
Mas-de-Las-Frèdes
La Devèze
Marsa
Cailla
Col Camperié
Lavagnac
Lapradelle
Maury
Lesquerde
Bessède-de-Sault
Artigues
Axat
Chau Puilaurens
Le Clat
Gorges de St-Georges
Col del Mas
Fosse
Fenouillet
Les Cabanes
Borde-Neuve
Alzine
Latour-de-France
Agly
Salvezines
Vira
St-Martin
St-Arnac
Rasiguères
Estagel
Gesse
Aude
Forêt de Gesse
Ste-Colombe-sur-Guette
Gincla
Le Vivier
Felluns
Ansignan
Lansac
Planèzes
Le Bousquet
Buillac
Montfort-sur-Boulzane
Bouchevilla
Barrage de Caramany
Cuchous
Montner
Rabouillet
Prats-de-Sournia
Sournia
Trilla
Pézilla-de-Conflent
Cassagnes
Col de la Bataille
Força Réal
Col de Garavel
Roquefort-de-Sault
Counozouls
Caramany
Col de Moulis
Col d'Aussières
Col des Auzines
Corneilla-la-Rivière
Pic Dourmidou
Trévillach
Bélesta
Campoussy
Néfiach
Tarerach
Montalba-le-Château
Millas
Col de Jau
Col de Roque-Jalère
Orgues
Ille-sur-Têt
St-Féliu-d'Amont
Mosset
Rodès
Têt
Marcevol
Corbère-les-Cabanes
Puyvalador
Madres
Molitg
Arboussols
Eus
Bouleternère
St-Michel-de-Llotes
Corbère
Odeillo
Campôme
Catllar
Vinça
Réal
Urbanya
Molitg-les-Bains
Sahorle
Marquixanes
Polig
Réserves Naturelles
Pic de la Pelade
Nohèdes
Espira-de-Conflent
Rigarda
Camélas
Villeneuve
Conat
Prades
Los Masos
Casefabre
Ste-Colombe
La Mouline
Bettlans
La Sacristie
Joch
Castelnou
Prieuré de Serrabone
Col de Creu
Codalet
Finestret
Sansa
Fort Libéria
Ria-Sirach
Abbe St-Michel-de-Cuxa
Estoher
Fontcouverte
Matemale
Villefranche-de-Conflent
Clara-Villerach
Veinat-d'en-Llense
Railleu
Caixas
Ayguatébia-Talau
Jujols
Serdinya
Corneilla-de-Conflent
Taurinya
Glorianes
Prunet
Veïnat-d'en-Joan-Père
Gres des Canalettes
Escala de l'Ours
Boule-d'Amont
Caudiès-de-Conflent
Evol
Oreilla
Ballestavy
Talau
Joncet
Fuilla
Mouline
La Bastide
Col Fourtou
Calmeilles
Tordères
Col de la Quillane
Olette
Souanyas
Fillols
Prunet-et-Belpuig
Llauro
Col de la Llose
Serre de Clavera
Canaveilles
Escaro
Aytua
Vernet-les-Bains
Valmanya
Col Palomère
Mas Cantuern
St-Marsal
Oms
Thuès-les-Bains
Marians
Nyer
Abbe St-Martin
Casteil
Los Masos
Puig de l'Estelle
Taillet
Régional
Canaveilles-les-Bains
Thorrent
Sahorre
Ras del Prat Cabrera
Taulis
N.-D. de la Roure
Sauto
Thuès-Entre-Valls
Gorges de la Carança
Massif du Canigou
Pic du Canigou
Fontpédrouse
Puig de Très Estelles
Col de la Descarga
La Cabanasse
Prats-Balaguer
Belvédère
Py
Puig dels Tres Vents
Palalda
Le Vila
Planès
Col de Mantet
Puig Roja
Montbolo
Céret
Gges de la Fou
Le Bernadou
Amélie-les-Bains-Palalda
Reynès
Pic de Rives Blanques
Pla Guillem
Corsavy
Mantet
Les Estables
Alzine-Rodone
Pic Redoun
Puig de la Collada Verde
Vallespir
Col de la Brousse
Vallée du Mondony
La Souque
Arles-sur-Tech
Pyrénées Catalanes
Montferrer
Les Fourquets
La Llau
Can Parterre
Pic de la Dona
Montalba-d'Amélie
Le Pas du Loup
Pic du Géant
Valter 2000
Roc Colom
Tech
Prats-de-Mollo-la-Preste
Le Tech
St-Sauveur
Pic de Finestrelles
Pic de la Vache
Pla dels Hospitalets
Pic de Costabonne
La Forge-del-Mitg
Roc de France
Vall de Núria
La Preste
Le Grau
Maçanet de Cabrenys
Serralongue
St-Laurent-de-Cerdans
Espinavell
Setcases
Coustouges
Tàpis
Mont Nègre
Balandrau
Col d'Ares
Villeroge
Lamanère
Can Damond
Queralbs
Tregurà de Dalt
Molló
Rocabruna
Serrat
Vilallonga de Ter
Comanegra
Ter

Leucate
Cap Leucate
Leucate-Plage
Fitou
Treilles
Port-Leucate
Port-Barcarès
Le Barcarès
Fort de Salses
Salses-le-Château
Étang de Leucate ou de Salses
Opoul-Périllos
Vingrau
Rivesaltes
St-Laurent-de-la-Salanque
Torreilles-Plage
Torreilles
Ste-Marie-Plage
Ste-Marie-la-Mer
Villelongue-de-la-Salanque
Bompas
St-Estève
Baho
Canet-en-Roussillon
PERPIGNAN
Canet-Plage
Le Soler
Toulouges
Cabestany
St-Nazaire
Étang de Canet et de St-Nazaire
Saleilles
Alénya
Thuir
St-Cyprien-Plage
St-Cyprien
Théza
Elne
Latour-Bas-Elne
Les Capellans
CÔTE VERMEILLE
Argelès-Plage
Racou-Plage
Collioure
Port-Vendres
Argelès-s-Mer
Le Boulou
Site de Paulilles
Banyuls-sur-Mer
Cap Réderis
Cerbère
Cap Cerbère
Le Perthus
Col du Perthus
Pic des 3 Termes
Pic Neulos
Portbou
La Jonquera
Colera
Cap Ras
El Port de Llançà
Llançà
Cap Gros
El Port de la Selva
Espolla
Rabós
Vilamaniscle
Capmany
Garriguella
Biure
Boadella d'Empordà
E
F
G
H
1
2
3
4
5

0 5 10 km
A
B
C
D
1
2
3
4
5
216
Anse de Peraiola
Pnta di l'Acciola
Ogliastro
Lozari
L'Île-Rousse
Île de la Pietra
Marine de Davia
Pnta Vallitoni
Guardiola
Monticello
Mte Negro
Corbara
Occiglioni
Bocca di Carbonaja
Algajola
Marine de St Ambroggio
Sta-Reparata-di-Balagna
Palasca
Pigna
Mte S. Angelo
Tepina
Pnta di Spano
Belgodère
St'Antonino
Aregno
Costa
Occhiatana
Lumio
Lavatoggio
Pte de la Revellata
Calvi
Col de Salvi
Cateri
Avapessa
Murato
Ville-di-Paraso
Speloncato
Nessa
Muro
Pioggiola
Mte Tolo
Anse de Recisa
Lunghignano
Feliceto
Olmi-Cappella
Pietra Major
(Montegrosso)
Cassano
N. D. de la Serra
Montemaggiore
Zilia
Forcini
Mausoléo
Vallica
CALVI-STE-CATHERINE
Baie de Nichiareto
Ste-Restitude
Tartagine
Capo a u Cavallo
Mte Grosso
Moncale
Calenzana
Ft de Melaja
Bocca Serria
Capo Piano
Suare
Figarella
Mte Padro
Gorg
Asco
San Quilico
Bocca di Marsolinu
Mte Corona
Capo di a Morsetta
Argentella
Chaos de Bocca Rezza
Cima di la statoghia
Ferayola
Anse de Ma

0 5 10 km
214
218
Calenzana
Ste-Restitude
Moncale
Chaos de Bocca Rezza
Haut-Asco
Asco
Mte Padro
Mte CINTO
Golfe de Galéria
Galéria
Réserve naturelle de Scandola
Scandola
Golfe de Girolata
Col de la Croix
Osani
Partinello
Serriera
Paglia Orba
Cascade de Radule
Col de Vergio
Cades d'Aïtone
Évisa
Porto
Gges de Spelunca
GOLFE DE PORTO
Les Calanche
Piana
Capo Rosso
Col de Lava
Lac de Nino
Lac de Capitello
Lac de Creno
Soccia
Orto
Vico
Muna
Plage d'Arone
Cargèse
Sagone
Coggia
Golfe de la Liscia
GOLFE DE SAGONE
Rocher Gozzi
Afa
Col de Carazzi
Bocca di Tartavellu
Statue-menhir de Tavera
Ucciani
Carbuccia
Gorges du Prunelli
Bocca di Pruno
AJACCIO
Anse de Minaccia
Pnte de la Parata
AJACCIO NAPOLEON BONAPARTE
Bastelicaccia
Cauro
Porticcio
Col de St Georges

215
E
F
G
H
1
2
3
4
5
Moltifao
Asco
Ponte-Leccia
Costa Roda
Ponte Nuovo
Castello-di-Rostino
Bisinchi
Crocicchia
Divina
Carogne
Monte
Loreto-di-Casinca
Sorbo-Ocagnano
Castellare-di-Casinca
Penta-di-Casinca
Folelli
San-Pellegrino
Parc Galea ★★
Taglio-Isolaccio
Isolaccio
Figareto
Pero-Casevecchie
Talasani
Mezzana
Poggio-Mezzana
Ste Lucie de Moriani
Moriani-Plage
Sta-Lucia-di-Moriani
San-Nicolao
Taverna
Port de Campoloro
Ste Christine ★
Valle-di-Campoloro
Prunete
Piedigriggio
Popolasca
Prato-di-Giovellina
Castiglione ★
Croce d'Arbitro
Francardo
Pont de Castria
Castirla
Soveria
Omessa
Tralonca
Morosaglia
Bocca a Cerna
Giocatojo
La Porta ★
Castineta
Col de Prato
Croce
Ficaja
Scata
Poggio
Pruno
San-Damiano
San-Gavino-d'Ampugnani
Velone-Orneto
San-Giovanni-di-Moriani
★★ Monte S. Petrone
Polveroso
Piazzole
Nocario
Campana
Piedicroce
Couvt d'Orezza ★
Monacia-d'Orezza
Rapaggio
Parata
Valle-d'Orezza
Stazzona
Sta-Reparata-di-Moriani
Sta-Maria-Poggio
Cervione
Carpineto
Poggiale
Felce
Tarrano
Carcheto-Brustico ★
Cambia ★
Carticasi
Piobetta
Pietricaggio
Aiti
Lano
Erone
Rusio
Mte Piano Maggiore
Saliceto
San-Lorenzo
Pnta de Caldane
Pnte de Nevera
Valle-d'Alesani
St Andréa-di-Cotone
Collo di S. Quilico
Bistuglio
Sta-Lucia-di-Mercurio
Col de St-Antoine
Bustanico
Sermano
Alando
Alzi
Mazzola
Perelli
Piazzali
Novale
Ortale
Pietra-di-Verde
Col de S. Gavino
Canale-di-Verde
Chiatra
San-Giuliano
Careggia
Pinerole
★★ Mte Cecu
Corte
Castellare-di-Mercurio
Arbitro
St Andréa-di-Bozio
Pianello
Moïta
Matra
Campi
Linguizzetta
Tavignano
Favalello
Col de Casardo ★
Col de San Cervone
Col de la Foata
Zalana
Zuani
Tox
Vignale
Erbajolo
Ampriani
Gges de la Restonica
Casanova
Poggio-di-Venaco
Focicchia
Piedicorte-di-Gaggio
Riventosa
Sto-Pietro-di-Venaco
Venaco
★★ Col de Bellagranajo
Pietraserena
Tallone
Altiani
Bravone
Mte Cardo
Serragio
Pont Génois
Giuncaggio
Pancheraccia
Pianiccia
Marine de Bravone
Mte Rotondo
Pt du Vecchio
Noceta
Rospigliani
Occhio Vario
Fajo
Casabertola
★★ Col de Morello
Vivario
Col d'Erbajo
Vezzani
Antisanti
Frassiccia
Tallone
Col de la Serra
Canaglia
Muracciole
Pietroso
Casevecchie
Campo Quercio
Vaccaja
Étang de Diane
Cateraggio
Plage de Padulone
Col de Campo di Luppo
Tattone
Pnta Muro
Col de Sorba
Saparelle
Letto Maio
Aghione
Mte d'Oro
Forêt de Vizzavona
Vizzavona ★
Salastraco
Rosse
Défilé des Strette
Défilé de l'Inzecca
Quinzena
Maison Pieraggi
Teppe Rosse
Aléria ★
Ville antique
Casabianda
Cades des Anglais
La Foce
Col de Vizzavona
Ghisoni
Sampolo
Pinzalone
St Antoine
Samuleto
Vadina
Centre pénitencier agricole de Casabianda
Pnta di l'Oriente
Busso
Lugo-di-Nazza
Ghisonaccia-Gare
Bocognano
Villanova
Mte Renoso
Poggio-di-Nazza
Étang d'Urbino
Cade du Voile de la Mariée ★
Fium' Orbo
Marmano
Pnta Bocca dell Oro
Aiola
Valcaccia
Padula
Col de Scalella
Col de Verde
Ghisonaccia
Prunelli-di-Fiumorbo ★
Acciani
Abbazia
Marina Erba-Rossa
Migliacciaro
Forêt de Verde
S. Pietro di
Mte Giovanni
Pnta di a Cappella
Isolaccio-di-Fiumorbo
Pietrapola
Morta
Calzarello
Casamozza
Bastelica
Val d'Ese
Serra-di-Fiumorbo
Pinello
Col de Ciano
Palneca
St-Antoine
San-Gavino-di-Fiumorbo
Ania
Mignataja
Piediquarcio
Vix
Étang de Palo
de Cricheto
Pnta di Quarcio-Grosso
Ciamannacce
Mte Formicola
Ventiseri
Parata
Pnta di Mantelluccio
Tasso
Chisa
Sampolo
Cozzano
Giovicacce
Lostinchello
Travo
Basalla
Bura
Solaro
Mte Occhiato
Pnta Lattonaccia
Marine de Solaro
Guitera-les-Bains
Vergajo
Zicavo
Frasseto
Zévaco
Bains-de-Guitera
Bergeries-de-Basseta
219
Marine de Scaffa Rossa
Mte Malo
Pnta Mozza
Solenzara
Col de Granaccia
Corrano
Matalza
Forêt de Tova
Pnta Tinturaia
★★★ Mte Incudine
Azilone
Togna
T 10
T 20
T 50
N 200

218
0
5
10 km
216
Capo di Feno
Villanova
Pnta di Lisa
790
779
203
Mezzavia
T 22
T 20
3
Botaccina
Vignola
20
Gorges
536
Radicale
Bocca
Sant' Alber
Suarella
Prunelli
Eccica-Suarella
D 27
1346
★★AJACCIO
6
8
4
D 111B
D 3
T 11
Bastelicaccia
Cauro
T 40
Quasquara
Campo
Minaccia
AJACCIO-NAPOLÉON BONAPARTE
46
Pisciatello
12
Sta-Maria-Siché
283
Vignola
12
Ariadne
D 111
Marina Viva
D 302
Col de St Georges
747
Scudo
D 55
D 555
★★Pnte de la Parata
Porticcio
Grosseto-Prugna
Cardo-Torgia
★★Îles Sanguinaires
32
Pnta Cozzanaccio
1060
Albitreccia
Prugna
Torgia
1
Plage d'Agosta
Molini
Col de Bellevalle
552
Bisinao
D 55
Guargualé
17
★★GOLFE
Pnte de Sette Nave
Agnarello
La Crociata
Urbalacone
T 40
D 2
D 26
D'AJACCIO
Plage de Ruppione
Le Ruppione
Pietrosella
Col d'Aja Bastiano
(600)
Marato
Cognocoli-Monticchi
69
Bains-de-Taccana
D 55
23
629
Col de Chenova
D 302
Pila-Canale
Verghia
Forêt de Chiavari
760
D 757
★Portigliolo
D 55
530
Col de Gradello
10
D 757
Petreto-Bicchisano
Pnta di a Castagna
Castagna
523
Col de Cortone★
Pratavone
10
Mte S. P
1398
★Golfe d'Arena Rossa
Ariezza
D 155
624
Coti-Chiavari
Taravo
D 302
10
Casalabriva
2
Acqua Doria
Zivignola
11
582
Tassinca
D 757
D 57
Calvese
Col de Celaccia
Pnta Guardiola
Monte Bianco
23
Marmontaja
Sollacaro
Pietra Rossa
Site préhistorique de Filitosa★★
Milucia
Martini
274
Serra-di-Ferro
D 155
D 57
516
T 40
Olmeto
Sta-M Figari
Capo di Muro
Baie de Cupabia
★Castello de Cuntorba
7
Capo Nero
Porto-Pollo
10
D 257
D 557
★Fozz
Abbartello
D 157
D 257
Baracci
Olmeto-Plage
Viggianello
Vetaro
Pnte de Porto Pollo
Propriano
7
D 19
★Pont Spin'a Cav
80
GOLFE DE VALINCO★
Rizzanèse
1
D 69
4
T 40
Portigliolo
D 121
12
Pnte de Campomoro
605
491
★Sartène
D 69
3
Tivolaggio
★Campomoro
Belvedère
Bilia
5
290
Belvédère-Campomoro
328
Bocca Albitrina
404
Grossa
449
D 48
Giur
Punta d'Eccica
111
210
227
383
Orasi
17
131
196
Bocca di Capirossu
296
44
Punta di Senetosa
75
D 48
D 48A
197
Tizzano
4
★Mégalithes de Cauria
Cap de Zivia
107
Roc
Rocher du Lion
Cap de Roccapina
5
A
B
C
D

Solenzara
Sari-Solenzara
Mte Incudine
Pnta Tinturaia
Cascade de Polischellu
Col de Larone
Aiguilles de Bavella
Col de Bavella
Trou de la Bombe
Aullène
Serra-di-Scopamène
Sites de Cucuruzzu et Capula
Altagène
Ste-Lucie-de-Tallano
Carbini
Levie
Zonza
Quenza
Conca
Favone
Col de Guardia
Anse de Fautea
Ste-Lucie-de-Porto-Vecchio
Lecci
Golfe de Pinarellu
Île de Pinarellu
Castellu d'Araghju
L'Ospédale
Golfe de Porto-Vecchio
Porto-Vecchio
Pnte de la Chiappa
Iles Cerbicale
Plage de Palombaggia
Golfe de Sta Giulia
Sta Giulia
Bocca d'Arésia
Baie de Rondinara
Golfe de Sta Manza
Figari
FIGARI-SUD CORSE
Pianottoli-Caldarello
Golfe de Figari
Golfe de Ventilegne
Plage de Tonnara
Ermitage de la Trinité
Grte du Sdragonato
Capo di Feno
Bonifacio
Capo Pertusato
Pnte de Sperone
Ile Cavallo
Île Lavezzi
Plage de Calalonga
Plage de Piantarella
Gurgazu
2A CORSE
BOUCHES DE BONIFACIO

Localité (Département) Page Coordonnées

A

Aast (64) 186 D 5
Abainville (55) 56 A 3
Abancourt (59) 8 D 4
Abancourt (60) 14 C 3
Les Abatilles (33) 154 A 3
Abaucourt (54) 37 E 5
Abaucourt-Hautecourt (55) 20 A 5
Abbans-Dessous (25) 110 C 1
Abbans-Dessus (25) 110 C 1
Abbaretz (44) 83 F 2
L'Abbaye (30) 178 A 2
L'Abbaye-sous-Plancy (10) 53 G 3
Abbécourt (02) 16 C 4
Abbecourt (60) 31 E 1
Abbenans (25) 95 G 2
Abbeville (SP) (80) 6 D 5
Abbéville-la-Rivière (91) 51 E 5
Abbéville-lès-Conflans (54) 20 C 5
Abbeville-St-Lucien (60) 15 E 5
Abbévillers (25) 96 D 3
Abeilhan (34) 192 B 4
Abelcourt (70) 77 F 5
L'Aber-Wrac'h (29) 41 E 2
Abère (64) 186 D 4
L'Abergement-Clémenciat (01) 122 C 5
L'Abergement-de-Cuisery (71) 122 C 1
L'Abergement-de-Varey (01) 137 E 1
Abergement-la-Ronce (39) 109 H 1
Abergement-le-Grand (39) 110 B 3
Abergement-le-Petit (39) 110 B 3
Abergement-lès-Thésy (39) 110 D 2
Abergement-St-Jean (39) 109 H 3
L'Abergement-Ste-Colombe (71) 109 F 4
Abidos (64) 186 A 4
Abilly (37) 102 D 3
Abitain (64) 185 F 4
Abjat-sur-Bandiat (24) 129 F 5
Ablain-St-Nazaire (62) 8 A 2
Ablaincourt-Pressoir (80) 16 A 2
Ablainzevelle (62) 8 A 4
Ablancourt (51) 54 C 1
Ableiges (95) 30 D 4
Les Ableuvenettes (88) 77 E 1
Ablis (78) 50 C 4
Ablon (14) 28 B 1
Ablon-sur-Seine (94) 51 F 2
Aboën (42) 148 C 1
Aboncourt (54) 56 C 5
Aboncourt (57) 21 F 4
Aboncourt-Gesincourt (70) 76 D 5
Aboncourt-sur-Seille (57) 57 F 1
Abondance (74) 125 F 3
Abondant (28) 50 A 1
Abos (64) 186 A 4
Abreschviller (57) 58 B 2
Abrest (03) 120 B 5
Les Abrets-en-Dauphiné (38) 137 F 5
Abriès (05) 167 G 1
Abscon (59) 8 D 3
L'Absie (79) 100 D 5
Abzac (16) 116 A 5
Abzac (33) 141 H 5
Accolans (25) 95 G 2
Accolay (89) 91 F 1
Accons (07) 163 E 1
Accous (64) 203 F 3
Achain (57) 37 G 5
Achen (57) 38 B 3
Achenheim (67) 59 E 2
Achères (18) 89 G 5
Achères (28) 49 H 3
Achères (78) 30 D 5
Achères-la-Forêt (77) 51 G 5
Achery (02) 16 D 3
Acheux-en-Amiénois (80) 7 H 5
Acheux-en-Vimeu (80) 6 C 5
Acheville (62) 8 B 2
Achey (70) 94 B 2
Achicourt (62) 8 A 3
Achiet-le-Grand (62) 8 A 4
Achiet-le-Petit (62) 8 A 5
Achun (58) 107 F 1
Achy (60) 14 D 5
Acigné (35) 65 G 2
Aclou (27) 28 D 3
Acon (27) 49 G 2
Acq (62) 8 A 3
Acqueville (14) 27 F 5
Acqueville (50) 22 C 3
Acquigny (27) 29 G 3
Acquin-Westbécourt (62) 2 D 4
Acy (02) 32 D 1
Acy-en-Multien (60) 32 A 4
Acy-Romance (08) 18 B 5
Adaincourt (57) 37 F 4
Adainville (78) 50 B 2
Adam-lès-Passavant (25) 95 F 4
Adam-lès-Vercel (25) 95 G 5
Adamswiller (67) 38 C 5
Adast (65) 204 B 3
Adé (65) 204 B 1
Adelange (57) 37 G 4
Adelans-et-le-Val-de-Bithaine (70) 77 F 5
Adervielle (65) 205 E 4
Adilly (79) 101 F 5
Adinfer (62) 8 A 4
Adissan (34) 192 C 3
Les Adjots (16) 115 F 5
Adon (08) 18 B 4
Adon (45) 72 A 5
Les Adrets (38) 152 A 2
Les Adrets-de-l'Esterel (83) 198 D 2
Adriers (86) 116 A 4
Afa (2A) 216 C 5
L'Affenadou (30) 178 A 2
Affieux (19) 130 D 5
Affléville (54) 20 B 4
Affoux (69) 135 F 2
Affracourt (54) 57 E 4
Affringues (62) 2 D 5
Agassac (31) 188 C 4
L'Agasse (30) 178 B 2
Agde (34) 192 D 5
Agel (34) 191 G 5
Agen [P] (47) 172 B 2
Agen-d'Aveyron (12) 175 H 1
Agencourt (21) 109 F 1
Agenville (80) 7 F 4
Agenvillers (80) 6 D 4
Les Ageux (60) 31 G 2
Ageville (52) 75 H 2
Agey (21) 93 E 5
Aghione (2B) 217 G 3
Agincourt (54) 57 E 1
Agmé (47) 156 C 4
Agnac (47) 156 C 3
Agnat (43) 147 G 2
Agneaux (50) 25 F 3
Agnetz (60) 31 F 1
Agnez-lès-Duisans (62) 8 A 3
Agnicourt-et-Séchelles (02) 17 H 3
Agnières (62) 7 H 3
Agnières-en-Dévoluy (05) 166 A 2
Agnin (38) 149 H 2
Agnos (64) 203 F 1
Agny (62) 8 A 3
Agon-Coutainville (50) 24 C 4
Agonac (24) 143 F 2
Agonès (34) 177 G 5
Agonges (03) 119 H 1
Agonnay (17) 127 E 2
Agos-Vidalos (65) 204 B 2
Agris (16) 128 C 3
Agudelle (17) 141 F 1
Les Agudes (31) 205 F 4
Aguessac (12) 176 B 2
Aguilcourt (02) 33 G 1
Aguts (81) 190 A 3
Agy (14) 25 H 2
Ahaxe-Alciette-Bascassan (64) 202 C 1
Ahetze (64) 184 C 3
Ahéville (88) 57 E 5
Ahuillé (53) 66 C 3
Ahun (23) 118 A 5
Ahuy (21) 93 F 4
Aibes (59) 10 A 2
Aibre (25) 95 H 2
Aïcirits (64) 185 F 4
Aiffres (79) 114 B 3
Aigaliers (30) 178 B 3
L'Aigle (61) 48 D 2
Aiglemont (08) 18 D 2
Aiglepierre (39) 110 C 2
Aigleville (27) 29 H 4
Aiglun (04) 181 F 3
Aiglun (06) 182 C 4
Aignan (32) 187 E 1
Aignay-le-Duc (21) 92 D 1
Aigne (34) 191 G 5
Aigné (72) 68 A 3
Aignerville (14) 23 G 5
Aignes (31) 189 G 5
Aignes-et-Puypéroux (16) 142 B 1
Aigneville (80) 6 C 5
Aigny (51) 34 A 4
Aigonnay (79) 114 C 3
Aigre (16) 128 A 2
Aigrefeuille (31) 189 G 3
Aigrefeuille-d'Aunis (17) 113 F 5
Aigrefeuille-sur-Maine (44) 99 G 1
Aigremont (30) 178 A 4
Aigremont (52) 76 B 3
Aigremont (78) 30 D 5
Aigremont (89) 91 G 1
Aiguebelette-le-Lac (73) 137 H 5
Aiguebelle (73) 138 C 5
Aigueblanche (73) 138 D 5
Aiguefonde (81) 190 D 3
Aigueparse (24) 157 G 3
Aigueperse (63) 133 F 1
Aigueperse (69) 121 H 3
Aigues-Juntes (09) 206 D 2
Aigues-Mortes (30) 193 H 3
Aigues-Vives (09) 207 G 3
Aigues-Vives (11) 208 C 1
Aigues-Vives (30) 193 H 1
Aigues-Vives (34) 191 G 5
Aiguèze (30) 178 D 1
Aiguilhe (43) 148 B 4
L'Aiguille (87) 130 A 3
Aiguilles (05) 167 G 1
L'Aiguillon (09) 207 G 3
Aiguillon (47) 172 A 1
L'Aiguillon-sur-Mer (85) 112 D 3
L'Aiguillon-sur-Vie (85) 98 D 4
Aiguines (83) 181 G 5
Aigurande (36) 117 H 2
Ailefroide (05) 152 D 5
Ailhon (07) 163 E 3
Aillant-sur-Milleron (45) 72 A 5
Aillant-sur-Tholon (89) 72 D 4
Aillas (33) 156 A 4
Ailleux (42) 134 C 3
Aillevans (70) 95 G 1
Ailleville (10) 74 D 1
Aillevillers-et-Lyaumont (70) 77 F 3
Aillianville (52) 56 A 5
Aillières-Beauvoir (72) 48 B 5
Aillon-le-Jeune (73) 138 A 4
Aillon-le-Vieux (73) 138 A 4
Ailloncourt (70) 77 F 5
Ailly (27) 29 G 3
Ailly-le-Haut-Clocher (80) 7 E 5
Ailly-sur-Noye (80) 15 G 3
Ailly-sur-Somme (80) 15 F 1
Aimargues (30) 193 H 1
Aime-la-Plagne (73) 139 E 4
Ainay-le-Château (03) 105 H 5
Ainay-le-Vieil (18) 105 G 5
Aincille (64) 202 C 1
Aincourt (95) 30 C 4
Aincreville (55) 35 F 1
Aingeray (54) 56 D 1
Aingeville (88) 76 B 1
Aingoulaincourt (52) 55 G 4
Ainharp (64) 185 G 5
Ainhice-Mongelos (64) 185 E 5
Ainhoa (64) 184 C 4
Ainvelle (70) 77 E 4
Ainvelle (88) 76 C 3
Airaines (80) 14 D 1
Airan (14) 27 G 3
Aire (08) 18 A 5
Aire-sur-la-Lys (62) 3 F 5
Aire-sur-l'Adour (40) 186 C 1
Airel (50) 25 F 2
Les Aires (34) 192 A 3
Airion (60) 31 F 1
Airon-Notre-Dame (62) 6 C 2
Airon-St-Vaast (62) 6 C 2
Airoux (11) 190 A 4
Airvault (79) 101 G 4
Aiserey (21) 93 G 5
Aisey-et-Richecourt (70) 76 D 4
Aisey-sur-Seine (21) 74 C 5
Aisne (85) 113 F 2
Aisonville-et-Bernoville (02) 17 E 1
Aïssey (25) 95 F 4
Aisy-sous-Thil (21) 92 B 4
Aisy-sur-Armançon (89) 92 A 1
Aiti (2B) 217 F 1
Aiton (73) 138 B 4
Aix (19) 131 H 5
Les Aix-d'Angillon (18) 105 G 1
Aix-en-Diois (26) 165 F 2
Aix-en-Ergny (62) 2 D 5
Aix-en-Issart (62) 6 D 1
Aix-en-Othe (10) 73 F 1
Aix-en-Pévèle (59) 4 D 5
Aix-en-Provence (SP) (13) 195 H 3
Aix-la-Fayette (63) 133 H 5
Aix-les-Bains (73) 137 H 3
Aix-Noulette (62) 4 A 5
Aixe-sur-Vienne (87) 129 H 3
Aizac (07) 163 E 2
Aizanville (52) 75 E 2
Aize (36) 104 B 1
Aizecourt-le-Bas (80) 16 B 1
Aizecourt-le-Haut (80) 16 B 1
Aizecq (16) 128 C 1
Aizelles (02) 17 G 5
Aizenay (85) 99 F 4
Aizier (27) 28 D 1
Aizy-Jouy (02) 33 E 1
Ajac (11) 207 H 2
Ajaccio [R] (2A) 218 C 1
Ajain (23) 118 A 4
Ajat (24) 143 H 4
Ajoncourt (57) 37 E 5
Ajou (27) 29 E 5
Ajoux (07) 163 F 2
Alaigne (11) 207 H 2
Alaincourt (02) 16 D 3
Alaincourt (70) 76 D 3
Alaincourt-la-Côte (57) 37 E 5
Alairac (11) 208 A 1
Alaise (25) 110 D 2
Alan (31) 206 A 1
Alando (2B) 217 F 2
Alata (2A) 216 C 5
Alba-la-Romaine (07) 163 F 4
Alban (81) 175 F 5
Albanne (73) 152 D 2
Albaret-le-Comtal (48) 161 E 1
Albaret-Ste-Marie (48) 161 F 1
Albaron (13) 194 B 2
Albas (11) 208 D 3
Albas (46) 158 A 5
Albé (67) 58 D 4
Albefeuille-Lagarde (82) 173 G 3
L'Albenc (38) 151 E 3
Albens (73) 137 H 2
Albepierre-Bredons (15) 146 C 4
L'Albère (66) 213 E 4
Alberoche (15) 146 B 3
Albert (80) 15 H 1
Albertacce (2B) 216 D 2
Albertville (SP) (73) 138 C 3
Albespeyres (48) 162 B 4
Albestroff (57) 37 H 4
Albi [P] (81) 174 D 4
Albiac (31) 189 H 3
Albiac (46) 159 E 2
Albias (82) 173 H 3
Albières (11) 208 C 3
Albiès (09) 207 F 5
Albiez-le-Jeune (73) 152 C 2
Albiez-le-Vieux (73) 152 C 2
Albiez-Montrond (73) 152 C 3
Albignac (19) 144 D 4
Albigny (74) 138 B 1
Albigny-sur-Saône (69) 135 H 2
Albine (81) 191 E 4
Albiosc (04) 196 D 1
Albitreccia (2A) 218 D 1
Albon (26) 149 H 3
Albon-d'Ardèche (07) 163 E 1
Alboussière (07) 149 G 5
Les Albres (12) 159 G 4
Albussac (19) 145 E 4
Alby-sur-Chéran (74) 138 A 2
Alçay-Alçabéhéty-Sunharette (64) 202 D 1
Aldudes (64) 202 A 1
Alembon (62) 2 C 4
Alençon [P] (61) 47 H 4
Alénya (66) 213 F 3
Aléria (2B) 217 H 4
Alès (SP) (30) 178 A 3
Alet-les-Bains (11) 208 A 3
Alette (62) 6 D 1
Aleu (09) 206 C 4
Alex (74) 138 B 1
Alexain (53) 66 C 1
Aleyrac (26) 164 C 4
Alfortville (94) 51 F 1
Algajola (2B) 214 C 4
Algans (81) 190 A 2
Algolsheim (68) 79 E 2
Algrange (57) 20 D 3
Alièze (39) 110 B 5
Alignan-du-Vent (34) 192 C 3
Alincourt (08) 34 B 1
Alincthun (62) 2 C 4
Alise-Ste-Reine (21) 92 C 2
Alissas (07) 163 G 2
Alix (69) 135 G 2
Alixan (26) 150 C 5
Alizay (27) 29 G 2
Allain (54) 56 C 3
Allaines (80) 16 B 1
Allaines-Mervilliers (28) 70 C 2
Allainville (28) 49 H 2
Allainville (78) 50 C 4
Allainville-en-Beauce (45) 70 D 1
Allaire (56) 82 C 1
Allamont (54) 36 B 3
Allamps (54) 56 B 3
Allan (26) 163 H 4
Allanche (15) 146 D 3
Alland'Huy-et-Sausseuil (08) 18 C 5
Allarmont (88) 58 B 3
Allas-Bocage (17) 141 F 1
Allas-Champagne (17) 127 G 5
Allas-les-Mines (24) 157 H 1
Allassac (19) 144 C 3
Allauch (13) 196 A 4
Allègre (43) 148 A 3
Allègre-les-Fumades (30) 178 B 2
Alleins (13) 195 F 1
Allemagne-en-Provence (04) 181 E 5
Allemanche-Launay-et-Soyer (51) 53 F 3
Allemans (24) 142 C 2
Allemans-du-Dropt (47) 156 C 3
Allemant (02) 17 E 5
Allemant (51) 53 G 2
Allemont (38) 152 A 3
Allenay (80) 6 B 5
Allenc (48) 161 H 4
Allenjoie (25) 96 D 2
Allennes-les-Marais (59) 4 B 4
Allenwiller (67) 58 D 2
Allerey (21) 92 C 5
Allerey-sur-Saône (71) 109 F 3
Allériot (71) 109 F 4
Allery (80) 14 D 1
Alles-sur-Dordogne (24) 157 G 1
Les Alleuds (49) 85 E 4
Les Alleuds (79) 114 D 4
Les Alleux (08) 18 D 5
Alleuze (15) 147 E 5
Allevard (38) 152 A 1
Allèves (74) 138 A 3
Allex (26) 163 H 2
Alleyrac (43) 162 B 1
Alleyras (43) 162 A 1
Alleyrat (19) 131 G 5
Alleyrat (23) 131 G 1
Allez-et-Cazeneuve (47) 157 E 5
Alliancelles (51) 55 E 1
Alliat (09) 207 E 4
Allibaudières (10) 53 H 3
Allichamps (52) 55 E 3
Allier (65) 204 C 1
Allières (09) 206 C 2
Les Alliés (25) 111 G 2
Alligny-Cosne (58) 90 B 3
Alligny-en-Morvan (58) 92 A 5
Allineuc (22) 63 G 1
Allinges (74) 124 D 2
Allogny (18) 89 F 5
Allondans (25) 96 C 2
Allondaz (73) 138 C 3
Allondrelle-la-Malmaison (54) 20 A 2
Allonne (60) 31 E 1
Allonne (79) 114 B 1
Allonnes (28) 50 B 5
Allonnes (49) 85 H 4
Allonnes (72) 68 A 3
Allons (04) 182 A 3
Allons (47) 171 F 2
Allonville (80) 15 G 1
Allonzier-la-Caille (74) 138 A 1
Allos (04) 182 A 1
Allouagne (62) 7 H 1
Alloue (16) 129 E 1
Allouis (18) 105 E 1
Allouville-Bellefosse (76) 13 E 4
Les Allues (73) 138 D 5
Les Alluets-le-Roi (78) 30 C 5
Alluy (58) 107 F 2
Alluyes (28) 69 H 1
Ally (15) 145 H 3
Ally (43) 147 F 4
Almayrac (81) 174 D 3
Almenêches (61) 48 A 2
Almont-les-Junies (12) 159 H 4
Alos (09) 206 B 3
Alos (81) 174 B 4
Alos-Sibas-Abense (64) 203 E 1
Alotz (64) 184 C 3
L'Alouette (33) 155 E 1
Aloxe-Corton (21) 109 E 1
Alpe-d'Huez (38) 152 A 4
Alpuech (12) 160 C 2
Alquines (62) 2 D 4
Alrance (12) 175 H 3
Alsting (57) 38 A 2
Altagène (2A) 219 E 2
Alteckendorf (67) 39 E 5
Altenach (68) 97 E 1
Altenheim (67) 58 D 1
Altenstadt (67) 39 G 3
Althen-des-Paluds (84) 179 F 4
Altiani (2B) 217 F 2
Altier (48) 162 B 5
Altillac (19) 145 E 5
Altkirch (SP) (68) 97 F 1
Altorf (67) 59 E 3
Altrippe (57) 37 H 4
Altviller (57) 37 H 3
Altwiller (67) 38 A 4
Aluze (71) 108 D 3
Alvignac (46) 158 D 1
Alvimare (76) 12 D 4
Alzen (09) 206 D 3
Alzi (2B) 217 F 2
Alzing (57) 21 G 4
Alzon (30) 177 E 4
Alzonne (11) 190 C 5
Alzons (48) 162 B 4
Amage (70) 77 G 4
Amagne (08) 18 C 5
Amagney (25) 95 E 4
Amailloux (79) 101 F 4
Amance (10) 74 C 1
Amance (54) 57 E 1
Amance (70) 76 D 5
Amancey (25) 111 E 1
Amancy (74) 124 D 5
Amange (39) 94 B 5
Amanlis (35) 65 G 3
Amanty (55) 56 A 3
Amanvillers (57) 20 D 5
Amanzé (71) 121 G 3
Amareins (01) 122 B 5
Amarens (81) 174 C 3
Amathay-Vésigneux (25) 111 E 1
Amayé-sur-Orne (14) 27 F 3
Amayé-sur-Seulles (14) 25 H 3
Amazy (58) 91 E 4
Ambacourt (88) 57 E 5
Ambarès-et-Lagrave (33) 141 F 5
Ambax (31) 188 C 4
Ambazac (87) 130 B 1
Ambel (38) 166 A 1
Ambenay (27) 48 D 1
Ambérac (16) 128 B 2
Ambérieu-en-Bugey (01) 137 E 1
Ambérieux (69) 135 H 2
Ambérieux-en-Dombes (01) 136 B 1
Ambernac (16) 129 E 1
Amberre (86) 101 H 4
Ambert (SP) (63) 134 B 5
Ambès (33) 141 F 5
Ambeyrac (12) 159 F 4
Ambialet (81) 175 F 4
Ambiegna (2A) 216 C 4
Ambierle (42) 121 E 5
Ambiévillers (70) 77 E 3
Ambillou (37) 86 B 3
Ambillou-Château (49) 85 F 5
Ambilly (74) 124 C 4
Amblaincourt (55) 35 G 5
Amblainville (60) 31 E 3
Amblans-et-Velotte (70) 95 F 1
Ambleny (02) 32 C 1
Ambléon (01) 137 F 3
Amblérieu (38) 137 E 2
Ambleteuse (62) 2 A 3
Ambleville (16) 127 H 5
Ambleville (95) 30 B 3
Amblie (14) 27 E 2
Amblimont (08) 19 F 4
Ambloy (41) 87 F 1
Ambly-Fleury (08) 18 C 5
Ambly-sur-Meuse (55) 35 H 4
Amboise (37) 87 F 4
Ambon (56) 81 H 3
Ambonil (26) 163 H 2
Ambonnay (51) 34 A 4
Ambonville (52) 55 F 5
Ambourville (76) 13 F 5
Ambrault (36) 104 D 4
Ambres (81) 190 A 1
Ambricourt (62) 7 F 1
Ambrief (02) 32 D 2
Ambrières (51) 55 E 3
Ambrières-les-Vallées (53) 46 D 5
Ambrines (62) 7 H 3
Ambronay (01) 137 E 1
Ambrugeat (19) 131 G 5
Ambrumesnil (76) 13 G 2
Ambrus (47) 171 H 2
Ambutrix (01) 137 E 1
Amécourt (27) 30 B 1
Amel-sur-l'Étang (55) 20 B 4
Amelécourt (57) 37 F 5
Amélie-les-Bains-Palalda (66) 212 D 4
L'Amélie-sur-Mer (33) 126 B 5
Amendeuix-Oneix (64) 185 F 4
Amenoncourt (54) 57 H 2
Amenucourt (95) 30 B 4
Ames (62) 7 G 1
Amettes (62) 7 G 1
Ameugny (71) 122 A 1
Ameuvelle (88) 76 D 3
Amezpetu (64) 184 C 4
Amfreville (14) 27 G 2
Amfreville (50) 23 E 5
Amfreville-Saint-Amand (27) 29 F 3
Amfreville-la-Mi-Voie (76) 29 G 1
Amfreville-les-Champs (27) 29 H 2
Amfreville-les-Champs (76) 13 F 3
Amfreville-sous-les-Monts (27) 29 H 2
Amfreville-sur-Iton (27) 29 G 3
Amfroipret (59) 9 G 3
Amiens [P] (80) 15 F 2
Amifontaine (02) 17 H 5
Les Amignons (06) 182 C 2
Amigny (50) 25 F 3
Amigny-Rouy (02) 16 D 4
Amillis (77) 52 C 2
Amilly (28) 49 H 4
Amilly (45) 71 H 4
Amions (42) 134 C 2
Amirat (06) 182 C 4
Ammerschwihr (68) 78 C 1
Ammertzwiller (68) 78 C 5
Ammeville (14) 27 H 5
Amné (72) 67 H 3
Amnéville (57) 21 E 4
Amoncourt (70) 76 D 5
Amondans (25) 110 D 1
Amont-et-Effreney (70) 77 G 4
Amorots-Succos (64) 185 F 4
Amotz (64) 184 C 4
Amou (40) 185 H 2
Amphion-les-Bains (74) 125 E 2
Ampilly-le-Sec (21) 74 C 5
Ampilly-les-Bordes (21) 92 D 1
Amplepuis (69) 135 E 1
Amplier (62) 7 G 4
Ampoigné (53) 66 C 5
Amponville (77) 71 G 1
Ampriani (2B) 217 G 2
Ampuis (69) 135 H 5
Ampus (83) 197 F 2
Amuré (79) 113 H 3
Amy (60) 16 A 4
Anais (16) 128 C 3
Anais (17) 113 G 4
Anan (31) 188 B 4
Ance (64) 203 F 1
Anceaumeville (76) 13 G 4
Anceins (61) 48 C 1
Ancelle (05) 166 C 3
Ancemont (55) 35 H 4
Ancenis (SP) (44) 84 A 4
Ancerville (55) 55 F 2
Ancerville (57) 37 F 4
Ancerviller (54) 58 A 3
Ancey (21) 93 E 4
Anchamps (08) 10 D 5
Anché (37) 102 A 1
Anché (86) 115 F 3
Anchenoncourt-et-Chazel (70) 77 E 4
Ancienville (02) 32 C 3
Ancier (70) 94 B 3
Ancinnes (72) 48 A 5
Ancizan (65) 205 E 4
Les Ancizes-Comps (63) 132 D 2
Ancône (26) 163 G 3
Ancourt (76) 13 H 1
Ancourteville-sur-Héricourt (76) 13 E 3
Ancretiéville-St-Victor (76) 13 F 4

Ancretteville-sur-Mer (76) 12 D 2
Ancteville (50) 24 D 3
Anctoville (14) 25 H 3
Anctoville-sur-Boscq (50) 24 C 5
Ancy (69) 135 F 2
Ancy-Dornot (57) 36 D 4
Ancy-le-Franc (89) 74 A 5
Ancy-le-Libre (89) 74 A 5
Andainville (80) 14 C 2
Andance (07) 149 H 3
Andancette (26) 149 H 3
Andard (49) 85 E 3
Andé (27) 29 G 2
Andechy (80) 16 A 3
Andel (22) 44 A 3
Andelain (02) 16 D 4
Andelaroche (03) 120 D 4
Andelarre (70) 95 E 1
Andelarrot (70) 95 E 2
Andelat (15) 147 E 4
Andelnans (90) 96 C 1
Andelot (52) 75 H 1
Andelot-en-Montagne (39) 110 D 3
Andelot-Morval (39) 123 F 2
Andelu (78) 50 C 1
Les Andelys SP (27) 29 H 2
Andernay (55) 55 E 1
Andernos-les-Bains (33) 154 B 2
Anderny (54) 20 C 4
Andert-et-Condon (01) 137 G 3
Andevanne (08) 35 F 1
Andeville (60) 31 E 2
Andigné (49) 84 C 1
Andillac (81) 174 C 4
Andilly (17) 113 F 3
Andilly (54) 56 C 1
Andilly (74) 124 B 5
Andilly (95) 31 F 4
Andilly-en-Bassigny (52) 76 A 4
Andiran (47) 171 H 3
Andlau (67) 58 D 4
Andoins (64) 186 C 5
Andolsheim (68) 78 D 2
Andon (06) 182 C 5
Andonville (45) 70 D 1
Andornay (70) 95 H 1
Andouillé (53) 66 C 1
Andouillé-Neuville (35) 45 F 5
Andouque (81) 175 E 4
Andrein (64) 185 G 4
Andres (62) 2 C 3
Andrest (65) 187 E 5
Andrésy (78) 30 D 5
Andrezé (49) 84 B 5
Andrezel (77) 52 A 3
Andrézieux-Bouthéon (42) 135 E 5
Andryes (89) 91 E 3
Anduze (30) 177 H 3
Anères (65) 205 E 2
Anet (28) 50 A 1
Anetz (44) 84 A 3
Angaïs (64) 186 C 5
Angé (41) 87 G 4
Angeac-Champagne (16) 127 G 4
Angeac-Charente (16) 128 A 4
Angecourt (08) 19 F 4
Angeduc (16) 142 A 1
Angely (89) 91 H 2
Angeot (90) 78 B 5
Angers P (49) 84 D 3
Angerville (14) 27 H 2
Angerville (91) 70 D 1
Angerville-Bailleul (76) 12 C 3
Angerville-la-Campagne (27) 29 G 5
Angerville-la-Martel (76) 12 D 3
Angerville-l'Orcher (76) 12 B 4
Angervilliers (91) 50 D 3
Angeville (82) 173 E 4
Angevillers (57) 20 D 3
Angey (50) 45 G 1
Angicourt (60) 31 G 2
Angiens (76) 13 E 2
Angirey (70) 94 C 3
Angivillers (60) 15 G 5
Anglade (33) 141 E 3
Anglards-de-Salers (15) 146 A 3
Anglards-de-St-Flour (15) 147 E 5
Anglars (46) 159 E 2
Anglars-Juillac (46) 158 A 4
Anglars-Nozac (46) 158 B 2
Anglars-St-Félix (12) 159 G 5
Anglefort (01) 137 H 1
Anglemont (88) 57 H 4
Angles (04) 182 A 4
Les Angles (30) 179 E 4
Les Angles (65) 204 B 2
Les Angles (66) 211 H 3
Anglès (81) 191 F 3
Angles (85) 112 D 2
Les Angles-sur-Corrèze (19) 145 E 2
Angles-sur-l'Anglin (86) 103 E 5
Anglesqueville-
la-Bras-Long (76) 13 E 3
Anglesqueville-l'Esneval (76) 12 B 4
Anglet (64) 184 C 3
Angliers (17) 113 F 4
Angliers (86) 101 H 3
Anglure (51) 53 G 3
Anglure-sous-Dun (71) 121 G 4
Anglus (52) 54 D 5
Angluzelles-et-Courcelles (51) 53 G 2
Angoisse (24) 143 H 1
Angomont (54) 58 A 3
Angos (65) 204 C 1
Angoulême P (16) 128 B 4
Angoulins (17) 113 E 5
Angoumé (40) 185 F 1
Angous (64) 185 G 5
Angoustrine (66) 211 G 4
Angoville (14) 27 F 5
Angoville-au-Plain (50) 23 E 5
Angoville-sur-Ay (50) 24 D 2
Angres (62) 4 A 5
Angresse (40) 184 D 1
Angrie (49) 84 B 2
Anguilcourt-le-Sart (02) 17 E 3
Anguiller-lès-Bisping (57) 38 A 5
Angy (60) 31 F 2
Anhaux (64) 202 B 1
Anhiers (59) 4 D 5
Aniane (34) 192 D 2
Aniche (59) 8 D 3
Anisy (14) 27 F 4
Anizy-le-Château (02) 17 E 5
Anjeux (70) 77 E 4
Anjou (38) 149 H 2
Anjouin (36) 104 C 1
Anjoutey (90) 78 B 5
Anla (65) 205 F 3
Anlezy (58) 107 E 3
Anlhiac (24) 143 H 2
Annay (58) 90 A 2
Annay (62) 4 B 5
Annay-la-Côte (89) 91 G 2
Annay-sur-Serein (89) 91 H 1
Annebault (14) 28 A 2
Annebecq (14) 25 G 5
Annecy P (74) 138 B 1
Annecy-le-Vieux (74) 138 B 1
Annelles (08) 34 B 1
Annemasse (74) 124 C 4
Annéot (89) 91 G 3
Annepont (17) 127 F 2
Annequin (62) 4 A 5
Annesse-et-Beaulieu (24) 143 E 3
Annet-sur-Marne (77) 31 H 5
Anneux (59) 8 C 4
Anneville-en-Saire (50) 23 E 3
Annéville-la-Prairie (52) 75 F 1
Anneville-sur-Mer (50) 24 C 3
Anneville-sur-Scie (76) 13 G 2
Anneville-sur-Seine (76) 13 F 5
Anneyron (26) 149 H 2
Annezay (17) 127 E 1
Annezin (62) 7 H 1
Annœullin (59) 4 B 4
Annoire (39) 109 H 2
Annois (02) 16 C 3
Annoisin-Chatelans (38) 136 D 3
Annoix (18) 105 G 3
Annonay (07) 149 G 3
Annonville (52) 55 G 5
Annot (04) 182 B 3
Annouville-Vilmesnil (76) 12 C 3
Annoux (89) 91 H 2
Annoville (50) 24 D 4
Anor (59) 10 A 4
Anos (64) 186 C 4
Anost (71) 108 A 1
Anould (88) 78 A 1
Anoux (54) 20 C 4
Anoye (64) 186 D 4
Anquetierville (76) 12 D 5
Anrosey (52) 76 B 4
Ansac-sur-Vienne (16) 129 E 1
Ansacq (60) 31 F 1
Ansan (32) 188 B 1
Ansauville (54) 56 B 1
Ansauvillers (60) 15 G 5
Anse (69) 135 H 1
Anse de Sordan (56) 63 F 2
Anserville (60) 31 E 3
Ansignan (66) 208 C 5
Ansost (65) 187 F 4
Ansouis (84) 195 H 1
Anstaing (59) 4 D 4
Antagnac (47) 156 A 5
Ante (51) 35 E 4
Anterrieux (15) 161 E 1
Anteuil (25) 95 H 3
Antezant-la-Chapelle (17) 127 G 1
Anthé (47) 157 G 5
Anthelupt (54) 57 F 2
Anthenay (51) 33 F 3
Antheny (08) 10 B 5
Anthéor (83) 198 D 3
Antheuil (21) 109 E 1
Antheuil-Portes (60) 16 A 5
Anthien (58) 91 F 4
Anthon (38) 136 D 3
Anthy-sur-Léman (74) 124 D 2
Antibes (06) 199 F 2
Antichan (65) 205 F 3
Antichan-de-Frontignes (31) 205 G 3
Antignac (15) 146 A 2
Antignac (17) 127 F 5
Antignac (31) 205 F 4
Antigny (85) 100 C 5
Antigny (86) 116 B 1
Antigny-la-Ville (21) 108 C 1
Antilly (57) 21 E 5
Antilly (60) 32 B 3
Antin (65) 187 G 5
Antisanti (2B) 217 G 3
Antist (65) 204 C 1
Antogny le Tillac (37) 102 C 2
Antoigné (49) 101 G 1
Antoigny (61) 47 F 3
Antoingt (63) 147 E 1
Antonaves (05) 180 D 1
Antonne-et-Trigonant (24) 143 G 3
Antony SP (92) 51 F 2
Antorpe (25) 94 C 5
Antraigues-sur-Volane (07) 163 E 2
Antrain (35) 45 G 4
Antran (86) 102 C 3
Antras (09) 206 A 4
Antras (32) 187 H 1
Antrenas (48) 161 F 4
Antugnac (11) 208 A 3
Antully (71) 108 C 3
Anvéville (76) 13 E 3
Anville (16) 128 A 2
Anvin (62) 7 F 2
Any-Martin-Rieux (02) 10 B 5
Anzat-le-Luguet (63) 146 D 2
Anzeling (57) 21 G 4
Anzême (23) 117 H 4
Anzex (47) 171 H 1
Anzin (59) 9 F 2
Anzin-St-Aubin (62) 8 A 3
Anzy-le-Duc (71) 121 E 3
Aoste (38) 137 F 4
Aougny (51) 33 F 3
Aouste (08) 18 B 2
Aouste-sur-Sye (26) 164 D 2
Aouze (88) 56 C 5
Apach (57) 21 F 2
Apchat (63) 147 E 1
Apcher (63) 146 D 2
Apchon (15) 146 B 3
Apinac (42) 148 B 1
Appelle (81) 190 B 3
Appenai-sous-Bellême (61) 48 C 5
Appenans (25) 95 H 3
Appenwihr (68) 78 D 2
Appeville (50) 23 E 5
Appeville-Annebault (27) 28 D 2
Appietto (2A) 216 C 5
Appilly (60) 16 C 4
Appoigny (89) 73 E 4
Apprieu (38) 151 F 1
Appy (09) 207 F 5
Apremont (01) 123 G 4
Apremont (08) 35 E 2
Apremont (60) 31 G 3
Apremont (70) 94 A 3
Apremont (73) 138 A 5
Apremont (85) 99 E 4
Apremont-la-Forêt (55) 36 A 5
Apremont-sur-Allier (18) 106 B 3
Aprey (52) 75 G 5
Apt SP (84) 180 A 5
Arabaux (09) 207 E 3
Arâches (74) 125 F 5
Araghju (Castellu d') (2A) 219 F 3
Aragnouet (65) 204 D 4
Aragon (11) 190 D 5
Aramits (64) 203 F 1
Aramon (30) 179 E 5
Aranc (01) 137 F 1
Arance (64) 186 A 4
Arancou (64) 185 F 3
Arandas (01) 137 F 2
Arandon (38) 137 E 3
Araujuzon (64) 185 G 4
Araules (43) 148 D 4
Araux (64) 185 H 4
Arbanats (33) 155 G 3
Arbas (31) 205 H 3
Arbecey (70) 76 D 5
Les Arbelats (58) 107 F 4
Arbellara (2A) 219 E 3
Arbent (01) 123 H 3
Arbéost (65) 203 H 2
Arbérats-Sillègue (64) 185 F 4
Arbignieu (01) 137 G 3
Arbigny (01) 122 C 2
Arbigny-sous-Varennes (52) 76 B 4
Arbin (73) 138 A 5
Arbis (33) 155 H 3
Arblade-le-Bas (32) 186 D 1
Arblade-le-Haut (32) 186 D 1
Arbois (39) 110 C 3
Arbon (31) 205 G 3
Arbonne (64) 184 C 3
Arbonne-la-Forêt (77) 51 G 5
Arboras (34) 192 D 1
Arbori (2A) 216 C 4
Arbot (52) 75 F 4
Arbouans (25) 96 C 2
Arboucave (40) 186 B 2
Arbouet-Sussaute (64) 185 F 4
Arbourse (58) 90 C 5
Arboussols (66) 212 C 2
L'Arbresle (69) 135 G 2
Arbrissel (35) 65 H 4
Arbus (64) 186 A 4
Arbusigny (74) 124 C 5
Arc 1800 (73) 139 F 4
Arc-en-Barrois (52) 75 F 4
Arc-et-Senans (25) 110 C 1
Arc-lès-Gray (70) 94 B 3
Arc-sous-Cicon (25) 111 G 1
Arc-sous-Montenot (25) 110 D 3
Arc-sur-Tille (21) 93 G 4
Arcachon SP (33) 154 B 3
Arçais (79) 113 H 3
Arcambal (46) 158 C 5
Arcangues (64) 184 C 3
Arçay (18) 105 F 3
Arçay (86) 101 H 2
Arceau (21) 93 G 4
Arcelot (21) 93 G 4
Arcenant (21) 109 E 1
Arcens (07) 163 E 1
Arces (17) 126 D 5
Arces (89) 73 E 3
Arcey (21) 93 E 5
Arcey (25) 95 H 2
Archail (04) 181 G 2
Archamps (74) 124 B 4
Archelange (39) 110 A 1
Arches (15) 145 H 2
Arches (88) 77 G 2
Archettes (88) 77 G 2
Archiac (17) 127 G 5
Archignac (24) 144 A 5
Archignat (03) 118 C 3
Archigny (86) 102 C 5
Archingeay (17) 127 E 1
Archon (02) 18 A 3
Arcier (25) 95 E 4
Arcine (74) 124 A 5
Arcinges (42) 121 G 5
Arcins (33) 141 E 4
Arcis-le-Ponsart (51) 33 F 2
Arcis-sur-Aube (10) 54 A 4
Arcizac-Adour (65) 204 C 1
Arcizac-ez-Angles (65) 204 B 2
Arcizans-Avant (65) 204 B 3
Arcizans-Dessus (65) 204 A 3
Arcomie (48) 161 F 1
Arcomps (18) 105 F 5
Arçon (25) 111 G 2
Arcon (42) 134 B 1
Arconcey (21) 92 C 5
Arçonnay (72) 47 H 5
Arconsat (63) 134 A 2
Arconville (10) 74 D 2
Les Arcs (73) 139 F 4
Les Arcs (83) 197 G 3
Arcueil (94) 51 F 1
Arcy-Ste-Restitue (02) 32 D 2
Arcy-sur-Cure (89) 91 F 2
Ardelay (85) 100 A 3
Ardelles (28) 49 G 4
Ardelu (28) 50 C 5
Ardenais (18) 105 F 5
Ardenay-sur-Mérize (72) 68 B 3
Ardengost (65) 205 E 3
Ardentes (36) 104 C 5
Ardes-sur-Couze (63) 147 E 1
Ardeuil-
et-Montfauxelles (08) 34 D 2
Ardevon (50) 45 G 3
Ardiège (31) 205 G 2
Les Ardillats (69) 121 H 4
Ardilleux (79) 114 D 5
Ardillières (17) 113 G 5
Ardin (79) 114 A 2
Ardizas (32) 188 C 1
L'Ardoise (30) 179 E 3
Ardoix (07) 149 G 3
Ardon (39) 110 D 4
Ardon (45) 70 C 5
Ardouval (76) 13 H 3
Ardres (62) 2 D 3
Arèches (73) 138 D 3
Aregno (2B) 214 C 5
Areines (41) 69 F 5
Aren (64) 185 H 5
Arengosse (40) 169 G 3
Arenthon (74) 124 D 5
Arès (33) 154 B 2
Aresches (39) 110 D 3
Les Aresquiers (34) 193 F 3
Aressy (64) 186 C 5
Arette (64) 203 F 1
Arette-Pierre-St-Martin (64) 203 F 3
Arfeuille-Châtain (23) 132 A 1
Arfeuilles (03) 120 C 5
Arfons (81) 190 C 4
Argagnon (64) 185 H 3
Arganchy (14) 25 H 2
Argançon (10) 74 C 1
Argancy (57) 21 E 5
Argein (09) 206 A 3
Argelès (65) 204 D 2
Argelès-Gazost SP (65) 204 B 2
Argelès-Plage (66) 213 F 3
Argelès-sur-Mer (66) 213 F 3
Argeliers (11) 191 H 5
Argelliers (34) 193 E 1
Argelos (40) 186 A 2
Argelos (64) 186 C 3
Argelouse (40) 155 E 5
Argences (14) 27 G 3
Argens (04) 182 A 3
Argens-Minervois (11) 209 E 1
Argent-sur-Sauldre (18) 89 G 2
Argentan SP (61) 47 H 2
Argentat (19) 145 E 4
Argentenay (89) 74 A 5
Argenteuil SP (95) 31 E 5
Argenteuil-
sur-Armançon (89) 74 A 5
Argentière (74) 125 G 5
L'Argentière-la-Bessée (05) 167 E 1
Argentières (77) 52 A 3
Argentine (73) 138 C 5
Argentolles (52) 75 E 1
Argenton (29) 40 D 3
Argenton (47) 156 B 5
Argenton-l'Église (79) 101 F 2
Argenton-les-Vallées (79) 101 E 2
Argenton-Notre-Dame (53) 66 D 5
Argenton-sur-Creuse (36) 117 F 1
Argentré (53) 66 D 2
Argentré-du-Plessis (35) 66 A 2
Argenvières (18) 106 B 1
Argenvilliers (28) 69 F 1
Argers (51) 35 E 4
Arget (64) 186 A 3
Argiésans (90) 96 C 1
Argillières (70) 94 B 1
Argilliers (30) 178 C 4
Argilly (21) 109 F 1
Argis (01) 137 F 1
Argiusta-Moriccio (2A) 219 E 1
Argnat (63) 133 E 2
Argœuves (80) 15 F 1
Argol (29) 41 F 5
Argonay (74) 138 B 1
Argouges (50) 45 H 3
Argoules (80) 6 D 3
Argueil (76) 14 B 5
Arguel (25) 94 D 5
Arguel (80) 14 C 2
Arguenos (31) 205 G 3
Argut-Dessous (31) 205 G 4
Argut-Dessus (31) 205 G 4
Argy (36) 103 H 3
Arhansus (64) 185 F 5
Aries-Espénan (65) 187 H 5
Arifat (81) 190 D 1
Arignac (09) 207 E 4
Arinthod (39) 123 G 2
Arith (73) 138 A 3
Arjuzanx (40) 169 F 3
Arlanc (63) 148 A 1
Arlay (39) 110 A 4
Arlebosc (07) 149 G 4
Arlempdes (43) 162 B 1
Arles SP (13) 194 C 1
Arles-sur-Tech (66) 212 D 4
Arlet (43) 147 G 4
Arleuf (58) 107 H 2
Arleux (59) 8 C 3
Arleux-en-Gohelle (62) 8 B 2
Arlos (31) 205 G 4
Armaillé (49) 66 A 5
Armancourt (60) 31 H 1
Armancourt (80) 16 A 4
Armaucourt (54) 57 E 1
Armbouts-Cappel (59) 3 F 2
Armeau (89) 72 D 3
Armendarits (64) 185 E 5
Armenteule (65) 205 E 4
Armentières (59) 4 B 3
Armentières-en-Brie (77) 32 B 5
Armentières-sur-Avre (27) 49 E 2
Armentières-sur-Ourcq (02) 32 D 3
Armentieux (32) 187 E 3
Armes (58) 91 E 3
Armillac (47) 156 D 4
Armissan (11) 209 G 1
Armix (01) 137 F 2
Armous-et-Cau (32) 187 F 2
Armoy (74) 125 E 2
Arnac (15) 145 G 4
Arnac-la-Poste (87) 117 E 4
Arnac-Pompadour (19) 144 B 1
Arnac-sur-Dourdou (12) 191 H 1
Arnage (72) 68 A 4
Arnancourt (52) 55 E 5
Arnas (69) 135 H 1
Arnaud-Guilhem (31) 205 H 1
Arnave (09) 207 E 4
Arnaville (54) 36 D 4
Arnay-le-Duc (21) 108 C 1
Arnay-sous-Vitteaux (21) 92 C 3
Arnayon (26) 165 E 4
Arné (65) 205 F 1
Arnéguy (64) 202 B 1
Arnèke (59) 3 F 3
Arnicourt (08) 18 B 4
Arnières-sur-Iton (27) 29 G 5
Arnoncourt-sur-Apance (52) 76 B 3
Arnos (64) 186 A 3
Arnouville-lès-Gonesse (95) 31 F 5
Arnouville-lès-Mantes (78) 30 B 5
Aroffe (88) 56 C 4
Aromas (39) 123 F 3
Aron (53) 47 E 5
Arone (Plage d') (2A) 216 A 3
Aroue (64) 185 G 4
Aroz (70) 94 D 1
Arpaillargues-
et-Aureillac (30) 178 C 4
Arpajon (91) 51 E 3
Arpajon-sur-Cère (15) 160 A 1
Arpavon (26) 165 E 5
Arpenans (70) 95 F 1
Arpheuilles (18) 105 G 4
Arpheuilles (36) 103 G 3
Arpheuilles-St-Priest (03) 119 E 4
Arphy (30) 177 F 4
Arquenay (53) 66 D 3
Arques (11) 208 B 3
Arques (12) 175 H 1
Les Arques (46) 158 A 3
Arques (62) 3 E 4
Arques-la-Bataille (76) 13 G 2
Arquettes-en-Val (11) 208 C 2
Arquèves (80) 7 H 5
Arquian (58) 90 B 2
Arrabloy (45) 89 H 1
Arracourt (54) 57 G 1
Arradon (56) 81 G 2
Arraincourt (57) 37 G 4
Arrancourt (91) 51 E 5
Arrancy (02) 17 G 5
Arrancy-sur-Crusne (55) 20 B 3
Arrans (21) 92 B 1
Arras P (62) 8 A 3
Arras-en-Lavedan (65) 204 B 3
Arras-sur-Rhône (07) 149 H 3
Arrast-Larrebieu (64) 185 G 5
Arrauntz (64) 184 C 3
Arraute-Charritte (64) 185 F 4
Arraye-et-Han (54) 37 E 5
Arrayou-Lahitte (65) 204 C 2
Arre (30) 177 E 4
Arreau (65) 205 E 3
Arrelles (10) 74 A 3
Arrembécourt (10) 54 C 3
Arrènes (23) 117 F 5
Arrens-Marsous (65) 204 A 3
Arrentès-de-Corcieux (88) 78 A 1
Arrentières (10) 74 D 1
Arrest (80) 6 C 5
Arreux (08) 10 D 5
Arriance (57) 37 F 4
Arricau-Bordes (64) 186 D 3
Arrien (64) 186 D 5
Arrien-en-Bethmale (09) 206 A 4
Arrigas (30) 177 E 4
Arrigny (51) 54 D 3
Arro (2A) 216 C 4
Arrodets (65) 204 D 2
Arrodets-ez-Angles (65) 204 C 2
Arromanches-les-Bains (14) 27 E 1
Arronnes (03) 133 H 1
Arronville (95) 31 E 3
Arros-de-Nay (64) 204 A 1
Arros-d'Oloron (64) 203 F 1
Arrosès (64) 186 D 3
Arrou (28) 69 G 2
Arrouède (32) 188 A 4
Arrout (09) 206 A 3
Arry (57) 36 D 4
Arry (80) 6 C 3
Ars (16) 127 G 4
Ars (23) 131 F 1
Ars-en-Ré (17) 112 C 4
Ars-Laquenexy (57) 37 E 3
Ars-les-Favets (63) 119 E 4
Ars-sur-Formans (01) 135 H 1
Ars-sur-Moselle (57) 36 D 3
Arsac (33) 141 E 5
Arsac-en-Velay (43) 148 B 5
Arsague (40) 185 H 2
Arsans (70) 94 B 4
Arsonval (10) 74 D 1
Arsure-Arsurette (39) 111 E 4
Les Arsures (39) 110 C 2
Arsy (60) 31 H 1
Art-sur-Meurthe (54) 57 E 2
Artagnan (65) 187 E 4
Artaise le Vivier (08) 19 E 4
Artaix (71) 121 E 4
Artalens-Souin (65) 204 B 3
Artannes-sur-Indre (37) 86 C 5
Artannes-sur-Thouet (49) 85 G 5
Artas (38) 136 D 5
Artassenx (40) 170 D 5
Artemare (01) 137 G 2
Artemps (02) 16 C 3
Artenay (45) 70 C 3
Arthaz-
Pont-Notre-Dame (74) 124 C 4
Arthel (58) 90 D 5
Arthémonay (26) 150 C 3
Arthenac (17) 127 G 5
Arthenas (39) 123 G 1
Arthès (81) 175 E 4
Arthez-d'Armagnac (40) 171 E 4
Arthez-d'Asson (64) 204 A 2
Arthez-de-Béarn (64) 186 A 3
Arthezé (72) 67 G 5
Arthies (95) 30 C 4
Arthon (36) 104 B 5
Arthon-en-Retz (44) 98 D 1
Arthonnay (89) 74 A 4
Arthun (42) 134 C 3
Artigat (09) 206 D 1
Artignosc-sur-Verdon (83) 196 D 1
Artigue (31) 205 F 4
Artiguedieu (32) 187 H 3
Artigueloutan (64) 186 C 5
Artiguelouve (64) 186 B 5
Artiguemy (65) 204 D 1
Artigues (09) 207 H 5
Artigues (11) 208 A 4
Artigues (65) 204 B 2
Artigues (83) 196 C 2
Artigues-Campan (65) 204 D 3

Localité (Département) Page Coordonnées

Les Artigues-de-Lussac (33) 141 H 5
Artigues-près-Bordeaux (33) 155 F 1
Artins (41) 86 D 1
Artix (09) 207 E 2
Artix (46) 158 C 4
Artix (64) 186 A 4
Artolsheim (67) 79 E 1
Artonges (02) 33 E 5
Artonne (63) 133 F 1
Artres (59) 9 F 3
Artzenheim (68) 79 E 1
Arudy (64) 203 H 1
Arue (40) 170 D 3
Arvant (43) 147 F 2
Arvert (17) 126 B 3
Arveyres (33) 155 G 1
Arvieu (12) 175 H 2
Arvieux (05) 167 F 1
Arvigna (09) 207 F 2
Arvillard (73) 152 B 1
Arville (41) 69 F 3
Arville (77) 71 G 2
Arvillers (80) 15 H 3
Arx (40) 171 G 3
Arzacq-Arraziguet (64) 186 B 3
Arzal (56) 82 A 2
Arzano (29) 62 C 4
Arzay (38) 150 D 1
Arzembouy (58) 90 D 5
Arzenc-d'Apcher (48) 161 E 1
Arzenc-de-Randon (48) 161 H 3
Arzens (11) 208 A 1
Arzillières-Neuville (51) 54 C 2
Arzon (56) 81 F 3
Arzviller (57) 58 B 1
Asasp (64) 203 F 1
Ascain (64) 184 B 4
Ascarat (64) 202 B 1
Aschbach (67) 39 G 4
Aschères-le-Marché (45) 70 D 2
Asco (2B) 216 D 1
Asco (Gorges de l') (2B) 217 E 1
Ascou (09) 207 G 5
Ascou-Pailhérès (09) 207 G 5
Ascoux (45) 71 E 2
Ascros (06) 182 D 4
Asfeld (08) 18 A 5
Aslonnes (86) 115 F 2
Asnan (58) 91 E 4
Asnans-Beauvoisin (39) 110 A 2
Asnelles (14) 27 E 1
Asnières (27) 28 B 3
Asnières-en-Bessin (14) 23 G 5
Asnières-en-Montagne (21) 92 B 1
Asnières-en-Poitou (79) 114 C 5
Asnières-la-Giraud (17) 127 F 2
Asnières-les-Bourges (18) 105 F 1
Asnières-lès-Dijon (21) 93 F 4
Asnières-sous-Bois (89) 91 F 3
Asnières-sur-Blour (86) 116 A 5
Asnières-sur-Nouère (16) 128 B 3
Asnières-sur-Oise (95) 31 F 3
Asnières-sur-Saône (01) 122 C 2
Asnières-sur-Seine (92) 31 F 5
Asnières-sur-Vègre (72) 67 F 4
Asnois (58) 91 F 4
Asnois (86) 115 G 5
Aspach (57) 58 A 2
Aspach (68) 97 F 1
Aspach-le-Bas (68) 78 C 5
Aspach-Michelbach (68) 78 C 5
Aspères (30) 178 A 5
Asperjoc (07) 163 E 3
Aspet (31) 205 H 2
Aspin-Aure (65) 205 E 3
Aspin-en-Lavedan (65) 204 B 2
Aspiran (34) 192 C 3
Aspremont (05) 165 H 4
Aspremont (06) 183 F 5
Les Aspres (61) 48 D 2
Aspres-lès-Corps (05) 166 A 1
Aspres-sur-Buëch (05) 165 H 4
Aspret-Sarrat (31) 205 G 2
Asprières (12) 159 G 4
Asque (65) 204 D 2
Asques (33) 141 G 5
Asques (82) 173 E 4
Asquins (89) 91 F 3
Assac (81) 175 F 4
Assainvillers (80) 15 H 4
Assais (79) 101 G 4
Assas (34) 193 F 1
Assat (64) 186 C 5
Assay (37) 102 A 1
Assé-le-Bérenger (53) 67 F 2
Assé-le-Boisne (72) 47 H 5
Assé-le-Riboul (72) 67 H 2
Assenay (10) 73 H 2
Assencières (10) 54 A 5
Assenoncourt (57) 57 H 1
Assérac (44) 82 A 3
Assevent (59) 9 H 3
Assevillers (80) 16 A 2
Assier (46) 159 E 3
Assieu (38) 149 H 1
Assignan (34) 191 H 4
Assigny (18) 89 H 3
Assigny (76) 13 H 1
Les Assions (07) 162 D 5
Assis-sur-Serre (02) 17 E 3
Asson (64) 204 A 1
Assonval (62) 7 E 1
Asswiller (67) 38 C 5
Astaffort (47) 172 C 3
Astaillac (19) 145 E 5
Asté (65) 204 D 2
Aste-Béon (64) 203 H 2
Astet (07) 162 C 3
Astillé (53) 66 C 3
Astis (64) 186 C 3
Aston (09) 207 E 5
Astugue (65) 204 C 2
Asuéros (06) 182 D 1
Athée (21) 93 H 5
Athée (53) 66 B 4
Athée-sur-Cher (37) 87 E 4
Athesans-Etroitefontaine (70) 95 G 1
Athie (21) 92 A 2
Athie (89) 91 H 2
Athienville (54) 57 F 1
Athies (62) 8 B 3
Athies (80) 16 B 2
Athies-sous-Laon (02) 17 F 4
Athis (51) 33 H 4
Athis-Mons (91) 51 F 2
Athis-Val de Rouvre (61) 47 E 1
Athos-Aspis (64) 185 F 4
Athose (25) 111 F 1
Attainville (95) 31 F 4
Attancourt (52) 55 E 3
Les Attaques (62) 2 C 3
Attenschwiller (68) 97 G 1
Attiches (59) 4 C 4
Attichy (60) 32 B 1
Attignat (01) 122 D 3
Attignat-Oncin (73) 137 H 5
Attignéville (88) 56 C 5
Attigny (08) 18 C 5
Attigny (88) 76 D 2
Attilloncourt (57) 57 F 1
Attilly (02) 16 C 2
Attin (62) 6 C 1
Atton (54) 36 D 5
Attray (45) 71 E 2
Attricourt (70) 93 H 3
Attuech (30) 177 H 3
Atur (24) 143 F 4
Aubagnan (40) 186 B 1
Aubagne (13) 196 A 5
Aubaine (21) 108 D 1
Aubais (30) 193 H 1
Aubarède (65) 187 F 5
Aubarne (30) 178 B 4
Aubas (24) 144 A 4
Aubazat (43) 147 G 4
Aubazine (19) 144 D 3
Aube (57) 37 E 4
Aube (61) 48 C 2
Aubéguimont (76) 14 C 2
Aubenas (07) 163 E 3
Aubenas-les-Alpes (04) 180 C 4
Aubenasson (26) 164 D 2
Aubencheul-au-Bac (59) 8 D 3
Aubencheul-aux-Bois (02) 8 D 5
Aubenton (02) 10 B 5
Aubepierre (77) 52 A 3
Aubepierre-sur-Aube (52) 75 E 4
L'Aubépin (39) 123 F 2
Auberchicourt (59) 8 D 3
Aubercourt (80) 15 H 2
Aubergenville (78) 30 C 5
Aubérive (51) 34 B 3
Auberive (52) 75 F 5
Auberives-en-Royans (38) 151 E 4
Auberives-sur-Varèze (38) 149 H 1
Aubermesnil-aux-Érables (76) 14 B 2
Aubermesnil-Beaumais (76) 13 G 2
Aubers (59) 3 H 5
Aubertans (70) 95 E 3
Aubertin (64) 186 B 5
Auberville (14) 27 H 2
Auberville-la-Campagne (76) 12 D 5
Auberville-la-Manuel (76) 12 D 2
Auberville-la-Renault (76) 12 C 3
Aubervilliers (93) 31 F 5
Aubeterre (10) 53 H 4
Aubeterre-sur-Dronne (16) 142 B 2
Aubeville (16) 128 A 5
Aubevoye (27) 29 H 3
Aubiac (33) 155 H 4
Aubiac (47) 172 B 2
Aubiat (63) 133 F 1
Aubie-et-Espessas (33) 141 G 5
Aubière (63) 133 F 3
Les Aubiers (79) 100 D 2
Aubiet (32) 188 B 2
Aubignan (84) 179 G 3
Aubignas (07) 163 G 3
Aubigné (35) 45 F 5
Aubigné (79) 114 C 5
Aubigné-Racan (72) 86 A 1
Aubigné-sur-ayon (49) 85 E 5
Aubigney (70) 94 A 4
Aubignosc (04) 181 E 2
Aubigny (03) 106 C 5
Aubigny (14) 27 G 5
Aubigny (79) 101 G 4
Aubigny (80) 15 G 2
Aubigny-au-Bac (59) 8 D 3
Aubigny-aux-Kaisnes (02) 16 C 3
Aubigny-en-Artois (62) 7 H 3
Aubigny-en-Laonnois (02) 17 G 5
Aubigny-en-Plaine (21) 109 G 1
Aubigny-la-Ronce (21) 108 D 2
Aubigny-les-Clouzeaux (85) 99 G 5
Aubigny-les-Pothées (08) 18 C 2
Aubigny-lès-Sombernon (21) 92 D 4
Aubigny-sur-Nère (18) 89 F 3
Aubilly (51) 33 G 3
Aubin (12) 159 G 4
Aubin (64) 186 B 3
Aubin-St-Vaast (62) 7 E 2
Aubinges (18) 89 G 5
Auboncourt-Vauzelles (08) 18 C 4
Aubonne (25) 111 F 1
Aubord (30) 194 A 1
Auboué (54) 20 D 5
Aubous (64) 186 D 2
Aubrac (12) 160 D 3
Aubres (26) 164 D 5
Aubréville (55) 35 F 3
Aubrives (08) 11 E 3
Aubrometz (62) 7 F 3
Aubry-du-Hainaut (59) 9 E 2
Aubry-en-Exmes (61) 47 H 1
Aubry-le-Panthou (61) 48 A 1
Aubure (68) 78 C 1
Aubussargues (30) 178 B 4
Aubusson [SP] (23) 131 G 2
Aubusson (61) 47 E 1
Aubusson-d'Auvergne (63) 134 A 3
Aubvillers (80) 15 G 3
Auby (59) 4 C 5
Aucaleuc (22) 44 C 4
Aucamville (31) 189 F 2
Aucamville (82) 189 E 1
Aucazein (09) 206 A 3
Aucelon (26) 165 E 3
Aucey-la-Plaine (50) 45 G 3
Auch [P] (32) 188 A 2
Auchel (62) 7 H 1
Auchonvillers (80) 8 A 5
Auchy-au-Bois (62) 7 G 1
Auchy-la-Montagne (60) 15 E 4
Auchy-lès-Hesdin (62) 7 F 2
Auchy-les-Mines (62) 4 A 5
Auchy-lez-Orchies (59) 4 D 5
Aucun (65) 204 A 3
Audaux (64) 185 H 4
Audéjos (64) 186 A 4
Audelange (39) 110 B 1
Audeloncourt (52) 76 A 2
Audembert (62) 2 B 3
Audenge (33) 154 C 2
Auderville (50) 22 B 2
Audes (03) 118 D 2
Audeux (25) 94 C 4
Audeville (45) 71 E 1
Audierne (29) 61 E 2
Audignicourt (02) 16 C 5
Audignies (59) 9 G 3
Audignon (40) 186 A 1
Audigny (02) 17 F 2
Audincourt (25) 96 C 2
Audincthun (62) 2 D 5
Audinghen (62) 2 A 3
Audon (40) 169 F 5
Audouville-la-Hubert (50) 23 E 5
Audrehem (62) 2 D 4
Audressein (09) 206 A 3
Audresselles (62) 2 A 3
Audrieu (14) 27 E 2
Audrix (24) 157 G 1
Audruicq (62) 2 D 3
Audun-le-Roman (54) 20 C 3
Audun-le-Tiche (57) 20 C 2
Auenheim (67) 39 G 5
Auffargis (78) 50 C 2
Auffay (76) 13 G 3
Aufferville (77) 71 H 1
Auffreville-Brasseuil (78) 30 B 5
Auflance (08) 19 H 4
Auga (64) 186 B 3
Augan (56) 64 B 3
Auge (08) 10 B 5
Augé (23) 118 C 4
Augé (79) 114 C 2
Auge-St-Médard (16) 128 A 2
Augea (39) 123 F 1
Auger-St-Vincent (60) 32 A 3
Augerans (39) 110 B 2
Augères (23) 117 G 5
Augerolles (63) 134 A 3
Augers-en-Brie (77) 52 D 2
Augerville-la-Rivière (45) 71 F 1
Augeville (52) 55 H 5
Augicourt (70) 76 C 5
Augignac (24) 129 F 5
Augirein (09) 205 H 3
Augisey (39) 123 F 1
Augnat (63) 147 E 1
Augnax (32) 188 B 1
Augne (87) 130 D 3
Augny (57) 36 D 3
Auguaise (61) 48 C 2
Augy (02) 33 E 1
Augy (89) 73 F 5
Augy-sur-Aubois (18) 106 A 4
Aujac (17) 127 G 2
Aujac (30) 177 H 1
Aujan-Mournède (32) 187 H 4
Aujargues (30) 193 H 1
Aujeurres (52) 75 G 5
Aujols (46) 158 C 5
Aulaines (72) 68 C 2
Aulan (26) 180 A 1
Aulas (30) 177 F 4
Aulhat-Flat (63) 133 G 5
Aulhat-St-Privat (63) 133 G 5
Aullène (2A) 219 E 2
Aulnat (63) 133 F 3
Aulnay (10) 54 B 4
Aulnay (17) 127 G 1
Aulnay (86) 101 H 3
Aulnay-aux-Planches (51) 53 H 1
Aulnay-la-Rivière (45) 71 F 2
Aulnay-l'Aître (51) 54 C 1
Aulnay-sous-Bois (93) 31 G 5
Aulnay-sur-Iton (27) 29 F 5
Aulnay-sur-Marne (51) 34 A 4
Aulnay-sur-Mauldre (78) 30 C 5
Les Aulneaux (72) 48 B 4
Aulnizeux (51) 53 G 1
Aulnois (88) 76 B 1
Aulnois-en-Perthois (55) 55 F 2
Aulnois-sous-Laon (02) 17 F 4
Aulnois-sous-Vertuzey (55) 56 B 1
Aulnois-sur-Seille (57) 37 E 5
Aulnoy (77) 52 B 1
Aulnoy-lez-Valenciennes (59) 9 F 3
Aulnoy-sur-Aube (52) 75 F 5
Aulnoye-Aymeries (59) 9 H 4
Aulon (23) 117 G 5
Aulon (31) 205 H 1
Aulon (65) 204 D 4
Aulos (09) 207 E 5
Ault (80) 6 B 5
Aulus-les-Bains (09) 206 C 5
Aulx-lès-Cromary (70) 95 E 3
Aumagne (17) 127 G 2
Aumale (76) 14 C 3
Aumâtre (80) 14 C 1
Aumelas (34) 193 E 2
Auménancourt (51) 33 H 1
Auménancourt-le-Petit (51) 33 H 1
Aumerval (62) 7 G 1
Aumes (34) 192 C 4
Aumessas (30) 177 E 4
Aumetz (57) 20 C 3
Aumeville-Lestre (50) 23 E 3
Aumont (39) 110 B 3
Aumont (80) 14 D 2
Aumont-Aubrac (48) 161 F 2
Aumont-en-Halatte (60) 31 G 2
Aumontzey (88) 77 H 1
Aumur (39) 109 H 1
Aunac (16) 128 C 2
Aunat (11) 207 H 5
Aunay-en-Bazois (58) 107 F 1
Aunay-les-Bois (61) 48 B 3
Aunay-sous-Auneau (28) 50 C 4
Aunay-sous-Crécy (28) 49 H 2
Aunay-sur-Odon (14) 26 D 4
Auneau-Bleury-
Saint-Symphorien (28) 50 B 4
Auneuil (60) 30 D 1
Aunou-le-Faucon (61) 47 H 2
Aunou-sur-Orne (61) 48 A 3
Auppegard (76) 13 G 2
Aups (83) 197 E 2
Auquainville (14) 28 B 4
Auquemesnil (76) 14 A 1
Auradé (32) 188 D 3
Auradou (47) 172 D 1
Auragne (31) 189 G 4
Auray (56) 81 F 2
Aure (08) 34 C 2
Aurec-sur-Loire (43) 148 D 2
Aureil (87) 130 B 3
Aureilhan (40) 168 D 1
Aureilhan (65) 187 E 5
Aureille (13) 195 E 1
Aurel (26) 165 E 2
Aurel (84) 180 A 2
Aurelle-Verlac (12) 160 D 4
Aurensan (32) 186 D 2
Aurensan (65) 187 E 5
Aureville (31) 189 F 3
Auriac (11) 208 C 3
Auriac (19) 145 G 3
Auriac (64) 186 C 3
Auriac-du-Périgord (24) 143 H 4
Auriac-Lagast (12) 175 G 3
Auriac-l'Église (15) 147 E 3
Auriac-sur-Dropt (47) 156 C 3
Auriac-sur-Vendinelle (31) 190 A 3
Auriat (23) 130 D 2
Auribail (31) 189 F 5
Auribeau (84) 180 B 5
Auribeau-sur-Siagne (06) 198 D 2
Aurice (40) 169 H 5
Auriébat (65) 187 E 3
Aurières (63) 132 D 4
Aurignac (31) 205 H 1
Aurillac [P] (15) 160 A 1
Aurimont (32) 188 B 3
Aurin (31) 189 H 3
Auriol (13) 196 B 4
Auriolles (07) 163 E 5
Auriolles (33) 156 A 2
Aurions-Idernes (64) 186 D 3
Auris (38) 152 B 4
Auron (06) 182 C 1
Aurons (13) 195 F 1
Auros (33) 155 H 4
Aurouër (03) 106 D 5
Auroux (48) 162 A 2
Aussac (81) 174 D 5
Aussac-Vadalle (16) 128 C 3
Ausseing (31) 206 A 1
Aussevielle (64) 186 B 4
Aussillon (81) 190 D 3
Aussois (73) 153 F 2
Ausson (31) 205 F 2
Aussonce (08) 34 A 1
Aussonne (31) 189 E 2
Aussos (32) 188 A 4
Aussurucq (64) 202 D 1
Autainville (41) 69 H 4
Autechaux (25) 95 F 3
Autechaux-Roide (25) 96 C 3
Les Autels (02) 18 A 3
Les Autels-St-Bazile (14) 28 A 5
Les Autels-Villevillon (28) 69 F 2
Auterive (31) 189 F 5
Auterive (32) 188 A 2
Auterive (82) 173 E 5
Auterrive (64) 185 F 3
Autet (70) 94 B 2
Auteuil (60) 30 D 2
Auteuil (78) 50 C 1
Autevielle-
St-Martin-Bideren (64) 185 F 4
Authe (08) 19 E 5
Autheuil (28) 69 H 3
Autheuil (61) 48 D 3
Autheuil-Authouillet (27) 29 H 4
Autheuil-en-Valois (60) 32 B 3
Autheux (80) 7 F 4
Authevernes (27) 30 B 3
Authezat (63) 133 F 4
Authie (14) 27 F 2
Authie (80) 7 H 5
Authieule (80) 7 G 4
Les Authieux (27) 29 G 5
Les Authieux-du-Puits (61) 48 B 2
Les Authieux-Papion (14) 27 H 4
Authieux-Ratiéville (76) 13 H 4
Les Authieux-
sur-Calonne (14) 28 B 2
Les Authieux-
sur-le-Port-St-Ouen (76) 29 G 1
Authiou (58) 90 D 5
Authoison (70) 95 E 2
Authon (04) 181 F 1
Authon (41) 87 E 1
Authon-du-Perche (28) 69 E 2
Authon-Ébéon (17) 127 G 2
Authon-la-Plaine (91) 50 D 4
Authou (27) 28 D 2
Authuille (80) 8 A 5
Authume (39) 110 A 1
Authumes (71) 109 H 3
Autichamp (26) 164 C 3
Autignac (34) 192 B 3
Autigny (76) 13 F 2
Autigny-la-Tour (88) 56 B 4
Autigny-le-Grand (52) 55 G 4
Autigny-le-Petit (52) 55 G 4
Autingues (62) 2 D 3
Autoire (46) 159 E 1
Autoreille (70) 94 C 4
Autouillet (78) 50 C 1
Autrac (43) 147 E 2
Autrans (38) 151 F 3
Autrans-Méaudre-
en-Vercors (38) 151 F 3
Autrèche (37) 87 F 3
Autrechêne (90) 96 D 1
Autrêches (60) 32 B 1
Autrecourt-et-Pourron (08) 19 F 4
Autrécourt-sur-Aire (55) 35 F 4
Autremencourt (02) 17 G 3
Autrepierre (54) 57 H 2
Autreppes (02) 17 G 1
Autretot (76) 13 E 4
Autreville (02) 16 D 4
Autreville (88) 56 C 4
Autréville-St-Lambert (55) 19 G 4
Autreville-sur-la-Renne (52) 75 F 2
Autreville-sur-Moselle (54) 56 D 1
Autrey (54) 56 D 3
Autrey (88) 57 H 5
Autrey-le-Vay (70) 95 F 2
Autrey-lès-Cerre (70) 95 F 1
Autrey-lès-Gray (70) 94 A 3
Autricourt (21) 74 D 3
Autruche (08) 19 E 5
Autruy-sur-Juine (45) 70 D 1
Autry (08) 35 E 2
Autry-Issards (03) 119 H 1
Autry-le-Châtel (45) 89 G 2
Autun [SP] (71) 108 B 3
Auty (82) 173 H 2
Auvare (06) 182 C 3
Auve (51) 34 D 4
Auvergny (27) 28 D 5
Auvernaux (91) 51 G 4
Auvers (43) 147 G 5
Auvers (50) 25 E 1
Auvers-le-Hamon (72) 67 F 4
Auvers-
sous-Montfaucon (72) 67 G 3
Auvers-St-Georges (91) 51 E 4
Auvers-sur-Oise (95) 31 E 4
Auverse (49) 85 H 2
Auvet-
et-la-Chapelotte (70) 94 A 2
Auvillar (82) 172 D 3
Auvillars (14) 28 A 3
Auvillars-sur-Saône (21) 109 G 1
Auvillers (60) 31 F 1
Auvillers-les-Forges (08) 10 C 5
Auvilliers (76) 14 B 3
Auvilliers-en-Gâtinais (45) 71 G 4
Aux-Aussat (32) 187 G 4
Aux Marais (60) 30 D 1
Auxais (50) 25 E 2
Auxange (39) 94 B 5
Auxant (21) 108 D 1
Auxelles-Bas (90) 78 A 5
Auxelles-Haut (90) 78 A 5
Auxerre [P] (89) 73 E 5
Auxey-Duresses (21) 109 E 2
Auxi-le-Château (62) 7 F 4
Auxillac (48) 161 F 5
Auxon (10) 73 G 2
Auxon (70) 95 E 1
Auxon-Dessous (25) 94 D 4
Auxon-Dessus (25) 94 D 4
Auxonne (21) 93 H 5
Auxy (45) 71 G 2
Auxy (71) 108 B 3
Auzainvilliers (88) 76 C 1
Auzances (23) 132 B 1
Auzas (31) 205 H 1
Auzat (09) 206 D 5
Auzat-la-Combelle (63) 147 F 1
Auzay (85) 113 G 2
Auzebosc (76) 13 E 4
Auzelles (63) 133 H 5
Auzers (15) 146 A 3
Auzet (04) 181 G 1
Auzéville-en-Argonne (55) 35 F 3
Auzeville-Tolosane (31) 189 G 3
Auzielle (31) 189 G 3
Auzits (12) 159 H 4
Auzon (43) 147 G 1
Auzouer-en-Touraine (37) 87 E 2
Auzouville-Auberbosc (76) 12 D 4
Auzouville-l'Esneval (76) 13 F 4
Auzouville-sur-Ry (76) 29 H 1
Auzouville-sur-Saâne (76) 13 F 3
Availles-
en-Châtellerault (86) 102 C 4
Availles-Limouzine (86) 115 H 5
Availles-sur-Chizé (79) 114 B 5
Availles-sur-Seiche (35) 66 A 3
Availles-Thouarsais (79) 101 G 3
Avajan (65) 205 E 4
Les Avalats (81) 175 E 4
Avallon [SP] (89) 91 G 3
Les Avanchers-Valmorel (73) 138 D 5
Avançon (05) 166 C 4
Avançon (08) 18 A 5
Avanne-Aveney (25) 94 D 5
Avant-lès-Marcilly (10) 53 E 5
Avant-lès-Ramerupt (10) 54 A 4
Avanton (86) 102 A 5
Avapessa (2B) 214 C 5
Avaray (41) 88 A 1
Avaux (08) 18 A 5
Aveize (69) 135 F 4
Aveizieux (42) 135 F 5
Avéjean (30) 178 B 1
Avelanges (21) 93 F 2
Avelesges (80) 14 D 1
Avelin (59) 4 C 4
Aveluy (80) 8 A 5
Avenas (69) 122 A 4
Avenay (14) 27 E 3
Avenay-Val-d'Or (51) 33 H 4
Avène (34) 192 A 1
Les Avenières-
Veyrins-Thuellin (38) 137 F 4
Avensac (32) 172 D 5
Avensan (33) 140 D 4
Aventignan (65) 205 F 2
Aveny (27) 30 B 3
Averan (65) 204 B 1
Averdoingt (62) 7 G 3
Averdon (41) 87 H 1
Avermes (03) 120 A 1
Avernes (95) 30 C 4
Avernes-sous-Exmes (61) 48 A 1
Avernes-St-Gourgon (61) 28 B 5
Avéron-Bergelle (32) 187 E 1
Averton (53) 47 G 5
Avesnelles (59) 9 H 5
Avesnes (62) 7 E 1
Avesnes-Chaussoy (80) 14 D 2
Avesnes-en-Bray (76) 14 B 5
Avesnes-en-Saosnois (72) 68 B 1
Avesnes-en-Val (76) 14 A 1
Avesnes-le-Comte (62) 7 H 3
Avesnes-le-Sec (59) 9 E 3
Avesnes-les-Aubert (59) 9 E 4
Avesnes-lès-Bapaume (62) 8 B 5
Avesnes-sur-Helpe [SP] (59) 9 H 4
Avessac (44) 82 D 1
Avessé (72) 67 F 4
Aveux (65) 205 F 2
Avezac (65) 205 E 2
Avezan (32) 172 C 5
Avèze (30) 177 F 4
Avèze (63) 132 B 5
Avezé (72) 68 D 1
Aviernoz (74) 138 B 1

Avignon P (84) 179 E 4
Avignon-lès-Saint-Claude (39) 124 A 2
Avignonet (38) 151 G 5
Avignonet-Lauragais (31) 189 H 4
Avillers (54) 20 B 4
Avillers (88) 57 E 5
Avillers-Ste-Croix (55) 36 B 4
Avilley (25) 95 F 3
Avilly-St-Léonard (60) 31 G 3
Avion (62) 4 B 5
Avioth (55) 19 H 4
Aviré (49) 84 C 1
Avirey-Lingey (10) 74 B 3
Aviron (27) 29 G 4
Avize (51) 33 H 5
Avocourt (55) 35 F 2
Avoine (37) 86 A 5
Avoine (61) 47 G 2
Avoise (72) 67 G 4
Avolsheim (67) 59 E 2
Avon (77) 51 H 5
Avon (79) 114 D 3
Avon-la-Pèze (10) 53 F 5
Avon-les-Roches (37) 102 B 1
Avondance (62) 7 F 1
Avord (18) 105 H 2
Avoriaz (74) 125 F 4
Avosnes (21) 92 D 4
Avot (21) 93 F 2
Avoudrey (25) 95 G 5
Avrainville (52) 55 F 3
Avrainville (54) 56 C 1
Avrainville (88) 57 E 5
Avrainville (91) 51 E 3
Avranches SP (50) 45 H 2
Avranville (88) 56 A 4
Avrechy (60) 31 F 1
Avrecourt (52) 76 A 3
Avrée (58) 107 G 4
Avremesnil (76) 13 F 2
Avressieux (73) 137 G 4
Avreuil (10) 73 H 3
Avricourt (54) 57 H 2
Avricourt (57) 57 H 2
Avricourt (60) 16 A 4
Avrieux (73) 153 F 2
Avrigney-Virey (70) 94 C 4
Avrigny (60) 31 G 1
Avril (54) 20 D 4
Avril-sur-Loire (58) 106 D 4
Avrillé (49) 84 D 2
Avrillé (85) 112 C 1
Avrillé-les-Ponceaux (37) 86 A 4
Avrilly (03) 121 E 3
Avrilly (27) 29 G 5
Avrilly (61) 46 D 3
Avroult (62) 2 D 5
Avy (17) 127 F 5
Awoingt (59) 8 D 4
Ax-les-Thermes (09) 207 F 5
Axat (11) 208 A 4
Axiat (09) 207 F 5
Ay-Champagne (51) 33 H 4
Ay-sur-Moselle (57) 21 E 4
Ayat-sur-Sioule (63) 132 D 1
Aydat (63) 133 E 4
Aydie (64) 186 D 2
Aydius (64) 203 G 2
Aydoilles (88) 77 G 1
Ayen (19) 144 B 3
Ayencourt (80) 15 H 4
Ayette (62) 8 A 4
Les Aygalades (13) 195 H 4
Ayguade-Ceinturon (83) 201 F 4
Ayguatébia-Talau (66) 212 A 3
Ayguemorte-les-Graves (33) 155 F 2
Ayguesvives (31) 189 G 4
Ayguetinte (32) 172 A 5
Ayherre (64) 185 E 4
Ayn (73) 137 G 4
Aynac (46) 159 E 2
Les Aynans (70) 95 G 1
Aynes (15) 145 G 3
Ayrens (15) 145 H 5
Ayron (86) 101 H 5
Ayros-Arbouix (65) 204 B 2
Ayse (74) 124 D 5
Ayssènes (12) 175 H 3
Aytré (17) 113 E 4
Les Ayvelles (08) 18 D 3
Ayzac-Ost (65) 204 B 2
Ayzieu (32) 171 F 5
Azannes-et-Soumazannes (55) 20 A 4
Azans (39) 110 A 1
Azas (31) 189 H 1
Azat-Châtenet (23) 117 G 5
Azat-le-Ris (87) 116 C 3
Azay-le-Brûlé (79) 114 C 2
Azay-le-Ferron (36) 103 F 4
Azay-le-Rideau (37) 86 B 5
Azay-sur-Cher (37) 87 E 4
Azay-sur-Indre (37) 87 E 5
Azay-sur-Thouet (79) 101 E 5
Azé (41) 69 F 5
Azé (53) 66 D 5
Azé (71) 122 B 2
Azelot (54) 57 E 3
Azerables (23) 117 E 3
Azerailles (54) 57 H 3
Azerat (24) 143 H 4
Azérat (43) 147 G 2
Azereix (65) 204 B 1
Azet (65) 205 E 4
Azeville (50) 23 E 4
Azillanet (34) 191 G 5
Azille (11) 191 F 5
Azilone-Ampaza (2A) 219 E 1
Azincourt (62) 7 F 2
Azolette (69) 121 H 4
Azoudange (57) 57 H 1
Azur (40) 168 C 5
Azy (18) 105 H 1
Azy-le-Vif (58) 106 C 4
Azy-sur-Marne (02) 32 D 4
Azzana (2A) 216 D 4

B

Baâlon (55) 19 G 5
Baâlons (08) 18 D 4
Babeau-Bouldoux (34) 191 H 4
Babœuf (60) 16 C 4
Le Babory-de-Blesle (43) 147 E 2
Baby (77) 52 D 5
Baccarat (54) 57 H 4
Baccon (45) 70 B 4
Bach (46) 174 A 1
Bachant (59) 9 H 4
Bachas (31) 188 C 5
La Bachellerie (24) 143 A 4
Bachimont (62) 7 F 3
Bachivillers (60) 30 D 2
Bachos (31) 205 F 3
Bachy (59) 4 D 4
Bacilly (50) 45 H 2
Le Bacon (48) 161 F 1
Baconnes (51) 34 B 3
La Baconnière (53) 66 C 1
Bacouël (60) 15 G 4
Bacouel-sur-Selle (80) 15 F 2
Bacourt (57) 37 F 5
Bacquepuis (27) 29 F 4
Bacqueville (27) 29 H 2
Bacqueville-en-Caux (76) 13 G 3
Badailhac (15) 160 B 1
Badaroux (48) 161 H 4
Badecon-le-Pin (36) 117 F 1
Badefols-d'Ans (24) 144 A 3
Badefols-sur-Dordogne (24) 157 F 1
Baden (56) 81 F 2
Badens (11) 208 C 1
Badevel (25) 96 D 2
Badinières (38) 137 E 5
Badménil-aux-Bois (88) 57 G 5
Badonviller (54) 58 A 3
Badonvilliers-Gérauvilliers (55) 56 A 3
Baerendorf (67) 38 B 5
Baerenthal (57) 38 D 4
La Baffe (88) 77 G 1
Baffie (63) 148 A 1
Bagard (30) 178 A 3
Bagas (33) 156 A 3
Bagat-en-Quercy (46) 158 A 5
Bâgé-la-Ville (01) 122 C 3
Bâgé-le-Châtel (01) 122 C 3
Bagert (09) 206 B 2
Bages (11) 209 F 2
Bages (66) 213 E 3
Bagiry (31) 205 G 3
Baglainval (28) 50 B 4
Bagnac-sur-Célé (46) 159 G 3
Bagneaux (89) 73 E 1
Bagneaux-sur-Loing (77) 71 H 1
Bagnères-de-Bigorre SP (65) 204 C 2
Bagnères-de-Luchon (31) 205 F 4
Bagneux (02) 16 D 5
Bagneux (03) 106 C 5
Bagneux (36) 104 B 1
Bagneux (49) 85 G 5
Bagneux (51) 53 G 3
Bagneux (54) 56 C 3
Bagneux (79) 101 F 1
Bagneux (92) 51 F 1
Bagneux-la-Fosse (10) 74 B 3
Bagnizeau (17) 127 G 2
Bagnoles (11) 191 E 5
Bagnoles-de-l'Orne (61) 47 F 3
Bagnolet (93) 51 F 1
Bagnols (63) 146 B 1
Bagnols (69) 135 G 2
Bagnols-en-Forêt (83) 198 C 2
Bagnols-les-Bains (48) 161 H 4
Bagnols-sur-Cèze (30) 178 D 2
Bagnot (21) 109 G 1
Baguer-Morvan (35) 45 E 3
Baguer-Pican (35) 45 F 3
Baho (66) 209 E 5
Bahus-Soubiran (40) 186 C 1
Baigneaux (28) 70 C 2
Baigneaux (33) 155 H 2
Baigneaux (41) 69 G 5
Baignes (70) 94 D 2
Baignes-Ste-Radegonde (16) 141 H 1
Baigneux-les-Juifs (21) 92 D 2
Baignolet (28) 70 B 2
Baigts (40) 185 H 1
Baigts-de-Béarn (64) 185 G 3
Baillargues (34) 193 G 2
Baillé (35) 45 H 5
Bailleau (28) 50 B 4
Bailleau-le-Pin (28) 49 H 5
Bailleau-l'Évêque (28) 49 H 4
Baillestavy (66) 212 C 3
Baillet-en-France (95) 31 F 4
Bailleul (59) 3 H 4
Bailleul (61) 47 H 1
Le Bailleul (72) 67 G 5
Bailleul (80) 6 D 5
Bailleul-aux-Cornailles (62) 7 G 2
Bailleul-la-Vallée (27) 28 C 3
Bailleul-le-Soc (60) 31 G 1
Bailleul-lès-Pernes (62) 7 G 1
Bailleul-Neuville (76) 14 A 2
Bailleul-Sir-Berthoult (62) 8 B 3
Bailleul-sur-Thérain (60) 31 E 1
Bailleulmont (62) 7 H 4
Bailleulval (62) 8 A 4
Bailleval (60) 31 G 1
Baillolet (76) 14 A 2
Baillou (41) 69 E 4
Bailly (60) 16 B 5
Bailly (78) 50 D 1
Bailly-aux-Forges (52) 55 E 4
Bailly-Carrois (77) 52 B 3
Bailly-en-Rivière (76) 14 A 1
Bailly-le-Franc (10) 54 D 4
Bailly-Romainvilliers (77) 52 A 1
Bain-de-Bretagne (35) 65 F 4
Baincthun (62) 2 B 4
Bainghen (62) 2 C 4
Bains (43) 148 A 5
Bains-de-Guitera (2A) 219 E 1
Bains-les-Bains (88) 77 E 3
Bains-sur-Oust (35) 64 C 5
Bainville-aux-Miroirs (54) 57 E 4
Bainville-aux-Saules (88) 77 E 1
Bainville-sur-Madon (54) 56 D 3
Bairols (06) 183 E 3
Bais (35) 65 H 3
Bais (53) 67 F 1
Baissieux (59) 4 D 4
Baissey (52) 75 G 5
Baives (59) 10 B 3
Baix (07) 163 G 2
Baixas (66) 209 E 5
Baizieux (80) 15 G 1
Le Baizil (51) 33 F 5
Bajamont (47) 172 C 1
Bajonnette (32) 172 C 5
Bajus (62) 7 H 2
Balacet (09) 206 A 4
Baladou (46) 158 C 1
Balagny-sur-Thérain (60) 31 F 2
Balaguères (09) 206 A 3
Balaguier-d'Olt (12) 159 F 4
Balaguier-sur-Rance (12) 175 G 5
Balaiseaux (39) 110 A 2
Balaives-et-Butz (08) 18 D 3
Balan (01) 136 C 2
Balan (08) 19 F 3
La Balandran (30) 194 B 1
Balanod (39) 123 E 2
Balansun (64) 185 H 3
Balanzac (17) 126 D 3
Balaruc-le-Vieux (34) 193 E 4
Balaruc-les-Bains (34) 193 E 4
Balâtre (80) 16 A 3
Balazé (35) 66 A 1
Balazuc (07) 163 E 4
Balbigny (42) 134 D 3
Balbins (38) 150 D 1
Balbronn (67) 58 D 2
Baldenheim (67) 59 E 5
Baldersheim (68) 78 D 4
La Baleine (50) 25 E 5
Baleix (64) 186 D 4
Balesmes (37) 102 D 2
Balesmes-sur-Marne (52) 75 H 5
Balesta (31) 205 F 1
Baleyssagues (47) 156 B 3
Balgau (68) 79 E 3
Balham (08) 18 A 5
Balignac (82) 172 D 4
Balignicourt (10) 54 B 4
Bâlines (27) 49 F 2
Balinghem (62) 2 C 3
Baliracq-Maumusson (64) 186 C 3
Baliros (64) 186 C 5
Balizac (33) 155 F 4
Ballainvilliers (91) 51 F 2
Ballaison (74) 124 D 3
Ballan-Miré (37) 86 C 4
Ballancourt-sur-Essonne (91) 51 F 4
Ballans (17) 127 H 2
Ballay (08) 34 D 1
Balledent (87) 116 D 5
Ballée (53) 67 E 4
Balleray (58) 106 D 2
Balleroy-sur-Drôme (14) 25 H 3
Ballersdorf (68) 97 E 1
Balléville (88) 56 C 5
Ballon (17) 113 F 5
Ballon-Saint-Mars (72) 68 A 2
Ballons (26) 180 C 1
Ballore (71) 121 G 1
Ballots (53) 66 A 4
Balloy (77) 52 C 5
Balma (31) 189 G 2
Le Balmay (01) 123 G 5
La Balme (73) 137 G 3
La Balme-de-Sillingy (74) 138 A 1
La Balme-de-Thuy (74) 138 B 1
La Balme-d'Épy (39) 123 F 2
La Balme-les-Grottes (38) 137 E 2
Balmont (74) 138 A 2
Balnot-la-Grange (10) 74 A 3
Balnot-sur-Laignes (10) 74 B 3
Balogna (2A) 216 C 3
Balot (21) 74 B 5
Balsac (12) 160 A 5
Balschwiller (68) 78 C 5
Balsièges (48) 161 G 5
Baltzenheim (68) 79 E 2
Balzac (16) 128 B 4
Bambecque (59) 3 G 3
Bambiderstroff (57) 21 G 5
Ban-de-Laveline (88) 58 B 5
Ban-de-Sapt (88) 58 B 5
Le Ban-St-Martin (57) 21 E 5
Ban-sur-Meurthe-Clefcy (88) 78 B 1
Banassac-Canilhac (48) 161 F 5
Banat (09) 207 E 4
Banca (64) 202 A 1
Bancigny (02) 17 H 2
Bancourt (62) 8 B 5
Bandol (83) 200 C 3
Baneins (01) 122 C 5
Baneuil (24) 157 F 1
Bangor (56) 80 D 5
Banhars (12) 160 B 3
Banios (65) 204 D 2
Banize (23) 131 F 2
Bannalec (29) 62 B 4
Bannans (25) 111 F 3
Bannay (18) 90 A 4
Bannay (51) 53 F 1
Bannay (57) 21 G 5
Banne (07) 162 D 5
Bannegon (18) 105 H 4
Bannes (46) 159 E 2
Bannes (51) 53 G 1
Bannes (52) 75 H 4
Bannes (53) 67 F 3
Les Bannettes (13) 196 A 3
Banneville-la-Campagne (14) 27 G 3
Bannières (81) 189 H 2
Bannoncourt (55) 35 H 5
Bannost (77) 52 C 2
Banogne-Recouvrance (08) 18 A 4
Banon (04) 180 C 3
Banos (40) 186 A 1
Bans (39) 110 B 2
Bansat (63) 147 F 1
Bantanges (71) 109 G 5
Banteux (59) 8 D 5
Banthelu (95) 30 C 3
Bantheville (55) 35 F 1
Bantigny (59) 8 D 4
Bantouzelle (59) 8 D 5
Bantzenheim (68) 79 E 4
Banvillars (90) 96 C 1
Banville (14) 27 E 1
Banvou (61) 47 E 2
Banyuls-dels-Aspres (66) 213 E 3
Banyuls-sur-Mer (66) 213 G 4
Baon (89) 74 A 5
Baons-le-Comte (76) 13 E 4
Bapaume (62) 8 B 5
Bapeaume (76) 13 G 5
Bar (19) 145 E 2
Bar-le-Duc P (55) 55 G 1
Bar-lès-Buzancy (08) 19 F 5
Bar-sur-Aube SP (10) 74 D 1
Le Bar-sur-Loup (06) 199 E 1
Bar-sur-Seine (10) 74 B 2
Baracé (49) 85 F 1
Baraigne (11) 190 A 5
Baraize (36) 117 F 2
Baralle (62) 8 C 4
Les Baraques (43) 148 B 5
Baraques-de-Montpezat (30) 178 A 5
La Baraquette (30) 178 D 4
Baraqueville (12) 175 F 1
Barastre (62) 8 B 5
Baratier (05) 167 E 3
Barbachen (65) 187 F 4
Barbaggio (2B) 215 F 3
Barbaira (11) 208 C 1
Barbaise (08) 18 C 3
Barbas (54) 58 A 3
Barbaste (47) 171 H 2
Barbâtre (85) 98 B 2
Barbazan (31) 205 G 2
Barbazan-Debat (65) 204 C 1
Barbazan-Dessus (65) 204 C 1
Barbechat (44) 83 H 4
La Barben (13) 195 G 2
Barbentane (13) 179 E 4
Barberaz (73) 137 H 4
Barberey-St-Sulpice (10) 53 H 5
Barberier (03) 119 H 4
Barbery (14) 27 F 4
Barbery (60) 31 H 3
Barbeville (14) 25 H 2
Barbey (77) 52 B 5
Barbey-Seroux (88) 78 A 1
Barbezières (16) 128 A 2
Barbezieux-St-Hilaire (16) 127 H 5
Barbières (26) 150 D 5
Barbirey-sur-Ouche (21) 93 E 5
Barbizon (77) 51 G 4
Barbonne-Fayel (51) 53 F 3
Barbonville (54) 57 F 3
Barbotan-les-Thermes (32) 171 F 4
Le Barboux (25) 96 C 5
Barbuise (10) 53 E 3
Barby (08) 18 B 5
Barby (73) 138 A 4
Barc (27) 29 E 4
Barcaggio (2B) 215 F 1
Le Barcarès (66) 209 F 5
Barcelonne (26) 164 C 1
Barcelonne-du-Gers (32) 186 C 1
Barcelonnette SP (04) 167 F 5
Barchain (57) 58 A 1
Barchetta (2B) 215 F 5
Barcillonnette (05) 166 A 4
Barcugnan (32) 187 G 4
Barcus (64) 203 E 1
Barcy (77) 32 A 4
Bard (42) 134 C 5
Bard-le-Régulier (21) 108 B 1
Bard-lès-Époisses (21) 92 A 2
Bard-lès-Pesmes (70) 94 B 4
La Barde (17) 142 A 4
Bardenac (16) 142 A 2
Bardiana (2B) 216 C 2
Bardigues (82) 172 D 3
Le Bardon (45) 70 B 5
Bardos (64) 185 E 3
Bardou (24) 157 E 2
Bardouville (76) 29 F 1
Les Bardys (87) 130 B 2
Barèges (65) 204 C 3
Bareilles (65) 205 E 3
Barembach (67) 58 C 3
Baren (31) 205 F 4
Barentin (76) 13 F 5
Barenton (50) 46 C 3
Barenton-Bugny (02) 17 F 4
Barenton-Cel (02) 17 F 4
Barenton-sur-Serre (02) 17 F 4
Barésia-sur-l'Ain (39) 123 H 1
Barfleur (50) 23 E 2
La Barge (15) 147 E 5
Bargème (83) 182 A 5
Bargemon (83) 197 H 1
Barges (21) 93 F 5
Barges (43) 162 B 1
Barges (70) 76 C 4
Bargny (60) 32 A 3
Barie (33) 155 H 4
Les Barils (27) 49 E 2
Barinque (64) 186 C 4
Barisey-au-Plain (54) 56 C 3
Barisey-la-Côte (54) 56 C 3
Barisis (02) 16 D 4
Barizey (71) 108 D 4
Barjac (09) 206 B 2
Barjac (30) 178 B 1
Barjac (48) 161 G 4
Barjols (83) 196 D 2
Barjon (21) 93 F 2
Barjouville (28) 50 A 5
Barles (04) 181 G 1
Barlest (65) 204 B 1
Barleux (80) 16 B 2
Barlieu (18) 89 H 3
Barlin (62) 7 H 2
Barly (62) 7 H 3
Barly (80) 7 G 4
Barmainville (28) 70 D 1
Barnas (07) 162 D 3
Barnave (26) 165 F 3
Barnay (71) 108 B 1
Barneville-Carteret (50) 22 B 5
Barneville-la-Bertran (14) 28 A 1
Barneville-Plage (50) 22 B 5
Barneville-sur-Seine (27) 29 E 1
Barnier (30) 194 A 1
La Baroche-Gondouin (53) 47 E 4
La Baroche-sous-Lucé (61) 47 E 3
Les Baroches (54) 20 C 5
Baromesnil (76) 14 A 1
Baron (30) 178 B 3
Baron (33) 155 G 1
Baron (60) 31 H 3
Baron (71) 121 G 2
Baron-sur-Odon (14) 27 E 3
Baronville (57) 37 G 4
Barou-en-Auge (14) 27 H 5
Baroville (10) 74 D 1
Le Barp (33) 154 D 3
Barquet (27) 29 E 4
Barr (67) 58 D 4
Barracone (2A) 216 D 5
Barrais-Bussolles (03) 120 C 3
Barran (32) 187 H 2
Barrancoueu (65) 205 E 3
Les Barraques (05) 166 B 2
Les Barraques-en-Vercors (26) 151 E 5
Barras (04) 181 F 2
Barraute-Camu (64) 185 G 4
Barraux (38) 152 A 1
La Barre (39) 110 B 1
La Barre (70) 95 E 3
Barre (81) 191 G 1
La Barre-de-Monts (85) 98 C 3
La Barre-de-Semilly (50) 25 G 3
Barre-des-Cévennes (48) 177 F 2
La Barre-en-Ouche (27) 28 D 5
Barrême (04) 181 H 4
Barret (16) 127 H 5
Barret-de-Lioure (26) 180 B 2
Barret-sur-Méouge (05) 180 C 1
Barretaine (39) 110 C 3
Barrettali (2B) 215 F 2
Barriac-les-Bosquets (15) 145 H 4
Barricourt (08) 19 F 5
Barro (16) 128 C 1
Barrou (37) 102 D 3
Le Barroux (84) 179 G 2
Barry (65) 204 C 1
Barry-d'Islemade (82) 173 G 3
Bars (24) 143 H 4
Bars (32) 187 G 3
Barsac (26) 165 E 2
Barsac (33) 155 G 3
Barsanges (19) 131 F 5
Barst (57) 37 H 3
Bart (25) 96 C 2
Bartenheim (68) 97 G 1
Barthe (65) 187 H 5
La Barthe-de-Neste (65) 205 E 2
Bartherans (25) 110 D 1
Les Barthes (82) 173 F 3
Bartrès (65) 204 B 1
Barville (27) 28 C 3
Barville (61) 48 B 4
Barville (76) 13 E 3
Barville (88) 56 B 5
Barville-en-Gâtinais (45) 71 F 2
Barzan (17) 126 D 5
Barzun (64) 204 B 1
Barzy-en-Thiérache (02) 9 G 5
Barzy-sur-Marne (02) 33 E 4
Bas-en-Basset (43) 148 C 2
Bas-et-Lezat (63) 133 G 1
Bas-Lieu (59) 9 H 4
Bas-Mauco (40) 169 H 5
Bas-Rupts (88) 78 A 2
Bas Warneton (59) 4 B 2
Bascons (40) 170 D 5
Bascous (32) 171 G 5
Baslieux (54) 20 B 3
Baslieux-lès-Fismes (51) 33 F 2
Baslieux-sous-Châtillon (51) 33 F 3
Basly (14) 27 F 2
Bassac (16) 128 A 4
Bassan (34) 192 B 4
Bassanne (33) 155 H 4
Basse-Goulaine (44) 83 G 5
Basse-Ham (57) 21 E 3
Basse-Rentgen (57) 21 E 2
Basse-sur-le-Rupt (88) 77 H 3
La Basse-Vaivre (70) 76 D 3
La Bassée (59) 4 B 4
Bassemberg (67) 58 C 5
Basseneville (14) 27 G 2
Bassens (33) 155 F 1
Bassens (73) 137 H 4
Bassercles (40) 186 A 2
Basses (86) 101 H 2
Basseux (62) 8 A 4
Basseville (77) 32 C 5
Bassignac (15) 145 H 2
Bassignac-le-Bas (19) 145 E 5
Bassignac-le-Haut (19) 145 F 3
Bassigney (70) 77 E 4
Bassillac (24) 143 F 3
Bassillon-Vauzé (64) 186 D 3
Bassing (57) 37 H 5
Bassoles-Aulers (02) 16 D 5
Bassoncourt (52) 76 A 2
Bassou (89) 73 E 4
Bassoues (32) 187 F 2
Bassu (51) 54 D 1
Bassuet (51) 54 D 1
Bassurels (48) 177 F 2
Bassussarry (64) 184 C 3
Bassy (74) 137 H 1
Bastanès (64) 185 H 4
Bastelica (2A) 217 E 5
Bastelicaccia (2A) 216 C 5
Bastennes (40) 185 H 2
Bastia P (2B) 215 G 3
La Bastide (30) 178 C 2
La Bastide (66) 212 C 3
La Bastide (83) 182 B 5
La Bastide -Pradines (12) 176 B 4
La Bastide-Clairence (64) 185 E 3
La Bastide-de-Besplas (09) 206 C 1
La Bastide-de-Bousignac (09) 207 G 2
La Bastide de Couloumat (11) 207 F 1
La Bastide-de-Lordat (09) 207 F 1
La Bastide-de-Sérou (09) 206 D 3
La Bastide-d'Engras (30) 178 C 3
La Bastide-des-Jourdans (84) 180 C 5
La Bastide-du-Salat (09) 206 A 2
La Bastide-l'Évêque (12) 174 D 1
La Bastide-Puylaurent (48) 162 B 3
La Bastide-Solages (12) 175 G 4
La Bastide-sur-l'Hers (09) 207 G 3
La Bastidonne (13) 196 A 5
La Bastidonne (84) 196 A 1
Le Bastit (46) 158 D 2
Basville (23) 131 H 2
La Bataille (79) 114 D 5

Localité *(Département)* **Page Coordonnées**

Bataville *(57)* 57 H 2
Bathelémont *(54)* 57 G 2
Bathernay *(26)* 150 C 3
La Bâthie *(73)* 138 D 4
La Bâtie *(04)* 182 A 5
La Bâtie-des-Fonds *(26)* 165 G 4
La Bâtie-Divisin *(38)* 137 F 5
La Bâtie-Montgascon *(38)* 137 F 4
La Bâtie-Montsaléon *(05)* 165 H 4
La Bâtie-Neuve *(05)* 166 C 3
La Bâtie-Rolland *(26)* 163 H 4
La Bâtie-Vieille *(05)* 166 C 3
Les Bâties *(70)* 94 C 2
Batilly *(54)* 20 D 5
Batilly *(61)* 47 G 2
Batilly-en-Gâtinais *(45)* 71 F 3
Batilly-en-Puisaye *(45)* 90 A 2
Bats *(40)* 186 B 2
Batsère *(65)* 204 D 2
Battenans-les-Mines *(25)* 95 F 3
Battenans-Varin *(25)* 96 C 4
Battenheim *(68)* 78 D 4
Battexey *(88)* 57 E 4
Battigny *(54)* 56 D 4
Battrans *(70)* 94 B 3
Batz-sur-Mer *(44)* 82 A 4
Batzendorf *(67)* 39 F 5
Baubigny *(21)* 108 D 2
Baubigny *(50)* 22 B 4
La Bauche *(73)* 137 G 5
Baud *(56)* 63 F 5
Baudement *(51)* 53 F 3
Baudemont *(71)* 121 G 3
Les Baudières *(89)* 73 F 4
Baudignan *(40)* 171 G 3
Baudignécourt *(55)* 55 H 3
Baudinard-sur-Verdon *(83)* 197 E 1
Baudoncourt *(70)* 77 F 5
Baudonvilliers *(55)* 55 F 2
Les Baudras *(71)* 108 B 5
Baudre *(50)* 25 F 3
Baudrecourt *(52)* 55 F 5
Baudrecourt *(57)* 37 F 4
Baudreix *(64)* 204 A 1
Baudrémont *(55)* 55 H 1
Baudres *(36)* 104 A 2
Baudreville *(28)* 50 C 5
Baudreville *(50)* 22 C 5
Baudricourt *(88)* 56 D 5
Baudrières *(71)* 109 F 5
Bauduen *(83)* 197 E 1
Baugé-en-Anjou *(49)* 85 G 2
Baugy *(18)* 105 H 2
Baugy *(60)* 16 A 5
Baugy *(71)* 121 E 3
Baulay *(70)* 76 D 5
La Baule *(44)* 82 A 4
Baule *(45)* 70 B 5
La Baule-Escoublac *(44)* 82 A 4
Baulme-la-Roche *(21)* 93 E 4
Baulne *(91)* 51 F 4
Baulne-en-Brie *(02)* 33 E 5
Baulny *(55)* 35 F 2
Baulon *(35)* 64 D 3
Baulou *(09)* 206 D 3
La Baume *(74)* 125 E 3
La Baume-Cornillane *(26)* 164 C 1
La Baume-de-Transit *(26)* 179 F 1
La Baume-d'Hostun *(26)* 150 D 4
Baume-les-Dames *(25)* 95 F 4
Baume-les-Messieurs *(39)* 110 B 4
La Baumette *(06)* 182 C 2
Bauné *(49)* 85 F 3
Baupte *(50)* 23 E 5
Bauquay *(14)* 27 E 4
Baurech *(33)* 155 F 2
La Baussaine *(35)* 45 E 5
Bauvin *(59)* 4 B 4
Les Baux *(83)* 197 H 3
Les Baux-de-Breteuil *(27)* 49 E 1
Les Baux-de-Provence *(13)* 194 D 1
Les Baux-Ste-Croix *(27)* 29 G 5
Bauzemont *(54)* 57 G 2
Bauzens *(24)* 143 H 3
Bauzy *(41)* 88 A 2
Bavans *(25)* 96 C 2
Bavay *(59)* 9 G 3
Bavelincourt *(80)* 15 G 1
Bavella *(Col de) (2A)* 219 F 1
Bavent *(14)* 27 G 2
Baverans *(39)* 110 A 1
Bavilliers *(90)* 96 C 1
Bavinchove *(59)* 3 F 4
Bavincourt *(62)* 7 H 4
Bax *(31)* 206 C 1
Bay *(70)* 94 B 4
Bay-sur-Aube *(52)* 75 F 5
Bayac *(24)* 157 F 2
Bayas *(33)* 141 H 4
Baye *(29)* 62 B 5
Baye *(51)* 53 F 1
Bayecourt *(88)* 57 G 5
Bayel *(10)* 74 D 1
Bayencourt *(80)* 7 H 4
Bayenghem-lès-Éperlecques *(62)* 2 D 3
Bayenghem-lès-Seninghem *(62)* 2 D 4
Bayers *(16)* 128 C 2
Bayet *(03)* 120 A 4
Bayeux (SP) *(14)* 26 D 2
Baynes *(14)* 25 G 2
Bayon *(54)* 57 F 4
Bayon-sur-Gironde *(33)* 141 E 4
Bayonne (SP) *(64)* 184 C 3
Bayons *(04)* 166 C 5
Bayonville *(08)* 35 E 1
Bayonville-sur-Mad *(54)* 36 C 4
Bayonvillers *(80)* 15 H 2
Bazac *(16)* 142 B 3
Bazaiges *(36)* 117 F 2
Bazailles *(54)* 20 B 3
Bazainville *(78)* 50 B 1
Bazancourt *(51)* 34 A 1
Bazancourt *(60)* 14 C 5
Bazarnes *(89)* 91 F 1
Bazas *(33)* 155 H 5
Bazauges *(17)* 127 H 2
Bazegney *(88)* 57 E 5
Bazeilles *(08)* 19 F 3
Bazeilles-sur-Othain *(55)* 19 H 5
Bazelat *(23)* 117 F 3
Bazemont *(78)* 30 C 5
Bazens *(47)* 172 A 1
Bazentin *(80)* 8 A 5
Bazenville *(14)* 27 E 2
Bazet *(65)* 187 E 5
La Bazeuge *(87)* 116 C 4
Bazian *(32)* 187 G 2
Bazicourt *(60)* 31 H 1
Baziège *(31)* 189 G 4
Bazien *(88)* 57 H 4
Bazillac *(65)* 187 E 4
Bazincourt-sur-Epte *(27)* 30 C 2
Bazincourt-sur-Saulx *(55)* 55 F 2
Bazinghen *(62)* 2 B 3
Bazinval *(76)* 14 B 1
La Bazoche-Gouet *(28)* 69 F 2
Bazoches *(58)* 91 G 4
Bazoches-au-Houlme *(61)* 47 G 1
Bazoches-en-Dunois *(28)* 70 A 2
Bazoches-lès-Bray *(77)* 52 C 5
Bazoches-les-Gallerandes *(45)* 70 D 2
Bazoches-les-Hautes *(28)* 70 C 2
Bazoches-sur-Guyonne *(78)* 50 C 1
Bazoches-sur-Hoëne *(61)* 48 C 3
Bazoches-sur-le-Betz *(45)* 72 B 2
Bazoches-sur-Vesles *(02)* 33 E 2
La Bazoge *(50)* 46 B 2
La Bazoge *(72)* 68 A 2
La Bazoge-Montpinçon *(53)* 66 D 1
Bazoges-en-Paillers *(85)* 100 A 3
Bazoges-en-Pareds *(85)* 100 B 5
Bazoilles-et-Ménil *(88)* 76 D 1
Bazoilles-sur-Meuse *(88)* 56 B 5
Bazolles *(58)* 107 F 1
Bazoncourt *(57)* 37 F 3
Bazonville *(54)* 20 C 3
La Bazoque *(14)* 25 H 3
La Bazoque *(61)* 47 E 1
Bazoques *(27)* 28 C 3
Bazordan *(65)* 205 F 1
La Bazouge-de-Chemeré *(53)* 67 E 3
La Bazouge-des-Alleux *(53)* 66 D 1
La Bazouge-du-Désert *(35)* 46 A 4
Bazougers *(53)* 66 D 3
Bazouges *(53)* 66 C 5
Bazouges-Cré-sur-Loir *(72)* 85 G 1
Bazouges-la-Pérouse *(35)* 45 G 4
Bazouges-sous-Hédé *(35)* 45 E 5
Bazouges-sur-le-Loir *(72)* 85 G 1
Bazuel *(59)* 9 F 5
Bazugues *(32)* 187 G 4
Bazus *(31)* 189 G 1
Bazus-Aure *(65)* 205 E 4
Bazus-Neste *(65)* 205 E 2
Le Béage *(07)* 162 C 1
Béalcourt *(80)* 7 F 4
Béalencourt *(62)* 7 F 2
Béard *(58)* 106 D 3
Béard-Géovreissiat *(01)* 123 G 4
Beaubec-la-Rosière *(76)* 14 B 4
Beaubery *(71)* 121 H 2
Beaubray *(27)* 29 E 5
Beaucaire *(30)* 178 D 5
Beaucaire *(32)* 172 A 5
Beaucamps-le-Jeune *(80)* 14 C 2
Beaucamps-le-Vieux *(80)* 14 C 2
Beaucamps-Ligny *(59)* 4 B 4
Beaucé *(35)* 46 A 5
Beaucens *(65)* 204 B 3
Le Beaucet *(84)* 179 G 4
Beauchalot *(31)* 205 H 2
Beauchamp *(95)* 31 E 4
Beauchamps *(50)* 45 H 1
Beauchamps *(80)* 6 B 5
Beauchamps-sur-Huillard *(45)* 71 G 4
Beaucharmoy *(52)* 76 B 3
Beauchastel *(07)* 163 H 1
Beauche *(28)* 49 F 2
Beauchemin *(52)* 75 G 4
Beauchêne *(41)* 69 F 4
Beauchêne *(61)* 46 D 2
Beauchery-St-Martin *(77)* 52 D 3
Beauclair *(55)* 19 G 5
Beaucoudray *(50)* 25 F 4
Beaucourt *(90)* 96 D 2
Beaucourt-en-Santerre *(80)* 15 H 3
Beaucourt-sur-l'Ancre *(80)* 8 A 5
Beaucourt-sur-l'Hallue *(80)* 15 G 1
Beaucouzé *(49)* 84 D 3
Beaucroissant *(38)* 151 F 2
Beaudéan *(65)* 204 D 2
Beaudéduit *(60)* 15 E 4
Beaudignies *(59)* 9 F 4
Beaudricourt *(62)* 7 G 3
Beaufai *(61)* 48 C 2
Beaufay *(72)* 68 B 2
Beauficel *(50)* 46 B 1
Beauficel-en-Lyons *(27)* 30 A 1
Beaufin *(38)* 166 A 1
Beaufort *(31)* 188 D 4
Beaufort *(34)* 191 G 5
Beaufort *(38)* 150 C 2
Beaufort *(39)* 123 F 1
Beaufort *(59)* 9 H 4
Beaufort *(73)* 138 D 3
Beaufort-Blavincourt *(62)* 7 H 3
Beaufort-en-Anjou *(49)* 85 F 3
Beaufort-en-Argonne *(55)* 19 G 5
Beaufort-en-Santerre *(80)* 15 H 3
Beaufort-sur-Gervanne *(26)* 164 D 2
Beaufou *(85)* 99 F 3
Beaufour-Druval *(14)* 27 H 2
Beaufremont *(88)* 76 B 1
Beaufresne *(76)* 14 C 3
Beaugas *(47)* 157 E 4
Beaugeay *(17)* 126 C 2
Beaugency *(45)* 70 B 5
Beaugies-sous-Bois *(60)* 16 C 4
Beaujeu *(04)* 181 G 1
Beaujeu *(69)* 122 A 5
Beaujeu-St-Vallier-et-Pierrejux *(70)* 94 B 2
La Beaujoire *(44)* 83 F 4
Beaulac *(33)* 155 G 5
Beaulandais *(61)* 47 E 3
Beaulencourt *(62)* 8 B 5
Beaulieu *(07)* 162 D 5
Beaulieu *(08)* 10 B 5
Beaulieu *(14)* 25 H 5
Beaulieu *(15)* 146 A 1
Beaulieu *(21)* 92 D 1
Beaulieu *(34)* 193 G 1
Beaulieu *(36)* 116 D 3
Beaulieu *(38)* 151 E 3
Beaulieu *(43)* 148 B 4
Beaulieu *(58)* 91 E 5
Beaulieu *(61)* 48 D 2
Beaulieu *(63)* 147 F 1
Beaulieu-en-Argonne *(55)* 35 F 4
Beaulieu-les-Fontaines *(60)* 16 B 4
Beaulieu-lès-Loches *(37)* 103 F 1
Beaulieu-sous-Bressuire *(79)* 100 D 3
Beaulieu-sous-la-Roche *(85)* 99 F 5
Beaulieu-sous-Parthenay *(79)* 114 C 1
Beaulieu-sur-Dordogne *(19)* 145 E 5
Beaulieu-sur-Layon *(49)* 84 D 4
Beaulieu-sur-Loire *(45)* 90 A 2
Beaulieu-sur-Mer *(06)* 183 F 5
Beaulieu-sur-Oudon *(53)* 66 B 3
Beaulieu-sur-Sonnette *(16)* 128 D 2
Beaulon *(03)* 120 C 1
Beaumais *(14)* 27 H 5
Beaumarchés *(32)* 187 E 2
Beaumat *(46)* 158 C 3
Beaumé *(02)* 10 A 5
La Beaume *(05)* 165 G 3
Beauménil *(88)* 77 H 1
Beaumerie-St-Martin *(62)* 6 D 2
Beaumes-de-Venise *(84)* 179 G 2
Beaumesnil *(14)* 25 G 5
Beaumesnil *(27)* 28 D 4
Beaumettes *(84)* 179 H 5
Beaumetz *(80)* 7 F 4
Beaumetz-lès-Aire *(62)* 7 F 1
Beaumetz-lès-Cambrai *(62)* 8 C 5
Beaumetz-lès-Loges *(62)* 8 A 4
Beaumont *(07)* 162 D 4
Beaumont *(19)* 145 E 1
Beaumont *(32)* 171 H 4
Beaumont *(43)* 147 F 2
Beaumont *(54)* 36 B 5
Beaumont *(63)* 133 E 3
Beaumont *(74)* 124 B 5
Beaumont *(86)* 102 B 4
Beaumont *(89)* 73 E 4
Beaumont-de-Lomagne *(82)* 173 E 5
Beaumont-de-Pertuis *(84)* 196 B 1
Beaumont-du-Gâtinais *(77)* 71 G 2
Beaumont-du-Lac *(87)* 131 E 3
Beaumont-du-Périgord *(24)* 157 F 2
Beaumont-du-Ventoux *(84)* 179 H 2
Beaumont-en-Argonne *(08)* 19 F 4
Beaumont-en-Auge *(14)* 28 A 2
Beaumont-en-Beine *(02)* 16 C 3
Beaumont-en-Cambrésis *(59)* 9 E 5
Beaumont-en-Diois *(26)* 165 F 3
Beaumont-en-Verdunois *(55)* 35 H 2
Beaumont-en-Véron *(37)* 86 A 5
Beaumont-Hague *(50)* 22 B 2
Beaumont-Hamel *(80)* 8 A 5
Beaumont-la-Ferrière *(58)* 106 C 1
Beaumont-la-Ronce *(37)* 86 D 2
Beaumont-le-Hareng *(76)* 13 H 4
Beaumont-le-Roger *(27)* 29 E 4
Beaumont-les-Autels *(28)* 69 F 1
Beaumont-les-Nonains *(60)* 30 D 2
Beaumont-lès-Randan *(63)* 133 G 1
Beaumont-lès-Valence *(26)* 164 C 1
Beaumont-Monteux *(26)* 149 H 5
Beaumont-Pied-de-Bœuf *(53)* 67 E 4
Beaumont-Pied-de-Bœuf *(72)* 68 B 5
Beaumont-Sardolles *(58)* 106 D 3
Beaumont-sur-Dême *(72)* 86 C 1
Beaumont-sur-Grosne *(71)* 109 E 5
Beaumont-sur-Lèze *(31)* 189 F 4
Beaumont-sur-Oise *(95)* 31 F 3
Beaumont-sur-Sarthe *(72)* 68 A 1
Beaumont-sur-Vesle *(51)* 34 A 3
Beaumont-sur-Vingeanne *(21)* 93 H 3
Beaumont-Village *(37)* 103 G 1
Beaumontel *(27)* 29 E 4
Beaumotte-Aubertans *(70)* 95 E 3
Beaumotte-lès-Pin *(70)* 94 C 4
Beaunay *(51)* 33 G 5
Beaune (SP) *(21)* 109 E 2
Beaune *(73)* 152 D 2
Beaune-d'Allier *(03)* 119 F 4
Beaune-la-Rolande *(45)* 71 F 3
Beaune-le-Froid *(63)* 132 D 5
Beaune-les-Mines *(87)* 130 B 2
Beaune-sur-Arzon *(43)* 148 A 2
Beaunotte *(21)* 92 D 1
Beaupont *(01)* 123 E 2
Beaupouyet *(24)* 142 C 5
Beaupréau-en-Mauges *(49)* 84 B 5
Beaupuy *(31)* 189 G 2
Beaupuy *(32)* 188 C 2
Beaupuy *(47)* 156 B 4
Beaupuy *(82)* 173 F 5
Beauquesne *(80)* 7 G 5
Beaurain *(59)* 9 F 4
Beaurains *(62)* 8 A 3
Beaurains-lès-Noyon *(60)* 16 B 4
Beaurainville *(62)* 6 D 2
Beaurecueil *(13)* 196 A 3
Beauregard *(01)* 135 H 1
Beauregard *(46)* 174 B 1
Beauregard-Baret *(26)* 150 D 5
Beauregard-de-Terrasson *(24)* 144 A 4
Beauregard-et-Bassac *(24)* 143 E 5
Beauregard-l'Évêque *(63)* 133 G 3
Beauregard-Vendon *(63)* 133 F 1
Beaurepaire *(38)* 150 C 2
Beaurepaire *(60)* 31 G 2
Beaurepaire *(76)* 12 B 3
Beaurepaire *(85)* 100 A 3
Beaurepaire-en-Bresse *(71)* 110 A 5
Beaurepaire-sur-Sambre *(59)* 9 G 5
Beaurevoir *(02)* 16 D 1
Beaurières *(26)* 165 G 3
Beaurieux *(02)* 33 F 1
Beaurieux *(59)* 10 A 2
Beauronne *(24)* 142 D 4
Beausemblant *(26)* 149 H 3
Beausoleil *(06)* 183 G 5
Beaussac *(24)* 128 D 5
Beaussais-Vitré *(79)* 114 C 3
Beaussault *(76)* 14 B 3
Beausse *(49)* 84 B 4
Le Beausset *(83)* 196 C 5
Beauteville *(31)* 189 H 5
Beautheil *(77)* 52 B 2
Beautheil-Saints *(77)* 52 B 2
Beautiran *(33)* 155 F 2
Beautor *(02)* 16 D 4
Beautot *(76)* 13 G 4
Beauvain *(61)* 47 F 3
Beauvais (P) *(60)* 30 D 1
Beauvais-sur-Matha *(17)* 127 H 2
Beauvais-sur-Tescou *(81)* 173 H 5
Beauval *(80)* 7 G 5
Beauval-en-Caux *(76)* 13 G 3
Beauvallon *(26)* 163 H 1
Beauvallon *(83)* 197 H 4
Beauvau *(49)* 85 F 2
Beauvène *(07)* 163 F 1
Beauvernois *(71)* 110 A 3
Beauvezer *(04)* 182 A 2
Beauville *(31)* 189 H 3
Beauville *(47)* 172 D 1
Beauvilliers *(28)* 70 B 1
Beauvilliers *(41)* 69 G 5
Beauvilliers *(89)* 91 H 3
Beauvoir *(50)* 45 G 3
Beauvoir *(60)* 15 F 4
Beauvoir *(77)* 52 A 3
Beauvoir *(89)* 72 D 5
Beauvoir-de-Marc *(38)* 136 C 5
Beauvoir-en-Lyons *(76)* 14 B 5
Beauvoir-en-Royans *(38)* 151 E 4
Beauvoir-sur-Mer *(85)* 98 C 2
Beauvoir-sur-Niort *(79)* 114 A 4
Beauvoir-sur-Sarce *(10)* 74 B 4
Beauvoir-Wavans *(62)* 7 F 4
Beauvois *(62)* 7 F 2
Beauvois-en-Cambrésis *(59)* 9 E 4
Beauvois-en-Vermandois *(02)* 16 C 2
Beauvoisin *(26)* 179 H 1
Beauvoisin *(30)* 194 A 1
Beauvoisin *(39)* 109 H 3
Beaux *(43)* 148 C 3
Beauzac *(43)* 148 C 3
Beauzée-sur-Aire *(55)* 35 G 5
Beauzelle *(31)* 189 F 2
Beauziac *(47)* 171 G 1
Bébing *(57)* 58 A 1
Beblenheim *(68)* 78 D 1
Bec-de-Mortagne *(76)* 12 C 3
Le Bec-Hellouin *(27)* 28 D 2
Le Bec-Thomas *(27)* 29 F 2
Beccas *(32)* 187 F 4
Béceleuf *(79)* 114 A 2
Béchamps *(54)* 20 B 5
Bécherel *(35)* 44 D 5
Bécheresse *(16)* 128 B 5
Béchy *(57)* 37 F 4
Bécon-les-Granits *(49)* 84 C 2
Bécordel-Bécourt *(80)* 15 H 1
Bécourt *(62)* 2 C 5
Becquigny *(02)* 9 E 5
Becquigny *(76)* 13 F 4
Becquigny *(80)* 15 H 3
Bédarieux *(34)* 192 A 2
Bédarrides *(84)* 179 F 3
Beddes *(18)* 118 B 1
Bédéchan *(32)* 188 B 3
Bédée *(35)* 64 D 1
Bédeilhac-et-Aynat *(09)* 207 E 4
Bédeille *(09)* 206 B 2
Bédeille *(64)* 186 D 4
Bedenac *(17)* 141 G 3
Bédoin *(84)* 179 H 2
Bédouès *(48)* 177 F 1
Bédouès-Cocurès *(48)* 177 F 1
Bedous *(64)* 203 F 2
Béduer *(46)* 159 F 4
Beffes *(18)* 106 B 1
Beffia *(39)* 123 G 1
Beffu-et-le-Morthomme *(08)* 35 E 1
Beg-Meil *(29)* 61 H 4
Bégaar *(40)* 169 F 5
Bégadan *(33)* 140 D 1
Béganne *(56)* 82 B 1
Bégard *(22)* 42 D 3
Bègles *(33)* 155 F 1
Begnécourt *(88)* 77 E 1
Bégole *(65)* 205 E 1
Bégrolles-en-Mauges *(49)* 100 B 1
La Bégude *(83)* 180 B 5
Bégude Blanche *(30)* 178 D 5
La Bégude-de-Mazenc *(26)* 164 C 4
Bègues *(03)* 119 H 5
Les Bégües *(05)* 180 C 1
Béguey *(33)* 155 G 3
Béguios *(64)* 185 F 4
Béhagnies *(62)* 8 B 4
Béhasque-Lapiste *(64)* 185 F 4
Béhen *(80)* 6 D 5
Béhencourt *(80)* 15 G 1
Béhéricourt *(60)* 16 C 4
Béhobie *(64)* 184 A 4
Behonne *(55)* 55 G 1
Béhorléguy *(64)* 202 C 1
Béhoust *(78)* 50 B 1
Behren-lès-Forbach *(57)* 38 A 2
Béhuard *(49)* 84 D 4
Beignon *(56)* 64 C 3
Beillé *(72)* 68 C 3
Beine *(89)* 73 F 5
Beine-Nauroy *(51)* 34 A 2
Beinheim *(67)* 39 H 5
Beire-le-Châtel *(21)* 93 G 3
Beire-le-Fort *(21)* 93 H 5
Beissat *(23)* 131 H 3
Bel-Air *(34)* 193 E 2
Bel-Air *(49)* 84 B 1
Bélâbre *(36)* 116 D 1
Belan-sur-Ource *(21)* 74 D 4
Bélarga *(34)* 192 D 3
Bélaye *(46)* 158 A 5
Belberaud *(31)* 189 G 3
Belbèse *(82)* 173 E 5
Belbeuf *(76)* 29 G 1
Belbèze-de-Lauragais *(31)* 189 G 4
Belbèze-en-Comminges *(31)* 206 A 1
Belcaire *(11)* 207 G 4
Belcastel *(12)* 159 H 5
Belcastel *(81)* 189 H 2
Belcastel-et-Buc *(11)* 208 B 2
Belcodène *(13)* 196 A 3
Bélesta *(09)* 207 G 4
Bélesta *(66)* 208 D 5
Bélesta-en-Lauragais *(31)* 190 A 4
Beleymas *(24)* 142 D 5
Belfahy *(70)* 77 H 5
Belfays *(25)* 96 D 4
Belflou *(11)* 189 H 5
Belfonds *(61)* 48 A 3
Belfort (P) *(90)* 96 C 1
Belfort-du-Quercy *(46)* 173 H 1
Belfort-sur-Rebenty *(11)* 207 H 4
Belgeard *(53)* 67 E 1
Belgentier *(83)* 196 D 5
Belgodère *(2B)* 214 D 5
Belhade *(40)* 155 E 5
Belhomert-Guéhouville *(28)* 49 F 4
Le Bélieu *(25)* 95 H 5
Béligneux *(01)* 136 C 2
Belin-Béliet *(33)* 154 D 4
Bélis *(40)* 170 C 3
Bellac (SP) *(87)* 116 C 5
Bellaffaire *(04)* 166 C 5
Bellagranajo *(Col de) (2B)* 217 E 2
Bellaing *(59)* 9 E 2
Bellancourt *(80)* 6 D 5
Bellange *(57)* 37 G 5
Bellavilliers *(61)* 48 C 5
Le Bellay-en-Vexin *(95)* 30 C 3
Belle-Église *(60)* 31 E 3
Belle-et-Houllefort *(62)* 2 B 4
Belle-Isle-en-Terre *(22)* 42 D 4
Belle-Poële *(30)* 177 H 1
Belleau *(02)* 32 C 4
Belleau *(54)* 37 E 5
Bellebat *(33)* 155 H 2
Bellebrune *(62)* 2 B 4
Bellechassagne *(19)* 131 G 4
Bellechaume *(89)* 73 E 3
Bellecombe *(39)* 124 A 3
Bellecombe-en-Bauges *(73)* 138 B 3
Bellecombe-Tarendol *(26)* 165 F 5
Bellefois *(86)* 102 A 5
Bellefond *(21)* 93 F 4
Bellefond *(33)* 155 H 2
Bellefonds *(86)* 102 C 5
Bellefontaine *(39)* 124 B 1
Bellefontaine *(50)* 46 B 2
Bellefontaine *(88)* 77 G 3
Bellefontaine *(95)* 31 G 4
Bellefosse *(67)* 58 C 4
Bellegarde *(30)* 194 B 1
Bellegarde *(32)* 188 A 4
Bellegarde *(45)* 71 G 3
Bellegarde-du-Razès *(11)* 207 H 2
Bellegarde-en-Diois *(26)* 165 F 4
Bellegarde-en-Forez *(42)* 135 E 4
Bellegarde-en-Marche *(23)* 131 H 1
Bellegarde-Marsal *(81)* 175 E 5
Bellegarde-Poussieu *(38)* 149 H 1
Bellegarde-Ste-Marie *(31)* 188 D 2
Bellegarde-sur-Valserine *(01)* 124 A 5
Belleherbe *(25)* 95 H 4
Bellemagny *(68)* 78 B 5
Bellême *(61)* 48 C 5
Bellenaves *(03)* 119 G 4
Bellencombre *(76)* 13 H 3
Belleneuve *(21)* 93 H 4
Bellenglise *(02)* 16 D 1
Bellengreville *(14)* 27 G 3
Bellengreville *(76)* 13 H 1
Bellenod-sur-Seine *(21)* 92 D 1
Bellenot-sous-Pouilly *(21)* 92 C 5
Bellentre *(73)* 139 E 4
Belleray *(55)* 35 H 3
Bellerive-sur-Allier *(03)* 120 A 5
Belleroche *(42)* 121 H 4
Belles-Huttes *(88)* 78 B 2
Belleserre *(81)* 190 B 3
Bellesserre *(31)* 188 D 1
Belleu *(02)* 32 D 1
Belleuse *(80)* 15 E 3
Bellevaux *(74)* 125 E 3
Bellevesvre *(71)* 109 H 3
Belleville *(54)* 56 D 1
Belleville *(69)* 122 B 5
Belleville *(79)* 114 A 5
Belleville-en-Caux *(76)* 13 G 3
Belleville-et-Châtillon-sur-Bar *(08)* 19 E 5
Belleville-sur-Loire *(18)* 90 A 3
Belleville-sur-Mer *(76)* 13 H 1
Belleville-sur-Meuse *(55)* 35 H 3
Belleville-sur-Vie *(85)* 99 G 4
Bellevue *(07)* 163 E 4
Bellevue *(22)* 43 E 1
Bellevue *(44)* 83 G 5
Bellevue *(69)* 135 G 5
Bellevue *(74)* 139 F 1
Bellevue-Coëtquidan *(56)* 64 C 3
Bellevue-la-Montagne *(43)* 148 A 3
Belley (SP) *(01)* 137 G 3
Belley *(10)* 74 A 1
Belleydoux *(01)* 123 H 3
Bellicourt *(02)* 16 D 1
La Bellière *(61)* 47 H 3
La Bellière *(76)* 14 B 4
Bellignat *(01)* 123 G 4
Belligné *(44)* 84 A 3
Bellignies *(59)* 9 G 3
La Belliole *(89)* 72 B 2
Belloc *(09)* 207 G 3
Belloc-St-Clamens *(32)* 187 H 3
Bellocq *(64)* 185 G 3
Bellon *(16)* 142 B 2
Bellonne *(62)* 8 C 3
Bellot *(77)* 52 D 1
Bellou *(14)* 28 A 5
Bellou-en-Houlme *(61)* 47 E 2
Bellou-le-Trichard *(61)* 68 C 1
Bellou-sur-Huisne *(61)* 48 D 5
Belloy *(60)* 15 H 5
Belloy-en-France *(95)* 31 F 4
Belloy-en-Santerre *(80)* 16 A 2
Belloy-St-Léonard *(80)* 14 D 1
Belloy-sur-Somme *(80)* 15 E 1
Belluire *(17)* 127 F 5
Belmesnil *(76)* 13 G 3
Belmont *(25)* 95 F 5
Belmont *(32)* 187 F 1
Belmont *(39)* 110 B 2
Belmont *(52)* 76 A 5
Belmont *(67)* 58 C 4
Belmont *(70)* 77 G 5
Belmont *(près de Chamrousse) (38)* 151 H 3
Belmont *(près de Virieu) (38)* 137 E 5
Belmont-Bretenoux *(46)* 159 E 1
Belmont-d'Azergues *(69)* 135 G 2
Belmont-de-la-Loire *(42)* 121 G 4
Belmont-lès-Darney *(88)* 76 D 2
Belmont-Luthézieu *(01)* 137 G 2
Belmont-Ste-Foi *(46)* 174 A 1
Belmont-sur-Buttant *(88)* 77 H 1
Belmont-sur-Rance *(12)* 175 H 5

Belmont-sur-Vair (88) 76 C 1
Belmont-Tramonet (73) 137 G 5
Belmontet (46) 173 F 1
Belon (29) 62 A 5
Belonchamp (70) 77 H 5
Belpech (11) 207 F 1
Belrain (55) 35 G 5
Belrupt (88) 76 D 2
Belrupt-en-Verdunois (55) 20 A 5
Bélus (40) 185 F 2
Belval (08) 18 D 2
Belval (50) 25 E 4
Belval (88) 58 B 4
Belval-Bois-des-Dames (08) 19 F 5
Belval-en-Argonne (51) 35 F 5
Belval-sous-Châtillon (51) 33 G 3
Belvédère (06) 183 F 3
Belvédère-Campomoro (2A) 218 C 3
Belverne (70) 95 H 1
Belvès (24) 157 H 2
Belvès-de-Castillon (33) 156 A 1
Belvèze (82) 173 E 1
Belvèze-du-Razès (11) 207 H 2
Belvézet (30) 178 C 3
Belvezet (48) 162 A 4
Belvianes-et-Cavirac (11) 208 A 4
Belvis (11) 207 H 4
Belvoie (39) 110 A 1
Belvoir (25) 95 H 4
Belz (56) 81 E 2
Bémécourt (27) 49 E 1
Bénac (09) 206 D 3
Bénac (65) 204 C 1
Benagues (09) 207 E 2
Benais (37) 86 A 4
Bénaix (09) 207 G 4
Bénaménil (54) 57 H 3
Bénarville (76) 12 D 3
Benassay (86) 115 E 1
La Benâte (17) 127 F 1
La Bénate (44) 99 F 2
Benay (02) 16 D 3
Benayes (19) 130 C 5
Bendejun (06) 183 F 4
Bendorf (68) 97 F 2
Bénéjacq (64) 204 A 1
Benerville-sur-Mer (14) 27 H 1
Bénesse-lès-Dax (40) 185 F 2
Bénesse-Maremne (40) 184 D 3
Benest (16) 128 D 1
Bénestroff (57) 37 H 5
Bénesville (76) 13 F 3
Benet (85) 114 A 3
Beneuvre (21) 93 F 1
Bénévent-l'Abbaye (23) 117 F 5
Beney-en-Woëvre (55) 36 B 4
Benfeld (67) 59 E 4
Bengy-sur-Craon (18) 105 H 2
Bénifontaine (62) 4 B 5
Béning-lès-Saint-Avold (57) 37 H 3
La Bénisson-Dieu (42) 121 E 5
Bénivay-Ollon (26) 179 H 1
Bennecourt (78) 30 A 4
Bennetot (76) 12 D 3
Benney (54) 57 E 3
Bennwihr (68) 78 D 1
Bénodet (29) 61 G 4
Benoisey (21) 92 B 2
Benoîtville (50) 22 B 3
Benon (17) 113 G 4
Bénonces (01) 137 F 2
Bénouville (14) 27 G 2
Bénouville (76) 12 B 3
Benque (31) 188 C 5
Benqué (65) 204 D 2
Benque-
Dessous-et-Dessus (31) 205 F 4
Benquet (40) 170 C 5
Bentayou-Sérée (64) 186 D 4
Bény (01) 123 E 3
Le Bény-Bocage (14) 25 H 5
Bény-sur-Mer (14) 27 F 2
Béon (01) 137 G 2
Béon (89) 72 D 4
Béost (64) 203 H 2
La Bérarde (38) 152 C 5
Bérat (31) 188 D 4
Béraut (32) 172 A 4
Berbérust-Lias (65) 204 B 2
Berbezit (43) 147 H 2
Berbiguières (24) 157 H 1
Berc (48) 161 F 1
Bercenay-en-Othe (10) 73 G 1
Bercenay-le-Hayer (10) 53 E 5
Berche (25) 96 C 2
Berchères-la-Maingot (28) 50 A 4
Berchères-les-Pierres (28) 50 A 5
Berchères-sur-Vesgre (28) 50 A 1
Berck-sur-Mer (62) 6 B 2
Berck-Plage (62) 6 B 2
Bercloux (17) 127 F 2
Berd'huis (61) 48 D 5
Berdoues (32) 187 H 3
Bérelles (59) 10 A 2
Bérengeville-
la-Campagne (27) 29 F 3
Berentzwiller (68) 97 G 1
Bérenx (64) 185 G 3
Béréziat (01) 122 D 3
Berfay (72) 68 D 3
Berg (67) 38 B 5
Berg-sur-Moselle (57) 21 F 3
Berganty (46) 158 D 5
Bergbieten (67) 58 D 2
Bergerac (SP) (24) 156 D 1
Bergères (10) 74 D 2
Bergères-lès-Vertus (51) 53 H 1
Bergères-
sous-Montmirail (51) 53 E 1
Bergesserin (71) 122 A 2
Bergheim (68) 78 D 1
Bergholtz (68) 78 C 3
Bergholtzzell (68) 78 C 3
Bergicourt (80) 15 E 3
Bergnicourt (08) 34 A 1
Bergonne (63) 133 F 5
Bergouey (40) 185 H 1
Bergouey (64) 185 F 3
Bergue-Inférieur (06) 183 H 3
Bergue-Supérieur (06) 183 H 2
Bergueneuse (62) 7 F 1
Bergues (59) 3 F 2
Bergues-sur-Sambre (02) 9 G 5
Berguette (62) 3 F 5
Berhet (22) 42 D 2
Bérig-Vintrange (57) 37 H 4
Bérigny (50) 25 G 3
Berjou (61) 47 E 1
Berlaimont (59) 9 G 4
Berlancourt (02) 17 G 3
Berlancourt (60) 16 C 4
Berlats (81) 191 F 2
Berlencourt-le-Cauroy (62) 7 G 3
Berles-au-Bois (62) 8 A 4
Berles-Monchel (62) 7 H 3
La Berlière (08) 19 E 5
Berling (57) 38 C 5
Berlise (02) 18 A 4
Berlou (34) 191 H 3
Bermerain (59) 9 F 3
Berméricourt (51) 33 H 1
Bermeries (59) 9 G 3
Bermering (57) 37 H 4
Bermesnil (80) 14 C 2
Bermicourt (62) 7 F 2
Bermont (90) 96 C 1
Bermonville (76) 12 D 4
Bernac (16) 128 B 1
Bernac (81) 174 C 4
Bernac-Debat (65) 204 C 1
Bernac-Dessus (65) 204 C 1
Bernadets (64) 186 C 4
Bernadets-Debat (65) 187 G 4
Bernadets-Dessus (65) 204 D 1
Le Bernard (85) 112 C 2
La Bernardière (85) 99 H 1
Bernardswiller (67) 58 D 3
Bernardvillé (67) 58 D 4
Bernas (30) 178 C 1
Bernâtre (80) 7 E 4
Bernaville (80) 7 F 5
Bernay (SP) (27) 28 D 4
Bernay-en-Brie (77) 52 A 2
Bernay-en-Champagne (72) 67 H 3
Bernay-en-Ponthieu (80) 6 C 3
Bernay-St-Martin (17) 113 H 5
Berné (56) 62 D 4
Bernécourt (54) 36 C 5
Bernède (32) 186 C 1
La Bernerie-en-Retz (44) 98 C 1
Bernes (80) 16 C 1
Bernes-sur-Oise (95) 31 F 3
Bernesq (14) 25 G 2
Berneuil (16) 142 A 1
Berneuil (17) 127 F 4
Berneuil (80) 7 F 5
Berneuil (87) 116 C 5
Berneuil-en-Bray (60) 30 D 1
Berneuil-sur-Aisne (60) 32 B 1
Berneval-le-Grand (76) 13 H 1
Berneville (62) 8 A 3
Bernex (74) 125 F 2
Bernienville (27) 29 F 4
Bernières (76) 12 D 4
Bernières-d'Ailly (14) 27 H 5
Bernières-le-Patry (14) 46 D 1
Bernières-sur-Mer (14) 27 F 1
Bernières-sur-Seine (27) 29 H 2
Bernieulles (62) 6 D 1
Bernin (38) 151 H 2
Bernis (30) 194 A 1
Bernolsheim (67) 59 F 1
Bernon (10) 73 H 3
Bernos-Beaulac (33) 155 G 5
Bernot (02) 17 E 2
Bernouil (89) 73 G 4
Bernouville (27) 30 B 2
Bernwiller (68) 78 C 5
Berny-en-Santerre (80) 16 A 2
Berny-Rivière (02) 32 C 1
Berny-sur-Noye (80) 15 F 3
Bérou-la-Mulotière (28) 49 F 2
Berrac (32) 172 B 4
Berre-les-Alpes (06) 183 F 4
Berre-l'Étang (13) 195 G 3
Berriac (11) 208 B 1
Berrias-et-Casteljau (07) 162 D 5
Berric (56) 81 H 2
Berrie (86) 101 G 1
Berrien (29) 42 B 5
Berrieux (02) 17 G 5
Berrogain-Laruns (64) 185 G 5
Berru (51) 33 H 2
Berrwiller (68) 78 C 4
Berry-au-Bac (02) 33 G 1
Berry-Bouy (18) 105 F 1
Le Bersac (05) 165 H 5
Bersac-sur-Rivalier (87) 117 E 5
Bersaillin (39) 110 B 3
Bersée (59) 4 C 5
Bersillies (59) 9 H 3
Berson (33) 141 F 4
Berstett (67) 59 E 1
Berstheim (67) 39 E 5
Bert (03) 120 C 3
Bert (44) 82 B 4
Bertangles (80) 15 F 1
Bertaucourt-Epourdon (02) 17 E 4
Berteaucourt-les-Dames (80) 7 F 5
Berteaucourt-
lès-Thennes (80) 15 G 2
Bertheauville (76) 12 D 3
Berthecourt (60) 31 E 1
Berthegon (86) 102 A 3
Berthelange (25) 94 C 5
Berthelming (57) 38 A 5
Berthen (59) 3 H 4
Berthenay (37) 86 C 4
Berthenicourt (02) 16 D 3
Berthenonville (27) 30 B 3
La Berthenoux (36) 104 D 5
Berthez (33) 155 H 4
Bertholène (12) 160 C 5
Berthouville (27) 28 D 3
Bertignat (63) 134 A 4
Bertignolles (10) 74 C 2
Bertincourt (62) 8 C 5
Bertoncourt (08) 18 B 5
Bertrambois (54) 58 A 2
Bertrancourt (80) 7 H 5
Bertrange (57) 21 E 4
Bertre (81) 190 A 2
Bertren (65) 205 F 3
Bertreville (76) 12 D 3
Bertreville-St-Ouen (76) 13 G 2
Bertric-Burée (24) 142 D 2
Bertrichamps (54) 57 H 4
Bertricourt (02) 33 H 1
Bertrimont (76) 13 G 4
Bertrimoutier (88) 58 B 5
Bertry (59) 9 E 5
Béru (89) 73 G 5
Béruges (86) 115 F 1
Bérulle (10) 73 F 2
Bérus (72) 47 H 5
Berven (29) 41 H 2
Berville (14) 27 H 4
Berville (76) 13 F 3
Berville (95) 30 D 3
Berville-en-Roumois (27) 29 E 2
Berville-la-Campagne (27) 29 E 4
Berville-sur-Mer (27) 28 B 1
Berville-sur-Seine (76) 13 F 5
Berviller-en-Moselle (57) 21 H 4
Berzé-la-Ville (71) 122 A 3
Berzé-le-Châtel (71) 122 A 2
Berzème (07) 163 F 3
Berzieux (51) 34 D 3
Berzy-le-Sec (02) 32 D 2
La Besace (08) 19 F 4
Besain (39) 110 C 4
Besançon (P) (25) 94 D 5
Bésayes (26) 150 C 5
Bescat (64) 203 H 1
Bésignan (26) 180 A 1
Bésingrand (64) 186 A 4
Beslé (44) 64 D 5
Beslon (50) 25 F 5
Besmé (02) 16 C 5
Besmont (02) 10 A 5
Besnans (70) 95 F 3
Besné (44) 82 C 3
Besneville (50) 22 C 5
Besny-et-Loizy (02) 17 F 4
Bessac (16) 142 A 1
La Bessaire-de-Lair (15) 147 E 5
Bessais-le-Fromental (18) 105 H 5
Bessamorel (43) 148 C 4
Bessan (34) 192 C 4
Bessancourt (95) 31 E 4
Bessans (73) 153 G 1
Bessas (07) 178 B 1
Le Bessat (42) 149 F 2
Bessay (85) 113 E 1
Bessay-sur-Allier (03) 120 A 2
Besse (15) 145 H 4
Bessé (16) 128 B 1
La Besse (19) 145 G 4
Besse (24) 157 H 3
Besse (86) 102 C 4
Besse-en-Oisans (38) 152 B 4
Besse-
et-St-Anastaise (63) 133 E 5
Bessé-sur-Braye (72) 68 D 5
Besse-sur-Issole (83) 197 E 4
Bessède-de-Sault (11) 207 H 5
Bessèges (30) 178 A 1
Bessenay (69) 135 G 3
Bessens (82) 173 F 5
Besses (30) 162 C 5
Besset (09) 207 F 2
Bessey (42) 149 G 1
Bessey-en-Chaume (21) 109 E 1
Bessey-la-Cour (21) 108 D 1
Bessey-lès-Cîteaux (21) 109 G 1
La Besseyre-St-Mary (43) 147 G 5
Bessières (31) 189 G 1
Bessines (79) 114 A 3
Bessines-
sur-Gartempe (87) 117 E 5
Bessins (38) 150 D 3
Besson (03) 120 A 2
Bessoncourt (90) 96 D 1
Bessonies (46) 159 G 2
Les Bessons (48) 161 F 2
Bessuéjouls (12) 160 B 4
Bessy (10) 53 H 3
Bessy-sur-Cure (89) 91 F 2
Bestiac (09) 207 F 5
Bétaille (46) 144 D 5
Betaucourt (70) 76 C 4
Betbèze (65) 188 A 5
Betbezer-d'Armagnac (40) 171 E 4
Betcave-Aguin (32) 188 A 4
Betchat (09) 206 A 2
Bétête (23) 118 A 3
Béthancourt-en-Valois (60) 32 A 2
Béthancourt-en-Vaux (02) 16 C 4
Béthelainville (55) 35 G 3
Béthemont-la-Forêt (95) 31 E 4
Béthencourt (59) 9 E 4
Béthencourt-sur-Mer (80) 6 B 5
Béthencourt-sur-Somme (80) 16 B 2
Bétheniville (51) 34 B 2
Bétheny (51) 33 H 2
Béthincourt (55) 35 G 2
Béthines (86) 116 B 1
Béthisy-St-Martin (60) 32 A 2
Béthisy-St-Pierre (60) 32 A 2
Bethmale (09) 206 A 4
Bethon (51) 53 E 3
Béthon (72) 47 H 5
Bethoncourt (25) 96 C 2
Béthonsart (62) 7 H 2
Béthonvilliers (28) 69 E 1
Bethonvilliers (90) 78 B 5
Béthune (SP) (62) 4 A 4
Bétignicourt (10) 54 B 4
Beton-Bazoches (77) 52 C 2
Betoncourt-lès-Brotte (70) 77 F 5
Betoncourt-
les-Ménétriers (70) 94 C 1
Betoncourt-St-Pancras (70) 77 E 4
Betoncourt-sur-Mance (70) 76 B 4
Bétous (32) 187 E 1
Betplan (32) 187 F 4
Betpouey (65) 204 C 4
Betpouy (65) 187 H 5
Bétracq (64) 186 D 3
Betschdorf (67) 39 G 4
Bettaincourt-sur-Rognon (52) 55 G 5
Bettainvillers (54) 20 C 4
Bettancourt-la-Ferrée (52) 55 F 2
Bettancourt-la-Longue (51) 55 E 1
Bettange (57) 21 G 4
Bettant (01) 137 E 1
Bettborn (57) 38 B 5
Bettegney-St-Brice (88) 57 F 5
Bettelainville (57) 21 F 4
Bettembos (80) 14 D 2
Bettencourt-Rivière (80) 14 D 1
Bettencourt-St-Ouen (80) 7 F 5
Bettendorf (68) 97 F 1
Bettes (65) 204 D 2
Betteville (76) 13 E 5
Le Bettex (74) 139 E 1
Bettignies (59) 9 H 3
Betting (57) 37 H 3
Bettlach (68) 97 G 2
Betton (35) 65 F 1
Betton-Bettonet (73) 138 B 5
Bettoncourt (88) 57 E 5
Bettoncourt-le-Haut (52) 55 H 5
Bettrechies (59) 9 G 3
Bettviller (57) 38 C 3
Bettwiller (67) 38 B 5
Betz (60) 32 A 3
Betz-le-Château (37) 103 E 2
Beugin (62) 7 H 2
Beugnâtre (62) 8 B 5
Beugné-l'Abbé (85) 113 E 2
Beugneux (02) 32 D 2
Beugnies (59) 9 H 4
Le Beugnon (79) 114 A 1
Beugnon (89) 73 G 3
Beugny (62) 8 B 5
Beuil (06) 182 D 2
Le Beulay (88) 58 B 5
Beulotte-St-Laurent (70) 77 H 4
La Beunaz (74) 125 F 2
Beure (25) 94 D 5
Beurey (10) 74 C 2
Beurey-Bauguay (21) 92 C 5
Beurey-sur-Saulx (55) 55 F 1
Beurières (63) 148 A 1
Beurizot (21) 92 C 4
Beurlay (17) 126 D 2
Beurville (52) 55 E 5
Beussent (62) 6 D 1
Beuste (64) 186 C 5
Beutal (25) 95 H 2
Beutin (62) 6 C 1
Beuvardes (02) 33 E 3
Beuveille (54) 20 B 3
Beuvezin (54) 56 C 5
Beuvillers (14) 28 B 3
Beuvillers (54) 20 C 3
Beuvrages (59) 9 F 2
Beuvraignes (80) 16 A 4
Beuvrequen (62) 2 B 4
Beuvreuil (76) 14 C 5
Beuvrigny (50) 25 G 4
Beuvron (58) 91 E 4
Beuvron-en-Auge (14) 27 H 3
Beuvry (62) 4 A 4
Beuvry-la-Forêt (59) 4 D 5
Beux (57) 37 E 4
Beuxes (86) 102 A 1
Beuzec-Cap-Sizun (29) 61 E 2
Beuzec-Conq (29) 61 H 4
Beuzeville (27) 28 B 1
Beuzeville-au-Plain (50) 23 E 4
Beuzeville-la-Bastille (50) 23 E 5
Beuzeville-la-Grenier (76) 12 C 4
Beuzeville-la-Guérard (76) 12 D 3
Beuzevillette (76) 12 D 4
Bévenais (38) 151 E 1
Beveuge (70) 95 G 2
Béville-le-Comte (28) 50 B 5
Bévillers (59) 9 E 4
Bevons (04) 180 D 2
Bévy (21) 93 E 5
Bey (01) 122 B 4
Bey (71) 109 F 4
Bey-sur-Seille (54) 57 F 1
Beychac-et-Caillau (33) 155 G 1
Beychevelle (33) 141 E 3
Beylongue (40) 169 F 4
Beynac (87) 130 A 3
Beynac-et-Cazenac (24) 157 H 1
Beynat (19) 144 D 4
Beynes (04) 181 G 3
Beynes (78) 50 C 1
Beynost (01) 136 C 2
Beyrède-Jumet (65) 205 E 3
Beyren-lès-Sierck (57) 21 E 2
Beyrie-en-Béarn (64) 186 B 4
Beyrie-sur-Joyeuse (64) 185 F 4
Beyries (40) 186 A 2
Beyssac (19) 144 B 2
Beyssenac (19) 144 A 1
Le Bez (81) 191 E 2
Bez-et-Esparon (30) 177 E 4
Bézac (09) 207 E 1
Bezalles (77) 52 C 2
Bézancourt (76) 30 B 1
Bezange-la-Grande (54) 57 F 1
Bezange-la-Petite (57) 57 G 1
Bezannes (51) 33 H 2
Les Bézards (45) 71 H 5
Bézaudun-les-Alpes (06) 183 E 5
Bézaudun-sur-Bîne (26) 164 D 3
Bezaumont (54) 36 D 5
Bèze (21) 93 H 3
Bézenac (24) 157 H 1
Bézenet (03) 119 F 3
Bézéril (32) 188 C 3
Béziers (SP) (34) 192 B 5
Bezinghem (62) 2 C 5
Bezins-Garraux (31) 205 G 3
La Bezole (11) 207 H 2
Bezolles (32) 172 A 5
Bezons (95) 31 E 5
Bezonvaux (55) 20 A 5
Bezouce (30) 178 C 5
Bézouotte (21) 93 H 4
Bézu-la-Forêt (27) 30 B 1
Bézu-le-Guéry (02) 32 C 4
Bézu-St-Éloi (27) 30 B 2
Bézu-St-Germain (02) 32 D 4
Bézues-Bajon (32) 188 A 4
Biache-St-Vaast (62) 8 B 3
Biaches (80) 16 B 1
Bians-les-Usiers (25) 111 F 2
Biard (86) 115 F 1
Les Biards (50) 46 A 3
Biarne (39) 110 A 1
Biarre (80) 16 A 3
Biarritz (64) 184 C 3
Biarrotte (40) 185 E 2
Biars-sur-Cère (46) 159 E 1
Bias (40) 168 D 2
Bias (47) 157 E 5
Biaudos (40) 184 D 2
Bibiche (57) 21 G 4
Biblisheim (67) 39 F 4
Bibost (69) 135 G 3
Bichain (89) 52 B 5
Bichancourt (02) 16 C 4
Biches (58) 107 F 2
Bickenholtz (57) 38 B 5
Bicqueley (54) 56 C 2
Bidache (64) 185 E 3
Bidarray (64) 184 D 5
Bidart (64) 184 B 3
Bidestroff (57) 37 H 5
Biding (57) 37 H 3
Bidon (07) 163 F 5
Bidos (64) 203 F 1
Biécourt (88) 56 C 5
Biederthal (68) 97 G 2
Bief (25) 96 C 4
Bief-des-Maisons (39) 111 E 4
Bief-du-Fourg (39) 111 E 3
Biefmorin (39) 110 B 3
Biefvillers-lès-Bapaume (62) 8 B 5
Bielle (64) 203 H 2
Biencourt (80) 14 C 1
Biencourt-sur-Orge (55) 55 H 3
Biennac (87) 129 G 3
Bientques (62) 3 E 5
Bienville (60) 32 A 1
Bienville-la-Pite (54) 57 G 2
Bienvillers-au-Bois (62) 7 H 4
Biermes (08) 18 B 5
Biermont (60) 16 A 4
Bierné (53) 67 E 5
Bierne (59) 3 F 2
Biernes (52) 75 E 1
Bierre-lès-Semur (21) 92 B 3
Bierry-
les-Belles-Fontaines (89) 92 A 2
Biert (09) 206 C 4
Bierville (76) 13 H 5
Biesheim (68) 79 E 2
Biesles (52) 75 H 2
Bietlenheim (67) 59 F 1
Bieujac (33) 155 H 4
Bieuxy (02) 32 C 1
Bieuzy (56) 63 E 4
Bieuzy-Lanvaux (56) 81 F 1
Biéville (50) 25 G 3
Biéville-Beuville (14) 27 F 2
Biéville-Quétiéville (14) 27 H 3
Bièvres (02) 17 F 5
Bièvres (08) 19 G 4
Bièvres (91) 51 E 2
Biffontaine (88) 78 A 1
Biganon (40) 154 D 5
Biganos (33) 154 C 3
Bignac (16) 128 B 3
Bignan (56) 63 G 5
Bignay (17) 127 F 1
La Bigne (14) 25 H 4
Bignicourt (08) 34 B 1
Bignicourt-sur-Marne (51) 54 C 2
Bignicourt-sur-Saulx (51) 54 D 1
Le Bignon (44) 99 G 1
Le Bignon-du-Maine (53) 66 D 4
Le Bignon-Mirabeau (45) 72 A 2
Bignoux (86) 115 G 1
Bigorno (2B) 215 F 5
La Bigottière (53) 66 C 1
Biguglia (2B) 215 G 4
Bihucourt (62) 8 B 5
Bilazais (79) 101 G 3
Bilhac (19) 144 D 5
Bilhères (64) 203 G 2
Bilia (2A) 218 D 3
Bilieu (38) 151 F 1
Billancelles (28) 49 G 4
Billancourt (80) 16 B 3
Les Billanges (87) 130 C 1
Les Billaux (33) 141 H 5
Billé (35) 45 H 5
Billecul (39) 111 E 4
Billère (64) 186 B 5
Billey (21) 110 A 1
Billezois (03) 120 B 4
Billiat (01) 123 H 5
Billième (73) 137 H 3
Billière (31) 205 F 4
Billiers (56) 82 A 2
Billio (56) 63 H 5
Billom (63) 133 G 4
Billy (03) 120 B 4
Billy (14) 27 G 3
Billy (41) 88 A 4
Billy-Berclau (62) 4 B 4
Billy-Chevannes (58) 107 E 2
Billy-le-Grand (51) 34 A 3
Billy-lès-Chanceaux (21) 92 D 2
Billy-Montigny (62) 4 B 5
Billy-sous-Mangiennes (55) 20 A 4
Billy-sur-Aisne (02) 32 D 1
Billy-sur-Oisy (58) 90 D 3
Billy-sur-Ourcq (02) 32 D 3
Bilwisheim (67) 59 E 1
Bilzheim (68) 78 D 3
Bimont (62) 6 D 1
Binarville (51) 35 E 2
Binas (41) 70 A 4
Bindernheim (67) 59 E 5
Binges (21) 93 H 4
Binic (22) 43 G 4
Bining (57) 38 C 3
Biniville (50) 22 D 4
Binos (31) 205 F 3
Binson-et-Orquigny (51) 33 F 4
Bio (46) 158 D 2
Biol (38) 137 E 5
La Biolle (73) 137 H 3
Biollet (63) 132 C 1
Bion (50) 46 C 3
Bioncourt (57) 57 F 1
Bionville (54) 58 B 3
Bionville-sur-Nied (57) 21 G 5
Biot (06) 199 F 1
Le Biot (74) 125 E 3
Bioule (82) 173 H 3
Bioussac (16) 128 C 1
Biozat (03) 120 A 5
Birac (16) 128 A 5
Birac (33) 155 H 5
Birac-sur-Trec (47) 156 C 4
Biran (32) 187 H 1
Biranques (34) 177 G 5
Biras (24) 143 E 2

Localité *(Département)* Page Coordonnées

Biriatou *(64)* 184 **A 4**
Birieux *(01)* 136 **C 1**
Birkenwald *(67)* 58 **D 2**
Biron *(17)* 127 **F 5**
Biron *(24)* 157 **G 3**
Biron *(64)* 185 **H 3**
Biscarrosse *(40)* 154 **B 5**
Biscarrosse-Plage *(40)* 154 **A 4**
Bischheim *(67)* 59 **F 2**
Bischholtz *(67)* 39 **E 4**
Bischoffsheim *(67)* 58 **D 3**
Bischtroff-sur-Sarre *(67)* 38 **B 5**
Bischwihr *(68)* 78 **D 2**
Bischwiller *(67)* 39 **G 5**
Bisel *(68)* 97 **F 2**
Bisinao *(2A)* 218 **D 1**
Bisinchi *(2B)* 215 **F 5**
Bislée *(55)* 35 **H 5**
Bissert *(67)* 38 **A 4**
Bisseuil *(51)* 33 **H 4**
Bissey-la-Côte *(21)* 74 **D 4**
Bissey-la-Pierre *(21)* 74 **B 5**
Bissey-sous-Cruchaud *(71)* 108 **D 4**
Bissezeele *(59)* 3 **F 3**
Bissières *(14)* 27 **H 3**
Bissy-la-Mâconnaise *(71)* 122 **B 2**
Bissy-sous-Uxelles *(71)* 122 **A 1**
Bissy-sur-Fley *(71)* 108 **D 5**
Bisten-en-Lorraine *(57)* 21 **G 5**
Bistroff *(57)* 37 **H 4**
Bitche *(57)* 38 **D 3**
Bitry *(58)* 90 **B 3**
Bitry *(60)* 32 **B 1**
Bitschhoffen *(67)* 39 **E 5**
Bitschwiller-lès-Thann *(68)* 78 **B 4**
Biver *(13)* 200 **A 1**
Bivès *(32)* 172 **D 5**
Biviers *(38)* 151 **H 2**
Biville *(50)* 22 **B 3**
Biville-la-Baignarde *(76)* 13 **G 3**
Biville-la-Rivière *(76)* 13 **F 3**
Biville-sur-Mer *(76)* 13 **H 1**
Bivilliers *(61)* 48 **D 3**
Bizanet *(11)* 209 **E 1**
Bizanos *(64)* 186 **B 5**
Bize *(52)* 76 **B 4**
Bize *(65)* 205 **F 2**
Bize-Minervois *(11)* 191 **H 5**
Bizeneuille *(03)* 119 **E 2**
Biziat *(01)* 122 **C 4**
Bizonnes *(38)* 151 **E 1**
Le Bizot *(25)* 95 **H 5**
Les Bizots *(71)* 108 **B 4**
Bizou *(61)* 48 **D 4**
Bizous *(65)* 205 **E 2**
Bizy *(27)* 30 **A 4**
Blacé *(69)* 135 **G 1**
Blaceret *(69)* 122 **A 5**
Blacourt *(60)* 14 **D 5**
Blacqueville *(76)* 13 **F 4**
Blacy *(51)* 54 **C 2**
Blacy *(89)* 91 **H 2**
Blaesheim *(67)* 59 **E 3**
Blagnac *(31)* 189 **F 2**
Blagny *(08)* 19 **G 4**
Blagny-sur-Vingeanne *(21)* 93 **H 3**
Blaignac *(33)* 156 **A 4**
Blaignan *(33)* 140 **D 2**
Blain *(44)* 83 **E 2**
Blaincourt-lès-Précy *(60)* 31 **F 3**
Blaincourt-sur-Aube *(10)* 54 **B 5**
Blainville *(28)* 49 **H 2**
Blainville-Crevon *(76)* 13 **H 5**
Blainville-sur-l'Eau *(54)* 57 **F 3**
Blainville-sur-Mer *(50)* 24 **C 3**
Blainville-sur-Orne *(14)* 27 **F 2**
Blairville *(62)* 8 **A 4**
Blaise *(08)* 34 **C 1**
Blaise *(52)* 75 **F 1**
Blaise-sous-Arzillières *(51)* 54 **C 2**
Blaison-Saint-Sulpice *(49)* 85 **E 3**
Blaisy *(52)* 75 **F 2**
Blaisy-Bas *(21)* 92 **D 4**
Blaisy-Haut *(21)* 93 **E 4**
Blajan *(31)* 188 **A 5**
Blajoux *(48)* 177 **E 1**
Blamont *(25)* 96 **C 3**
Blâmont *(54)* 58 **A 2**
Blan *(81)* 190 **B 3**
Le Blanc [SP] *(36)* 103 **F 5**
Le Blanc-Mesnil *(93)* 31 **G 5**
Blancafort *(18)* 89 **G 3**
Blancey *(21)* 92 **C 4**
Blancfossé *(60)* 15 **F 4**
Blanche-Église *(57)* 57 **H 1**
Blanchefosse *(08)* 18 **A 3**
Blancherupt *(67)* 58 **C 4**
Blancheville *(52)* 75 **G 1**
Blandainville *(28)* 69 **H 1**
Blandas *(30)* 177 **E 5**
Blandin *(38)* 137 **E 5**
Blandouet *(53)* 67 **F 3**
Blandy *(77)* 51 **H 3**
Blandy *(91)* 71 **E 1**
Blangerval-Blangermont *(62)* 7 **F 3**
Blangy-le-Château *(14)* 28 **B 2**
Blangy-sous-Poix *(80)* 14 **D 3**
Blangy-sur-Bresle *(76)* 14 **B 1**
Blangy-sur-Ternoise *(62)* 7 **F 2**
Blangy-Tronville *(80)* 15 **G 2**
Blannay *(89)* 91 **G 2**
Blanot *(21)* 108 **A 1**
Blanot *(71)* 122 **B 2**
Blanquefort *(32)* 188 **B 2**
Blanquefort *(33)* 141 **E 5**
Blanquefort-
sur-Briolance *(47)* 157 **G 3**
Blanzac *(43)* 148 **B 4**
Blanzac *(87)* 116 **C 5**
Blanzac-lès-Matha *(17)* 127 **G 2**
Blanzac-Porcheresse *(16)* 142 **A 1**
Blanzaguet-St-Cybard *(16)* 142 **C 1**
Blanzat *(63)* 133 **E 3**
Blanzay *(86)* 115 **F 4**
Blanzay-sur-Boutonne *(17)* 114 **B 5**
Blanzée *(55)* 20 **A 5**
Blanzey *(70)* 77 **F 4**
Blanzy *(71)* 108 **B 5**
Blanzy-la-Salonnaise *(08)* 18 **A 5**
Blanzy-lès-Fismes *(02)* 33 **F 1**
Blargies *(60)* 14 **C 4**
Blarians *(25)* 95 **E 3**
Blaringhem *(59)* 3 **F 5**
Blars *(46)* 158 **D 4**
Blaru *(78)* 30 **A 4**
Blasimon *(33)* 156 **A 2**
Blaslay *(86)* 102 **A 4**
Blassac *(43)* 147 **G 3**
Blaudeix *(23)* 118 **A 4**
Blausasc *(06)* 183 **F 5**
Blauvac *(84)* 179 **H 3**
Blauzac *(30)* 178 **C 4**
Blavignac *(48)* 161 **F 1**
Blavozy *(43)* 148 **B 4**
Blay *(14)* 25 **H 2**
Blaye [SP] *(33)* 141 **E 3**
Blaye-les-Mines *(81)* 174 **D 4**
Blaymont *(47)* 172 **D 1**
Blaziert *(32)* 172 **A 4**
Blécourt *(52)* 55 **F 5**
Blécourt *(59)* 8 **D 4**
Blégiers *(04)* 181 **H 2**
Bleigny-le-Carreau *(89)* 73 **F 5**
Blémerey *(54)* 57 **H 3**
Blémerey *(88)* 56 **D 5**
Blendecques *(62)* 3 **E 4**
Bléneau *(89)* 90 **B 1**
Blennes *(77)* 72 **B 1**
Blénod-
lès-Pont-à-Mousson *(54)* 36 **D 5**
Blénod-lès-Toul *(54)* 56 **C 3**
Bléquin *(62)* 2 **D 5**
Blérancourt *(02)* 16 **C 5**
Bléré *(37)* 87 **F 4**
Blériot-Plage *(62)* 2 **C 2**
Bléruais *(35)* 64 **C 2**
Blésignac *(33)* 155 **G 2**
Blesle *(43)* 147 **E 2**
Blesme *(51)* 54 **D 2**
Blesmes *(02)* 32 **D 4**
Blessac *(23)* 131 **G 1**
Blessey *(21)* 92 **D 3**
Blessonville *(52)* 75 **F 3**
Blessy *(62)* 3 **F 5**
Blet *(18)* 105 **H 3**
Bletterans *(39)* 110 **A 4**
Bleurville *(88)* 76 **D 2**
Bleury-
St-Symphorien *(28)* 50 **B 4**
Blevaincourt *(88)* 76 **B 2**
Blèves *(72)* 48 **B 4**
Bléville *(76)* 12 **A 5**
Blévy *(28)* 49 **G 3**
Le Bleymard *(48)* 162 **A 4**
Blicourt *(60)* 15 **E 5**
Blienschwiller *(67)* 58 **D 4**
Blies-Ébersing *(57)* 38 **B 3**
Blies-Guersviller *(57)* 38 **B 2**
Bliesbruck *(57)* 38 **B 3**
Blieux *(04)* 181 **H 4**
Blignicourt *(10)* 54 **C 4**
Bligny *(10)* 74 **C 2**
Bligny *(51)* 33 **G 3**
Bligny-en-Othe *(89)* 73 **F 3**
Bligny-le-Sec *(21)* 92 **D 3**
Bligny-lès-Beauce *(21)* 109 **E 2**
Bligny-sur-Ouche *(21)* 108 **D 1**
Blincourt *(60)* 31 **H 1**
Blingel *(62)* 7 **F 2**
Blis-et-Born *(24)* 143 **G 3**
Blismes *(58)* 107 **G 1**
Blodelsheim *(68)* 79 **E 3**
Blois [P] *(41)* 87 **H 2**
Blois-sur-Seille *(39)* 110 **B 4**
Blomac *(11)* 208 **C 1**
Blomard *(03)* 119 **G 4**
Blombay *(08)* 18 **C 2**
Blond *(87)* 129 **H 1**
Blondefontaine *(70)* 76 **C 4**
Blonville *(14)* 27 **H 2**
Blonville-sur-Mer *(14)* 27 **H 1**
Blosseville *(76)* 13 **E 2**
Blosville *(50)* 23 **E 5**
Blot-l'Église *(63)* 133 **E 1**
Blotzheim *(68)* 97 **G 1**
Blou *(49)* 85 **G 4**
Blousson-Sérian *(32)* 187 **F 4**
La Bloutière *(50)* 25 **E 5**
Bloye *(74)* 137 **H 2**
Bluffy *(74)* 138 **B 2**
Blumeray *(52)* 55 **E 5**
Blussangeaux *(25)* 95 **H 3**
Blussans *(25)* 95 **H 3**
Blye *(39)* 110 **C 5**
Blyes *(01)* 136 **D 2**
Le Bô *(14)* 27 **E 5**
Bobigny [P] *(93)* 31 **F 5**
Bobital *(22)* 44 **C 4**
Le Bocasse *(76)* 13 **G 4**
La Bocca *(06)* 199 **E 2**
Bocca Bassa *(Col de) (2B)* 216 **B 1**
Bocca di Vezzu *(2B)* 215 **E 4**
Bocé *(49)* 85 **G 3**
Bocognano *(2A)* 217 **E 4**
Bocquegney *(88)* 77 **F 1**
Bocquencé *(61)* 48 **C 1**
Le Bodéo *(22)* 63 **F 1**
Bodilis *(29)* 41 **H 3**
Boé *(47)* 172 **B 2**
Boëcé *(61)* 48 **C 4**
Boëge *(74)* 124 **D 4**
Boeil-Bezing *(64)* 186 **C 5**
Le Boël *(35)* 65 **E 3**
Boën-sur-Lignon *(42)* 134 **C 3**
Bœrsch *(67)* 58 **D 3**
Boeschepe *(59)* 3 **H 4**
Boëseghem *(59)* 3 **F 5**
Bœsenbiesen *(67)* 59 **E 5**
Boësse *(79)* 101 **E 2**
Boëssé-le-Sec *(72)* 68 **C 2**
Boësses *(45)* 71 **G 2**
Bœurs-en-Othe *(89)* 73 **F 2**
Boffles *(62)* 7 **F 3**
Boffres *(07)* 149 **G 5**
Bogève *(74)* 124 **D 4**
Bogny-sur-Meuse *(08)* 11 **E 5**
Bogros *(63)* 132 **B 5**
Bogy *(07)* 149 **G 2**
Bohain-en-Vermandois *(02)* 17 **E 1**
Bohal *(56)* 64 **A 4**
La Bohalle *(49)* 85 **E 3**
Bohars *(29)* 41 **E 4**
Bohas *(01)* 123 **F 4**
Boigneville *(91)* 51 **F 5**
Boigny-sur-Bionne *(45)* 70 **D 4**
Boinville-au-Chemin *(28)* 50 **B 5**
Boinville-en-Mantois *(78)* 30 **B 5**
Boinville-en-Woëvre *(55)* 20 **B 5**
Boinville-le-Gaillard *(78)* 50 **C 4**
Boinvilliers *(78)* 30 **B 5**
Boirargues *(34)* 193 **F 2**
Boiry-Becquerelle *(62)* 8 **B 4**
Boiry-Notre-Dame *(62)* 8 **B 3**
Boiry-Saint-Martin *(62)* 8 **A 4**
Boiry-Ste-Rictrude *(62)* 8 **A 4**
Bois *(17)* 127 **F 5**
Le Bois *(73)* 138 **D 5**
Bois-Anzeray *(27)* 28 **D 5**
Bois-Arnault *(27)* 48 **D 1**
Bois-Bernard *(62)* 8 **B 2**
Bois-Colombes *(92)* 31 **E 5**
Bois-d'Amont *(39)* 124 **B 1**
Bois-d'Arcy *(78)* 50 **D 1**
Bois-d'Arcy *(89)* 91 **F 2**
Bois-de-Céné *(85)* 98 **D 2**
Bois-de-Champ *(88)* 57 **H 5**
Le Bois-de-Cise *(80)* 6 **B 5**
Bois-de-Gand *(39)* 110 **A 3**
Bois-de-la-Pierre *(31)* 188 **D 5**
Bois de Mivoye *(28)* 50 **A 5**
Bois-d'Ennebourg *(76)* 29 **H 1**
Le Bois-d'Oingt *(69)* 135 **G 2**
Bois-du-Verne *(71)* 108 **B 5**
Bois-Grenier *(59)* 4 **B 3**
Bois-Guilbert *(76)* 14 **A 5**
Bois-Guillaume-Bihorel *(76)* 13 **G 5**
Le Bois-Hellain *(27)* 28 **B 2**
Bois-Héroult *(76)* 14 **A 5**
Bois-Herpin *(91)* 51 **E 5**
Bois-Himont *(76)* 13 **E 4**
Bois-Jérôme-St-Ouen *(27)* 30 **A 4**
Bois-le-Roi *(27)* 49 **H 1**
Bois-le-Roi *(77)* 51 **H 4**
Bois-lès-Pargny *(02)* 17 **F 3**
Bois-l'Évêque *(76)* 13 **H 5**
Bois-Normand-près-Lyre *(27)* 28 **D 5**
Le Bois-Plage-en-Ré *(17)* 112 **D 4**
Le Bois-Randenay *(03)* 120 **A 5**
Le Bois-Robert *(76)* 13 **H 2**
Bois-Ste-Marie *(71)* 121 **G 3**
Bois-Vert *(16)* 141 **H 1**
Boisbergues *(80)* 7 **F 4**
Boisbreteau *(16)* 141 **H 2**
Boiscommun *(45)* 71 **F 3**
Boisdinghem *(62)* 2 **D 4**
Boisdon *(77)* 52 **C 2**
Boisemont *(27)* 30 **A 2**
Boisemont *(95)* 30 **D 4**
Boisgasson *(28)* 69 **G 3**
Boisgervilly *(35)* 64 **D 1**
Boisjean *(62)* 6 **D 2**
Le Boisle *(80)* 7 **E 3**
Boisleux-au-Mont *(62)* 8 **A 4**
Boisleux-St-Marc *(62)* 8 **A 4**
Boismé *(79)* 101 **E 4**
Boismont *(54)* 20 **B 3**
Boismont *(80)* 6 **C 4**
Boismorand *(45)* 71 **H 5**
Boisney *(27)* 28 **D 3**
Boisragon *(79)* 114 **B 2**
Boisrault *(80)* 14 **D 2**
Boisredon *(17)* 141 **F 2**
Boisroger *(50)* 24 **D 3**
Boissanfeuilles *(48)* 162 **A 3**
Boissay *(76)* 14 **A 5**
La Boisse *(01)* 136 **C 2**
Boisse *(17)* 113 **H 5**
Boisse *(24)* 157 **E 2**
Boisse-Penchot *(12)* 159 **G 4**
Boisseau *(41)* 69 **H 5**
Boisseaux *(45)* 70 **D 1**
Boissède *(31)* 188 **B 4**
Boissei-la-Lande *(61)* 47 **H 2**
La Boisselle *(80)* 8 **A 5**
Boisserolles *(79)* 114 **A 5**
Boisseron *(34)* 193 **G 1**
Boisset *(15)* 159 **G 2**
Boisset *(34)* 191 **F 4**
Boisset *(43)* 148 **B 2**
Boisset-et-Gaujac *(30)* 177 **H 3**
Boisset-lès-Montrond *(42)* 135 **E 4**
Boisset-les-Prévanches *(27)* 29 **H 5**
Boisset-St-Priest *(42)* 134 **D 5**
Boissets *(78)* 50 **A 1**
Boissettes *(77)* 51 **H 4**
Boisseuil *(17)* 113 **H 5**
Boisseuil *(87)* 130 **B 3**
Boisseuilh *(24)* 144 **A 2**
Boissey *(01)* 122 **C 2**
Boissey *(14)* 27 **H 4**
Boissey-le-Châtel *(27)* 29 **E 2**
Boissezon *(81)* 190 **D 3**
Boissezon-de-Masviel *(81)* 191 **H 2**
Boissia *(39)* 110 **C 5**
La Boissière *(14)* 28 **A 3**
La Boissière *(27)* 29 **H 5**
La Boissière *(34)* 193 **E 2**
La Boissière *(39)* 123 **G 2**
La Boissière *(53)* 66 **B 5**
La Boissière-d'Ans *(24)* 143 **G 3**
La Boissière-de-Montaigu *(85)* 99 **H 2**
La Boissière-des-Landes *(85)* 112 **C 1**
La Boissière-du-Doré *(44)* 83 **H 5**
La Boissière-École *(78)* 50 **B 2**
La Boissière-en-Gâtine *(79)* 114 **B 1**
La Boissière-sur-Èvre *(49)* 84 **A 4**
Boissières *(30)* 193 **H 1**
Boissières *(46)* 158 **B 4**
Boissise- *(77)* 51 **G 4**
Boissise-la-Bertrand *(77)* 51 **G 4**
Boisson *(30)* 178 **B 2**
Boissy-aux-Cailles *(77)* 71 **G 1**
Boissy-en-Drouais *(28)* 49 **H 2**
Boissy-Fresnoy *(60)* 32 **A 3**
Boissy-la-Rivière *(91)* 51 **E 5**
Boissy-l'Aillerie *(95)* 30 **D 4**
Boissy-Lamberville *(27)* 28 **D 3**
Boissy-le-Bois *(60)* 30 **D 2**
Boissy-le-Châtel *(77)* 52 **C 1**
Boissy-le-Cutté *(91)* 51 **F 4**
Boissy-le-Repos *(51)* 53 **F 1**
Boissy-le-Sec *(91)* 50 **D 4**
Boissy-lès-Perche *(28)* 49 **E 2**
Boissy-Mauvoisin *(78)* 30 **A 5**
Boissy-sans-Avoir *(78)* 50 **C 1**
Boissy-sous-St-Yon *(91)* 51 **E 3**
Boissy-St-Léger *(94)* 51 **G 2**
Boissy-sur-Damville *(27)* 49 **G 1**
Boistrudan *(35)* 65 **G 3**
Boisville-la-St-Père *(28)* 50 **B 5**
Boisyvon *(50)* 46 **A 1**
Boitron *(61)* 48 **B 3**
Boitron *(77)* 32 **C 5**
Bolandoz *(25)* 111 **E 2**
Bolazec *(29)* 42 **C 5**
Bolbec *(76)* 12 **D 4**
Bollène *(84)* 179 **E 1**
La Bollène-Vésubie *(06)* 183 **F 3**
Bolleville *(50)* 22 **C 5**
Bolleville *(76)* 12 **D 4**
Bollezeele *(59)* 3 **F 3**
Bollwiller *(68)* 78 **C 4**
Bologne *(52)* 75 **G 1**
Bolozon *(01)* 123 **F 4**
Bolquère *(66)* 211 **H 4**
Bolsenheim *(67)* 59 **E 4**
Bombon *(77)* 52 **A 3**
Bommes *(33)* 155 **G 4**
Bommiers *(36)* 104 **D 4**
Bompas *(09)* 207 **E 4**
Bompas *(66)* 209 **F 5**
Bomy *(62)* 7 **F 1**
Bon-Encontre *(47)* 172 **C 2**
Bon-Repos *(22)* 63 **E 2**
Bona *(58)* 107 **E 2**
Bonac-Irazein *(09)* 206 **A 4**
Bonanech *(82)* 173 **H 4**
Bonas *(32)* 187 **H 1**
Bonboillon *(70)* 94 **B 4**
Boncé *(28)* 70 **A 1**
Bonchamp-lès-Laval *(53)* 66 **D 2**
Boncourt *(02)* 17 **H 4**
Boncourt *(27)* 29 **H 4**
Boncourt *(28)* 50 **A 1**
Boncourt *(54)* 20 **C 5**
Boncourt-le-Bois *(21)* 109 **F 1**
Boncourt-sur-Meuse *(55)* 56 **A 1**
Bondaroy *(45)* 71 **F 2**
Bondeval *(25)* 96 **C 3**
Bondigoux *(31)* 173 **H 5**
Les Bondons *(48)* 161 **H 5**
Bondoufle *(91)* 51 **F 3**
Bondues *(59)* 4 **C 3**
Bondy *(93)* 31 **G 5**
Bonen *(22)* 62 **D 2**
Bongheat *(63)* 133 **H 3**
Le Bonhomme *(68)* 78 **B 1**
Bonifacio *(2A)* 219 **F 5**
Bonifato *(Cirque de) (2B)* 216 **C 1**
Bonlier *(60)* 15 **E 5**
Bonlieu *(39)* 110 **D 5**
Bonlieu-sur-Roubion *(26)* 163 **H 3**
Bonloc *(64)* 185 **E 4**
Bonnac *(09)* 207 **E 1**
Bonnac *(15)* 147 **E 3**
Bonnac-la-Côte *(87)* 130 **A 2**
Bonnal *(25)* 95 **F 2**
Bonnard *(89)* 73 **E 4**
Bonnat *(23)* 117 **H 3**
Bonnatrait *(74)* 124 **D 3**
Bonnaud *(39)* 110 **A 5**
Bonnay *(25)* 94 **D 4**
Bonnay *(71)* 122 **A 1**
Bonnay *(80)* 15 **G 1**
Bonne *(74)* 124 **D 4**
Bonnebosq *(14)* 28 **A 3**
Bonnecourt *(52)* 76 **A 3**
Bonnée *(45)* 71 **F 5**
Bonnefamille *(38)* 136 **C 4**
Bonnefoi *(61)* 48 **C 2**
Bonnefon *(12)* 160 **D 4**
Bonnefond *(19)* 131 **F 5**
Bonnefont *(65)* 187 **G 5**
Bonnefontaine *(39)* 110 **C 4**
Bonnegarde *(40)* 185 **H 2**
Bonneguête *(74)* 137 **H 1**
Bonneil *(02)* 32 **D 4**
Bonnelles *(78)* 50 **D 3**
Bonnemain *(35)* 45 **E 4**
Bonnemaison *(14)* 27 **E 4**
Bonnemazon *(65)* 204 **D 2**
Bonnencontre *(21)* 109 **G 1**
Bonnes *(16)* 142 **B 3**
Bonnes *(86)* 115 **H 1**
Bonnesvalyn *(02)* 32 **D 3**
Bonnet *(55)* 55 **H 3**
Bonnétable *(72)* 68 **B 2**
Bonnétage *(25)* 95 **H 5**
Bonnetan *(33)* 155 **G 1**
Bonneuil *(16)* 127 **H 5**
Bonneuil *(36)* 116 **D 3**
Bonneuil-en-France *(95)* 31 **F 5**
Bonneuil-en-Valois *(60)* 32 **B 2**
Bonneuil-les-Eaux *(60)* 15 **F 4**
Bonneuil-Matours *(86)* 102 **C 5**
Bonneuil-sur-Marne *(94)* 51 **G 2**
Bonneval *(28)* 69 **H 2**
Bonneval *(43)* 148 **A 2**
Bonneval *(73)* 138 **D 5**
Bonneval-en-Diois *(26)* 165 **G 3**
Bonneval-sur-Arc *(73)* 153 **H 1**
Bonnevaux *(25)* 111 **E 3**
Bonnevaux *(30)* 162 **C 5**
Bonnevaux *(74)* 125 **F 3**
Bonnevaux-le-Prieuré *(25)* 111 **E 1**
Bonneveau *(41)* 68 **D 5**
Bonnevent-Velloreille *(70)* 94 **D 3**
La Bonneville *(50)* 22 **D 5**
Bonneville [SP] *(74)* 124 **D 5**
Bonneville *(80)* 7 **F 5**
Bonneville-Aptot *(27)* 29 **E 2**
Bonneville-et-St-Avit-
de-Fumadières *(24)* 156 **B 1**
Bonneville-la-Louvet *(14)* 28 **B 2**
La Bonneville-sur-Iton *(27)* 29 **F 5**
Bonneville-sur-Touques *(14)* 28 **A 1**
Bonnières *(60)* 14 **D 5**
Bonnières *(62)* 7 **F 3**
Bonnières-sur-Seine *(78)* 30 **A 4**
Bonnieux *(84)* 180 **A 5**
Bonningues-lès-Ardres *(62)* 2 **D 4**
Bonningues-lès-Calais *(62)* 2 **B 3**
Bonnœil *(14)* 27 **F 5**
Bonnœuvre *(44)* 83 **H 2**
Bonnut *(64)* 185 **H 2**
Bonny-sur-Loire *(45)* 90 **A 2**
Le Bono *(56)* 81 **F 2**
Bonrepos *(65)* 205 **E 1**
Bonrepos-Riquet *(31)* 189 **G 2**
Bonrepos-
sur-Aussonnelle *(31)* 188 **D 3**
Bons-en-Chablais *(74)* 124 **D 3**
Bons-Tassilly *(14)* 27 **G 5**
Bonsecours *(76)* 29 **G 1**
Bonsmoulins *(61)* 48 **C 3**
Bonson *(06)* 183 **E 4**
Bonson *(42)* 135 **E 5**
Bonvillard *(73)* 138 **C 4**
Bonvillaret *(73)* 138 **C 4**
Bonville *(28)* 50 **A 5**
Bonviller *(54)* 57 **G 2**
Bonvillers *(60)* 15 **F 4**
Bonvillet *(88)* 76 **D 2**
Bony *(02)* 16 **C 1**
Bonzac *(33)* 141 **H 5**
Bonzée *(55)* 36 **A 3**
Boô-Silhen *(65)* 204 **B 2**
Boofzheim *(67)* 59 **F 4**
Boos *(40)* 169 **E 4**
Boos *(76)* 29 **G 1**
Bootzheim *(67)* 79 **E 1**
Boqueho *(22)* 43 **F 5**
Bor-et-Bar *(12)* 174 **D 2**
Boran-sur-Oise *(60)* 31 **F 3**
Borce *(64)* 203 **G 3**
Borcq-sur-Airvault *(79)* 101 **G 4**
Bord-St-Georges *(23)* 118 **C 4**
Bordas *(24)* 143 **E 4**
La Borde *(77)* 52 **A 4**
Bordeaux [R] *(33)* 155 **E 1**
Bordeaux-en-Gâtinais *(45)* 71 **G 3**
Bordeaux-Lac *(33)* 155 **E 1**
Bordeaux-St-Clair *(27)* 30 **B 3**
Bordeaux-St-Clair *(76)* 12 **B 3**
Bordères *(64)* 204 **A 1**
Bordères-
et-Lamensans *(40)* 186 **C 1**
Bordères-Louron *(65)* 205 **E 4**
Bordères-sur-l'Échez *(65)* 187 **E 5**
Les Bordes *(36)* 104 **D 2**
Les Bordes *(45)* 71 **F 5**
Bordes *(64)* 186 **C 5**
Bordes *(65)* 204 **D 1**
Les Bordes *(71)* 109 **F 3**
Les Bordes *(89)* 72 **D 2**
Les Bordes-Aumont *(10)* 74 **A 2**
Bordes-de-Rivière *(31)* 205 **G 2**
Les Bordes-sur-Arize *(09)* 206 **C 2**
Les Bordes-sur-Lez *(09)* 206 **A 3**
Bordezac *(30)* 178 **A 1**
Bords *(17)* 126 **D 2**
Borée *(07)* 162 **D 1**
Le Boréon *(06)* 183 **F 2**
Boresse-et-Martron *(17)* 142 **A 2**
Borest *(60)* 31 **H 3**
Borey *(70)* 95 **F 1**
Borgo *(2B)* 215 **G 5**
Bormes-les-Mimosas *(83)* 201 **G 3**
Le Born *(31)* 173 **H 5**
Le Born *(48)* 161 **H 4**
Born-de-Champs *(24)* 157 **F 3**
Bornambusc *(76)* 12 **C 4**
Bornay *(39)* 110 **B 5**
Borne *(07)* 162 **C 3**
La Borne *(18)* 89 **G 5**
Borne *(43)* 148 **A 4**
Bornel *(60)* 31 **E 3**
Boron *(90)* 96 **D 1**
Borre *(59)* 3 **G 4**
Borrèze *(24)* 144 **B 5**
Les Borrys *(84)* 195 **G 1**
Bors *(près de Baignes-
Ste-Radegonde) (16)* 141 **H 2**
Bors *(près de Montmoreau-
St-Cybard) (16)* 142 **B 2**
Bort-les-Orgues *(19)* 146 **A 1**
Bort-l'Étang *(63)* 133 **H 3**
Borville *(54)* 57 **F 4**
Le Bosc *(09)* 206 **D 3**
Le Bosc *(34)* 192 **C 1**
Bosc-Bénard-Commin *(27)* 29 **E 2**
Bosc-Bérenger *(76)* 13 **H 4**
Bosc-Bordel *(76)* 14 **A 4**
Le Bosc-du-Theil *(27)* 29 **E 2**
Bosc-Édeline *(76)* 14 **A 4**
Bosc-Guérard-St-Adrien *(76)* 13 **G 5**
Bosc-Hyons *(76)* 30 **B 1**
Bosc-le-Hard *(76)* 13 **H 4**
Bosc-Mesnil *(76)* 14 **A 4**
Le Bosc-Renoult *(61)* 28 **B 5**
Bosc-Renoult-en-Ouche *(27)* 28 **D 5**
Bosc-Renoult-
en-Roumois *(27)* 29 **E 2**
Le Bosc-Roger *(27)* 30 **B 3**
Le Bosc-Roger-
en-Roumois *(27)* 29 **F 2**
Bosc-Roger-sur-Buchy *(76)* 14 **A 4**
Boscamnant *(17)* 142 **A 3**
Bosdarros *(64)* 203 **H 1**
Bosgouet *(27)* 29 **E 1**
Bosguérard-
de-Marcouville *(27)* 29 **E 2**
Bosjean *(71)* 109 **H 4**
Bosmie-l'Aiguille *(87)* 130 **A 3**
Bosmont-sur-Serre *(02)* 17 **G 3**
Bosmoreau-les-Mines *(23)* 130 **D 1**
Bosnormand *(27)* 29 **F 2**
Le Bosquel *(80)* 15 **F 3**
Bosquentin *(27)* 30 **A 1**
Bosrobert *(27)* 29 **E 2**
Bosroger *(23)* 131 **G 1**
Bossancourt *(10)* 74 **C 1**
Bossay-sur-Claise *(37)* 103 **E 4**
La Bosse *(25)* 95 **H 5**
La Bosse *(41)* 69 **G 5**
La Bosse *(72)* 68 **C 2**
La Bosse-de-Bretagne *(35)* 65 **F 4**
Bossée *(37)* 102 **D 1**
Bosselshausen *(67)* 38 **D 5**
Bossendorf *(67)* 39 **E 5**
Bosset *(24)* 142 **C 5**
Bosseval-et-Briancourt *(08)* 19 **E 3**
Bossey *(74)* 124 **C 4**
Bossieu *(38)* 150 **D 1**
Les Bossons *(74)* 139 **F 1**
Bossugan *(33)* 156 **A 2**
Bossus-lès-Rumigny *(08)* 10 **B 5**
Bost *(03)* 120 **B 4**
Bostens *(40)* 170 **D 4**
Bosville *(76)* 13 **E 3**
Botans *(90)* 96 **C 1**
Bothoa *(22)* 63 **E 1**
Botmeur *(29)* 42 **A 5**
Botsorhel *(29)* 42 **B 4**
Les Bottereaux *(27)* 48 **D 1**
Botticella *(2B)* 215 **F 1**

Botz-en-Mauges (49) 84 B 4
Bou (45) 70 D 5
Bouafle (78) 30 C 5
Bouafles (27) 29 H 3
Bouan (09) 207 E 4
Bouaye (44) 83 E 5
Boubers-lès-Hesmond (62) 7 E 1
Boubers-sur-Canche (62) 7 F 3
Boubiers (60) 30 C 3
Bouc-Bel-Air (13) 195 H 3
Boucagnères (32) 188 A 3
Le Boucanet (30) 193 H 3
Boucau (64) 184 C 2
Boucé (03) 120 B 3
Boucé (61) 47 H 2
Boucey (50) 45 G 3
Le Bouchage (16) 128 D 1
Le Bouchage (38) 137 F 4
Bouchain (59) 8 D 3
Bouchamps-lès-Craon (53) 66 B 5
Le Bouchaud (03) 120 D 3
Le Bouchaud (39) 110 B 3
Bouchavesnes-Bergen (80) 16 B 1
Bouchemaine (49) 84 D 1
Boucheporn (57) 21 G 5
Bouchet (26) 179 F 1
Le Bouchet-Mont-Charvin (74) 138 C 2
Le Bouchet-St-Nicolas (43) 162 A 1
Bouchevilliers (27) 30 B 1
Bouchoir (80) 15 H 3
Les Boucholeurs (17) 113 E 5
Bouchon (80) 7 E 5
Le Bouchon-sur-Saulx (55) 55 G 3
Les Bouchoux (39) 123 H 3
Bouchy-St-Genest (51) 53 E 3
Boucieu-le-Roi (07) 149 G 4
Bouclans (25) 95 F 4
Boucoiran-et-Nozières (30) 178 A 4
Bouconville (08) 34 D 2
Bouconville (28) 50 A 3
Bouconville-sur-Madt (55) 56 B 1
Bouconville-Vauclair (02) 17 G 5
Bouconvillers (60) 30 C 3
Boucq (54) 56 B 1
Boudes (63) 147 E 1
Boudeville (76) 13 F 3
Boudin (73) 138 D 3
Boudou (82) 173 E 3
Boudrac (31) 205 F 1
Boudreville (21) 75 E 4
Boudy-de-Beauregard (47) 157 E 4
Boué (02) 9 G 5
Bouée (44) 82 D 4
Boueilh-Boueilho-Lasque (64) 186 C 3
Bouelles (76) 14 A 3
Bouër (72) 68 D 3
Bouère (53) 67 E 4
Bouessay (53) 67 E 4
Bouesse (36) 117 G 1
Bouëx (16) 128 C 4
La Bouëxière (35) 65 G 1
Bouffémont (95) 31 F 4
Boufféré (85) 99 G 2
Bouffignereux (02) 33 G 1
Boufflers (80) 7 E 3
Bouffry (41) 69 F 3
Bougainville (80) 15 E 2
Bougarber (64) 186 B 4
Bougé-Chambalud (38) 149 H 2
Bouges-le-Chateau (36) 104 B 2
Bougey (70) 76 C 5
Bougival (78) 51 E 1
Bouglainval (28) 50 A 3
Bougligny (77) 71 H 2
Bouglon (47) 156 B 5
Bougneau (17) 127 F 4
Bougnon (70) 95 E 1
Bougon (79) 114 D 3
Bougue (40) 170 D 5
Bouguenais (44) 83 F 5
Bouguy (60) 31 H 1
Bougy (14) 27 E 3
Bougy-lez-Neuville (45) 70 D 3
Bouhans (71) 109 H 4
Bouhans-et-Feurg (70) 94 A 3
Bouhans-lès-Lure (70) 77 G 5
Bouhans-lès-Montbozon (70) 95 F 2
Bouhet (17) 113 G 4
Bouhey (21) 92 D 5
Bouhy (58) 90 C 3
Bouilh-Devant (65) 187 G 5
Bouilh-Péreuilh (65) 187 F 5
Bouilhonnac (11) 208 B 1
Bouillac (12) 159 G 4
Bouillac (24) 157 G 2
Bouillac (82) 173 F 5
La Bouilladisse (13) 196 A 4
Bouillancourt-en-Séry (80) 14 B 1
Bouillancourt-la-Bataille (80) 15 H 3
Bouillancy (60) 32 A 4
Bouilland (21) 109 E 1
Bouillargues (30) 178 C 5
La Bouille (76) 29 F 1
Bouillé-Courdault (85) 113 H 2
Bouillé-Loretz (79) 101 F 1
Bouillé-Ménard (49) 66 B 5
Bouillé-St-Paul (79) 101 E 2
La Bouillie (22) 44 B 2
Le Bouillon (61) 48 A 3
Bouillon (64) 186 B 3
Bouillonville (54) 36 B 5
Bouilly (10) 73 H 2
Bouilly (51) 33 G 3
Bouilly (89) 73 F 4
Bouilly-en-Gâtinais (45) 71 F 3
Bouin (79) 114 D 5
Bouin (85) 98 C 2
Bouin-Plumoison (62) 7 E 2
Bouisse (11) 208 C 3
Bouix (21) 74 C 4
Boujailles (25) 111 E 3
Boujan-sur-Libron (34) 192 B 4
Boujeons (25) 111 F 4
Le Boujon (02) 17 G 1
Boulages (10) 53 G 3
Boulaincourt (88) 56 D 5
Boulancourt (77) 71 F 1
Boulange (57) 20 C 3
Boulaur (32) 188 B 3
Le Boulay (37) 87 E 2
Boulay (44) 83 H 3
Le Boulay (76) 13 G 4
Le Boulay (78) 50 B 1
Boulay-les-Barres (45) 70 C 4
Boulay-les-Ifs (53) 47 G 4
Le Boulay-Morin (27) 29 G 4
Boulay-Moselle SP (57) 21 G 5
La Boulaye (71) 108 A 4
Boulazac Isle Manoire (24) 143 F 3
Boulbon (13) 179 E 5
Boulc (26) 165 G 3
Boule-d'Amont (66) 212 C 3
Bouleternère (66) 212 C 3
Bouleurs (77) 52 A 1
Bouleuse (51) 33 G 2
Bouliac (33) 155 F 1
Boulieu-lès-Annonay (07) 149 G 2
Bouligneux (01) 136 B 1
Bouligney (70) 77 E 4
Bouligny (55) 20 B 4
Boulin (65) 187 F 5
Boullarre (60) 32 B 3
Le Boullay-les-Deux-Églises (28) 49 H 3
Boullay-les-Troux (91) 50 D 2
Le Boullay-Mivoye (28) 49 H 3
Le Boullay-Thierry (28) 49 H 3
Boulleret (18) 90 A 3
Boulleville (27) 28 B 1
Bouloc (31) 189 F 1
Bouloc-en-Quercy (82) 173 F 1
Boulogne (85) 99 G 4
Boulogne-Billancourt SP (92) 51 E 1
Boulogne-la-Grasse (60) 15 H 4
Boulogne-sur-Gesse (31) 188 A 5
Boulogne-sur-Helpe (59) 9 H 5
Boulogne-sur-Mer SP (62) 2 A 4
Bouloire (72) 68 C 4
Le Boulois (25) 96 D 5
Boulon (14) 27 F 4
Boulot (70) 94 D 4
Le Boulou (66) 213 E 4
Boulouris (83) 198 D 3
La Boulouze (50) 46 A 2
Boult (70) 94 D 3
Boult-aux-Bois (08) 19 E 5
Boult-sur-Suippe (51) 33 H 1
Le Boulvé (46) 157 H 5
Boulzicourt (08) 18 D 3
Boumourt (64) 186 A 3
Bouniagues (24) 156 D 2
Le Boupère (85) 100 B 4
Bouquehault (62) 2 C 3
Bouquelon (27) 28 C 1
Bouquemaison (80) 7 G 4
Bouquemont (55) 35 H 4
Bouquet (30) 178 B 2
Bouquetot (27) 29 E 1
Bouqueval (95) 31 F 4
Bouranton (10) 74 A 1
Bouras (30) 177 G 4
Bouray-sur-Juine (91) 51 F 4
Bourbach-le-Bas (68) 78 B 5
Bourbach-le-Haut (68) 78 B 4
Bourberain (21) 93 H 2
Bourbévelle (70) 76 D 4
Bourbon-Lancy (71) 120 D 1
Bourbon-l'Archambault (03) 119 G 1
Bourbonne-les-Bains (52) 76 B 3
La Bourboule (63) 132 C 5
Bourbourg (59) 3 E 2
Bourbriac (22) 43 E 5
Bourcefranc-le-Chapus (17) 126 B 2
Bourcia (39) 123 F 3
Bourcq (08) 34 C 1
Bourdainville (76) 13 F 3
Bourdalat (40) 171 E 5
Bourdeau (73) 137 H 3
Bourdeaux (26) 164 D 3
Bourdeilles (24) 143 E 2
Le Bourdeix (24) 129 E 5
Bourdelles (33) 156 A 4
Bourdenay (10) 53 E 5
Le Bourdet (79) 113 H 4
Bourdettes (64) 204 A 1
Bourdic (30) 178 B 4
Bourdiguet (30) 178 B 3
La Bourdinière-St-Loup (28) 69 H 1
Bourdon (80) 15 E 1
Bourdonnay (57) 57 H 1
Bourdonné (78) 50 B 2
La Bourdonnière (13) 196 A 4
Bourdons-sur-Rognon (52) 75 H 2
Bourecq (62) 7 G 1
Bouresches (02) 32 D 4
Bouresse (86) 115 H 3
Bouret-sur-Canche (62) 7 G 3
Boureuilles (55) 35 F 3
Bourey (50) 24 D 5
Bourg (33) 141 F 4
Le Bourg (46) 159 E 3
Bourg (52) 75 H 5
Le Bourg (56) 81 G 2
Bourg-Achard (27) 29 E 1
Bourg-Archambault (86) 116 C 3
Bourg-Argental (42) 149 F 2
Bourg-Beaudouin (27) 29 H 1
Bourg-Blanc (29) 41 E 3
Bourg-Bruche (67) 58 B 4
Bourg-Charente (16) 127 H 4
Bourg-d'Abren (24) 156 C 1
Bourg-de-Bigorre (65) 204 D 2
Bourg-de-Péage (26) 150 C 4
Bourg-de-Sirod (39) 110 D 4
Bourg-de-Thizy (69) 135 E 1
Bourg-de-Visa (82) 173 E 1
Bourg-des-Comptes (35) 65 E 3
Bourg-des-Maisons (24) 142 D 2
Le Bourg-d'Hem (23) 117 H 3
Le Bourg-d'Iré (49) 84 B 1
Le Bourg-d'Oisans (38) 152 A 4
Bourg-d'Oueil (31) 205 F 4
Bourg-du-Bost (24) 142 C 2
Le Bourg-Dun (76) 13 F 2
Bourg-en-Bresse P (01) 123 E 4
Bourg-et-Comin (02) 33 F 1
Bourg-Fidèle (08) 10 D 5
Bourg-la-Reine (92) 51 F 1
Bourg-Lastic (63) 132 B 4
Bourg-le-Comte (71) 121 E 3
Bourg-le-Roi (72) 48 A 5
Bourg-lès-Valence (26) 149 H 5
Bourg-l'Évêque (49) 66 B 5
Bourg-Madame (66) 211 G 4
Bourg-sous-Châtelet (90) 78 B 5
Bourg-sous-la-Roche-sur-Yon (85) 99 G 5
Bourg-St-Andéol (07) 163 G 5
Bourg-St-Bernard (31) 189 H 2
Bourg-St-Christophe (01) 136 C 2
Le Bourg-St-Léonard (61) 48 A 1
Bourg-St-Maurice (73) 139 F 4
Bourg-Ste-Marie (52) 76 A 1
Bourgaltroff (57) 37 H 5
Bourganeuf (23) 130 D 2
Bourgbarré (35) 65 F 3
Bourgeauville (14) 27 H 2
Bourges P (18) 105 F 2
Le Bourget (73) 153 E 2
Le Bourget (93) 31 F 5
Le Bourget-du-Lac (73) 137 H 4
Bourget-en-Huile (73) 138 B 5
Bourgheim (67) 59 E 4
Bourghelles (59) 4 D 4
Bourgnac (24) 142 D 5
Bourgneuf (17) 113 F 4
Bourgneuf (45) 71 E 2
Bourgneuf (73) 138 B 4
Bourgneuf-en-Mauges (49) 84 C 4
Bourgneuf-en-Retz (44) 98 D 1
Le Bourgneuf-la-Forêt (53) 66 B 2
Bourgogne (51) 33 H 1
Bourgoin-Jallieu (38) 136 D 4
Bourgon (53) 66 A 1
La Bourgonce (88) 58 A 5
Bourgougnague (47) 156 D 3
Bourguébus (14) 27 F 3
Bourgueil (37) 86 A 5
Bourguenolles (50) 45 H 1
Le Bourguet (83) 182 A 5
Bourguignon (25) 96 C 3
Bourguignon-lès-Conflans (70) 77 E 5
Bourguignon-lès-la-Charité (70) 94 D 2
Bourguignon-lès-Morey (70) 94 B 1
Bourguignon-sous-Coucy (02) 16 C 5
Bourguignon-sous-Montbavin (02) 17 E 5
Bourguignons (10) 74 B 2
Bourgvilain (71) 122 A 3
Bourideys (33) 155 F 5
Bouriège (11) 208 A 3
Bourigeole (11) 207 H 3
Bourisp (65) 205 E 4
Bourlens (47) 157 G 5
Bourlon (62) 8 C 4
Bourmont (52) 76 A 1
Bournainville-Faverolles (27) 28 C 3
Bournan (37) 102 D 2
Bournand (86) 101 H 1
Bournazel (12) 159 H 5
Bournazel (81) 174 C 3
Bourneau (85) 113 G 1
Bournel (47) 157 E 3
Bourneville-Sainte-Croix (27) 28 D 1
Bournezeau (85) 99 H 5
Bourniquel (24) 157 F 2
Bournois (25) 95 G 2
Bournoncle-St-Pierre (43) 147 F 2
Bournoncles (15) 161 E 1
Bournonville (62) 2 C 4
Bournos (64) 186 B 4
Bourogne (90) 96 D 1
Bourpeuil (86) 115 H 4
Bourran (47) 172 A 1
Bourré (41) 87 G 4
Bourréac (65) 204 B 2
Bourret (82) 173 F 4
Bourriot-Bergonce (40) 171 E 2
Bourron-Marlotte (77) 51 H 5
Bourrou (24) 143 E 4
Bourrouillan (32) 171 F 5
Bours (62) 7 G 2
Bours (65) 187 E 5
Boursault (51) 33 G 4
Boursay (41) 69 F 3
Bourscheid (57) 58 C 1
Bourséguin (85) 113 G 1
Bourseul (22) 44 C 3
Bourseville (80) 6 B 5
Boursières (70) 94 D 1
Boursies (59) 8 C 4
Boursin (62) 2 C 4
Boursonne (60) 32 B 3
Bourth (27) 49 E 1
Bourthes (62) 2 C 5
Bourville (76) 13 F 2
Boury-en-Vexin (60) 30 B 2
Bousbach (57) 38 A 2
Bousbecque (59) 4 C 2
Le Bouscat (33) 155 E 1
Le Bouscaut (33) 155 F 2
Bousies (59) 9 F 4
Bousignies (59) 5 E 5
Bousignies-sur-Roc (59) 10 A 2
Le Bousquet (11) 208 A 5
Le Bousquet (12) 160 C 3
Le Bousquet-d'Orb (34) 192 A 2
Boussac (12) 175 F 1
Boussac (23) 118 B 3
La Boussac (35) 45 F 3
Boussac (46) 159 E 4
Boussac-Bourg (23) 118 B 3
Boussagues (34) 192 A 2
Boussais (79) 101 F 4
Boussan (31) 188 C 5
Boussay (37) 103 E 4
Boussay (44) 99 H 1
Bousse (57) 21 E 4
Bousse (72) 67 G 5
Bousselange (21) 109 H 2
Boussenac (09) 206 C 4
Boussenois (21) 93 G 1
Boussens (31) 206 A 1
Bousseraucourt (70) 76 C 3
Boussès (47) 171 G 2
Bousseviller (57) 38 D 2
Boussey (21) 92 C 4
Boussey (27) 29 H 5
Boussicourt (80) 15 H 3
Boussières (25) 94 D 5
Boussières-en-Cambrésis (59) 9 E 4
Boussières-sur-Sambre (59) 9 H 3
Boussois (59) 10 A 1
Boussy (74) 138 A 2
Boussy-St-Antoine (91) 51 G 2
Boust (57) 21 E 3
Boustroff (57) 37 G 4
Bout-du-Lac (74) 138 B 2
Bout-du-Pont-de-Larn (81) 191 E 3
Boutancourt (08) 18 D 3
Boutavent (60) 14 C 4
La Bouteille (02) 17 H 2
Bouteilles-St-Sébastien (24) 142 C 2
Boutenac (11) 209 E 1
Boutenac-Touvent (17) 127 E 5
Boutencourt (60) 30 C 2
Boutervilliers (91) 50 D 4
Bouteville (16) 127 H 4
Boutiers-St-Trojan (16) 127 H 3
Boutigny (77) 32 A 5
Boutigny-sur-Essonne (91) 51 F 5
Boutigny-sur-Opton (28) 50 A 2
Bouttencourt (80) 14 B 1
Boutteville (50) 23 E 5
Boutx (31) 205 G 3
Bouvaincourt-sur-Bresle (80) 6 B 5
Bouvancourt (51) 33 G 1
Bouvante (26) 150 D 5
Bouvante-le-Haut (26) 150 D 5
Bouvelinghem (62) 2 D 4
Bouvellemont (08) 18 D 4
Bouverans (25) 111 F 3
La Bouverie (83) 197 H 2
Bouvesse-Quirieu (38) 137 E 3
Bouvières (26) 165 E 4
Bouvignies (59) 4 D 5
Bouvigny-Boyeffles (62) 4 A 5
Bouville (28) 69 H 1
Bouville (76) 13 F 4
Bouville (91) 51 F 5
Bouvincourt-en-Vermandois (80) 16 B 2
Bouvines (59) 4 D 4
Bouvresse (60) 14 C 4
Bouvron (44) 82 D 3
Bouvron (54) 56 C 1
Boux-sous-Salmaise (21) 92 D 3
Bouxières-aux-Bois (88) 57 F 5
Bouxières-aux-Chênes (54) 57 E 1
Bouxières-aux-Dames (54) 56 D 1
Bouxières-sous-Froidmont (54) 36 D 4
Bouxurulles (88) 57 E 5
Bouxwiller (67) 38 D 5
Bouxwiller (68) 97 F 2
Bouy (51) 34 B 4
Bouy-Luxembourg (10) 54 A 5
Bouy-sur-Orvin (10) 53 E 5
Bouyon (06) 183 E 4
Le Bouyssou (46) 159 F 3
Bouzais (18) 105 G 5
Bouzancourt (52) 55 E 5
Bouzanville (54) 56 D 5
Bouze-lès-Beaune (21) 109 E 2
Bouzel (63) 133 G 3
Bouzemont (88) 77 E 1
Bouzeron (71) 109 E 3
Bouzic (24) 158 A 2
Bouziès (46) 158 D 5
Bouzigues (34) 193 E 4
Bouzillé (49) 84 A 4
Bouzin (31) 205 H 1
Bouzincourt (80) 7 H 5
Bouzon-Gellenave (32) 187 E 1
Bouzonville (57) 21 G 4
Bouzonville-aux-Bois (45) 71 E 2
Bouzonville-en-Beauce (45) 71 E 2
Bouzy (51) 33 H 4
Bouzy-la-Forêt (45) 71 F 5
Bovée-sur-Barboure (55) 56 A 2
Bovel (35) 64 D 3
Bovelles (80) 15 E 2
Boves (80) 15 G 2
Boviolles (55) 55 H 2
Boyardville (17) 126 B 1
Boyaval (62) 7 G 1
Boyelles (62) 8 B 4
Boyer (42) 121 F 5
Boyer (71) 122 B 1
Boyeux-St-Jérôme (01) 137 E 1
Boynes (45) 71 F 2
Boz (01) 122 C 2
Bozas (07) 149 G 4
Bozel (73) 139 E 5
Bozouls (12) 160 B 5
Brabant-en-Argonne (55) 35 F 3
Brabant-le-Roi (55) 55 E 1
Brabant-sur-Meuse (55) 35 G 2
Brach (33) 140 C 4
Brachay (52) 55 F 5
Braches (80) 15 G 3
Brachy (76) 13 F 2
Bracieux (41) 88 A 2
Bracon (39) 110 D 2
Bracquemont (76) 13 G 1
Bracquetuit (76) 13 H 4
Bradiancourt (76) 14 A 4
Braffais (50) 46 A 1
Bragassargues (30) 178 A 4
Bragayrac (31) 188 D 3
Brageac (15) 145 H 3
Bragelogne (10) 74 A 4
Bragny-sur-Saône (71) 109 F 3
Brahic (07) 162 C 5
Braillans (25) 95 E 4
Brailly-Cornehotte (80) 7 E 4
Brain (21) 92 C 3
Brain-sur-Allonnes (49) 85 H 4
Brain-sur-l'Authion (49) 85 E 3
Brain-sur-Longuenée (49) 84 C 2
Brain-sur-Vilaine (35) 64 D 5
Brainans (39) 110 B 3
Braine (02) 33 E 1
Brains (44) 83 E 5
Brains-sur-Gée (72) 67 H 3
Brains-sur-les-Marches (53) 66 A 4
Brainville (50) 24 D 3
Brainville (54) 20 C 5
Brainville-sur-Meuse (52) 76 A 1
Braisnes-sur-Aronde (60) 16 A 5
Braize (03) 105 H 5
Bralleville (54) 57 E 4
Bram (11) 207 H 1
Bramans (73) 153 F 2
Brameloup (12) 160 D 4
Brametot (76) 13 F 2
Bramevaque (65) 205 F 3
Bran (17) 141 H 2
Branceilles (19) 144 D 5
Branches (89) 73 E 4
Brancion (71) 122 B 1
Brancourt (88) 56 B 4
Brancourt-en-Laonnois (02) 17 E 5
Brancourt-le-Grand (02) 16 D 1
Brandérion (56) 81 E 1
Brandeville (55) 35 G 1
Brandivy (56) 81 F 1
Brando (2B) 215 G 3
Brandon (71) 122 A 3
Brandonnet (12) 159 G 5
Brandonvillers (51) 54 C 3
Branges (02) 33 E 2
Branges (71) 109 G 5
Brangues (38) 137 F 3
Brannay (89) 72 C 1
Branne (25) 95 G 3
Branne (33) 155 H 1
Brannens (33) 155 H 4
Branoux-les-Taillades (30) 177 H 2
Brans (39) 94 B 5
Bransac (43) 148 C 3
Bransat (03) 119 H 3
Branscourt (51) 33 G 2
Bransles (77) 72 A 2
Brantes (84) 180 A 2
Brantigny (88) 57 E 5
Brantôme-en-Périgord (24) 143 E 2
Branville (14) 27 H 2
Branville-Hague (50) 22 B 2
Braquis (55) 20 B 5
Bras (83) 196 D 3
Bras-d'Asse (04) 181 F 4
Bras-sur-Meuse (55) 35 H 2
Brasc (12) 175 G 4
Brasles (02) 32 D 4
Braslou (37) 102 B 2
Brasparts (29) 41 H 5
Brassac (09) 207 E 3
Brassac (81) 191 E 2
Brassac (82) 173 E 2
Brassac-les-Mines (63) 147 F 1
Brasseitte (55) 56 A 1
Brassempouy (40) 185 H 2
Brasseuse (60) 31 H 2
Brassy (58) 91 H 5
Brassy (80) 15 E 3
Bratte (54) 57 E 1
Braucourt (52) 55 E 3
Braud-et-St-Louis (33) 141 E 2
Brauvilliers (55) 55 G 3
Braux (04) 182 B 3
Braux (08) 11 E 5
Braux (10) 54 C 4
Braux (21) 92 C 3
Braux-le-Châtel (52) 75 F 2
Braux-St-Remy (51) 35 E 4
Braux-Ste-Cohière (51) 35 E 3
Bravone (2B) 217 H 3
Brax (31) 189 E 2
Brax (47) 172 B 2
Bray (27) 29 E 3
Bray (71) 122 B 1
Bray-Dunes (59) 3 G 1
Bray-en-Val (45) 71 F 5
Bray-et-Lû (95) 30 B 3
Bray-lès-Mareuil (80) 6 D 5
Bray-St-Christophe (02) 16 C 3
Bray-sur-Seine (77) 52 C 5
Bray-sur-Somme (80) 16 A 1
Braye (02) 32 D 1
Braye-en-Laonnois (02) 33 E 1
Braye-en-Thiérache (02) 17 H 3
Braye-sous-Faye (37) 102 B 2
Braye-sur-Maulne (37) 86 A 2
Brazey-en-Morvan (21) 108 B 1
Brazey-en-Plaine (21) 109 G 1
Bréal-sous-Montfort (35) 65 E 2
Bréal-sous-Vitré (35) 66 B 2
Bréançon (95) 30 D 3
Bréau (77) 52 A 3
Bréau-et-Salagosse (30) 177 E 4
Bréauté (76) 12 C 4
Bréban (51) 54 B 3
Brebières (62) 8 C 3
Brebotte (90) 96 D 1
Brécé (35) 65 G 2
Brecé (53) 46 C 4
Brécey (50) 46 A 2
Brech (56) 81 F 1
Brechainville (88) 56 A 5
Bréchamps (28) 50 A 2
Bréchaumont (68) 78 B 5
Brèches (37) 86 B 2
Breconchaux (25) 95 F 4
Brectouville (50) 25 G 4
Brécy (02) 32 D 3
Brécy (18) 105 H 1
Brécy-Brières (08) 34 D 1
Brédannaz (74) 138 B 2
La Brède (33) 155 F 2
Brée (53) 67 E 2
La Brée-les-Bains (17) 112 D 5
Bréel (61) 47 F 1
Bréez (28) 50 B 4
Brégnier-Cordon (01) 137 F 4
La Bréguière (83) 197 E 2
Brégy (60) 32 A 4
Bréhain (57) 37 G 5
Bréhain-la-Ville (54) 20 C 3
Bréhal (50) 24 D 5
Bréhan (56) 63 H 3
Bréhand (22) 44 A 4
Bréhec-en-Plouha (22) 43 G 2
Bréhémont (37) 86 B 4
Bréhéville (55) 35 G 1
Breidenbach (57) 38 D 2
Breil (49) 86 A 3
Le Breil-sur-Mérize (72) 68 C 3
Breil-sur-Roya (06) 183 G 4
La Breille-les-Pins (49) 85 H 4
Breilly (80) 15 E 1
Breistroff-la-Grande (57) 21 E 2
Breitenau (67) 58 C 5
Breitenbach (67) 58 C 4
Breitenbach-Haut-Rhin (68) 78 B 2
Brélès (29) 40 D 3
Brélidy (22) 43 E 3
Brem-sur-Mer (85) 98 D 5
Bréménil (54) 58 A 3
Brêmes (62) 2 C 3
Brémoncourt (54) 57 F 3
Bremondans (25) 95 G 5

Localité (Département) Page Coordonnées

Brémontier-Merval (76) 14 B 5
Brémoy (14) 25 H 4
Brémur-et-Vaurois (21) 92 D 1
Bren (26) 150 B 4
Brenac (11) 208 A 4
Brenas (34) 192 B 2
Brenat (63) 133 G 5
Brénaz (01) 137 G 1
Brenelle (02) 33 E 1
Brengues (46) 159 E 4
Brennes (52) 75 H 5
Brennilis (29) 42 A 5
Brénod (01) 123 G 5
Brenon (83) 182 A 5
Brenouille (60) 31 G 2
Brenoux (48) 161 H 4
Brens (01) 137 G 3
Brens (74) 124 D 3
Brens (81) 174 C 5
Brenthonne (74) 124 D 3
Breny (02) 32 D 3
La Bréole (04) 166 C 4
Brères (25) 110 C 1
Bréry (39) 110 B 4
Brès (07) 162 C 5
Bresdon (17) 127 H 2
Les Bréseux (25) 96 C 4
Bresilley (70) 94 B 5
Brésis (30) 162 C 5
Bresle (80) 15 H 1
Bresles (60) 31 E 1
Bresnay (03) 119 H 2
Bresolettes (61) 48 D 3
La Bresse (88) 78 A 3
Bresse-sur-Grosne (71) 122 B 1
Bressey-sur-Tille (21) 93 G 4
Bressieux (38) 150 D 2
Bressolles (01) 136 C 2
Bressolles (03) 120 A 1
Bressols (82) 173 G 4
Bresson (38) 151 G 3
Bressoncourt (52) 55 H 4
Bressuire SP (79) 101 E 3
Brest SP (29) 41 E 4
Brestot (27) 28 D 1
Bretagne (36) 104 B 2
Bretagne (90) 96 D 1
Bretagne-d'Armagnac (32) 171 G 5
Bretagne-de-Marsan (40) 170 C 5
Bretagnolles (27) 29 H 5
Breteau (45) 90 A 1
Breteil (35) 65 E 1
Bretenière (21) 93 G 5
La Bretenière (25) 95 F 3
La Bretenière (39) 110 B 1
Bretenières (39) 110 A 3
Bretenoux (46) 159 E 1
Breteuil-sur-Iton (27) 49 E 1
Breteuil (60) 15 F 4
Brethel (61) 48 C 2
Brethenay (52) 75 G 2
Le Brethon (03) 119 E 1
Bretigney (25) 95 H 2
Bretigney-Notre-Dame (25) 95 F 4
Bretignolles (79) 100 D 3
Brétignolles-le-Moulin (53) 47 E 4
Bretignolles-sur-Mer (85) 98 D 5
Bretigny (21) 93 G 3
Brétigny (27) 28 D 3
Brétigny (60) 16 C 4
Brétigny-sur-Orge (91) 51 F 3
Bretoncelles (61) 49 E 4
La Bretonnière (85) 113 E 1
Bretonvillers (25) 95 H 5
Brette (26) 165 E 3
Brette-les-Pins (72) 68 B 4
Bretten (68) 78 B 5
Brettes (16) 128 B 1
Bretteville (50) 22 D 2
Bretteville-du-Grand-Caux (76) 12 C 4
Bretteville-le-Rabet (14) 27 G 4
Bretteville-l'Orgueilleuse (14) 27 E 2
Bretteville-St-Laurent (76) 13 F 3
Bretteville-sur-Ay (50) 24 C 2
Bretteville-sur-Dives (14) 27 H 4
Bretteville-sur-Laize (14) 27 F 4
Bretteville-sur-Odon (14) 27 F 3
Brettnach (57) 21 G 4
Bretx (31) 189 E 1
Breuches (70) 77 F 5
Breuchotte (70) 77 G 4
Breugnon (58) 91 E 3
Le Breuil (03) 120 C 4
Le Breuil (51) 33 F 5
Le Breuil (69) 135 G 2
Le Breuil (71) 108 C 4
Breuil (80) 16 B 3
Breuil-Barret (85) 100 C 5
Le Breuil-Bernard (79) 100 D 4
Breuil-Bois-Robert (78) 30 B 5
Breuil-Chaussée (79) 100 D 3
Le Breuil-en-Auge (14) 28 A 2
Le Breuil-en-Bessin (14) 25 H 2
Breuil-la-Réorte (17) 113 H 5
Breuil-le-Sec (60) 31 G 1
Breuil-le-Vert (60) 31 F 1
Breuil-Magné (17) 126 C 1
Le Breuil-sous-Argenton (79) 101 E 2
Le Breuil-sur-Couze (63) 147 F 1
Breuil-sur-Marne (52) 55 F 4
Breuil-sur-Vesle (51) 33 F 2
Breuilaufa (87) 129 H 1
Breuilh (24) 143 F 4
Breuillet (17) 126 C 3
Breuillet (91) 51 E 3
Breuilpont (27) 29 H 5
Breurey-lès-Faverney (70) 77 E 5
Breuschwickersheim (67) 59 E 2
Breuvannes (52) 76 A 2
Breuvery-sur-Coole (51) 54 B 1
Breuville (50) 22 C 3
Breux (55) 19 H 4
Breux-Jouy (91) 51 E 3
Breux-sur-Avre (27) 49 F 2
Brévainville (41) 69 H 4
Bréval (78) 30 A 5
Brévands (50) 23 F 5
Brevans (39) 110 A 1
Le Brévedent (14) 28 B 2
La Brévenne (69) 135 G 3
Brèves (58) 91 F 4
Les Bréviaires (78) 50 C 2
Bréviandes (10) 73 H 1
La Brévière (14) 28 A 5
La Brévière (60) 32 A 1
Les Brévières (73) 139 G 5
Bréville (14) 27 G 2
Bréville (16) 127 H 3
Bréville-sur-Mer (50) 24 C 5
Brévillers (62) 7 E 3
Brévillers (80) 7 G 4
Brevilliers (70) 96 C 1
Brévilly (08) 19 F 3
Brévonnes (10) 54 B 5
Bréxent-Énocq (62) 6 C 1
Brey-et-Maison-du-Bois (25) 111 F 4
Brézé (49) 101 G 1
Bréziers (05) 166 C 4
Brézilhac (11) 207 H 1
Brézins (38) 151 E 2
Brezolles (28) 49 F 2
Brezons (15) 146 C 5
Brial (82) 173 G 4
Briançon SP (05) 153 E 5
Briançonnet (06) 182 B 4
Brianny (21) 92 B 3
Briant (71) 121 F 3
Briantes (36) 118 A 1
Briare (45) 89 H 2
Briarres-sur-Essonne (45) 71 F 1
Briastre (59) 9 E 4
Briatexte (81) 190 A 1
Briaucourt (52) 75 G 1
Briaucourt (70) 77 E 4
Bricon (52) 75 F 2
Briconville (28) 49 H 4
Bricot-la-Ville (51) 53 E 2
Bricquebec-en-Cotentin (50) 22 C 4
Bricquebosq (50) 22 C 3
Bricqueville (14) 25 G 2
Bricqueville-la-Blouette (50) 24 D 4
Bricqueville-sur-Mer (50) 24 D 5
Bricy (45) 70 C 3
Brides-les-Bains (73) 138 D 5
La Bridoire (73) 137 G 5
Bridoré (37) 103 F 2
Brie (02) 17 E 4
Brie (09) 206 D 1
Brie (16) 128 C 3
Brie (35) 65 G 3
Brie (79) 101 G 3
Brie (80) 16 B 2
Brie-Comte-Robert (77) 51 G 2
Brié-et-Angonnes (38) 151 H 3
Brie-sous-Archiac (17) 127 G 5
Brie-sous-Barbezieux (16) 142 A 1
Brie-sous-Chalais (16) 142 A 2
Brie-sous-Matha (17) 127 H 2
Brie-sous-Mortagne (17) 127 E 5
Briec (29) 61 H 2
Briel-sur-Barse (10) 74 B 1
Brielles (35) 66 A 3
Brienne (71) 122 C 1
Brienne-la-Vieille (10) 54 C 5
Brienne-le-Château (10) 54 C 5
Brienne-sur-Aisne (08) 33 H 1
Briennon (42) 121 F 5
Brienon-
sur-Armançon (89) 73 F 3
Brières-les-Scellés (91) 51 E 4
Brieuil-sur-Chizé (79) 114 B 5
Brieulles-sur-Bar (08) 19 E 5
Brieulles-sur-Meuse (55) 35 G 1
Brieux (61) 47 H 1
Briey SP (54) 20 C 4
Briffons (63) 132 C 4
Brignac (34) 192 C 2
Brignac (56) 64 B 1
Brignac-la-Plaine (19) 144 B 3
Brignais (69) 135 H 4
Brignancourt (95) 30 D 3
Brigné (49) 85 E 5
Brigneau (29) 62 B 5
Brignemont (31) 188 C 1
Brignogan-Plages (29) 41 F 2
Brignoles SP (83) 196 D 4
Brignon (30) 178 B 4
Le Brignon (43) 148 B 5
Brignoud (38) 151 H 2
La Brigue (06) 183 H 2
Brigueil-le-Chantre (86) 116 C 3
Brigueuil (16) 129 G 1
Briis-sous-Forges (91) 51 E 3
Brillac (16) 116 A 5
La Brillanne (04) 180 D 4
Brillecourt (10) 54 B 4
Brillevast (50) 23 E 3
Brillon (59) 5 E 5
Brillon-en-Barrois (55) 55 F 2
Brimeux (62) 6 D 2
Brimont (51) 33 H 1
Brin-sur-Seille (54) 57 F 1
Brinay (18) 105 E 1
Brinay (58) 107 F 2
Brinckheim (68) 97 G 1
Brindas (69) 135 H 3
Bringolo (22) 43 F 4
Brinon-sur-Beuvron (58) 91 E 5
Brinon-sur-Sauldre (18) 89 E 2
Briod (39) 110 B 5
Briollay (49) 85 E 2
Brion (01) 123 G 4
Brion (36) 104 B 3
Brion (38) 151 E 2
Brion (48) 161 E 2
Brion (49) 85 G 3
Brion (71) 108 A 3
Brion (86) 115 G 3
Brion (89) 73 E 3
Brion-près-Thouet (79) 101 F 2
Brion-sur-Ource (21) 74 D 4
La Brionne (23) 117 G 5
Brionne (27) 28 D 3
Briord (01) 137 E 3
Briosne-lès-Sables (72) 68 B 2
Briot (60) 14 D 4
Briou (41) 70 A 5
Brioude SP (43) 147 G 2
Brioux-sur-Boutonne (79) 114 C 5
Briouze (61) 47 F 2
Briquemesnil-Floxicourt (80) 15 E 2
Briquenay (08) 35 E 1
Briscous (64) 184 D 3
Brison-St-Innocent (73) 137 H 3
Brissac (30) 178 A 2
Brissac (34) 177 F 5
Brissac-Quincé (49) 85 E 4
Brissarthe (49) 85 E 1
Brissay-Choigny (02) 16 D 3
Brissy-Hamégicourt (02) 16 D 3
Brive-la-Gaillarde SP (19) 144 C 4
Brives (36) 104 C 4
Brives-Charensac (43) 148 B 4
Brives-sur-Charente (17) 127 F 4
Brivezac (19) 145 E 5
Brix (50) 22 D 3
Brixey-aux-Chanoines (55) 56 B 4
Brizambourg (17) 127 F 2
Brizay (37) 102 B 1
Brizeaux (55) 35 F 4
Brizon (74) 124 D 5
Le Broc (06) 183 E 5
Broc (49) 86 A 2
Le Broc (63) 147 F 1
Brocas (40) 169 H 3
Brochon (21) 93 F 5
Brocottes (14) 27 H 3
Brocourt (80) 14 C 2
Brocourt-en-Argonne (55) 35 F 3
Broglie (27) 28 C 4
Brognard (25) 96 C 2
Brognon (08) 10 B 5
Brognon (21) 93 G 3
La Brohinière (35) 64 C 1
Broin (21) 109 G 1
Broindon (21) 93 F 5
Broissia (39) 123 F 3
Brombos (60) 14 D 4
Bromeilles (45) 71 G 2
Brommat (12) 160 B 1
Bromont-Lamothe (63) 132 D 3
Bron (69) 136 B 3
Broncourt (52) 76 B 5
Bronvaux (57) 20 D 5
Broons (22) 44 B 5
Broons-sur-Vilaine (35) 65 G 2
La Broque (67) 58 C 3
Broquiers (60) 14 C 4
Broquiès (12) 175 H 4
Brossac (16) 142 A 2
Brossainc (07) 149 G 2
Brossay (49) 101 F 1
La Brosse-Montceaux (77) 52 B 5
Brosses (89) 91 F 2
Brosville (27) 29 G 4
Brotte-lès-Luxeuil (70) 77 F 5
Brotte-lès-Ray (70) 94 B 1
Brottes (52) 75 G 2
Brou (01) 123 E 4
Brou (28) 69 G 1
Brou-sur-Chantereine (77) 51 H 1
Brouage (17) 126 C 2
Brouains (50) 46 B 2
Broualan (35) 45 F 4
Brouay (14) 27 E 2
Brouchaud (24) 143 H 3
Brouchy (80) 16 C 3
Brouck (57) 21 G 5
Brouckerque (59) 3 E 2
Brouderdorff (57) 58 B 1
Broué (28) 50 A 2
Brouennes (55) 19 G 5
Le Brouilh-Monbert (32) 187 G 2
Brouilla (66) 213 F 3
Brouillamnon (18) 105 E 2
Brouillet (51) 33 F 2
Brouilly (69) 122 A 5
Brouqueyran (33) 155 H 4
Le Broussan (83) 200 D 3
La Brousse (17) 127 G 2
Brousse (23) 132 B 1
Brousse (63) 133 H 5
Brousse (81) 190 B 1
Brousse-le-Château (12) 175 G 4
Brousses-et-Villaret (11) 190 D 5
Brousseval (52) 55 F 4
Broussey-en-Blois (55) 56 A 2
Broussey-Raulecourt (55) 56 B 1
Broussy-le-Grand (51) 53 G 1
Broussy-le-Petit (51) 53 G 1
Broût-Vernet (03) 120 A 4
Brouthières (52) 55 H 4
Brouvelieures (88) 77 H 1
Brouville (54) 57 H 3
Brouviller (57) 58 B 1
Brouy (91) 71 F 1
Brouzet-lès-Alès (30) 178 B 2
Brouzet-lès-Quissac (30) 177 H 5
Les Brouzils (85) 99 G 3
Brovès-en-Seillan (83) 197 H 2
Broxeele (59) 3 E 3
Broye (71) 108 B 3
Broye-les-Loups-
et-Verfontaine (70) 94 A 3
Broye-lès-Pesmes (70) 94 A 4
Broyes (51) 53 F 2
Broyes (60) 15 G 4
Broze (81) 174 C 4
Brû (88) 57 H 5
Bruailles (71) 123 E 1
Bruay-la-Buissière (62) 7 H 1
Bruay-sur-l'Escaut (59) 9 F 2
Bruc-sur-Aff (35) 64 D 4
Brucamps (80) 7 E 5
Bruch (47) 172 A 2
Brucheville (50) 23 F 5
Brucourt (14) 27 H 2
Brue-Auriac (83) 196 D 2
Bruebach (68) 78 D 5
Brueil-en-Vexin (78) 30 C 4
Bruère-Allichamps (18) 105 F 4
La Bruère-sur-Loir (72) 86 B 1
La Bruffière (85) 99 H 2
Brugairolles (11) 208 A 2
Le Brugeron (63) 134 A 4
Bruges (33) 155 E 1
Bruges (64) 203 H 1
Brugheas (03) 120 A 5
Brugnac (47) 156 D 5
Brugnens (32) 172 C 5
Brugny-Vaudancourt (51) 53 G 4
La Bruguière (30) 178 C 3
Bruguières (31) 189 F 1
Bruille-lez-Marchiennes (59) 8 D 2
Bruille-St-Amand (59) 5 F 5
Bruis (05) 165 G 4
Brûlain (79) 114 B 4
Les Brulais (35) 64 D 4
Brulange (57) 37 G 4
Le Brûlat (83) 196 C 5
La Brûlatte (53) 66 B 2
Bruley (54) 56 C 2
Brullemail (61) 48 B 2
Brullioles (69) 135 F 3
Brûlon (72) 67 F 3
Brumath (67) 59 F 1
Brumetz (02) 32 C 4
Brunehamel (02) 18 A 3
Brunelles (28) 49 E 5
Les Brunels (11) 190 B 4
Brunembert (62) 2 C 4
Brunémont (59) 8 C 3
Brunet (04) 181 E 4
Bruniquel (82) 174 A 3
Brunoy (91) 51 G 2
Brunstatt-Didenheim (68) 78 D 5
Brunville (76) 13 H 1
Brunvillers-la-Motte (60) 15 G 5
Le Brusc (83) 200 D 4
Brusque (12) 191 H 1
Le Brusquet (04) 181 G 2
Brussey (70) 94 C 4
Brussieu (69) 135 F 3
Brusson (51) 54 D 2
Brusvily (22) 44 C 4
Brutelles (80) 6 B 4
Bruville (54) 20 C 5
Brux (86) 115 E 4
La Bruyère (03) 120 B 5
La Bruyère (70) 77 G 4
Bruyères (88) 77 H 1
Bruyères-et-Montbérault (02) 17 F 5
Bruyères-le-Châtel (91) 51 E 3
Bruyères-sur-Fère (02) 32 D 3
Bruyères-sur-Oise (95) 31 F 3
Bruys (02) 33 E 2
Bruz (35) 65 E 3
Bry (59) 9 G 3
Bry-sur-Marne (94) 51 G 1
Bryas (62) 7 G 2
Bû (28) 50 A 1
Le Bû-sur-Rouvres (14) 27 G 4
Buais-les-Monts (50) 46 B 3
Buanes (40) 186 B 1
Le Buat (50) 46 A 2
Bubertré (61) 48 D 3
Bubry (56) 63 E 4
Buc (78) 51 E 2
Buc (90) 96 C 1
La Bucaille (27) 30 A 3
Bucamps (60) 15 F 5
Bucéels (14) 26 D 3
Bucey-en-Othe (10) 73 G 1
Bucey-lès-Gy (70) 94 C 3
Bucey-lès-Traves (70) 94 D 1
Buchelay (78) 30 B 5
Buchères (10) 73 H 1
Buchey (52) 75 E 1
Buchy (57) 37 E 4
Buchy (76) 14 A 4
Bucilly (02) 10 A 5
Bucquoy (62) 8 A 4
Bucy-le-Long (02) 32 D 1
Bucy-le-Roi (45) 70 C 3
Bucy-lès-Cerny (02) 17 E 4
Bucy-lès-Pierrepont (02) 17 G 4
Bucy-St-Liphard (45) 70 B 4
Budelière (23) 118 D 4
Buding (57) 21 F 4
Budling (57) 21 F 3
Budos (33) 155 G 4
Bué (18) 90 A 4
Bueil (27) 30 A 5
Bueil-en-Touraine (37) 86 C 1
Buellas (01) 122 D 4
Buethwiller (68) 97 E 1
Buffard (25) 110 C 1
Buffières (71) 121 H 2
Buffignécourt (70) 76 D 5
Buffon (21) 92 B 1
Bugarach (11) 208 B 4
Bugard (65) 187 G 5
Bugeat (19) 131 E 5
Buges (45) 71 H 3
Bugnein (64) 185 H 4
Bugnicourt (59) 8 D 3
Bugnières (52) 75 F 4
Bugny (25) 111 F 2
Le Bugue (24) 157 G 1
Buguélès (22) 43 E 1
Buhl (67) 39 G 4
Buhl (68) 78 C 3
Buhl-Lorraine (57) 58 B 1
Buhulien (22) 42 D 2
Buhy (95) 30 B 3
Buicourt (60) 14 C 5
Buigny-l'Abbé (80) 7 E 5
Buigny-lès-Gamaches (80) 6 B 5
Buigny-St-Maclou (80) 6 D 4
Buire (02) 10 A 5
Buire-au-Bois (62) 7 F 3
Buire-Courcelles (80) 16 B 1
Buire-le-Sec (62) 6 D 2
Buire-sur-l'Ancre (80) 15 H 1
Buironfosse (02) 17 G 1
Le Buis (87) 130 A 1
Buis-les-Baronnies (26) 179 H 1
Buis-sur-Damville (27) 49 G 1
Buissard (05) 166 B 2
La Buisse (38) 151 G 2
La Buissière (38) 152 A 1
Le Buisson (48) 161 F 3
Le Buisson (51) 54 D 1
Buisson (84) 179 G 1
Le Buisson-Corblin (61) 47 E 1
Le Buisson-de-Cadouin (24) 157 G 1
Buissoncourt (54) 57 F 2
Buissy (62) 8 C 4
Bujaleuf (87) 130 D 3
Bulan (65) 204 D 2
Bulat-Pestivien (22) 42 D 5
Bulcy (58) 90 B 5
Buléon (56) 63 H 4
Bulgnéville (88) 76 C 1
Bulhon (63) 133 G 2
Bullainville (28) 70 A 2
Bulle (25) 111 F 3
Bullecourt (62) 8 B 4
Bulles (60) 15 F 5
Bulligny (54) 56 C 3
Bullion (78) 50 D 3
Bullou (28) 69 G 1
Bully (42) 134 C 2
Bully (69) 135 G 2
Bully (76) 14 A 3
Bully-les-Mines (62) 4 A 5
Bulson (08) 19 E 4
Bult (88) 57 G 5
Bun (65) 204 A 3
Buncey (21) 74 C 5
Buneville (62) 7 G 3
Buno-Bonnevaux (91) 51 F 5
Bunus (64) 185 F 5
Bunzac (16) 128 D 4
Buoux (84) 180 A 5
Burbach (67) 38 B 5
La Burbanche (01) 137 F 2
Burbure (62) 7 H 1
Burcin (38) 151 E 1
Burcy (14) 25 H 5
Burcy (77) 71 G 1
Burdignes (42) 149 F 2
Burdignin (74) 124 D 4
Bure (55) 55 H 4
Buré (61) 48 B 4
Bure-les-Templiers (21) 75 E 5
Burelles (02) 17 G 3
Bures (54) 57 G 2
Bures (61) 48 B 3
Bures-en-Bray (76) 14 A 3
Bures-les-Monts (14) 25 G 5
Bures-sur-Yvette (91) 51 E 2
Le Buret (53) 67 E 4
Burey (27) 29 F 5
Burey-en-Vaux (55) 56 B 3
Burey-la-Côte (55) 56 B 4
Burg (65) 205 E 1
Burgalays (31) 205 G 4
Burgaronne (64) 185 G 4
Le Burgaud (31) 188 D 1
Burgille (25) 94 C 4
Burgnac (87) 130 A 3
Burgy (71) 122 B 2
Burie (17) 127 G 3
Buriville (54) 57 H 3
Burlats (81) 190 D 2
Burlioncourt (57) 37 G 5
Burnand (71) 122 A 1
Burnevillers (25) 96 D 4
Burnhaupt-le-Bas (68) 78 C 5
Burnhaupt-le-Haut (68) 78 C 5
Buros (64) 186 C 4
Burosse-Mendousse (64) 186 C 3
Burret (09) 206 D 3
Bursard (61) 48 A 3
Burthecourt-aux-Chênes (54) 57 E 3
Burthulet (22) 42 D 5
Burtoncourt (57) 21 F 4
Bury (60) 31 F 2
Burzet (07) 162 D 2
Burzy (71) 122 A 1
Bus (62) 8 B 5
Bus-la-Mésière (80) 16 A 4
Bus-lès-Artois (80) 7 H 5
Bus-St-Rémy (27) 30 B 3
Buschwiller (68) 97 G 1
Busigny (59) 9 E 5
Busloup (41) 69 G 4
Busnes (62) 3 G 5
Busnettes (62) 7 H 1
Busque (81) 190 B 1
Bussac (24) 143 E 2
Bussac-Forêt (17) 141 G 3
Bussac-sur-Charente (17) 127 E 3
Bussaglia (Plage de) (2A) 216 B 2
Bussang (88) 78 A 4
Le Busseau (79) 114 A 1
Busseau-sur-Creuse (23) 118 A 5
Busseaut (21) 92 D 1
Busséol (63) 133 G 4
Busserolles (24) 129 E 4
Busserotte-
et-Montenaille (21) 93 F 1
Busset (03) 120 B 5
Bussiares (02) 32 C 4
La Bussière (45) 89 H 1
La Bussière (86) 103 E 5
Bussière-Badil (24) 129 E 4
Bussière-Boffy (87) 129 G 1
Bussière-Dunoise (23) 117 G 4
Bussière-Galant (87) 129 H 4
Bussière-Nouvelle (23) 132 A 1
Bussière-Poitevine (87) 116 B 4
Bussière-St-Georges (23) 118 B 3
La Bussière-sur-Ouche (21) 92 D 5
Bussières (21) 93 F 1
Bussières (42) 135 E 2
Bussières (63) 119 E 5
Bussières (70) 94 D 4
Bussières (71) 122 A 3
Bussières (77) 32 C 5
Bussières (89) 91 H 3
Bussières-et-Pruns (63) 133 F 1
Bussières-lès-Belmont (52) 76 A 5
Busson (52) 55 H 5
Bussu (80) 16 B 1
Bussunarits-Sarrasquette (64) 202 C 1
Bussurel (70) 96 C 2
Bussus-Bussuel (80) 7 E 5
Bussy (18) 105 H 3
Bussy (60) 16 B 4
Bussy-Albieux (42) 134 C 3
Bussy-aux-Bois (51) 54 C 3
Bussy-en-Othe (89) 73 E 3
Bussy-la-Côte (55) 55 F 1
Bussy-la-Pesle (21) 92 D 4
Bussy-la-Pesle (58) 91 E 5
Bussy-le-Château (51) 34 C 4
Bussy-le-Grand (21) 92 C 2
Bussy-le-Repos (51) 34 D 5
Bussy-le-Repos (89) 72 C 3
Bussy-lès-Daours (80) 15 G 1
Bussy-lès-Poix (80) 15 E 2
Bussy-Lettrée (51) 54 A 1
Bussy-Saint-Martin (77) 51 H 1
Bussy-St-Georges (77) 51 H 1
Bust (67) 38 C 5
Bustanico (2B) 217 F 2
Bustince-Iriberry (64) 202 C 1
Buswiller (67) 39 E 5
Busy (25) 94 D 5
Buthiers (70) 94 D 4
Buthiers (77) 71 F 1
Butot (76) 13 G 4
Butot-Vénesville (76) 12 D 2
Butry-sur-Oise (95) 31 E 4
Butteaux (89) 73 G 4
Butten (67) 38 C 4

Buverchy (80) 16 B 3
Buvilly (39) 110 C 3
La Buxerette (36) 117 H 2
Buxerolles (21) 75 F 5
Buxerolles (86) 115 G 1
Buxeuil (10) 74 B 3
Buxeuil (36) 104 B 1
Buxeuil (86) 102 D 2
Buxières-d'Aillac (36) 104 B 5
Buxières-lès-Clefmont (52) 76 A 2
Buxières-lès-Froncles (52) 75 G 1
Buxières-les-Mines (03) 119 G 2
Buxières-lès-Villiers (52) 75 F 2
Buxières-sous-les-Côtes (55) 36 B 5
Buxières-sous-Montaigut (63) 119 F 4
Buxières-sur-Arce (10) 74 C 2
Buxy (71) 108 D 5
Buy (60) 32 A 2
Buysscheure (59) 3 F 4
Buzan (09) 206 A 3
Buzançais (36) 103 H 3
Buzancy (02) 32 D 2
Buzancy (08) 19 F 5
Buzeins (12) 176 B 1
Buzet-sur-Baïse (47) 171 H 1
Buzet-sur-Tarn (31) 189 H 1
Buziet (64) 203 G 1
Buzignargues (34) 193 G 1
Buzon (65) 187 F 4
Buzy (64) 203 G 1
Buzy-Darmont (55) 20 B 5
By (25) 110 D 2
Byans-sur-Doubs (25) 110 C 1

C

Cabanac (65) 187 F 5
Cabanac-Cazaux (31) 205 G 2
Cabanac-et-Villagrains (33) 155 F 3
Cabanac-Séguenville (31) 188 D 1
La Cabanasse (66) 211 H 4
Cabanès (12) 175 E 2
Les Cabanes (34) 193 G 2
Cabanès (81) 190 B 1
Les Cabanes-de-Fitou (11) 209 F 4
Le Cabanial (31) 190 A 3
Les Cabannes (09) 207 E 5
Cabannes (13) 179 F 5
Les Cabannes (81) 174 C 3
Cabara (33) 155 H 1
Cabariot (17) 126 D 1
Cabas-Loumassès (32) 188 A 4
Cabasse (83) 197 E 3
Cabasson (83) 201 G 3
Le Cabellou (29) 61 H 4
Cabestany (66) 213 F 2
Cabidos (64) 186 B 3
Cabourg (14) 27 G 2
Cabrerets (46) 158 D 4
Cabrerolles (34) 192 A 3
Cabrespine (11) 191 E 4
Cabrières (30) 178 C 4
Cabrières (34) 192 C 3
Cabrières-d'Aigues (84) 180 B 5
Cabrières-d'Avignon (84) 179 H 4
Cabriès (13) 195 H 3
Cabris (06) 198 D 1
Cachan (32) 188 B 3
Cachan (94) 51 F 1
Cachar (30) 177 G 3
Cachen (40) 170 D 3
Cachy (80) 15 G 2
Cadalen (81) 174 C 5
Cadarcet (09) 206 D 3
Cadarsac (33) 155 G 1
Cadaujac (33) 155 F 2
Cadéac (65) 205 E 4
Cadeilhan (32) 172 C 5
Cadeilhan-Trachère (65) 204 D 4
Cadeillan (32) 188 B 4
Cademène (25) 110 D 1
Caden (56) 82 B 1
Les Cadeneaux (13) 195 H 4
Cadenet (84) 195 H 1
Caderousse (84) 179 E 3
Cadeuil (17) 126 C 3
La Cadière-d'Azur (83) 196 B 5
La Cadière-et-Cambo (30) 177 G 4
Cadillac (33) 155 G 3
Cadillac-en-Fronsadais (33) 141 G 5
Cadillon (64) 186 D 3
Cadix (81) 175 F 4
Cadol (29) 62 A 4
Cadolive (13) 196 A 4
Cadouarn (56) 81 G 2
Cadouin (24) 157 G 2
Cadours (31) 188 D 1
Cadrieu (46) 159 E 4
Caen [P] (14) 27 F 3
Caëstre (59) 3 G 4
Caffiers (62) 2 C 3
Cagnac-les-Mines (81) 174 D 4
Cagnano (2B) 215 G 2
Cagnes-sur-Mer (06) 199 F 1
Cagnicourt (62) 8 C 4
Cagnoncles (59) 8 D 4
Cagnotte (40) 185 F 2
Cagny (14) 27 G 3
Cagny (80) 15 F 2
Cahagnes (14) 25 H 4
Cahagnolles (14) 25 H 3
Cahaignes (27) 30 B 3
Cahan (61) 47 E 1
Caharet (65) 205 E 1
Cahon (80) 6 C 5
Cahors [P] (46) 158 B 5
Cahus (46) 145 E 5
Cahuzac (11) 207 G 1
Cahuzac (47) 157 E 3
Cahuzac (81) 190 B 4
Cahuzac-sur-Adour (32) 187 E 2
Cahuzac-sur-Vère (81) 174 C 4
Caignac (31) 189 H 5
Le Cailar (30) 193 H 2
Cailhau (11) 207 H 1
Cailhavel (11) 207 H 1
Cailla (11) 208 A 4
Caillac (46) 158 B 4
Caillavet (32) 187 G 1
Caille (06) 182 B 5
La Caillère (85) 100 B 5
Cailleville (76) 13 E 2
Caillouël-Crépigny (02) 16 C 4
Caillouet-Orgeville (27) 29 H 4
Cailloux-sur-Fontaines (69) 136 B 2
Cailly (76) 13 H 4
Cailly-sur-Eure (27) 29 G 3
La Caine (14) 27 E 4
Cairanne (84) 179 F 2
Le Caire (04) 166 B 5
Cairon (14) 27 F 2
Caisnes (60) 16 C 5
Caissargues (30) 178 C 5
Caix (80) 15 H 2
Caixas (66) 212 D 3
Caixon (65) 187 E 4
Cajarc (46) 159 E 5
Cala Rossa (2A) 219 G 3
Calacuccia (2B) 216 D 2
Calais [SP] (62) 2 C 2
Calamane (46) 158 B 4
Calan (56) 62 D 5
Calanhel (22) 42 C 5
Les Calans (13) 194 D 1
Calas (13) 195 H 3
Calavanté (65) 204 D 1
Calcatoggio (2A) 216 C 5
Calce (66) 209 E 5
Caldégas (66) 211 G 4
Calenzana (2B) 214 C 5
Calès (24) 157 F 1
Calès (46) 158 C 2
Calignac (47) 172 A 3
Caligny (61) 47 E 1
Callac (22) 42 D 5
Callac (56) 81 H 1
Callas (83) 197 G 2
Callelongue (13) 195 H 5
Callen (40) 170 C 1
Callengeville (76) 14 B 2
Calleville (27) 29 E 3
Calleville-les-Deux-Églises (76) 13 G 3
Callian (32) 187 G 2
Callian (83) 198 C 1
Calmeilles (66) 212 D 3
Calmels-et-le-Viala (12) 175 H 4
La Calmette (30) 178 B 4
Calmon (81) 190 D 3
Calmont (12) 175 G 2
Calmont (31) 189 G 5
Calmoutier (70) 95 F 1
Caloire (42) 148 D 1
Calonges (47) 156 C 5
Calonne-Ricouart (62) 7 H 1
Calonne-sur-la-Lys (62) 3 G 5
Calorguen (22) 44 D 4
La Calotterie (62) 6 C 1
Caluire-et-Cuire (69) 136 B 3
Calvi [SP] (2B) 214 B 5
Calviac (46) 159 F 1
Calviac-en-Périgord (24) 158 B 1
Calvignac (46) 158 D 5
Calvinet (15) 159 H 2
Calvisson (30) 193 H 1
Calzan (09) 207 F 2
Camalès (65) 187 E 4
Camarade (09) 206 C 2
Camarès (12) 176 A 5
Camaret-sur-Aigues (84) 179 F 2
Camaret-sur-Mer (29) 41 E 5
Camarsac (33) 155 G 1
Cambayrac (46) 158 A 5
La Cambe (14) 23 G 5
Cambernard (31) 189 E 3
Cambernon (50) 24 D 3
Cambes (33) 155 F 2
Cambes (46) 159 E 3
Cambes (47) 156 C 3
Cambes-en-Plaine (14) 27 F 2
Cambia (2B) 217 F 1
Cambiac (31) 190 A 3
Cambieure (11) 207 H 2
Camblain-Châtelain (62) 7 H 1
Camblain-l'Abbé (62) 8 A 2
Camblanes-et-Meynac (33) 155 F 2
Cambligneul (62) 7 H 2
Cambo (30) 177 G 4
Cambo-les-Bains (64) 184 D 4
Cambon (81) 175 E 5
Cambon-et-Salvergues (34) 191 G 2
Cambon-lès-Lavaur (81) 190 A 2
Camboulazet (12) 175 F 2
Camboulit (46) 159 F 4
Cambounès (81) 191 E 2
Cambounet-sur-le-Sor (81) 190 C 3
Le Cambout (22) 63 H 3
Cambrai [SP] (59) 8 D 4
Cambremer (14) 27 H 3
Cambrin (62) 4 A 5
Cambron (80) 6 D 5
Cambronne-lès-Clermont (60) 31 F 2
Cambronne-lès-Ribécourt (60) 16 B 5
Camburat (46) 159 F 3
Came (64) 185 F 3
Camélas (66) 212 D 3
Camelin (02) 16 C 5
Camembert (61) 28 A 5
Camer (44) 82 B 3
Camérun (44) 82 B 3
Cametours (50) 25 E 3
Camiac-et-St-Denis (33) 155 G 2
Camiers (62) 6 C 1
Camiran (33) 156 A 3
Camjac (12) 175 F 2
Camlez (22) 43 E 2
Les Cammazes (81) 190 B 4
Camoël (56) 82 A 2
Camoins-les-Bains (13) 196 A 5
Camon (09) 207 G 3
Camon (80) 15 F 2
Camont (30) 178 A 2
Camors (56) 63 F 5
Camou-Cihigue (64) 202 D 1
Camous (65) 205 E 3
Campagna-de-Sault (11) 207 H 5
Campagnac (12) 161 E 5
Campagnac (81) 174 B 4
Campagnac-lès-Quercy (24) 158 A 3
Campagnan (34) 192 D 3
Campagne (24) 157 G 1
Campagne (34) 193 G 1
Campagne (40) 169 H 5
Campagne (60) 16 B 4
Campagne-d'Armagnac (32) 171 F 5
Campagne-lès-Boulonnais (62) 2 D 5
Campagne-lès-Guînes (62) 2 C 3
Campagne-lès-Hesdin (62) 6 D 2
Campagne-lès-Wardrecques (62) 3 F 4
Campagne-sur-Arize (09) 206 C 2
Campagne-sur-Aude (11) 208 A 3
Campagnolles (14) 25 G 5
Campan (65) 204 D 2
Campana (2B) 217 F 1
Campandré-Valcongrain (14) 27 E 4
Camparan (65) 205 E 4
Campbon (44) 82 D 3
Campeaux (14) 25 G 5
Campeaux (60) 14 C 4
Campel (35) 64 D 3
Campénéac (56) 64 B 3
Campes (81) 174 C 3
Campestre-et-Luc (30) 176 D 4
Campet-et-Lamolère (40) 169 H 4
Camphin-en-Carembault (59) 4 C 5
Camphin-en-Pévèle (59) 4 D 4
Campi (2B) 217 G 2
Campigneulles-les-Grandes (62) 6 C 2
Campigneulles-les-Petites (62) 6 C 2
Campigny (14) 25 H 2
Campigny (27) 28 C 2
Campile (2B) 215 F 5
Campistrous (65) 205 E 1
Campitello (2B) 215 F 5
Camplong (34) 192 A 2
Camplong-d'Aude (11) 208 D 2
Campneuseville (76) 14 B 2
Campo (2A) 218 D 1
Campôme (66) 212 B 3
Campouriez (12) 160 B 3
Campoussy (66) 208 C 5
Campremy (60) 15 F 4
Camprond (50) 25 E 3
Camps-en-Amiénois (80) 14 D 2
Camps-la-Source (83) 197 E 4
Camps-St-Mathurin-Léobazel (19) 145 F 5
Camps-sur-l'Agly (11) 208 B 4
Camps-sur-l'Isle (33) 142 A 5
Campsas (82) 173 G 5
Campsegret (24) 143 E 5
Campuac (12) 160 B 4
Campugnan (33) 141 F 3
Campuzan (65) 187 H 5
Camurac (11) 207 G 4
Can Damoun (66) 212 D 5
Can Parterre (66) 212 D 4
Canale-di-Verde (2B) 217 G 2
Canals (82) 173 G 5
Canaples (80) 7 F 5
Canappeville (27) 29 G 3
Canapville (14) 28 A 2
Canapville (61) 28 B 5
Canari (2B) 215 F 2
Canaules-et-Argentières (30) 178 A 4
Canavaggia (2B) 215 F 5
Canaveilles (66) 212 A 4
Cancale (35) 45 E 2
Canchy (14) 23 G 5
Canchy (80) 6 D 4
Cancon (47) 157 E 4
Candas (80) 7 F 5
Candé (49) 84 A 2
Candé-sur-Beuvron (41) 87 G 3
Candes-St-Martin (37) 85 H 5
Candiac (30) 194 A 1
Candillargues (34) 193 G 2
Candor (60) 16 B 4
Candresse (40) 185 G 1
Canehan (76) 14 A 1
Canéjan (33) 155 E 2
Canens (31) 206 C 1
Canenx-et-Réaut (40) 170 D 3
Canet (11) 209 E 1
Canet (34) 192 D 2
Canet-de-Salars (12) 175 H 2
Canet-en-Roussillon (66) 209 F 5
Canet-Plage (66) 209 F 5
Canettemont (62) 7 G 3
Cangey (37) 87 F 3
Caniac-du-Causse (46) 158 D 3
Canihuel (22) 63 E 1
Canilhac (48) 161 E 5
Canisy (50) 25 F 3
Canlers (62) 7 F 1
Canly (60) 31 H 1
Cannectancourt (60) 16 B 5
Cannelle (2A) 216 C 4
Cannelle (2B) 215 F 1
Cannes (06) 199 E 2
Cannes-Écluse (77) 52 B 5
Cannes-et-Clairan (30) 178 A 5
Cannessières (80) 14 C 1
Le Cannet (06) 199 E 2
Cannet (32) 187 E 2
Le Cannet-des-Maures (83) 197 F 4
Canny-sur-Matz (60) 16 A 4
Canny-sur-Thérain (60) 14 C 4
Canohès (66) 213 E 2
Le Canon (33) 154 A 2
La Canonica (Ancienne Cathédrale de) (2B) 215 G 5
La Canourgue (48) 161 F 5
Canouville (76) 12 D 2
Cantaing-sur-Escaut (59) 8 D 4
Cantaous (65) 205 E 2
Cantaron (06) 183 F 5
Canté (09) 189 G 5
Canteleu (76) 13 G 5
Canteleux (62) 7 G 4
Canteloup (14) 27 G 3
Canteloup (50) 23 E 2
Cantenac (33) 141 E 4
Cantenay-Épinard (49) 84 D 2
Cantiers (27) 30 A 2
Cantigny (80) 15 G 4
Cantillac (24) 143 E 1
Cantin (59) 8 C 3
Cantobre (12) 176 D 3
Cantoin (12) 160 C 1
Cantois (33) 155 H 2
Canville-la-Rocque (50) 22 C 5
Canville-les-Deux-Églises (76) 13 F 3
Cany-Barville (76) 13 E 2
Caorches-St-Nicolas (27) 28 C 4
Caours (80) 6 D 5
Cap Blanc-Nez (62) 2 B 2
Le Cap-d'Agde (34) 192 D 5
Cap-d'Ail (06) 183 G 5
Cap Ferret (33) 154 A 3
Cap Gris-Nez (62) 2 A 3
Cap-Martin (06) 183 G 5
Cap-Martin (06) 183 G 5
Capbis (64) 203 H 2
Capbreton (40) 184 D 1
Capdenac (46) 159 F 4
Capdenac-Gare (12) 159 F 4
Capdrot (24) 157 G 3
La Capelle (02) 17 H 1
La Capelle (48) 161 F 5
Capelle (59) 9 F 3
La Capelle-Balaguier (12) 159 E 5
La Capelle-Bleys (12) 174 D 1
La Capelle-Bonance (12) 160 D 5
La Capelle-et-Masmolène (30) 178 D 3
Capelle-Fermont (62) 7 H 3
La Capelle-lès-Boulogne (62) 2 B 4
Capelle-les-Grands (27) 28 C 4
Capelle-lès-Hesdin (62) 7 E 3
Capendu (11) 208 C 1
Capens (31) 189 E 5
Capestang (34) 192 A 5
Caphan (13) 194 D 2
Capian (33) 155 G 2
Capinghem (59) 4 B 3
Caplanne (33) 154 C 4
Caplong (33) 156 B 2
Capoulet-et-Junac (09) 207 E 4
Cappel (57) 37 H 3
Cappelle-Brouck (59) 3 E 3
Cappelle-en-Pévèle (59) 4 D 5
Cappelle-la-Grande (59) 3 F 2
Cappy (80) 16 A 1
La Capte (83) 201 F 4
Captieux (33) 171 E 1
Capula (Site de) (2A) 219 E 2
Capvern (65) 204 D 2
Capvern-les-Bains (65) 204 D 1
Les Carabins (13) 195 E 3
Caragoudes (31) 189 H 3
Caraman (31) 189 H 3
Caramany (66) 208 C 5
Carantec (29) 42 A 2
Carantilly (50) 25 E 3
Carayac (46) 159 E 4
Carbay (49) 65 H 5
Carbes (81) 190 C 2
Carbini (2A) 219 F 2
Carbon-Blanc (33) 155 F 1
Carbonne (31) 189 E 5
Carbuccia (2A) 216 D 4
Carcagny (14) 27 E 2
Carcanières (09) 207 H 5
Carcans (33) 140 C 4
Carcans-Plage (33) 140 B 4
Carcarès-Ste-Croix (40) 169 G 5
Carcassonne [P] (11) 208 B 1
Carcès (83) 197 E 3
Carcheto-Brustico (2B) 217 G 1
Cardaillac (46) 159 F 3
Cardan (33) 155 G 3
Cardeilhac (31) 205 G 1
Cardesse (64) 186 A 5
Cardet (30) 178 A 3
Cardo-Torgia (2A) 218 D 1
Cardonnette (80) 15 G 1
Le Cardonnois (80) 15 G 4
Cardonville (14) 23 F 5
Cardroc (35) 45 E 5
Careil (44) 82 A 4
Carelles (53) 46 C 5
Carency (62) 8 A 2
Carennac (46) 158 D 1
Carentan (50) 25 E 1
Carentoir (56) 64 C 4
Cargèse (2A) 216 B 4
Cargiaca (2A) 219 E 2
Carhaix-Plouguer (29) 62 C 1
Carignan (08) 19 G 4
Carignan-de-Bordeaux (33) 155 F 1
Carisey (89) 73 G 4
Carla-Bayle (09) 206 D 1
Carla-de-Roquefort (09) 207 F 3
Le Carlaret (09) 207 F 2
Carlat (15) 160 A 1
Carlencas-et-Levas (34) 192 B 2
Carlepont (60) 16 B 5
Carling (57) 21 H 5
Carlipa (11) 190 C 5
Carlucet (24) 144 A 5
Carlucet (46) 158 C 2
Carlus (81) 174 D 5
Carlux (24) 158 B 1
Carly (62) 2 B 5
Carmaux (81) 174 D 3
Carnac (56) 81 E 2
Carnac-Plage (56) 81 E 3
Carnac-Rouffiac (46) 158 A 5
Carnas (30) 177 H 5
La Carneille (61) 47 E 1
Carnet (50) 45 H 3
Carnetin (77) 31 H 5
Carneville (50) 22 D 2
Carnières (59) 9 E 4
Carnin (59) 4 B 4
Carniol (04) 180 C 4
Carnoët (22) 42 C 5
Carnon-Plage (34) 193 G 3
Carnoulès (30) 177 H 3
Carnoules (83) 197 E 4
Carnoux-en-Provence (13) 196 A 5
Carnoy (80) 16 A 1
Caro (56) 64 B 4
Caro (64) 202 B 1
Carolles (50) 45 G 1
Caromb (84) 179 G 3
Carpentras [SP] (84) 179 G 3
Carpineto (2B) 217 G 1
Carpiquet (14) 27 F 3
Carquebut (50) 23 E 5
Carquefou (44) 83 G 4
Carqueiranne (83) 201 F 4
La Carquois (22) 44 B 2
Carrépuis (80) 16 A 3
Carrère (64) 186 C 3
Carresse (64) 185 F 3
Carrières-sous-Poissy (78) 30 D 5
Carrières-sur-Seine (78) 31 E 5
Carro (13) 195 F 4
Carros (06) 183 E 5
Carrouges (61) 47 G 3
Les Carroz-d'Arâches (74) 125 F 5
Carry-le-Rouet (13) 195 G 4
Cars (33) 141 E 3
Les Cars (87) 129 H 4
Carsac-Aillac (24) 158 A 1
Carsac-de-Gurson (24) 142 B 5
Carsan (30) 178 D 2
Carsen-Ponson (40) 169 G 4
Carsix (27) 28 D 3
Carspach (68) 97 F 1
Cartelègue (33) 141 F 3
Carticasi (2B) 217 F 1
Cartignies (59) 9 H 5
Cartigny (80) 16 B 1
Cartigny-l'Épinay (14) 25 G 2
Carves (24) 157 H 2
Carville (14) 25 H 5
Carville-la-Folletière (76) 13 F 4
Carville-Pot-de-Fer (76) 13 E 3
Carvin (62) 4 B 5
Casabianca (2B) 217 F 1
Casaglione (2A) 216 C 4
Casalabriva (2A) 218 D 2
Casalta (2B) 217 G 1
Casamaccioli (2B) 216 D 2
Casamozza (2B) 215 G 5
Casanova (2B) 217 E 2
Casardo (Col de) (2B) 217 F 2
Casatorra (2B) 215 G 4
Cascastel-des-Corbières (11) 209 E 3
Casefabre (66) 212 D 3
Caseneuve (84) 180 B 4
Cases-de-Pène (66) 209 E 5
Casevecchie (2B) 217 G 3
Cassaber (64) 185 F 3
Cassagnabère-Tournas (31) 205 H 1
Cassagnas (48) 177 G 1
La Cassagne (24) 144 B 5
Cassagne (31) 206 A 2
Cassagnes (46) 157 H 4
Cassagnes (66) 208 D 5
Cassagnes-Bégonhès (12) 175 G 2
Cassagnoles (30) 178 A 4
Cassagnoles (34) 191 F 4
La Cassaigne (11) 207 H 1
Cassaigne (32) 172 A 4
Cassaignes (11) 208 A 3
Cassaniouze (15) 159 H 3
Cassano (2B) 214 C 5
Cassel (59) 3 F 4
Cassen (40) 185 G 1
Casseneuil (47) 157 E 5
Les Cassés (11) 190 A 4
Casseuil (33) 155 H 3
Cassignas (47) 172 D 1
La Cassine (08) 19 E 4
Cassis (13) 196 A 5
Casson (44) 83 F 3
Cassuéjouls (12) 160 C 2
Cast (29) 61 G 1
Castagnac (31) 206 C 1
Castagnède (31) 206 A 2
Castagnède (64) 185 F 3
Castagniers (06) 183 F 5
Castaignos-Souslens (40) 186 A 2
Castandet (40) 170 D 5
Castanet (12) 175 E 1
Castanet (48) 162 B 5
Castanet (81) 174 C 4
Castanet (82) 174 C 1
Castanet-le-Haut (34) 191 H 2
Castanet-Tolosan (31) 189 G 3
Castans (11) 191 E 4
Casteide-Cami (64) 186 A 4
Casteide-Candau (64) 186 A 3
Casteide-Doat (64) 187 E 4
Casteil (66) 212 B 4
Castel (80) 15 G 3
Castel-Sarrazin (40) 185 H 2
Castelbajac (65) 205 E 1
Castelbiague (31) 205 H 2
Castelculier (47) 172 C 2
Castelferrus (82) 173 E 4
Castelfranc (46) 158 A 4
Castelgaillard (31) 188 C 4
Castelginest (31) 189 F 2
Casteljaloux (47) 171 G 1
Castella (47) 172 C 1
Castellane [SP] (04) 182 A 4
Castellar (06) 183 G 4
Le Castellard-Mélan (04) 181 F 2
Castellare-di-Casinca (2B) 215 G 5
Castellare-di-Mercurio (2B) 217 F 2
Le Castellet (04) 181 E 4
Le Castellet (83) 196 C 5
Castellet-en-Luberon (84) 180 B 5
Castellet-lès-Sausses (04) 182 B 3
Castello (2B) 215 F 2
Castello-di-Rostino (2B) 215 F 5
Castelmary (12) 175 E 2
Castelmaurou (31) 189 G 2
Castelmayran (82) 173 E 4
Castelmoron-d'Albret (33) 156 A 3
Castelmoron-sur-Lot (47) 156 D 5
Castelnau-Barbarens (32) 188 B 2
Castelnau-Chalosse (40) 185 G 1
Castelnau-d'Anglès (32) 187 G 2
Castelnau-d'Arbieu (32) 172 C 5
Castelnau-d'Aude (11) 208 D 1
Castelnau-d'Auzan-Labarrère (32) 171 G 4
Castelnau-de-Brassac (81) 191 E 2
Castelnau-de-Guers (34) 192 C 4
Castelnau-de-Lévis (81) 174 D 4
Castelnau-de-Mandailles (12) 160 D 4
Castelnau-de-Médoc (33) 140 D 4
Castelnau-de-Montmiral (81) 174 B 4
Castelnau-d'Estrétefonds (31) 189 F 1
Castelnau-Durban (09) 206 C 3
Castelnau-le-Lez (34) 193 F 2
Castelnau-Magnoac (65) 187 H 5
Castelnau-Montratier (46) 173 G 1
Castelnau-Pégayrols (12) 176 A 3
Castelnau-Picampeau (31) 188 C 5
Castelnau-Rivière-Basse (65) 187 E 2
Castelnau-sur-Gupie (47) 156 B 4
Castelnau-sur-l'Auvignon (32) 172 A 4
Castelnau-Tursan (40) 186 B 2
Castelnau-Valence (30) 178 B 4

Localité (Département) Page Coordonnées

Castelnaud-de-Gratecambe (47) 157 E 4
Castelnaud-la-Chapelle (24) 157 H 2
Castelnaudary (11) 190 B 5
Castelnavet (32) 187 F 2
Castelner (40) 186 A 2
Castelnou (66) 212 D 3
Castelpers (12) 175 F 3
Castelreng (11) 207 H 2
Castels (24) 157 H 1
Castelsagrat (82) 173 E 2
Castelsarrasin (SP) (82) 173 F 3
Castelvieilh (65) 187 F 5
Castelviel (33) 155 H 3
Le Castéra (31) 188 D 2
Castéra-Bouzet (82) 172 D 4
Castéra-Lanusse (65) 204 D 1
Castéra-Lectourois (32) 172 B 4
Castéra-Lou (65) 187 F 5
Castéra-Loubix (64) 187 E 4
Castéra-Verduzan (32) 172 A 5
Castéra-Vignoles (31) 188 B 5
Castéras (09) 206 D 2
Casterets (65) 187 H 5
Casterino (06) 183 G 2
Castéron (32) 172 D 5
Castet (64) 203 H 2
Castet-Arrouy (32) 172 C 4
Castetbon (64) 185 H 4
Castétis (64) 185 H 3
Castetnau-Camblong (64) 185 H 4
Castetner (64) 185 H 3
Castetpugon (64) 186 C 2
Castets (40) 168 D 4
Castets-en-Dorthe (33) 155 H 4
Castex (09) 206 C 1
Castex (32) 187 G 4
Castex-d'Armagnac (32) 171 E 5
Casties-Labrande (31) 188 C 5
Castifao (2B) 215 E 5
Castiglione (2B) 217 E 1
Castillon (06) 183 G 4
Castillon (14) 25 H 2
Castillon (65) 204 D 2
Castillon (près de Arthez-de-Béarn) (64) 186 A 3
Castillon (près de Lembeye) (64) 186 D 3
Castillon-de-Castets (33) 155 H 4
Castillon-de-Larboust (31) 205 F 4
Castillon-de-St-Martory (31) 205 H 1
Castillon-Debats (32) 187 F 1
Castillon-du-Gard (30) 178 D 4
Castillon-en-Auge (14) 28 A 4
Castillon-en-Couserans (09) 206 A 3
Castillon-la-Bataille (33) 156 A 1
Castillon-Massas (32) 187 H 1
Castillon-Savès (32) 188 C 3
Castillonnès (47) 157 E 3
Castilly (14) 25 G 2
Castin (32) 187 H 1
Castineta (2B) 217 F 1
Castirla (2B) 217 E 1
Castres (02) 16 D 2
Castres (SP) (81) 190 C 2
Castres-Gironde (33) 155 F 2
Castries (34) 193 G 2
Le Cateau-Cambrésis (59) 9 F 5
Le Catelet (02) 16 D 1
Le Catelier (76) 13 H 3
Catenay (76) 13 H 5
Catenoy (60) 31 G 1
Cateri (2B) 214 C 5
Cathervielle (31) 205 F 4
Catheux (60) 15 E 4
Catigny (60) 16 B 4
Catillon-Fumechon (60) 15 G 5
Catillon-sur-Sambre (59) 9 F 5
Catllar (66) 212 B 3
Catonvielle (32) 188 C 2
Cattenières (59) 9 E 4
Cattenom (57) 21 E 3
Catteville (50) 22 C 5
Catus (46) 158 B 4
Catz (50) 23 F 5
Caubeyres (47) 171 H 1
Caubiac (31) 188 D 1
Caubios-Loos (64) 186 B 4
Caubon-St-Sauveur (47) 156 B 3
Caubous (31) 205 F 4
Caubous (65) 187 H 5
Caucalières (81) 190 D 3
La Cauchie (62) 7 H 4
Cauchy-à-la-Tour (62) 7 H 1
Caucourt (62) 7 H 2
Caudan (56) 62 D 5
Caudebec-en-Caux (76) 13 E 5
Caudebec-lès-Elbeuf (76) 29 F 2
Caudebronde (11) 190 D 4
Caudecoste (47) 172 C 3
Caudéran (33) 155 E 1
Caudeval (11) 207 G 2
Caudiès-de-Conflent (66) 212 A 3
Caudiès-de-Fenouillèdes (66) 208 B 4
Caudon (24) 158 A 1
Caudos (33) 154 C 4
Caudrot (33) 155 H 3
Caudry (59) 9 E 5
Cauffry (60) 31 G 2
Caugé (27) 29 F 4
Caujac (31) 189 F 5
Caulaincourt (02) 16 C 2
Le Caule-Ste-Beuve (76) 14 B 3
Caulières (80) 14 D 3
Caullery (59) 9 E 5
Caulnes (22) 44 C 5
Caumont (02) 16 C 4
Caumont (09) 206 B 2
Caumont (27) 29 E 1
Caumont (32) 186 D 1
Caumont (33) 156 A 2
Caumont (62) 7 E 3
Caumont (82) 173 E 4
Caumont-l'Éventé (14) 25 H 3
Caumont-sur-Durance (84) 179 F 4
Caumont-sur-Garonne (47) 156 B 5
Caumont-sur-Orne (14) 27 E 5
Cauna (40) 169 H 5
Caunay (79) 115 E 4
Cauneille (40) 185 F 2
Caunes-Minervois (11) 191 E 5
La Caunette (34) 191 G 5
Caunette-sur-Lauquet (11) 208 B 2
Caunettes-en-Val (11) 208 C 2
Caupenne (40) 185 H 1
Caupenne-d'Armagnac (32) 171 F 5
La Caure (51) 33 F 5
Caurel (22) 63 F 2
Caurel (51) 33 H 2
Cauria (Mégalithes de) (2A) 218 D 4
Cauro (2A) 216 D 5
Cauroir (59) 8 D 4
Cauroy (08) 34 B 1
Cauroy-lès-Hermonville (51) 33 G 1
Le Causé (82) 188 C 1
Cause-de-Clérans (24) 157 E 1
Caussade (82) 173 H 2
Caussade-Rivière (65) 187 E 3
Causse-Bégon (30) 176 D 3
Causse-de-la-Selle (34) 177 F 5
Caussens (32) 172 A 4
Causses-et-Veyran (34) 192 A 3
Caussidières (31) 189 G 4
Caussignac (48) 176 D 1
Caussiniojouls (34) 192 A 3
Caussols (06) 182 C 5
Caussou (09) 207 F 5
Cauterets (65) 204 B 3
Cauverville-en-Roumois (27) 28 D 1
Cauvicourt (14) 27 G 4
Cauvignac (33) 155 H 5
Cauvigny (60) 31 E 2
Cauville (14) 27 E 5
Cauville-sur-Mer (76) 12 B 4
Caux (34) 192 C 3
Caux-et-Sauzens (11) 208 A 1
Cauzac (47) 172 D 1
Cavagnac (46) 144 D 5
Cavaillon (84) 179 G 5
Cavalaire-sur-Mer (83) 197 H 5
La Cavalerie (12) 176 C 4
Cavalière (83) 201 H 3
Cavan (22) 42 D 3
Cavanac (11) 208 B 1
Cavarc (47) 157 E 3
Caveirac (30) 178 B 5
Caves (11) 209 F 3
Cavignac (33) 141 G 4
Cavigny (50) 25 F 2
Cavillargues (30) 178 D 3
Cavillon (80) 15 E 1
Cavron-St-Martin (62) 7 E 2
Caychax (09) 207 F 5
Cayeux-en-Santerre (80) 15 H 2
Cayeux-sur-Mer (80) 6 B 4
Le Caylar (34) 176 D 5
Caylus (82) 174 B 2
Cayrac (82) 173 H 3
Cayres (43) 162 A 1
Cayriech (82) 174 A 2
Le Cayrol (12) 160 C 4
Cayrols (15) 159 G 1
Cayron (32) 187 F 2
Cazac (31) 188 C 5
Cazalis (33) 170 D 1
Cazalis (40) 186 A 2
Cazalrenoux (11) 207 G 1
Cazals (46) 158 A 3
Cazals (82) 174 A 3
Cazals-des-Baylès (09) 207 G 2
Cazan (13) 195 G 1
Cazaril-Laspènes (31) 205 F 4
Cazaril-Tambourès (31) 205 F 1
Cazarilh (65) 205 F 3
Cazats (33) 155 H 4
Cazaubon (32) 171 F 4
Cazaugitat (33) 156 A 2
Cazaunous (31) 205 G 3
Cazaux (09) 206 D 2
Cazaux (33) 154 B 4
Cazaux-d'Anglès (32) 187 G 2
Cazaux-Debat (65) 205 E 4
Cazaux-Fréchet-Anéran-Camors (65) 205 E 4
Cazaux-Layrisse (31) 205 F 4
Cazaux-Savès (32) 188 C 3
Cazaux-Villecomtal (32) 187 F 4
Cazavet (09) 206 A 3
Cazeaux-de-Larboust (31) 205 F 4
Cazedarnes (34) 192 A 4
Cazenave-Serres-et-Allens (09) 207 E 4
Cazeneuve (32) 171 G 5
Cazeneuve-Montaut (31) 205 H 1
Cazères (31) 206 B 1
Cazères-sur-l'Adour (40) 186 C 1
Cazes-Mondenard (82) 173 F 2
Cazevieille (34) 193 F 1
Cazideroque (47) 157 G 5
Cazilhac (11) 208 B 1
Cazilhac (34) 177 F 4
Cazillac (46) 144 C 5
Cazoulès (24) 158 B 1
Cazouls-d'Hérault (34) 192 C 3
Cazouls-lès-Béziers (34) 192 A 4
Ceaucé (61) 46 D 4
Ceaulmont (36) 117 F 1
Céaux (50) 45 H 2
Céaux-d'Allègre (43) 148 A 3
Ceaux-en-Couhé (86) 115 F 3
Ceaux-en-Loudun (86) 102 A 2
Cébazan (34) 191 H 4
Cébazat (63) 133 F 3
Ceffia (39) 123 F 3
Ceffonds (52) 54 D 4
Ceignac (12) 175 G 1
Ceignes (01) 123 F 5
Ceilhes-et-Rocozels (34) 192 A 1
Ceillac (05) 167 G 2
Ceilloux (63) 133 H 4
Ceintrey (54) 57 E 3
Celas (30) 178 A 3
La Celette (18) 105 G 5
La Celle (03) 119 F 4
La Celle (18) 105 G 4
Cellé (41) 69 E 5
La Celle (63) 132 B 2
La Celle (83) 196 D 4
La Celle-Condé (18) 105 E 4
La Celle-Dunoise (23) 117 G 3
La Celle-en-Morvan (71) 108 A 2
La Celle-Guenand (37) 103 E 3
La Celle-les-Bordes (78) 50 D 3
Celle-Lévescault (86) 115 F 2
La Celle-sous-Chantemerle (51) 53 F 3
La Celle-sous-Gouzon (23) 118 B 4
La Celle-sous-Montmirail (02) 53 E 1
La Celle-St-Avant (37) 102 C 2
La Celle-St-Cloud (78) 51 E 1
La Celle-St-Cyr (89) 72 D 4
La Celle-sur-Loire (58) 90 A 3
La Celle-sur-Morin (77) 52 B 1
La Celle-sur-Nièvre (58) 90 C 5
Cellefrouin (16) 128 D 2
Celles (09) 207 E 3
Celles (15) 146 D 4
Celles (17) 127 G 4
Celles (24) 142 D 2
Celles (34) 192 C 2
Celles-en-Bassigny (52) 76 A 4
Celles-lès-Condé (02) 33 E 4
Celles-sur-Aisne (02) 33 E 1
Celles-sur-Belle (79) 114 C 4
Celles-sur-Durolle (63) 134 A 2
Celles-sur-Ource (10) 74 B 3
Celles-sur-Plaine (88) 58 A 4
La Cellette (19) 132 B 4
La Cellette (23) 118 A 3
La Cellette (63) 119 E 5
Cellettes (16) 128 B 2
Cellettes (41) 87 H 3
Le Cellier (44) 83 G 4
Cellier-du-Luc (07) 162 B 3
Cellieu (42) 135 G 5
Cellule (63) 133 F 2
Celon (36) 117 F 1
Celony (13) 195 H 2
Celoux (15) 147 F 4
Celsoy (52) 76 A 4
Cély (77) 51 G 4
Cemboing (70) 76 C 4
Cempuis (60) 14 D 4
Cénac (33) 155 F 2
Cénac-et-St-Julien (24) 158 A 2
Cenans (70) 95 E 3
Cendras (30) 178 A 2
Le Cendre (63) 133 F 4
Cendrecourt (70) 76 C 4
Cendrey (25) 95 F 3
Cendrieux (24) 143 F 5
Cénevières (46) 158 D 5
Cenne-Monestiés (11) 190 C 5
Cenomes (12) 192 A 1
Cenon (33) 155 F 1
Cenon-sur-Vienne (86) 102 C 4
Censeau (39) 111 E 3
Censerey (21) 92 B 5
Censy (89) 91 H 1
Les Cent-Acres (76) 13 G 3
Centrès (12) 175 F 2
Centuri (2B) 215 F 1
Centuri-Port (2B) 215 F 1
Cenves (69) 122 A 4
Cépet (31) 189 F 1
Cépie (11) 208 A 2
Cepoy (45) 71 H 3
Céran (32) 172 C 5
Cérans-Foulletourte (72) 67 H 5
Cerbère (66) 213 G 4
Cerbois (18) 104 D 1
Cercié (69) 122 A 5
Cercier (74) 124 B 5
Cercles (24) 142 D 2
Cercottes (45) 70 C 4
Cercoux (17) 141 H 4
Le Cercueil (61) 47 H 3
Cercy-la-Tour (58) 107 F 3
Cerdon (01) 123 F 5
Cerdon (45) 89 F 2
Cère (40) 169 H 4
Céré-la-Ronde (37) 87 G 5
Cerelles (37) 86 D 3
Cérences (50) 24 D 5
Céreste (04) 180 C 5
Céret (SP) (66) 212 D 4
Cerfontaine (59) 10 A 2
Le Cergne (42) 121 G 5
Cergy (95) 30 D 4
Cergy-Pontoise (95) 30 D 4
Cérilly (03) 119 F 1
Cérilly (21) 74 C 4
Cérilly (89) 73 F 2
Cerisé (61) 48 A 4
Cerisières (52) 55 F 5
Cerisiers (89) 73 E 2
Cerisy (80) 15 H 1
Cerisy-Belle-Étoile (61) 46 D 1
Cerisy-Buleux (80) 14 C 1
Cerisy-la-Forêt (50) 25 G 2
Cerisy-la-Salle (50) 25 E 4
Cerizay (79) 100 C 3
Cérizols (09) 206 A 1
Cerizy (02) 16 D 3
La Cerlangue (76) 12 C 5
La Cerleau (08) 18 B 2
Cernans (39) 110 D 2
Cernay (14) 28 B 4
Cernay (28) 49 G 5
Cernay (68) 78 C 4
Cernay (86) 102 A 4
Cernay-en-Dormois (51) 34 D 2
Cernay-la-Ville (78) 50 D 2
Cernay-l'Église (25) 96 C 4
Cernay-lès-Reims (51) 33 H 2
Cerneux (77) 52 D 2
Cernex (74) 124 B 5
Cerniébaud (39) 111 E 4
Cernion (08) 18 C 2
Cernon (39) 123 G 2
Cernon (51) 54 B 1
Cernoy (60) 31 G 1
Cernoy-en-Berry (45) 89 H 2
Cernusson (49) 85 E 5
Cerny (91) 51 F 4
Cerny-en-Laonnois (02) 33 F 1
Cerny-lès-Bucy (02) 17 E 4
Céron (71) 121 E 4
Cérons (33) 155 G 3
Cerqueux (14) 28 B 4
Les Cerqueux (49) 100 D 2
Les Cerqueux-sous-Passavant (49) 101 E 1
Cerre-lès-Noroy (70) 95 F 1
Cers (34) 192 B 5
Cersay (79) 101 E 2
Cerseuil (02) 33 E 2
Cerseuil (51) 33 F 4
Cersot (71) 108 D 5
Certilleux (88) 56 B 5
Certines (01) 123 E 5
Cervens (74) 124 D 3
Cervières (05) 153 F 5
Cervières (42) 134 B 2
Cerville (54) 57 E 2
Cervione (2B) 217 G 2
Cervisy (55) 19 G 5
Cervon (58) 91 G 5
Cerzat (43) 147 G 3
Cesancey (39) 110 A 5
Césarches (73) 138 C 3
Césarville-Dossainville (45) 71 E 1
Cescau (09) 206 A 3
Cescau (64) 186 B 4
Cesny-aux-Vignes (14) 27 G 4
Cesny-Bois-Halbout (14) 27 F 4
Cessac (33) 155 H 2
Cessales (31) 189 H 4
Cesse (55) 19 G 5
Cessenon-sur-Orb (34) 192 A 4
Cessens (73) 137 H 2
Cesseras (34) 191 G 5
Cesset (03) 119 H 3
Cesseville (27) 29 F 3
Cessey (25) 110 D 1
Cessey-sur-Tille (21) 93 G 4
Cessières (02) 17 E 5
Cessieu (38) 137 E 5
Cesson (22) 43 H 4
Cesson (77) 51 G 3
Cesson-Sévigné (35) 65 F 2
Cessoy-en-Montois (77) 52 C 4
Cessy (01) 124 B 3
Cessy-les-Bois (58) 90 C 4
Cestas (33) 155 E 2
Cestayrols (81) 174 C 4
Ceton (61) 68 D 1
Cette-Eygun (64) 203 G 3
Céüze (05) 166 A 4
Cevins (73) 138 D 4
Ceyrac (30) 177 H 4
Ceyras (34) 192 C 2
Ceyrat (63) 133 E 3
Ceyreste (13) 196 B 5
Ceyroux (23) 117 G 5
Ceyssac (43) 148 A 5
Ceyssat (63) 132 D 3
Ceyzériat (01) 123 E 4
Ceyzérieu (01) 137 G 2
Cézac (33) 141 G 4
Cézac (46) 173 G 1
Cezais (85) 113 G 1
Cézan (32) 172 B 5
Cézas (30) 177 G 4
Cezay (42) 134 C 3
Cézens (15) 146 C 5
Cézia (39) 123 G 2
Cézy (89) 72 D 3
Chaban (79) 114 B 3
Chabanais (16) 129 F 2
La Chabanne (03) 134 B 1
Chabert (84) 179 F 2
Chabestan (05) 165 H 4
Chabeuil (26) 164 C 1
Le Châble (74) 124 B 5
Chablis (89) 73 G 5
Châbons (38) 151 E 1
La Chabossière (44) 83 E 5
Chabottes (05) 166 C 2
Chabournay (86) 102 A 5
Chabrac (16) 129 F 2
Chabreloche (63) 134 A 2
Chabrignac (19) 144 B 2
Chabrillan (26) 164 C 2
Chabris (36) 88 B 5
Chacé (49) 85 G 5
Chacenay (10) 74 C 2
Chacrise (02) 32 D 2
Chadeleuf (63) 133 F 5
Chadenac (17) 127 G 5
Chadenet (48) 161 H 4
Chadrac (43) 148 B 4
Chadron (43) 148 B 5
Chadurie (16) 128 B 5
Chaffal (26) 164 D 1
Le Chaffaut-St-Jurson (04) 181 F 3
Chaffois (25) 111 F 2
Chagey (70) 95 H 1
Chagnon (42) 135 G 5
Chagny (08) 18 D 4
Chagny (71) 109 E 3
Chahaignes (72) 86 C 1
Chahains (61) 47 G 3
Chaignay (21) 93 F 3
Chaignes (27) 30 A 4
Chail (79) 114 D 4
Chaillac (36) 116 D 2
Chaillac-sur-Vienne (87) 129 G 2
Chailland (53) 66 C 1
Chaillé-les-Marais (85) 113 F 2
Chaillé-sous-les-Ormeaux (85) 99 G 5
Chailles (41) 87 H 2
Chaillevette (17) 126 C 3
Chaillevois (02) 17 E 5
Chailley (89) 73 F 3
Chaillol 1600 (05) 166 C 2
Chaillon (55) 36 A 5
Chailloué (61) 48 A 2
Chailly-en-Bière (77) 51 G 4
Chailly-en-Brie (77) 52 C 1
Chailly-en-Gâtinais (45) 71 G 4
Chailly-lès-Ennery (57) 21 E 5
Chailly-sur-Armançon (21) 92 C 5
Chailvet (02) 17 E 5
Chainaz-les-Frasses (74) 138 A 3
Chaînée-des-Coupis (39) 110 A 3
Chaingy (45) 70 B 4
Chaintré (71) 122 B 4
Chaintréauville (77) 71 H 1
Chaintreaux (77) 72 A 2
Chaintrix-Bierges (51) 33 H 5
La Chaise (10) 54 D 5
La Chaise-Baudouin (50) 46 A 1
La Chaise-Dieu (43) 148 A 2
Chaise-Dieu-du-Theil (27) 49 E 2
Chaix (85) 113 G 2
La Chaize-Giraud (85) 98 D 5
La Chaize-le-Vicomte (85) 99 H 5
Chalabre (11) 207 H 3
Chalagnac (24) 143 F 4
Chalain-d'Uzore (42) 134 D 4
Chalain-le-Comtal (42) 134 D 4
Chalaines (55) 56 B 3
Chalais (16) 142 A 2
Chalais (24) 129 G 5
Chalais (36) 116 D 1
Chalais (86) 101 H 2
Chalamont (01) 136 D 1
Chalampé (68) 79 E 4
Chalancey (52) 93 G 1
Chalancon (26) 165 E 4
Chalandray (86) 101 G 5
Chalandrey (50) 46 A 2
Chalandry (02) 17 F 3
Chalandry-Elaire (08) 18 D 3
Le Chalange (61) 48 B 3
Le Chalard (87) 129 H 5
Chalautre-la-Grande (77) 53 E 4
Chalautre-la-Petite (77) 52 D 4
Chalaux (58) 91 G 4
La Chaldette (48) 161 E 2
Chaleins (01) 135 H 1
Chalencon (07) 163 F 1
Les Chalesmes (39) 111 E 4
Chalets de Laval (05) 152 D 4
Châlette-sur-Loing (45) 71 H 3
Chalette-sur-Voire (10) 54 B 4
Chaley (01) 137 F 1
Chalèze (25) 95 E 4
Chalezeule (25) 95 E 4
Chaliers (15) 147 F 5
Chalifert (77) 51 H 1
Chaligny (54) 56 D 2
Chalinargues (15) 146 D 4
Chalindrey (52) 75 H 5
Chalivoy-Milon (18) 105 H 3
Challain-la-Potherie (49) 84 A 1
Challans (85) 98 D 3
Challement (58) 91 E 4
Challerange (08) 34 D 2
Challes (72) 68 B 4
Challes-la-Montagne (01) 123 F 5
Challes-les-Eaux (73) 138 A 5
Challet (28) 49 H 3
Challex (01) 124 A 4
Challignac (16) 142 A 1
Challonges (74) 124 A 5
Challuy (58) 106 C 3
Chalmaison (77) 52 C 4
Chalmazel-Jeansagnière (42) 134 B 4
Chalmessin (52) 93 F 1
Chalmoux (71) 120 D 1
Chalo-St-Mars (91) 50 D 5
Le Chalon (26) 150 C 3
Chalon-sur-Saône (SP) (71) 109 E 4
Chalonnes-sous-le-Lude (49) 86 A 2
Chalonnes-sur-Loire (49) 84 C 4
Chalons (17) 126 C 3
Chalon (38) 149 H 1
Chalons-d'Aix (19) 132 A 4
Châlons-du-Maine (53) 66 D 2
Châlons-en-Champagne (P) (51) 34 B 5
Châlons-sur-Vesle (51) 33 G 2
Châlonvillars (70) 96 C 1
Chalou-Moulineux (91) 50 D 5
La Chalp (05) 167 F 1
Chaltrait (51) 33 G 5
Chalus (63) 147 F 1
Châlus (87) 129 H 4
Chalvignac (15) 145 G 3
Chalvraines (52) 76 A 1
Chamadelle (33) 142 A 4
Chamagne (88) 57 E 4
Chamagnieu (38) 136 D 4
Chamalières (63) 133 E 3
Chamalières-sur-Loire (43) 148 B 3
Chamaloc (26) 165 F 1
Chamant (60) 31 H 3
Chamarande (91) 51 E 4
Chamarandes-Choignes (52) 75 G 2
Chamaret (26) 163 H 5
La Chamba (42) 134 B 3
Chambain (21) 75 E 5
Chambeire (21) 93 H 4
Chambellay (49) 84 D 1
Chambéon (42) 134 D 4
Chambérat (03) 118 C 2
Chamberaud (23) 131 F 1
Chamberet (19) 130 D 5
Chambéria (39) 123 G 2
Chambéry (P) (73) 137 H 4
Chambeugle (89) 72 B 5
Chambezon (43) 147 F 2
Chambilly (71) 121 E 4
Chambines (27) 29 H 5
Chamblac (27) 28 C 5
Chamblanc (21) 109 G 2
Chamblay (28) 50 A 5
Chamblay (39) 110 B 2
Chambles (42) 148 D 1
Chamblet (03) 119 E 3
Chambley-Bussières (54) 36 C 4
Chambly (60) 31 E 3
Chambœuf (21) 93 F 5
Chambœuf (42) 135 E 5
Chambois (61) 48 A 1
Chambolle-Musigny (21) 93 F 5
Le Chambon (07) 163 E 1
Chambon (17) 113 G 5
Chambon (18) 105 F 4
Chambon (30) 177 H 1
Chambon (37) 103 E 4
Le Chambon (43) 148 B 3
Le Chambon-Feugerolles (42) 149 E 1
Chambon-la-Forêt (45) 71 F 3
Chambon-le-Château (48) 161 H 1
Chambon-Ste-Croix (23) 117 G 3
Chambon-sur-Cisse (41) 87 G 2
Chambon-sur-Dolore (63) 147 H 1
Chambon-sur-Lac (63) 132 D 5
Le Chambon-sur-Lignon (43) 148 D 4
Chambon-sur-Voueize (23) 118 C 4
Chambonas (07) 162 C 5
Chambonchard (23) 118 D 5
La Chambonie (42) 134 B 3
Chamborand (23) 117 F 5
Chambord (27) 28 D 5
Chambord (41) 88 A 2
Chamboret (87) 130 A 1
Chamborigaud (30) 177 H 1
Chambornay-lès-Bellevaux (70) 95 E 3
Chambornay-lès-Pin (70) 94 D 4
Chambors (60) 30 C 2
Chambost-Allières (69) 135 F 1

Chambost-Longessaigne (69) 135 E 3
Chamboulive (19) 144 D 1
Chambourcy (78) 30 D 5
Chambourg-sur-Indre (37) 103 F 1
Chambray (27) 29 H 4
Chambray-lès-Tours (37) 86 D 4
La Chambre (73) 152 C 1
Chambrecy (51) 33 G 3
Les Chambres (50) 45 H 1
Chambretaud (85) 100 B 3
Chambrey (57) 57 F 1
Chambroncourt (52) 55 H 5
Chambroutet (79) 101 E 3
Chambry (02) 17 F 4
Chambry (77) 32 A 5
Chaméane (63) 133 H 5
Chamelet (69) 135 F 1
Chameroy (52) 75 G 5
Chamery (51) 33 G 3
Chamesey (25) 95 H 4
Chamesol (25) 96 C 3
Chamesson (21) 74 C 5
Chameyrat (19) 144 D 3
Chamigny (77) 32 C 5
Chamilly (71) 108 D 3
Chammes (53) 67 F 2
Chamole (39) 110 C 3
Chamonix-Mont-Blanc (74) 139 F 1
Chamouillac (17) 141 F 2
Chamouille (02) 17 F 5
Chamouilley (52) 55 F 3
Chamousset (73) 138 B 4
Chamoux (89) 91 F 3
Chamoux-sur-Gelon (73) 138 B 5
Chamoy (10) 73 H 2
Le Champ-de-la-Pierre (61) 47 G 3
Champ-d'Oiseau (21) 92 B 2
Champ-Dolent (27) 29 F 5
Champ-du-Boult (14) 46 B 1
Champ-Gerbeau (52) 55 E 3
Champ-Haut (61) 48 B 2
Champ-Laurent (73) 138 B 5
Champ-le-Duc (88) 77 H 1
Le Champ-près-Froges (38) 152 A 2
Le Champ-St-Père (85) 112 D 1
Champ-sur-Barse (10) 74 B 1
Champ-sur-Drac (38) 151 G 4
Le Champ-sur-Layon (49) 84 D 5
Champagnac (15) 145 H 2
Champagnac (17) 141 G 1
Champagnac-de-Belair (24) 143 F 1
Champagnac-la-Noaille (19) 145 F 2
Champagnac-la-Prune (19) 145 F 3
Champagnac-la-Rivière (87) 129 G 4
Champagnac-le-Vieux (43) 147 G 2
Champagnat (23) 131 H 1
Champagnat (71) 123 F 1
Champagnat-le-Jeune (63) 147 G 1
Champagne (07) 149 H 2
Champagne (17) 126 D 2
Champagne (28) 50 A 2
Champagne (69) 135 H 3
Champagné (72) 68 B 3
Champagne-en-Valromey (01) 137 G 2
Champagne-et-Fontaine (24) 142 C 1
Champagné-le-Sec (86) 115 E 4
Champagné-les-Marais (85) 113 E 2
Champagne-Mouton (16) 128 D 1
Champagné-St-Hilaire (86) 115 F 3
Champagne-sur-Loue (39) 110 C 1
Champagne-sur-Oise (95) 31 E 3
Champagne-sur-Seine (77) 52 A 5
Champagne-sur-Vingeanne (21) 93 H 3
Champagne-Vigny (16) 128 B 5
Champagneux (73) 137 G 4
Champagney (25) 94 D 4
Champagney (39) 94 A 5
Champagney (70) 77 H 5
Champagnier (38) 151 G 4
Champagnole (39) 110 D 4
Champagnolles (17) 127 E 5
Champagny (21) 93 E 3
Champagny-en-Vanoise (73) 139 E 5
Champagny-sous-Uxelles (71) 122 B 1
Champaissant (72) 68 C 1
Champallement (58) 91 E 5
Champanges (74) 125 E 2
Champaubert (51) 53 F 1
Champcella (05) 167 E 2
Champcenest (77) 52 C 2
Champcerie (61) 47 G 1
Champcervon (50) 45 H 1
Champcevinel (24) 143 F 3
Champcevrais (89) 90 B 1
Champcey (50) 45 G 1
Champclause (43) 148 D 5
Champcourt (52) 75 E 1
Champcueil (91) 51 G 4
Champdeniers (79) 114 B 2
Champdeuil (77) 51 H 3
Champdieu (42) 134 C 4
Champdivers (39) 109 H 2
Champdolent (17) 126 D 1
Champdor-Corcelles (01) 137 F 1
Champdôtre (21) 93 H 5
Champdray (88) 77 H 1
Champeau-en-Morvan (21) 92 A 5
Champeaux (35) 65 H 2
Champeaux (50) 45 G 1
Les Champeaux (61) 28 A 5
Champeaux (77) 52 A 3
Champeaux (79) 114 B 2
Champeaux-et-la-Chapelle-Pommier (24) 143 E 1
Champeaux-sur-Sarthe (61) 48 C 3
Champeix (63) 133 F 5
Champenard (27) 29 H 4
La Champenoise (36) 104 C 3
Champenoux (54) 57 F 1
Champéon (53) 47 E 5
Champerboux (48) 161 G 5
Champétières (63) 134 A 5
Champey (70) 95 H 1
Champey-sur-Moselle (54) 36 D 4
Champfleur (72) 48 A 5
Champfleury (10) 53 H 3
Champfleury (51) 33 H 3
Champforgeuil (71) 109 E 4
Champfrémont (53) 47 G 4
Champfromier (01) 123 H 4
Champgenéteux (53) 67 F 1
Champguyon (51) 53 E 2
Champhol (28) 50 A 4
Champien (80) 16 A 3
Champier (38) 150 D 1
Champigné (49) 84 D 1
Champignelles (89) 72 B 5
Champigneul-Champagne (51) 34 A 5
Champigneul-sur-Vence (08) 18 D 3
Champigneulle (08) 35 E 1
Champigneulles (54) 57 E 1
Champigneulles-en-Bassigny (52) 76 B 2
Champignol-lez-Mondeville (10) 74 D 2
Champignolles (21) 108 C 2
Champignolles (27) 29 E 5
Champigny (51) 33 G 2
Champigny (89) 72 C 1
Champigny-en-Beauce (41) 87 G 1
Champigny-la-Futelaye (27) 49 H 1
Champigny-le-Sec (86) 101 H 5
Champigny-lès-Langres (52) 75 H 4
Champigny-sous-Varennes (52) 76 B 4
Champigny-sur-Aube (10) 53 H 3
Champigny-sur-Marne (94) 51 G 1
Champigny-sur-Veude (37) 102 B 2
Champillet (36) 118 A 1
Champillon (51) 33 H 4
Champis (07) 149 G 5
Champlan (91) 51 F 2
Champlat-et-Boujacourt (51) 33 G 3
Champlay (89) 72 D 4
Champlecy (71) 121 G 2
Champlemy (58) 90 D 5
Champlin (08) 10 B 5
Champlin (58) 91 E 5
Champlitte (70) 94 A 1
Champlitte-la-Ville (70) 94 A 1
Champlive (25) 95 F 4
Champlost (89) 73 F 3
Champmillon (16) 128 A 4
Champmotteux (91) 51 F 5
Champnétery (87) 130 C 3
Champneuville (55) 35 G 2
Champniers (16) 128 C 3
Champniers (86) 115 F 4
Champniers-et-Reilhac (24) 129 F 4
Champoléon (05) 166 C 2
Champoly (42) 134 B 2
Champosoult (61) 28 A 5
Champougny (55) 56 B 3
Champoulet (45) 90 A 1
Champoux (25) 95 E 4
Champrenault (21) 92 D 4
Champrepus (50) 45 H 1
Champrond (72) 68 D 3
Champrond-en-Gâtine (28) 49 F 5
Champrond-en-Perchet (28) 69 E 1
Champrougier (39) 110 A 3
Champs (02) 16 D 5
Champs (61) 48 C 3
Champs (63) 133 E 1
Les Champs-de-Losque (50) 25 E 2
Les Champs-Géraux (22) 44 D 4
Champs-Romain (24) 129 F 5
Champs-sur-Marne (77) 51 G 1
Champs-sur-Tarentaine-Marchal (15) 146 A 1
Champs-sur-Yonne (89) 91 F 1
Champsac (87) 129 G 4
Champsanglard (23) 117 H 4
Champsecret (61) 47 E 3
Champseru (28) 50 B 4
Champsevraine (52) 76 A 5
Champsiaux (87) 130 A 5
Champtercier (04) 181 F 2
Champtocé-sur-Loire (49) 84 B 3
Champtoceaux (49) 83 H 4
Champtonnay (70) 94 B 3
Champvallon (89) 72 D 4
Champvans (39) 110 A 1
Champvans (70) 94 B 3
Champvans-les-Moulins (25) 94 D 4
Champvert (58) 107 E 4
Champvoisy (51) 33 F 3
Champvoux (58) 106 B 1
Chamrousse (38) 151 H 3
Chamvres (89) 72 D 4
Chanac (48) 161 F 5
Chanac-les-Mines (19) 145 E 3
Chanaleilles (43) 161 G 1
Chanas (38) 149 H 2
Chanat-la-Mouteyre (63) 133 E 3
Chanay (01) 137 G 1
Chanaz (73) 137 G 2
Chançay (37) 87 E 3
Chancé (35) 65 H 3
Chanceaux (21) 92 D 2
Chanceaux-près-Loches (37) 103 E 1
Chanceaux-sur-Choisille (37) 86 D 3
Chancelade (24) 143 E 3
Chancenay (52) 55 F 2
Chancey (70) 94 B 4
Chancia (39) 123 G 3
Chandai (61) 48 D 2
Chandelles (28) 50 A 3
Chandolas (07) 162 D 5
Chandon (42) 121 F 5
Chanéac (07) 149 E 5
Chaneins (01) 122 B 5
Chânes (01) 136 C 2
Chânes (71) 122 B 4
Le Change (24) 143 G 3
Changé (53) 66 C 2
Change (71) 108 D 3
Changé (72) 68 B 3
Changey (52) 75 H 4
Changis-sur-Marne (77) 32 B 5
Changy (42) 120 D 5
Changy (51) 54 D 1
Changy-Tourny (71) 121 G 2
Chaniat (43) 147 G 2
Chaniaux (48) 162 B 3
Chaniers (17) 127 F 3
Channay (21) 74 B 4
Channay-sur-Lathan (37) 86 A 3
Channes (10) 74 A 4
Chanonat (63) 133 F 4
Chanos-Curson (26) 149 H 4
Chanousse (05) 165 G 5
Chanoy (52) 75 H 4
Chanoz-Châtenay (01) 122 D 4
Chanteau (45) 70 D 4
Chantecoq (45) 72 B 3
Chantecorps (79) 114 C 1
Chanteheux (54) 57 G 2
Chanteix (19) 144 D 2
Chantelle (03) 119 H 4
Chanteloube (87) 130 B 1
Chanteloup (27) 49 F 1
Chanteloup (35) 65 F 3
Chanteloup (50) 24 D 5
Chanteloup (79) 100 D 4
Chanteloup-en Brie (77) 51 H 1
Chanteloup-les-Bois (49) 100 C 1
Chanteloup-les-Vignes (78) 30 D 5
Chantelouve (38) 152 A 5
Chantemerle (05) 153 E 5
Chantemerle (51) 53 F 3
Chantemerle-les-Blés (26) 149 H 4
Chantemerle-lès-Grignan (26) 163 H 5
Chantemerle-sur-la-Soie (17) 127 E 1
Chantenay (44) 83 F 5
Chantenay-St-Imbert (58) 106 C 5
Chantenay-Villedieu (72) 67 G 4
Chantepie (35) 65 F 2
Chantérac (24) 142 D 3
Chanterelle (15) 146 C 2
Chantes (70) 94 D 1
Chantesse (38) 151 F 2
Chanteuges (43) 147 H 4
Chantillac (16) 141 H 2
Chantilly (60) 31 G 3
Chantôme (36) 117 F 2
Chantonnay (85) 100 A 5
Chantraine (88) 77 F 1
Chantraines (52) 75 G 1
Chantrans (25) 111 E 1
Chantrezac (16) 129 E 2
Chantrigné (53) 47 E 4
Chanu (61) 46 D 2
Chanville (57) 37 F 4
Chanzeaux (49) 84 D 5
Chaon (25) 111 F 3
Chaon (41) 89 E 2
Chaouilley (54) 56 D 4
Chaource (10) 74 A 3
Chaourse (02) 17 H 3
Chapaize (71) 122 B 1
Chapareillan (38) 138 A 5
Chaparon (74) 138 B 2
Chapdes-Beaufort (63) 132 D 2
Chapdeuil (24) 142 D 2
Chapeau (03) 120 B 2
Chapeauroux (48) 162 A 1
Chapeiry (74) 138 A 2
Chapelaine (51) 54 C 3
La Chapelaude (03) 118 D 2
La Chapelle (03) 120 B 5
La Chapelle (08) 19 F 3
La Chapelle (16) 128 B 2
La Chapelle (19) 145 G 1
La Chapelle (73) 152 C 1
La Chapelle (89) 72 C 1
La Chapelle-en-Vexin (95) 30 B 3
La Chapelle-Achard (85) 99 E 5
La Chapelle-Agnon (63) 134 A 4
La Chapelle-Anthenaise (53) 66 D 2
La Chapelle-au-Mans (71) 107 H 5
La Chapelle-au-Moine (61) 47 E 2
La Chapelle-au-Riboul (53) 47 E 5
La Chapelle-Aubareil (24) 144 A 5
La Chapelle-Aubry (49) 84 B 5
La Chapelle-aux-Bois (88) 77 F 2
La Chapelle-aux-Brocs (19) 144 D 4
La Chapelle-aux-Chasses (03) 107 E 5
La Chapelle-aux-Choux (72) 86 A 1
La Chapelle-aux-Filtzméens (35) 45 E 4
La Chapelle-aux-Lys (85) 100 C 5
La Chapelle-aux-Naux (37) 86 B 4
La Chapelle-aux-Saints (19) 144 D 5
La Chapelle-Baloue (23) 117 F 3
La Chapelle-Basse-Mer (44) 83 H 4
La Chapelle-Bâton (17) 127 F 1
La Chapelle-Bâton (79) 114 B 2
La Chapelle-Bâton (86) 115 G 4
La Chapelle-Bayvel (27) 28 C 2
La Chapelle-Bertin (43) 147 H 3
La Chapelle-Bertrand (79) 101 F 5
La Chapelle-Biche (61) 46 D 2
La Chapelle-Blanche (22) 44 C 5
La Chapelle-Blanche (73) 138 A 5
La Chapelle-Blanche-St-Martin (37) 102 D 1
La Chapelle-Bouëxic (35) 64 D 3
La Chapelle-Caro (56) 64 A 4
La Chapelle-Cécelin (50) 46 A 1
La Chapelle-Chaussée (35) 45 E 5
La Chapelle-Craonnaise (53) 66 B 4
La Chapelle-d'Abondance (74) 125 F 3
La Chapelle-d'Alagnon (15) 146 D 4
La Chapelle-d'Aligné (72) 85 F 1
La Chapelle-d'Andaine (61) 47 E 3
La Chapelle-d'Angillon (18) 89 F 4
La Chapelle-d'Armentières (59) 4 B 3
La Chapelle-d'Aunainville (28) 50 C 5
La Chapelle-d'Aurec (43) 148 D 2
La Chapelle-de-Bragny (71) 109 E 5
La Chapelle-de-Brain (35) 64 D 5
La Chapelle-de-Guinchay (71) 122 B 4
La Chapelle-de-la-Tour (38) 137 F 4
La Chapelle-de-Mardore (69) 121 G 5
La Chapelle-de-Surieu (38) 149 H 1
Chapelle-des-Bois (25) 111 E 5
La Chapelle-des-Fougeretz (35) 65 F 1
La Chapelle-des-Marais (44) 82 B 2
La Chapelle-des-Pots (17) 127 F 3
La Chapelle-devant-Bruyères (88) 77 H 1
Chapelle-d'Huin (25) 111 E 2
La Chapelle-du-Bard (38) 152 B 1
La Chapelle-du-Bois (72) 68 C 1
La Chapelle-du-Bois-des-Faulx (27) 29 G 3
La Chapelle-du-Bourgay (76) 13 H 2
La Chapelle-du-Châtelard (01) 122 D 5
La Chapelle-du-Fest (50) 25 G 4
La Chapelle-du-Genêt (49) 84 A 5
La Chapelle-du-Lou-du-Lac (35) 64 D 1
La Chapelle-du-Mont-de-France (71) 121 H 3
La Chapelle-du-Mt-du-Chat (73) 137 H 3
La Chapelle-du-Noyer (28) 69 H 3
La Chapelle-en-Juger (50) 25 E 3
La Chapelle-en-Lafaye (42) 148 B 1
La Chapelle-en-Serval (60) 31 G 3
La Chapelle-en-Valgaudémar (05) 166 C 1
La Chapelle-en-Vercors (26) 151 E 5
La Chapelle-Enchérie (41) 69 G 5
La Chapelle-Engerbold (14) 26 D 5
La Chapelle-Erbrée (35) 66 A 2
La Chapelle-Faucher (24) 143 F 2
La Chapelle-Felcourt (51) 34 D 4
La Chapelle-Forainvilliers (28) 50 A 2
La Chapelle-Fortin (28) 49 E 3
La Chapelle-Gaceline (56) 64 C 5
La Chapelle-Gaudin (79) 101 E 3
La Chapelle-Gaugain (72) 68 D 5
La Chapelle-Gauthier (27) 28 C 5
La Chapelle-Gauthier (77) 52 A 4
La Chapelle-Geneste (43) 147 H 2
La Chapelle-Glain (44) 83 H 1
La Chapelle-Gonaguet (24) 143 E 3
La Chapelle-Grésignac (24) 142 C 1
Chapelle-Guillaume (28) 69 E 2
La Chapelle-Hareng (27) 28 C 3
La Chapelle-Haute-Grue (14) 28 A 5
La Chapelle-Hermier (85) 99 E 4
La Chapelle-Heulin (44) 83 G 5
La Chapelle-Hugon (18) 106 B 3
La Chapelle-Hullin (49) 66 A 5
La Chapelle-Huon (72) 68 D 5
La Chapelle-Iger (77) 52 B 3
La Chapelle-Janson (35) 46 A 5
La Chapelle-la-Reine (77) 71 G 1
La Chapelle-Largeau (79) 100 B 2
La Chapelle-Lasson (51) 53 G 3
La Chapelle-Launay (44) 82 D 3
La Chapelle-Laurent (15) 147 F 3
La Chapelle-lès-Luxeuil (70) 77 F 5
La Chapelle-Marcousse (63) 147 E 1
La Chapelle-Montabourlet (24) 142 D 1
La Chapelle-Montbrandeix (87) 129 G 4
La Chapelle-Monthodon (02) 33 F 4
La Chapelle-Montligeon (61) 48 D 4
La Chapelle-Montlinard (18) 106 B 1
La Chapelle-Montmartin (41) 88 B 5
La Chapelle-Montmoreau (24) 143 E 1
La Chapelle-Montreuil (86) 115 E 1
Chapelle-Morthemer (86) 115 H 2
La Chapelle-Moulière (86) 102 C 5
La Chapelle-Moutils (77) 52 D 1
La Chapelle-Naude (71) 122 D 1
La Chapelle-Neuve (22) 42 D 5
La Chapelle-Neuve (56) 63 F 5
La Chapelle-Onzerain (45) 70 B 3
La Chapelle-Orthemale (36) 103 H 4
La Chapelle-Palluau (85) 99 F 4
La Chapelle-Pouilloux (79) 114 D 5
La Chapelle-près-Sées (61) 48 A 3
La Chapelle-Rablais (77) 52 B 4
La Chapelle-Rainsouin (53) 67 E 2
La Chapelle-Rambaud (74) 124 C 5
La Chapelle-Réanville (27) 29 H 4
La Chapelle-Rousselin (49) 84 C 5
Chapelle-Royale (28) 69 F 2
La Chapelle-Souëf (61) 48 C 5
La Chapelle-sous-Brancion (71) 122 B 1
La Chapelle-sous-Dun (71) 121 G 4
La Chapelle-sous-Orbais (51) 33 F 5
La Chapelle-sous-Uchon (71) 108 A 4
Chapelle-Spinasse (19) 145 F 2
La Chapelle-St-André (58) 90 D 4
La Chapelle-St-Aubert (35) 45 H 5
La Chapelle-St-Aubin (72) 68 A 3
La Chapelle-St-Étienne (79) 100 D 5
La Chapelle-St-Florent (49) 84 A 4
La Chapelle-St-Fray (72) 67 H 2
La Chapelle-St-Géraud (19) 145 F 5
La Chapelle-St-Jean (24) 144 A 3
La Chapelle-St-Laud (49) 85 F 2
La Chapelle-St-Laurent (79) 101 E 4
La Chapelle-St-Laurian (36) 104 B 2
La Chapelle-St-Luc (10) 53 H 5
La Chapelle-St-Martial (23) 131 E 1
La Chapelle-St-Martin (73) 137 G 4
La Chapelle-St-Martin-en-Plaine (41) 87 H 1
La Chapelle-St-Maurice (74) 138 B 3
La Chapelle-St-Mesmin (45) 70 C 4
La Chapelle-St-Ouen (76) 14 A 5
La Chapelle-St-Quillain (70) 94 C 3
La Chapelle-St-Rémy (72) 68 C 2
La Chapelle-St-Sauveur (44) 84 B 3
La Chapelle-St-Sauveur (71) 109 H 3
La Chapelle-St-Sépulcre (45) 72 A 3
La Chapelle-St-Sulpice (77) 52 C 3
La Chapelle-sur-Aveyron (45) 72 A 5
La Chapelle-sur-Chézy (02) 32 D 5
La Chapelle-sur-Coise (69) 135 F 4
La Chapelle-sur-Dun (76) 13 F 2
La Chapelle-sur-Erdre (44) 83 F 4
La Chapelle-sur-Furieuse (39) 110 C 2
La Chapelle-sur-Loire (37) 86 A 5
La Chapelle-sur-Oreuse (89) 72 D 1
La Chapelle-sur-Oudon (49) 84 C 1
La Chapelle-sur-Usson (63) 147 G 1
La Chapelle-Taillefert (23) 117 H 5
La Chapelle-Thècle (71) 122 D 1
La Chapelle-Thémer (85) 113 F 1
La Chapelle-Thireuil (79) 114 A 1
La Chapelle-Thouarault (35) 65 E 2
La Chapelle-Urée (50) 46 A 2
Chapelle-Vallon (10) 53 H 4
La Chapelle-Vaupelteigne (89) 73 F 5
La Chapelle-Vendômoise (41) 87 G 1
La Chapelle-Vicomtesse (41) 69 F 3
La Chapelle-Viel (61) 48 D 2
La Chapelle-Villars (42) 149 G 1
Chapelle-Viviers (86) 116 A 2
Chapelle-Voland (39) 109 H 4
La Chapelle-Yvon (14) 28 B 4
Les Chapelles (53) 47 F 4
Les Chapelles (73) 139 E 4
Les Chapelles-Bourbon (77) 52 A 2
Chapelon (45) 71 G 3
La Chapelotte (18) 89 G 4
Chapet (78) 30 C 5
Les Chapieux (73) 139 E 3
Chapois (39) 110 D 3
Chaponnay (69) 136 B 4
Chaponost (69) 135 H 3
La Chappelle-St-Ursin (18) 105 F 2
Chappes (03) 119 F 3
Chappes (08) 18 B 4
Chappes (10) 74 A 2
Chappes (63) 133 F 2
Chaptelat (87) 130 A 2
Chapton (51) 53 F 1
Chaptuzat (63) 133 F 1
Le Chapus (17) 126 B 2
Charade (63) 133 E 3
Charancieu (38) 137 F 5
Charantonnay (38) 136 C 5
Charavines (38) 151 F 1
Charbogne (08) 18 C 5
Charbonnat (71) 108 A 4
Charbonnier-les-Mines (63) 147 F 1
Charbonnières (28) 69 E 2
Charbonnières (71) 122 B 2
Charbonnières-les-Bains (69) 135 H 3
Charbonnières-les-Sapins (25) 95 E 5
Charbonnières-les-Varennes (63) 133 E 2
Charbonnières-les-Vieilles (63) 133 E 1
Charbuy (89) 73 E 5
La Charce (26) 165 F 4
Charcé-St-Ellier-sur-Aubance (49) 85 E 4
Charcenne (70) 94 C 4
Charchigné (53) 47 F 4
Charchilla (39) 123 H 2
Charcier (39) 110 C 5
Chard (23) 132 B 2
Chardeny (08) 34 C 1
Chardes (17) 141 G 2
Chardogne (55) 55 F 1
Chardonnay (71) 122 B 1
Chareil-Cintrat (03) 119 H 4
Charencey (21) 92 D 3
Charency (39) 110 D 4
Charency-Vezin (54) 20 A 2
Charens (26) 165 F 4
Charensannes (87) 130 B 1
Charensat (63) 132 C 1
Charentay (69) 122 A 5
Charentenay (70) 94 C 2
Charentenay (89) 91 E 1
Charentilly (37) 86 C 3
Charenton-du-Cher (18) 105 H 5
Charenton-le-Pont (94) 51 F 1
Charentonnay (18) 106 A 1
Charette (38) 137 E 2
Charette-Varennes (71) 109 G 3
Charey (54) 36 C 4
Charézier (39) 110 C 5
Chargé (37) 87 F 3
Chargey-lès-Gray (70) 94 A 3
Chargey-lès-Port (70) 76 D 5
Chariez (70) 95 E 1
Charigny (21) 92 C 3
La Charité-sur-Loire (58) 106 B 1
Charix (01) 123 H 4
Charlas (31) 205 G 1
Charleval (13) 195 G 1
Charleval (27) 29 H 1
Charleville (51) 53 F 1
Charleville-Mézières [P] (08) 18 D 2
Charleville-sous-Bois (57) 21 F 5
Charlieu (42) 121 F 5
Charly (18) 105 H 3
Charly (69) 135 H 4
Charly-Oradour (57) 21 E 5
Charly-sur-Marne (02) 32 C 5
Charmant (16) 128 B 5
Charmauvillers (25) 96 D 4
Charmé (16) 128 B 1
La Charme (39) 110 B 3
Le Charme (45) 72 B 5
La Charmée (71) 109 E 5
Charmeil (03) 120 A 5
Le Charmel (02) 33 E 3
Charmensac (15) 147 E 3
Charmentray (77) 31 H 5
Charmes (02) 16 D 4
Charmes (03) 119 H 5
Charmes (21) 93 H 4
Charmes (52) 75 H 4
Charmes (88) 57 E 5
Charmes-en-l'Angle (52) 55 F 5
Charmes-la-Côte (54) 56 C 2
Charmes-la-Grande (52) 55 F 5
Charmes-St-Valbert (70) 76 B 5
Charmes-sur-l'Herbasse (26) 150 C 3
Charmes-sur-Rhône (07) 163 H 1
Charmoille (25) 95 H 4
Charmoille (70) 95 E 1
Charmoilles (52) 75 H 4
Charmois (54) 57 F 3
Charmois (90) 96 D 1
Charmois-devant-Bruyères (88) 77 G 1
Charmois-l'Orgueilleux (88) 77 E 2
Charmont (51) 35 E 5
Charmont (95) 30 C 3
Charmont-en-Beauce (45) 70 D 1
Charmont-sous-Barbuise (10) 54 A 5
Les Charmontois (51) 35 F 5
Charmoy (10) 53 E 5
Charmoy (52) 76 B 5
Charmoy (71) 108 B 4
Charmoy (89) 73 E 4

Localité *(Département)* Page Coordonnées

Charnas (07) 149 G 2
Charnat (63) 133 H 2
Charnay (25) 110 D 1
Charnay (69) 135 G 2
Charnay-lès-Chalon (71) 109 G 3
Charnay-lès-Mâcon (71) 122 B 3
Charnècles (38) 151 F 2
Charnizay (37) 103 F 3
Charnod (39) 123 F 3
Charnois (08) 11 E 3
Le Charnoy (77) 52 B 1
Charnoz-sur-Ain (01) 136 D 2
Charny (21) 92 C 4
Charny (77) 31 H 5
Charny-le-Bachot (10) 53 H 3
Charny-Orée-de-Puisaye (89) 72 B 4
Charny-sur-Meuse (55) 35 H 2
Charolles SP (71) 121 G 2
Charols (26) 164 C 3
Charonville (28) 69 H 1
Chârost (18) 105 E 2
Charpentry (55) 35 F 2
Charpey (26) 150 C 5
Charpont (28) 50 A 2
Charquemont (25) 96 C 5
Charrais (86) 102 A 5
Charraix (43) 147 H 5
Charras (16) 128 D 5
Charray (28) 69 H 4
Charre (64) 185 G 4
Charrecey (71) 108 D 3
Charrey-sur-Saône (21) 109 G 1
Charrey-sur-Seine (21) 74 C 4
Charrin (58) 107 F 4
Charritte-de-Bas (64) 185 G 5
Charron (17) 113 E 3
Charron (23) 132 B 1
Charroux (03) 119 H 4
Charroux (86) 115 G 5
Chars (95) 30 D 3
Charsonville (45) 70 A 4
Chartainvilliers (28) 50 A 4
Chartèves (02) 33 E 4
La Chartre-sur-le-Loir (72) 86 C 1
Chartrené (49) 85 G 3
Chartres P (28) 50 A 4
Chartres-de-Bretagne (35) 65 F 2
Chartrettes (77) 51 H 4
Chartrier-Ferrière (19) 144 B 4
Chartronges (77) 52 C 2
Chartuzac (17) 141 G 2
Charvieu-Chavagneux (38) 136 C 3
Charvonnex (74) 138 B 1
Charzais (85) 113 H 2
Chas (63) 133 G 3
Chaserey (10) 73 H 4
Chasnais (85) 113 E 2
Chasnans (25) 111 F 1
Chasnay (58) 90 C 5
Chasné-sur-Illet (35) 65 G 1
Chaspinhac (43) 148 B 4
Chaspuzac (43) 148 A 4
La Chassagne (39) 110 A 3
Chassagne (63) 147 E 1
Chassagne-Montrachet (21) 109 E 3
Chassagne-St-Denis (25) 111 E 1
Chassagnes (07) 162 D 5
Chassagnes (43) 147 H 3
Chassagny (69) 135 H 4
Chassaignes (24) 142 C 3
Chassal (39) 123 H 2
Chassant (28) 69 F 1
Chassé (72) 48 A 4
Chasse-sur-Rhône (38) 135 H 5
Chasseguey (50) 46 B 2
Chasselas (71) 122 B 3
Chasselay (38) 151 E 2
Chasselay (69) 135 H 2
Chassemy (02) 33 E 1
Chassenard (03) 121 E 2
Chasseneuil (36) 104 A 5
Chasseneuil-du-Poitou (86) 102 B 5
Chasseneuil-sur-Bonnieure (16) 128 D 3
Chassenon (16) 129 F 2
Chasseradès (48) 162 B 4
Chassey (21) 92 C 3
Chassey-Beaupré (55) 55 H 4
Chassey-le-Camp (71) 108 D 3
Chassey-lès-Montbozon (70) 95 F 2
Chassey-lès-Scey (70) 94 D 1
Chassiecq (16) 128 D 1
Chassiers (07) 163 E 4
Chassieu (69) 136 B 3
Chassignelles (89) 74 A 5
Chassignieu (38) 137 F 5
Chassignolles (36) 117 H 1
Chassignolles (43) 147 G 1
Chassigny (52) 93 H 1
Chassigny-sous-Dun (71) 121 G 4
Chassillé (72) 67 G 3
Chassors (16) 127 H 3
Chassy (18) 106 A 2
Chassy (71) 121 F 1
Chassy (89) 72 D 5
Chastanet (07) 162 D 4
Le Chastang (19) 144 D 3
Chastanier (48) 162 A 2
Chasteaux (19) 144 B 4
Chastel (43) 147 F 4
Chastel-Arnaud (26) 165 E 3
Chastel-Nouvel (48) 161 G 4
Chastel-sur-Murat (15) 146 C 4
Chastellux-sur-Cure (89) 91 G 4
Chastenay (89) 90 D 1
Chastreix (63) 132 C 5
La Châtaigneraie (85) 100 C 5
Chatain (86) 115 G 5
Châtaincourt (28) 49 G 2
Châtas (88) 58 B 4
Château (71) 122 A 2
Château-Arnoux-St-Auban (04) 181 E 2
Château-Bernard (38) 151 F 5
Château-Bréhain (57) 37 G 5
Château-Chalon (39) 110 B 4
Château-Chervix (87) 130 B 5
Château-Chinon SP (58) 107 H 2
Le Château-d'Almenêches (61) 48 A 2
Château-des-Prés (39) 124 A 1
Le Château-d'Oléron (17) 126 B 2
Château-d'Olonne (85) 112 B 1
Château-du-Loir (72) 86 B 1
Château-Gaillard (01) 136 D 1
Château-Garnier (86) 115 G 4
Château-Gombert (13) 195 H 4
Château-Gontier SP (53) 66 D 5
Château-Guibert (85) 99 H 5
Château-la-Vallière (37) 86 B 2
Château-Lambert (70) 77 H 4
Château-Landon (77) 71 H 2
Château-Larcher (86) 115 F 2
Château-l'Évêque (24) 143 F 3
Château-l'Hermitage (72) 68 A 5
Château-Porcien (08) 18 A 5
Château-Queyras (05) 167 G 1
Château-Regnault (08) 11 E 5
Château-Renard (45) 72 A 4
Château-Renault (37) 87 E 2
Château-Rouge (57) 21 G 4
Château-Salins SP (57) 37 G 5
Château-sur-Allier (03) 106 B 4
Château-sur-Cher (63) 118 D 5
Château-sur-Epte (27) 30 A 5
Château-Thébaud (44) 99 G 1
Château-Thierry SP (02) 32 D 4
Château-Verdun (09) 207 E 5
Château-Ville-Vieille (05) 167 G 1
Château-Voué (57) 37 G 5
Châteaubernard (16) 127 G 4
Châteaubleau (77) 52 B 3
Châteaubourg (07) 149 H 5
Châteaubourg (35) 65 G 2
Châteaubriant SP (44) 65 G 5
Châteaudouble (26) 164 D 1
Châteaudouble (83) 197 G 2
Châteaudun SP (28) 69 H 3
Châteaufort (04) 181 E 1
Châteaufort (78) 50 D 2
Châteaugay (63) 133 E 2
Châteaugiron (35) 65 G 2
Châteaulin SP (29) 61 G 1
Châteaumeillant (18) 118 B 1
Châteauneuf (21) 92 D 5
Châteauneuf (42) 135 G 5
Châteauneuf (71) 121 G 4
Châteauneuf (73) 138 B 5
Châteauneuf (85) 98 D 2
Châteauneuf-de-Bordette (26) 179 H 1
Châteauneuf-de-Chabre (05) 180 D 1
Châteauneuf-de-Gadagne (84) 179 F 4
Châteauneuf-de-Galaure (26) 150 B 3
Châteauneuf-de-Randon (48) 162 A 3
Châteauneuf-de-Vernoux (07) 149 G 5
Châteauneuf-d'Entraunes (06) 182 C 2
Châteauneuf-d'Ille-et-Vilaine (35) 45 E 3
Châteauneuf-d'Oze (05) 166 A 4
Châteauneuf-du-Faou (29) 62 A 2
Châteauneuf-du-Pape (84) 179 F 3
Châteauneuf-du-Rhône (26) 163 G 4
Châteauneuf-en-Thymerais (28) 49 G 3
Châteauneuf-Grasse (06) 199 E 1
Châteauneuf-la-Forêt (87) 130 C 4
Châteauneuf-le-Rouge (13) 196 A 3
Châteauneuf-les-Bains (63) 132 D 1
Châteauneuf-les-Martigues (13) 195 G 4
Châteauneuf-Miravail (04) 180 C 2
Châteauneuf-sur-Charente (16) 128 A 4
Châteauneuf-sur-Cher (18) 105 F 4
Châteauneuf-sur-Isère (26) 150 B 5
Châteauneuf-sur-Loire (45) 71 E 5
Châteauneuf-sur-Sarthe (49) 85 E 1
Châteauneuf-Val-de-Bargis (58) 90 C 5
Châteauneuf-Val-St-Donat (04) 181 E 2
Châteauneuf-Villevieille (06) 183 F 5
Châteauponsac (87) 116 D 5
Châteauredon (04) 181 G 3
Châteaurenard (13) 179 F 5
Châteaurenaud (71) 109 H 5
Châteauroux P (36) 104 B 4
Châteauroux-les-Alpes (05) 167 E 3
Châteauvert (83) 196 D 3
Châteauvieux (05) 166 B 4
Châteauvieux (41) 87 H 5
Châteauvieux (83) 182 A 5
Châteauvieux-les-Fossés (25) 111 E 1
Châteauvilain (38) 137 E 5
Châteauvillain (52) 75 E 3
Le Châtel (73) 152 C 2
Châtel (74) 125 G 3
Châtel-Censoir (89) 91 F 2
Chatel-Chéhéry (08) 35 E 2
Châtel-de-Joux (39) 123 H 1
Châtel-de-Neuvre (03) 120 A 2
Châtel-Gérard (89) 91 H 2
Châtel-Guyon (63) 133 E 2
Châtel-Montagne (03) 120 C 5
Châtel-Moron (71) 108 D 4
Châtel-St-Germain (57) 20 D 5
Châtel-sur-Moselle (88) 57 F 5
Châtelaillon-Plage (17) 113 E 5
Châtelain (53) 66 D 5
La Châtelaine (39) 110 C 3
Châtelais (49) 66 B 5
Châtelard (23) 132 B 1
Châtelard (38) 152 A 4
Le Châtelard (73) 138 B 3
Châtelaudren (22) 43 F 4
Chatelay (39) 110 B 2
Châtelblanc (25) 111 E 5
Châteldon (63) 133 H 1
Le Châtelet (18) 105 F 5
Le Châtelet-en-Brie (77) 52 A 4
Le Châtelet-sur-Retourne (08) 34 A 1
Le Châtelet-sur-Sormonne (08) 10 D 5
Les Châtelets (28) 49 F 3
Le Chateley (39) 110 B 3
Le Châtelier (51) 35 E 5
Châtellenot (21) 92 C 5
Châtellerault SP (86) 102 C 4
Le Châtellier (35) 45 H 4
Le Châtellier (61) 47 E 2
Les Châtelliers-Châteaumur (85) 100 B 3
Les Châtelliers-Notre-Dame (28) 49 G 5
Châtelneuf (39) 110 D 5
Châtelneuf (42) 134 C 4
Chateloy (03) 119 E 2
Châtelperron (03) 120 C 3
Châtelraould-St-Louvent (51) 54 C 2
Châtelus (03) 120 C 4
Châtelus (38) 151 E 4
Châtelus (42) 135 F 5
Châtelus-le-Marcheix (23) 130 C 1
Châtelus-Malvaleix (23) 118 A 3
Châtenay (01) 123 E 5
Châtenay (28) 50 C 5
Châtenay (38) 150 D 2
Châtenay (71) 121 H 3
Châtenay-en-France (95) 31 G 4
Chatenay-Mâcheron (52) 75 H 4
Châtenay-Malabry (92) 51 E 2
Châtenay-sur-Seine (77) 52 B 5
Chatenay-Vaudin (52) 76 A 4
Chatenet (17) 141 G 2
Le Châtenet-en-Dognon (87) 130 C 2
Châteney (70) 95 F 1
Châtenois (39) 110 A 1
Châtenois (67) 58 D 5
Châtenois (70) 95 F 1
Châtenois (88) 56 C 5
Châtenois-les-Forges (90) 96 C 2
Châtenoy (45) 71 F 4
Châtenoy (77) 71 H 1
Châtenoy-en-Bresse (71) 109 F 4
Châtenoy-le-Royal (71) 109 E 4
Châtignac (16) 142 A 2
Chatignonville (91) 50 C 4
Châtillon (03) 119 H 2
Châtillon (39) 110 C 5
Châtillon (69) 135 G 2
Châtillon (86) 115 F 3
Châtillon (92) 51 F 1
Châtillon-Coligny (45) 72 A 5
Châtillon-en-Bazois (58) 107 F 2
Châtillon-en-Diois (26) 165 F 2
Châtillon-en-Dunois (28) 69 G 2
Châtillon-en-Michaille (01) 123 H 4
Châtillon-en-Vendelais (35) 66 A 1
Châtillon-Guyotte (25) 95 E 4
Châtillon-la-Borde (77) 52 A 4
Châtillon-la-Palud (01) 136 D 1
Châtillon-le-Duc (25) 94 D 4
Châtillon-le-Roi (45) 70 D 2
Châtillon-lès-Sons (02) 17 F 3
Châtillon-sous-les-Côtes (55) 20 A 5
Châtillon-St-Jean (26) 150 D 4
Châtillon-sur-Bar (08) 19 E 5
Châtillon-sur-Broué (51) 54 D 3
Châtillon-sur-Chalaronne (01) 122 C 5
Châtillon-sur-Cher (41) 88 A 5
Châtillon-sur-Cluses (74) 125 E 5
Châtillon-sur-Colmont (53) 46 C 5
Châtillon-sur-Indre (36) 103 G 2
Châtillon-sur-Lison (25) 110 D 1
Châtillon-sur-Loire (45) 89 H 2
Châtillon-sur-Marne (51) 33 F 4
Châtillon-sur-Morin (51) 53 E 2
Châtillon-sur-Oise (02) 17 E 2
Châtillon-sur-Saône (88) 76 C 3
Châtillon-sur-Seine (21) 74 C 4
Châtillon-sur-Thouet (79) 101 F 5
Châtin (58) 107 G 1
Chatoillenot (52) 93 G 1
Châtonnay (38) 136 D 5
Chatonnay (39) 123 G 2
Chatonrupt-Sommermont (52) 55 F 4
Chatou (78) 51 E 1
La Châtre SP (36) 118 A 1
La Châtre-Langlin (36) 117 E 2
Châtres (10) 53 G 4
Châtres (24) 144 A 3
Châtres (77) 52 A 2
Châtres-la-Forêt (53) 67 E 2
Châtres-sur-Cher (41) 88 C 5
Châtrices (51) 35 E 4
Chattancourt (55) 35 G 2
Chatte (38) 151 E 3
Chattemoue (53) 47 F 5
Chatuzange-le-Goubet (26) 150 C 5
Chau-l'Abbaye (59) 5 E 5
Chaucenne (25) 94 D 4
Chauchailles (48) 161 E 2
Chauché (85) 99 H 3
Le Chauchet (23) 118 C 5
Chauchigny (10) 53 H 5
Chauconin-Neufmontiers (77) 32 A 5
Chaucre (17) 126 A 1
Chaudardes (02) 33 F 1
Chaudebonne 152 A 2
Chaudefonds-sur-Layon (49) 84 C 4
Chaudefontaine (25) 95 E 4
Chaudefontaine (51) 35 E 3
Chaudenay (52) 76 A 5
Chaudenay (71) 109 E 3
Chaudenay-la-Ville (21) 108 D 1
Chaudenay-le-Château (21) 92 D 5
Chaudeney-sur-Moselle (54) 56 C 2
Chaudes-Aigues (15) 160 D 1
Chaudeyrac (48) 162 A 3
Chaudeyrolles (43) 148 D 5
La Chaudière (26) 165 E 3
Chaudon (28) 50 A 3
Chaudon-Norante (04) 181 G 3
Chaudrey (10) 54 A 4
Le Chaudron (02) 10 A 5
Chaudron (25) 111 F 3
Chaudron-en-Mauges (49) 84 B 4
Chaudun (02) 32 C 2
Chauffailles (71) 121 G 4
Chauffayer (05) 166 B 2
Chauffecourt (88) 57 E 5
Chauffour-lès-Bailly (10) 74 B 2
Chauffour-lès-Étréchy (91) 51 E 4
Chauffour-sur-Vell (19) 144 D 5
Chauffours (28) 49 H 5
Chauffourt (52) 75 H 3
Chauffry (77) 52 C 1
Chaufour-lès-Bonnières (78) 30 A 4
Chaufour-Notre-Dame (72) 67 H 3
Chaugey (Près de Recey-sur-Ource) (21) 75 F 5
Chaugey (Près de Saint Jean-de-Losne) (21) 109 H 1
Chaulgnes (58) 106 C 1
Chaulhac (48) 161 F 1
Chaulieu (50) 46 C 2
La Chaulme (63) 148 B 1
Chaulnes (80) 16 A 2
Chaum (31) 205 G 3
Chaumard (58) 107 G 1
La Chaume (21) 75 E 4
La Chaume (85) 112 A 1
Chaume-et-Courchamp (21) 93 H 2
Chaume-lès-Baigneux (21) 92 C 2
Chaumeil (19) 145 E 1
Chaumercenne (70) 94 B 4
Chaumeré (35) 65 G 3
Chaumergy (39) 110 A 3
Chaumes-en-Brie (77) 52 A 2
Chaumesnil (10) 54 C 5
Chaumont (18) 105 H 4
Chaumont P (52) 75 G 2
Chaumont (60) 31 F 3
Chaumont (61) 48 B 1
Chaumont (74) 124 A 5
Chaumont (89) 72 B 1
Chaumont-d'Anjou (49) 85 F 2
Chaumont-devant-Damvillers (55) 35 H 1
Chaumont-en-Vexin (60) 30 C 2
Chaumont-la-Ville (52) 76 B 2
Chaumont-le-Bois (21) 74 C 4
Chaumont-le-Bourg (63) 148 A 1
Chaumont-Porcien (08) 18 A 4
Chaumont-sur-Aire (55) 35 G 5
Chaumont-sur-Loire (41) 87 G 3
Chaumont-sur-Tharonne (41) 88 C 2
Chaumontel (95) 31 F 3
Chaumot (58) 91 F 5
Chaumot (89) 72 C 3
Chaumousey (88) 77 F 1
Chaumoux-Marcilly (18) 106 A 1
Chaumussay (37) 103 E 3
La Chaumusse (39) 110 D 5
Chaumuzy (51) 33 G 3
Chaunac (17) 141 G 1
Chaunay (86) 115 E 4
Chauny (02) 16 D 4
Chauray (79) 114 B 3
Chauriat (63) 133 G 3
La Chaussade (23) 131 G 1
La Chaussaire (49) 84 A 5
Chaussan (69) 135 G 4
La Chaussée (76) 13 G 2
La Chaussée (86) 101 H 3
La Chaussée-d'Ivry (28) 50 A 1
La Chaussée-Neuve (44) 82 B 3
La Chaussée-St-Victor (41) 87 H 2
La Chaussée-sur-Marne (51) 54 C 1
La Chaussée-Tirancourt (80) 15 E 1
Chaussenac (15) 145 H 3
Chaussenans (39) 110 C 3
Chausseterre (42) 134 B 2
Chaussin (39) 110 A 2
Chaussoy-Epagny (80) 15 F 3
Chaussy (45) 70 D 2
Chaussy (95) 30 B 3
Le Chautay (18) 106 B 2
Chauvac-Laux-Montaux (26) 180 B 1
Chauvé (44) 82 D 5
Chauvency-le-Château (55) 19 H 5
Chauvency-St-Hubert (55) 19 H 4
Chauvigné (35) 45 G 5
Chauvigny (86) 115 H 1
Chauvigny-du-Perche (41) 69 F 4
Chauvincourt (27) 30 B 2
Chauvirey-le-Châtel (70) 76 B 5
Chauvirey-le-Vieil (70) 76 B 5
Chauvoncourt (55) 36 A 5
Chauvry (95) 31 E 4
Chaux (21) 109 F 1
La Chaux (25) 111 G 1
La Chaux (61) 47 G 3
La Chaux (71) 109 H 3
Chaux (90) 78 A 5
Chaux-Champagny (39) 110 D 3
Chaux-des-Crotenay (39) 110 D 5
Chaux-des-Prés (39) 124 A 1
La Chaux-du-Dombief (39) 110 D 5
La Chaux-en-Bresse (39) 110 A 3
Chaux-la-Lotière (70) 94 D 3
Chaux-lès-Clerval (25) 95 G 3
Chaux-lès-Passavant (25) 95 F 5
Chaux-lès-Port (70) 76 D 5
Chaux-Neuve (25) 111 E 5
Chauzon (07) 163 E 4
Chavagnac (15) 146 C 4
Chavagnac (24) 144 B 4
Chavagne (35) 65 E 2
Chavagné (79) 114 B 3
Chavagnes (49) 85 E 5
Chavagnes-en-Paillers (85) 99 H 3
Chavagnes-les-Redoux (85) 100 B 4
Chavaignes (49) 85 H 2
Chavanac (19) 131 F 4
Chavanat (23) 131 F 2
Chavanatte (90) 97 E 1
Chavanay (42) 149 G 1
Chavanges (10) 54 C 4
Chavaniac-Lafayette (43) 147 H 4
Chavannaz (74) 124 B 5
Chavanne (70) 95 H 2
La Chavanne (73) 138 A 5
Chavannes (18) 105 F 4
Chavannes (26) 149 H 4
Les Chavannes-en-Maurienne (73) 152 C 1
Chavannes-les-Grands (90) 97 E 1
Chavannes-sur-l'Étang (68) 96 D 1
Chavannes-sur-Reyssouze (01) 122 C 2
Chavannes-sur-Suran (01) 123 F 3
Chavanod (74) 138 A 2
Chavanoz (38) 136 D 3
Chavaroux (63) 133 G 2
La Chavatte (80) 16 A 3
Chaveignes (37) 102 B 2
Chavelot (88) 77 F 1
Chavenat (16) 142 B 1
Chavenay (78) 50 D 1
Chavençon (60) 30 D 3
Chavenon (03) 119 G 2
Chavéria (39) 123 G 1
Chaveroche (19) 131 G 5
Chaveyriat (01) 122 D 4
Chavignol (18) 90 A 4
Chavignon (02) 17 E 5
Chavigny (02) 32 D 1
Chavigny (54) 56 D 2
Chavigny-Bailleul (27) 49 G 1
Chaville (92) 51 E 1
Chavin (36) 117 F 1
Chavoire (74) 138 B 1
Chavonne (02) 33 E 1
Chavornay (01) 137 G 2
Chavot-Courcourt (51) 33 G 4
Chavoy (50) 45 H 1
Chavroches (03) 120 C 3
Le Chay (17) 126 D 4
Chay (25) 110 C 1
Chazay-d'Azergues (69) 135 H 2
La Chaze-de-Peyre (48) 161 F 3
Chazé-Henry (49) 66 A 5
Chazé-sur-Argos (49) 84 B 1
Chazeaux (07) 163 E 3
Chazelet (36) 117 E 2
Chazelles (15) 147 F 4
Chazelles (16) 128 D 4
Chazelles (39) 123 E 2
Chazelles (43) 147 G 5
Chazelles-sur-Albe (54) 57 H 2
Chazelles-sur-Lavieu (42) 134 C 5
Chazelles-sur-Lyon (42) 135 F 4
Chazemais (03) 118 D 2
Chazeuil (21) 93 H 2
Chazeuil (58) 90 D 5
Chazey-Bons (01) 137 G 3
Chazey-sur-Ain (01) 136 D 2
Chazilly (21) 92 D 5
Chazot (25) 95 G 4
Chécy (45) 70 D 4
Chédigny (37) 87 F 5
Chef-Boutonne (79) 114 D 5
Chef-du-Pont (50) 23 E 5
Chef-Haut (88) 56 D 5
Cheffes (49) 85 E 1
Cheffois (85) 100 C 5
Cheffreville-Tonnencourt (14) 28 B 4
Le Chefresne (50) 25 F 5
Chéhéry (08) 19 E 4
Cheignieu-la-Balme (01) 137 F 2
Cheillé (37) 86 B 5
Cheilly-lès-Maranges (71) 108 D 3
Chein-Dessus (31) 205 H 2
Cheissoux (87) 130 D 3
Le Cheix (63) 133 E 5
Le Cheix-sur-Morge (63) 133 F 1
Cheix-en-Retz (44) 83 E 5
Chélan (32) 187 H 5
Chelers (62) 7 H 2
Chélieu (38) 137 F 5
Chelle-Debat (65) 187 F 5
Chelle-Spou (65) 204 D 1
Chelles (60) 32 B 1
Chelles (77) 51 G 1
Chelun (35) 65 H 4
Chemaudin (25) 94 C 5
Chemault (45) 71 F 3
Chemazé (53) 66 C 5
Chemellier (49) 85 F 4
Chemenot (39) 110 A 3
Chéméré (44) 82 D 5
Chémeré-le-Roi (53) 67 E 3
Chémery (41) 88 A 4
Chémery-Chéhéry (08) 19 E 4
Chémery-les-Deux (57) 21 F 4
Chemilla (39) 123 G 3
Chemillé-en-Anjou (49) 84 C 5
Chemillé-sur-Dême (37) 86 D 1
Chemillé-sur-Indrois (37) 103 G 1
Chemilli (61) 48 C 5
Chemilly (03) 120 A 2
Chemilly (70) 94 D 1
Chemilly-sur-Serein (89) 73 G 5
Chemilly-sur-Yonne (89) 73 E 4
Chemin (39) 109 H 2
Le Chemin (51) 35 E 4
Chemin-d'Aisey (21) 92 C 1
Cheminas (07) 149 G 4
Cheminon (51) 55 E 2
Cheminot (57) 36 D 4
Chemiré-en-Charnie (72) 67 G 3
Chemiré-le-Gaudin (72) 67 H 4
Chemiré-sur-Sarthe (49) 67 E 5
Chemy (59) 4 C 4
Chenac-St-Seurin-d'Uzet (17) 126 D 5
Chenailler-Mascheix (19) 145 E 4
La Chenalotte (25) 111 H 1
Chénas (69) 122 B 4
Chenaud (24) 142 B 3
Chenay (51) 33 G 2
Chenay (72) 48 A 4
Chenay (79) 114 D 3
Chenay-le-Châtel (71) 121 E 4
Le Chêne (10) 54 A 3
Le Chêne (84) 180 A 5
Chêne-Arnoult (89) 72 B 4
Chêne-Bernard (39) 110 A 3
Chêne-Chenu (28) 49 H 3
Chêne-en-Semine (74) 124 A 5
Chêne-Sec (39) 110 A 3
Chenebier (70) 95 H 1
Chenecey-Buillon (25) 110 D 1
Cheneché (86) 102 A 4
Chênedollé (14) 25 H 5
Chênedouit (61) 47 F 1
Chênehutte-les-Tuffeaux (49) 85 G 4
Chénelette (69) 121 H 4
Chénérailles (23) 118 B 5
Chenereilles (42) 148 C 1
Chenereilles (43) 148 D 4
Chenevelles (86) 102 D 5
Chenevières (54) 57 G 3
Chenevrey-et-Morogne (70) 94 C 4
Chênex (74) 124 B 5
Cheney (89) 73 H 4
Chenicourt (54) 37 E 5
Chenières (54) 20 B 2
Chéniers (23) 117 H 3
Cheniers (51) 34 A 5
Chenillé-Champteussé (49) 84 D 1
Chenillé-Changé (49) 84 D 1
Cheniménil (88) 77 G 1
Chennebrun (27) 49 E 2
Chennegy (10) 73 G 1
Chennevières (55) 55 H 2
Chennevières-lès-Louvres (95) 31 G 4

Chennevières-
sur-Marne (94) 51 G 1
Chenois (57) 37 F 4
Chenoise-Cucharmoy (77) 52 C 3
Chenommet (16) 128 C 1
Chenon (16) 128 C 1
Chenonceaux (37) 87 F 4
Chenou (77) 71 H 2
Chenôve (21) 93 F 4
Chenôves (71) 108 D 5
Chens-sur-Léman (74) 124 C 3
Chenu (72) 86 B 2
Cheny (89) 73 E 4
Chepniers (17) 141 G 2
Chepoix (60) 15 G 4
La Cheppe (51) 34 C 4
Cheppes-la-Prairie (51) 54 B 1
Cheppy (55) 35 F 2
Cheptainville (91) 51 E 4
Chepy (51) 34 B 5
Chépy (80) 6 C 5
Chérac (17) 127 G 3
Chérancé (53) 66 B 5
Chérancé (72) 68 A 1
Chéraute (64) 185 G 5
Chéray (17) 126 A 1
Cherbonnières (17) 127 G 1
Cherbourg-
en-Cotentin SP (50) 22 C 2
Chérence (95) 30 B 4
Chérencé-le-Héron (50) 46 A 1
Chérencé-le-Roussel (50) 46 B 2
Chéreng (59) 4 D 4
Les Chères (69) 135 H 2
Chérêt (02) 17 F 5
Chériennes (62) 7 E 3
Cherier (42) 134 C 1
Chérigné (79) 114 C 5
Les Chéris (50) 46 A 2
Chérisay (72) 48 A 5
Chérisey (57) 37 E 4
Cherisy (28) 49 H 2
Chérisy (62) 8 B 4
Chérizet (71) 122 A 1
Chermignac (17) 127 E 4
Chermisey (88) 56 A 4
Chermizy-Ailles (02) 17 F 5
Chéronnac (87) 129 F 3
Chéronvilliers (27) 48 D 1
Chéroy (89) 72 B 2
Cherré (49) 84 D 1
Cherré (72) 68 D 2
Cherreau (72) 68 D 2
Cherrueix (35) 45 F 2
Cherval (24) 142 D 1
Cherveix-Cubas (24) 143 H 2
Cherves (86) 101 H 5
Cherves-Châtelars (16) 129 E 3
Cherves-Richemont (16) 127 G 3
Chervettes (17) 113 H 5
Cherveux (79) 114 B 2
Chervey (10) 74 C 2
Cherville (28) 50 B 4
Cherville (51) 34 A 4
Chéry (18) 104 D 1
Chéry-Chartreuve (02) 33 E 2
Chéry-lès-Pouilly (02) 17 F 4
Chéry-lès-Rozoy (02) 18 A 3
Chesley (10) 74 A 3
Le Chesnay-Rocquencourt (78) 51 E 1
Le Chesne (08) 19 E 5
Le Chesne (27) 29 F 5
Chesnois-Auboncourt (08) 18 C 4
Chesny (57) 37 E 3
Chessenaz (74) 124 A 5
Chessy (69) 135 G 2
Chessy (77) 51 H 1
Chessy-les-Prés (10) 73 G 3
Chéu (89) 73 F 4
Cheuge (21) 93 H 3
Cheust (65) 204 B 2
Cheux (14) 27 E 3
Chevagnes (03) 120 B 1
Chevagny-
les-Chevrières (71) 122 B 3
Chevagny-sur-Guye (71) 121 H 1
Chevaigné (35) 65 F 1
Chevaigné-du-Maine (53) 47 F 4
Le Chevain (72) 48 A 4
Cheval-Blanc (84) 179 G 5
Chevaline (74) 138 B 3
La Chevallerais (44) 83 F 3
Chevanceaux (17) 141 H 2
Chevannay (21) 92 D 4
Chevannes (21) 109 E 1
Chevannes (45) 72 A 2
Chevannes (89) 91 E 1
Chevannes (91) 51 G 4
Chevannes-Changy (58) 91 E 5
Chevennes (02) 17 F 2
Chevenon (58) 106 C 3
Chevenoz (74) 125 E 2
Cheverny (41) 88 A 3
Cheveuges (08) 19 E 3
Chevières (08) 35 E 1
Chevigney (70) 94 B 4
Chevigney-lès-Vercel (25) 95 F 5
Chevigney-sur-l'Ognon (25) 94 C 4
Chevigny (21) 93 F 5
Chevigny (39) 94 A 5
Chevigny-en-Valière (21) 109 F 2
Chevigny-St-Sauveur (21) 93 G 4
Chevillard (01) 123 G 5
Chevillé (72) 67 G 4
Chevillon (52) 55 F 3
Chevillon (89) 72 C 4
Chevillon-sur-Huillard (45) 71 H 4
La Chevillotte (25) 95 E 5
Chevilly (45) 70 C 3
Chevilly-Larue (94) 51 F 2
Chevinay (69) 135 G 3
Chevincourt (60) 16 A 5
Cheviré-le-Rouge (49) 85 G 2
Chevrainvilliers (77) 71 H 1
Chevreaux (39) 123 F 1
Chevregny (02) 17 F 5
Chèvremont (90) 96 D 1
La Chèvrerie (16) 128 B 1
Chevresis-Monceau (02) 17 F 3
Chevrette (85) 113 F 1
Chevreuse (78) 50 D 2
Chèvreville (50) 46 B 3
Chèvreville (60) 32 A 4
Chevrey (71) 109 F 3
Chevrier (74) 124 A 5
Chevrières (38) 151 E 3
Chevrières (42) 135 F 5
Chevrières (60) 31 H 1
Chevroches (58) 91 E 3
La Chevrolière (44) 99 F 1
Chevrotaine (39) 110 C 5
Chevroux (01) 122 C 2
Chevroz (25) 94 D 4
Chevru (77) 52 C 2
Chevry (01) 124 B 3
Chevry (39) 123 H 2
Chevry (50) 25 F 4
Chevry-Cossigny (77) 51 H 2
Chevry-en-Sereine (77) 72 A 1
Chevry-sous-le-Bignon (45) 72 A 2
Chey (79) 114 D 3
Cheylade (15) 146 B 3
Le Cheylard (07) 163 E 1
Cheylard-l'Évêque (48) 162 A 3
Le Cheylas (38) 152 A 1
Cheyrès (07) 178 A 1
Cheyssieu (38) 149 H 1
Chezal-Benoît (18) 105 E 4
La Chèze (22) 63 H 3
Chèze (65) 204 B 3
Chézeaux (52) 76 B 4
Chezelle (03) 119 H 4
Chezelles (36) 104 A 3
Chezelles (37) 102 B 2
Chèzeneuve (38) 136 D 5
Chézery-Forens (01) 124 A 4
Chézy (03) 120 B 1
Chézy-en-Orxois (02) 32 C 3
Chézy-sur-Marne (02) 32 D 5
Chiappa (Pointe de la) (2A) 219 G 3
Chiatra (2B) 217 G 2
Chiché (79) 101 E 4
Chicheboville (14) 27 G 3
Chichée (89) 73 G 5
Chichery (89) 73 E 4
Chichey (51) 53 F 2
Chichilianne (38) 165 G 1
Chicourt (57) 37 F 5
Chiddes (58) 107 H 3
Chiddes (71) 121 H 2
Chidrac (63) 133 F 5
Chierry (02) 32 D 4
Chieulles (57) 21 E 5
Chignat (63) 133 G 3
Chigné (49) 85 H 2
Chignin (73) 138 A 5
La Chignolle (16) 128 C 3
Chigny (02) 17 G 1
Chigny-les-Roses (51) 33 H 3
Chigy (89) 73 E 2
Chilhac (43) 147 G 4
Chillac (16) 142 A 2
Chille (39) 110 B 5
Chilleurs-aux-Bois (45) 71 E 3
Le Chillou (79) 101 G 4
Chilly (08) 10 C 5
Chilly (74) 137 H 1
Chilly (80) 16 A 2
Chilly-le-Vignoble (39) 110 A 5
Chilly-Mazarin (91) 51 F 2
Chilly-sur-Salins (39) 110 C 3
Chimilin (38) 137 F 4
Le Chinaillon (74) 138 C 1
Chindrieux (73) 137 H 2
Chinon SP (37) 102 A 1
Chipilly (80) 15 H 1
Chirac (16) 129 F 2
Chirac (48) 161 F 4
Chirac-Bellevue (19) 145 H 1
Chirassimont (42) 135 E 2
Chirat-l'Église (03) 119 G 4
Chiré-en-Montreuil (86) 101 H 5
Chirens (38) 151 F 1
Chirmont (80) 15 G 3
Chirols (07) 162 D 3
Chiroubles (69) 122 A 4
Chiry-Ourscamp (60) 16 B 5
Chis (65) 187 F 5
Chisa (2B) 217 F 5
Chissay-en-Touraine (41) 87 G 4
Chisseaux (37) 87 F 4
Chisséria (39) 123 G 2
Chissey-en-Morvan (71) 108 A 1
Chissey-lès-Mâcon (71) 122 B 1
Chissey-sur-Loue (39) 110 C 2
Chitenay (41) 87 H 3
Chitray (36) 103 H 5
Chitry (89) 73 F 5
Chitry-les-Mines (58) 91 F 5
Chiuni (Plage de) (2A) 216 B 3
Chives (17) 128 A 1
Chivres (21) 109 G 2
Chivres-en-Laonnois (02) 17 G 4
Chivres-Val (02) 32 D 1
Chivy-lès-Étouvelles (02) 17 F 5
Chizé (79) 114 B 5
Chocques (62) 7 H 1
Choilley (52) 93 H 1
Choisel (78) 50 D 2
Choiseul (52) 76 A 2
Choisey (39) 110 A 1
Choisies (59) 10 A 2
Choisy (74) 138 A 1
Choisy-au-Bac (60) 32 A 1
Choisy-en-Brie (77) 52 C 2
Choisy-la-Victoire (60) 31 G 1
Choisy-le-Roi (94) 51 F 2
Cholet SP (49) 100 B 1
Cholonge (38) 151 H 4
Choloy-Ménillot (54) 56 B 2
Chomelix (43) 148 A 3
Chomérac (07) 163 G 2
La Chomette (43) 147 G 3
Chonas-l'Amballan (38) 149 H 1
Chonville-Malaumont (55) 56 A 1
Chooz (08) 11 E 3
Choqueuse-les-Bénards (60) 15 E 4
Choranche (38) 151 E 4
Chorey-lès-Beaune (21) 109 E 2
Chorges (05) 166 C 3
Chouain (14) 26 D 2
Chouday (36) 104 D 3
Choue (41) 69 E 3
Chougny (58) 107 G 1
Chouilly (51) 33 H 4
Chouppes (86) 102 A 4
Chourgnac (24) 143 H 3
Choussy (41) 87 H 4
Chouvigny (03) 119 G 5
Choux (39) 123 H 3
Les Choux (45) 71 H 5
Chouy (02) 32 C 3
Chouzé-sur-Loire (37) 85 H 5
Chouzelot (25) 110 D 1
Chouzy-sur-Cisse (41) 87 G 3
Choye (70) 94 C 3
Chozeau (38) 136 D 4
Les Christophes (28) 49 H 1
Chuelles (45) 72 B 3
Chuffilly-Roche (08) 18 D 5
Chuignes (80) 16 A 2
Chuignolles (80) 16 A 2
Chuisnes (28) 49 G 4
Chusclan (30) 179 E 2
Chuyer (42) 149 G 1
Chuzelles (38) 136 B 5
Ciadoux (31) 188 B 5
Ciamannacce (2A) 217 E 5
Ciboure (64) 184 B 4
Cideville (76) 13 F 4
Ciel (71) 109 F 3
Cier-de-L. (31) 205 F 4
Cier-de-Rivière (31) 205 G 2
Cierges (02) 33 E 3
Cierges-
sous-Montfaucon (55) 35 F 2
Cierp-Gaud (31) 205 G 3
Cierrey (27) 29 H 4
Cierzac (17) 127 G 5
Cieurac (46) 173 H 1
Cieutat (65) 204 D 1
Cieux (87) 129 H 1
Ciez (58) 90 C 3
Cigné (53) 46 D 4
Cigogné (37) 87 E 5
Cilly (02) 17 G 3
Cinais (37) 102 A 1
Cindré (03) 120 B 3
Cinq-Mars-la-Pile (37) 86 B 4
Cinquétral (39) 124 A 2
Cinqueux (60) 31 G 2
Cintegabelle (31) 189 G 5
Cintheaux (14) 27 F 4
Cintray (27) 49 E 1
Cintray (28) 49 H 4
Cintré (35) 65 E 2
Cintrey (70) 76 B 5
La Ciotat (13) 200 B 3
Cipières (06) 182 D 5
Ciral (61) 47 G 4
Ciran (37) 103 E 2
Circourt (88) 77 E 1
Circourt-sur-Mouzon (88) 56 B 5
Ciré-d'Aunis (17) 113 F 5
Cirès (31) 205 F 4
Cires-lès-Mello (60) 31 F 2
Cirey (70) 95 E 3
Cirey-lès-Mareilles (52) 75 H 1
Cirey-lès-Pontailler (21) 93 H 4
Cirey-sur-Blaise (52) 55 E 5
Cirey-sur-Vezouze (54) 58 A 2
La Cireygeade (19) 145 E 2
Cirfontaines-en-Azois (52) 75 E 2
Cirfontaines-en-Ornois (52) 55 H 4
Cirières (79) 100 D 3
Ciron (36) 116 D 1
Ciry-le-Noble (71) 121 G 1
Ciry-Salsogne (02) 32 D 1
Cisai-St-Aubin (61) 48 B 1
Cisery (89) 91 H 3
Cissac-Médoc (33) 140 D 3
Cissé (86) 102 A 5
Cisternes-la-Forêt (63) 132 C 3
Cistrières (43) 147 H 2
Citerne (80) 14 C 1
Citers (70) 77 F 5
Citey (70) 94 C 3
Citou (11) 191 E 4
Citry (77) 32 C 5
Civaux (86) 115 H 2
Civens (42) 135 E 3
Civières (27) 30 A 3
Civrac-de-Blaye (33) 141 F 4
Civrac-en-Médoc (33) 140 D 2
Civrac-sur-Dordogne (33) 156 A 1
Civray (18) 105 E 3
Civray (86) 115 F 5
Civray-de-Touraine (37) 87 F 4
Civray-sur-Esves (37) 102 D 2
Civrieux (01) 136 B 2
Civrieux-d'Azergues (69) 135 H 2
Civry (28) 70 A 3
Civry-en-Montagne (21) 92 D 4
Civry-la-Forêt (78) 50 B 1
Cizancourt (80) 16 B 2
Cizay-la-Madeleine (49) 85 G 5
Cize (01) 123 F 4
Cize (39) 110 D 4
Cizely (58) 107 E 2
Cizos (65) 187 H 5
Clacy-et-Thierret (02) 17 F 5
Cladech (24) 157 H 2
Claira (66) 209 F 5
Clairac (47) 156 C 5
Clairavaux (23) 131 G 3
Clairefontaine-
en-Yvelines (78) 50 C 3
Clairefougère (61) 46 D 1
Clairegoutte (70) 95 H 1
Clairfayts (59) 10 A 3
Clairfontaine (02) 17 H 1
Clairmarais (62) 3 E 4
Clairoix (60) 32 A 1
Clairvaux (10) 74 D 2
Clairvaux-d'Aveyron (12) 159 H 5
Clairvaux-les-Lacs (39) 123 H 1
Clairy-Saulchoix (80) 15 E 2
Clais (76) 14 A 2
Claix (16) 128 B 5
Claix (38) 151 G 3
Clam (17) 127 G 5
Clamanges (51) 53 H 1
Clamart (92) 51 E 1
Clamecy (02) 32 D 1
Clamecy SP (58) 91 E 3
Clamensane (04) 166 B 5
Clamerey (21) 92 C 4
Clans (06) 183 E 3
Clans (70) 94 D 1
Clansayes (26) 163 H 5
Le Claon (55) 35 E 3
Claouey (33) 154 B 2
Le Clapier (12) 176 C 5
Clapiers (34) 193 F 2
Clara (66) 212 B 3
Clarac (31) 205 G 2
Clarac (65) 204 D 1
Claracq (64) 186 C 3
Clarafond (74) 124 A 5
Clarbec (14) 28 A 2
Clarens (65) 205 E 1
Clarensac (30) 178 B 5
Claret (04) 166 A 5
Claret (34) 177 H 5
Clarques (62) 3 E 5
La Clarté (22) 42 D 1
Clary (59) 9 E 5
Classun (40) 186 B 1
Clastres (02) 16 D 3
Clasville (76) 12 D 2
Le Clat (11) 208 A 5
Claudon (88) 76 D 3
Les Claux (05) 167 F 3
Le Claux (15) 146 B 4
Clavans-
en-Haut-Oisans (38) 152 B 4
Clavé (79) 114 C 2
Claveisolles (69) 121 H 5
Clavette (17) 113 F 4
Claveyson (26) 149 H 3
Clavières (15) 147 F 5
Clavières (30) 178 A 3
Clavières (36) 104 C 4
Claviers (83) 197 H 2
Claville (27) 29 F 4
Claville-Motteville (76) 13 H 4
Clavy-Warby (08) 18 C 3
La Claye (85) 112 D 1
Claye-Souilly (77) 31 H 5
Clayes (35) 65 E 1
Les Clayes-sous-Bois (78) 50 D 1
La Clayette (71) 121 G 3
Clayeures (54) 57 F 4
Clazay (79) 100 D 4
Clécy (14) 27 E 5
Cléden-Cap-Sizun (29) 60 D 2
Cléden-Poher (29) 62 B 1
Cléder (29) 41 H 2
Clèdes (40) 186 B 2
Cleebourg (67) 39 G 3
Clefmont (52) 76 A 2
Clefs-Val-d'Anjou (49) 85 G 2
Les Clefs (74) 138 C 2
Cléguer (56) 62 C 5
Cléguérec (56) 63 F 3
Clelles (38) 165 G 1
Clémencey (21) 93 E 5
Clémensat (63) 133 F 5
Clémery (54) 37 E 5
Clémont (18) 89 F 2
Clénay (21) 93 G 3
Clenleu (62) 6 D 1
Cléon (76) 29 F 2
Cléon-d'Andran (26) 164 C 3
Cleppé (42) 134 D 3
Clérac (17) 141 H 3
Cléré-du-Bois (36) 103 F 3
Cléré-les-Pins (37) 86 B 3
Cléré-sur-Layon (49) 101 E 1
Clères (76) 13 G 4
Clérey (10) 74 A 1
Clérey-la-Côte (88) 56 B 4
Clerey-Sud (10) 74 A 2
Clérey-sur-Brenon (54) 56 D 3
Clergoux (19) 145 F 3
Clérieux (26) 150 B 4
Les Clérimois (89) 72 D 1
Le Clerjus (88) 77 F 3
Clerlande (63) 133 F 2
Clermain (71) 122 A 3
Clermont (09) 206 C 2
Clermont (40) 185 G 1
Clermont SP (60) 31 F 1
Clermont (74) 137 H 1
Clermont-Créans (72) 85 H 1
Clermont-
de-Beauregard (24) 143 E 5
Clermont-Dessous (47) 172 A 1
Clermont-d'Excideuil (24) 143 H 2
Clermont-en-Argonne (55) 35 F 3
Clermont-en-Auge (14) 27 H 3
Clermont-Ferrand P (63) 133 E 3
Clermont-le-Fort (31) 189 F 4
Clermont-les-Fermes (02) 17 H 4
Clermont-l'Hérault (34) 192 C 2
Clermont-Pouyguillès (32) 187 H 3
Clermont-Savès (32) 188 D 2
Clermont-Soubiran (47) 172 D 2
Clermont-sur-Lauquet (11) 208 B 2
Cléron (25) 111 E 1
Clerques (62) 2 D 4
Clerval (25) 95 G 3
Cléry (21) 94 A 4
Cléry (73) 138 C 4
Cléry-en-Vexin (95) 30 C 3
Cléry-le-Grand (55) 35 F 1
Cléry-le-Petit (55) 35 F 1
Cléry-St-André (45) 70 B 5
Cléry-sur-Somme (80) 16 B 1
Clesles (51) 53 G 4
Clessé (71) 122 B 2
Clessé (79) 101 E 4
Clessy (71) 121 F 1
Cléty (62) 3 E 5
Cleurie (88) 77 H 2
Cleuville (76) 12 D 3
Cléville (14) 27 H 3
Cléville (76) 12 D 4
Clévilliers (28) 49 H 4
Cleyrac (33) 156 A 2
Cleyzieu (01) 137 E 2
Clézentaine (88) 57 G 4
Clichy (92) 31 F 5
Clichy-sous-Bois (93) 31 G 5
Climbach (67) 39 F 3
Clinchamp (52) 75 H 1
Clinchamps-sur-Orne (14) 27 F 4
Clion (17) 127 F 5
Clion (36) 103 G 3
Le Clion-sur-Mer (44) 82 C 5
Cliousclat (26) 163 H 2
Cliponville (76) 13 E 3
Cliron (08) 18 D 2
Clis (44) 82 A 3
La Clisse (17) 127 E 3
Clisson (44) 99 H 1
Clitourps (50) 23 E 2
Clohars-Carnoët (29) 62 B 5
Clohars-Fouesnant (29) 61 G 3
Le Cloître-Pleyben (29) 62 A 1
Le Cloître-St-Thégonnec (29) 42 A 4
Clomot (21) 92 C 5
Clonas-sur-Varèze (38) 149 G 1
Clos-Fontaine (77) 52 B 3
Clos-Ry (58) 106 C 3
La Clotte (17) 141 H 4
Clouange (57) 20 D 4
Cloué (86) 115 E 2
Les Clouzeaux (85) 99 F 5
Cloyes-sur-le-Loir (28) 69 G 3
Cloyes-sur-Marne (51) 54 C 2
Clucy (39) 110 D 2
Clugnat (23) 118 A 3
Cluis (36) 117 G 1
Clumanc (04) 181 H 3
Cluny (71) 122 A 2
La Clusaz (74) 138 C 1
La Cluse (05) 166 A 3
La Cluse-et-Mijoux (25) 111 G 3
Les Cluses (66) 213 E 4
Cluses (74) 125 E 5
Clussais-la-Pommeraie (79) 114 D 4
Clux (71) 109 G 2
Coadout (22) 43 E 4
Coaraze (06) 183 F 4
Coarraze (64) 204 A 1
Coat-Méal (29) 41 E 3
Coatascorn (22) 43 E 3
Coatréven (22) 42 D 2
Cobonne (26) 164 D 2
Cobrieux (59) 4 D 4
La Cochère (61) 48 A 2
Cocherel (27) 29 H 4
Cocherel (77) 32 B 4
Cocheren (57) 37 H 2
Coclois (10) 54 B 4
Cocquerel (80) 7 E 5
Cocumont (47) 156 A 5
Codalet (66) 212 B 3
Codognan (30) 193 H 1
Codolet (30) 179 E 2
Coëmont (72) 86 B 1
Coësmes (35) 65 G 4
Coëtlogon (22) 64 A 1
Coëtmieux (22) 43 H 5
Coëtquen (22) 44 D 4
Cœuvres-et-Valsery (02) 32 C 2
Coëx (85) 99 E 4
Coggia (2A) 216 C 4
Coglès (35) 45 H 4
Cogna (39) 123 H 1
Cognac SP (16) 127 G 4
Cognac-la-Forêt (87) 129 H 3
Cognat-Lyonne (03) 120 A 5
Cogners (72) 68 D 4
Cognet (38) 165 H 1
Cognières (70) 95 F 2
Cognin (73) 137 H 4
Cognin-les-Gorges (38) 151 E 3
Cognocoli-Monticchi (2A) 218 D 1
Cogny (18) 105 H 4
Cogny (69) 135 G 1
Cogolin (83) 197 H 5
Cohade (43) 147 G 2
Cohan (02) 33 F 3
Cohennoz (73) 138 D 3
Cohiniac (22) 43 F 5
Cohons (52) 75 H 5
Coiffy-le-Bas (52) 76 B 4
Coiffy-le-Haut (52) 76 B 4
Coigneux (80) 7 H 5
Coignières (78) 50 C 2
Coigny (50) 23 E 5
Coimères (33) 155 H 4
Coin-lès-Cuvry (57) 36 D 4
Coin-sur-Seille (57) 36 D 4
Coinces (45) 70 B 3
Coinches (88) 58 B 5
Coincourt (54) 57 G 2
Coincy (02) 32 D 3
Coincy (57) 37 E 3
Coindre (15) 146 B 2
Coings (36) 104 B 3
Coingt (02) 17 A 2
Coirac (33) 155 H 2
Coise (69) 135 F 4
Coise-St-Jean-Pied-
Gauthier (73) 138 B 5
Coiserette (39) 123 H 3
Coisevaux (70) 95 H 1
Coisia (39) 123 G 3
Coisy (80) 15 F 1
Coivert (17) 114 A 5
Coivrel (60) 15 H 5
Coizard-Joches (51) 53 G 1
Colamine-sous-Vodable (63) 147 E 1
Colayrac-St-Cirq (47) 172 B 2
Colembert (62) 2 C 4
Coligny (01) 123 E 2
Coligny (51) 53 H 1
Colincamps (80) 7 H 5
Collan (89) 73 G 5
La Collancelle (58) 107 F 1
Collandres (15) 146 B 3
Collandres-Quincarnon (27) 29 E 5
Collanges (63) 147 F 1
Collat (43) 147 H 3
La Colle-sur-Loup (06) 199 F 1
Collégien (77) 51 H 1
Collemiers (89) 72 C 2
Colleret (59) 10 A 2
Le Collet-de-Dèze (48) 177 H 2
Colletot (27) 28 D 1
Colleville (76) 12 C 3
Colleville-Montgomery (14) 27 F 2
Colleville-sur-Mer (14) 23 H 5
Collias (30) 178 C 4
Colligis-Crandelain (02) 17 F 5
Colligny (57) 37 E 3
Colline-Beaumont (62) 6 C 3
Collinée (22) 44 A 5
Collioure (66) 213 G 4
Collobrières (83) 197 F 5
Collonge-en-Charollais (71) 108 C 5
Collonge-la-Madeleine (71) 108 C 3
Collonges (01) 124 A 4
Collonges (69) 135 H 2
Collonges-la-Rouge (19) 144 D 4

Localité *(Département)* Page Coordonnées

Collonges-lès-Bévy *(21)* 109 E 1
Collonges-lès-Premières *(21)* 93 H 5
Collonges-sous-Salève *(74)* 124 B 4
Collongues *(06)* 182 C 4
Collongues *(65)* 187 F 5
Collorec *(29)* 62 A 1
Collorgues *(30)* 178 B 4
Colmar [P] *(68)* 78 D 2
Colmars *(04)* 182 A 1
Colmen *(57)* 21 G 3
Colméry *(58)* 90 C 4
Colmesnil-Manneville *(76)* 13 G 2
Colmey *(54)* 20 A 3
Colmier-le-Bas *(52)* 75 F 5
Colmier-le-Haut *(52)* 75 F 5
Colognac *(30)* 177 G 3
Cologne *(32)* 188 C 1
Colomars *(06)* 183 F 5
Colombe *(38)* 151 E 1
La Colombe *(41)* 69 H 4
La Colombe *(50)* 25 F 5
Colombé-la-Fosse *(10)* 75 E 1
Colombé-le-Sec *(10)* 75 E 1
Colombe-lès-Bithaine *(70)* 77 F 5
Colombe-lès-Vesoul *(70)* 95 E 1
Colombelles *(14)* 27 F 2
Colombes *(92)* 31 E 5
Colombey-les-Belles *(54)* 56 C 3
Colombey-lès-Choiseul *(52)* 76 B 2
Colombey-les-Deux-Églises *(52)* 75 E 1
Colombier *(03)* 119 F 4
Le Colombier *(06)* 199 E 1
Colombier *(21)* 108 D 1
Colombier *(24)* 156 D 2
Colombier *(30)* 178 D 2
Colombier *(42)* 149 F 2
Colombier *(70)* 95 E 1
Colombier-en-Brionnais *(71)* 121 G 3
Colombier-Fontaine *(25)* 95 H 3
Colombier-le-Cardinal *(07)* 149 G 2
Colombier-le-Jeune *(07)* 149 G 5
Colombier-le-Vieux *(07)* 149 G 4
Colombier-Saugnieu *(69)* 136 C 3
Colombières *(14)* 25 G 2
Colombières-sur-Orb *(34)* 191 H 3
Colombiers *(17)* 127 F 4
Colombiers *(18)* 105 G 5
Colombiers *(34)* 192 A 5
Colombiers *(61)* 47 H 4
Colombiers *(86)* 102 B 4
Colombiers-du-Plessis *(53)* 46 C 5
Colombiers-sur-Seulles *(14)* 27 E 2
Colombiès *(12)* 175 E 1
Colombotte *(70)* 95 F 1
Colomby *(50)* 22 D 4
Colomby-Anguerny *(14)* 27 F 2
Colomby-sur-Thaon *(14)* 27 F 2
Colomiers *(31)* 189 F 2
Colomieu *(01)* 137 F 3
Colonard-Corubert *(61)* 48 D 5
Colondannes *(23)* 117 F 4
Colonfay *(02)* 17 F 2
Colonne *(39)* 110 B 3
Colonzelle *(26)* 163 H 5
Colpo *(56)* 63 G 5
Colroy-la-Grande *(88)* 58 B 5
Colroy-la-Roche *(67)* 58 C 4
Coltainville *(28)* 50 A 4
Coltines *(15)* 146 D 4
Coly *(24)* 144 A 4
Combaillaux *(34)* 193 E 2
Combas *(30)* 178 A 5
Combe *(30)* 178 D 2
La Combe-de-Lancey *(38)* 151 H 2
Combeaufontaine *(70)* 76 C 5
Combefa *(81)* 174 D 3
La Combelle *(63)* 147 F 1
Comberanche-et-Épeluche *(24)* 142 C 2
Comberjon *(70)* 95 E 1
Comberouger *(82)* 173 E 5
Combertault *(21)* 109 F 2
Les Combes *(25)* 111 H 1
Combes *(34)* 192 A 2
Combiers *(16)* 128 D 5
Comblanchien *(21)* 109 F 1
Comblat *(15)* 146 B 5
Combles *(80)* 16 A 1
Combles-en-Barrois *(55)* 55 F 1
Comblessac *(35)* 64 C 4
Combleux *(45)* 70 D 4
Comblizy *(51)* 33 F 4
Comblot *(61)* 48 C 4
Combloux *(74)* 139 E 1
Combon *(27)* 29 E 4
Combourg *(35)* 45 F 4
Combourtillé *(35)* 65 H 1
Combovin *(26)* 164 D 1
Combrailles *(63)* 132 C 3
Combrand *(79)* 100 C 3
Combray *(14)* 27 F 5
Combre *(42)* 135 E 1
Combrée *(49)* 84 B 1
Combres *(28)* 49 F 5
Combres-sous-les-Côtes *(55)* 36 A 4
Combressol *(19)* 145 G 1
Combret *(12)* 175 H 5
Combreux *(45)* 71 F 4
Combrimont *(88)* 58 B 5
Combrit *(29)* 61 G 4
Combronde *(63)* 133 E 1
Combs-la-Ville *(77)* 51 G 3
La Comelle *(71)* 108 A 3
Comiac *(46)* 145 F 5
Comigne *(11)* 208 C 1
Comines *(59)* 4 C 2
Commana *(29)* 41 H 4
Commarin *(21)* 92 D 5
Commeaux *(61)* 47 G 1
Commelle *(38)* 150 D 1
Commelle-Vernay *(42)* 134 D 1
Commenailles *(39)* 110 A 4
Commenchon *(02)* 16 C 4
Commensacq *(40)* 169 G 2
Commentry *(03)* 119 E 4
Commeny *(95)* 30 C 3
Commequiers *(85)* 98 D 4
Commer *(53)* 66 D 1
Commercy [SP] *(55)* 56 A 1
Commerveil *(72)* 48 B 5
Commes *(14)* 23 H 5
Commissey *(89)* 73 H 5
La Commodité *(45)* 71 H 4
Communailles-en-Montagne *(39)* 111 E 3
Communay *(69)* 135 H 4
Compains *(63)* 146 D 1
Compainville *(76)* 14 B 4
Compans *(77)* 31 H 5
Le Compas *(23)* 132 B 1
Compertrix *(51)* 34 B 5
Compeyre *(12)* 176 B 2
Compiègne [SP] *(60)* 32 A 1
Compigny *(89)* 52 C 5
Compolibat *(12)* 159 G 5
La Compôte *(73)* 138 B 3
Comprégnac *(12)* 176 B 3
Compreignac *(87)* 130 A 1
Comps *(07)* 162 D 5
Comps *(26)* 164 D 4
Comps *(30)* 178 D 5
Comps *(33)* 141 E 4
Comps-la-Grand-Ville *(12)* 175 G 2
Comps-sur-Artuby *(83)* 197 G 1
La Comté *(62)* 7 H 2
Comus *(11)* 207 G 4
Conan *(41)* 87 H 1
Conand *(01)* 137 E 2
Conat *(66)* 212 B 3
Conca *(2A)* 219 G 2
Concarneau *(29)* 61 H 4
Concevreux *(02)* 33 F 1
Concèze *(19)* 144 B 2
Les Conches *(85)* 112 C 2
Conches-en-Ouche *(27)* 29 F 5
Conches-sur-Gondoire *(77)* 51 H 1
Conchez-de-Béarn *(64)* 186 D 3
Conchil-le-Temple *(62)* 6 C 2
Conchy-les-Pots *(60)* 16 A 4
Conchy-sur-Canche *(62)* 7 F 3
Concorès *(46)* 158 B 3
Concoret *(56)* 64 C 2
Concots *(46)* 158 D 5
Concoules *(30)* 162 B 5
Concourson-sur-Layon *(49)* 85 F 5
Concremiers *(36)* 116 C 1
Concressault *(18)* 89 G 3
Concriers *(41)* 70 A 5
Condac *(16)* 128 C 1
Condal *(71)* 123 E 2
Condamine *(01)* 123 G 5
Condamine *(39)* 110 A 5
La Condamine *(MCO)* 183 G 5
La Condamine-Châtelard *(04)* 167 F 4
Condat *(15)* 146 C 2
Condat *(46)* 144 D 5
Condat-en-Combraille *(63)* 132 B 2
Condat-lès-Montboissier *(63)* 133 H 5
Condat-sur-Ganaveix *(19)* 144 C 1
Condat-sur-Trincou *(24)* 143 F 1
Condat-sur-Vézère *(24)* 144 A 4
Condat-sur-Vienne *(87)* 130 A 3
Condé *(36)* 104 D 3
Condé-en-Barrois *(55)* 55 G 1
Condé-en-Brie *(02)* 33 E 4
Condé-Folie *(80)* 15 E 1
Condé-lès-Autry *(08)* 35 E 2
Condé-lès-Herpy *(08)* 18 A 5
Condé-lès-Vouziers *(08)* 34 D 1
Condé-Northen *(57)* 21 F 5
Condé-Sainte-Libiaire *(77)* 32 A 5
Condé-sur-Aisne *(02)* 32 D 1
Condé-sur-Ifs *(14)* 27 G 4
Condé-sur-Iton *(27)* 49 F 1
Condé-sur-l'Escaut *(59)* 5 F 5
Condé-sur-Marne *(51)* 34 A 4
Condé-sur-Noireau *(14)* 47 E 1
Condé-sur-Risle *(27)* 28 D 2
Condé-sur-Sarthe *(61)* 47 H 4
Condé-sur-Seulles *(14)* 26 D 2
Condé-sur-Suippe *(02)* 33 G 1
Condé-sur-Vesgre *(78)* 50 B 2
Condé-sur-Vire *(50)* 25 G 4
Condeau *(61)* 49 E 5
Condécourt *(95)* 30 D 4
Condeissiat *(01)* 122 D 4
Condéon *(16)* 141 H 1
Condes *(39)* 123 G 3
Condes *(52)* 75 G 2
Condette *(62)* 2 B 5
Condezaygues *(47)* 157 G 4
Condillac *(26)* 163 H 3
Condom [SP] *(32)* 172 A 4
Condom-d'Aubrac *(12)* 160 C 3
Condorcet *(26)* 165 E 5
Condren *(02)* 16 D 4
Condrieu *(69)* 149 G 1
Les Confins *(74)* 138 D 1
Conflandey *(70)* 76 D 5
Conflans *(73)* 138 C 3
Conflans-en-Jarnisy *(54)* 20 C 5
Conflans-Ste-Honorine *(78)* 30 D 5
Conflans-sur-Anille *(72)* 68 D 4
Conflans-sur-Lanterne *(70)* 77 E 4
Conflans-sur-Loing *(45)* 72 A 4
Conflans-sur-Seine *(51)* 53 F 3
Confolens [SP] *(16)* 129 F 1
Confolent-Port-Dieu *(19)* 132 B 5
Confort *(01)* 123 H 4
Confort-Meilars *(29)* 61 E 2
Confracourt *(70)* 94 C 1
Confrançon *(01)* 122 D 3
Congé-sur-Orne *(72)* 68 A 1
Congénies *(30)* 193 H 1
Congerville-Thionville *(91)* 50 D 5
Congis-sur-Thérouanne *(77)* 32 B 4
Congrier *(53)* 66 A 5
Congy *(51)* 53 G 1
Conie-Molitard *(28)* 69 H 2
Conilhac-Corbières *(11)* 208 D 1
Conilhac-de-la-Montagne *(11)* 208 A 3
Conjux *(73)* 137 H 3
Conleau *(56)* 81 G 2
Conlie *(72)* 67 H 2
Conliège *(39)* 110 B 5
Connac *(12)* 175 G 4
Connangles *(43)* 147 H 2
Connantray-Vaurefroy *(51)* 53 H 2
Connantre *(51)* 53 G 2
Connaux *(30)* 178 D 3
Conne-de-Labarde *(24)* 157 E 2
Connelles *(27)* 29 H 2
Connerré *(72)* 68 C 3
Connezac *(24)* 129 E 5
Connigis *(02)* 33 E 4
Conquereuil *(44)* 83 E 1
Conques-en-Rouergue *(12)* 159 H 4
Conques-sur-Orbiel *(11)* 191 E 5
Le Conquet *(29)* 40 D 4
Conqueyrac *(30)* 177 H 4
Cons-la-Grandville *(54)* 20 B 2
Cons-Ste-Colombe *(74)* 138 C 3
Consac *(17)* 141 F 1
Conségudes *(06)* 182 D 4
Consenvoye *(55)* 35 G 2
Consigny *(52)* 75 H 2
Consolation-Maisonnettes *(25)* 95 H 5
Le Contadour *(04)* 180 C 2
Contalmaison *(80)* 8 A 5
Contamine-Sarzin *(74)* 124 B 5
Contamine-sur-Arve *(74)* 124 D 4
Les Contamines-Montjoie *(74)* 139 E 2
Contault *(51)* 34 D 5
Contay *(80)* 15 G 1
Conte *(39)* 110 D 4
Contes *(06)* 183 F 4
Contes *(62)* 7 E 2
Contescourt *(02)* 16 D 2
Contest *(53)* 66 D 1
Conteville *(14)* 27 G 4
Conteville *(27)* 28 C 1
Conteville *(60)* 15 E 4
Conteville *(76)* 14 B 3
Conteville *(80)* 7 E 4
Conteville-en-Ternois *(62)* 7 G 2
Conteville-lès-Boulogne *(62)* 2 B 4
Conthil *(57)* 37 G 5
Contigné *(49)* 67 E 5
Contigny *(03)* 120 A 3
Contilly *(72)* 48 B 5
Continvoir *(37)* 86 A 4
Contis-Plage *(40)* 168 C 2
Contoire *(80)* 15 H 3
Contrazy *(09)* 206 B 2
Contré *(17)* 127 H 1
Contre *(80)* 15 E 3
Contréglise *(70)* 76 D 4
Contremoulins *(76)* 12 C 3
Contres *(18)* 105 G 3
Contres *(41)* 87 H 4
Contres-en-Vairais *(72)* 68 C 1
Contreuve *(08)* 34 C 1
Contrevoz *(01)* 137 F 2
Contrexéville *(88)* 76 C 1
Contrières *(50)* 24 D 4
Contrisson *(55)* 55 E 1
Conty *(80)* 15 E 3
Contz-les-Bains *(57)* 21 F 2
Conzieu *(01)* 137 F 3
Coole *(51)* 54 B 2
Coolus *(51)* 34 B 5
La Copechagnière *(85)* 99 G 3
Copponex *(74)* 124 B 5
Coquainvilliers *(14)* 28 A 3
Coquelles *(62)* 2 C 2
La Coquille *(24)* 129 G 5
Corancez *(28)* 50 A 5
Corancy *(58)* 107 H 1
Coray *(29)* 62 A 3
Corbara *(2B)* 214 C 4
Corbarieu *(82)* 173 G 4
Corbas *(69)* 136 B 4
Corbehem *(62)* 8 C 3
Corbeil *(51)* 54 B 3
Corbeil-Cerf *(60)* 31 E 2
Corbeil-Essonnes *(91)* 51 G 3
Corbeilles *(45)* 71 G 3
Corbel *(73)* 151 H 1
Corbelin *(38)* 137 F 4
Corbenay *(70)* 77 F 4
Corbeny *(02)* 17 G 5
Corbère *(66)* 212 D 2
Corbère-Abères *(64)* 186 D 3
Corbère-les-Cabanes *(66)* 212 D 2
Corberon *(21)* 109 F 2
Corbès *(30)* 177 H 3
Corbie *(27)* 30 A 3
Corbie *(80)* 15 G 1
Le Corbier *(73)* 152 C 2
La Corbière *(70)* 77 G 5
Corbières *(11)* 207 H 2
Corbières-en-Provence *(04)* 180 D 5
Corbigny *(58)* 91 F 5
Corbon *(14)* 27 H 3
Corbon *(61)* 48 D 4
Corbonod *(01)* 137 H 1
Corbreuse *(91)* 50 D 4
Corcelle-Mieslot *(25)* 95 E 4
Corcelles *(01)* 123 G 5
Corcelles-en-Beaujolais *(69)* 122 B 5
Corcelles-Ferrières *(25)* 94 C 5
Corcelles-les-Arts *(21)* 109 E 2
Corcelles-lès-Cîteaux *(21)* 93 G 5
Corcelles-les-Monts *(21)* 93 F 4
Corcieux *(88)* 78 A 1
Corconne *(30)* 177 H 5
Corcoué-sur-Logne *(44)* 99 F 2
Corcy *(02)* 32 C 2
Cordéac *(38)* 165 H 1
Cordebugle *(14)* 28 B 3
Cordelle *(42)* 134 D 1
Cordemais *(44)* 82 D 4
Cordes-sur-Ciel *(81)* 174 C 3
Cordes-Tolosannes *(82)* 173 F 4
Cordesse *(15)* 160 D 1
Cordesse *(71)* 108 B 2
Cordey *(14)* 47 G 1
Cordon *(74)* 139 E 1
Cordonnet *(70)* 94 D 3
Coren *(15)* 147 E 4
Corenc *(38)* 151 H 3
Corent *(63)* 133 F 4
Corfélix *(51)* 53 F 1
Corgengoux *(21)* 109 F 2
Corgenon *(01)* 122 D 4
Corgirnon *(52)* 76 A 5
Corgnac-sur-l'Isle *(24)* 143 G 2
Corgoloin *(21)* 109 F 1
Corignac *(17)* 141 G 2
Corlay *(22)* 63 F 1
Corlée *(52)* 75 H 4
Corlier *(01)* 123 G 5
Cormainville *(28)* 70 B 2
Cormaranche-en-Bugey *(01)* 137 F 1
Cormatin *(71)* 122 A 1
Corme-Écluse *(17)* 126 D 4
Corme-Royal *(17)* 126 D 3
Cormeilles *(27)* 28 B 2
Cormeilles *(60)* 15 F 4
Cormeilles-en-Parisis *(95)* 31 E 5
Cormeilles-en-Vexin *(95)* 30 D 4
Cormelles-le-Royal *(14)* 27 F 3
Cormenon *(41)* 69 E 4
Cormeray *(41)* 87 H 3
Cormeray *(50)* 45 G 3
Cormery *(37)* 87 E 5
Cormes *(72)* 68 D 2
Cormicy *(51)* 33 G 1
Le Cormier *(27)* 29 H 5
Le Cormier *(44)* 82 B 5
Cormolain *(14)* 25 H 3
Cormont *(62)* 6 C 1
Cormontreuil *(51)* 33 H 2
Cormoranche-sur-Saône *(01)* 122 B 4
Cormost *(10)* 74 A 2
Cormot-le-Grand *(21)* 108 D 2
Cormoyeux *(51)* 33 G 3
Cormoz *(01)* 123 E 2
Corn *(46)* 159 E 3
Cornac *(46)* 159 E 1
Cornant *(89)* 72 C 2
Cornas *(07)* 149 H 5
Cornay *(08)* 35 E 2
Corné *(49)* 85 F 3
Cornebarrieu *(31)* 189 F 2
Corneilhan *(34)* 192 B 4
Corneilla-de-Conflent *(66)* 212 B 3
Corneilla-del-Vercol *(66)* 213 F 3
Corneilla-la-Rivière *(66)* 208 D 5
Corneillan *(32)* 186 D 2
Corneuil *(27)* 49 G 1
Corneville-la-Fouquetière *(27)* 28 D 4
Corneville-sur-Risle *(27)* 28 D 1
Cornier *(74)* 124 C 5
Corniéville *(55)* 56 B 1
Cornil *(19)* 144 D 3
Cornillac *(26)* 165 F 5
Cornille *(24)* 143 F 3
Cornillé *(35)* 65 H 2
Cornillé-les-Caves *(49)* 85 F 3
Cornillon *(30)* 178 C 2
Cornillon-Confoux *(13)* 195 F 2
Cornillon-en-Trièves *(38)* 165 H 1
Cornillon-sur-l'Oule *(26)* 165 F 4
Cornimont *(88)* 78 A 3
Cornod *(39)* 123 G 3
Cornot *(70)* 94 C 1
La Cornuaille *(49)* 84 B 2
Cornus *(12)* 176 C 5
Cornusse *(18)* 105 H 3
Corny *(27)* 30 A 2
Corny-Machéroménil *(08)* 18 C 4
Corny-sur-Moselle *(57)* 36 D 4
Coron *(49)* 100 D 1
Corpe *(85)* 113 E 1
Corpeau *(21)* 109 E 3
Corpoyer-la-Chapelle *(21)* 92 D 2
Corps *(38)* 166 A 1
Corps-Nuds *(35)* 65 F 3
Corquilleroy *(45)* 71 H 3
Corquoy *(18)* 105 F 3
Corrano *(2A)* 219 E 1
Corravillers *(70)* 77 H 4
Corre *(70)* 76 D 4
Corrençon-en-Vercors *(38)* 151 F 4
Correns *(83)* 196 D 3
Corrèze *(19)* 145 E 2
Corribert *(51)* 33 F 5
Corrobert *(51)* 33 E 5
Corrombles *(21)* 92 A 3
Corronsac *(31)* 189 G 3
Corroy *(51)* 53 G 2
Corsaint *(21)* 92 A 2
Corsavy *(66)* 212 C 4
Corscia *(2B)* 216 D 2
Corsept *(44)* 82 C 4
Corseul *(22)* 44 C 3
Cortambert *(71)* 122 A 2
Corte [SP] *(2B)* 217 E 2
Cortevaix *(71)* 122 A 1
Cortone *(Col de) (2A)* 218 C 2
Cortrat *(45)* 71 H 4
Les Corvées-les-Yys *(28)* 49 G 5
Corveissiat *(01)* 123 F 4
Corvol-d'Embernard *(58)* 90 D 5
Corvol-l'Orgueilleux *(58)* 90 D 3
Corzé *(49)* 85 E 2
Cos *(09)* 207 E 3
Cosges *(39)* 110 A 4
Coslédaà-Lube-Boast *(64)* 186 C 3
Cosmes *(53)* 66 C 4
Cosnac *(19)* 144 C 4
Cosne-Cours-sur-Loire [SP] *(58)* 90 A 4
Cosne-d'Allier *(03)* 119 F 2
Cosnes-et-Romain *(54)* 20 B 2
Cosqueville *(50)* 23 E 2
Cossaye *(58)* 107 E 4
Cossé-d'Anjou *(49)* 84 C 5
Cossé-en-Champagne *(53)* 67 F 3
Cossé-le-Vivien *(53)* 66 B 3
Cossesseville *(14)* 27 F 5
Cosswiller *(67)* 58 D 2
Costa *(2B)* 214 D 5
Costaros *(43)* 162 B 1
La Coste *(30)* 177 G 3
Costeilades *(48)* 162 B 5
Les Costes *(05)* 166 B 2
Les Costes-Gozon *(12)* 175 H 4
La Côte *(70)* 77 G 5
La Côte-d'Aime *(73)* 139 E 4
La Côte-d'Arbroz *(74)* 125 F 4
La Côte-en-Couzan *(42)* 134 B 3
La Côte-St-André *(38)* 150 D 1
Le Coteau *(42)* 134 D 1
Côtebrune *(25)* 95 F 4
Les Côtes-d'Arey *(38)* 149 H 1
Les Côtes-de-Corps *(38)* 166 A 1
Coti-Chiavari *(2A)* 218 C 2
Cotignac *(83)* 197 E 2
La Cotinière *(17)* 126 A 1
Cottance *(42)* 135 E 3
Cottenchy *(80)* 15 G 2
Cottévrard *(76)* 13 H 4
Cottun *(14)* 25 H 2
La Couarde *(79)* 114 C 3
La Couarde-sur-Mer *(17)* 112 C 4
Couargues *(18)* 90 A 5
Coubert *(77)* 51 H 2
Coubeyrac *(33)* 156 A 2
Coubisou *(12)* 160 C 4
Coubjours *(24)* 144 A 3
Coublanc *(52)* 94 A 1
Coublanc *(71)* 121 G 4
Coublevie *(38)* 151 G 1
Coublucq *(64)* 186 B 3
Coubon *(43)* 148 B 5
Coubron *(93)* 31 G 5
Couches *(71)* 108 D 3
Couchey *(21)* 93 F 5
La Coucourde *(26)* 163 H 3
Coucouron *(07)* 162 B 2
Coucy *(08)* 18 C 5
Coucy-la-Ville *(02)* 16 D 5
Coucy-le-Château-Auffrique *(02)* 16 D 5
Coucy-lès-Eppes *(02)* 17 G 5
Couddes *(41)* 87 H 4
Coudehard *(61)* 48 A 1
Coudekerque-Branche *(59)* 3 F 2
Coudekerque-Village *(59)* 3 F 2
Coudes *(63)* 133 F 5
Coudeville-sur-Mer *(50)* 24 D 5
Coudons *(11)* 207 H 4
Coudoux *(13)* 195 G 2
Coudray *(27)* 30 A 2
Le Coudray *(28)* 50 A 5
Le Coudray *(28)* 50 A 3
Le Coudray *(44)* 83 E 2
Coudray *(45)* 71 F 1
Coudray *(53)* 66 D 5
Coudray-au-Perche *(28)* 69 E 1
Le Coudray-Macouard *(49)* 85 G 5
Le Coudray-Montceaux *(91)* 51 G 3
Coudray-Rabut *(14)* 28 A 2
Le Coudray-St-Germer *(60)* 30 C 1
Le Coudray-sur-Thelle *(60)* 31 E 2
La Coudre *(79)* 101 E 2
Coudreceau *(28)* 49 E 5
Coudrecieux *(72)* 68 D 3
Coudres *(27)* 49 G 1
Coudroy *(45)* 71 G 4
Coudun *(60)* 16 A 5
Coudures *(40)* 186 B 1
Coueilles *(31)* 188 C 5
Couëron *(44)* 83 E 5
Couesmes *(37)* 86 B 2
Couesmes-en-Froulay *(53)* 46 D 4
Les Couets *(44)* 83 F 5
Couffé *(44)* 83 H 3
Couffoulens *(11)* 208 B 1
Couffy *(41)* 87 H 5
Couffy-sur-Sarsonne *(19)* 131 H 4
Couflens *(09)* 206 B 5
Coufouleux *(81)* 174 B 5
Couhé *(86)* 115 E 3
Couilly-Pont-aux-Dames *(77)* 52 A 1
Couin *(62)* 7 H 4
Couiza *(11)* 208 A 3
Couladère *(31)* 206 B 1
Coulaines *(72)* 68 A 3
Coulandon *(03)* 119 H 1
Coulangeron *(89)* 91 E 1
Coulanges *(03)* 120 D 2
Coulanges *(41)* 87 G 2
Coulanges-la-Vineuse *(89)* 91 E 1
Coulanges-lès-Nevers *(58)* 106 C 2
Coulanges-sur-Yonne *(89)* 91 E 3
Coulans-sur-Gée *(72)* 67 H 3
Coulans-sur-Lizon *(25)* 110 D 2
Coulaures *(24)* 143 G 2
Couleuvre *(03)* 106 A 5
Coulevon *(70)* 95 E 1
Coulgens *(16)* 128 C 3
Coulimer *(61)* 48 C 4
Coullemelle *(80)* 15 G 4
Coullemont *(62)* 7 H 4
Coullons *(45)* 89 G 2
Coulmer *(61)* 48 B 1
Coulmier-le-Sec *(21)* 74 C 5
Coulmiers *(45)* 70 B 4
Coulobres *(34)* 192 B 4
Coulogne *(62)* 2 C 2
Couloisy *(60)* 32 B 1
Coulombiers *(72)* 68 A 1
Coulombiers *(86)* 115 F 2
Coulombs *(14)* 27 E 2
Coulombs *(28)* 50 A 3
Coulombs-en-Valois *(77)* 32 B 4
Coulomby *(62)* 2 D 4
Coulommes *(77)* 32 A 5
Coulommes-et-Marqueny *(08)* 18 C 5
Coulommes-la-Montagne *(51)* 33 G 2
Coulommiers *(77)* 52 B 1
Coulommiers-la-Tour *(41)* 69 G 5
Coulon *(79)* 114 A 3
Coulonces *(14)* 25 G 5
Coulonces *(61)* 47 H 1
La Coulonche *(61)* 47 E 2
Coulongé *(72)* 86 A 1
Coulonges *(16)* 128 B 2
Coulonges *(17)* 127 G 4
Coulonges *(27)* 49 G 1
Coulonges *(86)* 116 C 3
Coulonges-Cohan *(02)* 33 E 3
Coulonges-les-Sablons *(61)* 49 E 5
Coulonges-sur-l'Autize *(79)* 114 A 1
Coulonges-sur-Sarthe *(61)* 48 B 4
Coulonges-Thouarsais *(79)* 101 F 3
Coulongres *(30)* 178 C 2
Coulonvillers *(80)* 7 E 4
Couloumé-Mondebat *(32)* 187 E 2
Coulounieix-Chamiers *(24)* 143 F 3
Coulours *(89)* 73 E 2
Couloutre *(58)* 90 C 4
Coulouvray-Boisbenâtre *(50)* 46 A 1
Coulvain *(14)* 25 H 4
Coulx *(47)* 156 D 5
Coume *(57)* 21 G 5
Counozouls *(11)* 208 A 5
Coupelle-Neuve *(62)* 7 F 1
Coupelle-Vieille *(62)* 7 F 1
Coupesarte *(14)* 28 A 4
Coupetz *(51)* 54 B 1
Coupéville *(51)* 34 C 5
Coupiac *(12)* 175 G 4
Couplevoie *(59)* 10 A 4
Coupray *(52)* 75 F 3
Couptrain *(53)* 47 F 4
Coupvray *(77)* 32 A 5

Couquèques (33) 140 D 2
Cour-Cheverny (41) 87 H 3
Cour-et-Buis (38) 150 C 1
Cour-l'Évêque (52) 75 F 3
La Cour-Marigny (45) 71 G 4
Cour-Maugis-sur-Huisne (61) 48 D 4
Cour-St-Maurice (25) 95 H 4
Cour-sur-Loire (41) 87 H 1
Courances (91) 51 G 4
La Courançonne (84) 179 F 2
Courant (17) 114 A 5
Le Courau (30) 178 C 2
Courban (21) 74 D 4
La Courbe (61) 47 G 2
Courbehaye (28) 70 A 2
Courbépine (27) 28 C 3
Courbes (02) 17 E 3
Courbessac (30) 178 C 5
Courbesseaux (54) 57 F 2
Courbetaux (51) 53 E 1
Courbette (39) 110 B 5
Courbeveille (53) 66 C 3
Courbevoie (92) 31 E 5
Courbiac (47) 157 H 5
Courbillac (16) 127 H 3
Courboin (02) 33 E 5
Courbons (04) 181 F 2
Courbouzon (39) 110 A 5
Courbouzon (41) 88 A 1
Courçais (03) 118 C 2
Courçay (37) 87 E 5
Courceaux (89) 52 D 5
Courcebœufs (72) 68 B 2
Courcelette (80) 8 A 5
Courcelles (17) 127 F 1
Courcelles (25) 110 D 1
Courcelles (25) 96 C 2
Courcelles (54) 56 D 5
Courcelles (58) 90 D 4
Courcelles (60) 31 E 3
Courcelles (90) 97 E 2
Courcelles-au-Bois (80) 7 H 5
Courcelles-Chaussy (57) 37 F 3
Courcelles-de-Touraine (37) 86 B 3
Courcelles-en-Barrois (55) 55 H 1
Courcelles-en-Bassée (77) 52 B 5
Courcelles-en-Montagne (52) 75 G 5
Courcelles-Epayelles (60) 15 H 4
Courcelles-Frémoy (21) 92 A 3
Courcelles-la-Forêt (72) 67 H 5
Courcelles-le-Comte (62) 8 A 4
Courcelles-le-Roi (45) 71 F 3
Courcelles-lès-Gisors (60) 30 B 2
Courcelles-lès-Lens (62) 4 C 5
Courcelles-lès-Montbard (21) 92 B 2
Courcelles-lès-Semur (21) 92 B 3
Courcelles-Sapicourt (51) 33 G 2
Courcelles-sous-Châtenois (88) 56 C 5
Courcelles-sous-Moyencourt (80) 15 E 2
Courcelles-sous-Thoix (80) 15 E 3
Courcelles-sur-Aire (55) 35 G 5
Courcelles-sur-Aujon (52) 75 F 4
Courcelles-sur-Blaise (52) 55 E 4
Courcelles-sur-Nied (57) 37 E 3
Courcelles-sur-Seine (27) 29 H 3
Courcelles-sur-Vesle (02) 33 E 1
Courcelles-sur-Viosne (95) 30 D 4
Courcelles-sur-Voire (10) 54 C 4
Courcelles-Val-d'Esnoms (52) 93 G 1
Courcemain (51) 53 G 3
Courcemont (72) 68 B 2
Courcerac (17) 127 G 2
Courcerault (61) 48 D 4
Courceroy (10) 52 D 4
Courchamp (77) 52 C 3
Courchamps (02) 32 C 4
Courchamps (49) 85 G 5
Courchapon (25) 94 C 4
Courchaton (70) 95 G 2
Courchelettes (59) 8 C 3
Courchevel (73) 153 E 1
Courcité (53) 47 F 5
Courcival (72) 68 B 1
Courcôme (16) 128 B 1
Courçon (17) 113 G 4
Courcoué (37) 102 B 2
Courcouronnes (91) 51 F 3
Courcoury (17) 127 F 3
Courcuire (70) 94 C 4
Courcy (14) 27 H 5
Courcy (50) 24 D 4
Courcy (51) 33 H 2
Courcy-aux-Loges (45) 71 E 3
Courdemanche (27) 49 H 1
Courdemanche (72) 68 C 5
Courdemanges (51) 54 C 2
Courdimanche (95) 30 D 4
Courdimanche-sur-Essonne (91) 51 F 5
Le Courégant (56) 80 C 1
Couret (31) 205 H 2
Courgains (72) 68 B 1
Courgeac (16) 142 B 1
Courgenard (72) 68 D 2
Courgenay (89) 73 E 1
Courgent (78) 30 B 5
Courgeon (61) 48 D 4
Courgeoût (61) 48 C 4
Courgis (89) 73 F 5
Courgivaux (51) 53 E 2
Courgoul (63) 133 E 5
Courjeonnet (51) 53 G 1
Courlac (16) 142 B 2
Courlandon (51) 33 F 2
Courlans (39) 110 A 5
Courlaoux (39) 110 A 5
Courlay (79) 100 D 4
Courlay-sur-Mer (17) 126 C 4
Courléon (49) 86 A 4
Courlon (21) 93 F 1
Courlon-sur-Yonne (89) 52 C 5
Courmangoux (01) 123 F 3
Courmas (51) 33 G 3
Courmelles (02) 32 D 1
Courmelois (51) 34 A 3
Courmemin (41) 88 B 3
Courménil (61) 48 A 1
Courmes (06) 182 D 5
Courmont (02) 33 E 3
Courmont (70) 95 H 1
Cournanel (11) 208 A 2
La Courneuve (93) 31 F 5
Courniou (34) 191 G 3
Cournols (63) 133 E 4
Cournon (56) 64 C 5
Cournon-d'Auvergne (63) 133 F 3
Cournonsec (34) 193 E 3
Cournonterral (34) 193 E 3
La Couronne (13) 195 F 4
La Couronne (16) 128 B 4
Courouvre (55) 35 H 5
Courpalay (77) 52 B 3
Courpiac (33) 155 H 2
Courpière (63) 133 H 3
Courpignac (17) 141 F 2
Courquetaine (77) 51 H 2
Courréjean (33) 155 F 2
Courrensan (32) 171 H 5
Courrières (62) 4 B 5
Courris (81) 175 F 4
Courruero (83) 197 H 4
Courry (30) 178 A 1
Cours (46) 158 C 4
Cours (47) 172 B 1
Le Cours (56) 64 A 5
Cours (58) 90 B 3
Cours (79) 114 B 1
Cours (69) 121 G 5
Cours-de-Monségur (33) 156 B 3
Cours-de-Pile (24) 157 E 1
Cours-les-Bains (33) 156 A 5
Cours-les-Barres (18) 106 B 2
Coursac (24) 143 E 4
Coursan (11) 209 G 1
Coursan-en-Othe (10) 73 G 3
Coursegoules (06) 182 D 5
Courset (62) 2 C 5
Courseulles-sur-Mer (14) 27 F 1
Courson (14) 25 F 5
Courson-les-Carrières (89) 91 E 2
Courson-Monteloup (91) 51 E 3
Courtacon (77) 52 D 2
Courtagnon (51) 33 G 3
Courtalain (28) 69 G 3
Courtaoult (10) 73 G 3
Courtauly (11) 207 H 2
Courtavon (68) 97 F 2
Courtefontaine (25) 96 D 4
Courtefontaine (39) 110 C 1
Courteilles (27) 49 F 2
Courteix (19) 131 H 4
Courtelevant (90) 97 E 2
Courtemanche (80) 15 H 4
Courtemaux (45) 72 A 3
Courtémont (51) 34 D 3
Courtemont-Varennes (02) 33 E 4
Courtempierre (45) 71 H 2
Courtenay (38) 137 E 3
Courtenay (45) 72 B 3
Courtenot (10) 74 B 2
Courteranges (10) 74 A 1
Courteron (10) 74 C 3
Courtes (01) 122 D 2
Courtesoult-et-Gatey (70) 94 B 1
Courtetain-et-Salans (25) 95 G 4
La Courtète (11) 207 H 1
Courteuil (60) 31 G 3
Courthézon (84) 179 F 3
Courthiézy (51) 33 E 4
Courties (32) 187 F 2
Courtieux (60) 32 B 1
Courtillers (72) 67 F 5
Courtils (50) 45 H 2
La Courtine (23) 131 H 4
Courtisols (51) 34 C 4
Courtivron (21) 93 F 2
Courtoin (89) 72 B 2
Courtois-sur-Yonne (89) 72 C 1
Courtomer (61) 48 B 3
Courtomer (77) 52 A 3
Courtonne-la-Meurdrac (14) 28 B 3
Courtonne-les-Deux-Églises (14) 28 B 4
Courtrizy-et-Fussigny (02) 17 G 5
Courtry (77) 31 G 5
Courvaudon (14) 27 E 4
Courvières (25) 111 E 3
Courville (51) 33 F 2
Courville-sur-Eure (28) 49 G 4
Courzieu (69) 135 G 3
Cousance (39) 123 F 1
Cousances-au-Bois (55) 55 H 1
Cousances-les-Forges (55) 55 F 3
Cousolre (59) 10 A 2
Coussa (09) 207 E 2
Coussac-Bonneval (87) 130 B 5
Coussan (65) 187 F 5
Coussay (86) 102 A 4
Coussay-les-Bois (86) 102 D 4
Coussegrey (10) 73 H 4
Coussergues (12) 160 C 5
Coussey (88) 56 B 4
Les Coussières (23) 117 H 5
Coust (18) 105 G 5
Coustaussa (11) 208 A 3
Coustellet (84) 179 H 5
Coustouge (11) 208 D 2
Coustouges (66) 212 D 5
Coutances (50) 24 D 4
Coutansouze (03) 119 G 4
Coutarnoux (89) 91 H 2
Coutençon (77) 52 B 4
Coutens (09) 207 F 2
Couterne (61) 47 F 4
Couternon (21) 93 G 4
Couteuges (43) 147 G 3
Coutevroult (77) 52 A 1
Couthenans (70) 95 H 1
Couthures-sur-Garonne (47) 156 B 4
Coutiches (59) 4 D 5
Coutières (79) 114 D 1
Coutouvre (42) 121 F 5
Coutras (33) 141 H 4
La Coutronne (13) 196 B 4
Couture (16) 128 C 2
La Couture (62) 3 H 5
La Couture (85) 113 E 1
La Couture-Boussey (27) 29 H 5
Couture-d'Argenson (79) 128 A 1
Couture-sur-Loir (41) 68 D 5
Couturelle (62) 7 H 4
Coutures (24) 142 D 2
Coutures (33) 156 A 3
Coutures (49) 85 F 4
Coutures (82) 173 E 4
Couvains (50) 25 G 3
Couvains (61) 48 C 1
La Couvertoirade (12) 176 D 5
Couvertpuis (55) 55 G 3
Couvignon (10) 74 D 1
Couville (50) 22 C 3
Couvonges (55) 55 F 1
Couvrelles (02) 33 E 1
Couvron-et-Aumencourt (02) 17 E 4
Couvrot (51) 54 C 2
Coux (07) 163 G 2
Coux (17) 141 G 2
Coux-et-Bigaroque-Mouzens (24) 157 G 1
Couy (18) 106 A 1
La Couyère (35) 65 G 4
Couze-et-St-Front (24) 157 F 1
Couzeix (87) 130 A 2
Couziers (37) 101 H 1
Couzon (03) 106 C 5
Couzon (69) 135 H 2
Couzon-sur-Coulange (52) 93 H 1
Couzou (46) 158 C 2
Cox (31) 188 D 1
Coye-la-Forêt (60) 31 G 3
Coyecques (62) 3 E 5
Coyolles (02) 32 B 2
Coyrière (39) 124 A 3
Coyron (39) 123 H 1
Coyviller (54) 57 E 3
Cozance (38) 137 E 3
Cozes (17) 126 D 4
Cozzano (2A) 217 E 5
Crac'h (56) 81 F 2
Craches (78) 50 C 3
Crachier (38) 136 D 5
Crain (89) 91 E 3
Craincourt (57) 37 E 5
Craintilleux (42) 135 E 5
Crainvilliers (88) 76 C 2
Cramaille (02) 32 D 2
Cramans (39) 110 C 2
Cramant (51) 33 H 5
Cramchaban (17) 113 H 4
Craménil (61) 47 F 2
Cramoisy (60) 31 F 2
Cramont (80) 7 E 4
Crampagna (09) 207 E 2
Cran-Gevrier (74) 138 A 1
Crancey (10) 53 F 4
Crançot (39) 110 B 5
Crandelles (15) 145 H 5
Crannes-en-Champagne (72) 67 H 3
Crans (01) 136 D 1
Crans (39) 110 D 4
Cransac (12) 159 H 4
Crantenoy (54) 57 E 4
Cranves-Sales (74) 124 C 4
Craon (53) 66 B 4
Craon (86) 101 H 4
Craonne (02) 33 F 1
Craonnelle (02) 33 F 1
Crapeaumesnil (60) 16 A 4
Craponne (69) 135 H 3
Craponne-sur-Arzon (43) 148 A 2
Cras (38) 151 F 2
Cras (46) 158 C 4
Cras-sur-Reyssouze (01) 122 D 3
Crastatt (67) 58 D 2
Crastes (32) 188 B 1
Crasville (27) 29 F 3
Crasville (50) 23 E 3
Crasville-la-Mallet (76) 13 E 2
Crasville-la-Rocquefort (76) 13 F 2
La Crau (13) 179 F 5
La Crau (83) 201 E 3
Cravanche (90) 96 C 1
Cravans (17) 127 E 4
Cravant (45) 70 A 5
Cravant (89) 91 F 1
Cravant-les-Côteaux (37) 102 B 1
Cravencères (32) 187 E 1
Cravent (78) 30 A 5
Crayssac (46) 158 B 4
Craywick (59) 3 E 2
Crazannes (17) 127 E 2
Cré-sur-Loir (72) 85 G 1
Créances (50) 24 C 2
Créancey (21) 92 D 5
Créancey (52) 75 E 3
Crécey-sur-Tille (21) 93 G 2
La Crèche (79) 114 B 3
Crêches-sur-Saône (71) 122 B 4
Créchets (65) 205 F 3
Créchy (03) 120 B 4
Crécy-au-Mont (02) 16 D 5
Crécy-Couvé (28) 49 H 2
Crécy-en-Ponthieu (80) 6 D 3
Crécy-la-Chapelle (77) 52 A 1
Crécy-sur-Serre (02) 17 F 3
Crédin (56) 63 G 4
Crégols (46) 158 D 5
La Crégut (15) 146 B 1
Crégy-lès-Meaux (77) 32 A 5
Créhange (57) 37 G 3
Créhen (22) 44 C 3
Creil (60) 31 G 2
Creissan (34) 191 H 4
Creissels (12) 176 B 3
Crémarest (62) 2 B 4
Cremeaux (42) 134 C 2
Crémery (80) 16 A 3
Crémieu (38) 136 D 3
Crempigny-Bonneguête (74) 137 H 1
Cremps (46) 158 C 5
Crenans (39) 123 H 2
Crenay (52) 75 G 3
Creney-près-Troyes (10) 54 A 5
Crennes-sur-Fraubée (53) 47 F 5
Creno (Lac de) (2A) 216 D 3
Créon (33) 155 G 2
Créon-d'Armagnac (40) 171 F 4
Créot (71) 108 D 3
Crépand (21) 92 B 2
Crépey (54) 56 C 3
Crépol (26) 150 C 3
Crépon (14) 27 E 1
Crépy (02) 17 E 4
Crépy (62) 7 F 1
Crépy-en-Valois (60) 32 A 2
Créquy (62) 7 E 1
Le Crès (34) 193 G 2
Cresancey (70) 94 B 3
Crésantignes (10) 73 H 2
Les Cresnays (50) 46 A 2
Crespian (30) 178 A 5
Crespières (78) 50 C 1
Crespin (12) 175 E 2
Crespin (59) 5 F 5
Crespin (81) 175 E 3
Crespinet (81) 175 E 4
Crespy-le-Neuf (10) 54 C 5
Cressac-St-Genis (16) 142 A 1
Cressanges (03) 119 H 2
Cressat (23) 118 A 5
La Cresse (12) 176 C 2
Cressé (17) 127 H 2
Cressensac (46) 144 C 5
Cresserons (14) 27 F 2
Cresseveuille (14) 27 H 2
Cressia (39) 123 F 1
Cressin-Rochefort (01) 137 G 3
Cressonsacq (60) 15 H 5
Cressy (76) 13 H 3
Cressy-Omencourt (80) 16 B 3
Cressy-sur-Somme (71) 107 G 5
Crest (26) 164 C 2
Le Crest (63) 133 F 4
Crest-Voland (73) 138 D 2
Creste (63) 133 E 5
Le Crestet (07) 149 G 5
Crestet (84) 179 G 2
Crestot (27) 29 F 3
Créteil (94) 51 G 1
Créton (27) 49 G 1
Cretteville (50) 23 E 5
Creuë (55) 36 A 4
Creully (14) 27 E 2
La Creuse (70) 95 F 1
Creuse (80) 15 E 2
Le Creusot (71) 108 C 4
Creutzwald (57) 21 H 5
Creuzier-le-Neuf (03) 120 B 4
Creuzier-le-Vieux (03) 120 B 5
Crevans-et-la-Chapelle-lès-Granges (70) 95 H 2
Crevant (36) 117 H 2
Crevant-Laveine (63) 133 G 2
Crévéchamps (54) 57 E 3
Crèvecœur-en-Auge (14) 27 H 3
Crèvecœur-en-Brie (77) 52 A 2
Crèvecœur-le-Grand (60) 15 E 4
Crèvecœur-le-Petit (60) 15 G 4
Crèvecœur-sur-l'Escaut (59) 8 D 5
Creveney (70) 95 F 1
Crévic (54) 57 F 2
Crevin (35) 65 F 3
Crévoux (05) 167 E 3
Creyers (05) 165 G 3
Creys-Mépieu (38) 137 F 3
Creyssac (près de Bourdeilles) (24) 143 E 2
Creyssac (près de Ribérac) (24) 142 C 3
Creysse (24) 157 E 1
Creysse (46) 158 C 1
Creysseilles (07) 163 F 2
Creyssensac-et-Pissot (24) 143 E 4
Crézançay-sur-Cher (18) 105 F 4
Crézancy (02) 33 E 4
Crézancy-en-Sancerre (18) 89 H 5
Crézières (79) 114 C 5
Crézilles (54) 56 C 3
Cricqueboeuf (14) 28 A 1
Cricqueville-en-Auge (14) 27 H 2
Cricqueville-en-Bessin (14) 23 G 5
Criel-sur-Mer (76) 6 A 5
Crillat (39) 123 H 1
Crillon (60) 14 D 5
Crillon-le-Brave (84) 179 H 2
Crimolois (21) 93 G 5
Crion (54) 57 G 2
La Crique (76) 13 H 3
Criquebeuf-en-Caux (76) 12 C 3
Criquebeuf-la-Campagne (27) 29 F 3
Criquebeuf-sur-Seine (27) 29 G 2
Criquetot-le-Mauconduit (76) 12 D 2
Criquetot-l'Esneval (76) 12 B 4
Criquetot-sur-Longueville (76) 13 G 3
Criquetot-sur-Ouville (76) 13 F 3
Criquiers (76) 14 C 4
Crisenoy (77) 51 H 3
Crisolles (60) 16 B 4
Crissay-sur-Manse (37) 102 C 1
Crissé (72) 67 H 2
Crissey (39) 110 A 1
Crissey (71) 109 E 4
Cristinacce (2A) 216 C 3
Cristot (14) 27 E 2
Criteuil-la-Magdeleine (16) 127 H 5
Critot (76) 13 H 4
Croce (2B) 217 F 1
Crochte (59) 3 F 2
Crocicchia (2B) 215 F 5
Crocq (23) 131 H 2
Le Crocq (60) 15 E 4
Crocy (14) 27 H 5
Crœttwiller (67) 39 G 1
Croignon (33) 155 G 1
Croisances (43) 161 H 1
Croisette (62) 7 F 3
Le Croisic (44) 81 H 5
La Croisière (23) 117 E 4
La Croisière (84) 179 E 1
La Croisille (27) 29 F 5
La Croisille-sur-Briance (87) 130 C 4
Croisilles (14) 27 E 4
Croisilles (28) 50 A 2
Croisilles (61) 48 B 1
Croisilles (62) 8 B 4
Croismare (54) 57 G 2
Croissanville (14) 27 H 3
Croisset (76) 29 F 1
Croissy-Beaubourg (77) 51 H 1
Croissy-sur-Celle (60) 15 E 3
Croissy-sur-Seine (78) 51 E 1
Le Croisty (56) 62 D 3
Croisy (18) 106 A 3
Croisy-sur-Andelle (76) 14 A 5
Croisy-sur-Eure (27) 29 H 4
Croix (59) 4 C 3
Croix (90) 96 D 2
Croix (Col de la) (2A) 216 B 2
La Croix-aux-Bois (08) 34 D 1
La Croix-aux-Mines (88) 78 B 1
La Croix-Avranchin (50) 45 H 3
La Croix-Blanche (47) 172 C 1
Croix-Caluyau (59) 9 F 4
Croix-Chapeau (17) 113 F 5
La Croix-Comtesse (17) 114 A 5
La Croix-de-la-Rochette (73) 138 B 5
Croix-du-Bac (59) 3 H 5
La Croix du Breuil (87) 117 E 5
La Croix-du-Perche (28) 69 F 1
La Croix-en-Brie (77) 52 B 3
La Croix-en-Champagne (51) 34 C 4
Croix-en-Ternois (62) 7 G 2
La Croix-en-Touraine (37) 87 F 4
Croix-Fonsomme (02) 17 E 1
La Croix-Helléan (56) 64 A 3
Croix-Mare (76) 13 F 4
Croix-Moligneaux (80) 16 B 2
La Croix-St-Leufroy (27) 29 G 4
La Croix-sur-Gartempe (87) 116 B 5
La Croix-sur-Ourcq (02) 32 D 3
La Croix-sur-Roudoule (06) 182 C 3
La Croix-Valmer (83) 197 H 5
Croixanvec (56) 63 G 3
Croixdalle (76) 14 A 2
La Croixille (53) 66 B 1
Croixrault (80) 14 D 3
Croizet-sur-Gand (42) 135 E 2
Crolles (38) 151 H 2
Crollon (50) 45 H 3
Cromac (87) 116 D 3
Cromary (70) 95 E 4
Cronat (71) 107 F 5
Cronce (43) 147 G 4
La Cropte (53) 67 E 3
Cropus (76) 13 G 3
Cros (30) 177 G 4
Le Cros (34) 176 D 5
Cros (63) 146 B 1
Les Cros-d'Arconsat (63) 134 A 2
Cros-de-Cagnes (06) 199 F 1
Cros-de-Géorand (07) 162 C 2
Cros-de-Montvert (15) 145 G 4
Cros-de-Ronesque (15) 160 B 1
Crosey-le-Grand (25) 95 G 3
Crosey-le-Petit (25) 95 G 3
Crosmières (72) 67 G 5
Crosne (91) 51 G 2
Crossac (44) 82 C 3
Crosses (18) 105 G 2
Crosville-la-Vieille (27) 29 F 3
Crosville-sur-Douve (50) 22 D 5
Crosville-sur-Scie (76) 13 G 2
Crotelles (37) 87 E 2
Crotenay (39) 110 C 4
Croth (27) 49 H 1
Le Crotoy (80) 6 C 4
Crots (05) 167 E 3
Crottes-en-Pithiverais (45) 70 D 2
Crottet (01) 122 C 3
Le Crouais (35) 64 C 1
Crouay (14) 25 H 2
La Croupte (14) 28 B 4
Crouseilles (64) 186 D 3
Croutelle (86) 115 F 1
Les Croûtes (10) 73 G 3
Croutoy (60) 32 B 1
Crouttes (61) 28 A 5
Crouttes-sur-Marne (02) 32 C 5
Crouy (02) 32 D 1
Crouy (80) 15 E 1
Crouy-en-Thelle (60) 31 F 3
Crouy-sur-Cosson (41) 88 A 1
Crouy-sur-Ourcq (77) 32 B 4
Le Crouzet (25) 111 E 4
Crouzet-Migette (25) 110 D 2
La Crouzille (63) 119 E 5
La Crouzille (87) 130 B 1
Crouzilles (37) 102 B 1
Crozant (23) 117 F 3
Croze (23) 131 G 3
Crozes-Hermitage (26) 149 H 4
Crozet (01) 124 B 3
Le Crozet (42) 120 D 5
Les Crozets (39) 123 H 2
Crozon (29) 41 E 5
Crozon-sur-Vauvre (36) 117 H 2
Cruas (07) 163 H 3
Crucey (28) 49 F 2
Crucheray (41) 87 F 1
Cruéjouls (12) 160 C 5
Cruet (73) 138 A 5
Crugey (21) 92 D 5
Crugny (51) 33 F 2
Cruguel (56) 63 H 5
Cruis (04) 180 D 3
Crulai (61) 48 D 2
Crupies (26) 164 D 4
Crupilly (02) 17 G 1
Cruscades (11) 209 E 1
Cruseilles (74) 124 B 5
Crusnes (54) 20 C 3
Cruviers-Lascours (30) 178 B 4
Crux-la-Ville (58) 107 E 1
Cruzille (71) 122 B 1
Cruzilles-lès-Mépillat (01) 122 C 4
Cruzy (34) 191 H 5
Cruzy-le-Châtel (89) 74 A 5
Cry (89) 92 A 1
Cubelles (43) 147 H 5
Cubières (48) 162 A 4
Cubières-sur-Cinoble (11) 208 C 4
Cubiérettes (48) 162 A 5
Cubjac (24) 143 G 3
Cublac (19) 144 A 4
Cublize (69) 135 E 1
Cubnezais (33) 141 G 4
Cubrial (25) 95 G 2
Cubry (25) 95 G 2
Cubry-lès-Faverney (70) 77 E 5
Cubry-lès-Soing (70) 94 C 1
Cubzac-les-Ponts (33) 141 F 5
Cucharmoy (77) 52 C 3
Cuchery (51) 33 G 3
Cucq (62) 6 C 1
Cucugnan (11) 208 D 4
Cucuron (84) 180 B 5
Cucuruzzu (Site de) (2A) 219 E 2
Cudos (33) 155 H 5
Cudot (89) 72 C 4
Cuébris (06) 182 D 4
Cuélas (32) 187 H 4

Localité (Département) Page Coordonnées

Cuers (83) 197 E 5
Cuffies (02) 32 D 1
Cuffy (18) 106 B 3
Cugand (85) 99 H 1
Cuges-les-Pins (13) 196 B 5
Cugnaux (31) 189 F 3
Cugney (70) 94 B 4
Cugny (02) 16 C 3
Cuguen (35) 45 F 4
Cuguron (31) 205 F 2
Cuhon (86) 101 H 4
Cuignières (60) 31 G 1
Cuigy-en-Bray (60) 30 C 1
Cuillé (53) 66 A 3
Cuinchy (62) 4 A 4
Cuincy (59) 8 C 2
Le Cuing (31) 205 F 1
Cuinzier (42) 121 G 5
Cuirieux (02) 17 G 3
Cuiry-Housse (02) 33 E 2
Cuiry-lès-Chaudardes (02) 33 F 1
Cuiry-lès-Iviers (02) 18 A 3
Cuis (51) 33 H 4
Cuise-la-Motte (60) 32 B 1
Cuiseaux (71) 123 F 1
Cuiserey (21) 93 H 4
Cuisery (71) 122 C 1
Cuisia (39) 123 F 1
Cuisiat (01) 123 F 3
Cuisles (51) 33 F 3
Cuissai (61) 47 H 4
Cuissy-et-Geny (02) 33 F 1
Cuisy (55) 35 G 2
Cuisy (77) 31 H 4
Cuisy-en-Almont (02) 32 C 1
La Cula (42) 135 G 5
Culan (18) 118 C 1
Culètre (21) 108 D 1
Culey-le-Patry (14) 27 E 5
Culhat (63) 133 G 2
Culin (38) 136 D 5
Culles-les-Roches (71) 108 D 5
Cully (14) 27 E 2
Culmont (52) 76 A 5
Culoz (01) 137 G 2
Cult (70) 94 C 4
Cultures (48) 161 G 4
Cumières (51) 33 G 4
Cumières-le-Mort-Homme (55) 35 G 2
Cumiès (11) 190 A 5
Cumont (82) 172 D 5
Cunac (81) 175 E 4
Cunault (49) 85 F 4
Cuncy-lès-Varzy (58) 91 E 4
Cunèges (24) 156 D 2
Cunel (55) 35 F 1
Cunelières (90) 96 D 1
Cunfin (10) 74 D 3
Cunlhat (63) 133 H 4
Les Cuns (12) 176 D 3
Cuntorba (Castello de) (2A) 218 D 2
Cuon (49) 85 G 3
Cuperly (51) 34 B 4
Cuq (47) 172 C 3
Cuq (81) 190 B 2
Cuq-Toulza (81) 190 A 3
Cuqueron (64) 186 A 5
Curac (16) 142 A 2
Curan (12) 176 A 2
Curbans (04) 166 B 4
Curbigny (71) 121 G 3
Curçay-sur-Dive (86) 101 G 2
Curchy (80) 16 A 3
Curciat-Dongalon (01) 122 D 2
Curcy-sur-Orne (14) 27 E 4
Curdin (71) 121 E 1
Curel (04) 180 C 2
Curel (52) 55 G 4
Curemonte (19) 144 D 5
Cures (72) 67 H 2
Curey (50) 45 G 3
Curgies (59) 9 F 3
Curgy (71) 108 B 2
Curienne (73) 138 A 4
Curières (12) 160 C 3
Curis-au-Mont-d'Or (69) 135 H 2
Curley (21) 93 F 5
Curlu (80) 16 A 1
Curmilhac (43) 147 H 4
Curmont (52) 75 F 1
Curnier (26) 165 E 5
Cursan (33) 155 G 1
Curtafond (01) 122 D 3
Curtil-sous-Buffières (71) 121 H 2
Curtil-sous-Burnand (71) 122 A 1
Curtil-St-Seine (21) 93 F 3
Curtil-Vergy (21) 109 E 1
Le Curtillard (38) 152 A 2
Curvalle (81) 175 G 5
Curzay-sur-Vonne (86) 115 E 2
Curzon (85) 112 D 2
Cusance (25) 95 G 4
Cuse-et-Adrisans (25) 95 F 2
Cusey (52) 93 H 1
Cussac (15) 146 D 5
Cussac (87) 129 G 4
Cussac-Fort-Médoc (33) 141 E 4
Cussac-sur-Loire (43) 148 B 5
Cussangy (10) 73 H 3
Cussay (37) 102 D 2
Cusset (03) 120 B 5
Cussey-les-Forges (21) 93 F 1
Cussey-sur-Lison (25) 110 D 1
Cussey-sur-l'Ognon (25) 94 D 4
Cussy (14) 25 H 2
Cussy-en-Morvan (71) 108 A 1
Cussy-la-Colonne (21) 108 D 2
Cussy-le-Châtel (21) 108 D 1
Cussy-les-Forges (89) 91 H 3
Custines (54) 56 D 1
Cusy (74) 138 A 3
Cutry (02) 32 C 1
Cutry (54) 20 B 2
Cuts (60) 16 C 5
Cutting (57) 37 H 5
Cuttoli-Corticchiato (2A) 216 D 5
Cuttura (39) 123 H 2
Cuvat (74) 138 A 1
Cuve (70) 77 E 4
Cuvergnon (60) 32 B 3
Cuverville (14) 27 G 3
Cuverville (27) 29 H 2
Cuverville (76) 12 B 3
Cuverville-sur-Yères (76) 14 A 1
Cuves (50) 46 A 2
Cuves (52) 75 H 2
Cuvier (39) 111 E 3
Cuvillers (59) 8 D 4
Cuvilly (60) 15 H 5
Cuvry (57) 36 D 4
Cuxac-Cabardès (11) 190 D 4
Cuxac-d'Aude (11) 209 F 1
Cuy (60) 16 B 4
Cuy (89) 72 C 1
Cuy-St-Fiacre (76) 14 C 5
Cuzac (46) 159 G 4
Cuzance (46) 144 C 5
Cuzieu (01) 137 G 2
Cuzieu (42) 135 E 4
Cuzion (36) 117 F 2
Cuzorn (47) 157 G 4
Cuzy (71) 107 H 4
Cys-la-Commune (02) 33 E 1
Cysoing (59) 4 D 4

D

Dabisse (04) 181 E 3
Dabo (57) 58 C 2
Dachstein (67) 59 E 2
Dadonville (45) 71 E 2
Daglan (24) 158 A 2
Dagneux (01) 136 C 2
Dagny (77) 52 C 2
Dagny-Lambercy (02) 17 H 3
Dagonville (55) 55 H 1
La Daguenière (49) 85 E 3
Dahlenheim (67) 59 E 2
Dahouët (22) 44 A 2
Daignac (33) 155 H 1
Daigny (08) 19 F 3
Daillancourt (52) 55 E 5
La Daille (73) 139 G 5
Daillecourt (52) 76 A 2
Dainville (62) 8 A 3
Dainville-Bertheléville (55) 56 A 4
Daix (21) 93 F 4
Dalem (57) 21 G 4
Dalhain (57) 37 G 5
Dalhunden (67) 39 G 5
Dallet (63) 133 F 3
Dallon (02) 16 D 2
Dalou (09) 207 E 2
Dalstein (57) 21 F 4
Daluis (06) 182 C 3
Damas-aux-Bois (88) 57 F 4
Damas-et-Bettegney (88) 77 E 1
Damazan (47) 171 H 1
Dambach (67) 39 E 3
Dambach-la-Ville (67) 58 D 5
Dambelin (25) 95 H 3
Dambenois (25) 96 C 2
Dambenoît-lès-Colombe (70) 77 F 5
Damblain (88) 76 B 2
Damblainville (14) 27 G 5
Dambron (28) 70 C 2
Dame-Marie (27) 49 F 1
Dame-Marie (61) 48 D 5
Dame-Marie-les-Bois (37) 87 F 2
Damelevières (54) 57 F 3
Daméraucourt (60) 14 D 3
Damerey (71) 109 F 3
Damery (51) 33 G 4
Damery (80) 16 A 3
Damgan (56) 81 H 3
Damiatte (81) 190 B 2
Damigny (61) 47 H 4
Damloup (55) 20 A 5
Dammard (02) 32 C 3
Dammarie (28) 50 A 5
Dammarie-en-Puisaye (45) 90 A 2
Dammarie-les-Lys (77) 51 H 4
Dammarie-sur-Loing (45) 72 A 5
Dammarie-sur-Saulx (55) 55 G 3
Dammartin-en-Goële (77) 31 H 4
Dammartin-en-Serve (78) 30 B 5
Dammartin-les-Templiers (25) 95 F 4
Dammartin-Marpain (39) 94 A 5
Dammartin-sur-Meuse (52) 76 A 3
Dammartin-sur-Tigeaux (77) 52 A 1
Damousies (59) 9 H 4
Damouzy (08) 18 D 2
Damparis (39) 110 A 1
Dampierre (10) 54 B 3
Dampierre (14) 25 H 4
Dampierre (39) 94 C 5
Dampierre (52) 75 H 3
Dampierre-au-Temple (51) 34 B 4
Dampierre-en-Bray (76) 14 B 5
Dampierre-en-Bresse (71) 109 G 3
Dampierre-en-Burly (45) 89 G 1
Dampierre-en-Crot (18) 89 G 3
Dampierre-en-Graçay (18) 104 C 1
Dampierre-en-Montagne (21) 92 C 3
Dampierre-en-Yvelines (78) 50 D 2
Dampierre-et-Flée (21) 93 H 3
Dampierre-le-Château (51) 34 D 4
Dampierre-les-Bois (25) 96 D 2
Dampierre-lès-Conflans (70) 77 E 4
Dampierre-sous-Bouhy (58) 90 C 3
Dampierre-sous-Brou (28) 69 G 1
Dampierre-St-Nicolas (76) 13 H 2
Dampierre-sur-Avre (28) 49 G 2
Dampierre-sur-Blévy (28) 49 G 3
Dampierre-sur-Boutonne (17) 114 B 5
Dampierre-sur-le-Doubs (25) 96 C 2
Dampierre-sur-Linotte (70) 95 E 2
Dampierre-sur-Loire (49) 85 H 5
Dampierre-sur-Moivre (51) 34 C 5
Dampierre-sur-Salon (70) 94 B 2
Dampjoux (25) 96 C 3
Dampleux (02) 32 C 2
Dampmart (77) 51 H 1
Dampniat (19) 144 D 3
Damprichard (25) 96 D 4
Les Damps (27) 29 G 2
Dampsmesnil (27) 30 B 3
Dampvalley-lès-Colombe (70) 95 E 1
Dampvalley-St-Pancras (70) 77 E 4
Dampvitoux (54) 36 B 4
Damrémont (52) 76 B 3
Damville (27) 49 F 1
Damvillers (55) 35 H 1
Damvix (85) 113 H 3
Dancé (42) 134 C 2
Dancé (61) 48 D 5
Dancevoir (52) 75 E 4
Dancharia (64) 184 C 4
La Danchère (38) 152 B 5
Dancourt (76) 14 B 2
Dancourt-Popincourt (80) 16 A 4
Dancy (28) 70 A 2
Danestal (14) 27 H 2
Dangé-St-Romain (86) 102 C 3
Dangeau (28) 69 H 2
Dangers (28) 49 H 4
Dangeul (72) 68 A 1
Dangolsheim (67) 58 D 2
Dangu (27) 30 B 2
Dangy (50) 25 E 4
Danizy (02) 16 D 4
Danjoutin (90) 96 C 1
Danne-et-Quatre-Vents (57) 58 C 1
Dannelbourg (57) 58 C 1
Dannemarie (25) 96 D 3
Dannemarie (68) 97 E 1
Dannemarie (78) 50 B 2
Dannemarie-sur-Crète (25) 94 C 5
Dannemoine (89) 73 H 4
Dannemois (91) 51 G 4
Dannes (62) 2 A 5
Dannevoux (55) 35 G 2
Danvou-la-Ferrière (14) 26 D 5
Danzé (41) 69 F 4
Daon (53) 66 D 5
Daoulas (29) 41 G 4
Daours (80) 15 G 2
Darazac (19) 145 F 3
Darbonnay (39) 110 B 3
Darbres (07) 163 F 3
Darcey (21) 92 C 2
Dardenac (33) 155 H 2
Dardenay (52) 93 H 1
Dardez (27) 29 G 4
Dardilly (69) 135 H 3
Dareizé (69) 135 F 2
Dargies (60) 14 D 3
Dargnies (80) 6 B 5
Dargoire (42) 135 G 5
Darmannes (52) 75 G 2
Darnac (87) 116 B 4
Darnétal (76) 29 G 1
Darnets (19) 145 G 1
Darney (88) 76 D 2
Darney-aux-Chênes (88) 56 C 5
Darnieulles (88) 77 F 1
Darois (21) 93 F 4
Darsac (43) 148 A 4
Darvault (77) 71 H 1
Darvoy (45) 70 D 5
Dasle (25) 96 D 2
Daubensand (67) 59 F 4
Daubeuf-la-Campagne (27) 29 F 3
Daubeuf-près-Vatteville (27) 29 H 2
Daubeuf-Serville (76) 12 D 3
Daubèze (33) 155 H 2
Daucourt (51) 35 E 4
Dauendorf (67) 39 E 5
Daumazan-sur-Arize (09) 206 C 1
Dauphin (04) 180 D 4
Daumeray (49) 85 F 1
Dausse (47) 157 G 5
Daux (31) 189 E 2
Dauzat-sur-Vodable (63) 147 E 1
Davayat (63) 133 F 2
Davayé (71) 122 B 3
Davejean (11) 208 D 3
Davenescourt (80) 15 H 3
Davézieux (07) 149 G 2
Davignac (19) 145 F 1
Davrey (10) 73 H 3
Davron (78) 50 D 1
Dax (SP) (40) 185 F 1
Deauville (14) 28 A 1
Deaux (30) 178 A 3
Débats-Rivière-d'Orpra (42) 134 C 3
Decazeville (12) 159 G 4
Dechy (59) 8 C 3
Décines-Charpieu (69) 136 B 3
Decize (58) 107 E 4
La Défense (92) 31 E 5
Dégagnac (46) 158 A 3
Degré (72) 67 H 3
Dehault (72) 68 C 1
Dehéries (59) 9 E 5
Dehlingen (67) 38 B 4
Deinvillers (88) 57 G 4
Déjointes (18) 106 A 2
Delain (70) 94 B 2
Delettes (62) 3 E 5
Delincourt (60) 30 C 2
Delle (90) 96 D 2
Delme (57) 37 F 5
Delouze-Rosières (55) 56 A 3
Le Déluge (60) 31 E 2
Delut (55) 35 H 1
Deluz (25) 95 E 4
Demandolx (04) 182 A 4
Demange-aux-Eaux (55) 55 H 3
Demangevelle (70) 76 D 4
Demi-Quartier (74) 139 E 2
La Demie (70) 95 E 2
Demigny (71) 109 E 3
Démouville (14) 27 G 3
Demptézieu (38) 137 E 4
Dému (32) 187 F 1
Démuin (80) 15 H 2
Denain (59) 9 E 3
Dénat (81) 175 E 5
Denazé (53) 66 B 4
Denée (49) 84 D 4
Dénestanville (76) 13 G 2
Deneuille-lès-Chantelle (03) 119 H 4
Deneuille-les-Mines (03) 119 F 3
Deneuvre (54) 57 H 4
Denèvre (70) 94 B 2
Dénezé-sous-Doué (49) 85 F 5
Dénezé-sous-le-Lude (49) 85 A 2
Denezières (39) 110 C 5
Denguin (64) 186 A 4
Denicé (69) 135 G 1
Denier (62) 7 H 3
Denipaire (88) 58 A 5
Dennebrœucq (62) 7 F 1
Denneville (50) 22 C 5
Dennevy (71) 108 D 3
Denney (90) 96 D 1
Denonville (28) 50 C 5
Denting (57) 21 G 5
Déols (36) 104 B 4
Derbamont (88) 57 E 5
Dercé (86) 102 A 3
Derchigny (76) 13 H 1
Dercy (02) 17 F 3
Dernacueillette (11) 208 C 3
Dernancourt (80) 15 H 1
Derval (44) 83 F 1
Désaignes (07) 149 F 5
Désandans (25) 95 H 2
Descartes (37) 102 D 2
Le Deschaux (39) 110 A 2
Le Désert (14) 25 H 5
Le Désert (38) 166 B 1
Désertines (03) 119 E 3
Désertines (53) 46 C 4
Les Déserts (73) 138 A 4
Déservillers (25) 111 E 2
Desges (43) 147 G 5
Desingy (74) 137 H 1
Desmonts (45) 71 G 3
Desnes (39) 110 A 4
Desseling (57) 57 H 1
Dessenheim (68) 79 E 3
Dessia (39) 123 F 2
Destord (88) 57 G 5
La Destrousse (13) 196 A 4
Destry (57) 37 G 4
Desvres (62) 2 C 5
Détain-et-Bruant (21) 109 E 1
Détrier (73) 138 B 5
Le Détroit (14) 27 F 5
Dettey (71) 108 A 4
Dettwiller (67) 58 D 1
Deuil-la-Barre (95) 31 F 5
Deuillet (02) 16 D 4
Deûlémont (59) 4 B 3
Les Deux-Alpes (38) 152 B 4
Les Deux-Aygues Granval (07) 162 D 4
Deux-Chaises (03) 119 G 3
Deux-Évailles (53) 67 E 1
Les Deux-Fays (39) 110 A 3
Deux-Jumeaux (14) 23 G 5
Deux-Verges (15) 160 D 2
Les Deux-Villes (08) 19 G 3
Deuxnouds-devant-Beauzée (55) 35 G 4
Deuxville (54) 57 F 2
Devay (58) 107 E 4
Devecey (25) 94 D 4
Devesset (07) 149 E 4
Devèze (65) 187 H 5
Deviat (16) 142 A 1
Dévillac (47) 157 F 3
Deville (08) 11 E 5
Déville-lès-Rouen (76) 13 G 5
Devise (80) 16 B 2
Dévoluy (05) 166 A 2
Devrouze (71) 109 G 4
Deycimont (88) 77 H 1
Deyme (31) 189 G 3
Deyvillers (88) 77 G 1
Le Dézert (50) 25 F 2
Dezize-lès-Maranges (71) 108 D 3
Dhuisy (77) 32 C 4
Dhuizel (02) 33 E 1
Dhuizon (41) 88 B 2
Diancey (21) 92 B 5
Diane-Capelle (57) 58 A 1
Diant (77) 72 B 1
Diarville (54) 56 D 4
Le Diben (29) 42 A 2
Diconne (71) 109 G 4
Dicy (89) 72 B 4
Didenheim (68) 78 D 5
Die (SP) (26) 165 F 2
Diebling (57) 38 A 3
Diebolsheim (67) 59 F 5
Diedendorf (67) 38 B 5
Dieffenbach-au-Val (67) 58 D 5
Dieffenbach-lès-Wœrth (67) 39 F 4
Dieffenthal (67) 58 D 5
Diefmatten (68) 78 C 5
Dielette (50) 22 B 3
Dième (69) 135 F 1
Diemeringen (67) 38 B 4
Diémoz (38) 136 C 4
Diénay (21) 93 F 2
Dienne (15) 146 C 4
Dienné (86) 115 H 2
Diennes-Aubigny (58) 107 E 3
Dienville (10) 54 C 5
Dieppe (SP) (76) 13 G 1
Dieppe-sous-Douaumont (55) 20 A 5
Dieppedalle (76) 29 F 1
Dierre (37) 87 E 4
Dierrey-St-Julien (10) 73 G 1
Dierrey-St-Pierre (10) 53 G 5
Diesen (57) 21 H 5
Dietwiller (68) 78 D 5
Dieudonné (60) 31 E 2
Dieue-sur-Meuse (55) 35 H 4
Dieulefit (26) 164 D 4
Dieulivol (33) 156 B 3
Dieulouard (54) 36 D 5
Dieupentale (82) 173 G 5
Dieuze (57) 37 H 5
Diéval (62) 7 H 2
Diffembach-lès-Hellimer (57) 37 H 4
Diges (89) 90 D 1
Digna (39) 123 F 1
Dignac (16) 128 C 5
La Digne-d'Amont (11) 208 A 2
La Digne-d'Aval (11) 208 A 2
Digne-les-Bains (P) (04) 181 F 3
Dignonville (88) 77 G 1
Digny (28) 49 G 4
Digoin (71) 121 E 2
Digosville (50) 22 D 3
Digulleville (50) 22 B 2
Dijon (R) (21) 93 F 4
Dilo (89) 73 E 3
Dimancheville (45) 71 F 1
Dimbsthal (67) 58 D 1
Dimechaux (59) 10 A 2
Dimont (59) 10 A 2
Dinan (SP) (22) 44 D 4
Dinard (35) 44 D 2
Dinéault (29) 61 G 1
Dingé (35) 45 F 5
Dingsheim (67) 59 E 2
Dingy-en-Vuache (74) 124 A 5
Dingy-St-Clair (74) 138 B 1
Dinozé (88) 77 G 2
Dinsac (87) 116 C 4
Dinsheim (67) 58 D 3
Dinteville (52) 75 E 3
Dio-et-Valquières (34) 192 B 2
Dionay (38) 150 D 3
Dions (30) 178 B 4
Diors (36) 104 C 4
Diou (03) 120 C 1
Diou (36) 104 D 2
Dirac (16) 128 C 4
Dirinon (29) 41 G 4
Dirol (58) 91 F 4
Dissais (85) 113 E 1
Dissangis (89) 91 H 2
Dissay (86) 102 B 5
Dissay-sous-Courcillon (72) 86 C 1
Dissé-sous-Ballon (72) 68 B 1
Dissé-sous-le-Lude (72) 86 A 2
Distré (49) 85 G 5
Distroff (57) 21 E 4
Diusse (64) 186 D 2
Divajeu (26) 164 C 2
Dives (60) 16 B 4
Dives-sur-Mer (14) 27 H 2
Divion (62) 7 H 1
Divonne-les-Bains (01) 124 B 2
Dixmont (89) 72 D 3
Dizimieu (38) 136 D 3
Dizy (51) 33 G 4
Dizy-le-Gros (02) 17 H 4
Doazit (40) 186 A 1
Doazon (64) 186 A 3
Docelles (88) 77 H 1
Doëlan (29) 80 B 1
Dœuil-sur-le-Mignon (17) 114 A 5
Dognen (64) 185 H 5
Dogneville (88) 77 F 1
Dohem (62) 3 E 5
Dohis (02) 18 A 3
Doignies (59) 8 C 5
Doingt (80) 16 B 1
Doissat (24) 157 H 2
Doissin (38) 137 E 5
Doix lès Fontaines (85) 113 G 2
Doizieux (42) 149 F 1
Dol-de-Bretagne (35) 45 F 3
Dolaincourt (88) 56 C 5
Dolancourt (10) 74 C 1
Dolcourt (54) 56 C 4
Dole (SP) (39) 110 A 1
Dolignon (02) 17 H 3
Dolleren (68) 78 B 4
Dollon (72) 68 C 3
Dollot (89) 72 B 2
Dolmayrac (47) 157 E 5
Dolo (22) 44 B 4
Dolomieu (38) 137 F 4
Dolus-d'Oléron (17) 126 B 1
Dolus-le-Sec (37) 103 E 1
Dolving (57) 58 B 1
Dom-le-Mesnil (08) 19 E 3
Domagné (35) 65 H 2
Domaize (63) 133 H 4
Domalain (35) 65 H 3
Domancy (74) 139 E 1
Domarin (38) 136 D 4
Domart-en-Ponthieu (80) 7 F 5
Domart-sur-la-Luce (80) 15 G 2
Domats (89) 72 B 2
Domazan (30) 178 D 4
Dombasle-devant-Darney (88) 76 D 2
Dombasle-en-Argonne (55) 35 G 3
Dombasle-en-Xaintois (88) 56 D 5
Dombasle-sur-Meurthe (54) 57 F 2
Domblain (52) 55 F 4
Domblans (39) 110 B 4
Dombras (55) 20 A 3
Dombrot-le-Sec (88) 76 C 2
Dombrot-sur-Vair (88) 76 C 1
Domecy-sur-Cure (89) 91 G 4
Domecy-sur-le-Vault (89) 91 G 3
Doméliers (60) 15 E 4
Domène (38) 151 H 3
Domérat (03) 118 D 3
Domesmont (80) 7 F 5
Domessargues (30) 178 A 4
Domessin (73) 137 G 5
Domèvre-en-Haye (54) 56 C 1
Domèvre-sous-Montfort (88) 76 D 1
Domèvre-sur-Avière (88) 77 F 1
Domèvre-sur-Durbion (88) 57 G 5
Domèvre-sur-Vezouze (54) 57 H 3
Domeyrat (43) 147 G 3
Domeyrot (23) 118 B 4
Domezain-Berraute (64) 185 F 4
Domfaing (88) 77 H 1
Domfessel (67) 38 B 4
Domfront (60) 15 H 4
Domfront-en-Champagne (72) 67 H 2
Domfront-en-Poiraie (61) 46 D 3
Domgermain (54) 56 C 2
La Dominelais (35) 65 F 5
Domino (17) 126 A 1
Dominois (80) 6 D 3
Domjean (50) 25 G 4
Domjevin (54) 57 H 3
Domjulien (88) 76 D 1
Domléger-Longvillers (80) 7 E 4
Domloup (35) 65 G 2
Dommarie-Eulmont (54) 56 D 4
Dommarien (52) 93 H 1
Dommartemont (54) 57 E 2
Dommartin (01) 122 C 3
Dommartin (25) 111 F 2
Dommartin (58) 107 G 2
Dommartin (69) 135 H 2
Dommartin (80) 15 G 2
Dommartin-aux-Bois (88) 77 E 1
Dommartin-Dampierre (51) 34 D 4
Dommartin-la-Chaussée (54) 36 C 4
Dommartin-la-Montagne (55) 36 A 4
Dommartin-le-Coq (10) 54 B 4
Dommartin-le-Franc (52) 55 E 4
Dommartin-le-St-Père (52) 55 E 5
Dommartin-lès-Cuiseaux (71) 123 E 1
Dommartin-lès-Remiremont (88) 77 H 3
Dommartin-lès-Toul (54) 56 C 2
Dommartin-lès-Vallois (88) 76 D 1
Dommartin-Lettrée (51) 54 A 1

Localité *(Département)* **Page** **Coordonnées**

Épagny *(21)* **93 F 3**
Épagny-Metz-Tessy *(74)* **138 A 1**
Épaignes *(27)* **28 C 2**
Épaney *(14)* **27 G 5**
Épannes *(79)* **114 A 4**
Éparcy *(02)* **10 A 5**
Les Éparges *(55)* **36 A 4**
Épargnes *(17)* **126 D 5**
Les Éparres *(38)* **136 D 5**
Épaumesnil *(80)* **14 D 1**
Épaux-Bézu *(02)* **32 D 4**
Épeautrolles *(28)* **69 H 1**
Épécamps *(80)* **7 F 5**
Épégard *(27)* **29 E 3**
Épehy *(80)* **16 C 1**
Épeigné-les-Bois *(37)* **87 F 5**
Épeigné-sur-Dême *(37)* **86 C 1**
Épénancourt *(80)* **16 B 2**
Épenède *(16)* **115 H 5**
Épenouse *(25)* **95 G 5**
Épenoy *(25)* **95 F 5**
Épense *(51)* **35 E 5**
Épercieux-St-Paul *(42)* **135 E 3**
Éperlecques *(62)* **3 E 4**
Épernay (SP) *(51)* **33 G 4**
Épernay-sous-Gevrey *(21)* **93 F 5**
Épernon *(28)* **50 B 3**
Eperrais *(61)* **48 C 5**
Épersy *(73)* **138 A 3**
Épertully *(71)* **108 D 3**
Épervans *(71)* **109 F 4**
Les Epesses *(85)* **100 B 3**
Épeugney *(25)* **110 D 1**
Epfig *(67)* **58 D 4**
Épiais *(41)* **69 G 5**
Épiais-lès-Louvres *(95)* **31 G 4**
Épiais-Rhus *(95)* **30 D 3**
Épieds *(02)* **32 D 4**
Épieds *(27)* **29 H 5**
Épieds *(49)* **101 G 1**
Épieds-en-Beauce *(45)* **70 B 4**
Épierre *(73)* **138 C 5**
Épiez-sur-Chiers *(54)* **20 A 2**
Épiez-sur-Meuse *(55)* **56 A 3**
Épinac *(71)* **108 C 2**
Épinal (P) *(88)* **77 F 1**
Épinant *(52)* **76 A 3**
Épinay *(27)* **28 D 5**
Épinay-Champlâtreux *(95)* **31 F 4**
L'Épinay-le-Comte *(61)* **46 C 4**
Épinay-sous-Sénart *(91)* **51 G 2**
Épinay-sur-Duclair *(76)* **13 F 5**
Épinay-sur-Odon *(14)* **26 D 4**
Épinay-sur-Orge *(91)* **51 F 2**
Épinay-sur-Seine *(93)* **31 F 5**
L'Épine *(05)* **165 G 5**
L'Épine *(51)* **34 B 5**
L'Épine *(85)* **98 B 2**
L'Épine-aux-Bois *(02)* **52 D 1**
L'Épine-des-Champs *(61)* **46 C 3**
Épineau-les-Voves *(89)* **73 E 4**
Épineu-le-Chevreuil *(72)* **67 G 3**
Épineuil *(89)* **73 H 4**
Épineuil-le-Fleuriel *(18)* **118 D 1**
Épineuse *(60)* **31 G 1**
Épineux-le-Seguin *(53)* **67 F 4**
Épiniac *(35)* **45 F 3**
Épinonville *(55)* **35 F 2**
Épinouze *(26)* **149 H 2**
Épinoy *(62)* **8 D 4**
Épire *(49)* **84 D 3**
Épiry *(58)* **107 F 1**
Épisy *(77)* **52 A 5**
Épizon *(52)* **55 H 5**
Éplessier *(80)* **14 D 3**
Éply *(54)* **37 E 5**
Époisses *(21)* **92 A 3**
Épône *(78)* **30 C 5**
Épothémont *(10)* **54 D 4**
Épouville *(76)* **12 B 4**
Époye *(51)* **34 A 2**
Eppe-Sauvage *(59)* **10 A 3**
Eppes *(02)* **17 G 5**
Eppeville *(80)* **16 C 3**
Epping *(57)* **38 C 3**
Épretot *(76)* **12 C 5**
Épreville *(76)* **12 C 3**
Épreville-en-Lieuvin *(27)* **28 C 3**
Épreville-en-Roumois *(27)* **29 E 2**
Épreville-près-le-Neubourg *(27)* **29 E 3**
Épron *(14)* **27 F 2**
Eps *(62)* **7 G 2**
Épuisay *(41)* **69 E 4**
Équancourt *(80)* **8 C 5**
Équemauville *(14)* **28 A 1**
Équennes-Éramecourt *(80)* **14 D 3**
Équeurdreville-Hainneville *(50)* **22 C 2**
Équevilley *(70)* **77 E 5**
Équevillon *(39)* **110 D 4**
Équihen-Plage *(62)* **2 A 5**
Équilly *(50)* **24 D 5**
Équirre *(62)* **7 F 1**
Éragny *(95)* **30 D 4**
Éragny-sur-Epte *(60)* **30 C 2**
Eraines *(14)* **27 G 5**
Éraville *(16)* **128 A 5**
Erbajolo *(2B)* **217 F 2**
Erbalunga *(2B)* **215 G 3**
Erbéviller-sur-Amezule *(54)* **57 F 1**
Erbray *(44)* **83 H 1**
Erbrée *(35)* **66 A 2**
Ercé *(09)* **206 C 4**
Ercé-en-Lamée *(35)* **65 F 4**
Ercé-près-Liffré *(35)* **65 G 1**
Erceville *(45)* **70 D 1**
Erches *(80)* **15 H 3**
Ercheu *(80)* **16 B 3**
Erchin *(59)* **8 D 3**
Erching *(57)* **38 C 3**
Erckartswiller *(67)* **38 C 5**
Ercourt *(80)* **6 C 5**
Ercuis *(60)* **31 F 2**
Erdeven *(56)* **81 E 2**
Erdre-en-Anjou *(49)* **84 C 2**
Éréac *(22)* **44 B 5**
Ergersheim *(67)* **59 E 2**
Ergnies *(80)* **7 E 5**
Ergny *(62)* **2 D 5**
Ergué-Gabéric *(29)* **61 H 3**
Érigné *(49)* **85 E 3**
Érin *(62)* **7 F 2**
Éringes *(21)* **92 C 2**
Eringhem *(59)* **3 F 3**
Érize-la-Brûlée *(55)* **55 G 1**
Érize-la-Grande *(55)* **35 G 5**
Érize-la-Petite *(55)* **35 G 5**
Érize-St-Dizier *(55)* **55 G 1**
Erlon *(02)* **17 F 3**
Erloy *(02)* **17 G 1**
Ermenonville *(60)* **31 H 3**
Ermenonville-la-Grande *(28)* **49 H 5**
Ermenonville-la-Petite *(28)* **69 H 1**
Ermenouville *(76)* **13 E 2**
Ermont *(95)* **31 E 5**
Ernecourt *(55)* **55 H 1**
Ernée *(53)* **46 B 5**
Ernemont-Boutavent *(60)* **14 C 4**
Ernemont-la-Villette *(76)* **14 C 5**
Ernemont-sur-Buchy *(76)* **14 A 5**
Ernes *(14)* **27 G 4**
Ernestviller *(57)* **38 A 3**
Ernolsheim-Bruche *(67)* **59 E 2**
Ernolsheim-lès-Saverne *(67)* **38 D 5**
Erny-St-Julien *(62)* **3 E 5**
Érôme *(26)* **149 H 4**
Érondelle *(80)* **6 D 5**
Érone *(2B)* **217 F 1**
Éroudeville *(50)* **23 E 4**
Erp *(09)* **206 B 3**
Erquery *(60)* **31 G 1**
Erquinghem-le-Sec *(59)* **4 B 4**
Erquinghem-Lys *(59)* **4 B 3**
Erquinvillers *(60)* **15 G 5**
Erquy *(22)* **44 A 2**
Err *(66)* **211 H 4**
Erre *(59)* **8 D 2**
Errevet *(70)* **78 A 5**
Errouville *(54)* **20 C 3**
Ersa *(2B)* **215 F 1**
Erstein *(67)* **59 F 4**
Erstroff *(57)* **37 H 4**
Ervauville *(45)* **72 B 3**
Ervillers *(62)* **8 B 4**
Ervy-le-Châtel *(10)* **73 G 3**
Esbareich *(65)* **205 F 3**
Esbarres *(21)* **109 G 1**
Esbly *(77)* **32 A 5**
Esboz-Brest *(70)* **77 G 4**
Escala *(65)* **205 E 2**
Escalans *(40)* **171 G 4**
Les Escaldes *(66)* **211 G 4**
L'Escale *(04)* **181 E 3**
Escales *(11)* **208 D 1**
Escalles *(62)* **2 B 3**
Escalquens *(31)* **189 G 3**
Escames *(60)* **14 C 5**
Escamps *(46)* **174 A 1**
Escamps *(89)* **91 E 1**
Escandolières *(12)* **159 H 5**
Escanecrabe *(31)* **188 B 5**
Escardes *(51)* **53 E 2**
L'Escarène *(06)* **183 F 4**
Escarmain *(59)* **9 F 4**
Escaro *(66)* **212 B 4**
Escassefort *(47)* **156 C 4**
Escatalens *(82)* **173 F 4**
Escaudain *(59)* **9 E 3**
Escaudes *(33)* **171 E 1**
Escaudœuvres *(59)* **8 D 4**
Escaufourt *(59)* **9 F 5**
Escaunets *(65)* **186 D 4**
Escautpont *(59)* **5 F 5**
Escazeaux *(82)* **173 E 5**
Eschau *(67)* **59 F 3**
Eschbach *(67)* **39 F 5**
Eschbach-au-Val *(68)* **78 C 2**
Eschbourg *(67)* **38 C 5**
Eschentzwiller *(68)* **78 D 5**
Escherange *(57)* **20 D 3**
Esches *(60)* **31 E 3**
Eschwiller *(67)* **38 B 5**
Esclagne *(09)* **207 G 3**
Esclainvillers *(80)* **15 G 3**
Esclanèdes *(48)* **161 G 5**
Esclassan-Labastide *(32)* **187 H 4**
Esclauzels *(46)* **158 C 5**
Esclavelles *(76)* **14 A 3**
Esclavolles-Lurey *(51)* **53 F 3**
Escles *(88)* **77 E 2**
Escles-St-Pierre *(60)* **14 C 3**
Esclottes *(47)* **156 B 2**
Escobecques *(59)* **4 B 4**
Escœuilles *(62)* **2 C 4**
Escoire *(24)* **143 G 3**
Escolives-Ste-Camille *(89)* **91 F 1**
Escombres-et-le-Chesnois *(08)* **19 G 3**
Escondeaux *(65)* **187 F 4**
Esconnets *(65)* **204 D 2**
Escorailles *(15)* **145 H 3**
Escornebœuf *(32)* **188 C 2**
Escorpain *(28)* **49 G 2**
Escos *(64)* **185 F 3**
Escosse *(09)* **207 E 2**
Escot *(64)* **203 F 2**
Escots *(65)* **204 D 2**
Escou *(64)* **203 G 1**
Escoubès *(64)* **186 C 4**
Escoubès-Pouts *(65)* **204 C 2**
Escoulis *(31)* **206 A 2**
Escouloubre *(11)* **207 H 5**
Escource *(40)* **169 E 2**
Escoussans *(33)* **155 G 3**
Escoussens *(81)* **190 C 3**
Escout *(64)* **203 G 1**
Escoutoux *(63)* **133 H 3**
Escoville *(14)* **27 G 2**
Escragnolles *(06)* **182 C 5**
Escrennes *(45)* **71 E 2**
Escrignelles *(45)* **90 A 1**
Escroux *(81)* **191 F 1**
Escueillens *(11)* **207 H 2**
Escurès *(64)* **186 D 3**
Escures-sur-Favières *(14)* **27 H 4**
Escurolles *(03)* **120 A 5**
Eslettes *(76)* **13 G 5**
Esley *(88)* **76 D 1**
Eslourenties-Daban *(64)* **186 D 5**
Esmans *(77)* **52 B 5**
Esmery-Hallon *(80)* **16 B 3**
Esmoulières *(70)* **77 H 4**
Esmoulins *(70)* **94 A 3**
Esnandes *(17)* **113 E 3**
Esnans *(25)* **95 F 4**
Esnes *(59)* **8 D 5**
Esnes-en-Argonne *(55)* **35 G 2**
Esnoms-au-Val *(52)* **93 G 1**
Esnon *(89)* **73 E 3**
Esnouveaux *(52)* **75 H 2**
Espagnac *(19)* **145 E 3**
Espagnac-Ste-Eulalie *(46)* **159 E 4**
Espalais *(82)* **172 D 3**
Espalem *(43)* **147 F 2**
Espalion *(12)* **160 C 4**
Espaly-St-Marcel *(43)* **148 B 4**
Espanès *(31)* **189 G 4**
Espaon *(32)* **188 B 4**
Esparron *(05)* **166 A 4**
Esparron *(31)* **188 B 5**
Esparron *(83)* **196 C 2**
Esparron-de-Verdon *(04)* **196 D 1**
Esparros *(65)* **204 D 2**
Esparsac *(82)* **172 D 5**
Espartignac *(19)* **144 C 1**
Espas *(32)* **187 E 1**
Espaubourg *(60)* **30 C 1**
Espèche *(65)* **204 D 2**
Espéchède *(64)* **186 D 5**
Espédaillac *(46)* **158 D 3**
Espelette *(64)* **184 C 4**
Espeluche *(26)* **163 H 4**
Espenel *(26)* **165 E 2**
Espérausses *(81)* **191 E 2**
Espéraza *(11)* **208 A 3**
Esperce *(31)* **189 F 5**
Espère *(46)* **158 B 4**
L'Espérou *(30)* **177 E 3**
Espès-Undurein *(64)* **185 G 5**
Espeyrac *(12)* **160 A 3**
Espeyroux *(46)* **159 E 2**
Espezel *(11)* **207 H 4**
Espiaube *(65)* **204 D 4**
Espieilh *(65)* **204 D 2**
Espiens *(47)* **172 A 2**
Espiet *(33)* **155 G 1**
L'Espinas *(48)* **177 H 1**
Espinas *(82)* **174 B 2**
Espinasse *(15)* **160 D 1**
Espinasse *(63)* **132 C 1**
Espinasse-Vozelle *(03)* **120 A 5**
Espinasses *(05)* **166 C 4**
Espinchal *(63)* **146 C 1**
Espins *(14)* **27 F 4**
Espira-de-Conflent *(66)* **212 C 3**
Espira-de-l'Agly *(66)* **209 E 5**
Espirat *(63)* **133 G 3**
Espiute *(64)* **185 G 4**
Esplantas-Vazeilles *(43)* **161 H 1**
Esplas *(09)* **206 D 1**
Esplas-de-Sérou *(09)* **206 C 3**
Espoey *(64)* **186 D 5**
Espondeilhan *(34)* **192 B 4**
Espradels *(48)* **162 B 3**
Esprels *(70)* **95 F 2**
Esquay-Notre-Dame *(14)* **27 E 3**
Esquay-sur-Seulles *(14)* **27 E 2**
Esquéhéries *(02)* **17 G 1**
Esquelbecq *(59)* **3 F 3**
Esquennoy *(60)* **15 F 4**
Esquerchin *(59)* **8 C 2**
Esquerdes *(62)* **3 E 4**
Esquibien *(29)* **61 E 2**
Esquièze-Sère *(65)* **204 B 4**
Esquiule *(64)* **203 F 1**
Les Essards *(16)* **142 B 3**
Les Essards *(17)* **127 E 3**
Les Essards *(37)* **86 A 4**
Les Essards-Taignevaux *(39)* **110 A 3**
Essarois *(21)* **75 E 5**
Essars *(62)* **4 A 4**
Les Essarts *(27)* **29 F 5**
Les Essarts *(41)* **86 D 1**
Les Essarts *(76)* **29 F 1**
Les Essarts *(85)* **99 H 4**
Les Essarts-le-Roi *(78)* **50 C 2**
Les Essarts-le-Vicomte *(51)* **53 E 2**
Les Essarts-lès-Sézanne *(51)* **53 F 2**
Essay *(61)* **48 A 3**
Esse *(16)* **129 F 1**
Essé *(35)* **65 G 3**
Essegney *(88)* **57 F 5**
Les Esseintes *(33)* **156 A 3**
Essert *(89)* **91 G 2**
Essert *(90)* **96 C 1**
Essert-Romand *(74)* **125 F 4**
Essertaux *(80)* **15 F 3**
Essertenne *(71)* **108 C 4**
Essertenne-et-Cecey *(70)* **94 A 3**
Essertines-en-Châtelneuf *(42)* **134 C 4**
Essertines-en-Donzy *(42)* **135 E 3**
Esserts-Blay *(73)* **138 D 4**
Esserval-Combe *(39)* **111 E 3**
Esserval-Tartre *(39)* **111 E 3**
Essey *(21)* **92 C 5**
Essey-et-Maizerais *(54)* **36 B 5**
Essey-la-Côte *(54)* **57 F 4**
Essey-les-Eaux *(52)* **75 H 3**
Essey-lès-Nancy *(54)* **57 E 2**
Essey-les-Ponts *(52)* **75 E 3**
Essia *(39)* **123 G 1**
Essigny-le-Grand *(02)* **16 D 3**
Essigny-le-Petit *(02)* **16 D 2**
Essises *(02)* **32 D 5**
Essômes-sur-Marne *(02)* **32 D 4**
Esson *(14)* **27 E 5**
Essoyes *(10)* **74 C 3**
Essuiles *(60)* **15 F 5**
Les Estables *(43)* **162 D 1**
Estables *(48)* **161 G 3**
Establet *(26)* **165 F 4**
Estadens *(31)* **205 H 2**
Estagel *(66)* **208 D 5**
Estaing *(12)* **160 B 4**
Estaing *(65)* **204 A 3**
Estaires *(59)* **3 H 5**
Estal *(46)* **159 E 1**
Estampes *(32)* **187 G 4**
Estampures *(65)* **187 G 4**
Estancarbon *(31)* **205 H 2**
Estandeuil *(63)* **133 H 4**
Estang *(32)* **171 F 5**
L'Estaque *(13)* **195 H 4**
Estarvielle *(65)* **205 E 4**
Estavar *(66)* **211 H 4**
Esteil *(63)* **147 F 1**
Esténos *(31)* **205 G 3**
Estensan *(65)* **205 E 4**
Estérençuby *(64)* **202 C 1**
Esternay *(51)* **53 E 2**
Esterre *(65)* **204 B 4**
Estevelles *(62)* **4 B 5**
Esteville *(76)* **13 H 4**
Estézargues *(30)* **178 D 4**
Estialescq *(64)* **186 A 5**
Estibeaux *(40)* **185 G 2**
Estigarde *(40)* **171 F 3**
Estillac *(47)* **172 B 2**
Estipouy *(32)* **187 G 3**
Estirac *(65)* **187 E 3**
Estissac *(10)* **73 G 1**
Estivals *(19)* **144 B 5**
Estivareilles *(03)* **119 E 2**
Estivareilles *(42)* **148 C 1**
Estivaux *(19)* **144 C 2**
Estoher *(66)* **212 C 3**
Estos *(64)* **186 A 5**
Estoublon *(04)* **181 F 4**
Estouches *(91)* **71 E 1**
Estourmel *(59)* **9 E 4**
Estouteville-Écalles *(76)* **13 H 4**
Estouy *(45)* **71 F 2**
Estrablin *(38)* **136 B 5**
Estramiac *(32)* **172 D 5**
Estrebay *(08)* **10 C 5**
Estréboeuf *(80)* **6 C 4**
L'Estréchure *(30)* **177 G 3**
Estrée *(62)* **6 D 1**
Estrée-Blanche *(62)* **3 E 5**
Estrée-Cauchy *(62)* **7 H 2**
Estrée-Wamin *(62)* **7 G 3**
Estréelles *(62)* **6 D 1**
Estrées *(02)* **16 D 1**
Estrées *(59)* **8 C 3**
Estrées-Deniécourt *(80)* **16 A 2**
Estrées-la-Campagne *(14)* **27 G 4**
Estrées-lès-Crécy *(80)* **7 E 3**
Estrées-Mons *(80)* **16 B 2**
Estrées-St-Denis *(60)* **31 H 1**
Estrées-sur-Noye *(80)* **15 F 3**
Estrennes *(88)* **76 D 1**
Estreux *(59)* **9 F 2**
Estrun *(59)* **8 D 3**
Estry *(14)* **25 H 5**
Esves-le-Moutier *(37)* **103 E 2**
Esvres *(37)* **86 D 5**
Eswars *(59)* **8 D 4**
Étable *(73)* **138 B 5**
Étables *(07)* **149 G 4**
Étables-sur-Mer *(22)* **43 G 3**
Étagnac *(16)* **129 F 2**
Étaimpuis *(76)* **13 G 4**
Étain *(55)* **20 B 5**
Étaing *(62)* **8 C 3**
Étainhus *(76)* **12 C 4**
Étais *(21)* **92 C 1**
Étais-la-Sauvin *(89)* **90 D 3**
Étalans *(25)* **95 F 5**
Étalante *(21)* **93 E 1**
Étalle *(08)* **10 C 5**
Étalleville *(76)* **13 F 3**
Étalon *(80)* **16 A 3**
Étalondes *(76)* **6 A 5**
Étampes (SP) *(91)* **51 E 5**
Étampes-sur-Marne *(02)* **32 D 4**
L'Étang-Bertrand *(50)* **22 D 4**
Étang de la Galoperie *(59)* **10 A 4**
L'Étang-la-Ville *(78)* **50 D 1**
Étang-sur-Arroux *(71)* **108 A 3**
L'Étang-Vergy *(21)* **93 E 5**
Les Étangs *(57)* **21 F 5**
Étaples *(62)* **6 C 1**
Étaule *(89)* **91 G 3**
Étaules *(17)* **126 B 3**
Étaules *(21)* **93 F 3**
Étauliers *(33)* **141 F 3**
Étaves-et-Bocquiaux *(02)* **17 E 1**
Étavigny *(60)* **32 B 3**
Etcharry *(64)* **185 G 4**
Etchebar *(64)* **203 E 2**
Eteaux *(74)* **124 C 5**
Éteignières *(08)* **10 C 5**
Eteimbes *(68)* **78 B 5**
Étel *(56)* **80 D 2**
Ételfay *(80)* **15 H 4**
L'Etelon *(03)* **105 G 5**
Étercy *(74)* **138 A 2**
Éternoz *(25)* **110 D 2**
Éterpigny *(62)* **8 C 3**
Éterpigny *(80)* **16 B 2**
Éterville *(14)* **27 F 3**
Étevaux *(21)* **93 H 4**
Eth *(59)* **9 G 3**
Étienville *(50)* **22 D 5**
Étigny *(89)* **72 D 2**
Les Étilleux *(28)* **69 E 1**
Étinehem *(80)* **15 H 1**
Étiolles *(91)* **51 G 3**
Etion *(08)* **18 D 2**
Étival *(39)* **123 H 1**
Étival-Clairefontaine *(88)* **58 A 4**
Étival-lès-le-Mans *(72)* **67 H 4**
Étivey *(89)* **92 A 1**
Étobon *(70)* **95 H 1**
Étoges *(51)* **33 G 5**
L'Étoile *(39)* **110 B 4**
L'Étoile *(62)* **2 D 2**
L'Étoile *(80)* **7 E 5**
Étoile-St-Cyrice *(05)* **180 C 1**
Étoile-sur-Rhône *(26)* **163 H 1**
Éton *(55)* **20 B 4**
Étormay *(21)* **92 C 2**
Étouars *(24)* **129 E 5**
Étourvy *(10)* **74 A 4**
Étoutteville *(76)* **13 E 3**
Étouvans *(25)* **95 H 2**
Étouvelles *(02)* **17 F 5**
Étouvy *(14)* **25 G 5**
Étouy *(60)* **31 F 1**
Étrabonne *(25)* **94 C 5**
Étran *(76)* **13 G 1**
Étrappe *(25)* **95 H 2**
L'Étrat *(42)* **149 E 1**
Étray *(25)* **111 F 1**
Étraye-Wavrille *(55)* **35 H 1**
Étréaupont *(02)* **17 H 1**
Étrechet *(36)* **104 B 4**
Étréchy *(18)* **105 H 1**
Étréchy *(51)* **33 G 5**
Étréchy *(91)* **51 E 4**
Étréham *(14)* **23 H 5**
Étreillers *(02)* **16 C 2**
Étréjust *(80)* **14 D 1**
Étrelles *(35)* **66 A 2**
Étrelles-et-la-Montbleuse *(70)* **94 C 3**
Étrelles-sur-Aube *(10)* **53 G 3**
Étrembières *(74)* **124 C 4**
Étrépagny *(27)* **30 B 2**
Étrepigney *(39)* **110 B 1**
Étrépigny *(08)* **18 D 3**
Étrépilly *(02)* **32 D 4**
Étrépilly *(77)* **32 A 4**
Étrepy *(51)* **54 D 1**
Étretat *(76)* **12 B 3**
Étreux *(02)* **17 F 1**
Étreval *(54)* **56 D 4**
Étréville *(27)* **28 D 1**
Étrez *(01)* **122 D 3**
Étriac *(16)* **128 A 5**
Étriché *(49)* **85 E 1**
Étricourt-Manancourt *(80)* **8 C 5**
Étrigny *(71)* **122 B 1**
Étrochey *(21)* **74 C 4**
Étrœungt *(59)* **9 H 5**
Étroitefontaine *(70)* **95 G 1**
Étroussat *(03)* **119 H 4**
Étrun *(62)* **8 A 3**
Etsaut *(64)* **203 G 3**
Ettendorf *(67)* **39 E 5**
Etting *(57)* **38 B 3**
Étueffont *(90)* **78 A 5**
Étupes *(25)* **96 C 2**
Éturqueraye *(27)* **28 D 1**
Étusson *(79)* **100 D 2**
Étuz *(70)* **94 D 4**
Etzling *(57)* **38 A 2**
Eu *(76)* **6 B 5**
Euffigneix *(52)* **75 F 2**
Eugénie-les-Bains *(40)* **186 B 1**
Euilly-et-Lombut *(08)* **19 G 4**
Eulmont *(54)* **57 E 1**
Eup *(31)* **205 G 3**
Eurre *(26)* **164 C 2**
Eurville *(76)* **13 F 3**
Eurville-Bienville *(52)* **55 F 3**
Eus *(66)* **212 C 3**
Euvezin *(54)* **36 B 5**
Euville *(55)* **56 A 1**
Euvy *(51)* **53 H 2**
L'Euze *(84)* **179 G 3**
Euzet *(30)* **178 B 3**
Évaillé *(72)* **68 D 4**
Évans *(39)* **94 C 5**
Évaux-et-Ménil *(88)* **57 F 5**
Évaux-les-Bains *(23)* **118 D 5**
Ève *(60)* **31 H 4**
Évecquemont *(78)* **30 D 4**
Évenos *(83)* **200 D 3**
Évergnicourt *(02)* **33 H 1**
Everly *(77)* **52 C 4**
Évette-Salbert *(90)* **96 C 1**
Éveux *(69)* **135 G 2**
Évian-les-Bains *(74)* **125 E 2**
Évigny *(08)* **18 D 3**
Évillers *(25)* **111 F 2**
Évin-Malmaison *(62)* **4 C 5**
Évires *(74)* **124 C 5**
Évisa *(2A)* **216 C 3**
Évosges *(01)* **137 F 1**
Évran *(22)* **44 D 4**
Évrange *(57)* **21 E 2**
Évrecy *(14)* **27 E 3**
Èvres *(55)* **35 F 4**
Évreux (P) *(27)* **29 G 4**
Évricourt *(60)* **16 B 4**
Évriguet *(56)* **64 A 2**
Évron *(53)* **67 E 2**
Évrunes *(85)* **100 B 2**
Évry *(89)* **72 C 1**
Évry-Courcouronnes (P) *(91)* **51 F 3**
Évry-Grégy-sur-Yerres *(77)* **51 H 3**
Excenevex *(74)* **124 D 2**
Excideuil *(24)* **143 H 2**
Exermont *(08)* **35 E 2**
Exideuil-sur-Vienne *(16)* **129 F 2**
Exincourt *(25)* **96 C 2**
Exireuil *(79)* **114 C 2**
Exmes *(61)* **48 A 1**
Exoudun *(79)* **114 D 3**
Expiremont *(17)* **141 G 2**
Eybens *(38)* **151 G 3**
Eybouleuf *(87)* **130 C 3**
Eyburie *(19)* **144 D 1**
Eycheil *(09)* **206 B 3**
Eydoche *(38)* **151 E 1**
Eygalayes *(26)* **180 C 1**
Eygalières *(13)* **195 E 1**
Eygaliers *(26)* **179 H 1**
Eygliers *(05)* **167 F 2**
Eygluy-Escoulin *(26)* **164 D 2**
Eyguians *(05)* **165 H 5**
Eyguières *(13)* **195 F 1**
Eygurande *(19)* **132 A 4**
Eygurande-et-Gardedeuil *(24)* **142 B 4**
Eyjeaux *(87)* **130 B 3**
Eyliac *(24)* **143 G 3**
Eymet *(24)* **156 D 3**
Eymeux *(26)* **150 D 4**
Eymouthiers *(16)* **129 E 4**
Eymoutiers *(87)* **130 D 3**
Eyne *(66)* **211 H 4**
Eyne 2600 *(66)* **211 H 4**
Eynesse *(33)* **156 B 1**
Eyragues *(13)* **179 F 5**
Eyrans *(33)* **141 E 3**
Eyrein *(19)* **145 F 2**
Eyrenville *(24)* **157 E 3**
Eyres-Moncube *(40)* **186 A 1**
Eyroles *(26)* **165 E 5**
Eysines *(33)* **155 E 1**
Eysson *(25)* **95 G 5**
Eysus *(64)* **203 G 1**
Eyvirat *(24)* **143 F 2**
Eywiller *(67)* **38 B 5**
Eyzahut *(26)* **164 C 4**
Eyzerac *(24)* **143 G 1**
Les Eyzies-de-Tayac *(24)* **143 H 5**
Eyzin-Pinet *(38)* **136 C 5**
Ézanville *(95)* **31 F 4**
Èze *(06)* **183 F 5**
Èze-Bord-de-Mer *(06)* **183 F 5**
Ézy-sur-Eure *(27)* **49 H 1**

F

Fa (11) 208 A 3
Fabas (09) 206 B 2
Fabas (31) 188 C 5
Fabas (82) 173 G 5
Fabras (07) 162 D 3
La Fabrègue (30) 177 H 3
Fabrègues (34) 193 E 3
Fabrègues (48) 177 G 2
Fabrezan (11) 208 D 1
Faches-Thumesnil (59) 4 C 4
Fâchin (58) 107 H 2
Facture (33) 154 C 3
La Fage-Montivernoux (48) 161 E 2
La Fage-St-Julien (48) 161 E 2
Le Faget (31) 190 A 3
Faget-Abbatial (32) 188 A 3
Fagnières (51) 34 B 5
Fagnon (08) 18 D 3
Fahy-lès-Autrey (70) 94 A 2
Failly (57) 21 E 5
Faimbe (25) 95 H 2
Fain-lès-Montbard (21) 92 B 2
Fain-lès-Moutiers (21) 92 A 2
Fains (27) 29 H 5
Fains-la-Folie (28) 70 B 1
Fains-les-Sources (55) 55 F 1
Fains-Véel (55) 55 F 1
Faissault (08) 18 C 4
Fajac-en-Val (11) 208 C 2
Fajac-la-Relenque (11) 189 H 5
Fajoles (46) 158 B 2
La Fajolle (11) 207 G 5
Fajolles (82) 173 E 4
Falaise (08) 34 D 1
Falaise (14) 27 G 5
La Falaise (78) 30 C 5
Falck (57) 21 H 4
Faleyras (33) 155 H 2
Falga (31) 190 A 3
Le Falgoux (15) 146 B 4
Falgueyrat (24) 157 E 3
Falicon (06) 183 F 5
Falkwiller (68) 78 C 5
Fallencourt (76) 14 B 2
Fallerans (25) 95 F 5
Falleron (85) 99 E 3
Falletans (39) 110 B 1
Fallières (88) 77 G 3
Fallon (70) 95 G 2
La Faloise (80) 15 F 3
Fals (47) 172 C 3
Falvy (80) 16 B 2
Famars (59) 9 F 3
Famechon (62) 7 H 4
Famechon (80) 15 E 3
Fameck (57) 20 D 4
Familly (14) 28 B 5
Fampoux (62) 8 B 3
Fanjeaux (11) 207 H 1
Fanlac (24) 143 H 4
Le Faou (29) 41 G 5
Le Faouët (22) 43 F 3
Le Faouët (56) 62 C 3
Faramans (01) 136 C 2
Faramans (38) 150 D 1
Farbus (62) 8 B 2
Farceaux (27) 30 A 2
La Fare-en-Champsaur (05) 166 B 2
La Fare-les-Oliviers (13) 195 G 2
Farébersviller (57) 37 H 3
Fareins (01) 135 H 1
Faremoutiers (77) 52 B 1
Farges (01) 124 A 4
Les Farges (24) 144 A 4
Farges (63) 132 B 3
Farges-Allichamps (18) 105 F 4
Farges-en-Septaine (18) 105 H 2
Farges-lès-Chalon (71) 109 E 4
Farges-lès-Mâcon (71) 122 C 1
Fargniers (02) 16 D 4
Fargues (33) 155 G 4
Fargues (40) 186 B 1
Fargues (46) 158 A 5
Fargues-St-Hilaire (33) 155 F 1
Fargues-sur-Ourbise (47) 171 G 2
Farincourt (52) 94 B 1
Farinole (2B) 215 F 3
Les Farjons (84) 179 E 2
La Farlède (83) 201 E 3
Farnay (42) 135 G 5
Faronville (45) 70 D 2
Farrou (12) 159 F 5
Farschviller (57) 38 A 3
Fatines (72) 68 B 3
Fatouville-Grestain (27) 28 B 1
Le Fau (15) 146 B 4
Fau-de-Peyre (48) 161 F 2
Fauch (81) 175 E 5
Faucigny (74) 124 D 4
Faucogney-et-la-Mer (70) 77 G 4
Faucompierre (88) 77 H 1
Faucon (84) 179 H 1
Faucon-de-B. (04) 167 F 5
Faucon-du-Caire (04) 166 B 5
Fauconcourt (88) 57 G 4
Faucoucourt (02) 17 E 5
Faudoas (82) 173 E 5
Le Fauga (31) 189 E 4
Faugères (07) 162 D 4
Faugères (34) 192 B 3
Fauguernon (14) 28 B 3
Fauguerolles (47) 156 C 5
Fauillet (47) 156 C 5
Le Faulq (14) 28 B 2
Faulquemont (57) 37 G 3
Faulquemont-Cité (57) 37 G 3
Faulx (54) 57 E 1
Faumont (59) 4 C 5
Fauquembergues (62) 2 D 5
La Faurie (05) 165 H 3
Faurilles (24) 157 F 2
Fauroux (82) 173 E 2
Faussergues (81) 175 F 3
La Faute-sur-Mer (85) 112 D 3
Fauverney (21) 93 G 5
Fauville (27) 29 G 4
Fauville-en-Caux (76) 12 D 4
Faux (08) 18 C 5
Faux (24) 157 E 2
Faux-Fresnay (51) 53 G 3
Faux-la-Montagne (23) 131 F 3
Faux-Mazuras (23) 131 E 2
Faux-Vésigneul (51) 54 B 1
Faux-Villecerf (10) 53 F 5
Favalello (2B) 217 F 2
Favars (19) 144 D 3
Faveraye-Mâchelles (49) 85 E 5
Faverdines (18) 105 G 5
Faverelles (45) 90 A 2
Faverges-de-la-Tour (38) 137 F 4
Faverges-Seythenex (74) 138 C 3
Faverney (70) 77 E 5
Faverois (90) 96 D 2
Faverolles (02) 32 C 3
Faverolles (15) 147 E 5
Faverolles (28) 50 A 2
Faverolles (52) 75 G 4
Faverolles (61) 47 F 2
Faverolles (80) 15 H 4
Faverolles-en-Berry (36) 103 H 1
Faverolles-et-Coëmy (51) 33 F 2
Faverolles-la-Campagne (27) 29 F 4
Faverolles-lès-Lucey (21) 75 E 5
Faverolles-les-Mares (27) 28 C 3
Faverolles-sur-Cher (41) 87 G 4
La Favière (39) 111 E 4
Favières (28) 49 G 4
Favières (54) 56 C 4
Favières (77) 51 H 2
Favières (80) 6 C 4
Favone (2A) 219 G 2
Favresse (51) 54 D 2
Favreuil (62) 8 B 5
Favrieux (78) 30 B 5
Le Favril (27) 28 C 3
Le Favril (28) 49 G 4
Le Favril (59) 9 G 5
Fay (61) 48 B 2
Le Fay (71) 109 H 5
Fay (72) 67 H 3
Fay (80) 16 A 2
Fay-aux-Loges (45) 71 E 4
Fay-de-Bretagne (44) 83 E 3
Fay-en-Montagne (39) 110 C 4
Fay-le-Clos (26) 149 H 3
Fay-les-Étangs (60) 30 D 2
Fay-lès-Marcilly (10) 53 E 5
Faÿ-lès-Nemours (77) 71 H 1
Le Fay-St-Quentin (60) 31 E 1
Fay-sur-Lignon (43) 148 D 5
Faycelles (46) 159 F 4
La Faye (16) 128 B 1
Faye (41) 69 G 5
Faye-d'Anjou (49) 84 D 4
Faye-la-Vineuse (37) 102 B 2
Faye-l'Abbesse (79) 101 E 3
Faye-sur-Ardin (79) 114 A 2
Le Fayel
(près de Compiègne) (60) 31 H 1
Le Fayel (près de Gisors) (60) 30 C 3
Fayence (83) 197 H 1
Fayet (02) 16 D 2
Fayet (12) 191 H 1
Le Fayet (74) 139 E 1
Fayet-le-Château (63) 133 H 4
Fayet-Ronaye (63) 147 H 1
Fayl-Billot (52) 76 B 5
Faymont (70) 95 H 1
Faymont (88) 77 G 3
Faymoreau (85) 113 H 1
Fays (52) 55 F 4
Fays (88) 77 H 1
Fays-la-Chapelle (10) 73 H 2
Fayssac (81) 174 C 4
Féas (64) 203 F 1
Febvin-Palfart (62) 7 G 1
Fécamp (76) 12 C 3
Féchain (59) 8 D 3
Fêche-l'Église (90) 96 D 2
La Féclaz (73) 138 A 4
Fécocourt (54) 56 D 4
Fédry (70) 94 C 1
Fegersheim (67) 59 F 3
Fégréac (44) 82 C 1
Feigères (74) 124 B 5
Feigneux (60) 32 A 2
Feignies (59) 9 H 3
Feillens (01) 122 C 3
Feings (41) 87 H 3
Feings (61) 48 D 3
Feins (35) 45 F 5
Feins-en-Gâtinais (45) 90 A 1
Feissons-sur-Isère (73) 138 D 4
Feissons-sur-Salins (73) 138 D 5
Le Fel (12) 160 A 3
Fel (61) 48 A 1
Felce (2B) 217 G 1
Feldbach (68) 97 F 2
Feldkirch (68) 78 D 4
Feliceto (2B) 214 D 5
Félines (07) 149 G 2
Félines (43) 148 A 2
Félines-Minervois (34) 191 F 5
Félines-sur-Rimandoule (26) 164 D 3
Félines-Termenès (11) 208 D 3
Felleries (59) 10 A 3
Fellering (68) 78 B 4
Felletin (23) 131 G 2
Felluns (66) 208 C 5
Felon (90) 78 B 5
Felzins (46) 159 G 3
Fenain (59) 8 D 2
Fénay (21) 93 F 5
Fendeille (11) 190 A 5
Fénery (79) 101 E 5
Fénétrange (57) 38 A 5
Feneu (49) 84 D 2
Féneyrols (82) 174 B 3
Féniers (23) 131 G 3
Fenioux (17) 127 F 2
Fenioux (79) 114 A 1
Fenneviller (54) 58 A 3
Fénols (81) 174 D 5
Le Fenouiller (85) 98 D 4
Fenouillet (31) 189 F 2
Fenouillet (66) 208 B 5
Fenouillet-du-Razès (11) 207 H 1
Féole (85) 100 A 5
Fépin (08) 11 E 4
Ferayola (2B) 216 B 1
Fercé (44) 65 G 5
Fercé-sur-Sarthe (72) 67 H 4
Ferdrupt (88) 77 H 4
La Fère (02) 16 D 4
Fère-Champenoise (51) 53 H 2
Fère-en-Tardenois (02) 33 E 3
Fèrebrianges (51) 53 G 1
La Férée (08) 18 B 3
Férel (56) 82 A 2
Ferfay (62) 7 G 1
Féricy (77) 52 A 4
Férin (59) 8 C 3
Fermaincourt (28) 49 H 2
Fermanville (50) 22 D 2
La Fermeté (58) 106 D 3
Ferney-Voltaire (01) 124 B 3
Fernoël (63) 132 A 3
Férolles (45) 71 E 5
Férolles-Attilly (77) 51 H 2
Féron (59) 10 A 4
Ferques (62) 2 B 3
Ferrals-les-Corbières (11) 208 D 1
Ferrals-les-Montagnes (34) 191 F 4
Ferran (11) 207 H 1
Ferrassières (26) 180 B 2
Le Ferré (35) 45 H 4
Ferrensac (47) 157 E 3
Ferrère (65) 205 F 3
Les Ferres (06) 183 E 4
Ferrette (68) 97 F 2
Ferreux (10) 53 E 4
La Ferrière (22) 63 H 3
La Ferrière (37) 86 D 2
La Ferrière (38) 152 A 2
La Ferrière (85) 99 G 4
La Ferrière-Airoux (86) 115 G 3
La Ferrière-au-Doyen (14) 25 H 4
La Ferrière-au-Doyen (61) 48 C 2
La Ferrière-aux-Étangs (61) 47 E 2
La Ferrière-Béchet (61) 47 H 3
La Ferrière-Bochard (61) 47 H 5
La Ferrière-de-Flée (49) 66 C 5
La Ferrière-
en-Parthenay (79) 101 G 5
Ferrière-et-Lafolie (52) 55 F 5
Ferrière-Harang (14) 25 G 4
Ferrière-la-Grande (59) 9 H 3
Ferrière-la-Pite (59) 10 A 2
Ferrière-Larçon (37) 103 E 2
Ferrière-sur-Beaulieu (37) 103 F 1
La Ferrière-sur-Risle (27) 29 E 5
Ferrières (17) 113 G 4
Ferrières (50) 46 B 3
Ferrières (54) 57 E 3
Ferrières (60) 15 G 4
Ferrières (65) 204 A 2
Ferrières (80) 15 E 2
Ferrières (81) 191 E 2
Ferrières-en-Bray (76) 14 C 5
Ferrières-en-Brie (77) 51 H 1
Ferrières-en-Gâtinais (45) 72 A 3
Ferrières-Haut-Clocher (27) 29 F 4
Ferrières-la-Verrerie (61) 48 B 2
Ferrières-le-Lac (25) 96 D 4
Ferrières-les-Bois (25) 94 C 5
Ferrières-lès-Ray (70) 94 C 2
Ferrières-lès-Scey (70) 94 D 1
Ferrières-les-Verreries (34) 177 G 5
Ferrières-Poussarou (34) 191 H 3
Ferrières-St-Hilaire (27) 28 C 4
Ferrières-St-Mary (15) 147 E 3
Ferrières-sur-Ariège (09) 207 E 3
Ferrières-sur-Sichon (03) 134 A 1
Ferrussac (43) 147 G 4
Fertans (25) 111 E 1
La Ferté (39) 110 B 2
La Ferté-Alais (91) 51 F 4
La Ferté-Beauharnais (41) 88 C 2
La Ferté-Bernard (72) 68 D 2
La Ferté-Chevresis (02) 17 E 3
La Ferté-en-Ouche (61) 48 C 1
La Ferté-Gaucher (77) 52 D 1
La Ferté-Hauterive (03) 120 A 3
La Ferté-Imbault (41) 88 D 4
La Ferté-Loupière (89) 72 C 4
La Ferté-Macé (61) 47 F 3
La Ferté-Milon (02) 32 B 3
La Ferté-sous-Jouarre (77) 32 C 5
La Ferté-St-Aubin (45) 88 C 1
La Ferté-St-Cyr (41) 88 B 1
La Ferté-St-Samson (76) 14 B 4
La Ferté-sur-Chiers (08) 19 G 4
La Ferté-Vidame (28) 49 E 3
La Ferté-Villeneuil (28) 69 H 4
Fertrève (58) 107 F 2
Fervaches (50) 25 F 4
Fervaques (14) 28 B 4
Fescamps (80) 15 H 4
Fesches-le-Châtel (25) 96 D 2
Fesmy-le-Sart (02) 9 G 5
Fesques (76) 14 A 2
Fessanvilliers-
Mattanvilliers (28) 49 F 2
Fessenheim (68) 79 E 3
Fessenheim-le-Bas (67) 59 E 2
Fessevillers (25) 96 D 4
Les Fessey (70) 77 G 4
Fessy (74) 124 D 3
Festalemps (24) 142 C 3
Festes-et-St-André (11) 207 H 3
Festieux (02) 17 G 5
Festigny (51) 33 F 4
Festigny (89) 91 E 2
Festubert (62) 4 A 4
Le Fête (21) 108 C 1
Féternes (74) 125 E 2
Fétigny (39) 123 G 2
Feucherolles (78) 50 D 1
Feuchy (62) 8 B 3
Feugarolles (47) 172 A 2
Feugères (50) 25 E 3
Feuges (10) 53 H 5
Feuguerolles (27) 29 F 3
Feuguerolles-sur-Orne (14) 27 F 3
Feuguerolles-
sur-Seulles (14) 26 D 3
Feuilla (11) 209 F 3
Feuillade (16) 128 D 4
La Feuillade (24) 144 B 4
La Feuillée (29) 42 A 5
Feuillères (80) 16 A 1
Feuilleuse (28) 49 G 3
La Feuillie (50) 24 D 2
La Feuillie (76) 14 B 5
Feule (25) 96 C 3
Feuquières (60) 14 D 4
Feuquières-en-Vimeu (80) 6 C 5
Feurs (42) 135 E 3
Feusines (36) 118 A 1
Feux (18) 90 A 5
Fèves (57) 21 E 5
Féy (57) 36 D 4
Fey-en-Haye (54) 36 C 5
Feyt (19) 132 B 4
Feytiat (87) 130 B 3
Feyzin (69) 136 B 4
Fiac (81) 190 A 1
Ficaja (2B) 217 G 1
Ficajola (2A) 216 B 3
Ficheux (62) 8 A 4
Fichous-Riumayou (64) 186 B 3
Le Fidelaire (27) 29 E 5
Le Fied (39) 110 C 4
Le Fief-Sauvin (49) 84 A 5
Fieffes-Montrelet (80) 7 F 5
Fiefs (62) 7 G 1
Fiélouse (13) 194 C 3
Fiennes (62) 2 C 3
Fienvillers (80) 7 F 5
Fierville-la-Campagne (14) 27 G 4
Fierville-les-Mines (50) 22 C 5
Fierville-les-Parcs (14) 28 A 2
Le Fieu (33) 142 A 4
Fieulaine (02) 17 E 2
Fieux (47) 172 A 3
Figanières (83) 197 G 2
Figareto (2B) 217 H 1
Figari (2A) 219 F 4
Figarol (31) 205 H 2
Figeac SP (46) 159 F 3
Fignévelle (88) 76 C 3
Fignières (80) 15 H 3
Filain (02) 17 F 5
Filain (70) 95 E 2
Filitosa
(Site Préhistorique de) (2A) 218 D 2
Fillé (72) 68 A 4
Fillières (54) 20 C 3
Fillièvres (62) 7 F 3
Fillinges (74) 124 D 4
Fillols (66) 212 B 3
Filstroff (57) 21 G 4
Fiménil (88) 77 H 1
Finestret (66) 212 C 3
Finhan (82) 173 F 5
Finiels (48) 162 A 5
Les Fins (25) 111 H 1
Fins (80) 8 C 5
Fiquefleur-Équainville (27) 28 B 1
Firbeix (24) 129 G 5
Firfol (14) 28 B 3
Firmi (12) 159 H 4
Firminy (42) 148 D 1
Fislis (68) 97 G 2
Fismes (51) 33 F 2
Fitilieu (38) 137 F 5
Fitou (11) 209 F 4
Fitz-James (60) 31 F 1
Fix-St-Geneys (43) 147 H 4
Fixem (57) 21 E 3
Fixin (21) 93 F 5
Flacey (21) 93 G 3
Flacey (28) 69 H 2
Flacey-en-Bresse (71) 110 A 5
La Flachère (38) 152 A 1
Flachères (38) 137 E 5
Flacourt (78) 30 B 5
Flacy (89) 73 E 1
Flagey (25) 111 E 1
Flagey (52) 75 G 5
Flagey-Echézeaux (21) 109 F 1
Flagey-lès-Auxonne (21) 109 H 1
Flagey-Rigney (25) 95 E 3
Flagnac (12) 159 G 3
Flagy (70) 77 E 5
Flagy (71) 122 A 1
Flagy (77) 72 A 1
Flaignes-Havys (08) 18 B 2
Flaine (74) 125 F 5
Flainval (54) 57 F 2
Flamanville (50) 22 B 3
Flamanville (76) 13 F 4
Flamarens (32) 172 D 4
La Flamengrie (02) 17 H 1
La Flamengrie (59) 9 G 3
Flamets-Frétils (76) 14 B 3
Flamicourt (80) 16 B 1
Flammerans (21) 94 A 5
Flammerécourt (52) 55 F 5
Flancourt (52) 54 D 4
Flancourt-Catelon (27) 29 E 1
Flancourt-Crescy
-en-Roumois (27) 29 E 2
Flangebouche (25) 95 G 5
Flassan (84) 179 H 3
Flassans-sur-Issole (83) 197 E 4
Flassigny (55) 19 H 5
Flastroff (57) 21 G 3
Flaucourt (80) 16 A 1
Flaugeac (24) 156 D 2
Flaujac-Gare (46) 159 E 3
Flaujac-Poujols (46) 158 C 5
Flaujagues (33) 156 A 1
Flaumont-Waudrechies (59) 9 H 4
Flaux (30) 178 C 3
Flavacourt (60) 30 C 2
Flaviac (07) 163 G 2
Flavignac (87) 129 H 4
Flavignerot (21) 93 F 5
Flavigny (18) 106 A 3
Flavigny (51) 33 H 5
Flavigny-le-Grand-
et-Beaurain (02) 17 F 2
Flavigny-sur-Moselle (54) 57 E 3
Flavigny-sur-Ozerain (21) 92 C 3
Flavin (12) 175 G 1
Flavy-le-Martel (02) 16 C 3
Flavy-le-Meldeux (60) 16 B 3
Flaxieu (01) 137 G 2
Flaxlanden (68) 78 D 5
Flayat (23) 131 H 3
Flayosc (83) 197 G 2
Fléac (16) 128 B 4
Fléac-sur-Seugne (17) 127 F 5
La Flèche SP (72) 85 G 1
Fléchin (62) 7 G 1
Fléchy (60) 15 F 4
Flée (21) 92 B 3
Flée (72) 86 B 1
Fleigneux (08) 19 F 3
Fleisheim (57) 58 B 1
Le Fleix (24) 156 C 1
Fleix (86) 116 A 1
Fléré-la-Rivière (36) 103 F 2
Flers (61) 47 E 1
Flers (62) 7 F 3
Flers (80) 8 B 5
Flers-en-Escrebieux (59) 8 C 2
Flers-sur-Noye (80) 15 F 3
Flesquières (59) 8 C 5
Flesselles (80) 15 F 1
Flétrange (57) 37 G 3
Flêtre (59) 3 G 4
Fléty (58) 107 G 4
Fleurac (16) 128 A 3
Fleurac (24) 143 H 5
Fleurance (32) 172 C 5
Fleurat (23) 117 G 4
Fleurbaix (62) 3 H 5
Fleuré (61) 47 H 2
Fleuré (86) 115 H 2
Fleurey (25) 96 C 4
Fleurey-lès-Faverney (70) 76 D 5
Fleurey-lès-Lavoncourt (70) 94 C 1
Fleurey-lès-St-Loup (70) 77 F 4
Fleurey-sur-Ouche (21) 93 E 4
Fleurie (69) 122 A 4
Fleuriel (03) 119 H 4
Fleurieu-sur-Saône (69) 135 H 2
Fleurieux-sur-l'Arbresle (69) 135 G 2
Fleurigné (35) 46 A 5
Fleurigny (89) 72 D 1
Fleurines (60) 31 G 2
Fleurville (71) 122 C 2
Fleury (02) 32 C 2
Fleury (11) 209 G 1
Fleury (50) 25 E 5
Fleury (57) 37 E 4
Fleury (60) 30 D 2
Fleury (62) 7 F 2
Fleury (80) 15 E 3
Fleury-
devant-Douaumont (55) 35 H 2
Fleury-en-Bière (77) 51 G 4
Fleury-la-Forêt (27) 30 A 1
Fleury-la-Montagne (71) 121 F 4
Fleury-la-Rivière (51) 33 G 4
Fleury-la-Vallée (89) 73 E 4
Fleury-les-Aubrais (45) 70 C 4
Fleury-Mérogis (91) 51 F 3
Fleury-sur-Aire (55) 35 F 4
Fleury-sur-Andelle (27) 29 H 1
Fleury-sur-Loire (58) 106 D 4
Fleury-sur-Orne (14) 27 F 3
Fléville (08) 35 E 2
Fléville-devant-Nancy (54) 57 E 2
Fléville-Lixières (54) 20 C 4
Flévy (57) 21 E 4
Flexanville (78) 50 B 1
Flexbourg (67) 58 D 2
Fley (71) 108 D 5
Fleys (89) 73 G 5
Flez-Cuzy (58) 91 F 4
Fligny (08) 10 B 5
Flin (54) 57 H 3
Flines-lès-Mortagne (59) 5 E 5
Flines-lez-Raches (59) 4 D 5
Flins-Neuve-Église (78) 30 A 5
Flins-sur-Seine (78) 30 C 5
Flipou (27) 29 H 2
Flirey (54) 36 C 5
Flixecourt (80) 15 E 1
Flize (08) 19 E 3
La Flocellière (85) 100 B 3
Flocourt (57) 37 F 4
Flocques (76) 6 A 5
Flogny-la-Chapelle (89) 73 G 4
Floing (08) 19 E 3
Floirac (17) 127 E 5
Floirac (33) 155 F 1
Floirac (46) 158 D 1
Florac SP (48) 177 F 1
Florange (57) 20 D 4
Florémont (88) 57 E 5
Florensac (34) 192 C 4
Florent-en-Argonne (51) 35 E 3
Florentia (39) 123 F 2
Florentin (81) 174 D 5
Florentin-la-Capelle (12) 160 B 3
Floressas (46) 157 H 5
Florimont (90) 97 E 2
Florimont-Gaumier (24) 158 A 3
Floringhem (62) 7 G 1
Flornoy (52) 55 F 3
Flosaille (38) 136 D 4
La Flotte (17) 112 D 4
Flottemanville (50) 22 D 4
Flottemanville-Hague (50) 22 C 3
Floudès (33) 156 A 4
Floure (11) 208 C 1
Flourens (31) 189 G 2
Floursies (59) 9 H 4
Floyon (59) 9 H 5
Flumet (73) 138 D 2
Fluquières (02) 16 C 2
Fluy (80) 15 E 2
Foameix-Ornel (55) 20 A 5
Foce (2A) 219 E 3
Focicchia (2B) 217 F 2
Foëcy (18) 105 E 1
Le Foeil (22) 43 G 5
Foisches (08) 11 E 3
Foissac (12) 159 F 4
Foissac (30) 178 B 3
Foissiat (01) 122 D 3
Foissy (21) 108 C 1
Foissy-lès-Vézelay (89) 91 G 3
Foissy-sur-Vanne (89) 73 E 1
Foix P (09) 207 E 3
Folcarde (31) 190 A 4
Folelli (2B) 215 G 5
Folembray (02) 16 D 5
Foleux (56) 82 B 1
Folgensbourg (68) 97 G 1
Le Folgoët (29) 41 F 2
La Folie (14) 25 G 2
La Folie (28) 50 C 4
Folies (80) 15 H 3
Folkling (57) 38 A 2
Follainville-Dennemont (78) 30 B 4
Folles (87) 117 E 5
La Folletière (76) 13 E 4
La Folletière-Abenon (14) 28 C 5
Folleville (27) 28 C 3
Folleville (80) 15 G 4
Folligny (50) 45 H 1

Localité *(Département)* **Page** **Coordonnées**

Folschviller *(57)* **37 G 3**
Fomerey *(88)* **77 F 1**
Fomperron *(79)* **114 D 2**
Fonbeauzard *(31)* **189 F 2**
Foncegrive *(21)* **93 G 2**
Fonches-Fonchette *(80)* **16 A 3**
Foncine-le-Bas *(39)* **111 E 5**
Foncine-le-Haut *(39)* **111 E 5**
Foncquevillers *(62)* **8 A 4**
Fond-de-France *(38)* **152 A 2**
Fondamente *(12)* **176 C 5**
Fondettes *(37)* **86 C 4**
Fondremand *(70)* **94 D 3**
Fongalop *(24)* **157 G 2**
Fongrave *(47)* **156 D 5**
Fongueusemare *(76)* **12 C 3**
Fonroque *(24)* **156 D 2**
Fons *(07)* **163 E 4**
Fons *(30)* **178 A 5**
Fons *(46)* **159 F 3**
Fons-sur-Lussan *(30)* **178 B 2**
Fonsomme *(02)* **17 E 1**
Fonsorbes *(31)* **189 E 3**
Font-Brun *(83)* **201 F 4**
Font-Romeu-Odeillo-Via *(66)* **211 H 4**
Fontafie *(16)* **129 E 2**
Fontain *(25)* **94 D 5**
Fontaine *(10)* **74 D 1**
Fontaine *(38)* **151 G 3**
Fontaine *(90)* **96 D 1**
Fontaine-au-Bois *(59)* **9 F 4**
Fontaine-au-Pire *(59)* **9 E 4**
Fontaine-Bellenger *(27)* **29 H 3**
Fontaine-Bonneleau *(60)* **15 E 4**
Fontaine-Chaalis *(60)* **31 H 3**
Fontaine-Chalendray *(17)* **127 H 1**
Fontaine-Couverte *(53)* **66 A 4**
Fontaine-Daniel *(53)* **66 D 1**
Fontaine-de-Vaucluse *(84)* **179 H 4**
Fontaine-Denis-Nuisy *(51)* **53 F 3**
La Fontaine-du-Buis *(30)* **179 E 4**
Fontaine-en-Bray *(76)* **14 A 4**
Fontaine-en-Dormois *(51)* **34 D 2**
Fontaine-Étoupefour *(14)* **27 E 3**
Fontaine-Fourches *(77)* **52 D 5**
Fontaine-Française *(21)* **93 H 2**
Fontaine-Guérin *(49)* **85 G 3**
Fontaine-Henry *(14)* **27 F 2**
Fontaine-Heudebourg *(27)* **29 G 3**
Fontaine-la-Gaillarde *(89)* **72 D 1**
Fontaine-la-Guyon *(28)* **49 H 4**
Fontaine-la-Louvet *(27)* **28 C 3**
Fontaine-la-Mallet *(76)* **12 B 5**
Fontaine-la-Rivière *(91)* **51 E 5**
Fontaine-la-Soret *(27)* **28 D 3**
Fontaine-l'Abbé *(27)* **28 D 4**
Fontaine-Lavaganne *(60)* **14 D 4**
Fontaine-le-Bourg *(76)* **13 H 5**
Fontaine-le-Comte *(86)* **115 F 1**
Fontaine-le-Dun *(76)* **13 F 2**
Fontaine-le-Pin *(14)* **27 F 5**
Fontaine-le-Port *(77)* **51 H 4**
Fontaine-le-Puits *(73)* **138 D 5**
Fontaine-le-Sec *(80)* **14 C 1**
Fontaine-les-Bassets *(61)* **47 H 1**
Fontaine-lès-Boulans *(62)* **7 G 1**
Fontaine-lès-Cappy *(80)* **16 A 2**
Fontaine-lès-Clercs *(02)* **16 D 2**
Fontaine-lès-Clerval *(25)* **95 G 3**
Fontaine-les-Coteaux *(41)* **69 E 5**
Fontaine-lès-Croisilles *(62)* **8 B 4**
Fontaine-lès-Dijon *(21)* **93 F 4**
Fontaine-les-Grès *(10)* **53 G 5**
Fontaine-lès-Hermans *(62)* **7 G 1**
Fontaine-lès-Luxeuil *(70)* **77 F 4**
Fontaine-les-Ribouts *(28)* **49 G 3**
Fontaine-lès-Vervins *(02)* **17 G 2**
Fontaine-l'Étalon *(62)* **7 E 3**
Fontaine-Luyères *(10)* **54 A 5**
Fontaine-Mâcon *(10)* **53 E 4**
Fontaine-Notre-Dame *(02)* **17 E 2**
Fontaine-Notre-Dame *(59)* **8 D 4**
Fontaine-Raoul *(41)* **69 G 3**
Fontaine-Simon *(28)* **49 F 4**
Fontaine-sous-Jouy *(27)* **29 H 4**
Fontaine-sous-Montdidier *(80)* **15 G 4**
Fontaine-sous-Préaux *(76)* **13 H 5**
Fontaine-St-Lucien *(60)* **15 E 5**
La Fontaine-St-Martin *(72)* **67 H 5**
Fontaine-sur-Ay *(51)* **33 H 4**
Fontaine-sur-Coole *(51)* **54 B 1**
Fontaine-sur-Maye *(80)* **7 E 4**
Fontaine-sur-Somme *(80)* **7 E 5**
Fontaine-Uterte *(02)* **16 D 1**
Fontainebleau SP *(77)* **51 H 5**
Fontainebrux *(39)* **110 A 5**
Fontaines *(71)* **109 E 3**
Fontaines *(85)* **113 G 2**
Fontaines *(89)* **90 C 1**
Fontaines-d'Ozillac *(17)* **141 G 1**
Fontaines-en-Duesmois *(21)* **92 C 1**
Fontaines-en-Sologne *(41)* **88 A 3**
Fontaines-les-Sèches *(21)* **74 B 5**
Fontaines-St-Clair *(55)* **35 G 1**
Fontaines-sur-Marne *(52)* **55 F 3**
Fontaines-sur-Saône *(69)* **135 H 2**
Les Fontainettes *(60)* **30 C 1**
Fontains *(77)* **52 B 4**
Fontan *(06)* **183 H 3**
Fontanès *(30)* **178 A 5**
Fontanès *(34)* **193 F 1**
Fontanès *(42)* **135 F 5**
Fontanes *(46)* **173 H 1**
Fontanes *(48)* **162 A 2**
Fontanès-de-Sault *(11)* **207 H 5**
Fontanes-du-Causse *(46)* **158 D 3**
Fontanges *(15)* **146 A 4**
Fontangy *(21)* **92 B 4**
Fontanières *(23)* **118 D 5**
Fontanil-Cornillon *(38)* **151 G 2**
Fontannes *(43)* **147 G 2**
Fontans *(48)* **161 G 2**
Fontarèches *(30)* **178 C 3**
Fontclaireau *(16)* **128 C 2**
Fontcouverte *(11)* **208 D 1**
Fontcouverte *(17)* **127 F 3**
Fontcouverte-La-Toussuire *(73)* **152 C 2**
La Fontelaye *(76)* **13 F 3**
Fontenai-les-Louvets *(61)* **47 H 4**
Fontenai-sur-Orne *(61)* **47 H 2**
Fontenailles *(77)* **52 B 3**
Fontenailles *(89)* **91 E 2**
Fontenay *(27)* **30 A 3**
Fontenay *(36)* **104 B 2**
Fontenay *(50)* **46 B 2**
Fontenay *(71)* **121 G 2**
Fontenay *(76)* **12 B 4**
Fontenay *(88)* **77 G 1**
Fontenay-aux-Roses *(92)* **51 F 1**
Fontenay-de-Bossery *(10)* **53 E 4**
Fontenay-en-Parisis *(95)* **31 G 4**
Fontenay-le-Comte SP *(85)* **113 G 2**
Fontenay-le-Fleury *(78)* **50 D 1**
Fontenay-le-Marmion *(14)* **27 F 3**
Fontenay-le-Pesnel *(14)* **27 E 3**
Fontenay-le-Vicomte *(91)* **51 F 4**
Fontenay-lès-Briis *(91)* **51 E 3**
Fontenay-Mauvoisin *(78)* **30 B 5**
Fontenay-près-Chablis *(89)* **73 G 5**
Fontenay-près-Vézelay *(89)* **91 F 4**
Fontenay-sous-Bois *(94)* **51 G 1**
Fontenay-sous-Fouronnes *(89)* **91 E 2**
Fontenay-St-Père *(78)* **30 B 4**
Fontenay-sur-Conie *(28)* **70 B 2**
Fontenay-sur-Eure *(28)* **49 H 5**
Fontenay-sur-Loing *(45)* **71 H 2**
Fontenay-sur-Mer *(50)* **23 E 4**
Fontenay-sur-Vègre *(72)* **67 G 4**
Fontenay-Torcy *(60)* **14 C 5**
Fontenay-Trésigny *(77)* **52 A 2**
Fontenelle *(02)* **9 H 5**
Fontenelle *(21)* **93 H 2**
La Fontenelle *(35)* **45 G 4**
La Fontenelle *(41)* **69 F 3**
Fontenelle *(90)* **96 D 1**
Fontenelle-en-Brie *(02)* **33 E 5**
Fontenelle-Montby *(25)* **95 G 3**
Les Fontenelles *(25)* **96 C 5**
Fontenermont *(14)* **46 B 1**
Fontenet *(17)* **127 G 2**
Fontenille *(16)* **128 B 2**
Fontenille-St-Martin-d'Entraigues *(79)* **114 C 5**
Fontenilles *(31)* **189 E 3**
Les Fontenis *(70)* **94 D 3**
Fontenois-la-Ville *(70)* **77 E 3**
Fontenois-lès-Montbozon *(70)* **95 E 2**
Fontenotte *(25)* **95 F 3**
Fontenouilles *(89)* **72 B 4**
Fontenoy *(02)* **32 C 1**
Fontenoy *(89)* **90 D 1**
Fontenoy-la-Joûte *(54)* **57 H 4**
Fontenoy-le-Château *(88)* **77 E 3**
Fontenoy-sur-Moselle *(54)* **56 C 2**
Fontenu *(39)* **110 C 5**
Fonteny *(57)* **37 F 5**
Fonters-du-Razès *(11)* **207 G 1**
Fontès *(34)* **192 C 3**
Fontet *(33)* **156 A 4**
Fontette *(10)* **74 C 2**
Fontevraud-l'Abbaye *(49)* **85 H 5**
Fontfreyde *(63)* **133 E 4**
Fontgombault *(36)* **103 F 5**
Fontguenand *(36)* **88 A 5**
Fontienne *(04)* **180 D 3**
Fontiers-Cabardès *(11)* **190 C 4**
Fontiès-d'Aude *(11)* **208 C 1**
Fontjoncouse *(11)* **209 E 2**
Fontjouvale *(84)* **180 A 4**
Fontoy *(57)* **20 D 3**
Fontpédrouse *(66)* **212 A 4**
Fontrabiouse *(66)* **211 H 3**
Fontrailles *(65)* **187 G 4**
Fontvannes *(10)* **73 G 1**
Fontvieille *(13)* **194 D 1**
Fonville *(28)* **49 H 2**
Forbach SP *(57)* **38 A 2**
Forcalqueiret *(83)* **197 E 4**
Forcalquier SP *(04)* **180 D 4**
La Force *(11)* **207 H 1**
La Force *(24)* **156 D 1**
Forcé *(53)* **66 D 3**
Forcelles-sous-Gugney *(54)* **56 D 4**
Forcelles-St-Gorgon *(54)* **56 D 4**
Forceville *(80)* **7 H 5**
Forceville-en-Vimeu *(80)* **14 C 1**
Forcey *(52)* **75 H 2**
Forciolo *(2A)* **219 E 1**
La Forclaz *(74)* **125 E 3**
Forest-en-Cambrésis *(59)* **9 F 4**
Forest-l'Abbaye *(80)* **6 D 4**
La Forest-Landerneau *(29)* **41 F 4**
Forest-Montiers *(80)* **6 C 3**
Forest-St-Julien *(05)* **166 B 3**
Forest-sur-Marque *(59)* **4 D 3**
Foreste *(02)* **16 C 2**
La Forestière *(51)* **53 E 3**
La Forêt *(33)* **155 E 1**
La Forêt-Auvray *(61)* **47 F 1**
Forêt de Guînes *(62)* **2 C 3**
La Forêt-de-Tessé *(16)* **115 E 5**
La Forêt-du-Parc *(27)* **29 G 5**
La Forêt-du-Temple *(23)* **117 H 2**
La Forêt-Fouesnant *(29)* **61 H 3**
Forêt-la-Folie *(27)* **30 A 3**
La Forêt-le-Roi *(91)* **50 D 4**
La Forêt-Ste-Croix *(91)* **51 E 5**
La Forêt-sur-Sèvre *(79)* **100 D 4**
Forfry *(77)* **32 A 4**
La Forge *(88)* **77 H 2**
La Forge-de-l'Ile *(36)* **104 B 4**
Forges *(17)* **113 G 5**
Forgès *(19)* **145 E 4**
Les Forges *(23)* **118 B 5**
Forges *(49)* **85 F 5**
Les Forges *(56)* **63 H 4**
Forges *(61)* **48 A 4**
Forges *(77)* **52 B 5**
Les Forges *(79)* **114 D 1**
Les Forges *(88)* **77 F 1**
Les Forges-de-Paimpont *(35)* **64 C 3**
Forges-la-Forêt *(35)* **65 H 4**
Forges-les-Bains *(91)* **50 D 3**
Forges-les-Eaux *(76)* **14 B 4**
Forges-sur-Meuse *(55)* **35 G 2**
Forgevieille *(23)* **117 F 3**
Forgues *(31)* **188 D 4**
La Forie *(63)* **134 B 5**
Forléans *(21)* **92 A 3**
Formentin *(14)* **28 A 3**
Formerie *(60)* **14 C 4**
Formigny *(14)* **23 G 5**
Formiguères *(66)* **211 H 3**
Fornex *(09)* **206 C 1**
Fors *(79)* **114 B 4**
Forstfeld *(67)* **39 H 5**
Forstheim *(67)* **39 F 4**
Fort-du-Plasne *(39)* **110 D 5**
Fort-Louis *(67)* **39 H 5**
Fort-Mahon-Plage *(80)* **6 B 3**
Fort-Mardyck *(59)* **3 E 2**
Fort-Moville *(27)* **28 C 1**
Le Fort-Vert *(62)* **2 C 2**
Fortan *(41)* **69 E 5**
Fortel-en-Artois *(62)* **7 F 3**
La Forteresse *(38)* **151 E 2**
Fortschwihr *(68)* **78 D 2**
Fos *(31)* **205 G 4**
Fos *(34)* **192 B 3**
Fos-sur-Mer *(13)* **195 E 4**
Le Fossat *(09)* **206 D 1**
Fossé *(08)* **19 F 5**
Fossé *(41)* **87 H 2**
Fosse *(66)* **208 B 5**
Le Fossé *(76)* **14 B 4**
La Fosse-Corduan *(10)* **53 F 4**
La Fosse-de-Tigné *(49)* **85 E 5**
Fosse-Nouvelle *(18)* **105 G 5**
Fossemagne *(24)* **143 G 4**
Fossemanant *(80)* **15 F 2**
Les Fosses *(79)* **114 B 4**
Fosses *(95)* **31 G 4**
Fossès-et-Baleyssac *(33)* **156 A 3**
Fosseuse *(60)* **31 E 3**
Fosseux *(62)* **7 H 3**
Fossieux *(57)* **37 E 5**
Fossoy *(02)* **33 E 4**
Foucarmont *(76)* **14 B 2**
Foucart *(76)* **12 D 4**
Foucarville *(50)* **23 E 4**
Foucaucourt-en-Santerre *(80)* **16 A 2**
Foucaucourt-Hors-Nesle *(80)* **14 C 1**
Foucaucourt-sur-Thabas *(55)* **35 F 4**
Fouchécourt *(70)* **76 D 5**
Fouchécourt *(88)* **76 C 3**
Foucherans *(25)* **95 E 5**
Foucherans *(39)* **110 A 1**
Fouchères *(10)* **74 A 2**
Fouchères *(89)* **72 C 2**
Fouchères-aux-Bois *(55)* **55 G 3**
Foucherolles *(45)* **72 B 3**
Fouchy *(67)* **58 C 5**
Foucrainville *(27)* **29 H 5**
Fouday *(67)* **58 C 4**
Foudon *(49)* **85 E 3**
Fouencamps *(80)* **15 G 2**
Fouesnant *(29)* **61 H 4**
Foufflin-Ricametz *(62)* **7 G 3**
Foug *(54)* **56 B 2**
Fougaron *(31)* **205 H 3**
Fougax-et-Barrineuf *(09)* **207 G 4**
Fougeré *(49)* **85 G 1**
Fougeré *(85)* **99 H 5**
Fougères SP *(35)* **46 A 5**
Fougères *(36)* **117 F 2**
Fougères-sur-Bièvre *(41)* **87 H 3**
Les Fougerêts *(56)* **64 B 5**
Fougerolles *(36)* **117 H 1**
Fougerolles *(70)* **77 F 4**
Fougerolles-du-Plessis *(53)* **46 B 4**
Fougueyrolles *(24)* **156 B 1**
La Fouillade *(12)* **174 D 2**
Fouilleuse *(60)* **31 G 1**
Fouillouse *(05)* **166 B 4**
La Fouillouse *(42)* **135 E 5**
Le Fouilloux *(17)* **141 H 3**
Fouilloy *(60)* **14 C 3**
Fouilloy *(80)* **15 G 2**
Fouju *(77)* **51 H 3**
Foulain *(52)* **75 G 3**
Foulangues *(60)* **31 F 2**
Foulayronnes *(47)* **172 C 1**
Foulbec *(27)* **28 C 1**
Foulcrey *(57)* **58 A 2**
Fouleix *(24)* **143 F 5**
Foulenay *(39)* **110 A 3**
Fouligny *(57)* **37 F 3**
Foulognes *(14)* **25 H 3**
Foulzy *(08)* **10 C 5**
Fouquebrune *(16)* **128 C 5**
Fouquenies *(60)* **15 E 5**
Fouquereuil *(62)* **7 H 1**
Fouquerolles *(60)* **15 F 5**
Fouquescourt *(80)* **16 A 3**
Fouqueure *(16)* **128 B 2**
Fouqueville *(27)* **29 F 3**
Fouquières-lès-Béthune *(62)* **7 H 1**
Fouquières-lès-Lens *(62)* **4 B 5**
Four *(38)* **136 D 4**
Four d'en-Haut *(60)* **32 A 2**
Fouras-les-Bains *(17)* **126 C 1**
Fourbanne *(25)* **95 F 4**
Fourcatier-et-Maison-Neuve *(25)* **111 F 4**
Fourcès *(32)* **171 H 4**
Fourchambault *(58)* **106 B 2**
Fourches *(14)* **47 H 1**
Fourcigny *(80)* **14 C 3**
Fourdrain *(02)* **17 E 4**
Fourdrinoy *(80)* **15 E 1**
Fourg *(25)* **110 C 1**
Fourges *(27)* **30 B 3**
Les Fourgs *(25)* **111 G 3**
Fourilles *(03)* **119 H 4**
Fourmagnac *(46)* **159 F 3**
Fourmetot *(27)* **28 D 1**
Fourmies *(59)* **10 A 4**
Fournaudin *(89)* **73 F 2**
Fourneaux *(23)* **131 G 1**
Fourneaux *(42)* **135 E 2**
Fourneaux *(45)* **70 C 5**
Fourneaux *(50)* **25 F 4**
Fourneaux *(73)* **153 E 3**
Fourneaux-le-Val *(14)* **47 G 1**
Fournels *(48)* **161 E 2**
Fournès *(30)* **178 D 4**
Fournes-Cabardès *(11)* **190 D 5**
Fournes-en-Weppes *(59)* **4 B 4**
Le Fournet *(14)* **28 A 3**
Fournet-Blancheroche *(25)* **96 C 5**
Fournets-Luisans *(25)* **111 H 1**
Fourneville *(14)* **28 B 1**
Fournival *(60)* **15 G 5**
Fournols *(63)* **134 A 5**
Fournoulès *(15)* **159 H 3**
Fouronnes *(89)* **91 E 2**
Fourques *(30)* **194 C 1**
Fourques *(66)* **213 E 3**
Fourques-sur-Garonne *(47)* **156 B 5**
Fourqueux *(78)* **50 D 1**
Fourquevaux *(31)* **189 G 3**
Fours *(33)* **141 E 3**
Fours *(58)* **107 F 4**
Fours-en-Vexin *(27)* **30 B 3**
Fours-Saint-Laurent *(04)* **167 F 5**
Fourtou *(11)* **208 B 4**
Foussais-Payré *(85)* **113 H 1**
Foussemagne *(90)* **96 D 1**
Le Fousseret *(31)* **188 D 5**
Foussignac *(16)* **128 A 3**
Foussignargues *(30)* **178 A 1**
Fouvent-le-Haut *(70)* **94 B 1**
La Foux *(04)* **182 B 5**
La Foux-d'Allos *(04)* **182 A 1**
Fouzilhon *(34)* **192 B 3**
Foville *(57)* **37 E 5**
Fox-Amphoux *(83)* **197 E 2**
La Foye-Monjault *(79)* **114 A 4**
Fozières *(34)* **192 C 1**
Fozzano *(2A)* **219 E 2**
Fragnes-la-Loyère *(71)* **109 E 3**
Frahier-et-Chatebier *(70)* **96 C 1**
Fraignot-et-Vesvrotte *(21)* **93 F 1**
Fraillicourt *(08)* **18 A 3**
Fraimbois *(54)* **57 G 3**
Frain *(88)* **76 C 2**
Frainville *(28)* **50 B 5**
Frais *(90)* **96 D 1**
Fraisans *(39)* **94 C 5**
Fraisnes-en-Saintois *(54)* **56 D 5**
Fraisse *(24)* **142 C 5**
Fraisse-Cabardès *(11)* **190 D 5**
Fraissé-des-Corbières *(11)* **209 E 3**
Fraisse-sur-Agout *(34)* **191 G 2**
Fraisses *(42)* **148 D 1**
Fraissines *(81)* **175 G 4**
Fraissinet-de-Fourques *(48)* **177 E 2**
Fraissinet-de-Lozère *(48)* **162 A 5**
Fraize *(88)* **78 B 1**
Fralignes *(10)* **74 B 2**
La Framboisière *(28)* **49 F 3**
Frambouhans *(25)* **96 C 5**
Framecourt *(62)* **7 G 3**
Framerville-Rainecourt *(80)* **16 A 2**
Framicourt *(80)* **14 C 1**
Framont *(70)* **94 A 2**
Frampas *(52)* **55 E 4**
Francalmont *(70)* **77 F 4**
Francaltroff *(57)* **37 H 4**
Francardo *(2B)* **217 E 1**
Francarville *(31)* **189 H 2**
Francastel *(60)* **15 E 4**
Françay *(41)* **87 G 2**
Francazal *(31)* **206 A 2**
Francescas *(47)* **172 A 3**
Francheleins *(01)* **122 B 5**
Franchesse *(03)* **106 B 5**
Francheval *(08)* **19 F 3**
Franchevelle *(70)* **77 G 5**
La Francheville *(08)* **18 D 3**
Francheville *(21)* **93 E 3**
Francheville *(27)* **49 E 1**
Francheville *(39)* **110 A 3**
Francheville *(51)* **34 C 5**
Francheville *(54)* **56 C 1**
Francheville *(61)* **47 H 3**
Francheville *(69)* **135 H 3**
Francières *(60)* **31 H 1**
Francières *(80)* **7 E 5**
Francillon *(36)* **104 A 3**
Francillon-sur-Roubion *(26)* **164 D 3**
Francilly-Selency *(02)* **16 D 2**
Francin *(73)* **138 A 5**
Franclens *(74)* **124 A 5**
François *(79)* **114 B 3**
Francon *(31)* **188 C 5**
Franconville *(54)* **57 F 3**
Franconville *(95)* **31 E 5**
Francoulès *(46)* **158 C 4**
Francourt *(70)* **94 B 1**
Francourville *(28)* **50 B 5**
Le Francport *(60)* **32 A 1**
Francs *(33)* **142 A 5**
Francueil *(37)* **87 F 4**
La Frandière *(85)* **98 B 2**
Franey *(25)* **94 C 4**
Frangy *(74)* **124 A 5**
Frangy-en-Bresse *(71)* **109 H 4**
Franken *(68)* **97 F 1**
Franleu *(80)* **6 C 5**
Franois *(25)* **94 D 5**
Franquevaux *(30)* **194 A 2**
Franquevielle *(31)* **205 F 1**
Franqueville *(02)* **17 G 2**
Franqueville *(27)* **28 D 3**
Franqueville *(80)* **7 F 5**
Franqueville-St-Pierre *(76)* **29 G 1**
La Franqui *(11)* **209 F 3**
Frans *(01)* **135 H 1**
Fransart *(80)* **16 A 3**
Fransèches *(23)* **131 F 1**
Fransu *(80)* **7 E 5**
Fransures *(80)* **15 F 3**
Franvillers *(80)* **15 G 1**
Franxault *(21)* **109 H 1**
Frapelle *(88)* **58 B 5**
Fraquelfing *(57)* **58 A 2**
Fraroz *(39)* **111 E 4**
Frasnay-Reugny *(58)* **107 E 2**
Frasne *(25)* **111 E 3**
Frasne *(39)* **94 A 5**
Frasne-le-Château *(70)* **94 C 3**
La Frasnée *(39)* **123 H 1**
Le Frasnois *(39)* **110 D 5**
Frasnoy *(59)* **9 G 3**
La Frasse *(74)* **125 F 5**
Frasseto *(2A)* **219 E 1**
Frauenberg *(57)* **38 B 2**
Frausseilles *(81)* **174 C 4**
Fravaux *(10)* **74 D 1**
Le Fraysse *(81)* **175 F 5**
Fraysses *(47)* **172 B 1**
Frayssinet *(46)* **158 C 3**
Frayssinet-le-Gélat *(46)* **157 A 4**
Frayssinhes *(46)* **159 E 1**
Frazé *(28)* **69 F 1**
Fréauville *(76)* **14 A 2**
Frebécourt *(88)* **56 B 5**
Frébuans *(39)* **110 A 5**
Le Frêche *(40)* **171 E 4**
Fréchède *(65)* **187 G 4**
Fréchencourt *(80)* **15 G 1**
Fréchendets *(65)* **204 D 2**
Le Fréchet *(31)* **206 A 1**
Fréchet-Aure *(65)* **205 E 3**
Le Fréchou *(47)* **171 H 3**
Fréchou-Fréchet *(65)* **204 C 1**
Frécourt *(52)* **76 A 3**
Frédéric-Fontaine *(70)* **95 H 1**
La Frédière *(17)* **127 F 2**
Frédille *(36)* **104 A 2**
Frégimont *(47)* **172 A 1**
Frégouville *(32)* **188 C 2**
Fréhel *(22)* **44 B 2**
Freigné *(49)* **84 A 2**
Freissinières *(05)* **167 E 1**
La Freissinouse *(05)* **166 B 4**
Freistroff *(57)* **21 G 4**
Freix-Anglards *(15)* **145 H 5**
Fréjairolles *(81)* **175 E 5**
Fréjeville *(81)* **190 C 2**
Fréjus *(83)* **198 C 3**
Fréland *(68)* **78 C 1**
Frelinghien *(59)* **4 B 3**
Frémainville *(95)* **30 C 4**
Frémécourt *(95)* **30 D 3**
Fréménil *(54)* **57 H 3**
Frémeréville-sous-les-Côtes *(55)* **56 A 1**
Frémery *(57)* **37 F 5**
Frémestroff *(57)* **37 H 4**
Frémicourt *(62)* **8 B 5**
Fremifontaine *(88)* **57 H 5**
Frémontiers *(80)* **15 E 3**
Frémonville *(54)* **58 A 2**
La Frénaye *(76)* **12 D 5**
Frencq *(62)* **6 C 1**
Frenelle-la-Grande *(88)* **56 D 5**
Frenelle-la-Petite *(88)* **56 D 5**
Frênes *(61)* **46 D 1**
Freneuse *(76)* **29 G 2**
Freneuse *(78)* **30 B 4**
Freneuse-sur-Risle *(27)* **28 D 2**
Freney *(73)* **153 E 3**
Le Freney-d'Oisans *(38)* **152 B 4**
Fréniches *(60)* **16 B 4**
Frénois *(08)* **19 E 3**
Frénois *(21)* **93 E 2**
Frénois *(88)* **76 D 1**
Frénouville *(14)* **27 G 3**
Frépillon *(95)* **31 E 4**
Fresles *(76)* **14 A 3**
La Fresnaie-Fayel *(61)* **48 A 1**
La Fresnais *(35)* **45 E 2**
Fresnay *(10)* **54 D 5**
Fresnay *(51)* **53 G 2**
Fresnay-en-Retz *(44)* **98 D 1**
Fresnay-le-Comte *(28)* **70 A 1**
Fresnay-le-Gilmert *(28)* **49 H 4**
Fresnay-le-Long *(76)* **13 G 4**
Fresnay-le-Samson *(61)* **28 A 5**
Fresnay-l'Évêque *(28)* **70 C 1**
Fresnay-sur-Sarthe *(72)* **67 H 1**
La Fresnaye-au-Sauvage *(61)* **47 G 2**
La Fresnaye-sur-Chédouet *(72)* **48 A 4**
Le Fresne *(27)* **29 F 5**
Le Fresne *(51)* **34 C 5**
Le Fresne-Camilly *(14)* **27 E 2**
Fresne-Cauverville *(27)* **28 C 3**
Fresné-la-Mère *(14)* **27 G 5**
Fresne-l'Archevêque *(27)* **29 H 2**
Fresne-le-Plan *(76)* **29 H 1**
Fresne-Léguillon *(60)* **30 D 2**
Fresne-lès-Reims *(51)* **33 H 1**
Le Fresne-Poret *(50)* **46 C 2**
Fresne-St-Mamès *(70)* **94 C 2**
Le Fresne-sur-Loire *(44)* **84 B 3**
Fresneaux-Montchevreuil *(60)* **30 D 2**
Fresnes *(21)* **92 C 2**
Fresnes *(41)* **87 H 3**
Fresnes *(89)* **73 H 5**
Fresnes *(94)* **51 F 2**
Fresnes-au-Mont *(55)* **35 H 5**
Fresnes-en-Saulnois *(57)* **37 F 5**
Fresnes-en-Tardenois *(02)* **33 E 3**
Fresnes-en-Woëvre *(55)* **36 A 3**
Fresnes-lès-Montauban *(62)* **8 B 3**
Fresnes-Mazancourt *(80)* **16 A 2**
Fresnes-sous-Coucy *(02)* **16 D 5**
Fresnes-sur-Apance *(52)* **76 C 3**
Fresnes-sur-Escaut *(59)* **5 F 5**
Fresnes-sur-Marne *(77)* **31 H 5**
Fresnes-Tilloloy *(80)* **14 C 1**
Fresneville *(80)* **14 C 2**
Fresney *(27)* **29 H 5**
Fresney-le-Puceux *(14)* **27 F 4**
Fresney-le-Vieux *(14)* **27 F 4**
Fresnicourt *(62)* **7 H 2**
Fresnières *(60)* **16 A 4**
Fresnois-la-Montagne *(54)* **20 B 2**
Fresnoy *(62)* **7 F 2**
Fresnoy-Andainville *(80)* **14 C 1**
Fresnoy-au-Val *(80)* **15 E 2**
Fresnoy-en-Bassigny *(52)* **76 B 3**
Fresnoy-en-Chaussée *(80)* **15 H 3**
Fresnoy-en-Gohelle *(62)* **8 B 2**
Fresnoy-en-Thelle *(60)* **31 E 3**
Fresnoy-Folny *(76)* **14 A 2**
Fresnoy-la-Rivière *(60)* **32 A 2**
Fresnoy-le-Château *(10)* **74 A 1**
Fresnoy-le-Grand *(02)* **17 E 1**
Fresnoy-le-Luat *(60)* **31 H 3**
Fresnoy-lès-Roye *(80)* **16 A 3**
Frespech *(47)* **172 D 1**
Fresquiennes *(76)* **13 G 4**
Fressac *(30)* **177 H 4**
Fressain *(59)* **8 D 3**
Fressancourt *(02)* **17 E 4**
Fresse *(70)* **77 H 5**
Fresse-sur-Moselle *(88)* **78 A 4**
Fresselines *(23)* **117 G 3**
Fressenneville *(80)* **6 B 5**
Fressies *(59)* **8 D 3**
Fressin *(62)* **7 E 2**
Fressines *(79)* **114 B 3**
Le Frestoy-Vaux *(60)* **15 H 4**
Fresville *(50)* **23 E 4**
Le Fret *(29)* **41 E 5**
Fréterive *(73)* **138 B 4**
Fréteval *(41)* **69 G 4**
Fréthun *(62)* **2 C 3**

Fretigney-et-Velloreille (70)....94 D 2
Frétigny (28)....49 F 5
Fretin (59)....4 C 4
Frétoy (77)....52 C 2
Frétoy-le-Château (60)....16 B 4
La Frette (38)....151 E 1
La Frette (71)....109 G 5
La Frette-sur-Seine (95)....31 E 5
Frettecuisse (80)....14 C 1
Frettemeule (80)....14 B 1
Fretterans (71)....109 H 3
Frettes (70)....94 A 1
Le Fréty (08)....18 B 3
Freulleville (76)....13 H 2
Frévent (62)....7 G 3
Fréville (76)....13 F 4
Fréville (88)....56 A 5
Fréville-du-Gâtinais (45)....71 G 3
Frévillers (62)....7 H 2
Frévin-Capelle (62)....8 A 3
Freybouse (57)....37 H 4
Freycenet-la-Cuche (43)....162 C 1
Freycenet-la-Tour (43)....148 C 5
Freychenet (09)....207 F 3
Freyming-Merlebach (57)....37 H 2
Freysselines (19)....145 E 1
Freyssenet (07)....163 F 3
Friaize (28)....49 G 5
Friardel (14)....28 B 4
Friaucourt (80)....6 B 5
Friauville (54)....20 C 5
Fribourg (57)....58 A 1
Fricamps (80)....14 D 2
Frichemesnil (76)....13 G 4
Fricourt (80)....16 A 1
Fridefont (15)....161 E 1
Friedolsheim (67)....58 D 1
Frières-Faillouël (02)....16 D 3
Friesen (68)....97 E 1
Friesenheim (67)....59 F 5
Frignicourt (51)....54 C 2
Frise (80)....16 A 1
Friville-Escarbotin (80)....6 B 5
Frizon (88)....57 F 5
Froberville (76)....12 C 3
Frocourt (60)....30 D 1
Frœningen (68)....78 D 5
Frœschwiller (67)....39 F 4
Froges (38)....151 H 2
Frohen-le-Grand (80)....7 F 4
Frohen-le-Petit (80)....7 F 4
Frohmuhl (67)....38 C 4
Froideconche (70)....77 F 4
Froidefontaine (90)....96 D 1
Froidestrées (02)....17 G 1
Froideterre (70)....77 G 5
Froidevaux (25)....95 H 4
Froideville (39)....110 A 4
Froidfond (85)....99 E 3
Froidmont (60)....31 E 1
Froidmont-Cohartille (02)....17 F 3
Froidos (55)....35 F 4
Froissy (60)....15 F 5
Frôlois (21)....92 D 2
Frolois (54)....56 D 3
Fromelennes (08)....11 E 3
Fromelles (59)....4 B 4
Fromental (87)....117 E 5
Fromentières (51)....33 F 5
Fromentières (53)....66 D 4
Fromentine (85)....98 B 2
Fromeréville-les-Vallons (55)....35 G 3
Fromezey (55)....20 A 5
Fromont (77)....71 G 1
Fromy (08)....19 G 4
Froncles-Buxières (52)....55 G 5
Fronsac (31)....205 G 3
Fronsac (33)....141 G 5
Le Frontal (30)....162 C 5
Frontenac (33)....155 H 2
Frontenac (46)....159 F 4
Frontenard (71)....109 G 3
Frontenas (69)....135 G 2
Frontenaud (71)....123 E 1
Frontenay (39)....110 B 4
Frontenay-
Rohan-Rohan (79)....114 A 4
Frontenay-sur-Dive (86)....101 H 3
Frontenex (73)....138 C 4
Frontignan (34)....193 E 4
Frontignan-
de-Comminges (31)....205 G 3
Frontignan-Plage (34)....193 E 4
Frontignan-Savès (31)....188 C 4
Fronton (31)....173 G 5
Frontonas (38)....136 D 4
Fronville (52)....55 G 5
Frossay (44)....82 D 4
Frosse (85)....113 E 1
Frotey-lès-Lure (70)....95 G 1
Frotey-lès-Vesoul (70)....95 E 1
Frouard (54)....56 D 1
Frouville (95)....31 E 3
Frouzins (31)....189 E 3
Froville (54)....57 F 4
Froyelles (80)....7 E 4
Frozes (86)....101 H 5
Frucourt (80)....14 C 1
Frugerès-les-Mines (43)....147 F 2
Fruges (62)....7 F 1
Frugières-le-Pin (43)....147 G 3
La Fruitière (65)....204 B 4
Fruncé (28)....49 G 5
Fry (76)....14 B 5
Fuans (25)....95 H 5
Fublaines (77)....32 A 5
Le Fugeret (04)....182 B 3
Le Fuilet (49)....84 A 4
Fuilla (66)....212 B 3
Fuissé (71)....122 B 3
Fuligny (10)....54 D 5
Fulleren (68)....97 E 1
Fultot (76)....13 E 3
Fulvy (89)....92 A 1
Les Fumades-les-Bains (30)....178 B 2
Fumay (08)....11 E 4
Fumel (47)....157 G 4
Fumichon (14)....28 B 3
Furchhausen (67)....58 D 1
Furdenheim (67)....59 E 2
Furiani (2B)....215 G 4
Furmeyer (05)....166 A 4
Fussey (21)....109 E 1
Fussy (18)....105 F 1
Fustérouau (32)....187 E 1
Fustignac (31)....188 C 5
Futeau (55)....35 F 4
Fuveau (13)....196 A 3
Fyé (72)....47 H 5

G

Gaas (40)....185 F 2
Gabarnac (33)....155 G 3
Gabarret (40)....171 F 4
Gabas (64)....203 H 3
Gabaston (64)....186 C 4
Gabat (64)....185 F 4
Gabian (34)....192 B 3
Gabillou (24)....143 H 3
Gabre (09)....206 D 2
Gabriac (12)....160 C 5
Gabriac (48)....177 F 2
Gabrias (48)....161 G 4
La Gabrière (36)....103 G 4
Gacé (61)....48 B 1
La Gacilly (56)....64 C 5
Gâcogne (58)....91 G 5
Gadancourt (95)....30 C 4
Gadencourt (27)....29 H 5
Gaël (35)....64 C 1
Gageac-et-Rouillac (24)....156 C 2
Gages-le-Haut (12)....160 B 5
Gagnac-sur-Cère (46)....145 E 5
Gagnac-sur-G. (31)....189 F 1
Gagnières (30)....178 A 1
Gagny (93)....51 G 1
Gahard (35)....45 G 5
Gailhan (30)....177 H 5
Gaillac (81)....174 C 5
Gaillac-d'Aveyron (12)....176 A 1
Gaillac-Toulza (31)....189 F 5
Gaillagos (65)....204 A 3
Gaillan-en-Médoc (33)....140 C 2
Gaillard (74)....124 C 4
Gaillardbois-Cressenville (27)....29 H 1
La Gaillarde (76)....13 F 2
Gaillefontaine (76)....14 B 4
Gaillères (40)....170 D 4
Gaillon (27)....29 H 3
Gaillon-sur-Montcient (78)....30 C 4
Gainneville (76)....12 B 5
Gaja-et-Villedieu (11)....208 A 2
Gaja-la-Selve (11)....207 G 1
Gajac (33)....155 H 5
Gajan (09)....206 B 2
Gajan (30)....178 B 5
Gajoubert (87)....116 A 5
Galametz (62)....7 F 3
Galan (65)....205 E 1
Galapian (47)....172 A 1
Galargues (34)....193 G 1
La Galère (06)....199 E 2
Galéria (2B)....216 B 1
Galey (09)....205 H 3
Galez (65)....205 E 1
Galfingue (68)....78 C 5
Galgan (12)....159 G 4
Galgon (33)....141 G 5
Galiax (32)....187 E 2
Galié (31)....205 G 3
Galimas (47)....172 C 1
Galinagues (11)....207 H 4
Gallardon (28)....50 B 4
Gallargues-le-Montueux (30) 193 H 1
La Galle (84)....179 E 2
Le Gallet (60)....15 E 4
Gallician (30)....194 A 2
Galluis (78)....50 C 1
Gamaches (80)....14 B 1
Gamaches-en-Vexin (27)....30 B 2
Gamarde-les-Bains (40)....185 G 1
Gamarthe (64)....185 E 5
Gambais (78)....50 B 2
Gambaiseuil (78)....50 B 2
Gambsheim (67)....59 G 1
Gan (64)....186 B 5
Ganac (09)....207 E 3
Ganagobie (04)....181 E 3
Ganay (13)....195 H 2
Gancourt-St-Étienne (76)....14 C 5
Gandelain (61)....47 G 4
Gandelu (02)....32 C 4
Gandrange (57)....21 E 4
Ganges (34)....177 F 4
Gannat (03)....119 H 5
Gannay-sur-Loire (03)....107 F 5
Gannes (60)....15 G 4
Les Gannes (63)....132 B 5
Gans (33)....155 H 5
Ganties (31)....205 H 2
Ganzeville (76)....12 C 3
Gap (05)....166 B 3
Gapennes (80)....7 E 4
Gâprée (61)....48 B 3
Garac (31)....188 D 2
Garancières (78)....50 B 1
Garancières-en-Beauce (28)....50 C 5
Garancières-en-Drouais (28)....49 H 2
Garanou (09)....207 F 5
Garat (16)....128 C 4
Garbic (32)....188 C 2
Garcelles-Secqueville (14)....27 G 3
Garches (92)....51 E 1
Garchizy (58)....106 B 2
Garchy (58)....90 B 5
Gardanne (13)....196 A 3
La Garde (04)....182 A 5
La Garde (38)....152 A 4
La Garde (48)....161 F 1
La Garde (83)....201 E 3
La Garde-Adhémar (26)....163 H 5
La Garde-Freinet (83)....197 G 4
La Garde-Guérin (48)....162 B 5
Gardefort (18)....90 A 5
Gardegan-et-Tourtirac (33)....156 A 1
Gardères (65)....186 D 5
Les Gardes (49)....100 C 1
Gardes-le-Pontaroux (16)....128 C 5
Gardie (11)....208 B 2
La Gardiole (30)....177 H 4
Gardonne (24)....156 C 1
Gardouch (31)....189 H 4
Garein (40)....169 H 3
Garencières (27)....29 H 5
La Garenne-
Colombes (92)....31 E 5
Garennes-sur-Eure (27)....30 A 5
Garentreville (77)....71 G 1
Garéoult (83)....196 D 4
La Garette (79)....114 A 3
Garganvillar (82)....173 E 4
Gargas (31)....189 F 1
Gargas (84)....180 A 4
Gargenville (78)....30 C 5
Garges-lès-Gonesse (95)....31 F 5
Gargilesse-Dampierre (36)....117 F 2
Garidech (31)....189 G 1
Gariès (82)....173 E 5
Garigny (18)....106 A 1
Garin (31)....205 F 4
Garindein (64)....185 G 5
Garlan (29)....42 B 3
Garlède-Mondebat (64)....186 C 3
Garlin (64)....186 C 2
Le Garn (30)....178 C 1
La Garnache (85)....98 D 3
Garnat-sur-Engièvre (03)....107 F 5
Garnay (28)....49 H 2
Garnerans (01)....122 B 4
Garons (30)....194 B 1
Garos (64)....186 B 3
Garravet (32)....188 C 4
Garrebourg (57)....58 C 1
Garrevaques (81)....190 B 3
Garrey (40)....185 G 1
Le Garric (81)....174 D 4
Garrigues (34)....193 G 1
Garrigues (81)....189 H 2
Garrigues-Ste-Eulalie (30)....178 B 4
Garris (64)....185 F 4
Garrosse (40)....169 F 3
Gars (06)....182 C 4
Gartempe (23)....117 G 5
Gas (28)....50 B 3
Gascougnolles (79)....114 B 3
Gasny (27)....30 B 4
Gasparets (11)....209 E 1
Gasques (82)....172 D 2
Gassin (83)....197 H 5
Le Gast (14)....46 B 1
Gastes (40)....154 B 5
Gastines (53)....66 A 3
Gastines-sur-Erve (72)....67 F 4
Gastins (77)....52 B 3
Gasville-Oisème (28)....50 A 4
Gâtelles (28)....49 H 4
Gatey (39)....110 A 2
Gathemo (50)....46 B 1
Gatteville-le-Phare (50)....23 E 2
Gattières (06)....183 E 5
Gattigues (30)....178 B 3
Gatuzières (48)....177 E 2
Gaubertin (45)....71 F 2
La Gaubretière (85)....100 A 2
La Gaucherie (41)....88 A 3
Gauchin-Légal (62)....7 H 2
Gauchin-Verloingt (62)....7 G 2
Gauchy (02)....16 D 2
Gauciel (27)....29 G 4
La Gaudaine (28)....69 E 1
La Gaude (06)....183 E 5
Gaudechart (60)....14 D 4
Gaudent (65)....205 F 3
Gaudiempré (62)....7 H 4
Gaudiès (09)....207 F 1
Gaudonville (32)....172 D 5
Gaudreville (28)....50 D 5
Gaudreville-la-Rivière (27)....29 F 5
Gaugeac (24)....157 G 3
Gaujac (30)....178 D 3
Gaujac (32)....188 B 3
Gaujac (47)....156 B 4
Gaujacq (40)....185 H 2
Gaujan (32)....188 B 4
Le-Gault-du-Perche (41)....69 F 2
Le Gault-Soigny (51)....53 E 1
Le Gault-St-Denis (28)....70 A 1
Gauré (31)....189 H 2
Gauriac (33)....141 E 4
Gauriaguet (33)....141 G 4
Gaussan (65)....205 F 1
Gausson (22)....63 H 1
Gauville (61)....48 C 1
Gauville (80)....14 C 3
Gauville-la-Campagne (27)....29 G 4
Gavarnie (65)....204 B 5
Gavarnie-Gèdre (65)....204 B 4
Gavarret-sur-Aulouste (32)....188 A 1
Gavaudun (47)....157 G 4
Gavet (38)....151 H 4
Gavignano (2B)....217 F 1
Gavisse (57)....21 E 3
La Gavotte (13)....195 H 4
Gavray (50)....25 E 5
Le Gâvre (44)....83 E 2
Gavrelle (62)....8 B 3
Gâvres (56)....80 D 1
Gavrus (14)....27 E 3
Gayan (65)....187 E 5
Gaye (51)....53 G 2
Gayon (64)....186 D 3
Gazaupouy (32)....172 A 4
Gazave (65)....205 E 2
Gazax-et-Baccarisse (32)....187 F 2
Gazeran (78)....50 C 3
Gazinet (33)....155 E 2
Gazost (65)....204 B 2
Geaune (40)....186 B 2
Geay (17)....127 E 2
Geay (79)....101 F 3
Gée (49)....85 F 3
Gée-Rivière (32)....186 D 1
Geffosses (50)....24 C 3
Géfosse-Fontenay (14)....23 F 5
Gehée (36)....104 A 2
Geishouse (68)....78 B 4
Geispitzen (68)....79 E 5
Geispolsheim (67)....59 E 3
Geiswasser (68)....79 E 3
Geiswiller (67)....38 D 5
Gélacourt (54)....57 H 3
Gélannes (10)....53 F 4
Gélaucourt (54)....56 D 4
Gellainville (28)....50 A 5
Gellenoncourt (54)....57 F 2
Gelles (63)....132 C 3
Gellin (25)....111 F 4
Gelos (64)....186 B 5
Geloux (40)....169 H 4
Gelucourt (57)....57 H 1
Gelvécourt-et-Adompt (88)....77 E 1
Gémages (61)....68 D 1
Gemaingoutte (88)....58 B 5
Gembrie (65)....205 F 3
Gemeaux (21)....93 G 3
Gémenos (13)....196 B 5
Gémigny (45)....70 B 4
Gémil (31)....189 G 1
Gemmelaincourt (88)....56 D 5
Gémonval (25)....95 H 2
Gémonville (54)....56 C 4
Gémozac (17)....127 E 5
Genac-Bignac (16)....128 B 3
Genainville (95)....30 B 3
Genas (69)....136 C 3
Génat (09)....207 E 4
Genay (21)....92 B 2
Genay (69)....135 H 2
Gençay (86)....115 G 3
Gendreville (88)....76 B 1
Gendrey (39)....94 B 5
Gené (49)....84 C 1
Générac (30)....194 A 1
Générac (33)....141 F 3
Générargues (30)....177 H 3
Générest (65)....205 F 2
Generville (11)....207 G 1
Generville (28)....50 B 5
Geneslay (61)....47 E 4
Le Genest (53)....66 C 2
Genestelle (07)....163 E 2
Geneston (44)....99 F 1
Le Genestoux (63)....132 D 5
La Genête (71)....122 D 1
La Genétouze (17)....142 A 3
La Genétouze (85)....99 F 4
Genêts (50)....45 G 2
Les Genettes (61)....48 C 2
Geneuille (25)....94 D 4
La Genevraie (61)....48 B 2
La Genevraye (77)....71 H 1
Genevreuille (70)....95 F 1
Genevrey (70)....77 F 5
Genevrières (52)....76 B 5
La Genevroye (52)....75 F 1
Geney (25)....95 G 2
La Geneytouse (87)....130 C 3
Génicourt (95)....30 D 4
Génicourt-sur-Meuse (55)....35 H 4
Genilac (42)....135 G 5
Genillé (37)....103 F 1
Génis (24)....144 A 2
Génissac (33)....155 H 1
Génissieux (26)....150 C 4
Genlis (21)....93 G 5
Gennes (25)....95 E 5
Gennes (49)....85 F 4
Gennes-Ivergny (62)....7 E 3
Gennes-sur-Glaize (53)....66 D 4
Gennes-sur-Seiche (35)....66 A 3
Genneteil (49)....85 H 2
Gennetines (03)....106 D 5
Genneton (79)....101 E 1
Genneville (14)....28 B 1
Gennevilliers (92)....31 F 5
Genod (39)....123 G 3
Génois (Pont) (2B)....217 F 3
Génolhac (30)....177 H 1
Génos (31)....205 G 3
Génos (65)....205 E 4
Genouillac (16)....129 E 2
Genouillac (23)....118 A 3
Genouillé (17)....113 G 5
Genouillé (86)....115 F 5
Genouilleux (01)....122 B 5
Genouilly (18)....104 C 1
Genouilly (71)....108 D 5
Genrupt (52)....76 B 4
Gensac (33)....156 B 1
Gensac (65)....187 E 4
Gensac (82)....173 E 4
Gensac-de-Boulogne (31)....188 A 5
Gensac-la-Pallue (16)....127 H 4
Gensac-sur-Garonne (31)....206 B 1
Genté (16)....127 G 4
Gentelles (80)....15 G 2
Les Gentillons (05)....166 B 2
Gentilly (94)....51 F 1
Gentioux-Pigerolles (23)....131 F 3
Genvry (60)....16 B 4
Georfans (70)....95 G 2
Les Georgets (71)....108 B 5
Géovreisset (01)....123 G 3
Ger (50)....46 C 2
Ger (64)....186 D 5
Ger (65)....204 B 2
Ger de Boutx (31)....205 H 3
Geraise (39)....110 D 2
Gérard (35)....65 H 2
Gérardmer (88)....78 A 2
Géraudot (10)....74 B 1
Gérauvilliers (55)....56 A 3
Gerbaix (73)....137 G 4
Gerbamont (88)....77 H 3
Gerbécourt (57)....37 G 5
Gerbécourt-
et-Haplemont (54)....57 E 4
Gerbépal (88)....78 A 1
Gerberoy (60)....14 D 5
Gerbéviller (54)....57 G 3
Gercourt-et-Drillancourt (55)....35 G 2
Gercy (02)....17 G 2
Gerde (65)....204 D 2
Gerderest (64)....186 D 4
Gère-Bélesten (64)....203 H 2
Gergny (02)....17 H 1
Gergueil (21)....93 E 5
Gergy (71)....109 F 3
Gerland (21)....109 F 1
Germ (65)....205 E 4
Germagnat (01)....123 F 3
Germagny (71)....108 D 5
Germaine (02)....16 C 2
Germaine (51)....33 H 3
Germaines (52)....75 F 5
Germainville (28)....50 A 2
Germainvilliers (52)....76 B 2
Germay (52)....55 H 4
Germéfontaine (25)....95 G 5
Germenay (58)....91 F 5
Germignac (17)....127 G 5
Germigney (39)....110 B 2
Germigney (70)....94 A 4
Germignonville (28)....70 B 2
Germigny (51)....33 G 2
Germigny (89)....73 G 3
Germigny-des-Prés (45)....71 E 5
Germigny-l'Évêque (77)....32 A 5
Germigny-l'Exempt (18)....106 A 3
Germigny-
sous-Coulombs (77)....32 C 4
Germigny-sur-Loire (58)....106 B 2
Germinon (51)....34 A 5
Germiny (54)....56 D 3
Germisay (52)....55 H 5
Germolles-sur-Grosne (71)....122 A 3
Germond-Rouvre (79)....114 B 2
Germondans (25)....95 E 3
Germont (08)....19 E 5
Germonville (54)....57 E 4
Germs-sur-l'Oussouet (65)....204 C 2
Gernelle (08)....19 E 3
Gernicourt (02)....33 G 1
Géroménil (88)....77 G 2
Géronce (64)....185 H 5
Gerponville (76)....12 D 3
Gerrots (14)....27 H 3
Gerstheim (67)....59 F 4
Gertwiller (67)....58 D 4
Geruge (39)....110 A 5
Gervans (26)....149 H 4
Gerville (76)....12 C 3
Gerville-la-Forêt (50)....24 D 2
Géry (55)....55 G 1
Gerzat (63)....133 F 3
Gesnes (53)....66 D 2
Gesnes-en-Argonne (55)....35 F 2
Gesnes-le-Gandelin (72)....47 H 5
Gespunsart (08)....11 E 5
Gestas (64)....185 G 4
Gesté (49)....84 A 5
Gestel (56)....62 C 5
Gestiès (09)....207 E 5
Gesvres (53)....47 G 5
Gesvres-le-Chapitre (77)....32 A 4
Gétigné (44)....99 H 1
Les Gets (74)....125 F 4
Geu (65)....204 B 2
Geudertheim (67)....59 F 1
Géus-d'Arzacq (64)....186 A 3
Geüs-d'Oloron (64)....185 H 5
Gévezé (35)....65 E 1
Gevigney-et-Mercey (70)....76 D 5
Gevingey (39)....110 A 5
Gevresin (25)....111 E 2
Gevrey-Chambertin (21)....93 F 5
Gevrolles (21)....75 E 3
Gevry (39)....110 A 2
Gex (01)....124 B 3
Geyssans (26)....150 C 4
Gez (65)....204 B 2
Gez-ez-Angles (65)....204 C 2
Gézaincourt (80)....7 G 4
Gézier-et-Fontenelay (70)....94 C 4
Gézoncourt (54)....36 C 5
Ghisonaccia (2B)....217 G 4
Ghisoni (2B)....217 F 4
Ghissignies (59)....9 F 4
Ghyvelde (59)....3 G 1
Giat (63)....132 B 3
Gibeaumeix (54)....56 B 3
Gibel (31)....189 H 5
Gibercourt (02)....16 D 3
Giberville (14)....27 G 3
Gibles (71)....121 G 3
Gibourne (17)....127 H 1
Gibret (40)....185 H 1
Gicourt (60)....31 F 1
Le Gicq (17)....127 H 1
Gidy (45)....70 C 4
Giel-Courteilles (61)....47 G 1
Gien (45)....89 H 1
Gien-sur-Cure (58)....108 A 1
Giens (83)....201 F 4
Gières (38)....151 H 3
La Giettaz (73)....138 D 2
Giéville (50)....25 G 4
Gièvres (41)....88 B 5
Giey-sur-Aujon (52)....75 F 4
Giez (74)....138 B 3
Gif-sur-Yvette (91)....51 E 2
Giffaumont-Champaubert (51)....54 D 3
Gigaro (83)....197 H 5
Gigean (34)....193 E 3
Gignac (34)....192 D 2
Gignac (46)....144 B 5
Gignac (84)....180 B 4
Gignac-la-Nerthe (13)....195 G 4
Gignat (63)....147 F 1
Gignéville (88)....76 C 2
Gigney (88)....77 F 1
Gigny (39)....123 F 2
Gigny (89)....74 B 5
Gigny-Bussy (51)....54 C 3
Gigny-sur-Saône (71)....109 F 5
Gigondas (84)....179 G 2
Gigors (04)....166 C 5
Gigors-et-Lozeron (26)....164 D 1
Gigot (25)....95 H 5
Gigouzac (46)....158 B 4
Gijounet (81)....191 F 1
Gildwiller (68)....78 C 5
Gilette (06)....183 E 4
Gilhac-et-Bruzac (07)....163 G 1
Gilhoc-sur-Ormèze (07)....149 G 5
Gillancourt (52)....75 F 2
Gillaumé (52)....55 H 4
Gilles (28)....30 A 5
Gilley (25)....111 G 1
Gilley (52)....94 B 1
Gillois (39)....110 D 4
Gillonnay (38)....151 E 1
Gilly-lès-Cîteaux (21)....93 F 5
Gilly-sur-Isère (73)....138 C 3
Gilly-sur-Loire (71)....120 D 1
Gilocourt (60)....32 A 2
Gimat (82)....172 D 5
Gimbrède (32)....172 C 3
Gimeaux (63)....133 F 2
Gimécourt (55)....55 H 1
Gimel-les-Cascades (19)....145 E 2
Gimeux (16)....127 G 4
La Gimond (42)....135 F 5
Gimont (32)....188 C 2
Gimouille (58)....106 B 3

Localité (*Département*) Page Coordonnées

Ginai (*61*) 48 A 2
Ginals (*82*) 174 B 2
Ginasservis (*83*) 196 C 1
Ginchy (*80*) 8 B 5
Gincla (*11*) 208 B 5
Gincrey (*55*) 20 A 5
Gindou (*46*) 158 A 3
Ginestas (*11*) 191 H 5
Ginestet (*24*) 156 D 1
Gingsheim (*67*) 59 E 1
Ginoles (*11*) 208 A 4
Ginouillac (*46*) 158 C 2
Gintrac (*46*) 158 D 1
Giocatojo (*2B*) 217 F 1
Gionges (*51*) 33 H 5
Giou-de-Mamou (*15*) 160 A 1
Gioux (*23*) 131 G 3
Gipcy (*03*) 119 G 2
Girac (*46*) 159 E 1
Girancourt (*88*) 77 F 1
Giraumont (*54*) 20 C 5
Giraumont (*60*) 16 A 5
Girauvoisin (*55*) 56 A 1
Gircourt-lès-Viéville (*88*) 57 E 5
Girecourt-sur-Durbion (*88*) 77 G 1
Girefontaine (*70*) 77 E 4
Giremoutiers (*77*) 52 B 1
Girgols (*15*) 146 A 5
Giriviller (*54*) 57 G 4
Girmont (*88*) 57 F 5
Girmont-Val-d'Ajol (*88*) 77 G 3
Girolles (*45*) 71 H 3
Girolles (*89*) 91 G 2
Giromagny (*90*) 78 A 5
Giron (*01*) 123 H 4
Gironcourt-sur-Vraine (*88*) 56 C 5
Gironde-sur-Dropt (*33*) 155 H 3
Girondelle (*08*) 10 C 5
Gironville (*77*) 71 G 2
Gironville-et-Neuville (*28*) 49 H 3
Gironville-sous-les-Côtes (*55*) 56 B 1
Gironville-sur-Essonne (*91*) 51 F 5
Le Girouard (*85*) 99 F 5
Giroussens (*81*) 189 H 1
Giroux (*36*) 104 C 2
Giroux-Vieux (*63*) 134 A 4
Giry (*58*) 90 D 5
Gisay-la-Coudre (*27*) 28 D 5
Giscaro (*32*) 188 C 2
Giscos (*33*) 171 E 1
Gisors (*27*) 30 C 2
Gissac (*12*) 176 A 5
Gissey-le-Vieil (*21*) 92 C 4
Gissey-sous-Flavigny (*21*) 92 D 3
Gissey-sur-Ouche (*21*) 93 E 5
Gisy-les-Nobles (*89*) 72 C 1
Giuncaggio (*2B*) 217 G 3
Giuncheto (*2A*) 218 D 3
Givardon (*18*) 106 A 4
Givarlais (*03*) 119 E 2
Givenchy-en-Gohelle (*62*) 8 A 2
Givenchy-le-Noble (*62*) 7 H 3
Givenchy-lès-la-Bassée (*62*) 4 A 4
Giverny (*27*) 30 A 4
Giverville (*27*) 28 C 3
Givet (*08*) 11 E 3
Givonne (*08*) 19 F 3
Givors (*69*) 135 H 5
Givraines (*45*) 71 F 2
Givrand (*85*) 98 D 4
Givrauval (*55*) 55 H 2
Le Givre (*85*) 112 D 1
Givrezac (*17*) 127 E 5
Givron (*08*) 18 B 4
Givry (*08*) 18 C 5
Givry (*71*) 109 E 4
Givry (*89*) 91 G 3
Givry-en-Argonne (*51*) 35 E 5
Givry-lès-Loisy (*51*) 33 G 5
Givrycourt (*57*) 38 A 4
Gizaucourt (*51*) 34 D 4
Gizay (*86*) 115 G 2
Gizeux (*37*) 86 A 4
Gizia (*39*) 123 F 1
Gizy (*02*) 17 G 4
La Glacerie (*50*) 22 D 3
Glageon (*59*) 10 A 3
Glaignes (*60*) 32 A 2
Glainans (*25*) 95 H 3
Glaine-Montaigut (*63*) 133 G 3
Glaire (*08*) 19 E 3
Le Glaizil (*05*) 166 A 2
Glamondans (*25*) 95 F 4
Gland (*02*) 32 D 4
Gland (*89*) 74 A 5
Glandage (*26*) 165 G 2
Glandelles (*77*) 71 H 2
Glandon (*87*) 144 A 1
Glanes (*46*) 159 E 1
Glanges (*87*) 130 B 4
Glannes (*51*) 54 C 2
Glanon (*21*) 109 G 2
Glanville (*14*) 28 A 2
Glatens (*82*) 172 D 5
Glatigny (*50*) 24 C 2
Glatigny (*57*) 21 F 5
Glatigny (*60*) 14 D 5
Glay (*25*) 96 D 3
Gleizé (*69*) 135 H 1
Glénac (*56*) 64 C 5
Glénat (*15*) 159 G 1
Glénay (*79*) 101 F 3
Glénic (*23*) 117 H 4
Glennes (*02*) 33 F 1
Glénouze (*86*) 101 H 2
Glény (*19*) 145 F 4
Glère (*25*) 96 D 3
Glicourt (*76*) 13 H 1
Glisolles (*27*) 29 F 5
Glisy (*80*) 15 G 2
Glomel (*22*) 62 D 2
Glonville (*54*) 57 H 3
Glorianes (*66*) 212 C 3
Glos (*14*) 28 B 3
Glos-la-Ferrière (*61*) 48 D 1
Glos-sur-Risle (*27*) 28 D 2
Glozel (*03*) 134 A 1
Gluges (*46*) 158 D 1
Gluiras (*07*) 163 F 1
Glun (*07*) 149 H 5
Glux-en-Glenne (*58*) 107 H 3
Goas (*82*) 173 E 5
La Godefroy (*50*) 45 H 2
Godenvillers (*60*) 15 H 4
Goderville (*76*) 12 C 4
Godewaersvelde (*59*) 3 G 4
Godisson (*61*) 48 B 2
La Godivelle (*63*) 146 D 2
Godoncourt (*88*) 76 C 3
Gœrlingen (*67*) 58 B 1
Gœrsdorf (*67*) 39 F 4
Goès (*64*) 203 G 1
Goetzenbruck (*57*) 38 D 4
Gœulzin (*59*) 8 C 3
Gogney (*54*) 58 A 2
Gognies-Chaussée (*59*) 9 H 3
La Gohannière (*50*) 46 A 2
Gohier (*49*) 85 F 3
Gohory (*28*) 69 G 2
Goimpy (*28*) 50 B 5
Goin (*57*) 37 E 4
Goincourt (*60*) 30 D 1
Golancourt (*60*) 16 C 3
Golbey (*88*) 77 F 1
Goldbach-Altenbach (*68*) 78 C 4
Golfe-Juan (*06*) 199 E 2
Golfech (*82*) 172 D 3
Golinhac (*12*) 160 B 3
Golleville (*50*) 22 D 4
Gombergean (*41*) 87 F 1
Gomelange (*57*) 21 G 4
Gomené (*22*) 64 A 1
Gomer (*64*) 186 D 5
Gometz-la-Ville (*91*) 51 E 2
Gometz-le-Châtel (*91*) 51 E 2
Gomiécourt (*62*) 8 A 4
Gommecourt (*62*) 8 A 4
Gommecourt (*78*) 30 A 4
Gommegnies (*59*) 9 G 3
Gommenec'h (*22*) 43 F 3
Gommersdorf (*68*) 97 E 1
Gommerville (*28*) 50 D 5
Gommerville (*76*) 12 C 4
Gomméville (*21*) 74 C 4
Gomont (*08*) 18 A 5
Goncelin (*38*) 152 A 1
Goncourt (*52*) 76 A 1
Gond-Pontouvre (*16*) 128 B 4
Gondecourt (*59*) 4 C 4
Gondenans-les-Moulins (*25*) 95 F 2
Gondenans-Montby (*25*) 95 G 3
Gondeville (*16*) 127 H 4
Gondrecourt-Aix (*54*) 20 B 4
Gondrecourt-le-Château (*55*) 56 A 3
Gondreville (*45*) 71 H 3
Gondreville (*54*) 56 C 2
Gondreville (*60*) 32 A 3
Gondrexange (*57*) 58 A 2
Gondrexon (*54*) 57 H 2
Gondrin (*32*) 171 H 5
Les Gonds (*17*) 127 F 3
Gonesse (*95*) 31 G 5
Gonez (*65*) 187 F 5
Gonfaron (*83*) 197 F 4
Gonfreville (*50*) 24 D 2
Gonfreville-Caillot (*76*) 12 C 4
Gonfreville-l'Orcher (*76*) 12 B 5
La Gonfrière (*61*) 48 C 1
Gonnehem (*62*) 7 H 1
Gonnelieu (*59*) 8 D 5
Gonnetot (*76*) 13 F 3
Gonneville-en-Auge (*14*) 27 G 2
Gonneville-la-Mallet (*76*) 12 B 4
Gonneville-le-Theil (*50*) 22 D 3
Gonneville-sur-Honfleur (*14*) 28 B 1
Gonneville-sur-Mer (*14*) 27 H 2
Gonneville-sur-Scie (*76*) 13 G 3
Gonsans (*25*) 95 F 5
Gontaud-de-Nogaret (*47*) 156 C 5
La Gonterie-Boulouneix (*24*) 143 E 1
Gonzeville (*76*) 13 F 3
Goos (*40*) 185 G 1
Gorbio (*06*) 183 G 5
Gorcy (*54*) 20 B 2
Gordes (*84*) 179 H 4
Gorenflos (*80*) 7 E 5
Gorges (*44*) 99 H 1
Gorges (*50*) 24 D 2
Gorges (*80*) 7 F 5
Gorges de Franchard (*77*) 51 H 5
La Gorgue (*59*) 3 H 5
Gorhey (*88*) 77 E 1
Gornac (*33*) 155 H 3
Gorniès (*34*) 177 F 5
Gorre (*87*) 129 H 3
Gorrevod (*01*) 122 C 2
Gorron (*53*) 46 C 4
Gorses (*46*) 159 F 2
Gorze (*57*) 36 C 4
Gosnay (*62*) 7 H 1
Gosné (*35*) 65 G 1
Gosselming (*57*) 58 A 1
Gotein-Libarrenx (*64*) 203 E 1
Les Goths (*45*) 72 A 3
Gottenhouse (*67*) 58 D 1
Gottesheim (*67*) 58 D 1
Gouaix (*77*) 52 D 4
Goualade (*33*) 171 F 1
Gouarec (*22*) 63 E 2
Gouaux (*65*) 205 E 4
Gouaux-de-Larboust (*31*) 205 F 4
Gouaux-de-Luchon (*31*) 205 F 4
Gouberville (*50*) 23 E 2
Gouchaupre (*76*) 13 H 1
Goudargues (*30*) 178 C 2
Goudelancourt-
lès-Berrieux (*02*) 17 G 5
Goudelancourt-
lès-Pierrepont (*02*) 17 G 4
Goudelin (*22*) 43 F 3
Goudet (*43*) 162 B 1
Goudex (*31*) 188 C 4
Goudon (*65*) 187 F 5
Goudourville (*82*) 172 D 3
Gouesnach (*29*) 61 G 3
La Gouesnière (*35*) 45 E 2
Gouesnou (*29*) 41 E 3
les Gouëts (*41*) 87 H 2
Gouex (*86*) 116 A 3
Gouézec (*29*) 61 H 1
Gougenheim (*67*) 59 E 1
Gouhelans (*25*) 95 F 3
Gouhenans (*70*) 95 G 1
Gouillons (*28*) 50 C 5
Gouise (*03*) 120 B 2
Goujounac (*46*) 158 A 4
La Goulafrière (*27*) 28 C 5
Le Goulet (*27*) 29 H 3
Goulet (*61*) 47 H 2
Goulien (*29*) 60 D 2
Goulier (*09*) 206 D 5
Goulles (*19*) 145 F 5
Les Goulles (*21*) 75 E 4
Gouloux (*58*) 91 H 5
Goult (*61*) 47 H 3
Goult (*84*) 179 H 5
Goulven (*29*) 41 G 2
Goumois (*25*) 96 D 4
Goupillières (*14*) 27 E 4
Goupillières (*27*) 29 E 3
Goupillières (*76*) 13 F 4
Goupillières (*78*) 50 B 1
Gouraincourt (*55*) 20 B 4
Le Gouray (*22*) 44 A 5
Gourbera (*40*) 169 E 5
Gourbesville (*50*) 22 D 4
Gourbit (*09*) 206 D 4
Gourchelles (*60*) 14 C 3
Gourdan-Polignan (*31*) 205 F 2
Gourdièges (*15*) 160 C 1
Gourdon (*06*) 182 D 5
Gourdon (*07*) 163 E 2
Gourdon [SP] (*46*) 158 B 2
Gourdon (*71*) 108 C 5
Gourdon-Murat (*19*) 131 E 5
Gourette (*64*) 203 H 3
Gourfaleur (*50*) 25 F 3
Gourgançon (*51*) 53 H 2
Gourgé (*79*) 101 F 4
Gourgeon (*70*) 76 C 5
Gourgue (*65*) 204 D 1
Gourhel (*56*) 64 B 3
Gourin (*56*) 62 B 2
Gourlizon (*29*) 61 F 2
Gournay (*27*) 30 A 4
Gournay (*36*) 117 G 1
Gournay (*76*) 12 B 5
Gournay-en-Bray (*76*) 14 C 5
Gournay-le-Guérin (*27*) 49 E 2
Gournay-Loizé (*79*) 114 D 5
Gournay-sur-Aronde (*60*) 15 H 5
Gournay-sur-Marne (*93*) 51 G 1
Les Gours (*16*) 128 A 1
Gours (*33*) 142 A 5
Gourvieille (*11*) 189 H 5
Gourville (*16*) 128 A 2
Gourvillette (*17*) 127 H 2
Goury (*50*) 22 A 2
Goussaincourt (*55*) 56 B 4
Goussainville (*28*) 50 A 1
Goussainville (*95*) 31 G 4
Goussancourt (*02*) 33 F 3
Gousse (*40*) 169 F 5
Goussonville (*78*) 30 B 5
Goustranville (*14*) 27 H 2
La Goutelle (*63*) 132 C 3
Goutevernisse (*31*) 206 B 1
Goutrens (*12*) 159 H 5
Gouts (*40*) 169 G 5
Gouts (*82*) 173 E 1
Gouts-Rossignol (*24*) 142 D 1
Gouttières (*27*) 29 E 4
Gouttières (*63*) 132 C 1
Goutz (*32*) 172 C 5
Gouvernes (*77*) 51 H 1
Gouves (*62*) 8 A 3
Gouvets (*50*) 25 F 5
Gouvieux (*60*) 31 F 3
Gouville (*27*) 49 F 1
Gouville-sur-Mer (*50*) 24 C 3
Gouvix (*14*) 27 F 4
Goux (*32*) 187 E 2
Goux (*39*) 110 A 2
Goux-lès-Dambelin (*25*) 95 H 3
Goux-les-Usiers (*25*) 111 F 2
Goux-sous-Landet (*25*) 110 D 1
Gouy (*02*) 16 D 1
Gouy (*76*) 29 G 1
Gouy-en-Artois (*62*) 7 H 3
Gouy-en-Ternois (*62*) 7 G 3
Gouy-les-Groseillers (*60*) 15 F 3
Gouy-l'Hôpital (*80*) 14 D 2
Gouy-Servins (*62*) 8 A 2
Gouy-sous-Bellonne (*62*) 8 C 3
Gouy-St-André (*62*) 6 D 2
Gouzangrez (*95*) 30 C 4
Gouze (*64*) 185 H 3
Gouzeaucourt (*59*) 8 C 5
Gouzens (*31*) 206 B 1
Gouzon (*23*) 118 B 4
Gouzougnat (*23*) 118 B 5
Goven (*35*) 65 E 3
Goviller (*54*) 56 D 3
Goxwiller (*67*) 58 D 4
Goyencourt (*80*) 16 A 3
Goyrans (*31*) 189 F 3
Grabels (*34*) 193 F 2
Graçay (*18*) 104 C 1
Grâce-Uzel (*22*) 63 G 2
Grâces (*22*) 43 E 4
Gradignan (*33*) 155 E 2
Graffigny-Chemin (*52*) 76 B 1
Gragnague (*31*) 189 G 2
Graignes (*50*) 25 F 2
Grailhen (*65*) 205 E 4
Graimbouville (*76*) 12 C 4
Graincourt-
lès-Havrincourt (*62*) 8 C 4
Grainville (*27*) 29 H 1
Grainville-la-Teinturière (*76*) 13 E 3
Grainville-Langannerie (*14*) 27 G 4
Grainville-sur-Odon (*14*) 27 E 3
Grainville-sur-Ry (*76*) 13 H 5
Grainville-Ymauville (*76*) 12 C 4
Le Grais (*61*) 47 F 2
Graissac (*12*) 160 C 2
Graissessac (*34*) 192 A 2
Graix (*42*) 149 F 2
Le Grallet (*17*) 126 C 3
Gramat (*46*) 158 D 2
Gramazie (*11*) 207 H 1
Grambois (*84*) 196 A 1
Grammond (*42*) 135 F 5
Grammont (*70*) 95 G 2
Gramond (*12*) 175 F 1
Gramont (*82*) 172 C 4
Granace (*2A*) 219 E 3
Grancey-le-Château-
Neuvelle (*21*) 93 F 1
Grancey-sur-Ource (*21*) 74 C 3
Grand (*88*) 56 A 5
Le Grand-Abergement (*01*) 123 H 5
Grand-Auverné (*44*) 83 H 2
Le Grand Berbegal (*13*) 194 D 1
Grand Boisviel (*13*) 194 D 3
Le Grand-Bornand (*74*) 138 C 1
Le Grand-Bourg (*23*) 117 G 5
Grand-Bourgtheroulde (*27*) 29 E 2
Grand-Brassac (*24*) 142 D 2
La Grand-Cabane (*30*) 194 B 1
Grand-Camp (*27*) 28 C 4
Grand-Camp (*76*) 12 D 4
Grand-Castang (*24*) 157 F 1
Le Grand-Celland (*50*) 46 A 2
Grand-Champ (*56*) 81 G 1
Grand-Charmont (*25*) 96 C 2
Grand-Châtel (*39*) 123 H 2
La Grand-Combe (*30*) 177 H 2
Grand-Corent (*01*) 123 F 4
Grand-Couronne (*76*) 29 F 1
La Grand-Croix (*42*) 135 G 5
Grand-Failly (*54*) 20 A 3
Grand-Fayt (*59*) 9 G 5
Grand-Fort-Philippe (*59*) 2 D 2
Grand-Fougeray (*35*) 65 E 5
Grand-Laviers (*80*) 6 D 5
Le Grand-Lemps (*38*) 151 E 1
Le Grand-Lucé (*72*) 68 C 4
Le Grand-Madieu (*16*) 128 D 1
Grand-Millebrugge (*59*) 3 F 2
Le Grand Piquey (*33*) 154 A 2
Le Grand-Pressigny (*37*) 102 D 3
Le Grand-Quevilly (*76*) 29 F 1
Grand-Rozoy (*02*) 32 D 2
Grand-Rullecourt (*62*) 7 H 3
Le Grand-Serre (*26*) 150 C 2
Grand Taureau (*25*) 111 G 2
Grand-Vabre (*12*) 159 H 3
Grand-Verly (*02*) 17 F 1
Le Grand-Viel (*85*) 98 B 1
Le Grand-Village-Plage (*17*) 126 B 2
Grandcamp-Maisy (*14*) 23 G 5
Grandchain (*27*) 28 D 4
Grandchamp (*08*) 18 B 4
Grandchamp (*52*) 76 A 5
Grandchamp (*72*) 68 A 1
Grandchamp (*78*) 50 B 2
Grandchamp (*89*) 72 C 5
Grandchamp-le-Château (*14*) 28 A 4
Grandchamps-
des-Fontaines (*44*) 83 F 3
Grand'Combe-Châteleu (*25*) 111 H 1
Grand'Combe-des-Bois (*25*) 96 C 5
Grandcourt (*76*) 14 A 1
Grandcourt (*80*) 8 A 5
La Grande-Fosse (*88*) 58 B 5
La Grande-Motte (*34*) 193 G 3
La Grande-Paroisse (*77*) 52 A 5
La Grande-Résie (*70*) 94 A 4
Grande-Rivière (*39*) 124 A 1
La Grande-Romaine (*77*) 51 H 2
Grande-Synthe (*59*) 3 E 2
Grandecourt (*70*) 94 C 1
Les Grandes-Armoises (*08*) 19 E 5
Les Grandes-Chapelles (*10*) 53 H 4
Les Grandes-Dalles (*76*) 12 D 2
Les Grandes-Loges (*51*) 34 A 4
Grandeyrolles (*63*) 133 E 5
Grandfontaine (*25*) 94 D 5
Grandfontaine (*67*) 58 C 3
Grandfontaine-sur-Creuse (*25*) 95 G 5
Grandfresnoy (*60*) 31 H 1
Grandham (*08*) 35 E 2
Grandjean (*17*) 127 F 2
Grand'Landes (*85*) 99 E 3
Grandlup-et-Fay (*02*) 17 G 4
Grandmesnil (*14*) 27 H 5
Grandpré (*08*) 35 E 1
Grandpuits (*77*) 52 B 3
Grandrieu (*48*) 161 H 2
Grandrieux (*02*) 18 A 3
Grandrif (*63*) 134 B 5
Grandris (*69*) 135 F 1
Grandrû (*60*) 16 C 4
Grandrupt (*88*) 58 B 4
Grandrupt-de-Bains (*88*) 77 E 2
Les Grands-Chézeaux (*87*) 117 E 3
Grandsaigne (*19*) 145 E 1
Grandval (*63*) 134 A 5
Grandvals (*48*) 160 D 2
Grandvaux (*71*) 121 G 1
Grandvelle-et-le-Perrenot (*70*) 94 D 2
Grandvillars (*90*) 96 D 2
La Grandville (*08*) 19 E 2
Grandville (*10*) 54 A 3
Grandvillers (*88*) 77 H 1
Grandvillers-aux-Bois (*60*) 15 H 5
Grandvilliers (*27*) 49 F 1
Grandvilliers (*60*) 14 D 4
Grane (*26*) 164 C 2
Granès (*11*) 208 A 4
La Grange (*13*) 196 A 2
La Grange (*25*) 95 H 4
La Grange-aux-Bois (*51*) 35 E 3
Grange-de-Vaivre (*39*) 110 C 2
Grange-le-Bocage (*89*) 52 D 5
Grange-Neuve (*30*) 178 D 1
Grangermont (*45*) 71 F 2
Les Granges (*10*) 73 H 3
Granges (*71*) 109 E 4
Granges-Aumontzey (*88*) 77 H 1
Granges-d'Ans (*24*) 143 H 3
Granges-de-la-Brasque (*06*) 183 F 3
Granges-de-Vienney (*25*) 95 F 5
Les Granges-Gontardes (*26*) 163 H 5
Granges-la-Ville (*70*) 95 G 2
Granges-le-Bourg (*70*) 95 H 2
Les Granges-le-Roi (*91*) 50 D 4
Granges-les-Beaumont (*26*) 150 C 4
Granges-Narboz (*25*) 111 F 3
Granges-Ste-Marie (*25*) 111 F 4
Granges-sur-Aube (*51*) 53 G 3
Granges-sur-Baume (*39*) 110 B 4
Granges-sur-Lot (*47*) 156 D 5
Les Grangettes (*25*) 111 F 3
Grangues (*14*) 27 H 2
Granier (*73*) 139 E 4
Granieu (*38*) 137 F 4
Les Granons (*04*) 180 C 5
Grans (*13*) 195 F 2
Granville (*50*) 24 C 5
Granzay-Gript (*79*) 114 A 4
Gras (*07*) 163 F 5
Les Gras (*25*) 111 H 2
Grassac (*16*) 128 D 5
Grasse [SP] (*06*) 198 D 1
Grassendorf (*67*) 39 E 5
Grateloup-St-Gayrand (*47*) 156 D 5
Gratens (*31*) 188 D 5
Gratentour (*31*) 189 F 1
Gratibus (*80*) 15 H 3
Gratot (*50*) 24 D 3
Gratreuil (*51*) 34 D 2
Grattepanche (*80*) 15 F 3
Le Gratteris (*25*) 95 E 5
Grattery (*70*) 94 D 1
Le Grau-du-Roi (*30*) 193 H 3
Graufthal (*67*) 38 C 5
Les Graulges (*24*) 128 D 5
Graulhet (*81*) 190 B 1
Grauves (*51*) 33 G 5
Graval (*76*) 14 B 3
La Grave (*05*) 152 C 4
Gravelines (*59*) 2 D 2
La Gravelle (*53*) 66 B 2
Gravelotte (*57*) 36 D 3
La Graverie (*14*) 25 G 5
Graveron-Sémerville (*27*) 29 F 4
Graves-St-Amant (*16*) 128 A 4
Graveson (*13*) 179 E 5
Gravières (*07*) 162 C 5
Gravigny (*27*) 29 G 4
Gravon (*77*) 52 C 5
Gray (*70*) 94 B 3
Gray-la-Ville (*70*) 94 A 3
Grayan-et-l'Hôpital (*33*) 140 B 1
Graye-et-Charnay (*39*) 123 F 2
Graye-sur-Mer (*14*) 27 E 1
Grayssas (*47*) 172 D 2
Grazac (*31*) 189 F 5
Grazac (*43*) 148 D 3
Grazac (*81*) 174 A 5
Grazay (*53*) 67 E 1
La Grde-Verrière (*71*) 108 A 2
Les Grdes-Ventes (*76*) 13 H 3
Gréalou (*46*) 159 E 4
Gréasque (*13*) 196 A 3
Grébault-Mesnil (*80*) 6 C 5
Grécourt (*80*) 16 B 3
Gredisans (*39*) 94 A 5
La Grée-Penvins (*56*) 81 H 3
La Grée-St-Laurent (*56*) 64 A 3
Gréez-sur-Roc (*72*) 69 E 2
Greffeil (*11*) 208 B 2
Grèges (*76*) 13 H 1
Grémecey (*57*) 57 F 1
Grémévillers (*60*) 14 D 5
Gremilly (*55*) 20 A 4
Grémonville (*76*) 13 F 4
Grenade (*31*) 189 E 1
Grenade-sur-l'Adour (*40*) 186 B 1
Grenant (*52*) 94 A 1
Grenant-lès-Sombernon (*21*) 92 D 5
Grenay (*38*) 136 C 4
Grenay (*62*) 4 A 5
Grendelbruch (*67*) 58 C 3
Greneville-en-Beauce (*45*) 71 E 2
Grenier-Montgon (*43*) 147 E 2
Gréning (*57*) 37 H 4
Grenoble [P] (*38*) 151 G 3
Grenois (*58*) 91 E 4
Grentheville (*14*) 27 F 3
Grentzingen (*68*) 97 F 1
Greny (*76*) 13 H 1
Gréolières (*06*) 182 D 5
Gréolières-les-Neiges (*06*) 182 D 4
Gréoux-les-Bains (*04*) 181 E 5
Grépiac (*31*) 189 F 4
Le Grès (*31*) 188 D 1
Grésigny-Ste-Reine (*21*) 92 C 2
Gresin (*73*) 137 G 4
La Gresle (*42*) 121 G 5
Gresse (*26*) 180 B 1
Gresse-en-Vercors (*38*) 151 F 5
Gressey (*78*) 50 B 1
Gresswiller (*67*) 58 D 3
Gressy (*77*) 31 H 5
Grésy-sur-Aix (*73*) 137 H 3
Grésy-sur-Isère (*73*) 138 B 4
Gretz-Armainvilliers (*77*) 51 H 2
Greucourt (*70*) 94 C 2
Greuville (*76*) 13 F 2
Greux (*88*) 56 B 4
La Grève-sur-Mignon (*17*) 113 H 4
Les Grèves (*22*) 43 H 5
Gréville-Hague (*50*) 22 B 2
Grévillers (*62*) 8 B 5
Grevilly (*71*) 122 B 1
Grez (*60*) 14 D 4
Le Grez (*72*) 67 G 1
Grez-en-Bouère (*53*) 67 E 4
Grez-Neuville (*49*) 84 D 2
Grez-sur-Loing (*77*) 71 H 1
Grézac (*17*) 126 D 4
Grézels (*46*) 157 H 5
Grèzes (*24*) 144 B 4
Grèzes (*43*) 161 G 1
Grèzes (*46*) 159 E 3
Grèzes (*48*) 161 F 4
Grézet-Cavagnan (*47*) 156 B 5
Grézian (*65*) 205 E 4
Grézieu-la-Varenne (*69*) 135 H 3
Grézieu-le-Marché (*69*) 135 F 4
Grézieux-le-Fromental (*42*) 134 D 4
Grézillac (*33*) 155 H 1
Grézillé (*49*) 85 F 4
Grézolles (*42*) 134 C 2
Gricourt (*02*) 16 D 2
Grièges (*01*) 122 B 4
La Grière (*85*) 112 D 2
Gries (*67*) 59 F 1
Griesbach-au-Val (*68*) 78 C 2
Griesheim-près-Molsheim (*67*) 59 E 3
Griesheim-sur-Souffel (*67*) 59 E 2
Grignan (*26*) 164 C 5
Grigneuseville (*76*) 13 H 4
Grignols (*24*) 143 E 4
Grignols (*33*) 156 A 5
Grignon (*21*) 92 B 2
Grignon (*45*) 71 G 4
Grignon (*73*) 138 C 4
Grignoncourt (*88*) 76 C 3
Grigny (*62*) 7 E 2
Grigny (*69*) 135 H 4
Grigny (*91*) 51 F 3
La Grigonnais (*44*) 83 F 2
La Grillette (*30*) 179 E 4

Grillon (84) 164 C 5
Grilly (01) 124 B 3
Grimaucourt-en-Woëvre (55) 20 A 5
Grimaucourt-près-Sampigny (55) 55 H 1
Grimaud (83) 197 G 5
La Grimaudière (86) 101 H 4
Grimault (89) 91 H 1
Grimbosq (14) 27 E 4
Grimesnil (50) 25 E 4
Grimone (26) 165 G 2
Grimonviller (54) 56 D 4
Grincourt-lès-Pas (62) 7 H 4
Grindorff-Bizing (57) 21 G 3
Gripp (65) 204 D 3
La Gripperie-St-Symphorien (17) 126 C 2
Gripport (54) 57 E 4
Gript (79) 114 A 4
Griscourt (54) 36 D 5
Griselles (21) 74 B 4
Griselles (45) 72 A 3
Grisolles (02) 32 D 3
Grisolles (82) 173 G 5
Grisy (14) 27 H 4
Grisy-les-Plâtres (95) 30 D 3
Grisy-Suisnes (77) 51 H 2
Grisy-sur-Seine (77) 52 D 4
Grives (24) 157 H 2
Grivesnes (80) 15 G 3
Grivillers (80) 16 A 4
Grivy-Loisy (08) 34 C 1
Groffliers (62) 6 C 2
La Groise (59) 9 G 5
Groises (18) 90 A 5
Groissiat (01) 123 G 4
Groisy (74) 124 C 5
Groix (56) 80 C 2
Groléjac (24) 158 A 2
Gron (18) 105 H 1
Gron (89) 72 C 2
Gronard (02) 17 G 2
Gros-Chastang (19) 145 F 3
Gros-Réderching (57) 38 C 3
Grosbliederstroff (57) 38 A 2
Grosbois (25) 95 F 4
Grosbois-en-Montagne (21) 92 D 4
Grosbois-lès-Tichey (21) 109 H 2
Grosbreuil (85) 112 B 1
Les Groseillers (79) 114 B 1
Groslay (95) 31 F 5
Groslée (01) 137 F 3
Groslée-St-Benoît (01) 137 F 3
Grosley-sur-Risle (27) 29 E 4
Grosmagny (90) 78 A 5
Grosne (90) 96 D 1
Grospierres (07) 163 E 5
Grosrouvre (78) 50 B 1
Grosrouvres (54) 56 C 1
Grossa (2A) 218 D 3
Grosseto-Prugna (2A) 218 D 1
Grossœuvre (27) 29 G 5
Grossouvre (18) 106 B 3
Grostenquin (57) 37 H 4
Grosville (50) 22 C 4
Le Grouanec (29) 41 F 2
Grouches-Luchuel (80) 7 G 4
Grougis (02) 17 E 1
La Groutte (18) 105 G 5
Grozon (39) 110 B 3
Gruchet-le-Valasse (76) 12 D 4
Gruchet-St-Siméon (76) 13 F 2
Grues (85) 112 D 2
Gruey-lès-Surance (88) 77 E 2
Gruffy (74) 138 A 2
Grugé-l'Hôpital (49) 66 A 5
Grugies (02) 16 D 2
Grugny (76) 13 G 4
Gruissan (11) 209 G 2
Gruissan-Plage (11) 209 G 2
Grumesnil (76) 14 C 4
Grun-Bordas (24) 143 E 4
Grundviller (57) 38 A 3
Gruny (80) 16 A 3
Grury (71) 107 H 5
Gruson (59) 4 D 4
Grusse (39) 110 A 5
Grussenheim (68) 79 E 1
Grust (65) 204 B 3
Gruyères (08) 18 D 3
Le Gua (17) 126 C 3
Le Gua (38) 151 G 4
Guagno (2A) 216 D 3
Guagno-les-Bains (2A) 216 D 3
Guainville (28) 30 A 5
Guarbecque (62) 3 F 5
Guargualé (2A) 218 D 1
Guchan (65) 205 E 4
Guchen (65) 205 E 4
Gudas (09) 207 E 3
Gudmont (52) 55 G 5
Güe (55) 55 F 3
Le Gué-d'Alleré (17) 113 G 4
Le Gué-de-la-Chaîne (61) 48 C 5
Le Gué-de-Longroi (28) 50 B 4
Le Gué-de-Velluire (85) 113 G 2
Gué-d'Hossus (08) 10 D 4
Le Gué-du-Loir (41) 69 F 5
Le Gué-Lian (72) 67 H 1
Gué-Plat (61) 47 E 2
Guebenhouse (57) 38 A 3
Gueberschwihr (68) 78 C 2
Guébestroff (57) 37 H 5
Guéblange-lès-Dieuze (57) 57 H 1
Guébling (57) 37 H 5
Guebwiller SP (68) 78 C 3
Guécélard (72) 68 A 4
Le Guédeniau (49) 85 G 3
Guégon (56) 63 H 4
Guéhébert (50) 24 D 4
Guéhenno (56) 63 H 5
Gueltas (56) 63 G 3
Guémappe (62) 8 B 3
Guémar (68) 78 D 1
Guémené-Penfao (44) 83 E 1
Guémené-sur-Scorff (56) 63 E 3
Guemps (62) 2 D 3
Guénange (57) 21 E 4
Guengat (29) 61 G 2
Guénin (56) 63 F 5
Guénouvry (44) 83 E 1
Guenroc (22) 44 D 5
Guenrouet (44) 82 D 2
Guentrange (57) 21 E 3
Guenviller (57) 37 H 3
Guêprei (61) 47 H 1
Guer (56) 64 C 3
Guérande (44) 82 A 3
Guérard (77) 52 B 1
Guerbigny (80) 15 H 3
La Guerche (37) 102 D 3
La Guerche-de-Bretagne (35) 65 H 3
La Guerche-sur-l'Aubois (18) 106 B 3
Guercheville (77) 71 G 1
Guerchy (89) 72 D 4
Guéreins (01) 122 B 5
Guéret P (23) 117 H 5
Guerfand (71) 109 F 4
Guérigny (58) 106 C 1
Guérin (47) 156 A 5
La Guérinière (85) 98 B 2
Guerlesquin (29) 42 C 4
Guermange (57) 57 H 1
Guermantes (77) 51 H 1
Guern (56) 63 E 3
Guernanville (27) 29 E 5
Guernes (78) 30 B 4
Le Guerno (56) 82 A 1
Guerny (27) 30 B 3
Guéron (14) 25 H 2
La Guéroulde (27) 49 E 1
Guerpont (55) 55 G 2
Guerquesalles (61) 28 A 5
Les Guerreaux (71) 121 E 1
Guerstling (57) 21 G 3
Guerting (57) 21 G 5
Guerville (76) 14 B 1
Guerville (78) 30 B 5
Gueschart (80) 7 E 4
Guesnain (59) 8 C 3
Guesnes (86) 102 A 3
Guessling-Hémering (57) 37 G 4
Guéthary (64) 184 B 3
Gueudecourt (80) 8 B 5
Gueugnon (71) 121 E 1
Gueures (76) 13 F 2
Gueutteville (76) 13 G 4
Gueutteville-les-Grès (76) 13 E 2
Gueux (51) 33 G 2
Guevenatten (68) 78 B 5
Guewenheim (68) 78 C 5
Gueynard (33) 141 G 4
Gueytes-et-Labastide (11) 207 H 2
Gueyze (47) 171 G 3
Gugnécourt (88) 77 G 1
Gugney (54) 56 D 4
Gugney-aux-Aulx (88) 57 E 5
Guibermesnil (80) 14 D 2
Guibeville (91) 51 E 3
Guichainville (27) 29 G 5
Guiche (64) 185 E 3
La Guiche (71) 121 H 1
Guichen (35) 65 E 3
Guiclan (29) 41 H 3
Guidel (56) 62 C 5
Guidon du Bouquet (30) 178 B 2
La Guierche (72) 68 A 2
Guignecourt (60) 15 E 5
Guignemicourt (80) 15 E 2
Guignen (35) 65 E 3
Guignes (77) 52 A 3
Guigneville (45) 71 E 2
Guigneville-sur-Essonne (91) 51 F 4
Guignicourt (02) 33 G 1
Guignicourt-sur-Vence (08) 18 D 3
Guignière (37) 86 D 4
Guignonville (45) 71 E 2
Guigny (62) 7 E 3
Les Guigues (13) 195 G 2
Guilberville (50) 25 G 4
Le Guildo (22) 44 C 3
Guiler-sur-Goyen (29) 61 F 2
Guilers (29) 41 E 4
Guilherand-Granges (07) 149 H 5
Guillac (33) 155 H 1
Guillac (56) 64 A 3
Guillaucourt (80) 15 H 2
Guillaumes (06) 182 C 2
Guillemont (80) 16 A 1
La Guillermie (03) 134 A 1
Guillerval (91) 50 D 5
Guillestre (05) 167 F 2
Guilleville (28) 70 C 1
Guilliers (56) 64 A 2
Guilligomarc'h (29) 62 C 4
Guillon (89) 91 H 3
Guillon-les-Bains (25) 95 G 4
Guillonville (28) 70 B 3
Guillos (33) 155 F 4
Guilly (36) 104 B 2
Guilly (45) 71 F 5
Guilmécourt (76) 13 H 1
Guilvinec (29) 61 F 4
Guimaëc (29) 42 B 3
Guimiliau (29) 41 H 3
La Guimorais (35) 45 E 2
Guimps (16) 141 H 1
Guinarthe-Parenties (64) 185 G 4
Guincourt (08) 18 D 4
Guindrecourt-aux-Ormes (52) 55 F 4
Guindrecourt-sur-Blaise (52) 75 F 1
Guinecourt (62) 7 F 3
Guînes (62) 2 C 3
Guingamp SP (22) 43 E 4
Guinglange (57) 37 F 3
Guinkirchen (57) 21 F 5
Guinzeling (57) 37 H 5
Guipavas (29) 41 F 4
Guipel (35) 45 F 5
Guipronvel (29) 41 E 3
Guipry-Messac (35) 65 E 4
Guipy (58) 91 E 5
Guiry-en-Vexin (95) 30 C 4
Guiscard (60) 16 C 4
Guiscriff (56) 62 B 3
Guise (02) 17 F 1
Guiseniers (27) 30 A 3
Le Guislain (50) 25 E 4
Guissény (29) 41 F 2
Guisy (62) 7 E 2
Guitalens (81) 190 B 2
Guitalens-l'Albarède (81) 190 B 2
Guitera-les-Bains (2A) 217 E 5
Guitinières (17) 141 F 1
Guitrancourt (78) 30 C 4
Guîtres (33) 141 H 4
Guitry (27) 30 A 3
Guitté (22) 44 C 5
Guivry (02) 16 C 4
Guizancourt (80) 14 D 3
Guizengeard (16) 142 A 2
Guizerix (65) 187 H 5
Gujan-Mestras (33) 154 B 3
Gumbrechtshoffen (67) 39 E 4
Gumery (10) 52 D 4
Gumiane (26) 165 E 4
Gumières (42) 134 C 5
Gumond (19) 145 F 3
Gundershoffen (67) 39 E 4
Gundolsheim (68) 78 D 3
Gungwiller (67) 38 B 5
Gunsbach (68) 78 C 2
Gunstett (67) 39 F 4
Guntzviller (57) 58 B 1
Guny (02) 16 D 5
Guran (31) 205 F 4
Gurat (16) 142 C 1
Gurcy-le-Châtel (77) 52 B 4
Gurgy (89) 73 E 5
Gurgy-la-Ville (21) 75 F 4
Gurgy-le-Château (21) 75 E 5
Gurmençon (64) 203 G 1
Gurs (64) 185 H 5
Gurunhuel (22) 43 E 4
Gury (60) 16 A 4
Gussainville (55) 20 B 5
Gussignies (59) 9 G 3
Guyancourt (78) 50 D 2
Guyans-Durnes (25) 111 F 1
Guyans-Vennes (25) 95 H 5
Guyencourt (02) 33 G 1
Guyencourt-Saulcourt (80) 16 C 1
Guyencourt-sur-Noye (80) 15 G 3
La Guyonnière (85) 99 H 2
Guyonvelle (52) 76 B 4
Guzargues (34) 193 F 1
Guzet-Neige (09) 206 C 5
Gy (70) 94 C 3
Gy-en-Sologne (41) 88 A 4
Gy-les-Nonains (45) 72 A 4
Gy-l'Évêque (89) 91 E 1
Gye (54) 56 C 2
Gyé-sur-Seine (10) 74 B 3

H

Habarcq (62) 7 H 3
Habas (40) 185 G 2
Habère-Lullin (74) 124 D 3
Habère-Poche (74) 124 D 3
L'Habit (27) 49 H 1
L'Habitarelle (près de Châteauneuf-de-Randon) (48) 162 A 3
L'Habitarelle (près de Villefort) (48) 162 B 5
Hablainville (54) 57 H 3
Habloville (61) 47 G 1
Haboudange (57) 37 G 5
Habsheim (68) 78 D 5
Hachan (65) 187 H 5
Hâcourt (52) 76 A 2
Hacqueville (27) 30 A 2
Hadancourt-le-Haut-Clocher (60) 30 C 3
Hadigny-les-Verrières (88) 57 F 5
Hadol (88) 77 G 2
Haegen (67) 58 C 1
Hagécourt (88) 77 E 1
Hagedet (65) 187 E 3
Hagen (57) 21 E 2
Hagenbach (68) 97 E 1
Hagenthal-le-Bas (68) 97 G 2
Hagenthal-le-Haut (68) 97 G 2
Haget (32) 187 F 4
Hagetaubin (64) 186 A 3
Hagetmau (40) 186 A 2
Hagéville (54) 36 C 4
Hagnéville-et-Roncourt (88) 76 C 1
Hagnicourt (08) 18 C 4
Hagondange (57) 21 E 4
Haguenau SP (67) 39 F 5
La Haie-Fouassière (44) 83 G 5
La Haie-Longue (49) 84 C 4
La Haie-Traversaine (53) 46 D 5
Les Haies (69) 135 H 5
Haigneville (54) 57 F 3
Haillainville (88) 57 G 4
Le Haillan (33) 155 E 1
Hailles (80) 15 G 2
Haillicourt (62) 7 H 1
Haimps (17) 127 H 2
Haims (86) 116 B 2
Hainvillers (60) 15 H 4
Haironville (55) 55 F 2
Haisnes (62) 4 A 5
Haleine (61) 47 E 4
Halinghen (62) 2 B 5
Hallencourt (80) 14 D 1
Hallennes-lez-Haubourdin (59) 4 B 4
Hallering (57) 21 G 5
Les Halles (69) 135 F 3
Halles-sous-les-Côtes (55) 19 G 5
Hallignicourt (52) 55 E 2
Hallines (62) 3 E 4
Hallivillers (80) 15 F 3
La Hallotière (76) 14 A 5
Halloville (54) 58 A 3
Halloy (60) 14 D 4
Halloy (62) 7 G 4
Halloy-lès-Pernois (80) 7 F 5
Hallu (80) 16 A 2
Halluin (59) 4 C 2
Halsou (64) 184 D 4
Halstroff (57) 21 G 3
Le Ham (50) 22 D 4
Le Ham (53) 47 F 5
Ham (80) 16 C 3
Ham-en-Artois (62) 3 F 5
Ham-les-Moines (08) 18 C 2
Ham-sous-Varsberg (57) 21 H 5
Ham-sur-Meuse (08) 11 E 3
Hamars (14) 27 E 4
Hambach (57) 38 A 3
Hambers (53) 67 E 1
Hamblain-les-Prés (62) 8 B 3
Hambye (50) 25 E 5
Le Hameau (83) 196 C 1
Hamel (59) 8 C 3
Le Hamel (60) 14 D 4
Le Hamel (80) 15 H 2
Hamelet (80) 15 H 1
Hamelin (50) 46 A 3
Hamelincourt (62) 8 B 4
Hames-Boucres (62) 2 C 3
Hammeville (54) 56 D 3
Hamonville (54) 56 B 1
Hampigny (10) 54 C 4
Hampont (57) 37 G 5
Han-devant-Pierrepont (54) 20 B 3
Han-lès-Juvigny (55) 19 H 5
Han-sur-Meuse (55) 36 A 5
Han-sur-Nied (57) 37 F 4
Hanc (79) 114 D 5
Hanches (28) 50 B 3
Hancourt (80) 16 C 2
Handschuheim (67) 59 E 2
Hangard (80) 15 G 2
Hangenbieten (67) 59 E 2
Hangest-en-Santerre (80) 15 H 3
Hangest-sur-Somme (80) 15 E 1
Hangviller (57) 38 C 5
Hannaches (60) 14 C 5
Hannapes (02) 17 F 1
Hannappes (08) 18 A 2
Hannescamps (62) 8 A 4
Hannocourt (57) 37 F 5
Hannogne-St-Martin (08) 19 E 3
Hannogne-St-Rémy (08) 18 A 4
Hannonville-sous-les-Côtes (55) 36 A 4
Hannonville-Suzémont (54) 36 B 3
Le Hanouard (76) 13 E 3
Hans (51) 34 D 3
Hantay (59) 4 B 4
Hanvec (29) 41 G 5
Hanviller (57) 38 D 3
Hanvoile (60) 14 D 5
Haplincourt (62) 8 B 5
Happencourt (02) 16 C 3
Happonvilliers (28) 49 G 5
Haramont (02) 32 B 2
Haraucourt (08) 19 F 4
Haraucourt (54) 57 F 2
Haraucourt-sur-Seille (57) 57 G 1
Haraumont (55) 35 G 1
Haravesnes (62) 7 F 3
Haravilliers (95) 30 D 3
Harbonnières (80) 15 H 2
Harbouey (54) 58 A 3
Harcanville (76) 13 E 3
Harchéchamp (88) 56 B 5
Harcigny (02) 17 H 2
Harcourt (27) 29 E 3
Harcy (08) 10 D 5
Hardancourt (88) 57 G 4
Hardanges (53) 47 F 5
Hardecourt-aux-Bois (80) 16 A 1
Hardelot-Plage (62) 2 A 5
Hardencourt-Cocherel (27) 29 H 4
Hardifort (59) 3 F 3
Hardinghen (62) 2 C 4
Hardinvast (50) 22 C 3
Hardivillers (60) 15 F 4
Hardivillers-en-Vexin (60) 30 D 2
La Hardoye (08) 18 A 3
Hardricourt (78) 30 C 4
La Harengère (27) 29 F 2
Haréville (88) 76 D 1
Harfleur (76) 12 B 5
Hargarten-aux-Mines (57) 21 G 4
Hargeville (78) 30 B 5
Hargeville-sur-Chée (55) 55 G 1
Hargicourt (02) 16 C 1
Hargicourt (80) 15 H 3
Hargnies (08) 11 E 4
Hargnies (59) 9 H 3
Harly (02) 16 D 2
Harméville (52) 55 H 4
Harmonville (88) 56 C 4
La Harmoye (22) 63 F 1
Harnes (62) 4 B 5
Harol (88) 77 E 1
Haroué (54) 57 E 4
Harponville (80) 7 H 5
Harprich (57) 37 G 4
Harquency (27) 30 A 2
Harreberg (57) 58 B 2
Harréville-les-Chanteurs (52) 76 B 1
Harricourt (08) 19 F 5
Harricourt (52) 75 E 1
Harsault (88) 77 E 2
Harskirchen (67) 38 B 4
Hartennes-et-Taux (02) 32 D 2
Hartmannswiller (68) 78 C 4
Hartzviller (57) 58 B 2
Harville (55) 36 B 3
Hary (02) 17 H 2
Haselbourg (57) 58 C 1
Hasnon (59) 5 E 5
Hasparren (64) 184 D 4
Haspelschiedt (57) 38 D 3
Haspres (59) 9 E 3
Hastingues (40) 185 E 2
Hatrize (54) 20 C 5
Hatten (67) 39 G 4
Hattencourt (80) 16 A 3
Hattenville (76) 12 D 4
Hattigny (57) 58 A 2
Hattmatt (67) 38 D 5
Hattonchâtel (55) 36 B 4
Hattonville (55) 36 B 4
Hattstatt (68) 78 D 2
Hauban (65) 204 C 2
Haubourdin (59) 4 C 4
Hauconcourt (57) 21 E 5
Haucourt (60) 14 D 5
Haucourt (62) 8 B 3
Haucourt (76) 14 B 4
Haucourt-en-Cambrésis (59) 9 E 5
Haucourt-Moulaine (54) 20 C 2
Haudainville (55) 35 H 3
Haudiomont (55) 36 A 3
Haudivillers (60) 15 F 5
Haudonville (54) 57 G 3
Haudrecy (08) 18 D 2
Haudricourt (76) 14 C 3
Haulchin (59) 9 E 3
Haulies (32) 188 A 3
Haulmé (08) 11 E 5
Haumont-lès-Lachaussée (55) 36 B 4
Haumont-près-Samogneux (55) 35 H 2
Hauriet (40) 185 H 1
Hausgauen (68) 97 F 1
Haussez (76) 14 B 4
Haussignémont (51) 54 D 2
Haussimont (51) 54 A 2
Haussonville (54) 57 F 3
Haussy (59) 9 E 4
Haut-Asco (2B) 216 D 1
Haut-Clocher (57) 58 A 1
Le Haut-Corlay (22) 63 F 1
Haut-de-Bosdarros (64) 203 H 1
Le Haut-du-Them-Château-Lambert (70) 77 H 4
Haut-Lieu (59) 9 H 5
Haut-Loquin (62) 2 C 4
Haut-Mauco (40) 169 H 5
Le Haut-Vauguière (34) 193 G 2
Hautaget (65) 205 E 2
Hautbos (60) 14 D 4
Haute-Avesnes (62) 8 A 3
La Haute-Beaume (05) 165 G 3
La Haute-Chapelle (61) 46 D 3
Haute-Épine (60) 14 D 4
Haute-Isle (95) 30 B 4
Haute-Kontz (57) 21 F 2
La Haute-Maison (77) 52 B 1
Haute-Vigneulles (57) 37 G 3
Hautecloque (62) 7 G 3
Hautecour (39) 123 H 1
Hautecour (73) 138 D 5
Hautecourt-Romanèche (01) 123 F 4
Hautefage (19) 145 F 4
Hautefage-la-Tour (47) 172 C 1
Hautefaye (24) 128 D 5
Hautefeuille (77) 52 B 2
Hautefond (71) 121 F 2
Hautefontaine (60) 32 B 1
Hautefort (24) 143 H 3
Hauteluce (73) 138 D 3
Hautepierre-le-Châtelet (25) 111 F 1
Hauterive (03) 120 B 5
Hauterive (61) 48 A 4
Hauterive (89) 73 E 4
Hauterive-la-Fresse (25) 111 G 2
Hauterives (26) 150 C 2
Hauteroche (21) 92 C 3
Hautes-Duyes (04) 181 F 2
Les Hautes-Rivières (08) 11 E 5
Hautesvignes (47) 156 C 5
Hautevelle (70) 77 F 4
Hautevesnes (02) 32 C 4
Hauteville (02) 17 E 2
Hauteville (08) 18 B 4
Hauteville (51) 54 D 3
Hauteville (62) 7 H 3
Hauteville (73) 138 B 5
La Hauteville (78) 50 B 2
Hauteville-la-Guichard (50) 25 E 3
Hauteville-lès-Dijon (21) 93 F 4
Hauteville-Lompnes (01) 137 F 1
Hauteville-sur-Fier (74) 138 A 1
Hauteville-sur-Mer (50) 24 C 4
Haution (02) 17 G 2
Hautmont (59) 9 H 3
Hautmougey (88) 77 E 3
Hautot-l'Auvray (76) 13 E 3
Hautot-le-Vatois (76) 13 E 4
Hautot-St-Sulpice (76) 13 E 3
Hautot-sur-Mer (76) 13 G 2
Hautot-sur-Seine (76) 29 F 1
Hautteville-Bocage (50) 22 D 4
Hautvillers (51) 33 G 4
Hautvillers-Ouville (80) 6 D 4
Hauville (27) 29 E 1
Hauviné (08) 34 B 2
Haux (33) 155 G 2
Haux (64) 203 E 2
Havange (57) 20 D 3
Havelu (28) 50 A 1
Haveluy (59) 9 E 2
Havernas (80) 7 F 5
Haverskerque (59) 3 G 5
Le Havre SP (76) 12 A 5
Havrincourt (62) 8 C 5
L'Haÿ-les-Roses SP (94) 51 F 2
Hayange (57) 20 D 4
Haybes (08) 11 E 4
La Haye (76) 14 A 5
La Haye (88) 77 E 2
La Haye-Aubrée (27) 28 D 1
La Haye-Bellefond (50) 25 F 4
La Haye-de-Calleville (27) 29 E 3
La Haye-de-Routot (27) 28 D 1
La Haye-d'Ectot (50) 22 C 5
La Haye-du-Puits (50) 24 D 1
La Haye-du-Theil (27) 29 E 2
La Haye-le-Comte (27) 29 G 3
La Haye-Malherbe (27) 29 F 2
La Haye-Pesnel (50) 45 H 1
La Haye-St-Sylvestre (27) 28 D 5
Les Hayes (41) 86 D 1
Hayes (57) 21 F 5
Haynecourt (59) 8 D 4
Les Hays (39) 110 A 3
Hazebrouck (59) 3 G 4
Hazembourg (57) 38 A 4
Le Heaulme (95) 30 D 3
Héauville (50) 22 B 3
Hébécourt (27) 30 B 1
Hébécourt (80) 15 F 2
Hébécrevon (50) 25 F 3
Héberville (76) 13 E 3
Hébuterne (62) 8 A 5
Hèches (65) 205 E 2
Hecken (68) 78 C 5
Hecmanville (27) 28 D 3
Hécourt (27) 29 H 5
Hécourt (60) 14 C 5
Hecq (59) 9 F 4
Hectomare (27) 29 F 3
Hédauville (80) 7 H 5
Hédé-Bazouges (35) 45 E 5
Hédouville (95) 31 E 3
Hegeney (67) 39 F 4
Hégenheim (68) 97 G 1
Heidolsheim (67) 79 E 1
Heidwiller (68) 97 F 1
Heiligenberg (67) 58 D 3
Heiligenstein (67) 58 D 4
Heillecourt (54) 57 E 2
Heilles (60) 31 E 2
Heilly (80) 15 H 1
Heiltz-le-Hutier (51) 54 D 2
Heiltz-le-Maurupt (51) 55 E 1
Heiltz-l'Évêque (51) 54 D 1
Heimersdorf (68) 97 F 1

Heimsbrunn (68) 78 C 5
Heining-lès-Bouzonville (57) 21 G 4
Heippes (55) 35 G 4
Heiteren (68) 79 E 3
Heiwiller (68) 97 F 1
Hélesmes (59) 9 E 2
Hélette (64) 185 E 4
Helfaut (62) 3 E 4
Helfrantzkirch (68) 97 G 1
Helléan (56) 64 A 3
Hellenvilliers (27) 49 G 1
Hellering-lès-Fénétrange (57) 38 B 5
Helleville (50) 22 B 3
Hellimer (57) 37 H 4
Héloup (61) 47 H 5
Helstroff (57) 21 G 5
Hem (59) 4 D 3
Hem-Hardinval (80) 7 G 4
Hem-Lenglet (59) 8 D 3
Hem-Monacu (80) 16 A 1
Hémevez (50) 22 D 4
Hémévillers (60) 15 H 5
Hémilly (57) 37 F 3
Héming (57) 58 A 1
Les Hemmes (62) 2 C 2
Hémonstoir (22) 63 G 2
Hénaménil (54) 57 G 2
Hénanbihen (22) 44 B 3
Hénansal (22) 44 B 3
Hendaye (64) 184 A 4
Hendecourt-
lès-Cagnicourt (62) 8 B 4
Hendecourt-lès-Ransart (62) 8 A 4
Hénencourt (80) 15 H 1
Henflingen (68) 97 F 1
Hengoat (22) 43 E 2
Hengwiller (67) 58 C 2
Hénin-Beaumont (62) 4 B 5
Hénin-sur-Cojeul (62) 8 B 4
Héninel (62) 8 B 4
Hennebont (56) 62 D 5
Hennecourt (88) 77 E 1
Hennemont (55) 20 B 5
Hennequeville (14) 28 A 1
Henneveux (62) 2 C 4
Hennezel (88) 77 E 2
Hennezis (27) 30 A 3
Hénon (22) 43 H 5
Hénonville (60) 30 D 3
Hénouville (76) 13 F 5
Henrichemont (18) 89 G 5
Henridorff (57) 58 C 1
Henriville (57) 37 H 3
Hénu (62) 7 H 4
Henvic (29) 42 A 3
Hérange (57) 58 B 1
L'Herbaudière (85) 98 B 1
Herbault (41) 87 G 2
Herbeauvilliers (77) 71 G 1
Herbécourt (80) 16 A 1
Herbelles (62) 3 E 5
L'Herbergement (85) 99 G 3
Herbeuval (08) 19 H 4
Herbeuville (55) 36 A 4
Herbeville (78) 30 C 5
Herbéviller (54) 57 H 3
Herbeys (38) 151 H 3
Les Herbiers (85) 100 A 3
Herbignac (44) 82 B 2
Herbinghen (62) 2 C 4
Herbisse (10) 53 H 3
Herbitzheim (67) 38 B 4
Herblay-sur-Seine (95) 31 E 5
Herbsheim (67) 59 E 4
Hercé (53) 46 C 4
Herchies (60) 14 D 5
La Hérelle (60) 15 G 4
Hérenguerville (50) 24 D 4
Hérépian (34) 192 A 2
Hères (65) 187 E 3
Hergnies (59) 5 F 5
Hergugney (88) 57 E 4
Héric (44) 83 F 3
Héricourt (62) 7 F 3
Héricourt (70) 96 C 1
Héricourt-en-Caux (76) 13 E 3
Héricourt-sur-Thérain (60) 14 C 4
Héricy (77) 51 H 4
La Hérie (02) 10 A 5
Le Hérie-la-Viéville (02) 17 F 2
Hériménil (54) 57 G 3
Hérimoncourt (25) 96 D 3
Hérin (59) 9 E 2
Hérissart (80) 7 G 5
Hérisson (03) 119 E 2
Herleville (80) 16 A 2
La Herlière (62) 7 H 4
Herlies (59) 4 B 4
Herlin-le-Sec (62) 7 G 3
Herlincourt (62) 7 G 3
Herly (62) 7 E 1
Herly (80) 16 A 3
L'Herm (09) 207 E 3
Herm (40) 168 D 5
Hermanville (76) 13 G 2
Hermanville-sur-Mer (14) 27 F 2
Les Hermaux (48) 161 E 4
Hermaville (62) 7 H 3
Hermé (77) 52 D 4
Hermelange (57) 58 B 2
Hermelinghen (62) 2 C 4
L'Hermenault (85) 113 G 1
Herment (63) 132 B 3
Hermeray (78) 50 B 3
Hermes (60) 31 E 1
Hermeville (76) 12 B 4
Herméville-en-Woëvre (55) 20 A 5
Hermies (62) 8 C 5
Hermillon (73) 152 C 2
Hermin (62) 7 H 2
L'Hermitage (35) 65 E 2
L'Hermitage-Lorge (22) 63 G 1
Les Hermites (37) 86 D 1
L'Hermitière (61) 68 D 1
Hermival-les-Vaux (14) 28 B 3
Hermonville (51) 33 G 1
Hernicourt (62) 7 G 2
Herny (57) 37 F 4
Le Héron (76) 14 A 5
Héronchelles (76) 14 A 5
Hérouville-en-Vexin (95) 31 E 4
Hérouville-St-Clair (14) 27 F 2
Hérouvillette (14) 27 G 2
Herpelmont (88) 77 H 1
Herpont (51) 34 D 4
Herpy-l'Arlésienne (08) 18 A 5
Herqueville (27) 29 H 2
Herqueville (50) 22 B 2
Herran (31) 205 H 3
Herré (40) 171 F 4
Herrère (64) 203 G 1
Herrin (59) 4 B 4
Herrlisheim (67) 59 G 1
Herrlisheim-près-Colmar (68) 78 D 2
Herry (18) 90 B 5
Hersbach (67) 58 C 3
Herserange (54) 20 B 2
Hersin-Coupigny (62) 4 A 5
Hertzing (57) 58 A 2
Hervelinghen (62) 2 B 3
Hervilly (80) 16 C 1
Héry (58) 91 E 5
Héry (73) 138 D 2
Héry (89) 73 F 4
Héry-sur-Alby (74) 138 A 2
Herzeele (59) 3 G 3
Hesbécourt (80) 16 C 1
Hescamps (80) 14 D 3
Hesdigneul-lès-Béthune (62) 2 B 5
Hesdigneul-lès-Boulogne (62) 7 H 1
Hesdin (62) 7 E 2
Hesdin-l'Abbé (62) 2 B 5
Hésingue (68) 97 G 1
Hesmond (62) 7 E 2
Hesse (57) 58 B 1
Hessenheim (67) 79 E 1
Hestroff (57) 21 F 4
Hestrud (59) 10 A 2
Hestrus (62) 7 G 2
Hétomesnil (60) 15 E 4
Hettange-Grande (57) 21 E 3
Hettenschlag (68) 79 E 2
Heubécourt-Haricourt (27) 30 A 3
Heuchin (62) 7 G 1
Heucourt-Croquoison (80) 14 D 1
Heudebouville (27) 29 G 3
Heudicourt (27) 30 B 2
Heudicourt (80) 8 C 5
Heudicourt-
sous-les-Côtes (55) 36 B 5
Heudreville-en-Lieuvin (27) 28 C 3
Heudreville-sur-Eure (27) 29 G 3
Heugas (40) 185 F 1
Heugleville-sur-Scie (76) 13 G 3
Heugnes (36) 103 H 2
Heugon (61) 48 B 1
Heugueville-sur-Sienne (50) 24 D 4
Heuilley-Cotton (52) 75 H 5
Heuilley-le-Grand (52) 75 H 5
Heuilley-sur-Saône (21) 94 A 4
Heuland (14) 27 H 2
Heume-l'Église (63) 132 C 4
La Heunière (27) 29 H 4
Heuqueville (27) 29 H 2
Heuqueville (76) 12 B 4
Heuringhem (62) 3 E 5
Heurteauville (76) 13 E 5
Heurtevent (14) 28 A 4
Heussé (50) 46 C 4
Heutrégiville (51) 34 A 2
Heuzecourt (80) 7 F 4
Hévilliers (55) 55 H 3
Heyrieux (38) 136 C 4
Hézecques (62) 7 F 1
Le Hézo (56) 81 G 3
Hibarette (65) 204 C 1
Hières-sur-Amby (38) 136 D 3
Hierges (08) 11 E 3
Hiermont (80) 7 E 4
Hiers-Brouage (17) 126 C 2
Hiersac (16) 128 A 4
Hiesse (16) 129 E 1
Hiesville (50) 23 E 5
Hiéville (14) 27 H 4
Higuères-Souye (64) 186 C 4
Hiis (65) 204 C 1
Hilbesheim (57) 58 B 1
Hillion (22) 43 H 4
Hilsenheim (67) 59 E 5
Hilsprich (57) 38 A 4
Hinacourt (02) 16 D 3
Hinckange (57) 21 F 5
Hindisheim (67) 59 E 3
Hindlingen (68) 97 E 1
Hinges (62) 7 H 1
Le Hinglé (22) 44 D 4
Hinsbourg (67) 38 C 4
Hinsingen (67) 38 A 4
Hinx (40) 185 G 1
Hipsheim (67) 59 F 3
Hirel (35) 45 E 2
Hirmentaz (74) 125 E 3
Hirschland (67) 38 B 5
Hirsingue (68) 97 F 1
Hirson (02) 10 A 5
Hirtzbach (68) 97 F 1
Hirtzfelden (68) 79 E 3
His (31) 206 A 2
Hitte (65) 204 D 1
Hix (66) 211 G 4
Hochfelden (67) 59 E 1
Hochstatt (68) 78 D 5
Hochstett (67) 39 E 5
Hocquigny (50) 45 H 1
Hocquincourt (80) 14 D 1
Hocquinghen (62) 2 C 4
Hodenc-en-Bray (60) 14 D 5
Hodenc-l'Évêque (60) 31 E 2
Hodeng-au-Bosc (76) 14 C 2
Hodeng-Hodenger (76) 14 B 5
Hodent (95) 30 C 3
Hœdic (56) 81 F 5
Hœnheim (67) 59 F 2
Hœrdt (67) 59 F 1
Hoéville (54) 57 F 2
Hoff (57) 58 B 1
Hoffen (67) 39 G 4
Les Hogues (27) 29 H 1
La Hoguette (14) 27 G 5
Hohatzenheim (67) 59 E 1
Hohengœft (67) 58 D 2
Hohfrankenheim (67) 59 E 1
Hohrod (68) 78 C 2
Hohrodberg (68) 78 C 2
Le Hohwald (67) 58 D 4
Hohwiller (67) 39 G 4
Holacourt (57) 37 F 4
Holling (57) 21 G 4
Holnon (02) 16 C 2
Holque (59) 3 E 3
Holtzheim (67) 59 E 2
Holtzwihr (68) 78 D 1
Holving (57) 38 A 4
Hombleux (80) 16 B 3
Homblières (02) 16 D 2
Hombourg (68) 79 E 5
Hombourg-Budange (57) 21 F 4
Hombourg-Haut (57) 21 H 5
Le Hôme (14) 27 G 2
L'Hôme-Chamondot (61) 48 D 3
Homécourt (54) 20 D 5
Hommarting (57) 58 B 1
L'Homme-d'Armes (26) 163 G 3
Hommert (57) 58 C 2
Hommes (37) 86 A 3
Le Hommet-
d'Arthenay (50) 25 F 2
Homps (11) 191 G 5
Homps (32) 172 D 5
Hon-Hergies (59) 9 G 3
Hondainville (60) 31 F 2
Hondeghem (59) 3 G 4
Hondevilliers (77) 32 D 5
Hondouville (27) 29 G 3
Hondschoote (59) 3 G 2
Honfleur (14) 28 B 1
Honguemare-
Guenouville (27) 29 E 1
Honnechy (59) 9 E 5
Honnecourt-sur-Escaut (59) 8 D 5
L'Honor-de-Cos (82) 173 G 3
Honskirch (57) 38 A 4
Hontanx (40) 171 E 5
L'Hôpital (22) 43 H 5
L'Hôpital (57) 21 H 5
Hôpital-Camfrout (29) 41 G 5
L'Hôpital-d'Orion (64) 185 G 3
L'Hôpital-du-Grosbois (25) 95 F 5
L'Hôpital-le-Grand (42) 134 D 5
L'Hôpital-le-Mercier (71) 121 E 3
L'Hôpital-
sous-Rochefort (42) 134 C 3
L'Hôpital-St-Blaise (64) 185 H 5
Hôpital-St-Jean (46) 144 C 5
L'Hôpital-St-Lieffroy (25) 95 G 3
Les Hôpitaux-Neufs (25) 111 G 4
Les Hôpitaux-Vieux (25) 111 G 3
Horbourg-Wihr (68) 78 D 2
Hordain (59) 8 D 3
La Horgne (08) 18 D 4
Horgues (65) 204 C 1
L'Horme (42) 135 G 5
Hornaing (59) 9 E 2
Hornoy-le-Bourg (80) 14 D 2
Le Horps (53) 47 E 5
Horsarrieu (40) 186 A 1
Hortes (52) 76 A 4
Horville-en-Ornois (55) 55 H 4
L'Hosmes (27) 49 F 1
L'Hospitalet (04) 180 C 3
L'Hospitalet (46) 158 C 2
L'Hospitalet-du-Larzac (12) 176 C 4
L'Hospitalet-
près-l'Andorre (09) 211 F 3
Hossegor (40) 184 D 1
Hosta (64) 202 C 1
Hoste (57) 38 A 3
Hostens (33) 155 E 4
Hostiaz (01) 137 F 2
Hostun (26) 150 D 4
L'Hôtellerie (14) 28 C 3
L'Hôtellerie-de-Flée (49) 66 B 5
Hotonnes (01) 137 G 1
Hotot-en-Auge (14) 27 H 3
Hottot-les-Bagues (14) 26 D 3
Hottviller (57) 38 C 3
La Hoube (57) 58 C 2
La Houblonnière (14) 28 A 3
Les Houches (74) 139 F 1
Houchin (62) 7 H 1
Houdain (62) 7 H 2
Houdain-lez-Bavay (59) 9 G 3
Houdan (78) 50 A 1
Houdancourt (60) 31 H 1
Houdelaincourt (55) 55 H 3
Houdelmont (54) 56 D 3
Houdemont (54) 57 E 2
Houdetot (76) 13 E 2
Houdilcourt (08) 33 H 1
Houdreville (54) 56 D 3
Houécourt (88) 56 C 5
Houeillès (47) 171 G 2
Houesville (50) 23 E 5
Houetteville (27) 29 G 3
Houéville (88) 56 C 5
Houeydets (65) 205 E 1
Le Houga (32) 186 D 1
Houilles (78) 31 E 5
Houlbec-Cocherel (27) 29 H 4
Houlbec-près-
le-Gros-Theil (27) 29 E 2
Houldizy (08) 18 D 2
Houlette (16) 127 H 3
Houlgate (14) 27 H 2
Houlle (62) 3 E 4
Le Houlme (76) 13 G 5
L'Houmeau (17) 113 E 4
Hounoux (11) 207 H 2
Houplin-Ancoisne (59) 4 C 4
Houplines (59) 4 B 3
Houppeville (76) 13 G 5
Houquetot (76) 12 C 4
Hourc (65) 187 F 5
Le Hourdel (80) 6 B 4
Hourges (51) 33 F 2
Hours (64) 186 D 5
Hourtin (33) 140 C 3
Hourtin-Plage (33) 140 B 3
Houry (02) 17 G 3
La House (33) 155 E 2
Houssay (41) 87 E 1
Houssay (53) 66 C 4
La Houssaye (27) 29 E 5
La Houssaye-Béranger (76) 13 G 4
La Houssaye de M. (27) 29 H 5
La Houssaye-en-Brie (77) 52 A 2
Le Housseau (53) 47 E 4
Houssen (68) 78 D 1
Housseras (88) 57 H 5
Housset (02) 17 F 2
Housséville (54) 56 D 4
La Houssière (88) 78 A 1
La Houssoye (60) 30 D 1
Houtaud (25) 111 F 2
Houtkerque (59) 3 G 3
Houtteville (50) 23 E 5
Houville-en-Vexin (27) 29 H 2
Houville-la-Branche (28) 50 B 4
Houvin-Houvigneul (62) 7 G 3
Houx (28) 50 B 3
Hoymille (59) 3 F 2
Hte-Goulaine (44) 83 G 5
Hte-Rivoire (69) 135 F 3
Huanne-Montmartin (25) 95 F 3
Hubersent (62) 2 B 5
Hubert-Folie (14) 27 F 3
Huberville (50) 22 D 4
Huby-Saint-Leu (62) 7 E 2
Huchenneville (80) 6 D 5
Huclier (62) 7 G 2
Hucqueliers (62) 6 D 1
Hudimesnil (50) 24 D 5
Hudiviller (54) 57 F 2
Huelgoat (29) 42 B 5
Huest (27) 29 G 4
Huêtre (45) 70 C 3
Huez (38) 152 A 4
Hugier (70) 94 B 4
Hugleville-en-Caux (76) 13 G 4
Huillé (49) 85 F 1
Huilliécourt (52) 76 A 2
Huilly-sur-Seille (71) 122 D 1
Huiron (51) 54 C 2
Huismes (37) 86 A 5
Huisnes-sur-Mer (50) 45 G 2
D'Huison-Longueville (91) 51 F 4
Huisseau-en-Beauce (41) 87 F 1
Huisseau-sur-Cosson (41) 88 A 2
Huisseau-sur-Mauves (45) 70 B 4
L'Huisserie (53) 66 C 3
Hulluch (62) 4 B 5
Hultehouse (57) 58 C 1
Humbauville (51) 54 B 2
Humbécourt (52) 55 E 3
Humbercamps (62) 7 H 4
Humbercourt (80) 7 H 4
Humbert (62) 6 D 1
Humberville (52) 75 H 1
Humbligny (18) 89 H 5
La Hume (33) 154 B 3
Humerœuille (62) 7 F 2
Humes (52) 75 H 4
Humières (62) 7 F 2
Hunawihr (68) 78 D 1
Hundling (57) 38 A 3
Hundsbach (68) 97 F 1
Huningue (68) 97 H 1
Hunspach (67) 39 G 4
Hunting (57) 21 F 3
Huos (31) 205 F 2
Huparlac (12) 160 C 2
Huppy (80) 6 D 5
Hurbache (88) 58 A 5
Hure (33) 156 A 4
Hurecourt (70) 76 D 4
Hures-la-Parade (48) 176 D 2
Huriel (03) 118 D 3
Hurigny (71) 122 B 3
Hurtières (38) 152 A 2
Hurtigheim (67) 59 E 2
Husseau (37) 87 E 4
Husseren-les-Châteaux (68) 78 C 2
Husseren-Wesserling (68) 78 B 4
Hussigny-Godbrange (54) 20 C 2
Husson (50) 46 C 3
La Hutte (72) 67 H 1
Huttendorf (67) 39 E 5
Huttenheim (67) 59 E 4
Hyds (03) 119 F 4
Hyémondans (25) 95 H 3
Hyencourt-le-Grand (80) 16 A 2
Hyenville (50) 24 D 4
Hyères (83) 201 F 3
Hyères-Plage (83) 201 F 4
Hyet (70) 95 E 3
Hyèvre-Magny (25) 95 G 3
Hyèvre-Paroisse (25) 95 G 3
Hymont (88) 77 E 1

I

Ibarrolle (64) 185 F 5
Ibarron (64) 184 C 4
Ibigny (57) 58 A 2
Ibos (65) 187 E 5
Ichtratzheim (67) 59 F 3
Ichy (77) 71 G 2
Idaux-Mendy (64) 202 D 1
Idrac-Respaillès (32) 187 H 3
Idron (64) 186 C 5
Ids-St-Roch (18) 105 E 5
Iffendic (35) 64 D 2
Les Iffs (35) 45 E 5
Ifs (14) 27 F 3
Les Ifs (près de Fécamp) (76) 12 C 3
Les Ifs (près de Londinières) (76) 14 A 2
Igé (61) 48 C 5
Igé (71) 122 B 2
Iges (08) 19 E 3
Ignaucourt (80) 15 H 2
Ignaux (09) 207 F 5
Igney (54) 57 H 2
Igney (88) 57 F 5
Ignol (18) 106 A 3
Igny (70) 94 C 3
Igny (91) 51 E 2
Igny-Comblizy (51) 33 F 4
Igon (64) 204 A 1
Igornay (71) 108 B 2
Igoville (27) 29 G 2
Iguerande (71) 121 F 4
Iholdy (64) 185 E 5
Ilay (39) 110 D 5
Île-aux-Moines (56) 81 G 2
L'Île-Bouchard (37) 102 B 1
Île-d'Aix (17) 113 E 5
Île-d'Arz (56) 81 G 2
Île-de-Batz (29) 41 H 1
Île de Bréhat (22) 43 F 1
Ile-de-Sein (29) 60 C 2
L'Île-d'Elle (85) 113 F 3
Île-d'Houat (56) 81 F 4
L'Île-d'Olonne (85) 98 D 5
L'Île-d'Yeu (85) 98 A 4
Île-Molène (29) 40 B 4
L'Ile-Rousse (2B) 214 C 4
L'Ile-Saint-Denis (93) 31 F 5
Île-Tudy (29) 61 G 4
Ilharre (64) 185 F 4
Ilhat (09) 207 F 3
Les Ilhes (11) 190 D 5
Ilhet (65) 205 E 3
Ilheu (65) 205 F 3
Iliz-Koz (29) 41 E 2
Illange (57) 21 E 4
Illartein (09) 206 A 3
Las Illas (66) 213 E 4
Illats (33) 155 G 3
Ille-sur-Têt (66) 212 D 2
Illeville-sur-Montfort (27) 28 D 2
Illfurth (68) 78 D 5
Illhaeusern (68) 78 D 1
Illiat (01) 122 C 4
Illier-et-Laramade (09) 207 E 5
Illiers-Combray (28) 69 G 1
Illiers-l'Évêque (27) 49 H 1
Illies (59) 4 B 4
Illifaut (22) 64 B 1
Illkirch-Graffenstaden (67) 59 F 3
Illois (76) 14 B 3
Illoud (52) 76 A 1
Illy (08) 19 F 3
Illzach (68) 78 D 4
Ilonse (06) 183 E 3
Les Imberts (84) 179 H 5
Imbleville (76) 13 F 3
Imécourt (08) 35 E 1
Imling (57) 58 B 1
L'Immaculée (44) 82 B 4
Imphy (58) 106 D 3
Inaumont (08) 18 B 4
Incarville (27) 29 G 2
Incheville (76) 6 B 5
Inchy (59) 9 E 5
Inchy-en-Artois (62) 8 C 4
Incourt (62) 7 F 2
Indevillers (25) 96 D 4
Indre (44) 83 E 5
Ineuil (18) 105 F 4
Les Infournas (05) 166 B 2
Ingenheim (67) 59 E 1
Ingersheim (68) 78 D 2
Inghem (62) 3 E 5
Inglange (57) 21 F 3
Ingolsheim (67) 39 G 4
Ingouville (76) 13 E 2
Ingrandes (36) 116 B 1
Ingrandes (86) 102 C 3
Ingrandes-de-Touraine (37) 86 A 5
Ingrandes-le-
Fresne-sur-Loire (49) 84 B 3
Ingrannes (45) 71 E 3
Ingré (45) 70 C 4
Inguiniel (56) 62 D 4
Ingwiller (67) 38 D 5
Inières (12) 175 H 1
Injoux-Génissiat (01) 123 H 5
Innenheim (67) 59 E 3
Innimond (01) 137 F 3
Inor (55) 19 G 4
Insming (57) 38 A 4
Insviller (57) 38 A 5
Intraville (76) 13 H 1
Intres (07) 149 E 5
Intréville (28) 70 C 1
Intville-la-Guétard (45) 71 E 1
Inval-Boiron (80) 14 C 2
Inxent (62) 6 D 1
Inzinzac-Lochrist (56) 62 D 5
Ippécourt (55) 35 G 4
Ippling (57) 38 A 3
Irai (61) 48 D 2
Irais (79) 101 G 3
Irancy (89) 91 F 1
Iré-le-Sec (55) 19 H 5
Irigny (69) 135 H 4
Irissarry (64) 185 E 5
Irleau (79) 113 H 3
Irles (80) 8 A 5
Irodouër (35) 44 D 5
Iron (02) 17 F 1
Irouléguy (64) 202 B 1
Irreville (27) 29 G 4
Irvillac (29) 41 G 4
Is-en-Bassigny (52) 75 H 3
Is-sur-Tille (21) 93 G 2
Isbergues (62) 3 F 5
Isches (88) 76 C 3
Isdes (45) 89 E 1
Isenay (58) 107 F 3
Isigny-le-Buat (50) 46 A 2
Isigny-sur-Mer (14) 23 F 5
Island (89) 91 G 3
Isle (87) 130 A 3
L'Isle-Adam (95) 31 E 4
L'Isle-Arné (32) 188 B 2
Isle-Aubigny (10) 54 A 4
Isle-Aumont (10) 74 A 1
L'Isle-Bouzon (32) 172 C 4
L'Isle-d'Abeau (38) 136 D 4
L'Isle-de-Noé (32) 187 H 2
L'Isle-d'Espagnac (16) 128 C 4
L'Isle-en-Dodon (31) 188 B 4
L'Isle-en-Rigault (55) 55 F 2
Isle-et-Bardais (03) 106 A 5
L'Isle-Jourdain (32) 188 D 2
L'Isle-Jourdain (86) 116 A 4
Isle-St-Georges (33) 155 F 2
L'Isle-sur-la-Sorgue (84) 179 G 4
L'Isle-sur-le-Doubs (25) 95 H 3
Isle-sur-Marne (51) 54 D 3
L'Isle-sur-Serein (89) 91 H 2
Les Isles-Bardel (14) 47 F 1
Isles-les-Meldeuses (77) 32 B 5
Isles-lès-Villenoy (77) 32 A 5
Isles-sur-Suippe (51) 34 A 1
Les Islettes (55) 35 F 3
Les Isnards (84) 180 A 3
Isneauville (76) 13 G 5
Isola (06) 182 D 1
Isola 2000 (06) 183 E 1
Isolaccio-di-Fiumorbo (2B) 217 F 5
Isômes (52) 93 H 1
Ispagnac (48) 161 H 5
Ispes (40) 154 A 4
Ispoure (64) 202 B 1
Isques (62) 2 B 5
Issac (24) 142 D 5
Les Issambres (83) 198 C 4

- Issamoulenc (07) 163 F 2
- Issancourt-et-Rumel (08) 19 E 3
- Issanlas (07) 162 C 2
- Issans (25) 95 H 2
- Les Issards (09) 207 F 2
- Issarlès (07) 162 C 1
- Issé (44) 83 G 1
- Isse (51) 34 A 4
- Issel (11) 190 B 4
- Issendolus (46) 159 E 2
- Issenhausen (67) 39 E 5
- Issenheim (68) 78 C 3
- Issepts (46) 159 E 3
- Isserpent (03) 120 C 5
- Isserteaux (63) 133 G 4
- Issigeac (24) 157 E 2
- Issirac (30) 178 C 1
- Issoire SP (63) 133 G 5
- Issoncourt (55) 35 G 5
- Issor (64) 203 F 1
- Issou (78) 30 C 5
- Issoudun SP (36) 104 D 3
- Issoudun-Létrieix (23) 131 G 1
- Issus (31) 189 G 4
- Issy-les-Moulineaux (92) 51 E 1
- Issy-l'Évêque (71) 107 H 5
- Istres SP (13) 195 E 3
- Les Istres-et-Bury (51) 33 H 5
- Isturits (64) 185 E 4
- Itancourt (02) 16 D 2
- Iteuil (86) 115 F 2
- Ittenheim (67) 59 E 2
- Itterswiller (67) 58 D 4
- Itteville (91) 51 F 4
- Ittlenheim (67) 59 E 2
- Itxassou (64) 184 D 4
- Itzac (81) 174 B 3
- Ivergny (62) 7 G 4
- Iverny (77) 31 H 5
- Iviers (02) 18 A 2
- Iville (27) 29 F 3
- Ivors (60) 32 B 3
- Ivory (39) 110 C 3
- Ivoy-le-Pré (18) 89 G 4
- Ivrey (39) 110 D 2
- Ivry-en-Montagne (21) 108 D 2
- Ivry-la-Bataille (27) 50 A 1
- Ivry-le-Temple (60) 30 D 3
- Ivry-sur-Seine (94) 51 F 1
- Iwuy (59) 9 E 4
- Izaourt (65) 205 F 2
- Izaut-de-l'Hôtel (31) 205 G 2
- Izaux (65) 205 E 2
- Izé (53) 67 F 1
- Izeaux (38) 151 E 2
- Izel-lès-Équerchin (62) 8 B 2
- Izel-lès-Hameau (62) 7 H 3
- Izenave (01) 123 G 5
- Izernore (01) 123 G 4
- Izeron (38) 151 E 3
- Izeste (64) 203 H 2
- Izeure (21) 93 G 5
- Izier (21) 93 G 4
- Izieu (01) 137 G 4
- Izon (33) 141 G 5
- Izon-la-Bruisse (26) 180 B 1
- Izotges (32) 187 E 2
- Izy (45) 70 D 2

J

- Jablines (77) 31 H 5
- Jabreilles-les-Bordes (87) 130 C 1
- Jabron (83) 182 A 5
- Jabrun (15) 160 D 2
- Jacob-Bellecombette (73) 137 H 5
- Jacou (34) 193 F 2
- Jacque (65) 187 F 5
- Jaffe (17) 126 C 4
- Jagny-sous-Bois (95) 31 G 4
- Jaignes (77) 32 B 5
- Jaillans (26) 150 D 4
- La Jaille-Yvon (49) 84 D 1
- Jaillon (54) 56 C 1
- Jailly (58) 107 E 1
- Jailly-les-Moulins (21) 92 D 3
- Jainvillotte (88) 76 B 1
- Jalesches (23) 118 A 3
- Jaleyrac (15) 145 H 3
- Jaligny-sur-Besbre (03) 120 C 3
- Jallais (49) 84 B 5
- Jallanges (21) 109 G 2
- Jallans (28) 69 H 3
- Jallaucourt (57) 37 F 5
- Jallerange (25) 94 B 5
- Jalognes (18) 90 A 5
- Jalogny (71) 122 A 2
- Jâlons (51) 34 A 4
- Jambles (71) 108 D 4
- Jambville (78) 30 C 4
- Jaméricourt (60) 30 C 2
- Jametz (55) 19 H 5
- Jameyzieu (38) 136 D 3
- Janailhac (87) 130 A 4
- Janaillat (23) 130 D 1
- Jancigny (21) 93 H 3
- Jandun (08) 18 C 3
- Janneyrias (38) 136 C 3
- Jans (44) 83 F 1
- Janville (14) 27 G 3
- Janville (28) 70 C 2
- Janville (60) 16 A 5
- Janville (76) 13 E 2
- Janville-sur-Juine (91) 51 E 4
- Janvilliers (51) 33 F 5
- Janvry (51) 33 G 2
- Janvry (91) 51 E 3
- Janzé (35) 65 G 3
- Jarcieu (38) 149 H 2
- La Jard (17) 127 F 4
- Jard-sur-Mer (85) 112 C 2
- Le Jardin (19) 145 F 2
- Jardin (38) 136 B 5
- Jardres (86) 115 H 1
- Jargeau (45) 71 E 5
- Jarjayes (05) 166 B 4
- Jarménil (88) 77 G 2
- Jarnac (16) 127 H 4
- Jarnac-Champagne (17) 127 G 5
- Jarnages (23) 118 A 5
- La Jarne (17) 113 F 5
- Jarnioux (69) 135 G 1
- Jarnosse (42) 121 G 5
- Jarny (54) 20 C 5
- Jarret (65) 204 B 2
- La Jarrie (17) 113 F 5
- Jarrie (38) 151 H 3
- La Jarrie-Audouin (17) 127 F 1
- Jarrier (73) 152 C 2
- Jars (18) 89 H 4
- Jarsy (73) 138 B 4
- Jarville-la-Malgrange (54) 57 E 2
- Jarzé Villages (49) 85 F 2
- Jas (42) 135 E 3
- Jasney (70) 77 E 4
- Jassans-Riottier (01) 135 H 1
- La Jasse-de-Bernard (30) 178 A 3
- Jasseines (10) 54 B 4
- Jasseron (01) 123 E 4
- Jasses (64) 185 H 5
- Le Jassonneix (19) 131 G 5
- Jatxou (64) 184 C 4
- Jau-Dignac-et-Loirac (33) 140 C 1
- Jaucourt (10) 74 D 1
- La Jaudonnière (85) 100 B 5
- Jaudrais (28) 49 G 3
- Jaujac (07) 162 D 3
- Jauldes (16) 128 C 3
- Jaulges (89) 73 G 4
- Jaulgonne (02) 33 E 4
- Jaulnay (37) 102 B 3
- Jaulnes (77) 52 C 5
- Jaulny (54) 36 C 4
- Jaulzy (60) 32 B 1
- Jaunac (07) 163 E 1
- Jaunay-Clan (86) 102 B 5
- La Jaunière (78) 50 B 2
- Jaures (24) 143 E 4
- Jausiers (04) 167 F 4
- Jaux (60) 31 H 1
- Jauzé (72) 68 B 1
- Javaugues (43) 147 G 2
- Javené (35) 46 A 5
- Javerdat (87) 129 H 1
- Javerlhac-et-la-Chapelle-St-Robert (24) 129 E 5
- Javernant (10) 73 H 2
- La Javie (04) 181 G 2
- Javols (48) 161 F 3
- Javrezac (16) 127 G 3
- Javron (53) 47 F 4
- Jax (43) 147 H 3
- Jaxu (64) 185 E 5
- Jayac (24) 144 B 5
- Jayat (01) 122 D 3
- Jazeneuil (86) 115 E 2
- Jazennes (17) 127 E 4
- Jeancourt (02) 16 C 1
- Jeandelaincourt (54) 37 E 5
- Jeandelize (54) 20 C 5
- Jeanménil (88) 57 H 5
- Jeansagnière (42) 134 B 3
- Jeantes (02) 17 H 2
- Jebsheim (68) 79 E 1
- Jegun (32) 187 H 1
- La Jemaye (24) 142 C 3
- Jenlain (59) 9 F 3
- Jenzat (03) 119 H 5
- Jésonville (88) 76 D 2
- Jessains (10) 74 C 1
- Jetterswiller (67) 58 D 2
- Jettingen (68) 97 F 1
- Jeu-les-Bois (36) 104 C 5
- Jeu-Maloches (36) 103 H 2
- Jeufosse (78) 30 A 4
- Jeugny (10) 73 H 2
- Jeumont (59) 10 A 1
- Jeurre (39) 123 H 2
- Jeux-lès-Bard (21) 92 A 2
- Jeuxey (88) 77 G 1
- Jevoncourt (54) 57 E 4
- Jezainville (54) 36 D 5
- Jézeau (65) 205 E 3
- Joannas (07) 162 D 4
- Les Joannins (26) 163 G 5
- Job (63) 134 B 4
- Jobourg (50) 22 B 2
- Joch (66) 212 C 3
- Jœuf (54) 20 D 5
- Joganville (50) 23 E 4
- Joigny (89) 72 D 3
- Joigny-sur-Meuse (08) 11 E 5
- Joinville (52) 55 G 4
- Joinville-le-Pont (94) 51 G 1
- Joiselle (51) 53 E 2
- Jolimetz (59) 9 G 4
- Jolivet (54) 57 G 2
- Jonage (69) 136 C 3
- Joncels (34) 192 B 1
- La Jonchère (85) 112 D 2
- La Jonchère-St-Maurice (87) 130 C 1
- Jonchères (26) 165 F 3
- Joncherey (90) 96 D 2
- Jonchery (52) 75 F 2
- Jonchery-sur-Suippe (51) 34 B 3
- Jonchery-sur-Vesle (51) 33 G 2
- Joncourt (02) 16 D 1
- Joncreuil (10) 54 C 4
- Joncy (71) 108 D 5
- Jongieux (73) 137 H 3
- Jonquerets-de-Livet (27) 28 D 4
- Jonquerettes (84) 179 F 4
- Jonquery (51) 33 F 3
- Le Jonquet (04) 180 C 3
- Jonquières (11) 208 D 2
- Jonquières (34) 192 C 2
- Jonquières (60) 31 H 1
- Jonquières (81) 190 C 2
- Jonquières (84) 179 E 3
- Jonquières-St-Vincent (30) 178 D 5
- Jons (69) 136 C 3
- Jonval (08) 18 D 4
- Jonvelle (70) 76 C 3
- Jonville-en-Woëvre (55) 36 B 4
- Jonvilliers (28) 50 B 3
- Jonzac SP (17) 141 G 1
- Jonzier-Épagny (74) 124 B 5
- Jonzieux (42) 149 E 2
- Joppécourt (54) 20 C 3
- Les Jordes (19) 145 E 3
- Jorquenay (52) 75 H 4
- Jort (14) 27 H 5
- Jorxey (88) 57 E 5
- Josat (43) 147 H 3
- Josnes (41) 70 A 5
- Josse (40) 185 E 1
- Josselin (56) 64 A 3
- Jossigny (77) 51 H 1
- Jou-sous-Monjou (15) 160 B 1
- Jouac (87) 116 D 3
- Jouaignes (02) 33 E 2
- Jouancy (89) 91 H 1
- Jouarre (77) 32 C 5
- Jouars Pontchartrain (78) 50 C 1
- Jouaville (54) 20 D 5
- Joucas (84) 179 H 4
- Joucou (11) 207 H 4
- Joudes (71) 123 E 2
- Joudreville (54) 20 B 4
- Joué-du-Bois (61) 47 G 3
- Joué-du-Plain (61) 47 G 2
- Joué-en-Charnie (72) 67 G 3
- Joué-Étiau (49) 84 D 5
- Joué-l'Abbé (72) 68 A 2
- Joué-lès-Tours (37) 86 D 4
- Joué-sur-Erdre (44) 83 G 2
- Jouet-sur-l'Aubois (18) 106 B 2
- Jouey (21) 108 C 1
- Jougne (25) 111 G 4
- Jouhe (39) 110 A 1
- Jouhet (86) 116 B 2
- Jouillat (23) 117 H 4
- Jouques (13) 196 B 2
- Jouqueviel (81) 174 D 2
- Jourgnac (87) 130 A 4
- Journans (01) 123 E 4
- Journet (86) 116 B 2
- Journiac (24) 143 G 5
- Journy (62) 2 D 4
- Jours-en-Vaux (21) 108 D 2
- Jours-lès-Baigneux (21) 92 D 1
- Joursac (15) 146 D 4
- Joussé (86) 115 G 4
- Jouvençon (71) 122 D 1
- La Jouvente (35) 44 D 2
- La Joux (39) 110 D 3
- Joux (69) 135 E 2
- Joux-la-Ville (89) 91 G 2
- Jouy (28) 50 A 4
- Jouy (89) 72 B 2
- Jouy-aux-Arches (57) 36 D 3
- Jouy-en-Argonne (55) 35 G 3
- Jouy-en-Josas (78) 51 E 2
- Jouy-en-Pithiverais (45) 71 E 2
- Jouy-le-Châtel (77) 52 C 2
- Jouy-le-Moutier (95) 30 D 4
- Jouy-le-Potier (45) 88 C 1
- Jouy-lès-Reims (51) 33 G 3
- Jouy-Mauvoisin (78) 30 B 5
- Jouy-sous-les-Côtes (55) 56 B 1
- Jouy-sous-Thelle (60) 30 D 2
- Jouy-sur-Eure (27) 29 H 4
- Jouy-sur-Morin (77) 52 C 1
- Joyeuse (07) 162 D 4
- Joyeux (01) 136 C 1
- Joze (63) 133 G 2
- Jozerand (63) 133 F 1
- Jû-Belloc (32) 187 E 2
- Juan-les-Pins (06) 199 F 2
- Juaye-Mondaye (14) 26 D 2
- Jubainville (88) 56 B 4
- La Jubaudière (49) 84 B 5
- Jubécourt (55) 35 F 3
- Jublains (53) 67 E 1
- Le Juch (29) 61 F 2
- Jugazan (33) 155 H 2
- Jugeals-Nazareth (19) 144 C 4
- Jugon-les-Lacs (22) 44 B 4
- Jugy (71) 122 B 1
- Juicq (17) 127 F 2
- Juif (71) 109 G 5
- Juignac (16) 142 B 1
- Juigné-des-Moutiers (44) 84 A 1
- Juigné-sur-Loire (49) 85 E 3
- Juigné-sur-Sarthe (72) 67 F 4
- Juignettes (27) 48 D 1
- Juillac (19) 144 B 2
- Juillac (32) 187 F 3
- Juillac (33) 156 A 1
- Juillac-le-Coq (16) 127 H 4
- Juillaguet (16) 142 C 1
- Juillan (65) 204 C 1
- Juillé (16) 128 B 2
- Juillé (72) 68 A 1
- Juillé (79) 114 C 5
- Juillenay (21) 92 B 4
- Juilles (32) 188 B 2
- Juilley (50) 45 H 3
- Juilly (21) 92 B 3
- Juilly (77) 31 H 4
- Jujols (66) 212 A 3
- Jujurieux (01) 123 F 5
- Julianges (48) 161 F 1
- Juliénas (69) 122 B 4
- Julienne (16) 127 H 4
- Julienrupt (88) 77 H 2
- Jullianges (43) 148 A 2
- Jullié (69) 122 A 4
- Jullouville (50) 45 G 1
- Jully (89) 74 B 5
- Jully-lès-Buxy (71) 108 D 5
- Jully-sur-Sarce (10) 74 B 2
- Julos (65) 204 B 1
- Julvécourt (55) 35 G 4
- Jumeauville (78) 30 C 5
- Jumeaux (63) 147 F 1
- Les Jumeaux (79) 101 G 4
- Jumel (80) 15 F 3
- Jumelles (27) 29 G 5
- Jumelles (49) 85 G 3
- La Jumellière (49) 84 C 4
- Jumencourt (02) 16 D 5
- Jumièges (76) 29 E 1
- Jumigny (02) 33 F 1
- Jumilhac-le-Grand (24) 143 H 1
- Junas (30) 193 H 1
- Junay (89) 73 H 4
- Juncalas (65) 204 B 2
- Jungholtz (68) 78 C 4
- Junhac (15) 160 A 3
- Les Junies (46) 158 A 4
- Juniville (08) 34 B 1
- Jupilles (72) 68 B 5
- Jurançon (64) 186 B 5
- Juranville (45) 71 G 3
- Juré (42) 134 B 2
- Jurignac (16) 128 A 5
- Jurques (14) 25 H 4
- Jurvielle (31) 205 F 4
- Jury (57) 37 E 3
- Juscorps (79) 114 B 4
- Jusix (47) 156 A 4
- Jussac (15) 146 A 5
- Jussarupt (88) 77 H 1
- Jussas (17) 141 G 2
- Jussat (63) 133 G 1
- Jussecourt-Minecourt (51) 54 D 1
- Jussey (70) 76 C 4
- Jussy (02) 16 D 3
- Jussy (57) 36 D 3
- Jussy (89) 91 E 1
- Jussy-Champagne (18) 105 H 2
- Jussy-le-Chaudrier (18) 106 A 1
- Justian (32) 171 H 5
- Justine-Herbigny (08) 18 B 4
- Justiniac (09) 206 D 1
- Jutigny (77) 52 C 4
- Juvaincourt (88) 56 D 5
- Juvancourt (10) 75 E 2
- Juvanzé (10) 54 C 5
- Juvardeil (49) 85 E 1
- Juvelize (57) 57 G 1
- Juvignac (34) 193 F 2
- Juvigné (53) 66 B 1
- Juvignies (60) 15 E 5
- Juvigny (02) 32 D 1
- Juvigny (51) 34 A 4
- Juvigny (74) 124 C 4
- Juvigny-en-Perthois (55) 55 G 3
- Juvigny-le-Tertre (50) 46 B 2
- Juvigny-sous-Andaine (61) 47 E 3
- Juvigny-sur-Loison (55) 19 H 5
- Juvigny-sur-Orne (61) 47 H 2
- Juvigny-sur-Seulles (14) 27 E 3
- Juville (57) 37 F 5
- Juvinas (07) 163 E 2
- Juvincourt-et-Damary (02) 17 G 5
- Juvisy-sur-Orge (91) 51 F 2
- Juvrecourt (54) 57 G 1
- Juxue (64) 185 F 5
- Juzancourt (08) 18 A 5
- Juzanvigny (10) 54 C 5
- Juzennecourt (52) 75 F 2
- Juzes (31) 189 H 4
- Juzet-de-Luchon (31) 205 F 4
- Juzet-d'Izaut (31) 205 G 3
- Juziers (78) 30 C 5

K

- Kalhausen (57) 38 B 3
- Kaltenhouse (67) 39 F 5
- Kanfen (57) 20 D 3
- Kappelen (68) 97 G 1
- Kappelkinger (57) 38 A 4
- Les Karellis (73) 152 D 2
- Katzenthal (68) 78 C 2
- Kauffenheim (67) 39 G 5
- Kaysersberg (68) 78 C 1
- Kédange-sur-Canner (57) 21 F 4
- Keffenach (67) 39 G 4
- Kembs (68) 79 E 5
- Kembs-Loéchlé (68) 79 E 5
- Kemplich (57) 21 F 4
- Kerascoët (29) 62 A 5
- Kerauzern (22) 42 D 3
- Kerbabu (29) 42 A 2
- Kerbach (57) 38 A 2
- Kerbiquet (56) 62 B 3
- Kerbors (22) 43 E 1
- Kerbourg (44) 82 A 3
- Kerdruc (29) 62 A 5
- Kerfany-les-Pins (29) 62 A 5
- Kerfot (22) 43 F 2
- Kerfourn (56) 63 G 3
- Kergloff (29) 62 B 1
- Kergrist (56) 63 F 2
- Kergrist-Moëlou (22) 62 D 1
- Kergroës (29) 62 B 5
- Kerien (22) 43 E 5
- Kérity (22) 43 F 2
- Kérity (29) 61 F 4
- Kerlaz (29) 61 F 2
- Kerling-lès-Sierck (57) 21 F 3
- Kerlouan (29) 41 F 2
- Kermaria (22) 43 F 3
- Kermaria-Sulard (22) 42 D 2
- Kermoroc'h (22) 43 E 3
- Kernascléden (56) 62 D 4
- Kernével (29) 62 A 4
- Kernilis (29) 41 F 2
- Kernouës (29) 41 F 2
- Kerpape (56) 80 C 1
- Kerpert (22) 43 E 5
- Kerprich-aux-Bois (57) 58 A 1
- Kerroch (56) 80 C 1
- Kersaint (29) 40 D 2
- Kersaint-Plabennec (29) 41 F 3
- Kertzfeld (67) 59 E 4
- Kervalet (44) 82 A 4
- Kervignac (56) 80 D 1
- Kervoyal (56) 81 H 3
- Keskastel (67) 38 B 4
- Kesseldorf (67) 39 H 4
- Kienheim (67) 59 E 1
- Kientzheim (68) 78 C 1
- Kiffis (68) 97 F 2
- Killem (59) 3 G 2
- Kilstett (67) 59 G 1
- Kindwiller (67) 39 E 5
- Kingersheim (68) 78 D 4
- Kintzheim (67) 58 D 5
- Kirchberg (68) 78 B 4
- Kirchheim (67) 58 D 2
- Kirrberg (67) 38 B 5
- Kirrwiller (67) 39 E 5
- Kirsch-lès-Sierck (57) 21 F 3
- Kirschnaumen (57) 21 F 3
- Kirviller (57) 38 A 4
- Klang (57) 21 F 4
- Kleingœft (67) 58 D 1
- Klingenthal (67) 58 D 3
- Knœringue (68) 97 G 1
- Knœrsheim (67) 58 D 1
- Knutange (57) 20 D 4
- Kœnigsmacker (57) 21 E 3
- Kœstlach (68) 97 F 2
- Kœtzingue (68) 97 G 1
- Kœur-la-Grande (55) 35 H 5
- Kœur-la-Petite (55) 35 H 5
- Kogenheim (67) 59 E 4
- Kolbsheim (67) 59 E 2
- Krafft (67) 59 F 4
- Krautergersheim (67) 59 E 3
- Krautwiller (67) 59 E 1
- Le Kremlin-Bicêtre (94) 51 F 1
- Kriegsheim (67) 59 F 1
- Kruth (68) 78 B 3
- Kunheim (68) 79 E 2
- Kuntzig (57) 21 E 3
- Kurtzenhouse (67) 59 F 1
- Kuttolsheim (67) 59 E 2
- Kutzenhausen (67) 39 F 4

L

- L'Haÿ-les-Roses SP (94) 51 F 2
- Laà-Mondrans (64) 185 H 3
- Laas (32) 187 G 3
- Laas (45) 71 E 2
- Laàs (64) 185 G 4
- Labalme (01) 123 F 5
- Labarde (33) 141 E 4
- Labaroche (68) 78 C 2
- Labarrère (32) 171 G 4
- Labarthe (32) 188 A 3
- Labarthe (82) 173 G 2
- Labarthe-Bleys (81) 174 C 3
- Labarthe-Inard (31) 205 H 2
- Labarthe-Rivière (31) 205 G 2
- Labarthe-sur-Lèze (31) 189 F 4
- Labarthète (32) 186 D 2
- Labassère (65) 204 C 2
- Labastide (65) 205 E 2
- Labastide-Beauvoir (31) 189 H 3
- Labastide-Castel-Amouroux (47) 171 G 1
- Labastide-Cézéracq (64) 186 A 4
- Labastide-Chalosse (40) 186 A 2
- Labastide-Clermont (31) 188 D 5
- Labastide-d'Anjou (11) 190 A 5
- Labastide-d'Armagnac (40) 171 E 4
- Labastide-de-Lévis (81) 174 C 4
- Labastide-de-Penne (82) 174 A 1
- Labastide-de-Virac (07) 178 C 1
- Labastide-Dénat (81) 175 E 5
- Labastide-du-Haut-Mont (46) 159 G 1
- Labastide-du-Temple (82) 173 F 3
- Labastide-du-Vert (46) 158 A 4
- Labastide-en-Val (11) 208 C 2
- Labastide-Esparbairenque (11) 190 D 4
- Labastide-Gabausse (81) 174 D 3
- Labastide-Marnhac (46) 158 B 5
- Labastide-Monréjeau (64) 186 A 4
- Labastide-Murat (46) 158 C 3
- Labastide-Paumès (31) 188 C 5
- Labastide-Rouairoux (81) 191 F 3
- Labastide-Savès (32) 188 C 3
- Labastide-St-Georges (81) 190 A 1
- Labastide-St-Pierre (82) 173 G 5
- Labastide-St-Sernin (31) 189 F 1
- Labastide-sur-Bésorgues (07) 163 E 2
- Labastide-Villefranche (64) 185 F 3
- Labastidette (31) 189 E 4
- Labathude (46) 159 F 2
- Labatie-d'Andaure (07) 149 F 5
- Labatmale (64) 204 A 1
- Labatut (09) 189 G 5
- Labatut (40) 185 F 2
- Labatut (64) 187 E 4
- Labatut-Rivière (65) 187 E 3
- Labaume (30) 178 C 3
- Labbeville (95) 31 E 3
- Labeaume (07) 163 E 5
- Labécède-Lauragais (11) 190 B 4
- Labège (31) 189 G 3
- Labégude (07) 163 E 3
- Labéjan (32) 187 H 3
- Labenne (40) 184 D 2
- Labenne-Océan (40) 184 C 2
- Labergement-du-Navois (25) 111 E 2
- Labergement-Foigney (21) 93 H 5
- Labergement-lès-Auxonne (21) 109 H 1
- Labergement-lès-Seurre (21) 109 G 2
- Labergement-Ste-Marie (25) 111 F 4
- Laberlière (60) 16 A 4
- Labescau (33) 155 H 5
- Labesserette (15) 160 A 2
- Labessette (63) 146 A 1
- Labessière-Candeil (81) 190 B 1
- Labets-Biscay (64) 185 F 4
- Labeuville (55) 36 B 3
- Labeuvrière (62) 7 H 1
- Labeyrie (64) 186 A 3
- Lablachère (07) 162 D 5
- Laboissière-en-Santerre (80) 15 H 4
- Laboissière-en-Thelle (60) 31 E 2
- Laboissière-St-Martin (80) 14 C 2
- Laborde (65) 204 D 2
- Laborel (26) 180 B 1
- Labosse (60) 30 C 1
- Labouheyre (40) 169 F 2
- Laboulbène (81) 190 C 2
- Laboule (07) 162 D 3
- Labouquerie (24) 157 F 2
- Labourgade (82) 173 E 4
- Labourse (62) 4 A 5
- Laboutarie (81) 190 C 1
- Labretonie (47) 156 C 4
- Labrihe (32) 188 C 1
- Labrit (40) 169 H 3
- Labroquère (31) 205 F 2
- Labrosse (45) 71 F 1
- Labrousse (15) 160 A 1
- Labroye (62) 7 E 3
- Labruguière (81) 190 D 3
- Labruyère (21) 109 G 2
- Labruyère (60) 31 G 1
- Labruyère-Dorsa (31) 189 F 4
- Labry (54) 20 C 5
- Laburgade (46) 158 C 5
- Lac de Chalain (39) 110 C 5
- Lac de St-Point (25) 111 F 3
- Lac-des-Rouges-Truites (39) 110 D 5
- Le Lac-d'Issarlès (07) 162 C 1
- Lacabarède (81) 191 F 4
- Lacadée (64) 186 A 3
- Lacajunte (40) 186 B 2
- Lacalm (12) 160 C 2
- Lacam-d'Ourcet (46) 159 F 1
- Lacanau (33) 140 B 5
- Lacanau-de-Mios (33) 154 D 3
- Lacanau-Océan (33) 140 B 4
- Lacanche (21) 108 C 1
- Lacapelle-Barrès (15) 160 B 1
- Lacapelle-Biron (47) 157 G 3

Localité (Département) Page Coordonnées

Lacapelle-Cabanac (46) 157 H 5
Lacapelle-del-Fraisse (15) 160 A 2
Lacapelle-Livron (82) 174 B 1
Lacapelle-Marival (46) 159 E 2
Lacapelle-Pinet (81) 175 F 3
Lacapelle-Ségalar (81) 174 C 3
Lacapelle-Viescamp (15) 159 H 1
Lacarre (64) 202 C 1
Lacarry-Arhan-Charritte-de-Haut (64) 202 D 1
Lacassagne (65) 187 F 4
Lacaugne (31) 189 E 5
Lacaune (81) 191 F 1
Lacaussade (47) 157 F 4
Lacave (09) 206 A 2
Lacave (46) 158 C 1
Lacaze (81) 191 E 1
Lacelle (19) 131 E 4
Lacenas (69) 135 G 1
Lacépède (47) 172 A 1
Lachaise (16) 127 H 5
Lachalade (55) 35 E 3
Lachambre (57) 37 H 3
Lachamp (48) 161 G 3
Lachamp-Raphaël (07) 162 D 2
Lachapelle (47) 156 C 4
Lachapelle (54) 57 H 4
Lachapelle (80) 14 D 3
Lachapelle (82) 172 D 4
Lachapelle-aux-Pots (60) 30 C 1
Lachapelle-Auzac (46) 158 C 1
Lachapelle-en-Blaisy (52) 75 F 1
Lachapelle-Graillouse (07) 162 C 2
Lachapelle-sous-Aubenas (07) 163 E 4
Lachapelle-sous-Chanéac (07) 149 E 5
Lachapelle-sous-Chaux (90) 78 A 5
Lachapelle-sous-Gerberoy (60) 14 D 5
Lachapelle-sous-Rougemont (90) 78 B 5
Lachapelle-St-Pierre (60) 31 E 2
Lachassagne (69) 135 H 2
Lachau (26) 180 C 1
Lachaud (43) 147 H 4
Lachaussée (55) 36 B 4
Lachaussée-du-Bois-d'Écu (60) 15 E 5
Lachaux (63) 134 A 1
Lachelle (60) 31 H 1
Lachy (51) 53 F 2
Lacollonge (90) 96 D 1
Lacombe (11) 190 C 4
Lacommande (64) 186 A 5
Lacoste (34) 192 C 2
Lacoste (84) 180 A 5
Lacougotte-Cadoul (81) 190 A 2
Lacour (82) 173 E 1
Lacour-d'Arcenay (21) 92 A 4
Lacourt (09) 206 B 3
Lacourt-St-Pierre (82) 173 G 4
Lacq (64) 186 A 4
Lacquy (40) 171 E 4
Lacrabe (40) 186 A 2
Lacres (62) 2 B 5
Lacroisille (81) 190 A 3
Lacroix-Barrez (12) 160 B 2
Lacroix-Falgarde (31) 189 F 3
Lacroix-St-Ouen (60) 31 H 1
Lacroix-sur-Meuse (55) 36 A 4
Lacropte (24) 143 F 5
Lacrost (71) 122 C 1
Lacrouzette (81) 190 D 2
Les Lacs (35) 65 H 2
Lacs (36) 118 A 1
Ladapeyre (23) 118 A 4
Ladaux (33) 155 H 2
Ladern-sur-Lauquet (11) 208 B 2
Ladevèze-Rivière (32) 187 E 3
Ladevèze-Ville (32) 187 E 3
Ladignac-le-Long (87) 129 H 5
Ladignac-sur-Rondelles (19) 145 E 3
Ladinhac (15) 160 A 2
Ladirat (46) 159 F 2
Ladiville (16) 128 A 5
Ladoix-Serrigny (21) 109 E 1
Ladon (45) 71 G 3
Lados (33) 155 H 4
Ladoye-sur-Seille (39) 110 B 4
Laduz (89) 72 D 4
Lafage (11) 207 G 1
Lafage-sur-Sombre (19) 145 F 2
Lafare (84) 179 G 2
Lafarge (87) 129 H 4
Lafarre (07) 149 F 4
Lafarre (43) 162 C 1
Lafat (23) 117 F 3
Lafauche (52) 56 A 5
Laféline (03) 119 H 3
Laferté-sur-Amance (52) 76 B 4
Laferté-sur-Aube (52) 75 E 2
Lafeuillade-en-Vézie (15) 160 A 2
Laffaux (02) 32 D 1
Laffite-Toupière (31) 205 H 1
Laffrey (38) 151 H 4
Lafitole (65) 187 E 4
Lafitte (82) 173 F 4
Lafitte-sur-Lot (47) 172 A 1
Lafitte-Vigordane (31) 188 D 5
Lafosse (33) 141 F 4
Lafox (47) 172 C 2
Lafrançaise (82) 173 F 3
Lafraye (60) 15 F 5
Lafresnoye (80) 14 C 2
Lafrimbolle (57) 58 B 2
Lagamas (34) 192 D 2
Lagarde (09) 207 G 2
Lagarde (31) 189 H 5
Lagarde (32) 172 B 4
Lagarde (57) 57 H 2
Lagarde (65) 187 E 5
Lagarde-d'Apt (84) 180 B 4
Lagarde-Enval (19) 145 E 3
Lagarde-Hachan (32) 187 H 4
Lagarde-Paréol (84) 179 F 2
Lagarde-sur-le-Né (16) 127 H 5
Lagardelle (46) 158 A 4
Lagardelle-sur-Lèze (31) 189 F 4
Lagardère (32) 171 H 5
Lagardiolle (81) 190 B 3
Lagarrigue (47) 172 A 1
Lagarrigue (81) 190 D 3
Lageon (79) 101 F 4
Lagery (51) 33 F 3
Lagesse (10) 74 A 3
Laghet (06) 183 G 5
Lagleygeolle (19) 144 D 4
Laglorieuse (40) 170 D 5
Lagnes (84) 179 G 4
Lagney (54) 56 C 1
Lagnicourt-Marcel (62) 8 B 4
Lagnieu (01) 137 E 2
Lagny (60) 16 B 4
Lagny-le-Sec (60) 31 H 4
Lagny-sur-Marne (77) 51 H 1
Lagor (64) 186 A 4
Lagorce (07) 163 E 5
Lagorce (33) 141 H 4
Lagord (17) 113 E 4
Lagos (64) 204 A 1
Lagrâce-Dieu (31) 189 F 5
Lagrand (05) 165 H 5
Lagrange (40) 171 F 4
Lagrange (65) 205 E 1
Lagrange (90) 78 B 5
Lagrasse (11) 208 D 2
Laguaulas (32) 187 F 1
Lagraulet-du-Gers (32) 171 H 5
Lagraulet-St-Nicolas (31) 188 D 1
Lagraulière (19) 144 D 2
Lagrave (81) 174 C 5
Lagruère (47) 156 C 5
Laguenne (19) 145 E 3
Laguépie (82) 174 C 3
Laguian-Mazous (32) 187 G 4
Laguinge-Restoue (64) 203 E 1
Laguiole (12) 160 C 3
Lagupie (47) 156 B 4
Lahage (31) 188 D 4
Laharie (40) 169 E 3
Laharmand (52) 75 F 2
Lahas (32) 188 C 3
Lahaymeix (55) 35 H 5
Lahayville (55) 36 B 5
Laheycourt (55) 35 F 5
Lahitère (31) 206 B 1
Lahitte (32) 188 A 2
Lahitte (65) 204 D 2
Lahitte-Toupière (65) 187 E 3
Lahonce (64) 184 D 3
Lahontan (64) 185 G 3
Lahosse (40) 185 H 1
Lahourcade (64) 186 A 4
Lahoussoye (80) 15 G 1
Laifour (08) 10 D 5
La Laigne (17) 113 H 4
Laigné (53) 66 C 4
Laigné-en-Belin (72) 68 A 4
Laignelet (35) 46 A 5
Laignes (21) 74 B 5
Laigneville (60) 31 G 2
Laigny (02) 17 G 2
Laillé (35) 65 F 3
Laillé (72) 68 B 5
Lailly (89) 73 E 1
Lailly-en-Val (45) 70 B 5
Laimont (55) 55 F 1
Lain (89) 90 D 2
Laines-aux-Bois (10) 73 H 1
Lains (39) 123 F 2
Lainsecq (89) 90 D 2
Lainville-en-Vexin (78) 30 C 4
Laire (25) 95 H 2
Laires (62) 7 F 1
Lairière (11) 208 C 3
Lairoux (85) 113 E 2
Laissac-Sévérac-l'Eglise (12) 160 C 5
Laissaud (73) 138 A 5
Laissey (25) 95 F 4
Laître-sous-Amance (54) 57 E 1
Laives (71) 109 E 5
Laix (54) 20 B 3
Laiz (01) 122 C 4
Laizé (71) 122 B 2
Laize-la-Ville (14) 27 F 4
Laizy (71) 108 A 3
Lajo (48) 161 G 1
Lajoux (39) 124 A 2
Lalacelle (61) 47 G 4
Lalande (89) 90 D 1
Lalande-de-Pomerol (33) 141 H 5
Lalande-en-Son (60) 30 C 1
Lalandelle (60) 30 C 1
Lalandusse (47) 156 D 3
Lalanne (32) 188 A 1
Lalanne (65) 188 A 5
Lalanne-Arqué (32) 188 A 5
Lalanne-Trie (65) 187 G 5
Lalaye (67) 58 C 5
Lalbenque (46) 173 H 1
Laleu (61) 48 B 3
Laleu (80) 14 D 1
Lalevade-d'A. (07) 163 E 3
Lalheue (71) 109 E 5
Lalinde (24) 157 F 1
Lalizolle (03) 119 G 5
Lallaing (59) 8 D 2
Lalleu (35) 65 G 4
Lalley (38) 165 G 2
Lalobbe (08) 18 B 3
Lalœuf (54) 56 D 4
Lalongue (64) 186 D 3
Lalonquette (64) 186 C 3
Laloubère (65) 204 C 1
Lalouret-Laffiteau (31) 205 G 1
Lalouvesc (07) 149 F 4
Laluque (40) 169 E 5
Lama (2B) 215 E 5
Lamadeleine-Val-des-Anges (90) 78 A 5
Lamagdelaine (46) 158 C 5
Lamagistère (82) 172 D 3
Lamaguère (32) 188 A 3
Lamaids (03) 118 C 3
Lamairé (79) 101 G 4
Lamalou-les-Bains (34) 192 A 2
Lamancine (52) 75 G 1
Lamanère (66) 212 C 5
Lamanon (13) 195 F 1
Lamarche (88) 76 B 2
Lamarche-sur-Saône (21) 93 H 5
Lamargelle (21) 93 E 2
Lamargelle-aux-Bois (52) 93 F 1
Lamaronde (80) 14 D 2
Lamarque (33) 141 E 4
Lamarque-Pontacq (65) 204 B 1
Lamarque-Rustaing (65) 187 G 5
Lamasquère (31) 189 E 3
Lamastre (07) 149 F 5
Lamath (54) 57 F 3
Lamativie (46) 145 F 5
Lamayou (64) 187 E 4
Lamazère (32) 187 H 3
Lamazière-Basse (19) 145 G 2
Lamazière-Haute (19) 131 H 4
Lambach (57) 38 C 3
Lambader (29) 41 H 3
Lamballe (22) 44 A 3
Lambel (56) 63 F 5
Lambersart (59) 4 C 3
Lambert (04) 181 G 1
Lamberville (50) 25 G 3
Lamberville (76) 13 G 3
Lambesc (13) 195 G 2
Lamblore (28) 49 E 3
Lambres (59) 8 C 3
Lambres (62) 3 F 5
Lambrey (70) 76 C 5
Lambruisse (04) 181 H 3
Laméac (65) 187 F 5
Lamécourt (60) 31 G 1
Lamelouze (30) 177 H 2
Lamenay-sur-Loire (58) 107 E 4
Lamérac (16) 141 H 1
Lametz (08) 18 D 5
Lamillarié (81) 174 D 5
Lammerville (76) 13 G 2
Lamnay (72) 68 D 2
Lamongerie (19) 130 C 5
Lamontélarié (81) 191 F 2
Lamontgie (63) 147 F 1
Lamontjoie (47) 172 B 3
Lamonzie-Montastruc (24) 157 E 1
Lamonzie-St-Martin (24) 156 D 1
Lamorlaye (60) 31 F 3
Lamorville (55) 36 A 5
Lamothe (40) 169 H 5
Lamothe (43) 147 G 2
Lamothe-Capdeville (82) 173 G 3
Lamothe-Cassel (46) 158 C 3
Lamothe-Cumont (82) 172 D 5
Lamothe-en-Blaisy (52) 75 E 1
Lamothe-Fénelon (46) 158 B 1
Lamothe-Goas (32) 172 B 5
Lamothe-Landerron (33) 156 A 4
Lamothe-Montravel (24) 156 A 1
Lamotte-Beuvron (41) 88 D 2
Lamotte-Brebière (80) 15 G 2
Lamotte-Buleux (80) 6 D 4
Lamotte-du-Rhône (84) 179 E 1
Lamotte-Warfusée (80) 15 H 2
Lamouilly (55) 19 G 4
Lamoura (39) 124 A 2
Lampaul (29) 40 B 3
Lampaul-Guimiliau (29) 41 H 3
Lampaul-Plouarzel (29) 40 D 3
Lampaul-Ploudalmézeau (29) 40 D 2
Lampertheim (67) 59 F 2
Lampertsloch (67) 39 F 4
Lamure-sur-Azergues (69) 121 H 5
Lanans (25) 95 G 4
Lanarce (07) 162 C 2
Lanarvily (29) 41 F 3
Lanas (07) 163 E 4
Lancé (41) 87 F 1
Lancerf (22) 43 F 2
Lancey (38) 151 H 2
Lanchères (80) 6 B 4
Lanches-St-Hilaire (80) 7 F 5
Lanchy (02) 16 C 2
Lancié (69) 122 B 4
Lancieux (22) 44 C 2
Lancôme (41) 87 G 1
Lançon (08) 35 E 2
Lançon (65) 205 E 4
Lançon-Provence (13) 195 F 2
Lancrans (01) 124 A 5
Landange (57) 58 A 2
Landas (59) 4 D 5
Landaul (56) 81 E 1
Landaville (88) 56 B 5
Landavran (35) 65 H 2
La Lande-Chasles (49) 85 G 3
La Lande-d'Airou (50) 45 H 1
La Lande-de-Fronsac (33) 141 G 5
La Lande-de-Goult (61) 47 H 3
La Lande-de-Lougé (61) 47 G 2
La Lande-Patry (61) 47 E 1
La Lande-St-Léger (27) 28 B 2
La Lande-St-Siméon (61) 47 F 1
La Lande-sur-Drôme (14) 25 H 4
La Lande-sur-Eure (61) 49 E 3
Landéan (35) 46 A 4
Landebaëron (22) 43 E 3
Landébia (22) 44 B 3
La Landec (22) 44 C 4
Landécourt (54) 57 F 3
Landéda (29) 41 E 2
Landéhen (22) 44 A 4
Landeleau (29) 62 B 1
Landelles (28) 49 G 4
Landelles-et-Coupigny (14) 25 G 5
Landemont (49) 83 H 4
Landepéreuse (27) 28 D 4
Landerneau (29) 41 G 3
Landeronde (85) 99 F 5
Landerrouat (33) 156 B 2
Landerrouet-sur-Ségur (33) 156 A 3
Landersheim (67) 58 D 1
Landes (17) 127 F 1
Les Landes-Genusson (85) 100 A 2
Landes-le-Gaulois (41) 87 G 1
Landes-sur-Ajon (14) 27 E 4
Landes-Vieilles-et-Neuves (76) 14 B 3
Landévant (56) 81 E 1
Landévennec (29) 41 F 5
Landevieille (85) 98 D 5
Landeyrat (15) 146 C 3
Landifay-et-Bertaignemont (02) 17 F 2
Landigou (61) 47 E 1
Le Landin (27) 29 E 1
Landiras (33) 155 F 4
Landisacq (61) 46 D 1
Landivisiau (29) 41 H 3
Landivy (53) 46 B 4
Landogne (63) 132 C 2
Landorthe (31) 205 H 1
Landos (43) 162 A 1
Landouge (87) 130 A 2
Landouzy-la-Cour (02) 17 H 2
Landouzy-la-Ville (02) 10 A 5
Landrais (17) 113 G 5
Le Landreau (44) 83 H 5
Landrecies (59) 9 G 4
Landrecourt-Lempire (55) 35 H 3
Landrellec (22) 42 C 1
Landremont (54) 36 D 5
Landres (54) 20 C 4
Landres-et-St-Georges (08) 35 E 1
Landresse (25) 95 G 4
Landrethun-le-Nord (62) 2 B 3
Landrethun-lès-Ardres (62) 2 C 3
Landrévarzec (29) 61 H 2
Landreville (10) 74 C 3
Landrichamps (08) 11 E 3
Landricourt (02) 16 D 5
Landricourt (51) 55 E 3
Landroff (57) 37 G 4
Landry (73) 139 F 4
Landser (68) 78 D 5
Landudal (29) 61 H 2
Landudec (29) 61 F 2
Landujan (35) 44 D 5
Landunvez (29) 40 D 3
Lanespède (65) 204 D 1
Lanester (56) 80 D 1
Lanet (11) 208 C 3
Laneuvelle (52) 76 B 4
Laneuvelotte (54) 57 E 1
Laneuveville-aux-Bois (54) 57 G 2
Laneuveville-derrière-Foug (54) 56 B 2
Laneuveville-devant-Bayon (54) 57 E 4
Laneuveville-devant-Nancy (54) 57 E 2
Laneuveville-en-Saulnois (57) 37 F 5
Laneuveville-lès-Lorquin (57) 58 A 2
Laneuville-à-Bayard (52) 55 F 3
Laneuville-à-Rémy (52) 55 E 4
Laneuville-au-Bois (52) 55 H 4
Laneuville-au-Pont (52) 55 E 3
Laneuville-au-Rupt (55) 56 A 2
Laneuville-sur-Meuse (55) 19 G 5
Lanevilleroy (60) 15 H 5
Lanfains (22) 63 G 1
Lanfroicourt (54) 57 E 1
Langan (35) 65 E 1
Langast (22) 63 H 1
Langatte (57) 58 A 1
Langé (36) 104 A 2
Langeac (43) 147 G 4
Langeais (37) 86 B 4
Langennerie (37) 86 D 3
Langensoultzbach (67) 39 F 4
Langeron (58) 106 B 4
Langesse (45) 71 H 5
Langey (28) 69 G 3
Langlade (30) 178 B 5
Langley (88) 57 F 5
Langoat (22) 43 E 2
Langoëlan (56) 63 E 3
Langogne (48) 162 B 2
Langoiran (33) 155 G 2
Langolen (29) 61 H 2
Langon (SP) (33) 155 G 4
Langon (35) 65 E 5
Le Langon (85) 113 F 2
Langon-sur-Cher (41) 88 C 5
Langonnet (56) 62 C 3
Langouet (35) 65 E 1
Langourla (22) 44 A 5
Langres (SP) (52) 75 H 4
Langrolay-sur-Rance (22) 44 D 3
Langrune-sur-Mer (14) 27 F 1
Languédias (22) 44 C 4
Languenan (22) 44 C 3
Langueux (22) 43 H 5
Languevoisin-Quiquery (80) 16 B 3
Languidic (56) 63 E 5
Languimberg (57) 58 A 1
Langy (03) 120 B 4
Lanhélin (35) 45 E 4
Lanhères (55) 20 B 5
Lanhouarneau (29) 41 G 2
Lanildut (29) 40 D 3
Laning (57) 37 H 3
Laniscat (22) 63 E 2
Laniscourt (02) 17 E 5
Lanleff (22) 43 F 3
Lanloup (22) 43 G 2
Lanmérin (22) 42 D 2
Lanmeur (29) 42 B 3
Lanmodez (22) 43 F 1
Lanne (65) 204 C 1
Lanne-en-Barétous (64) 203 E 1
Lanne-Soubiran (32) 186 D 1
Lannéanou (29) 42 B 4
Lannebert (22) 43 F 3
Lannecaube (64) 186 C 3
Lannédern (29) 62 A 1
Lannemaignan (32) 171 E 4
Lannemezan (65) 205 E 1
Lannepax (32) 171 H 5
Lanneplaà (64) 185 H 3
Lanneray (28) 69 G 3
Lannes (47) 171 H 3
Lannes (52) 75 H 4
Lanneuffret (29) 41 G 3
Lannilis (29) 41 E 2
Lannion (SP) (22) 42 D 2
Lannoy (59) 4 D 3
Lannoy-Cuillère (60) 14 C 3
Lannux (32) 186 C 2
Lano (2B) 217 F 1
Lanobre (15) 146 A 1
Lanot (33) 154 C 4
Lanouaille (24) 143 H 1
Lanouée (56) 63 H 4
Lanoux (09) 206 D 2
Lanquais (24) 157 E 1
Lanques-sur-Rognon (52) 75 H 2
Lanquetot (76) 12 D 4
Lanrelas (22) 44 B 5
Lanriec (29) 61 H 4
Lanrigan (35) 45 F 4
Lanrivain (22) 63 E 1
Lanrivoaré (29) 40 D 3
Lanrodec (22) 43 F 4
Lans (71) 109 F 4
Lans-en-Vercors (38) 151 F 3
Lansac (13) 194 C 1
Lansac (33) 141 F 4
Lansac (65) 204 D 1
Lansac (66) 208 C 5
Lansargues (34) 193 G 2
Lanslebourg-Mont-Cenis (73) 153 G 2
Lanslevillard (73) 153 G 2
Lanta (31) 189 H 3
Lantages (10) 74 A 3
Lantan (18) 105 H 3
Lantéfontaine (54) 20 C 4
Lantenay (01) 123 G 5
Lantenay (21) 93 E 4
Lantenne-Vertière (25) 94 C 5
Lantenot (70) 77 G 5
La Lanterne-et-les-Armonts (70) 77 G 5
Lanteuil (19) 144 D 4
Lanthenans (25) 95 H 3
Lanthes (21) 109 G 2
Lantheuil (14) 27 E 2
Lantic (22) 43 G 3
Lantignié (69) 122 A 5
Lantillac (56) 63 H 4
Lantilly (21) 92 B 2
Lanton (33) 154 B 2
Lantosque (06) 183 F 3
Lantriac (43) 148 C 5
Lanty (58) 107 G 4
Lanty-sur-Aube (52) 74 D 3
Lanuéjols (30) 176 D 3
Lanuéjols (48) 161 H 4
Lanuéjouls (12) 159 G 5
Lanvallay (22) 44 D 4
Lanvaudan (56) 62 D 5
Lanvellec (22) 42 C 3
Lanvénégen (56) 62 C 4
Lanvéoc (29) 41 E 5
Lanvézéac Caouënnec (22) 42 D 2
Lanvollon (22) 43 F 3
Lanzac (46) 158 C 1
Laon (P) (02) 17 F 4
Laons (28) 49 G 2
Lapalisse (03) 120 C 4
Lapalud (84) 179 E 1
Lapan (18) 105 F 3
Lapanouse (12) 176 B 1
Lapanouse-de-Cernon (12) 176 B 4
Laparade (47) 156 D 5
Laparrouquial (81) 174 C 3
Lapège (09) 207 E 4
Lapenche (82) 174 A 2
Lapenne (09) 207 F 1
Lapenty (50) 46 B 3
Laperche (47) 156 D 4
Laperrière-sur-Saône (21) 109 H 1
Lapeyrade (40) 171 F 3
Lapeyre (65) 187 G 5
Lapeyrère (31) 206 C 1
Lapeyrouse (01) 136 B 1
Lapeyrouse (63) 119 F 4
Lapeyrouse-Fossat (31) 189 G 2
Lapeyrouse-Mornay (26) 150 C 2
Lapeyrugue (15) 160 A 2
Lapleau (19) 145 G 2
Laplume (47) 172 B 3
Lapoutroie (68) 78 C 1
Lapouyade (33) 141 G 4
Lappion (02) 17 H 4
Laprade (11) 190 D 4
Laprade (16) 142 B 2
Lapradelle (11) 208 B 4
Laprugne (03) 134 B 1
Laps (63) 133 G 4
Lapte (43) 148 D 3
Lapugnoy (62) 7 H 1
Laquenexy (57) 37 E 3
Laqueuille (63) 132 C 4
Laragne-Montéglin (05) 180 D 1
Larajasse (69) 135 F 4
Laramière (46) 174 C 1
Laran (65) 187 H 5
Larbey (40) 185 H 1
Larbont (09) 206 D 3
Larbroye (60) 16 B 4
Larcan (31) 205 G 1
Larcat (09) 207 E 5
Larçay (37) 86 D 4
Larcenac (43) 148 B 4
Larceveau-Arros-Cibits (64) 185 F 5
Larchamp (53) 46 B 5
Larchamp (61) 46 D 2
Larchant (77) 71 G 1
Larche (04) 167 G 4
Larche (19) 144 B 4
Le Larderet (39) 110 D 3
Lardier-et-Valença (05) 166 A 4
Lardiers (04) 180 C 3
Le Lardin-St-Lazare (24) 144 A 4
Lardy (91) 51 E 4
Larée (32) 171 F 4
Laréole (31) 188 D 1
Largeasse (79) 100 D 5
Largentière (SP) (07) 163 E 4
Largillay-Marsonnay (39) 123 G 1
Largitzen (68) 97 E 1
Largnac (15) 146 A 2
Largny-sur-Automne (02) 32 B 2
Larians-et-Munans (70) 95 F 3
Larivière (90) 78 B 5
Larivière-sur-Apance (52) 76 B 3
Larmor-Baden (56) 81 F 2
Larmor-Plage (56) 80 C 1
Larnac (près de Alès) (30) 178 A 3
Larnac (près de Uzès) (30) 178 C 3
Larnage (26) 149 H 4
Larnagol (46) 158 D 5
Larnas (07) 163 G 5
Larnat (09) 207 E 4
Larnaud (39) 110 A 4
Larnod (25) 94 D 5
Laroche-près-Feyt (19) 132 B 4
Laroche-St-Cydroine (89) 73 E 4
Larochemillay (58) 107 H 3
Larodde (63) 132 B 5
Laroin (64) 186 B 5
Larone (Col de) (2A) 219 F 1
Laronxe (54) 57 G 3
Laroque (33) 155 G 3
Laroque (34) 177 F 4
Laroque-de-Fa (11) 208 C 3
Laroque-des-Albères (66) 213 F 4
Laroque-des-Arcs (46) 158 B 5
Laroque-d'Olmes (09) 207 G 3
Laroque-Timbaut (47) 172 C 1
Laroquebrou (15) 145 G 5
Laroquevieille (15) 146 A 5
Larouillies (59) 9 H 5
Larra (31) 189 E 1

Larrau (64) 202 D 2
Larrazet (82) 173 E 4
Larré (56) 64 A 5
Larré (61) 48 A 4
Larressingle (32) 171 H 4
Larressore (64) 184 C 4
Larret (29) 40 D 3
Larret (70) 94 B 1
Larreule (64) 186 B 3
Larreule (65) 187 E 4
Larrey (21) 74 B 4
Larribar-Sorhapuru (64) 185 F 5
Larringes (74) 125 E 2
Larrivière-Saint-Savin (40) 186 B 1
Larrivoire (39) 123 H 3
Larroque (31) 205 F 1
Larroque (65) 187 H 5
Larroque (81) 174 A 4
Larroque-Engalin (32) 172 B 4
Larroque-St-Sernin (32) 172 A 5
Larroque-sur-l'Osse (32) 171 H 4
Larroque-Toirac (46) 159 E 4
Lartigue (32) 188 B 3
Lartigue (33) 171 F 1
Laruns (64) 203 H 2
Laruscade (33) 141 G 4
Larzac (24) 157 H 2
Larzicourt (51) 54 D 3
Lasalle (30) 177 G 3
Lasbordes (11) 190 B 5
Lasbordes (31) 189 G 2
Lascabanes (46) 173 G 1
Lascaux (19) 144 B 2
Lascazères (65) 187 E 3
Lascelle (15) 146 A 5
Lasclaveries (64) 186 C 4
Lascours (13) 196 A 4
Lasfaillades (81) 191 E 3
Lasgraisses (81) 174 D 5
Laslades (65) 187 F 5
Lassales (65) 205 F 1
Lassay-les-Châteaux (53) 47 E 4
Lassay-sur-Croisne (41) 88 B 4
Lasse (49) 85 H 2
Lasse (64) 202 B 1
Lasserade (32) 187 E 2
Lasséran (32) 187 H 2
Lasserre (09) 206 B 2
Lasserre (31) 188 D 2
Lasserre (47) 172 A 3
Lasserre (64) 186 D 3
Lasserre-de-Prouille (11) 207 H 1
Lasseube (64) 186 B 5
Lasseube-Propre (32) 188 A 2
Lasseubetat (64) 203 G 1
Lassicourt (10) 54 C 4
Lassigny (60) 16 A 4
Lasson (14) 27 E 2
Lasson (89) 73 G 3
Lassouts (12) 160 C 5
Lassur (09) 207 F 5
Lassy (14) 26 D 5
Lassy (35) 65 E 3
Lassy (95) 31 G 4
Lastelle (50) 24 D 2
Lastic (15) 147 F 4
Lastic (63) 132 B 4
Lastours (11) 190 D 5
Lataule (60) 15 H 5
Le Latet (39) 110 D 3
La Latette (39) 111 E 4
Lathuile (74) 138 B 2
Lathus-St-Rémy (86) 116 B 3
Latillé (86) 101 H 5
Latilly (02) 32 D 3
Latoue (31) 205 H 1
Latouille-Lentillac (46) 159 F 1
Latour (31) 206 C 1
Latour-Bas-Elne (66) 213 F 3
Latour-de-Carol (66) 211 G 4
Latour-de-France (66) 208 D 5
Latour-en-Woëvre (55) 36 B 3
Latrape (31) 189 E 5
Latrecey (52) 75 E 3
Latresne (33) 155 F 2
Latrille (40) 186 C 2
Latronche (19) 145 G 2
Latronquière (46) 159 F 2
Lattainville (60) 30 C 2
Les Lattes (06) 182 B 5
Lattes (34) 193 F 3
Lattre-St-Quentin (62) 7 H 3
Lau-Balagnas (65) 204 B 2
Laubach (67) 39 F 5
Lauberlach (29) 41 F 4
Laubert (48) 161 H 4
Les Laubies (48) 161 G 3
Laubressel (10) 74 A 1
Laubrières (53) 66 A 3
Laucourt (80) 16 A 4
Laudrefang (57) 37 G 3
Laudun-l'Ardoise (30) 178 D 3
Laugnac (47) 172 B 1
Laujuzan (32) 171 F 5
Laulne (50) 24 D 2
Laumesfeld (57) 21 F 3
Launac (31) 189 E 1
Launac-St-André (34) 193 E 3
Launaguet (31) 189 F 2
Launay (27) 29 E 4
Launay-Villiers (53) 66 B 2
Launois-sur-Vence (08) 18 C 4
Launoy (02) 32 D 2
Launstroff (57) 21 G 3
La Laupie (26) 163 H 3
Laurabuc (11) 190 B 5
Laurac (11) 207 G 1
Laurac-en-Vivarais (07) 163 E 4
Laurade (13) 179 E 5
Lauraët (32) 171 H 4
Lauraguel (11) 208 A 2
Laure (13) 195 G 4
Laure-Minervois (11) 191 E 5
Laurède (40) 185 H 1
Laurenan (22) 64 A 1
Laurens (34) 192 B 3
Lauresses (46) 159 G 2
Lauret (34) 177 H 5
Lauret (40) 186 C 2
Laurie (15) 147 E 3
Laurière (87) 117 E 5
Lauris (84) 195 G 1
Lauroux (34) 192 B 1
Laussac (12) 160 C 1
Laussonne (43) 148 C 5
Laussou (47) 157 F 4
Lautenbach (68) 78 C 3
Lautenbachzell (68) 78 C 3
Lauterbourg (67) 39 H 3
Lauthiers (86) 116 A 1
Lautignac (31) 188 D 4
Lautrec (81) 190 C 1
Lauw (68) 78 B 5
Lauwin-Planque (59) 8 C 2
Laux-Montaux (26) 180 B 1
Lauzach (56) 81 H 2
Lauzerte (82) 173 F 2
Lauzerville (31) 189 G 3
Lauzès (46) 158 C 4
Le Lauzet-Ubaye (04) 166 D 4
Lauzières (17) 113 E 4
Lauzun (47) 156 D 3
Lava (Col de) (2A) 216 B 3
Lava (Golfe de) (2A) 216 B 5
Lavacquerie (60) 15 E 3
Lavagnac (33) 155 H 1
Laval (38) 152 A 2
Laval [P] (53) 66 C 2
Laval-Atger (48) 162 A 2
Laval-d'Aix (26) 165 F 2
Laval-d'Aurelle (07) 162 B 4
Laval-de-Cère (46) 145 E 5
Laval-du-Tarn (48) 176 D 1
Laval-en-Brie (77) 52 B 5
Laval-en-Laonnois (02) 17 F 5
Laval-le-Prieuré (25) 95 H 5
Laval-Morency (08) 10 C 5
Laval-Pradel (30) 178 A 2
Laval-Roquecezière (12) 191 F 1
Laval-St-Roman (30) 178 C 1
Laval-sur-Doulon (43) 147 H 2
Laval-sur-Luzège (19) 145 G 3
Laval-sur-Tourbe (51) 34 D 3
Laval-sur-Vologne (88) 77 H 1
Lavalade (24) 157 G 3
Lavaldens (38) 151 H 5
Lavalette (11) 208 A 1
Lavalette (31) 189 G 2
Lavalette (34) 192 B 2
Lavallée (55) 55 H 1
Le Lavancher (74) 139 F 1
Lavancia-Epercy (39) 123 H 3
Le Lavandou (83) 201 G 3
Lavangeot (39) 110 B 1
Lavannes (51) 34 A 2
Lavans-lès-Dole (39) 94 B 5
Lavans-lès-Saint-Claude (39) 123 H 2
Lavans-Quingey (25) 110 C 1
Lavans-sur-Valouse (39) 123 G 3
Lavans-Vuillafans (25) 111 F 1
Lavaqueresse (02) 17 F 1
Lavardac (47) 171 H 2
Lavardens (32) 187 H 1
Lavardin (41) 87 E 1
Lavardin (72) 67 H 3
Lavaré (72) 68 D 3
Lavars (38) 165 G 1
Lavasina (2B) 215 F 3
Lavastrie (15) 160 D 1
Lavatoggio (2B) 214 C 5
Lavau (10) 53 H 5
Lavau (89) 90 B 2
Lavau-sur-Loire (44) 82 D 4
Lavaudieu (43) 147 G 3
Lavaufranche (23) 118 B 3
Lavault-de-Frétoy (58) 107 H 1
Lavault-Ste-Anne (03) 118 D 3
Les Lavaults (89) 91 H 4
Lavaur (24) 157 H 3
Lavaur (81) 190 A 1
Lavaurette (82) 174 A 2
Lavausseau (86) 115 E 1
Lavaveix-les-Mines (23) 118 A 5
Lavazan (33) 155 H 5
Laveissenet (15) 146 C 4
Laveissière (15) 146 C 4
Lavelanet (09) 207 G 3
Lavelanet-
de-Comminges (31) 188 D 5
Laveline-
devant-Bruyères (88) 77 H 1
Laveline-du-Houx (88) 77 H 1
Lavenay (72) 68 D 5
Laventie (62) 3 H 5
Laventure (76) 14 B 3
Lavera (13) 195 F 4
Laveraët (32) 187 F 3
Lavercantière (46) 158 A 3
Laverdines (18) 106 A 2
Lavergne (46) 158 D 2
Lavergne (47) 156 D 3
Lavernat (72) 86 B 1
Lavernay (25) 94 C 5
Lavernhe (12) 176 B 1
Lavernose-Lacasse (31) 189 E 4
Lavernoy (52) 76 A 4
Laverrière (60) 14 D 3
Laversine (02) 32 C 1
Laversines (60) 31 E 1
Lavérune (34) 193 F 2
Laveyron (26) 149 H 3
Laveyrune (07) 162 B 3
Laveyssière (24) 142 D 5
Lavieu (42) 134 C 5
Laviéville (80) 15 H 1
Lavigerie (15) 146 C 4
Lavignac (87) 129 H 4
Lavignéville (55) 36 A 5
Lavigney (70) 76 C 5
Lavignolle (33) 154 D 3
Lavigny (39) 110 B 4
Lavillatte (07) 162 B 2
Laville-aux-Bois (52) 75 G 2
Lavilledieu (07) 163 F 4
Lavilleneuve (52) 76 A 3
Lavilleneuve-au-Roi (52) 75 E 2
Lavilleneuve-aux-Fresnes (52) 75 E 1
Lavilletertre (60) 30 C 3
Lavincourt (55) 55 G 2
Laviolle (07) 163 E 2
Laviron (25) 95 H 4
Lavit (82) 172 D 4
Lavoine (03) 134 A 1
Lavoncourt (70) 94 C 1
Lavours (01) 137 G 2
Lavoûte-Chilhac (43) 147 G 4
Lavoûte-sur-Loire (43) 148 B 4
Lavoux (86) 115 H 1
Lavoye (55) 35 F 4
Lawarde-
Mauger-l'Hortoy (80) 15 F 3
Laxou (54) 56 D 2
Lay (42) 135 E 1
Lay-Lamidou (64) 185 H 5
Lay-St-Christophe (54) 57 E 1
Lay-St-Remy (54) 56 B 2
Laye (05) 166 B 3
Laymont (32) 188 C 4
Layrac (47) 172 C 3
Layrac-sur-Tarn (31) 173 H 5
Layrisse (65) 204 C 1
Lays-sur-le-Doubs (71) 109 H 3
Laz (29) 62 A 2
Lazenay (18) 104 D 2
Lazer (05) 166 A 5
Léalvillers (80) 7 H 5
Léaupartie (14) 27 H 3
Léaz (01) 124 A 5
Lebetain (90) 96 D 2
Lebeuville (54) 57 E 4
Lebiez (62) 7 E 1
Leboulin (32) 188 A 2
Lebreil (46) 173 F 1
Lebucquière (62) 8 B 5
Lécaude (14) 28 A 3
Lecci (2A) 219 G 2
Lecelles (59) 5 E 5
Lecey (52) 76 A 4
Lechâtelet (21) 109 G 1
Léchelle (62) 8 C 5
Léchelle (77) 52 D 3
La Léchère (73) 138 D 5
Les Lèches (24) 142 D 5
Lechiagat (29) 61 F 4
Lécluse (59) 8 C 3
Lécourt (52) 76 A 3
Lécousse (35) 46 A 5
Lecques (30) 178 A 5
Les Lecques (83) 200 C 3
Lect (39) 123 G 2
Lectoure (32) 172 B 4
Lecumberry (64) 202 C 1
Lécussan (31) 205 F 1
Lédas-et-Penthiès (81) 175 F 3
Le Lédat (47) 157 E 5
Lédenon (30) 178 D 4
Lédergues (12) 175 F 3
Lederzeele (59) 3 E 3
Ledeuix (64) 186 A 5
Lédignan (30) 178 A 4
Ledinghem (62) 2 D 5
Ledringhem (59) 3 F 3
Lée (64) 186 C 5
Leers (59) 4 D 3
Lées-Athas (64) 203 F 3
Lefaux (62) 6 C 1
Leffard (14) 27 F 5
Leffincourt (08) 34 C 1
Leffond (70) 94 A 1
Leffonds (52) 75 G 3
Leffrinckoucke (59) 3 F 1
Leforest (62) 4 C 5
Lège (31) 205 F 4
Legé (44) 99 F 3
Lège-Cap-Ferret (33) 154 B 1
Légéville-et-Bonfays (88) 77 E 1
Léglantiers (60) 15 H 5
Légna (39) 123 G 2
Légny (69) 135 G 2
Léguevin (31) 189 E 2
Léguillac-de-Cercles (24) 143 E 1
Léguillac-de-l'Auche (24) 143 E 3
Lehaucourt (02) 16 D 1
Léhon (22) 44 D 4
Leigné-les-Bois (86) 102 D 4
Leigné-sur-Usseau (86) 102 B 3
Leignecq (42) 148 C 2
Leignes-sur-Fontaine (86) 116 A 2
Leigneux (42) 134 C 3
Leimbach (68) 78 C 4
Leintrey (54) 57 H 2
Lélex (01) 124 A 3
Lelin-Lapujolle (32) 186 D 1
Lelling (57) 37 H 3
Lemainville (54) 57 E 3
Lembach (67) 39 F 3
Lemberg (57) 38 D 4
Lembeye (64) 186 D 3
Lembras (24) 157 E 1
Lemé (02) 17 G 2
Lème (64) 186 B 3
Leménil-Mitry (54) 57 E 4
Lémeré (37) 102 B 1
Lemmecourt (88) 76 B 1
Lemmes (55) 35 G 4
Lemoncourt (57) 37 F 5
Lempaut (81) 190 B 3
Lempdes (63) 133 F 3
Lempdes-sur-Allagnon (43) 147 F 2
Lempire (02) 16 C 1
Lemps (07) 149 G 4
Lemps (26) 165 F 5
Lempty (63) 133 G 3
Lempzours (24) 143 F 2
Lemud (57) 37 F 4
Lemuy (39) 110 D 3
Lénault (14) 26 D 5
Lenax (03) 120 D 3
Lencloître (86) 102 B 4
Lencouacq (40) 170 D 3
Lendresse (64) 185 H 4
Lengelsheim (57) 38 D 3
Lengronne (50) 24 D 5
Lenharrée (51) 53 H 1
Léning (57) 37 H 4
Lénizeul (52) 76 A 3
Lennon (29) 62 A 2
Lenoncourt (54) 57 E 2
Lens [SP] (62) 4 B 5
Lens-Lestang (26) 150 C 2
Lent (01) 123 E 5
Lent (39) 110 D 4
Lentigny (42) 134 C 1
Lentillac-du-Causse (46) 158 D 4
Lentillac-St-Blaise (46) 159 G 4
Lentillères (07) 163 E 3
Lentilles (10) 54 C 4
Lentilly (69) 135 G 3
Lentiol (38) 150 C 2
Lento (2B) 215 F 5
Léobard (46) 158 A 2
Léogeats (33) 155 G 4
Léognan (33) 155 E 2
Léojac (82) 173 H 4
Léon (40) 168 C 4
Léoncel (26) 150 D 5
Léotoing (43) 147 F 2
Léouvé (06) 182 C 3
Léouville (45) 70 D 1
Léoville (17) 141 G 1
Lépanges-sur-Vologne (88) 77 H 1
Lépaud (23) 118 C 4
Lépin-le-Lac (73) 137 H 5
Lépinas (23) 117 H 5
Lépine (62) 6 C 2
Lépron-les-Vallées (08) 18 C 3
Lepuix (90) 78 A 5
Lepuix-Neuf (90) 97 E 2
La Lèque (30) 178 C 2
Léran (09) 207 G 3
Lercoul (09) 207 E 5
Léré (18) 90 A 3
Léren (64) 185 F 3
Lérigneux (42) 134 C 5
Lerm-et-Musset (33) 171 E 1
Lerné (37) 101 H 1
Lérouville (55) 56 A 1
Lerrain (88) 77 E 2
Léry (21) 93 E 2
Léry (27) 29 G 2
Lerzy (02) 17 G 1
Lesbœufs (80) 8 B 5
Lesbois (53) 46 C 4
Lescar (64) 186 B 4
Leschaux (74) 138 B 3
Leschelle (02) 17 G 1
Lescheraines (73) 138 A 3
Leschères (39) 123 H 2
Leschères-
sur-le-Blaiseron (52) 55 F 5
Lescherolles (77) 52 D 2
Lescheroux (01) 122 D 2
Lesches (77) 31 H 5
Lesches-en-Diois (26) 165 G 3
Lescoff (29) 60 D 2
Lesconil (29) 61 F 4
Lescouët-Gouarec (22) 63 E 2
Lescouët-Jugon (22) 44 B 4
Lescousse (09) 206 D 1
Lescout (81) 190 C 3
Lescun (64) 203 F 3
Lescuns (31) 188 C 5
Lescure (09) 206 C 3
Lescure-d'Albigeois (81) 174 D 4
Lescure-Jaoul (12) 174 D 2
Lescurry (65) 187 F 5
Lesdain (59) 8 D 5
Lesdins (02) 16 D 2
Lesges (02) 33 E 2
Lesgor (40) 169 F 5
Lésignac-Durand (16) 129 E 3
Lésigny (77) 51 H 2
Lésigny (86) 102 D 3
Le Leslay (22) 43 F 5
Lesme (71) 107 F 5
Lesménils (54) 36 D 5
Lesmont (10) 54 B 4
Lesneven (29) 41 F 2
Lesparre-Médoc [SP] (33) 140 C 2
Lesparrou (09) 207 G 3
Lespars (64) 202 B 1
Lespéron (07) 162 B 2
Lesperon (40) 169 E 4
Lespesses (62) 7 G 1
Lespielle (64) 186 D 3
Lespignan (34) 192 B 5
Lespinasse (31) 189 F 1
Lespinassière (11) 191 E 4
Lespinoy (62) 6 D 2
Lespitallet (43) 147 H 4
Lespiteau (31) 205 G 2
Lesponne (65) 204 C 2
Lespouey (65) 204 D 1
Lespourcy (64) 186 D 4
Lespugue (31) 205 G 1
Lesquerde (66) 208 C 4
Lesquielles-St-Germain (02) 17 F 1
Lesquin (59) 4 C 4
Lessac (16) 115 H 5
Lessard-en-Bresse (71) 109 G 4
Lessard-et-le-Chêne (14) 28 A 4
Lessard-le-National (71) 109 E 3
Lessay (50) 24 D 2
Lesse (57) 37 F 4
Lesseux (88) 58 B 5
Lesson (85) 114 A 2
Lessy (57) 20 D 5
Lestanville (76) 13 F 3
Lestards (19) 131 E 5
Lestelle-Bétharram (64) 204 A 1
Lestelle-de-St-Martory (31) 205 H 2
Lesterps (16) 129 F 1
Lestiac-sur-Garonne (33) 155 G 2
Lestiou (41) 88 A 1
Lestonan (29) 61 H 2
Lestrade-et-Thouels (12) 175 H 3
Lestre (50) 23 E 4
Lestrem (62) 3 H 5
Létanne (08) 19 F 4
Léthuin (28) 50 C 5
Letia (2A) 216 C 3
Létra (69) 135 F 1
Létrade (23) 132 B 2
Létricourt (54) 37 E 5
Letteguives (27) 29 H 1
Lettrée (51) 54 A 1
Lettret (05) 166 B 4
Le Letty (29) 61 G 4
Leubringhen (62) 2 B 3
Leuc (11) 208 B 1
Leucamp (15) 160 A 2
Leucate (11) 209 F 3
Leucate-Plage (11) 209 F 4
Leuchey (52) 75 G 5
Leudeville (91) 51 F 3
Leudon-en-Brie (77) 52 C 2
Leuglay (21) 75 E 5
Leugny (86) 102 D 3
Leugny (89) 90 D 1
Leuhan (29) 62 A 3
Leuilly-sous-Coucy (02) 16 D 5
Leulinghem (62) 3 E 4
Leulinghen-Bernes (62) 2 B 3
Leurville (52) 55 H 5
Leury (02) 32 D 1
Leutenheim (67) 39 G 5
Leuville-sur-Orge (91) 51 E 3
Leuvrigny (51) 33 F 4
Le Leuy (40) 169 H 5
Leuze (02) 10 A 5
La Levade (30) 177 H 2
Levainville (28) 50 B 4
Leval (59) 9 G 4
Leval (90) 78 B 5
Levallois-Perret (92) 31 F 5
Levaré (53) 46 C 4
Levécourt (52) 76 A 2
Levens (06) 183 F 4
Levergies (02) 16 D 1
Levernois (21) 109 E 2
Lèves (28) 50 A 4
Les Lèves-
et-Thoumeyragues (33) 156 B 2
Levesville-la-Chenard (28) 70 C 1
Levet (18) 105 F 3
Levie (2A) 219 E 2
Levier (25) 111 E 2
Lévignac (31) 189 E 2
Lévignac-de-Guyenne (47) 156 B 3
Lévignacq (40) 168 D 3
Lévignen (60) 32 A 3
Lévigny (10) 74 D 1
Levis (89) 90 D 1
Lévis-St-Nom (78) 50 D 2
Levoncourt (55) 55 H 1
Levoncourt (68) 97 F 2
Levroux (36) 104 A 2
Lewarde (59) 8 D 3
Lexos (82) 174 C 3
Lexy (54) 20 B 2
Ley (57) 57 G 1
Leychert (09) 207 F 3
Leyme (46) 159 E 2
Leymen (68) 97 G 2
Leyment (01) 136 D 1
Leynes (71) 122 B 4
Leynhac (15) 159 H 2
Leyr (54) 57 E 1
Leyrat (23) 118 C 3
Leyrieu (38) 136 D 3
Leyritz-Moncassin (47) 171 H 1
Leyssard (01) 123 F 4
Leyvaux (15) 147 E 2
Leyviller (57) 37 H 4
Lez (31) 205 G 3
Lez-Fontaine (59) 10 A 2
Lézan (30) 178 A 4
Lézardrieux (22) 43 F 2
Lézat (39) 124 A 1
Lézat-sur-Lèze (09) 189 F 5
Lezay (79) 114 D 4
Lezennes (59) 4 C 4
Lezéville (52) 55 H 4
Lezey (57) 57 G 1
Lézignan (65) 204 B 2
Lézignan-Corbières (11) 209 E 1
Lézignan-la-Cèbe (34) 192 C 3
Lézigné (49) 85 F 1
Lézigneux (42) 134 D 5
Lézinnes (89) 73 H 5
Lezoux (63) 133 G 3
Lhéraule (60) 14 D 5
Lherm (31) 189 E 4
Lherm (46) 158 A 4
Lhéry (51) 33 F 3
Lhez (65) 204 D 1
Lhommaizé (86) 115 H 2
Lhomme (72) 86 C 1
Lhôpital (01) 123 H 5
Lhor (57) 38 A 5
Lhospitalet (46) 173 H 1
Lhoumois (79) 101 G 5
Lhuis (01) 137 F 3
Lhuître (10) 54 A 3
Lhuys (02) 33 E 2
Liac (65) 187 E 4
Liancourt (60) 31 G 2
Liancourt-Fosse (80) 16 A 3
Liancourt-St-Pierre (60) 30 C 2
Liart (08) 18 B 3
Lias (32) 188 D 3
Lias-d'Armagnac (32) 171 F 5
Liausson (34) 192 C 2
Libaros (65) 187 G 5
Libercourt (62) 4 C 5
Libermont (60) 16 B 3
Libourne [SP] (33) 141 H 5
Librecy (08) 18 B 3
Licey-sur-Vingeanne (21) 93 H 3
Lichans-Sunhar (64) 203 E 1
Lichères (16) 128 C 2
Lichères-près-Aigremont (89) 91 G 1
Lichères-sur-Yonne (89) 91 E 3
Lichos (64) 185 G 5
Lichtenberg (67) 38 D 4
Licourt (80) 16 B 2
Licq-Athérey (64) 203 E 2
Licques (62) 2 C 4
Licy-Clignon (02) 32 C 4
Lidrezing (57) 37 H 5
Liebenswiller (68) 97 G 2
Liebsdorf (68) 97 F 2
Liebvillers (25) 96 C 4
Liederschiedt (57) 38 D 2
Lieffrans (70) 94 D 2
Le Liège (37) 87 F 5
Liéhon (57) 37 E 4
Liencourt (62) 7 H 3
Lieoux (31) 205 G 1
Liepvre (68) 58 C 5
Liéramont (80) 16 B 1
Liercourt (80) 6 D 5
Lières (62) 7 G 1
Liergues (69) 135 G 1
Liernais (21) 92 B 5
Liernolles (03) 120 D 3
Lierval (02) 17 F 5
Lierville (60) 30 C 3
Lies (65) 204 D 2
Liesle (25) 110 C 1
Liesse-Notre-Dame (02) 17 G 4
Liessies (59) 10 A 3
Liesville-sur-Douve (50) 23 E 5
Liettres (62) 3 F 5
Lieu-St-Amand (59) 9 E 3
Lieuche (06) 182 D 3
Lieucourt (70) 94 B 4
Lieudieu (38) 150 D 1

Localité *(Département)* **Page Coordonnées**

Lieurac *(09)* 207 F 3
Lieuran-Cabrières *(34)* 192 C 2
Lieuran-lès-Béziers *(34)* 192 B 4
Lieurey *(27)* 28 C 2
Lieuron *(35)* 64 D 4
Lieury *(14)* 27 H 4
Lieusaint *(50)* 22 D 4
Lieusaint *(77)* 51 G 3
Lieutadès *(15)* 160 D 1
Lieuvillers *(60)* 15 G 5
Liévans *(70)* 95 F 1
Liévin *(62)* 4 A 5
Lièvremont *(25)* 111 G 2
Liez *(02)* 16 D 3
Liez *(85)* 113 H 2
Liézey *(88)* 78 A 2
Liffol-le-Grand *(88)* 56 A 5
Liffol-le-Petit *(52)* 56 A 5
Liffré *(35)* 65 G 1
Ligardes *(32)* 172 A 3
Ligescourt *(80)* 6 D 3
Liginiac *(19)* 145 H 1
Liglet *(86)* 116 C 2
Lignac *(36)* 116 D 2
Lignairolles *(11)* 207 H 2
Lignan-de-Bazas *(33)* 155 G 5
Lignan-de-Bordeaux *(33)* 155 F 1
Lignan-sur-Orb *(34)* 192 B 4
Lignane *(13)* 195 H 2
Lignareix *(19)* 131 H 5
Ligné *(16)* 128 B 2
Ligné *(44)* 83 G 3
Lignères *(61)* 48 B 2
Lignereuil *(62)* 7 H 3
Lignerolles *(03)* 118 D 4
Lignerolles *(21)* 75 E 4
Lignerolles *(27)* 49 H 1
Lignerolles *(36)* 118 B 2
Lignerolles *(61)* 48 C 3
Lignéville *(88)* 76 C 1
Ligneyrac *(19)* 144 C 4
Lignières *(10)* 73 H 4
Lignières *(18)* 105 E 4
Lignières *(41)* 69 G 5
Lignières *(80)* 15 H 4
Lignières-Châtelain *(80)* 14 D 3
Lignières-de-Touraine *(37)* 86 B 4
Lignières-en-Vimeu *(80)* 14 C 1
Lignières-la-Carelle *(72)* 48 A 4
Lignières-Orgères *(53)* 47 G 3
Lignières-Sonneville *(16)* 127 H 5
Lignières-sur-Aire *(55)* 55 H 1
Lignol *(56)* 62 D 3
Lignol-le-Château *(10)* 75 E 1
Lignon *(51)* 54 C 3
Lignorelles *(89)* 73 F 5
Lignou *(61)* 47 F 2
Ligny-en-Barrois *(55)* 55 H 2
Ligny-en-Brionnais *(71)* 121 F 4
Ligny-en-Cambrésis *(59)* 9 E 5
Ligny-le-Châtel *(89)* 73 F 4
Ligny-le-Ribault *(45)* 88 C 1
Ligny-lès-Aire *(62)* 7 G 1
Ligny-St-Flochel *(62)* 7 G 2
Ligny-sur-Canche *(62)* 7 F 3
Ligny-Thilloy *(62)* 8 B 5
Ligré *(37)* 102 A 1
Ligron *(72)* 67 H 5
Ligsdorf *(68)* 97 F 2
Ligueil *(37)* 103 E 2
Ligueux *(24)* 143 F 2
Ligueux *(33)* 156 C 2
Ligugé *(86)* 115 F 1
Lihons *(80)* 16 A 2
Lihus *(60)* 15 E 4
Les Lilas *(93)* 51 F 1
Lilhac *(31)* 188 B 5
Lille [R] *(59)* 4 C 3
Lillebonne *(76)* 12 D 5
Lillemer *(35)* 45 E 3
Lillers *(62)* 7 H 1
Lilly *(27)* 30 A 1
Limalonges *(79)* 115 E 5
Limans *(04)* 180 C 3
Limanton *(58)* 107 F 2
Limas *(69)* 135 H 1
Limay *(78)* 30 B 5
Limbrassac *(09)* 207 G 3
Limbre *(86)* 102 A 5
Limé *(02)* 33 E 2
Limeil-Brévannes *(94)* 51 G 2
Limendous *(64)* 186 D 5
Limeray *(37)* 87 F 3
Limersheim *(67)* 59 E 3
Limerzel *(56)* 82 B 1
Limésy *(76)* 13 F 4
Limetz-Villez *(78)* 30 A 4
Limeuil *(24)* 157 G 1
Limeux *(18)* 104 D 2
Limeux *(80)* 6 D 5
Limey-Remenauville *(54)* 36 C 5
Limeyrat *(24)* 143 G 3
Limoges [P] *(87)* 130 A 3
Limoges-Fourches *(77)* 51 H 3
Limogne-en-Quercy *(46)* 158 D 5
Limoise *(03)* 106 B 5
Limon *(58)* 106 D 2
Limonest *(69)* 135 H 2
Limons *(63)* 133 H 1
Limont-Fontaine *(59)* 9 H 4
Limony *(07)* 149 G 2
Limours *(91)* 50 D 3
Limousis *(11)* 191 E 5
Limoux [SP] *(11)* 208 A 2
La Limouzinière *(44)* 99 F 2
La Limouzinière *(85)* 99 G 5
Limpiville *(76)* 12 D 3
Linac *(46)* 159 G 3
Linard *(23)* 117 H 3
Linards *(87)* 130 C 4
Linars *(16)* 128 B 4
Linas *(91)* 51 E 3
Linay *(08)* 19 G 4
Linazay *(86)* 115 E 4
Lincel *(04)* 180 C 4
Linchamps *(08)* 11 E 5
Lincheux-Hallivillers *(80)* 14 D 2
Lindebeuf *(76)* 13 F 3
Le Lindois *(16)* 129 E 3
Lindre-Basse *(57)* 57 H 1
Lindre-Haute *(57)* 37 H 5
Lindry *(89)* 72 D 5
Linexert *(70)* 77 G 5
Lingé *(36)* 103 F 4
Lingeard *(50)* 46 B 1
Lingèvres *(14)* 26 D 3
Linghem *(62)* 3 F 5
Lingolsheim *(67)* 59 F 2
Lingreville *(50)* 24 D 4
Linguizzetta *(2B)* 217 G 2
La Linière *(85)* 98 B 1
Linières-Bouton *(49)* 85 H 3
Liniers *(86)* 115 H 1
Liniez *(36)* 104 B 2
Linsdorf *(68)* 97 G 2
Linselles *(59)* 4 C 3
Linthal *(68)* 78 C 3
Linthelles *(51)* 53 G 2
Linthes *(51)* 53 G 2
Lintot *(76)* 12 D 4
Lintot-les-Bois *(76)* 13 G 2
Linxe *(40)* 168 D 4
Liny-devant-Dun *(55)* 35 G 1
Linzeux *(62)* 7 F 3
Liocourt *(57)* 37 E 5
Liomer *(80)* 14 C 2
Le Lion-d'Angers *(49)* 84 C 1
Lion-devant-Dun *(55)* 35 G 1
Lion-en-Beauce *(45)* 70 C 2
Lion-en-Sullias *(45)* 89 G 1
Lion-sur-Mer *(14)* 27 F 2
Liorac-sur-Louyre *(24)* 157 E 1
Le Lioran *(15)* 146 C 4
Liouc *(30)* 177 H 5
Lioujas *(12)* 160 B 5
Liourdres *(19)* 159 E 1
Lioux *(84)* 180 A 4
Lioux-les-Monges *(23)* 132 A 2
Liposthey *(40)* 169 F 1
Lipsheim *(67)* 59 F 3
Lirac *(30)* 179 E 3
Liré *(49)* 84 A 4
Lirey *(10)* 73 H 2
Lironcourt *(88)* 76 C 3
Lironville *(54)* 36 C 5
Liry *(08)* 34 C 2
Lisbourg *(62)* 7 F 1
Liscia *(Golfe de la) (2A)* 216 C 4
Lisieux [SP] *(14)* 28 A 3
Lisle *(24)* 143 E 2
Lisle *(41)* 69 G 5
Lisle-en-Barrois *(55)* 35 F 5
Lisle-sur-Tarn *(81)* 174 B 5
Lislet *(02)* 17 H 3
Lison *(14)* 25 G 2
Lisores *(14)* 28 A 5
Lisors *(27)* 30 A 1
Lissac *(09)* 189 G 5
Lissac *(43)* 148 A 4
Lissac-et-Mouret *(46)* 159 F 3
Lissac-sur-Couze *(19)* 144 B 4
Lissay-Lochy *(18)* 105 F 3
Lisse *(47)* 171 H 3
Lisse-en-Champagne *(51)* 54 C 1
Lisses *(91)* 51 F 3
Lisseuil *(63)* 132 D 1
Lissey *(55)* 35 G 1
Lissieu *(69)* 135 H 2
Lissy *(77)* 51 H 3
Listrac-de-Durèze *(33)* 156 A 2
Listrac-Médoc *(33)* 140 D 4
Lit-et-Mixe *(40)* 168 D 3
Lithaire *(50)* 24 D 1
Litteau *(14)* 25 G 3
Littenheim *(67)* 58 D 1
Litz *(60)* 31 F 1
Livaie *(61)* 47 H 4
Livarot-Pays-d'Auge *(14)* 28 A 4
Liverdun *(54)* 56 D 1
Liverdy-en-Brie *(77)* 51 H 2
Livernon *(46)* 159 E 3
Livers-Cazelles *(81)* 174 C 3
Livet *(53)* 67 E 2
Livet-en-Saosnois *(72)* 48 A 5
Livet-et-Gavet *(38)* 152 A 3
Livet-sur-Authou *(27)* 28 D 2
Livilliers *(95)* 30 D 4
Livinhac-le-Haut *(12)* 159 G 4
La Livinière *(34)* 191 F 5
Livré-la-Touche *(53)* 66 B 4
Livré-sur-Changeon *(35)* 65 H 1
Livron *(64)* 186 D 5
Livron-sur-Drôme *(26)* 163 H 2
Livry *(14)* 25 H 3
Livry *(58)* 106 B 4
Livry-Gargan *(93)* 31 G 5
Livry-Louvercy *(51)* 34 A 3
Livry-sur-Seine *(77)* 51 H 4
Lixhausen *(67)* 39 E 5
Lixheim *(57)* 58 B 1
Lixing-lès-Rouhling *(57)* 38 A 2
Lixing-lès-St-Avold *(57)* 37 H 3
Lixy *(89)* 72 B 1
Lizac *(82)* 173 F 3
Lizant *(86)* 115 F 5
Lizeray *(36)* 104 C 2
Lizières *(23)* 117 F 4
Lizine *(25)* 110 D 1
Lizines *(77)* 52 C 4
Lizio *(56)* 64 A 4
Lizos *(65)* 187 F 5
Lizy *(02)* 17 E 5
Lizy-sur-Ourcq *(77)* 32 B 4
La Llagonne *(66)* 211 H 4
Llauro *(66)* 212 D 3
Llo *(66)* 211 H 4
Llupia *(66)* 213 E 3
Lobsann *(67)* 39 F 4
Loc-Brévalaire *(29)* 41 F 3
Loc-Eguiner *(29)* 41 H 3
Loc-Eguiner-St-Thégonnec *(29)* 41 H 4
Loc-Envel *(22)* 42 D 4
Locarn *(22)* 62 D 1
Loché-sur-Indrois *(37)* 103 G 1
Loches [SP] *(37)* 103 F 1
Loches-sur-Ource *(10)* 74 C 3
Le Locheur *(14)* 27 E 3
Lochieu *(01)* 137 G 1
Lochwiller *(67)* 58 D 1
Locmalo *(56)* 63 E 3
Locmaria *(22)* 42 D 4
Locmaria *(Belle-Ile) (56)* 81 E 5
Locmaria *(Ile de Groix) (56)* 80 C 2
Locmaria-Berrien *(29)* 42 B 5
Locmaria-Grand-Champ *(56)* 81 G 1
Locmaria-Plouzané *(29)* 40 D 4
Locmariaquer *(56)* 81 F 3
Locmélar *(29)* 41 H 4
Locminé *(56)* 63 G 5
Locmiquélic *(56)* 80 D 1
Locoal-Mendon *(56)* 81 E 1
Locon *(62)* 4 A 4
Loconville *(60)* 30 C 2
Locqueltas *(56)* 81 G 1
Locquémeau *(22)* 42 C 2
Locquénolé *(29)* 42 A 3
Locquignol *(59)* 9 G 4
Locquinghen *(62)* 2 B 3
Locquirec *(29)* 42 B 2
Locronan *(29)* 61 G 2
Loctudy *(29)* 61 G 4
Locunolé *(29)* 62 C 4
Loddes *(03)* 120 D 3
Lodes *(31)* 205 G 1
Lodève [SP] *(34)* 192 B 1
Lods *(25)* 111 F 1
Lœuilley *(70)* 93 H 3
Lœuilly *(80)* 15 E 3
Loffre *(59)* 8 D 2
La Loge *(62)* 7 E 2
La Loge *(84)* 180 A 3
La Loge-aux-Chèvres *(10)* 74 B 1
La Loge des Gardes *(03)* 134 B 1
Loge-Fougereuse *(85)* 100 C 5
La Loge-Pomblin *(10)* 73 H 3
Logelheim *(68)* 78 D 2
Le Logeo *(56)* 81 G 3
Les Loges *(14)* 25 H 4
Les Loges *(52)* 76 A 5
Les Loges *(72)* 68 C 3
Les Loges *(76)* 12 B 3
Les Loges-en-Josas *(78)* 51 E 2
Les Loges-Marchis *(50)* 46 B 3
Les Loges-Margueron *(10)* 73 H 3
Les Loges-Saulces *(14)* 27 F 5
Les Loges-sur-Brécey *(50)* 46 A 1
Les Logis *(13)* 196 A 2
Le Logis-du-Pin *(06)* 182 B 5
Le Logis-Neuf *(01)* 122 D 4
Le Logis-Neuf *(26)* 163 H 3
Lognes *(77)* 51 H 1
Logny-Bogny *(08)* 18 B 2
Logny-lès-Aubenton *(02)* 10 B 5
Logny-lès-Chaumont *(08)* 18 A 4
Logonna-Daoulas *(29)* 41 F 5
Logonna-Quimerch *(29)* 41 G 5
Logrian-Florian *(30)* 177 H 4
Logron *(28)* 69 G 2
Loguivy-de-la-Mer *(22)* 43 F 1
Loguivy-lès-Lannion *(22)* 42 C 2
Loguivy-Plougras *(22)* 42 C 4
Lohéac *(35)* 64 D 4
Lohitzun-Oyhercq *(64)* 185 F 5
Lohr *(67)* 38 C 5
Lohuec *(22)* 42 C 4
Loigné-sur-Mayenne *(53)* 66 C 4
Loigny-la-Bataille *(28)* 70 B 2
Loiré *(17)* 113 F 4
Loiré *(49)* 84 B 1
Loire-les-Marais *(17)* 126 D 1
Loiré-sur-Nie *(17)* 127 H 1
Loire-sur-Rhône *(69)* 135 H 5
Loiron-Ruillé *(53)* 66 B 2
Loisail *(61)* 48 C 4
Loisey-Culey *(55)* 55 G 1
Loisia *(39)* 123 F 1
Loisieux *(73)* 137 G 4
Loisin *(74)* 124 C 3
Loison *(55)* 20 B 4
Loison-sous-Lens *(62)* 4 B 5
Loison-sur-Créquoise *(62)* 6 D 2
Loisy *(54)* 36 D 5
Loisy *(71)* 122 C 1
Loisy-en-Brie *(51)* 33 G 5
Loisy-sur-Marne *(51)* 54 C 1
Loivre *(51)* 33 H 1
Loix *(17)* 112 C 4
Loizé *(79)* 114 D 5
Lolif *(50)* 45 H 1
Lolme *(24)* 157 G 2
Lombard *(25)* 110 C 1
Lombard *(39)* 110 A 4
Lombers *(81)* 190 C 1
Lombez *(32)* 188 C 3
Lombia *(64)* 186 D 5
Lombrès *(65)* 205 F 2
Lombreuil *(45)* 71 H 4
Lombron *(72)* 68 B 3
Lomener *(56)* 80 C 1
Lomme *(59)* 4 C 3
Lommerange *(57)* 20 D 4
Lommoye *(78)* 30 A 5
Lomné *(65)* 204 D 2
Lomont *(70)* 95 H 1
Lomont-sur-Crête *(25)* 95 G 4
Lompnas *(01)* 137 F 2
Lompnieu *(01)* 137 G 1
Lompret *(59)* 4 C 3
Lonçon *(64)* 186 B 3
La Londe *(76)* 29 F 2
La Londe-les-Maures *(83)* 201 G 3
Londigny *(16)* 115 E 5
Londinières *(76)* 14 A 2
Long *(80)* 7 E 5
Longages *(31)* 189 E 4
Longaulnay *(35)* 44 D 5
Longavesnes *(80)* 16 C 1
Longchamp *(21)* 93 H 5
Longchamp *(52)* 75 H 2
Longchamp *(73)* 152 C 1
Longchamp *(88)* 77 G 1
Longchamp-sous-Châtenois *(88)* 56 C 5
Longchamp-sur-Aujon *(10)* 75 E 2
Longchamps *(02)* 17 E 1
Longchamps *(27)* 30 B 1
Longchamps-sur-Aire *(55)* 35 G 5
Longchaumois *(39)* 124 A 2
Longcochon *(39)* 111 E 4
Longeau *(52)* 75 H 5
Longeault *(21)* 93 H 5
Longeaux *(55)* 55 H 2
Longechaux *(25)* 95 G 5
Longechenal *(38)* 151 E 1
Longecourt-en-Plaine *(21)* 93 G 5
Longecourt-lès-Culêtre *(21)* 108 C 1
Longefoy *(73)* 139 E 4
Longemaison *(25)* 111 G 1
Longepierre *(71)* 109 G 3
Le Longeron *(49)* 100 A 2
Longes *(69)* 135 H 5
Longessaigne *(69)* 135 F 3
Longevelle *(70)* 95 G 1
Longevelle-lès-Russey *(25)* 95 H 5
Longevelle-sur-Doubs *(25)* 95 H 3
Longèves *(17)* 113 F 4
Longèves *(85)* 113 G 1
La Longeville *(25)* 111 G 2
Longeville *(25)* 111 F 1
Longeville-en-Barrois *(55)* 55 G 2
Longeville-lès-Metz *(57)* 36 D 3
Longeville-lès-St-Avold *(57)* 21 H 5
Longeville-sur-la-Laines *(52)* 54 D 4
Longeville-sur-Mer *(85)* 112 C 2
Longeville-sur-Mogne *(10)* 73 H 2
Longevilles-Mont-d'Or *(25)* 111 F 4
Longfossé *(62)* 2 C 5
La Longine *(70)* 77 G 4
Longjumeau *(91)* 51 F 2
Longlaville *(54)* 20 C 2
Longmesnil *(76)* 14 B 4
Longnes *(72)* 67 G 3
Longnes *(78)* 30 A 5
Longny-au-Perche *(61)* 48 D 4
Longperrier *(77)* 31 H 4
Longpont *(02)* 32 C 2
Longpont-sur-Orge *(91)* 51 F 3
Longpré *(41)* 87 F 1
Longpré-le-Sec *(10)* 74 C 2
Longpré-les-Corps-Saints *(80)* 14 D 1
Longraye *(14)* 26 D 3
Longré *(16)* 128 A 1
Longroy *(76)* 14 B 1
Longsols *(10)* 54 A 4
Longué *(49)* 85 G 4
Longueau *(80)* 15 G 2
Longuefuye *(53)* 66 D 4
Longueil *(76)* 13 F 2
Longueil-Annel *(60)* 16 A 5
Longueil-Ste-Marie *(60)* 31 H 1
Longuenesse *(62)* 3 E 4
Longuenoë *(61)* 47 H 4
Longuerue *(76)* 13 H 5
Longues *(63)* 133 F 4
Longues-sur-Mer *(14)* 26 D 1
Longuesse *(95)* 30 C 4
Longueval *(80)* 8 B 5
Longueval-Barbonval *(02)* 33 F 1
Longueville *(14)* 23 G 5
Longueville *(47)* 156 B 5
Longueville *(50)* 24 C 5
La Longueville *(59)* 9 H 3
Longueville *(62)* 2 C 4
Longueville *(77)* 52 C 4
Longueville-sur-Aube *(10)* 53 G 3
Longueville-sur-Scie *(76)* 13 G 2
Longuevillette *(80)* 7 G 5
Longuyon *(54)* 20 A 3
Longvic *(21)* 93 F 4
Longvillers *(14)* 26 D 4
Longvilliers *(62)* 6 C 1
Longvilliers *(78)* 50 D 3
Longwé *(08)* 34 D 1
Longwy *(54)* 20 B 2
Longwy-sur-le-Doubs *(39)* 109 H 2
Lonlay-l'Abbaye *(61)* 46 D 2
Lonlay-le-Tesson *(61)* 47 F 2
Lonnes *(16)* 128 B 1
Lonny *(08)* 18 C 2
Lonrai *(61)* 47 H 4
Lons *(64)* 186 B 5
Lons-le-Saunier [P] *(39)* 110 B 5
Lonzac *(17)* 127 G 4
Le Lonzac *(19)* 144 D 1
Looberghe *(59)* 3 E 3
Loon-Plage *(59)* 3 E 2
Loos *(59)* 4 C 4
Loos-en-Gohelle *(62)* 4 A 5
Looze *(89)* 72 D 3
Lopérec *(29)* 41 H 5
Loperhet *(29)* 41 F 4
Lopigna *(2A)* 216 C 4
Loqueffret *(29)* 62 A 1
Lor *(02)* 17 H 5
Loray *(25)* 95 G 5
Lorcières *(15)* 147 F 5
Lorcy *(45)* 71 G 3
Lordat *(09)* 207 F 5
Loré *(61)* 47 E 4
Lorentzen *(67)* 38 B 4
Loreto-di-Casinca *(2B)* 215 G 5
Loreto-di-Tallano *(2A)* 219 E 2
Lorette *(42)* 135 G 5
Le Loreur *(50)* 24 D 5
Loreux *(41)* 88 C 4
Lorey *(27)* 29 H 5
Le Lorey *(50)* 25 E 3
Lorey *(54)* 57 E 3
Lorges *(41)* 70 A 5
Lorgies *(62)* 4 A 4
Lorgues *(83)* 197 F 3
Lorient [SP] *(56)* 80 D 1
Loriges *(03)* 120 A 4
Lorignac *(17)* 141 E 1
Lorigné *(79)* 115 E 5
Loriol-du-Comtat *(84)* 179 G 3
Loriol-sur-Drôme *(26)* 163 H 2
Lorlanges *(43)* 147 F 2
Lorleau *(27)* 30 A 1
Lormaison *(60)* 31 E 2
Lormaye *(28)* 50 A 3
Lormes *(58)* 91 G 5
Lormont *(33)* 155 F 1
Lornay *(74)* 137 H 1
Loromontzey *(54)* 57 F 4
Le Loroux *(35)* 46 B 4
Le Loroux-Bottereau *(44)* 83 G 5
Lorp-Sentaraille *(09)* 206 B 2
Lorquin *(57)* 58 A 2
Lorrez-le-Bocage-Préaux *(77)* 72 A 1
Lorris *(45)* 71 G 4
Lorry-lès-Metz *(57)* 21 E 5
Lorry-Mardigny *(57)* 36 D 4
Lortet *(65)* 205 E 2
Loscouët-sur-Meu *(22)* 64 B 1
Losne *(21)* 109 H 1
Losse *(40)* 171 F 3
Lostanges *(19)* 144 D 4
Lostroff *(57)* 37 H 5
Lothey *(29)* 61 H 1
Lothiers *(36)* 104 A 5
Lottinghen *(62)* 2 C 5
Le Lou-du-Lac *(35)* 64 D 1
Louailles *(72)* 67 F 5
Louan *(77)* 53 E 3
Louannec *(22)* 42 D 2
Louans *(37)* 102 D 1
Louargat *(22)* 42 D 4
Louâtre *(02)* 32 C 2
Loubajac *(65)* 204 B 1
Loubaresse *(07)* 162 C 3
Loubaresse *(15)* 161 F 1
Loubaut *(09)* 206 C 1
Loubédat *(32)* 187 E 1
Loubejac *(24)* 157 H 4
Loubens *(09)* 207 E 2
Loubens *(33)* 156 A 3
Loubens-Lauragais *(31)* 189 H 3
Loubers *(81)* 174 C 3
Loubersan *(32)* 187 H 3
Loubès-Bernac *(47)* 156 C 2
Loubeyrat *(63)* 133 E 2
Loubieng *(64)* 185 H 3
La Loubière *(12)* 175 H 1
Loubières *(09)* 207 E 3
Loubigné *(79)* 114 D 5
Loubillé *(79)* 114 D 5
Loublande *(79)* 100 B 2
Loubressac *(46)* 159 E 1
Loucé *(61)* 47 G 2
Loucelles *(14)* 27 E 2
Louchats *(33)* 155 E 4
Louches *(62)* 2 D 3
Louchy-Montfand *(03)* 119 H 3
Loucrup *(65)* 204 C 1
Loudéac *(22)* 63 G 2
Loudenvielle *(65)* 205 E 4
Loudervielle *(65)* 205 E 4
Loudes *(43)* 148 A 4
Loudet *(31)* 205 F 1
Loudrefing *(57)* 38 A 5
Loudun *(86)* 101 H 2
Loué *(72)* 67 G 3
Louens *(33)* 141 E 5
Louer *(40)* 185 G 1
Louerre *(49)* 85 F 4
Louesme *(21)* 74 D 4
Louesme *(89)* 72 C 5
Louestault *(37)* 86 D 2
Loueuse *(60)* 14 C 4
Louey *(65)* 204 C 1
Lougé-sur-Maire *(61)* 47 G 2
Lougratte *(47)* 157 E 4
Lougres *(25)* 95 H 2
Louhans-Châteaurenaud [SP] *(71)* 109 H 5
Louhossoa *(64)* 184 D 4
Louignac *(19)* 144 A 3
Louin *(79)* 101 G 4
Louisfert *(44)* 83 G 1
Louit *(65)* 187 F 5
Loulans-Verchamp *(70)* 95 E 3
Loulay *(17)* 114 A 5
Loulle *(39)* 110 D 4
La Loupe *(28)* 49 F 4
Loupeigne *(02)* 33 E 2
Loupershouse *(57)* 38 A 3
Loupes *(33)* 155 G 1
Loupfougères *(53)* 47 F 5
Loupia *(11)* 207 H 2
Loupiac *(12)* 159 F 4
Loupiac *(15)* 145 H 4
Loupiac *(33)* 155 G 3
Loupiac *(46)* 158 B 2
Loupiac *(81)* 174 B 5
Loupiac-de-la-Réole *(33)* 156 A 4
Loupian *(34)* 192 D 4
Louplande *(72)* 67 H 4
Loupmont *(55)* 36 B 5
Louppy-le-Château *(55)* 35 F 5
Louppy-sur-Chée *(55)* 35 F 5
Louppy-sur-Loison *(55)* 19 H 5
La Louptière-Thénard *(10)* 52 D 5
Lourches *(59)* 9 E 3
Lourde *(31)* 205 G 3
Lourdes *(65)* 204 B 2
Lourdios-Ichère *(64)* 203 F 2
Lourdoueix-St-Michel *(36)* 117 G 2
Lourdoueix-St-Pierre *(23)* 117 H 2
Lourenties *(64)* 186 D 5
Loures-Barousse *(65)* 205 F 2
Louresse-Rochemenier *(49)* 85 F 5
Lourmarin *(84)* 195 H 1
Lournand *(71)* 122 A 2
Lourouer-St-Laurent *(36)* 118 A 1
Le Louroux *(37)* 102 D 1
Le Louroux-Béconnais *(49)* 84 B 2
Louroux-Bourbonnais *(03)* 119 F 1
Louroux-de-Beaune *(03)* 119 F 4
Louroux-de-Bouble *(03)* 119 G 4
Louroux-Hodement *(03)* 119 E 2
Lourquen *(40)* 185 H 1
Lourties-Monbrun *(32)* 187 H 4
Loury *(45)* 70 D 3
Louslitges *(32)* 187 F 2
Loussous-Débat *(32)* 187 E 2
Loutehel *(35)* 64 C 3
Loutzviller *(57)* 38 C 2
Louvagny *(14)* 27 H 5
Louvaines *(49)* 84 C 1
Louvatange *(39)* 94 B 5
Louveciennes *(78)* 51 E 1
Louvemont *(52)* 55 E 3
Louvemont-Côte-du-Poivre *(55)* 35 H 2
Louvencourt *(80)* 7 H 5
Louvenne *(39)* 123 F 2
Louvergny *(08)* 18 D 4
Louverné *(53)* 66 D 2
Le Louverot *(39)* 110 B 4
Louversey *(27)* 29 F 5
Louvetot *(76)* 13 E 4
Louvie-Juzon *(64)* 203 H 2
Louvie-Soubiron *(64)* 203 H 2
La Louvière-Lauragais *(11)* 189 H 5
Louvières *(14)* 23 G 5
Louvières *(52)* 75 H 3
Louvières-en-Auge *(61)* 27 H 5
Louviers *(27)* 29 G 3
Louvigné *(53)* 66 D 3
Louvigné-de-Bais *(35)* 65 H 2
Louvigné-du-Désert *(35)* 46 A 4
Louvignies-Quesnoy *(59)* 9 F 4
Louvigny *(14)* 27 F 3
Louvigny *(57)* 37 E 4
Louvigny *(64)* 186 B 3

Louvigny (72) 48 A 5
Louvil (59) 4 D 4
Louville-la-Chenard (28) 70 C 1
Louvilliers-en-Drouais (28) 49 H 2
Louvilliers-lès-Perche (28) 49 F 3
Louvois (51) 33 H 4
Louvrechy (80) 15 G 3
Louvres (95) 31 G 4
Louvroil (59) 9 H 3
Louye (27) 49 H 1
Louzac-St-André (16) 127 G 3
Louze (52) 54 D 4
Louzes (72) 48 B 4
Louzignac (17) 127 H 2
Louzouer (45) 72 A 3
Louzy (79) 101 F 2
Lovagny (74) 138 A 1
Loyat (56) 64 B 3
La Loye (39) 110 B 2
Loye-sur-Arnon (18) 105 F 5
La Loyère (71) 109 E 3
Loyettes (01) 136 D 3
Lozanne (69) 135 G 2
Lozari (2B) 214 D 4
Lozay (17) 114 A 5
Loze (82) 174 B 1
Lozinghem (62) 7 H 1
Lozon (50) 25 E 3
Lozzi (2B) 216 D 2
Luant (36) 104 A 5
Le Luart (72) 68 C 3
Lubbon (40) 171 F 3
Lubécourt (57) 37 G 5
Lubersac (19) 144 B 1
Lubey (54) 20 C 4
Lubilhac (43) 147 F 3
Lubine (88) 58 C 5
Lublé (37) 86 A 3
Lubret-St-Luc (65) 187 G 5
Luby-Betmont (65) 187 G 5
Luc (48) 162 B 3
Luc (65) 204 D 1
Le Luc (83) 197 F 4
Luc-Armau (64) 186 D 4
Luc-en-Diois (26) 165 F 3
Luc-la-Primaube (12) 175 G 1
Luc-sur-Aude (11) 208 A 3
Luc-sur-Mer (14) 27 F 2
Luc-sur-Orbieu (11) 209 E 1
Lucarré (64) 186 D 4
Luçay-le-Libre (36) 104 C 1
Luçay-le-Mâle (36) 103 H 1
Lucbardez-et-Bargues (40) 170 D 4
Lucciana (2B) 215 G 5
Lucé (28) 50 A 4
Lucé (61) 46 D 3
Lucé-sous-Ballon (72) 68 A 1
Luceau (72) 86 B 1
Lucelle (68) 97 F 3
Lucenay (69) 135 H 2
Lucenay-le-Duc (21) 92 C 2
Lucenay-lès-Aix (58) 107 E 5
Lucenay-l'Évêque (71) 108 A 1
Lucéram (06) 183 F 4
La Lucerne-d'Outremer (50) 45 H 1
Lucey (21) 75 E 4
Lucey (54) 56 C 2
Lucey (73) 137 G 3
Lucgarier (64) 186 D 5
Luchapt (86) 116 A 4
Luchat (17) 127 E 3
Luché (17) 113 G 3
Luché-Pringé (72) 85 H 1
Luché-sur-Brioux (79) 114 C 5
Luché-Thouarsais (79) 101 F 3
Lucheux (80) 7 G 4
Luchy (60) 15 E 5
Lucinges (74) 124 D 4
Lucmau (33) 170 D 1
Luçon (85) 113 E 2
Lucq-de-Béarn (64) 185 H 5
Lucquy (08) 18 C 5
Les Lucs-sur-Boulogne (85) 99 F 3
Lucy (02) 17 E 2
Lucy (51) 33 G 5
Lucy (57) 37 F 4
Lucy (76) 14 A 3
Lucy-le-Bocage (02) 32 C 4
Lucy-le-Bois (89) 91 G 2
Lucy-sur-Cure (89) 91 F 2
Lucy-sur-Yonne (89) 91 E 3
Le Lude (72) 86 A 1
Ludes (51) 33 H 3
Ludesse (63) 133 F 5
Ludiès (09) 207 F 2
Ludon-Médoc (33) 141 E 5
Ludres (54) 57 E 2
Lüe (40) 169 F 1
Lué-en-Baugeois (49) 85 F 2
Luemschwiller (68) 97 F 1
Le Luet (28) 50 B 4
Lugagnac (46) 158 D 5
Lugagnan (65) 204 B 2
Lugaignac (33) 155 H 1
Lugan (12) 159 H 5
Lugan (81) 189 H 1
Lugarde (15) 146 C 2
Lugasson (33) 155 H 2
Le Luget (30) 179 E 2
Luglon (40) 169 G 3
Lugny (02) 17 G 3
Lugny (71) 122 B 2
Lugny-Bourbonnais (18) 105 H 3
Lugny-Champagne (18) 106 A 1
Lugny-lès-Charolles (71) 121 F 2
Lugo-di-Nazza (2B) 217 F 4
Lugon-
et-l'Île-du-Carnay (33) 141 G 5
Lugos (33) 154 C 4
Lugrin (74) 125 F 2
Lugy (62) 7 F 1
Le Luhier (25) 95 H 5
Luigné (49) 85 E 4
Luigny (28) 69 F 1
Luisans (25) 111 H 1
Luisant (28) 50 A 5
Luisetaines (77) 52 C 4
Luitré (35) 46 A 5
Lullin (74) 125 E 3
Lully (74) 124 D 3
Lumbin (38) 151 H 2
Lumbres (62) 2 D 4
Lumeau (28) 70 C 2
Lumes (08) 19 E 3
Luméville-en-Ornois (55) 55 H 4
Lumières (84) 179 H 5
Lumigny (77) 52 A 2
Lumio (2B) 214 C 5
Lunac (12) 174 D 2
Lunan (46) 159 F 3
Lunas (24) 156 D 1
Lunas (34) 192 B 1
Lunax (31) 188 A 5
Lunay (41) 69 E 5
Luneau (03) 121 E 3
Lunegarde (46) 158 D 3
Lunel (34) 193 H 2
Lunel-Viel (34) 193 H 2
Luneray (76) 13 F 2
Lunery (18) 105 E 3
Lunéville [SP] (54) 57 G 3
Le Luot (50) 45 H 1
Lupcourt (54) 57 E 2
Lupé (42) 149 G 1
Lupersat (23) 131 H 1
Lupiac (32) 187 F 1
Luplanté (28) 69 H 1
Luppé-Violles (32) 186 D 1
Luppy (57) 37 E 4
Lupsault (16) 128 A 1
Lupstein (67) 58 D 1
Luquet (65) 186 D 5
Lurais (36) 103 E 5
Luray (28) 49 H 2
Lurbe-St-Christau (64) 203 F 1
Lurcy (01) 122 B 5
Lurcy-le-Bourg (58) 106 D 1
Lurcy-Lévis (03) 106 B 5
Luré (42) 134 C 2
Lure [SP] (70) 95 G 1
Lureuil (36) 103 F 4
Luri (2B) 215 G 2
Luriecq (42) 148 C 1
Lurs (04) 180 D 4
Lury-sur-Arnon (18) 104 D 1
Lus-la-Croix-Haute (26) 165 H 2
Lusanger (44) 83 F 1
Lusans (25) 95 E 4
Luscan (31) 205 G 2
Lusignac (24) 142 C 2
Lusignan (86) 115 E 2
Lusignan-Petit (47) 172 B 1
Lusigny (03) 120 B 1
Lusigny-sur-Barse (10) 74 A 1
Lusigny-sur-Ouche (21) 108 D 1
Lussac (16) 128 D 2
Lussac (17) 127 F 5
Lussac (33) 142 A 5
Lussac-les-Châteaux (86) 116 A 2
Lussac-les-Églises (87) 116 D 3
Lussagnet (40) 186 C 1
Lussagnet-Lusson (64) 186 D 4
Lussan (30) 178 C 2
Lussan (32) 188 B 2
Lussan-Adeilhac (31) 188 C 5
Lussant (17) 126 D 1
Lussas (07) 163 F 3
Lussas-et-Nontronneau (24) 129 E 5
Lussat (23) 118 C 4
Lussat (63) 133 F 2
Lussault-sur-Loire (37) 87 E 4
Lusse (88) 58 B 5
Lusseray (79) 114 C 5
Lustar (65) 187 G 5
Luthenay-Uxeloup (58) 106 D 4
Lutilhous (65) 205 E 1
Luttange (57) 21 F 4
Luttenbach-
près-Munster (68) 78 C 2
Lutter (68) 97 G 2
Lutterbach (68) 78 D 5
Lutz-en-Dunois (28) 69 H 3
Lutzelbourg (57) 58 C 1
Lutzelhouse (67) 58 C 3
Luvigny (88) 58 B 3
Lux (21) 93 G 3
Lux (31) 189 H 4
Lux (71) 109 E 4
Luxé (16) 128 B 2
Luxe-Sumberraute (64) 185 F 4
Luxémont-et-Villotte (51) 54 D 2
Luxeuil-les-Bains (70) 77 F 4
Luxey (40) 170 C 1
Luxiol (25) 95 F 3
Luyères (10) 54 A 5
Luynes (13) 195 H 3
Luynes (37) 86 C 4
Luz-Ardiden (65) 204 B 3
Luz-St-Sauveur (65) 204 B 4
Luzac (17) 126 C 2
Luzancy (77) 32 C 5
Luzarches (95) 31 F 4
Luzay (79) 101 F 3
Luzé (37) 102 B 2
Luze (70) 96 C 1
Luzech (46) 158 A 5
Luzenac (09) 207 F 5
Luzeret (36) 117 E 1
La Luzerne (50) 25 F 3
Luzillat (63) 133 G 2
Luzillé (37) 87 F 5
Luzinay (38) 136 B 4
Luzoir (02) 17 H 1
Luzy (58) 107 H 4
Luzy-St-Martin (55) 19 G 5
Luzy-sur-Marne (52) 75 G 3
Ly-Fontaine (02) 16 D 3
Lyas (07) 163 F 2
Lyaud (74) 125 E 2
Lye (36) 88 A 5
Lynck (59) 3 E 3
Lynde (59) 3 F 4
Lyoffans (70) 95 H 1
Lyon [R] (69) 135 H 3
Lyons-la-Forêt (27) 30 A 1
Lys (58) 91 F 4
Lys (64) 203 H 1
Lys-Chantilly (60) 31 F 3
Lys-lez-Lannoy (59) 4 D 3
Lys-St-Georges (36) 104 C 5

M

Maast-et-Violaine (02) 32 D 2
Maâtz (52) 94 A 1
Mably (42) 121 F 5
Macau (33) 141 E 5
Macaye (64) 184 D 4
Macé (61) 48 A 3
Macey (10) 73 G 1
Macey (50) 45 G 3
Machault (08) 34 B 1
Machault (77) 52 A 4
Maché (85) 99 E 4
Machecoul-St-Même (44) 98 D 2
Mâchecourt (02) 17 G 4
Machemont (60) 16 A 5
Macheren (57) 21 H 5
Machézal (42) 135 E 2
Machiel (80) 6 D 3
Machilly (74) 124 D 3
La Machine (58) 107 E 3
Machy (10) 73 H 2
Machy (80) 6 D 3
Mackenheim (67) 79 E 1
Mackwiller (67) 38 B 4
Maclas (42) 149 G 2
Maclaunay (51) 53 E 1
Macogny (02) 32 C 3
Mâcon [P] (71) 122 B 3
Maconcourt (52) 55 G 5
Maconcourt (88) 56 C 5
Maconge (21) 92 D 5
Macornay (39) 110 B 5
Mâcot-la-Plagne (73) 139 E 4
Macqueville (17) 127 H 3
Macquigny (02) 17 E 2
Madaillan (47) 172 B 1
Madecourt (88) 76 D 1
Madegney (88) 57 E 5
La Madelaine-
sous-Montreuil (62) 6 C 1
La Madeleine (30) 177 H 3
La Madeleine (50) 23 F 5
La Madeleine (59) 4 C 3
La Madeleine
(près de Guérande) (44) 82 A 3
La Madeleine
(près de Nantes) (44) 83 G 4
La Madeleine
(près de Pontchâteau) (44) 82 C 2
La Madeleine-Bouvet (61) 49 E 4
La Madeleine-
de-Nonancourt (27) 49 G 1
La Madeleine-sur-Loing (77) 71 H 2
La Madeleine-Villefrouin (41) 69 H 5
Madic (15) 146 A 2
Madière (09) 206 D 2
Madières (34) 177 E 5
Madirac (33) 155 G 2
Madiran (65) 186 D 3
Madonne-et-Lamerey (88) 77 E 1
La Madrague-de-la-Ville (13) 195 H 4
Madranges (19) 145 E 1
Madré (53) 47 F 4
Madriat (63) 147 E 1
Maël-Carhaix (22) 62 D 1
Maël-Pestivien (22) 42 D 5
Maennolsheim (67) 58 D 1
Maffliers (95) 31 F 4
Maffrécourt (51) 34 D 3
Magagnosc (06) 199 E 1
Magalas (34) 192 B 3
La Magdeleine (16) 115 E 5
La Magdeleine-sur-Tarn (31) 173 H 5
Le Mage (61) 49 E 4
Magenta (51) 33 G 4
Les Mages (30) 178 A 2
Magescq (40) 168 D 5
Magland (74) 125 F 5
Magnac-Bourg (87) 130 B 4
Magnac-Laval (87) 116 D 4
Magnac-
Lavalette-Villars (16) 128 C 5
Magnac-sur-Touvre (16) 128 C 4
Magnan (32) 186 D 1
Magnant (10) 74 B 2
Magnanville (78) 30 B 5
Magnas (32) 172 C 5
Magnat-l'Étrange (23) 131 H 3
Magné (79) 114 A 3
Magné (86) 115 G 3
Magnet (03) 120 B 4
Magneux (51) 33 F 2
Magneux (52) 55 F 4
Magneux-Haute-Rive (42) 134 D 4
Magneville (50) 22 D 4
Magnicourt (10) 54 B 4
Magnicourt-en-Comte (62) 7 H 2
Magnicourt-sur-Canche (62) 7 G 3
Magnien (21) 108 C 1
Magnières (54) 57 G 4
Magnieu (01) 137 G 3
Les Magnils-Reigniers (85) 113 E 1
Magnivray (70) 77 G 5
Magnoncourt (70) 77 F 4
Le Magnoray (70) 95 E 2
Magny (28) 49 G 5
Le Magny (36) 117 H 1
Magny (68) 97 E 1
Les Magny (70) 95 G 2
Le Magny (88) 77 E 3
Magny (89) 91 H 3
Magny-Châtelard (25) 95 F 5
Magny-Cours (58) 106 C 3
Magny-Danigon (70) 95 H 1
Magny-en-Bessin (14) 26 D 1
Magny-en-Vexin (95) 30 C 3
Magny-Fouchard (10) 74 C 1
Magny-Jobert (70) 95 H 1
Magny-la-Campagne (14) 27 H 4
Magny-la-Fosse (02) 16 D 1
Magny-la-Ville (21) 92 C 3
Magny-Lambert (21) 92 C 1
Magny-le-Désert (61) 47 F 3
Magny-le-Freule (14) 27 H 3
Magny-le-Hongre (77) 52 A 1
Magny-lès-Aubigny (21) 109 G 1
Magny-les-Hameaux (78) 50 D 2
Magny-lès-Jussey (70) 76 D 4
Magny-lès-Villers (21) 109 E 1
Magny-Lormes (58) 91 F 5
Magny-Montarlot (21) 93 H 5
Magny-St-Médard (21) 93 H 4
Magny-sur-Tille (21) 93 G 5
Magny-Vernois (70) 95 G 1
Magoar (22) 43 E 5
Magrie (11) 208 A 2
Magrigne (33) 141 F 4
Magrin (81) 190 A 2
Magstatt-le-Bas (68) 97 G 1
Magstatt-le-Haut (68) 97 G 1
Mahalon (29) 61 E 2
Mahéru (61) 48 C 2
Maîche (25) 96 C 4
Maidières (54) 36 D 5
Maignaut-Tauzia (32) 172 A 5
Maigné (72) 67 H 4
Maignelay-Montigny (60) 15 G 5
Mailhac (11) 191 G 5
Mailhac-sur-Benaize (87) 117 E 3
Mailhoc (81) 174 D 4
Mailholas (31) 189 E 5
Maillane (13) 179 E 5
Maillas (40) 171 E 1
Maillat (01) 123 G 5
Maillé (37) 102 C 2
Maillé (85) 113 G 3
Maillé (86) 101 H 5
Maillebois (28) 49 G 3
La Mailleraye-sur-Seine (76) 13 E 5
Maillères (40) 170 D 3
Mailleroncourt-Charette (70) 77 F 5
Mailleroncourt-
St-Pancras (70) 77 E 4
Maillet (03) 119 E 2
Maillet (36) 117 G 1
Mailley-et-Chazelot (70) 94 D 2
Maillezais (85) 113 H 2
Maillot (89) 72 D 2
Mailly (71) 121 F 4
Mailly-Champagne (51) 33 H 3
Mailly-la-Ville (89) 91 F 2
Mailly-le-Camp (10) 54 A 2
Mailly-le-Château (89) 91 F 2
Mailly-Maillet (80) 7 H 5
Mailly-Raineval (80) 15 G 3
Mailly-sur-Seille (54) 37 E 5
Les Maillys (21) 109 H 1
Maimbeville (60) 31 G 1
Mainbresson (08) 18 A 3
Mainbressy (08) 18 A 3
Maincy (77) 51 H 4
Maine-de-Boixe (16) 128 A 1
Mainfonds (16) 128 A 5
Maing (59) 9 E 3
Mainneville (27) 30 B 1
Mainsat (23) 131 H 1
Maintenay (62) 6 D 2
Maintenon (28) 50 A 3
Mainterne (28) 49 G 2
Mainvillers (57) 37 G 4
Mainvilliers (28) 50 A 4
Mainvilliers (45) 71 F 1
Mainxe (16) 127 H 4
Mainzac (16) 128 D 5
Mairé (86) 102 D 3
Mairé-Levescault (79) 115 E 5
Mairieux (59) 9 H 3
Mairy (08) 19 F 4
Mairy-Mainville (54) 20 C 4
Mairy-sur-Marne (51) 34 B 5
Maisdon-sur-Sèvre (44) 99 G 1
Maisey-le-Duc (21) 74 D 5
Maisnières (80) 14 B 1
Le Maisnil (59) 4 B 4
Maisnil (62) 7 G 3
Maisnil-lès-Ruitz (62) 7 H 2
Maisod (39) 123 H 1
Maison-des-Champs (10) 74 C 1
La Maison-Dieu (58) 91 F 4
Maison-Feyne (23) 117 G 3
Maison-Jeannette (24) 143 E 5
Maison-Maugis (61) 48 D 4
Maison-Neuve (10) 74 D 1
Maison-Neuve (16) 128 D 5
Maison-Ponthieu (80) 7 E 4
Maison-Roland (80) 7 E 5
Maison-Rouge (77) 52 C 3
Maisoncelle (62) 7 F 2
Maisoncelle-et-Villers (08) 19 E 4
Maisoncelle-St-Pierre (60) 15 E 5
Maisoncelle-Tuilerie (60) 15 F 4
Maisoncelles (52) 76 A 2
Maisoncelles (72) 68 C 4
Maisoncelles-du-Maine (53) 66 D 3
Maisoncelles-en-Brie (77) 52 B 1
Maisoncelles-
en-Gâtinais (77) 71 H 2
Maisoncelles-la-Jourdan (14) 46 C 1
Maisoncelles-Pelvey (14) 26 D 4
Maisoncelles-sur-Ajon (14) 27 E 4
Maisonnais (18) 105 E 5
Maisonnais-sur-Tardoire (87) 129 F 4
Maisonnay (79) 114 D 4
Maisonneuve (15) 160 D 2
Maisonneuve (86) 101 H 5
Maisonnisses (23) 131 E 1
Maisons (11) 208 D 3
Maisons (14) 25 H 1
Maisons (28) 50 C 5
Maisons-Alfort (94) 51 F 1
Les Maisons Blanches (79) 115 E 5
Maisons-
du-Bois-Lièvremont (25) 111 G 2
Maisons-en-Champagne (51) 54 C 2
Maisons-Laffitte (78) 31 E 5
Maisons-lès-Chaource (10) 74 A 3
Maisons-lès-Soulaines (10) 74 D 1
Maisonsgoutte (67) 58 C 4
Maisontiers (79) 101 F 4
Maisse (91) 51 F 5
Maissemy (02) 16 C 2
Maixe (54) 57 F 2
Maizeray (55) 36 B 3
Maizeroy (57) 37 F 3
Maizery (57) 37 E 3
Maizet (14) 27 E 4
Maizey (55) 36 A 5
Maizicourt (80) 7 F 4
Maizière (58) 90 B 5
Maizières (14) 27 G 4
Maizières (52) 55 F 4
Maizières (54) 56 D 3
Maizières (62) 7 H 3
Maizières (70) 94 D 2
Maizières-
la-Grande-Paroisse (10) 53 F 4
Maizières-lès-Brienne (10) 54 C 4
Maizières-lès-Metz (57) 21 E 5
Maizières-lès-Vic (57) 57 H 1
Maizières-sur-Amance (52) 76 B 5
Maizilly (42) 121 G 4
Maizy (02) 33 F 1
Majastres (04) 181 G 4
Malabat (32) 187 F 4
La Malachère (70) 95 E 3
Malafretaz (01) 122 D 3
Mâlain (21) 93 E 4
Malaincourt (88) 76 B 1
Malaincourt-sur-Meuse (52) 76 A 2
Malakoff (92) 51 F 1
Malamaire (06) 182 B 5
Malancourt (55) 35 G 2
Malandry (08) 19 G 4
Malange (39) 94 B 5
Malangle (19) 145 E 3
Malans (25) 110 D 1
Malans (70) 94 B 5
Malansac (56) 64 B 5
Malarce-sur-la-Thines (07) 162 C 5
Malassis (91) 50 D 3
Malataverne (26) 163 G 4
Malaucène (84) 179 H 2
Malaucourt-sur-Seille (57) 37 F 5
Malaunay (76) 13 G 5
Malause (82) 173 E 3
Malaussanne (64) 186 B 2
Malaussène (06) 183 E 4
Malauzat (63) 133 E 2
Malavieille (48) 162 A 5
Malaville (16) 128 A 5
Malavillers (54) 20 C 3
Malay (71) 122 A 1
Malay-le-Grand (89) 72 D 2
Malay-le-Petit (89) 72 D 2
Malbo (15) 146 C 5
Malbosc (07) 178 A 1
Malbosc (30) 178 A 2
Malbouhans (70) 77 G 5
Malbouzon (48) 161 E 3
Malbrans (25) 111 E 1
Malbuisson (25) 111 F 3
Mâle (61) 68 D 1
Malegoude (09) 207 G 2
Malemort (19) 144 C 3
Malemort-du-Comtat (84) 179 H 3
La Malène (48) 176 D 1
Malesherbes (45) 71 F 1
Malestroit (56) 64 A 4
Malétable (61) 48 D 3
Maleville (12) 159 G 5
Malfalco (Anse de) (2B) 215 E 3
Malguénac (56) 63 F 3
Malherbe-sur-Ajon (14) 27 E 4
La Malhoure (22) 44 A 4
Malicornay (36) 117 G 1
Malicorne (03) 119 F 3
Malicorne (89) 72 B 5
Malicorne-sur-Sarthe (72) 67 G 5
Maligny (21) 108 C 1
Maligny (89) 73 F 4
Malijai (04) 181 E 3
Malincourt (59) 9 E 5
Malintrat (63) 133 F 3
Malissard (26) 164 C 1
Mallefougasse-Augès (04) 180 D 3
Malleloy (54) 56 D 1
Mallemoisson (04) 181 F 3
Mallemort (13) 195 G 1
Malléon (09) 207 F 2
Malleret (23) 131 H 3
Malleret-Boussac (23) 118 B 3
Mallerey (39) 110 A 5
Malleval (42) 149 G 1
Malleval-en-Vercors (38) 151 E 3
Malleville-les-Grès (76) 12 D 2
Malleville-sur-le-Bec (27) 29 E 2
Mallièvre (85) 100 B 3
Malling (57) 21 E 3
Malloué (14) 25 G 5
La Malmaison (02) 17 H 5
Malmerspach (68) 78 B 4
Malmy (51) 34 D 3
Malo-les-Bains (59) 3 F 1
Malons-et-Elze (30) 162 C 5
Malouy (27) 28 C 3
Malpart (80) 15 G 3
Malpas (25) 111 F 3
Malpas (43) 148 B 5
Malras (11) 208 A 2
Malrevers (43) 148 B 4
Malroy (57) 21 E 5
Maltat (71) 107 G 5
Maltot (14) 27 F 3
Malval (23) 117 H 3
Malvalette (43) 148 C 2
Malves-en-Minervois (11) 191 E 5
Malvezie (31) 205 G 3
Malvières (43) 148 A 2
Malviès (11) 208 A 2
Malville (44) 82 D 3
Malvillers (70) 76 C 5
Malzéville (54) 57 E 2
Le Malzieu-Forain (48) 161 G 1
Le Malzieu-Ville (48) 161 F 1
Malzy (02) 17 F 1
Mamers [SP] (72) 48 B 5
Mametz (62) 3 F 5
Mametz (80) 16 A 1
Mamey (54) 36 C 5
Mamirolle (25) 95 E 5
Manas (26) 164 C 3
Manas-Bastanous (32) 187 G 4
Manaurie (24) 143 H 5
Mance (54) 20 C 4
La Mancelière (28) 49 F 3
La Mancellière (50) 46 A 2
La Mancellière-sur-Vire (50) 25 F 3
Mancenans (25) 95 G 3
Mancenans-Lizerne (25) 96 C 4
Mancey (71) 122 B 1
Manchecourt (45) 71 F 1
Manciet (32) 171 G 5
Mancieulles (54) 20 C 4
Mancioux (31) 206 A 1
Mancy (51) 33 G 5
Mandagout (30) 177 F 4
Mandailles-St-Julien (15) 146 B 4
Mandajors (30) 177 H 2
Mandelieu-la-Napoule (06) 199 E 2
Manderen (57) 21 F 2
Mandeure (25) 96 C 2
Mandeville (27) 29 F 3
Mandeville-en-Bessin (14) 25 H 1
Mandray (88) 78 B 1
Mandres (27) 49 E 2
Mandres-
aux-Quatre-Tours (54) 56 B 1

Localité *(Département)* Page Coordonnées

Mandres-en-Barrois *(55)* 55 H 4
Mandres-la-Côte *(52)* 75 H 3
Mandres-les-Roses *(94)* 51 G 2
Mandres-sur-Vair *(88)* 76 C 1
Mandrevillars *(70)* 96 C 1
Manduel *(30)* 178 C 5
Mane *(04)* 180 D 4
Mane *(31)* 206 A 2
Manéglise *(76)* 12 B 4
Manéhouville *(76)* 13 G 2
Manent-Montané *(32)* 188 A 5
Manerbe *(14)* 28 A 3
Mangiennes *(55)* 20 A 4
Manglieu *(63)* 133 G 5
Mangonville *(54)* 57 E 4
Manhac *(12)* 175 F 2
Manheulles *(55)* 36 A 3
Manhoué *(57)* 37 F 5
Manicamp *(02)* 16 C 4
Manigod *(74)* 138 C 2
Manin *(62)* 7 H 3
Maninghem *(62)* 7 E 1
Maninghen-Henne *(62)* 2 B 4
Maniquerville *(76)* 12 C 3
Manlay *(21)* 108 B 1
Manneville-ès-Plains *(76)* 13 E 2
Manneville-la-Goupil *(76)* 12 C 4
Manneville-la-Pipard *(14)* 28 A 2
Manneville-la-Raoult *(27)* 28 B 1
Manneville-sur-Risle *(27)* 28 C 1
Mannevillette *(76)* 12 B 4
Mano *(40)* 155 E 5
Le Manoir *(14)* 27 E 2
Le Manoir *(27)* 29 G 2
Manois *(52)* 75 H 1
Manom *(57)* 21 E 3
Manoncourt-en-Vermois *(54)* 57 E 2
Manoncourt-en-Woëvre *(54)* 56 C 1
Manonville *(54)* 56 C 1
Manonviller *(54)* 57 G 3
Manosque *(04)* 180 D 5
Manot *(16)* 129 E 2
Manou *(28)* 49 F 4
Manre *(08)* 34 C 2
Le Mans [P] *(72)* 68 A 3
Mansac *(19)* 144 B 3
Mansan *(65)* 187 F 4
Mansat-la-Courrière *(23)* 131 E 1
Mansempuy *(32)* 188 B 1
Mansencôme *(32)* 172 A 5
Manses *(09)* 207 F 2
Mansigné *(72)* 68 A 5
Mansle *(16)* 128 C 2
Manso *(2B)* 216 C 2
Mansonville *(82)* 172 D 4
Manspach *(68)* 97 E 1
Mant *(40)* 186 B 2
Mantallot *(22)* 43 E 2
Mantarville *(28)* 50 C 5
Mantenay-Montlin *(01)* 122 D 2
Mantes-la-Jolie [SP] *(78)* 30 B 5
Mantes-la-Ville *(78)* 30 B 5
Mantet *(66)* 212 B 4
Manteyer *(05)* 166 A 4
Manthelan *(37)* 102 D 1
Manthelon *(27)* 29 F 5
Manthes *(26)* 150 C 2
Mantilly *(61)* 46 C 3
Mantoche *(70)* 94 A 3
Mantry *(39)* 110 B 4
Manvieux *(14)* 26 D 1
Many *(57)* 37 G 4
Manzac-sur-Vern *(24)* 143 E 4
Manzat *(63)* 133 E 1
Manziat *(01)* 122 C 3
Maquens *(11)* 208 B 1
Marac *(52)* 75 G 4
Marainville-sur-Madon *(88)* 57 E 4
Marainviller *(54)* 57 G 2
Le Marais-la-Chapelle *(14)* 27 H 5
Marais-Vernier *(27)* 28 C 1
Marambat *(32)* 187 G 1
Marandeuil *(21)* 93 H 4
Marange-Silvange *(57)* 20 D 5
Marange-Zondrange *(57)* 21 G 5
Marangea *(39)* 123 G 1
Marans *(17)* 113 F 3
Marans *(49)* 84 C 1
Maransin *(33)* 141 H 4
Marant *(62)* 6 D 2
Maranville *(52)* 75 E 2
Maranwez *(08)* 18 B 3
Marast *(70)* 95 F 2
Marat *(63)* 134 A 4
Marat-la-Grande *(55)* 35 G 5
Marault *(52)* 75 F 1
Maraussan *(34)* 192 A 4
Maravat *(32)* 188 B 1
Maray *(41)* 88 C 5
Maraye-en-Othe *(10)* 73 G 2
Marbache *(54)* 56 D 1
Marbaix *(59)* 9 H 4
Marbeuf *(27)* 29 F 3
Marbéville *(52)* 75 F 1
Marboué *(28)* 69 H 2
Marboz *(01)* 123 E 3
Marby *(08)* 10 C 5
Marc-la-Tour *(19)* 145 E 3
Marçais *(18)* 105 F 5
Marçay *(37)* 102 A 1
Marçay *(86)* 115 F 2
Marcé *(49)* 85 F 2
Marcé-sur-Esves *(37)* 102 D 2
Marcei *(61)* 47 H 2
Marcelcave *(80)* 15 H 2
Marcellaz *(74)* 124 D 4
Marcellaz-Albanais *(74)* 138 A 2
Marcellois *(21)* 92 D 4
Marcellus *(47)* 156 B 4
Marcenais *(33)* 141 G 4
Marcenat *(03)* 120 A 4
Marcenat *(15)* 146 C 2
Marcenay *(21)* 74 B 4
Marcenod *(42)* 135 F 5
Marcevol *(66)* 212 C 2
Marcey-les-Grèves *(50)* 45 H 2
Marchainville *(61)* 49 E 3
Marchais *(02)* 17 G 4
Marchais-Beton *(89)* 72 B 5
Marchais-en-Brie *(02)* 53 E 1
Marchal *(15)* 146 B 1
Marchamp *(01)* 137 F 3
Marchampt *(69)* 122 A 5
Marchastel *(15)* 146 B 2
Marchastel *(48)* 161 E 3
Marchaux *(25)* 95 E 4
La Marche *(58)* 106 B 1
Marché-Allouarde *(80)* 16 A 3
Marchélepot *(80)* 16 A 2
Marchemaisons *(61)* 48 B 4
Marchémoret *(77)* 31 H 4
Marchenoir *(41)* 69 H 5
Marcheprime *(33)* 154 D 2
Marches *(26)* 150 C 5
Les Marches *(73)* 138 A 5
Marcheseuil *(21)* 108 B 1
Marchésieux *(50)* 25 E 2
Marchéville *(28)* 49 G 5
Marcheville *(80)* 6 D 4
Marchéville-en-Woëvre *(55)* 36 A 3
Marchezais *(28)* 50 A 2
Marchiennes *(59)* 4 D 5
Marciac *(32)* 187 F 3
Marcieu *(38)* 151 G 5
Marcieux *(73)* 137 G 4
Marcigny *(71)* 121 E 4
Marcigny-sous-Thil *(21)* 92 B 4
Marcilhac-sur-Célé *(46)* 158 D 4
Marcillac *(33)* 141 F 2
Marcillac-la-Croisille *(19)* 145 F 3
Marcillac-la-Croze *(19)* 144 D 5
Marcillac-Lanville *(16)* 128 B 2
Marcillac-St-Quentin *(24)* 144 A 5
Marcillac-Vallon *(12)* 160 A 5
Marcillat *(63)* 119 G 5
Marcillat-
en-Combraille *(03)* 119 E 5
Marcillé-la-Ville *(53)* 47 E 5
Marcillé-Raoul *(35)* 45 F 4
Marcillé-Robert *(35)* 65 H 3
Marcilloles *(38)* 150 D 2
Marcilly *(50)* 46 A 2
Marcilly *(58)* 91 F 5
Marcilly *(77)* 32 A 4
Marcilly-d'Azergues *(69)* 135 H 2
Marcilly-en-Bassigny *(52)* 76 A 4
Marcilly-en-Beauce *(41)* 69 F 5
Marcilly-en-Gault *(41)* 88 C 3
Marcilly-en-Villette *(45)* 70 D 5
Marcilly-et-Dracy *(21)* 92 C 4
Marcilly-la-Campagne *(27)* 49 G 1
Marcilly-la-Gueurce *(71)* 121 G 2
Marcilly-le-Châtel *(42)* 134 C 4
Marcilly-le-Hayer *(10)* 53 F 5
Marcilly-lès-Buxy *(71)* 108 D 5
Marcilly-Ogny *(21)* 92 B 5
Marcilly-sur-Eure *(27)* 49 H 1
Marcilly-sur-Maulne *(37)* 86 A 2
Marcilly-sur-Seine *(51)* 53 F 3
Marcilly-sur-Tille *(21)* 93 G 2
Marcilly-sur-Vienne *(37)* 102 C 2
Marck *(62)* 2 C 2
Marckolsheim *(67)* 79 E 1
Marclopt *(42)* 135 E 4
Marcoing *(59)* 8 D 5
Marcolès *(15)* 159 H 2
Marcollin *(38)* 150 C 2
Marcols-les-Eaux *(07)* 163 E 1
Marçon *(72)* 86 C 1
Marconne *(62)* 7 E 2
Marconnelle *(62)* 7 E 2
Marcorignan *(11)* 209 F 1
Marcoussis *(91)* 51 E 3
Marcoux *(04)* 181 G 2
Marcoux *(42)* 134 C 4
Marcq *(08)* 35 E 1
Marcq *(78)* 50 C 1
Marcq-en-Barœul *(59)* 4 C 3
Marcq-en-Ostrevant *(59)* 8 D 3
Marcy *(02)* 17 E 2
Marcy *(58)* 90 D 4
Marcy *(69)* 135 G 2
Marcy-l'Étoile *(69)* 135 H 3
Marcy-sous-Marle *(02)* 17 G 3
Mardeuil *(51)* 33 G 4
Mardié *(45)* 70 D 4
Mardilly *(61)* 48 B 1
Mardor *(52)* 75 G 4
Mardore *(69)* 121 G 5
Mardyck *(59)* 3 E 2
Mareau-aux-Bois *(45)* 71 E 2
Mareau-aux-Prés *(45)* 70 C 5
Mareil-en-Champagne *(72)* 67 G 3
Mareil-en-France *(95)* 31 F 4
Mareil-le-Guyon *(78)* 50 C 1
Mareil-Marly *(78)* 50 D 1
Mareil-sur-Loir *(72)* 85 H 1
Mareil-sur-Mauldre *(78)* 30 C 5
Mareilles *(52)* 75 G 1
Marenla *(62)* 6 D 2
Marennes *(17)* 126 B 2
Marennes *(69)* 136 B 4
Maresché *(72)* 68 A 1
Maresches *(59)* 9 F 3
Maresquel-Ecquemicourt *(62)* 7 E 2
Marest *(62)* 7 G 2
Marest-Dampcourt *(02)* 16 C 4
Marest-sur-Matz *(60)* 16 A 5
Marestaing *(32)* 188 D 2
Marestmontiers *(80)* 15 H 3
Maresville *(62)* 6 C 1
Les Marêts *(77)* 52 D 2
Maretz *(59)* 9 E 5
Mareugheol *(63)* 147 E 1
Mareuil *(16)* 127 H 3
Mareuil *(24)* 142 D 1
Mareuil-Caubert *(80)* 6 D 5
Mareuil-en-Brie *(51)* 33 F 5
Mareuil-en-Dôle *(02)* 33 E 2
Mareuil-la-Motte *(60)* 16 A 5
Mareuil-le-Port *(51)* 33 F 4
Mareuil-lès-Meaux *(77)* 32 A 5
Mareuil-sur-Arnon *(18)* 105 E 3
Mareuil-sur-Ay *(51)* 33 H 4
Mareuil-sur-Cher *(41)* 87 H 5
Mareuil-sur-Lay-
Dissais *(85)* 113 E 1
Mareuil-sur-Ourcq *(60)* 32 B 3
Marey *(88)* 76 C 2
Marey-lès-Fussey *(21)* 109 E 1
Marey-sur-Tille *(21)* 93 F 2
Marfaux *(51)* 33 G 3
Marfontaine *(02)* 17 G 2
Margaux *(33)* 141 E 4
Margencel *(74)* 124 D 2
Margency *(95)* 31 F 5
Margerides *(19)* 145 H 1
Margerie-Chantagret *(42)* 134 D 5
Margerie-Hancourt *(51)* 54 C 3
Margès *(26)* 150 C 3
Margilley *(70)* 94 A 1
Margival *(02)* 32 D 1
Le Margnès *(81)* 191 F 2
Margny *(08)* 19 H 4
Margny *(51)* 33 F 5
Margny-aux-Cerises *(60)* 16 A 4
Margny-lès-Compiègne *(60)* 32 A 1
Margny-sur-Matz *(60)* 16 A 5
Margon *(28)* 49 E 5
Margon *(34)* 192 B 3
Margouët-Meymes *(32)* 187 F 1
Margueray *(50)* 25 F 5
Marguerittes *(30)* 178 C 5
Margueron *(33)* 156 C 2
Marguestau *(32)* 171 F 5
Margut *(08)* 19 G 4
Mariac *(07)* 163 E 1
Maricourt *(80)* 16 A 1
Marie *(06)* 183 E 3
Marienau *(57)* 37 H 2
Marienthal *(67)* 39 F 5
Marieulles *(57)* 36 D 4
Marieux *(80)* 7 G 5
Marigna-sur-Valouse *(39)* 123 G 2
Marignac *(17)* 127 F 5
Marignac *(31)* 205 G 3
Marignac *(82)* 172 D 5
Marignac-en-Diois *(26)* 165 E 1
Marignac-Lasclares *(31)* 188 D 5
Marignac-Laspeyres *(31)* 206 A 1
Marignana *(2A)* 216 C 3
Marignane *(13)* 195 G 4
Marigné *(49)* 84 D 1
Marigné-Laillé *(72)* 68 B 5
Marigné-Peuton *(53)* 66 C 4
Marignier *(74)* 125 E 5
Marignieu *(01)* 137 G 2
Marigny *(03)* 119 H 1
Marigny *(39)* 110 C 5
Marigny *(51)* 53 G 2
Marigny *(71)* 108 C 5
Marigny *(79)* 114 B 4
Marigny-Brizay *(86)* 102 B 4
Marigny-Chemereau *(86)* 115 F 2
Marigny-en-Orxois *(02)* 32 C 4
Marigny-le-Cahouët *(21)* 92 C 3
Marigny-le-Châtel *(10)* 53 F 5
Marigny-le-Lozon *(50)* 25 E 3
Marigny-l'Église *(58)* 91 H 4
Marigny-lès-Reullée *(21)* 109 F 2
Marigny-les-Usages *(45)* 70 D 4
Marigny-Marmande *(37)* 102 C 2
Marigny-St-Marcel *(74)* 138 A 2
Marigny-sur-Yonne *(58)* 91 F 5
Marillac-le-Franc *(16)* 128 D 3
Le Marillais *(49)* 84 A 4
Marillet *(85)* 113 H 1
Marimbault *(33)* 155 G 5
Marimont-lès-Bénestroff *(57)* 37 H 5
Marin *(74)* 125 E 2
Marines *(95)* 30 D 3
Maringes *(42)* 135 E 4
Maringues *(63)* 133 G 2
Mariol *(03)* 133 H 1
Marions *(33)* 155 H 5
Marizy-St-Mard *(02)* 32 C 3
Marizy-Ste-Geneviève *(02)* 32 C 3
Le Markstein *(68)* 78 B 3
Marle *(02)* 17 G 3
Marlemont *(08)* 18 B 3
Marlenheim *(67)* 58 D 2
Marlens *(74)* 138 C 3
Marlers *(80)* 14 D 3
Marles-en-Brie *(77)* 52 A 2
Marles-les-Mines *(62)* 7 H 1
Marles-sur-Canche *(62)* 6 D 2
Marlhes *(42)* 149 E 2
Marliac *(31)* 206 D 1
Marliens *(21)* 93 G 5
Marlieux *(01)* 122 D 5
Marlioz *(74)* 124 B 5
Marly *(57)* 36 D 3
Marly *(59)* 9 F 3
Marly-Gomont *(02)* 17 G 1
Marly-la-Ville *(95)* 31 G 4
Marly-le-Roi *(78)* 50 D 1
Marly-sous-Issy *(71)* 107 H 5
Marly-sur-Arroux *(71)* 121 F 1
Marmagne *(18)* 105 F 1
Marmagne *(21)* 92 B 2
Marmagne *(71)* 108 B 4
Marmande [SP] *(47)* 156 B 4
Marmanhac *(15)* 146 A 5
Marmeaux *(89)* 91 H 2
Marmesse *(52)* 75 E 3
Marminiac *(46)* 158 A 3
Marmont-Pachas *(47)* 172 B 3
Marmouillé *(61)* 48 A 2
Marmoutier *(67)* 58 D 1
Marnac *(24)* 157 H 1
Marnand *(69)* 135 E 1
Marnans *(38)* 150 D 2
Marnaval *(52)* 55 F 3
Marnaves *(81)* 174 C 3
Marnay *(70)* 94 C 4
Marnay *(71)* 109 F 5
Marnay *(86)* 115 F 2
Marnay-sur-Marne *(52)* 75 G 3
Marnay-sur-Seine *(10)* 53 E 4
Marnaz *(74)* 125 E 5
La Marne *(44)* 99 E 2
Marne-la-Vallée *(11)* 51 H 1
Marnefer *(61)* 28 C 5
Marnes *(79)* 101 G 3
Marnes-la-Coquette *(92)* 51 E 1
Marnézia *(39)* 123 G 1
Marnhagues-et-Latour *(12)* 176 B 5
Marnoz *(39)* 110 C 2
Marœuil *(62)* 8 A 3
Maroilles *(59)* 9 G 4
La Marolle-en-Sologne *(41)* 88 B 2
Marolles *(14)* 28 B 3
Marolles *(28)* 50 A 2
Marolles *(41)* 87 H 1
Marolles *(51)* 54 C 2
Marolles *(60)* 32 B 3
Marolles-en-Beauce *(91)* 51 E 5
Marolles-en-Brie *(77)* 52 C 1
Marolles-en-Brie *(94)* 51 G 2
Marolles-en-Hurepoix *(91)* 51 F 3
Marolles-lès-Bailly *(10)* 74 B 2
Marolles-les-Braults *(72)* 68 B 1
Marolles-les-Buis *(28)* 49 E 5
Marolles-lès-St-Calais *(72)* 69 E 4
Marolles-sous-Lignières *(10)* 73 G 4
Marolles-sur-Seine *(77)* 52 B 5
Marollette *(72)* 48 B 5
Marols *(42)* 148 C 1
Maromme *(76)* 13 G 5
Mâron *(36)* 104 C 4
Maron *(54)* 56 D 2
Maroncourt *(88)* 77 E 1
Maroué *(22)* 44 A 4
Marpain *(39)* 94 B 5
Marpaps *(40)* 185 H 2
Marpent *(59)* 10 A 1
Marpiré *(35)* 65 H 2
Marquaix *(80)* 16 C 1
Marquay *(24)* 143 H 5
Marquay *(62)* 7 G 2
Marquefave *(31)* 189 E 5
Marquéglise *(60)* 16 A 5
Marquein *(11)* 189 H 5
Marquerie *(65)* 187 F 5
Marques *(76)* 14 C 3
Marquette *(59)* 4 C 3
Marquette-en-Ostrevant *(59)* 8 D 3
Marquigny *(08)* 18 D 4
Marquillies *(59)* 4 B 4
Marquion *(62)* 8 C 4
Marquise *(62)* 2 B 3
Marquivillers *(80)* 15 H 4
Marquixanes *(66)* 212 C 3
Marrault *(89)* 91 H 3
Marray *(37)* 86 D 2
La Marre *(39)* 110 B 4
Marre *(55)* 35 G 2
Mars *(07)* 149 E 5
Les Mars *(23)* 132 B 1
Mars *(30)* 177 E 4
Mars *(42)* 121 G 5
Mars-la-Tour *(54)* 36 C 3
Mars-sous-Bourcq *(08)* 34 C 1
Mars-sur-Allier *(58)* 106 B 3
Marsa *(11)* 208 A 4
Marsac *(16)* 128 B 3
Marsac *(23)* 117 F 5
Marsac *(44)* 82 B 4
Marsac *(65)* 187 E 5
Marsac *(82)* 172 D 4
Marsac-en-Livradois *(63)* 148 A 1
Marsac-sur-Don *(44)* 83 F 1
Marsac-sur-l'Isle *(24)* 143 E 3
Marsainvilliers *(45)* 71 F 1
Marsais *(17)* 113 H 5
Marsais-Ste-Radégonde *(85)* 113 G 1
Marsal *(57)* 57 G 1
Marsal *(81)* 175 E 4
Marsalès *(24)* 157 G 3
Marsan *(32)* 188 B 2
Marsaneix *(24)* 143 F 4
Marsangis *(51)* 53 G 3
Marsangy *(89)* 72 C 2
Marsannay-la-Côte *(21)* 93 F 5
Marsannay-le-Bois *(21)* 93 G 3
Marsanne *(26)* 163 H 3
Marsas *(33)* 141 G 4
Marsas *(65)* 204 D 2
Marsat *(63)* 133 E 2
Marsaz *(26)* 150 B 4
Marseillan *(32)* 187 G 3
Marseillan *(34)* 192 D 4
Marseillan *(65)* 187 F 5
Marseillan-Plage *(34)* 192 D 5
Marseille [R] *(13)* 195 H 5
Marseille-en-Beauvaisis *(60)* 14 D 4
Marseilles-lès-Aubigny *(18)* 106 B 2
Marseillette *(11)* 208 C 1
Marsillargues *(34)* 193 H 2
Marsilly *(17)* 113 E 4
Marsilly *(57)* 37 E 3
Marsolan *(32)* 172 B 4
Marson *(51)* 34 C 5
Marson-sur-Barboure *(55)* 55 H 2
Marsonnas *(01)* 122 D 3
Marsoulas *(31)* 206 A 2
Marssac-sur-Tarn *(81)* 174 C 5
Martagny *(27)* 30 B 1
Martailly-lès-Brancion *(71)* 122 B 1
Martainneville *(80)* 14 C 1
Martainville *(14)* 27 F 5
Martainville *(27)* 28 C 2
Martainville-Épreville *(76)* 13 H 5
Martaizé *(86)* 101 H 3
Martel *(46)* 158 C 1
Marthemont *(54)* 56 D 3
Marthille *(57)* 37 G 5
Marthod *(73)* 138 C 3
Marthon *(16)* 128 D 4
Martiel *(12)* 159 E 5
Martigna *(39)* 123 H 2
Martignac *(46)* 157 H 4
Martignargues *(30)* 178 A 3
Martignas-sur-Jalle *(33)* 154 D 1
Martignat *(01)* 123 G 4
Martigné-Briand *(49)* 85 E 5
Martigné-Ferchaud *(35)* 65 H 4
Martigné-sur-Mayenne *(53)* 66 D 1
Martigny *(02)* 10 A 5
Martigny *(50)* 46 A 3
Martigny *(76)* 13 H 2
Martigny-Courpierre *(02)* 17 F 5
Martigny-le-Comte *(71)* 121 G 1
Martigny-les-Bains *(88)* 76 C 2
Martigny-les-Gerbonvaux *(88)* 56 B 4
Martigny-sur-l'Ante *(14)* 27 F 5
Martigues *(13)* 195 F 4
Martillac *(33)* 155 F 2
Martin-Église *(76)* 13 G 1
Martin-Plage *(22)* 43 H 4
Martincourt *(54)* 36 C 5
Martincourt *(60)* 14 D 5
Martincourt-sur-Meuse *(55)* 19 G 5
Le Martinet *(30)* 178 A 1
Le Martinet *(48)* 177 G 2
Martinet *(85)* 99 E 5
Martinpuich *(62)* 8 A 5
Martinvast *(50)* 22 C 3
Martinvelle *(88)* 76 D 3
Martisserre *(31)* 188 C 4
Martizay *(36)* 103 F 4
Martot *(27)* 29 F 2
Martragny *(14)* 27 E 2
La Martre *(83)* 182 A 5
Martres *(33)* 155 H 2
Les Martres-d'Artière *(63)* 133 G 3
Martres-de-Rivière *(31)* 205 G 2
Les Martres-de-Veyre *(63)* 133 F 4
Martres-sur-Morge *(63)* 133 F 2
Martres-Tolosane *(31)* 206 A 1
Martrin *(12)* 175 G 4
Martrois *(21)* 92 C 4
La Martyre *(29)* 41 G 4
Les Martys *(11)* 190 D 4
Maruéjols-lès-Gardon *(30)* 178 A 4
Marval *(87)* 129 F 4
Marvaux-Vieux *(08)* 34 D 2
Marvejols *(48)* 161 F 4
Marvelise *(25)* 95 H 2
Marville *(55)* 20 A 3
Marville-les-Bois *(28)* 49 H 3
Marville-Moutiers-Brûlé *(28)* 49 H 2
Mary *(71)* 108 C 5
Mary-sur-Marne *(77)* 32 B 4
Marzan *(56)* 82 B 2
Marzens *(81)* 190 A 2
Marzy *(58)* 106 B 2
Le Mas *(06)* 182 C 4
Mas-Blanc-des-Alpilles *(13)* 179 E 5
Mas-Cabardès *(11)* 190 D 4
Le Mas-d'Agenais *(47)* 156 B 5
Le Mas-d'Artige *(23)* 131 G 3
Mas-d'Auvignon *(32)* 172 B 5
Le Mas-d'Azil *(09)* 206 C 2
Mas de Capette *(30)* 194 A 3
Le Mas de la Vieille-Eglise *(30)* 178 C 3
Mas-de-Londres *(34)* 193 E 1
Mas-de-Ranguy *(30)* 194 C 1
Le Mas-de-Tence *(43)* 149 E 4
Mas-des-Cours *(11)* 208 B 2
Mas des Dunes *(34)* 193 F 4
Mas d'Icard *(13)* 194 A 3
Mas-d'Orcières *(48)* 162 A 4
Mas du Gras *(07)* 163 F 5
Mas-Grenier *(82)* 173 F 5
Mas Palégry *(66)* 213 F 2
Mas Psalmody *(30)* 193 H 2
Mas-St-Chély *(48)* 176 D 1
Mas-Stes-Puelles *(11)* 190 A 5
Mas-Thibert *(13)* 194 D 3
Le Mas-Vieux *(34)* 193 F 3
Masbaraud-Mérignat *(23)* 130 D 1
Mascaraàs-Haron *(64)* 186 C 3
Mascaras *(32)* 187 F 3
Mascaras *(65)* 204 D 1
Mascarville *(31)* 189 H 3
Masclat *(46)* 158 B 1
Masevaux-Niederbruck *(68)* 78 B 5
Masgot *(23)* 131 F 1
Maslacq *(64)* 185 H 3
Masléon *(87)* 130 C 3
Maslives *(41)* 88 A 2
Masmejean *(48)* 162 B 4
Le Masnau-Massuguiès *(81)* 191 E 1
Masnières *(59)* 8 D 5
Masny *(59)* 8 D 3
Los Masos *(66)* 212 C 3
Masparraute *(64)* 185 F 4
Maspie-Lalonquère-
Juillacq *(64)* 186 D 4
Masquières *(47)* 157 H 5
Massabrac *(31)* 206 C 1
Massac *(11)* 208 C 3
Massac *(17)* 127 H 2
Massac-Séran *(81)* 190 A 2
Massaguel *(81)* 190 C 3
Massais *(79)* 101 E 2
Massals *(81)* 175 G 5
Massane *(13)* 195 F 3
Massanes *(30)* 178 A 3
Massangis *(89)* 91 H 2
Massat *(09)* 206 C 4
Massay *(18)* 104 D 1
Massebœuf *(83)* 197 F 3
Le Massegros *(48)* 176 C 1
Masseilles *(33)* 156 A 5
Massels *(47)* 172 D 1
Massérac *(44)* 82 D 1
Masseret *(19)* 130 C 5
Masseube *(32)* 188 A 4
Massiac *(15)* 147 E 3
Massieu *(38)* 151 F 1
Massieux *(01)* 135 H 2
Massiges *(51)* 34 D 3
Massignac *(16)* 129 E 3
Massignieu-de-Rives *(01)* 137 G 3
Massillan *(30)* 178 C 5
Massillargues-Attuech *(30)* 177 H 4
Massilly *(71)* 122 A 2
Massingy *(21)* 74 C 4
Massingy *(74)* 137 H 2
Massingy-lès-Semur *(21)* 92 B 3
Massingy-lès-Vitteaux *(21)* 92 C 4
Massognes *(86)* 101 H 4
Massoins *(06)* 183 E 3
Massongy *(74)* 124 D 3
Massoulès *(47)* 172 D 1
Massugas *(33)* 156 B 2
Massy *(71)* 122 A 2
Massy *(76)* 14 A 3
Massy *(91)* 51 E 2
Mastaing *(59)* 8 D 3
Matafelon-Granges *(01)* 123 G 3
Les Matelles *(34)* 193 F 1
Matemale *(66)* 211 H 3
Matha *(17)* 127 G 2
Mathaux *(10)* 54 C 5
Mathay *(25)* 96 C 3
Mathenay *(39)* 110 B 2
Les Mathes *(17)* 126 B 3
Mathieu *(14)* 27 F 2
Mathons *(52)* 55 F 4
Mathonville *(76)* 14 A 4
Matignicourt-Goncourt *(51)* 54 D 2
Matignon *(22)* 44 B 2
Matigny *(80)* 16 B 2
Matougues *(51)* 34 A 4
Matour *(71)* 121 H 3
Matra *(2B)* 217 G 2
Matringhem *(62)* 7 F 1
Mattaincourt *(88)* 57 E 5
Mattexey *(54)* 57 G 4
Matton-et-Clémency *(08)* 19 G 3
Mattstall *(67)* 39 F 4
Matzenheim *(67)* 59 E 4
Maubec *(38)* 136 D 5
Maubec *(82)* 172 D 5
Maubec *(84)* 179 H 5

Maubert-Fontaine (08) 10 C 5
Maubeuge (59) 9 H 3
Maubourguet (65) 187 E 3
Maubuisson (33) 140 B 4
Mauchamps (91) 51 E 4
Maucomble (76) 13 H 3
Maucor (64) 186 C 4
Maucourt (60) 16 C 4
Maucourt (80) 16 A 2
Maucourt-sur-Orne (55) 20 A 4
Maudétour-en-Vexin (95) 30 C 4
Mauguio (34) 193 G 2
Maulain (52) 76 A 3
Maulais (79) 101 G 3
Maulan (55) 55 G 2
Maulay (86) 102 A 2
Maulde (59) 5 E 5
Maule (78) 30 C 5
Mauléon (79) 100 C 3
Mauléon-Barousse (65) 205 F 3
Mauléon-d'Armagnac (32) 171 E 4
Mauléon-Licharre (64) 185 G 5
Maulers (60) 15 E 5
Maulette (78) 50 B 1
Maulévrier (49) 100 C 2
Maulévrier-Ste-Gertrude (76) 13 E 5
Maulichères (32) 186 D 1
Maumusson (44) 84 A 3
Maumusson (82) 172 D 4
Maumusson-Laguian (32) 186 D 2
Mauny (76) 29 E 1
Maupas (10) 73 H 2
Le Maupas (21) 92 B 5
Maupas (32) 171 E 5
Mauperthuis (77) 52 B 2
Maupertuis (50) 25 F 4
Maupertus-sur-Mer (50) 22 D 2
Mauprévoir (86) 115 G 4
Mauquenchy (76) 14 A 4
Mauran (31) 206 A 1
Maure (64) 186 D 4
Maure-de-Bretagne (35) 64 D 4
Maurecourt (78) 30 D 5
Mauregard (77) 31 G 4
Mauregny-en-Haye (02) 17 G 5
Maureilhan (34) 192 A 4
Maureillas-las-Illas (66) 213 E 4
Mauremont (31) 189 H 4
Maurens (24) 142 D 5
Maurens (31) 190 A 4
Maurens (32) 188 C 2
Maurens-Scopont (81) 190 A 2
Maurepas (78) 50 D 2
Maurepas (80) 16 A 1
Les Maures (50) 46 C 1
Mauressac (31) 189 F 5
Mauressargues (30) 178 A 4
Maureville (31) 189 H 3
Mauriac SP (15) 145 H 3
Mauriac (33) 156 A 2
Mauries (40) 186 C 2
Maurin (34) 193 F 3
Maurines (15) 161 E 1
Maurioun (06) 183 G 3
Maurois (59) 9 E 5
Mauron (56) 64 B 2
Mauroux (32) 172 D 5
Mauroux (46) 157 H 5
Maurrin (40) 170 D 5
Maurs (15) 159 G 3
Maurupt-le-Montois (51) 55 E 2
Maury (66) 208 C 4
Mausoléo (2B) 214 D 5
Maussac (19) 145 G 1
Maussane-les-Alpilles (13) 194 D 1
Maussans (70) 95 F 3
Mautes (23) 131 H 2
Mauvages (55) 56 A 3
Mauvaisin (31) 189 G 5
Mauves (07) 149 H 4
Mauves-sur-Huisne (61) 48 D 4
Mauves-sur-oire (44) 83 G 4
Mauvezin (31) 188 C 4
Mauvezin (32) 188 C 1
Mauvezin (65) 204 D 1
Mauvezin-d'Armagnac (40) 171 F 4
Mauvezin-de-Prat (09) 206 A 2
Mauvezin-de-Ste-Croix (09) 206 B 2
Mauvezin-sur-Gupie (47) 156 B 4
Mauvières (36) 116 C 1
Mauvilly (21) 92 D 1
Maux (58) 107 G 2
Mauzac (31) 189 E 4
Mauzac-et-St-Meyme-de-Rozens (24) 157 F 1
Mauzé-sur-le-Mignon (79) 113 H 4
Mauzé-Thouarsais (79) 101 F 2
Mauzens-et-Miremont (24) 143 G 5
Mauzun (63) 133 H 4
Mavaleix (24) 129 G 5
Maves (41) 87 H 1
Mavilly-Mandelot (21) 109 E 2
La Maxe (57) 21 E 5
Maxent (35) 64 D 3
Maxéville (54) 57 E 2
Maxey-sur-Meuse (88) 56 B 4
Maxey-sur-Vaise (55) 56 B 3
Maxilly-sur-Léman (74) 125 E 2
Maxilly-sur-Saône (21) 94 A 4
Maxou (46) 158 B 4
Maxstadt (57) 37 H 3
May-en-Multien (77) 32 B 4
Le May-sur-Evre (49) 100 B 1
May-sur-Orne (14) 27 F 3
Mayac (24) 143 G 2
Mayenne SP (53) 46 D 5
Mayet (72) 68 A 5
Le Mayet-de-Montagne (03) 120 C 5
Le Mayet-d'École (03) 119 H 5
Maylis (40) 185 H 1
Maynal (39) 123 F 1
Les Mayons (83) 197 F 4
Mayot (02) 16 D 3
Mayrac (46) 158 C 1
Mayran (12) 159 H 5
La Mayrand (63) 146 D 1
Mayrègne (31) 205 F 4
Mayres (63) 148 A 1
Mayres (près de St Romain-de-Lerps) (07) 149 G 5
Mayres (près de Thueyts) (07) 162 C 3
Mayres-Savel (38) 165 H 1
Mayreville (11) 207 G 1
Mayrinhac-Lentour (46) 159 E 2
Mayronnes (11) 208 C 2
Maysel (60) 31 F 2
Mayun (44) 82 B 3
Mazagran (08) 34 C 1
Mazamet (81) 190 D 3
Mazan (84) 179 H 3
Mazan-l'Abbaye (07) 162 C 2
Mazangé (41) 69 F 5
Mazaugues (83) 196 D 4
Mazaye (63) 132 D 3
Mazé (49) 85 F 3
Mazé-Milon (49) 85 F 3
Le Mazeau (85) 113 H 3
Mazeirat (23) 118 A 5
Le Mazel (48) 162 A 5
Mazeley (88) 77 F 1
Mazerat-Aurouze (43) 147 H 3
Mazeray (17) 127 F 2
Mazères (09) 189 H 5
Mazères (33) 155 G 4
Mazères-de-Neste (65) 205 F 2
Mazères-Lezons (64) 186 B 5
Mazères-sur-Salat (31) 206 A 1
Mazerier (03) 119 H 5
Mazerny (08) 18 D 4
Mazerolles (16) 129 E 3
Mazerolles (17) 127 F 5
Mazerolles (40) 170 D 5
Mazerolles (64) 186 B 4
Mazerolles (65) 187 G 4
Mazerolles (86) 116 A 2
Mazerolles-du-Razès (11) 207 H 1
Mazerolles-le-Salin (25) 94 C 5
Mazerulles (54) 57 F 1
Mazet-St-Voy (43) 148 D 4
Mazeuil (86) 101 H 4
Mazeyrat-d'Allier (43) 147 G 4
Mazeyrolles (24) 157 H 3
La Mazière-aux-Bons-Hommes (23) 132 A 2
Mazières (16) 129 E 2
Mazières-de-Touraine (37) 86 B 4
Mazières-en-Gâtine (79) 114 B 1
Mazières-en-Mauges (49) 100 C 1
Mazières-Naresse (47) 157 F 3
Mazières-sur-Béronne (79) 114 C 4
Mazille (71) 122 A 2
Mazingarbe (62) 4 A 5
Mazinghem (62) 3 F 5
Mazinghien (59) 9 F 5
Mazion (33) 141 E 3
Mazirat (03) 118 D 4
Mazirot (88) 57 E 5
Le Mazis (80) 14 C 2
Mazoires (63) 146 D 1
Mazouau (65) 205 E 2
Mazuby (11) 207 H 4
Les Mazures (08) 10 D 5
Mazzola (2B) 217 F 2
Méailles (04) 182 B 3
Méallet (15) 146 A 3
Méasnes (23) 117 G 2
Meaucé (28) 49 F 4
La Meauffe (50) 25 F 3
La Méaugon (22) 43 G 4
Meaulne (03) 119 E 1
Méaulte (80) 15 H 1
Méautis (50) 25 E 2
Meaux SP (77) 32 A 5
Meaux-la-Montagne (69) 135 F 1
Meauzac (82) 173 F 3
Mecé (35) 65 H 1
Mechmont (46) 158 B 4
Mécleuves (57) 37 E 4
Mecquignies (59) 9 G 3
Mécrin (55) 56 A 1
Mécringes (51) 53 E 1
Médan (78) 30 D 5
Médavy (61) 48 A 2
La Mède (13) 195 F 4
Medeyrolles (63) 148 A 1
Médière (25) 95 H 3
Médillac (16) 142 A 3
Médis (17) 126 C 4
Médonville (88) 76 B 1
Médréac (35) 44 D 5
Le Mée (28) 69 H 4
Mée (53) 66 C 5
Le Mée-sur-Seine (77) 51 H 4
Les Mées (04) 181 E 3
Mées (40) 185 F 1
Les Mées (72) 48 A 5
Mégange (57) 21 F 5
Megève (74) 139 E 2
Mégevette (74) 125 E 4
Mégier (30) 178 D 3
Mégrit (22) 44 C 4
Méharicourt (80) 16 A 2
Méharin (64) 185 E 4
Méhers (41) 87 H 4
Méhoncourt (54) 57 F 3
Méhoudin (61) 47 F 4
Mehun-sur-Yèvre (18) 105 E 1
La Meignanne (49) 84 D 2
Meigné (49) 85 F 5
Meigné-le-Vicomte (49) 86 A 3
Meigneux (77) 52 B 4
Meigneux (80) 14 D 3
Meilhac (87) 130 A 4
Meilhan (32) 188 A 4
Meilhan (40) 169 G 5
Meilhan-sur-Garonne (47) 156 A 4
Meilhards (19) 130 D 5
Meilhaud (63) 133 F 5
Meillac (35) 45 E 4
Meillant (18) 105 G 4
Meillard (03) 119 H 3
Le Meillard (80) 7 F 4
La Meilleraie-Tillay (85) 100 B 4
Meilleray (77) 52 D 1
La Meilleray (85) 113 H 2
La Meilleraye-de-Bretagne (44) 83 G 2
Meillerie (74) 125 F 2
Meillers (03) 119 G 2
Meillier-Fontaine (08) 11 E 5
Meillon (64) 186 C 5
Meillonnas (01) 123 F 4
Meilly-sur-Rouvres (21) 92 C 5
Meisenthal (57) 38 C 4
Meistratzheim (67) 59 E 3
Le Meix (21) 93 F 2
Le Meix-St-Epoing (51) 53 F 2
Le Meix-Tiercelin (51) 54 B 3
Méjannes-le-Clap (30) 178 B 2
Méjannes-lès-Alès (30) 178 A 3
Mela (2A) 219 E 2
Mélagues (12) 191 H 1
Mélamare (76) 12 C 5
Melay (49) 84 C 5
Melay (52) 76 C 4
Melay (71) 121 E 4
Le Mêle-sur-Sarthe (61) 48 B 4
Mélecey (70) 95 G 2
Melesse (35) 65 F 1
Melgven (29) 62 A 4
Mélicocq (60) 16 A 5
Mélicourt (27) 28 C 5
Méligny-le-Grand (55) 56 A 2
Méligny-le-Petit (55) 55 H 2
Melin (70) 76 C 5
Melincourt (70) 77 E 4
Mélisey (70) 77 G 5
Mélisey (89) 73 H 4
Meljac (12) 175 F 3
Mellac (29) 62 B 4
Mellé (35) 46 A 4
Melle (79) 114 C 4
Mellecey (71) 109 E 4
Melleran (79) 114 D 5
Melleray (72) 69 E 2
Melleray-la-Vallée (53) 47 E 4
Melleroy (45) 72 B 4
Melles (31) 205 G 4
Melleville (76) 14 A 1
Mellionnec (22) 62 D 2
Mello (60) 31 F 2
Meloisey (21) 109 E 2
Melrand (56) 63 E 4
Melsheim (67) 59 E 1
Melun P (77) 51 H 4
Melve (04) 166 B 5
Melz-sur-Seine (77) 52 D 4
Membrey (70) 94 B 2
La Membrolle-sur-Choisille (37) 86 D 3
La Membrolle-sur-Longuenée (49) 84 D 2
Membrolles (41) 70 A 4
Méménil (88) 77 G 1
Memmelshoffen (67) 39 F 4
Le Mémont (25) 95 H 5
Menades (89) 91 G 3
Ménarmont (88) 57 H 4
Ménars (41) 87 H 2
Menat (63) 119 F 5
Menaucourt (55) 55 H 2
Mencas (62) 7 F 1
Menchhoffen (67) 38 D 5
Mende P (48) 161 G 4
Mendionde (64) 184 D 4
Menditte (64) 203 E 1
Mendive (64) 202 C 1
Ménéac (56) 64 A 1
Ménerbes (84) 179 H 5
Ménerval (76) 14 B 5
Ménerville (78) 30 B 5
Menesble (21) 75 E 5
Ménesliès (80) 6 B 5
Ménesplet (24) 142 B 5
Ménesqueville (27) 29 H 1
Ménessaire (21) 108 A 1
Ménestérol (24) 142 B 5
Menestreau (58) 90 C 4
Ménestreau-en-Villette (45) 88 D 1
Menet (15) 146 B 2
Menetou-Couture (18) 106 A 2
Menetou-Râtel (18) 89 H 4
Menetou-Salon (18) 89 G 5
Menetou-sur-Nahon (36) 88 B 5
Ménétréol-sous-Sancerre (18) 90 A 4
Ménétréol-sur-Sauldre (18) 89 F 3
Ménétréols-sous-Vatan (36) 104 C 2
Ménetreuil (71) 122 D 1
Ménétreux-le-Pitois (21) 92 C 2
Ménétrol (63) 133 F 2
Menétru-le-Vignoble (39) 110 B 4
Menétrux-en-Joux (39) 110 C 5
Ménévillers (60) 15 H 5
Menglon (26) 165 F 3
Ménigoute (79) 114 D 1
Ménil (53) 66 D 5
Le Ménil (88) 78 A 3
Ménil-Annelles (08) 18 C 5
Ménil-aux-Bois (55) 55 H 1
Le Ménil-Bérard (61) 48 C 2
Le Ménil-Broût (61) 48 A 4
Le Ménil-Ciboult (61) 46 C 1
Le Ménil-de-Briouze (61) 47 F 2
Ménil-de-Senones (88) 58 B 4
Ménil-en-Xaintois (88) 56 D 5
Ménil-Erreux (61) 48 A 4
Ménil-Froger (61) 48 B 2
Ménil-Glaise (61) 47 G 2
Ménil-Gondouin (61) 47 F 1
Le Ménil-Guyon (61) 48 B 3
Ménil-Hermei (61) 47 F 1
Ménil-Hubert-en-Exmes (61) 48 A 1
Ménil-Hubert-sur-Orne (61) 47 F 1
Ménil-Jean (61) 47 G 2
Ménil-la-Horgne (55) 56 A 2
Ménil-la-Tour (54) 56 C 1
Ménil-Lépinois (08) 34 A 1
Le Ménil-Scelleur (61) 47 G 3
Ménil-sur-Belvitte (88) 57 H 4
Ménil-sur-Saulx (55) 55 G 3
Le Ménil-Vicomte (61) 48 B 2
Ménil-Vin (61) 47 F 1
Ménilles (27) 29 H 4
La Ménitré (49) 85 F 3
Mennecy (91) 51 F 3
Mennessis (02) 16 D 3
Mennetou-sur-Cher (41) 88 C 5
Menneval (27) 28 D 4
Menneville (02) 33 H 1
Menneville (62) 2 C 5
Mennevret (02) 17 E 1
Mennouveaux (52) 75 H 2
Ménoire (19) 145 E 4
Menomblet (85) 100 C 4
Menoncourt (90) 96 D 1
Ménonval (76) 14 A 3
Menotey (39) 94 A 5
Menou (58) 90 D 4
Menouville (95) 31 E 3
Le Menoux (36) 117 F 1
Menoux (70) 77 E 5
Mens (38) 165 H 1
Mensignac (24) 143 E 3
Menskirch (57) 21 F 4
Mentheville (76) 12 C 3
Menthon-St-Bernard (74) 138 B 2
Menthonnex-en-Bornes (74) 124 C 5
Menthonnex-sous-Clermont (74) 137 H 1
Mentières (15) 147 E 4
Menton (06) 183 G 5
Mentque-Nortbécourt (62) 2 D 4
Menucourt (95) 30 D 4
Les Menuires (73) 152 D 1
Les Menus (61) 49 F 4
Menville (31) 189 E 2
Méobecq (36) 103 H 5
Méolans-Revel (04) 167 E 5
Méon (49) 85 H 3
Méounes-lès-Montrieux (83) 196 D 5
Mer (41) 88 A 1
Méracq (64) 186 B 3
Méral (53) 66 B 3
Méras (09) 206 C 1
Mercatel (62) 8 A 4
Mercenac (09) 206 A 2
Merceuil (21) 109 E 2
Mercey (27) 29 H 4
Mercey-le-Grand (25) 94 C 5
Mercey-sur-Saône (70) 94 B 2
Mercin-et-Vaux (02) 32 C 1
Merck-St-Liévin (62) 2 D 5
Merckeghem (59) 3 E 3
Mercœur (19) 145 F 5
Mercœur (43) 147 F 3
Mercuer (07) 163 E 3
Mercuès (46) 158 B 4
Mercurey (71) 108 D 3
Mercurol-Veaunes (26) 149 H 4
Mercury (73) 138 C 3
Mercus-Garrabet (09) 207 E 4
Mercy (03) 120 B 2
Mercy (89) 73 F 3
Mercy-le-Bas (54) 20 B 3
Mercy-le-Haut (54) 20 C 3
Merdrignac (22) 64 A 1
Méré (78) 50 C 1
Méré (89) 73 G 4
Méreau (18) 104 D 1
Méréaucourt (80) 14 D 3
Méréglise (28) 69 G 1
Mérélessart (80) 14 D 1
Mérens (32) 187 H 1
Mérens-les-Vals (09) 211 F 2
Mérenvielle (31) 188 D 2
Méreuil (05) 165 H 5
Méréville (54) 56 D 3
Méréville (91) 70 D 1
Merey (27) 29 H 5
Mérey-sous-Montrond (25) 95 E 5
Mérey-Vieilley (25) 94 D 4
Merfy (51) 33 G 2
Mergey (10) 53 H 5
Meria (2B) 215 G 1
Mériadec (56) 81 F 2
Mérial (11) 207 G 5
Méribel (73) 152 D 1
Méribel-Mottaret (73) 153 E 1
Méricourt (62) 8 B 2
Méricourt (78) 30 B 4
Méricourt-en-Vimeu (80) 14 D 2
Méricourt-l'Abbé (80) 15 H 1
Méricourt-sur-Somme (80) 15 H 1
Mériel (95) 31 E 4
Mérifons (34) 192 B 2
Mérignac (16) 128 A 4
Mérignac (17) 141 G 2
Mérignac (33) 155 E 1
Mérignas (33) 156 A 2
Mérignat (01) 123 F 5
Mérignies (59) 4 C 5
Mérigny (36) 103 E 5
Mérigon (09) 206 B 2
Mérilheu (65) 204 D 2
Mérillac (22) 44 B 5
Mérinchal (23) 132 B 2
Mérindol (84) 195 G 1
Mérindol-les-Oliviers (26) 179 H 1
Mérinville (45) 72 A 3
Le Mériot (10) 52 D 4
Méritein (64) 185 H 4
Merkwiller-Pechelbronn (67) 39 F 4
Merlas (38) 151 G 1
La Merlatière (85) 99 H 4
Merlaut (51) 54 D 1
Merle-Leignec (42) 148 C 1
Merléac (22) 63 G 1
Le Merlerault (61) 48 B 2
Merles (82) 173 E 3
Merles-sur-Loison (55) 20 A 3
Merlevenez (56) 80 D 1
Merlieux-et-Fouquerolles (02) 17 E 5
Merlimont (62) 6 C 2
Merlimont-Plage (62) 6 B 2
Merlines (19) 132 B 4
Mernel (35) 64 D 4
Mérobert (91) 50 D 5
Méron (49) 101 G 1
Mérona (39) 123 G 1
Mérouville (28) 70 C 1
Meroux (90) 96 D 1
Merpins (16) 127 G 4
Merrey (52) 76 A 3
Merrey-sur-Arce (10) 74 B 2
Merri (61) 47 H 1
Merris (59) 3 G 4
Merry-la-Vallée (89) 72 D 5
Merry-Sec (89) 91 E 1
Merry-sur-Yonne (89) 91 F 2
Mers-les-Bains (80) 6 A 5
Mers-sur-Indre (36) 104 C 5
Merschweiller (57) 21 F 2
Mersuay (70) 77 E 5
Merten (57) 21 H 4
Mertrud (52) 55 E 4
Mertzen (68) 97 E 1
Mertzwiller (67) 39 E 5
Méru (60) 31 E 2
Merval (02) 33 F 1
Mervans (71) 109 G 4
Mervent (85) 113 H 1
Merviel (09) 207 F 3
Mervilla (31) 189 F 3
Merville (31) 189 E 1
Merville (59) 3 G 5
Merville-Franceville-Plage (14) 27 G 2
Merviller (54) 57 H 3
Merxheim (68) 78 D 3
Méry (73) 137 H 4
Méry-Corbon (14) 27 H 3
Méry-ès-Bois (18) 89 F 4
Méry-la-Bataille (60) 15 H 5
Méry-Prémecy (51) 33 G 2
Méry-sur-Cher (18) 88 D 5
Méry-sur-Marne (77) 32 C 5
Méry-sur-Oise (95) 31 E 4
Méry-sur-Seine (10) 53 G 4
Le Merzer (22) 43 F 4
Mésandans (25) 95 F 3
Mésanger (44) 83 H 3
Mésangueville (76) 14 B 5
Mesbrecourt-Richecourt (02) 17 E 3
Meschers-sur-Gironde (17) 126 C 5
Mescoules (24) 156 D 2
Le Mesge (80) 15 E 1
Mesgrigny (10) 53 G 4
Mésigny (74) 138 A 1
Meslan (56) 62 C 4
Mesland (41) 87 G 3
Meslay (14) 27 F 5
Meslay (41) 69 F 5
Meslay-du-Maine (53) 67 E 4
Meslay-le-Grenet (28) 49 H 5
Meslay-le-Vidame (28) 70 A 1
Meslières (25) 96 D 3
Meslin (22) 44 A 4
Mesmay (25) 110 C 1
Mesmont (08) 18 B 4
Mesmont (21) 93 E 4
Mesnac (16) 127 G 3
Mesnard-la-Barotière (85) 100 A 3
Mesnay (39) 110 C 3
Les Mesneux (51) 33 G 2
La Mesnière (61) 48 C 4
Mesnières-en-Bray (76) 14 A 3
Le Mesnil (50) 22 C 5
Le Mesnil-Adelée (50) 46 B 2
Le Mesnil-Amand (50) 25 E 5
Le Mesnil-Amelot (77) 31 G 4
Le Mesnil-Amey (50) 25 F 3
Le Mesnil-Angot (50) 25 F 2
Le Mesnil-au-Grain (14) 27 E 4
Le Mesnil-au-Val (50) 22 D 3
Le Mesnil-Aubert (50) 24 D 4
Le Mesnil-Aubry (95) 31 F 4
Le Mesnil-Auzouf (14) 25 H 4
Le Mesnil-Bacley (14) 28 A 4
Le Mesnil-Benoist (14) 25 G 5
Le Mesnil-Bœufs (50) 46 A 2
Mesnil-Bruntel (80) 16 B 2
Le Mesnil-Caussois (14) 25 G 5
Mesnil-Clinchamps (14) 25 G 5
Le Mesnil-Conteville (60) 15 E 4
Mesnil-David (76) 14 B 3
Mesnil-Domqueur (80) 7 E 4
Le Mesnil-Durand (14) 28 A 4
Le Mesnil-Durdent (76) 13 E 2
Mesnil-en-Arrouaise (80) 8 B 5
Le Mesnil-en-Thelle (60) 31 F 3
Le Mesnil-en-Vallée (49) 84 B 4
Le Mesnil-Esnard (76) 29 G 1
Le Mesnil-Eudes (14) 28 A 4
Le Mesnil-Eury (50) 25 E 3
Mesnil-Follemprise (76) 13 H 3
Le Mesnil-Fuguet (27) 29 G 4
Le Mesnil-Garnier (50) 25 E 5
Le Mesnil-Germain (14) 28 A 4
Le Mesnil-Gilbert (50) 46 B 2
Le Mesnil-Guillaume (14) 28 B 3
Le Mesnil-Hardray (27) 29 F 5
Le Mesnil-Herman (50) 25 F 4
Le Mesnil-Hue (50) 25 E 5
Le Mesnil-Jourdain (27) 29 G 3
Mesnil-la-Comtesse (10) 54 A 4
Le Mesnil-le-Roi (78) 31 E 5
Mesnil-Lettre (10) 54 A 4
Le Mesnil-Lieubray (76) 14 B 5
Mesnil-Martinsart (80) 8 A 5
Le Mesnil-Mauger (14) 27 H 4
Mesnil-Mauger (76) 14 B 4
Le Mesnil-Milon (27) 30 A 4
Le Mesnil-Opac (50) 25 F 4
Le Mesnil-Ozenne (50) 46 A 2
Mesnil-Panneville (76) 13 F 4
Le Mesnil-Patry (14) 27 E 3
Mesnil-Racoin (91) 51 E 4
Le Mesnil-Rainfray (50) 46 B 2
Mesnil-Raoul (76) 29 H 1
Le Mesnil-Raoult (50) 25 F 4
Le Mesnil-Réaume (76) 14 A 1
Le Mesnil-Robert (14) 25 G 5
Le Mesnil-Rogues (50) 24 D 5
Mesnil-Rousset (27) 28 C 5
Le Mesnil-Rouxelin (50) 25 F 3
Mesnil-Sellières (10) 54 A 5
Le Mesnil-Simon (14) 28 A 4
Le Mesnil-Simon (28) 30 A 5
Le Mesnil-sous-Jumièges (76) 29 E 1
Le Mesnil-sous-L. (76) 12 D 5
Mesnil-sous-Vienne (27) 30 B 1
Le Mesnil-St-Denis (78) 50 D 2
Le Mesnil-St-Firmin (60) 15 G 4
Mesnil-St-Georges (80) 15 G 4
Mesnil-St-Laurent (02) 16 D 2
Mesnil-St-Loup (10) 73 F 1
Mesnil-St-Nicaise (80) 16 B 3
Mesnil-St-Père (10) 74 B 1
Le Mesnil-sur-Blangy (14) 28 B 2
Le Mesnil-sur-Bulles (60) 15 F 5
Mesnil-sur-l'Estrée (27) 49 H 2
Le Mesnil-sur-Oger (51) 33 H 5
Le Mesnil-Thébault (50) 46 A 3
Le Mesnil-Théribus (60) 30 D 2
Le Mesnil-Thomas (28) 49 G 3
Le Mesnil-Tôve (50) 46 B 2
Mesnil-Val (76) 6 A 5
Le Mesnil-Véneron (50) 25 F 2
Mesnil-Verclives (27) 30 A 2
Le Mesnil-Vigot (50) 25 E 3
Le Mesnil-Villeman (50) 25 E 5
Le Mesnil-Villement (14) 47 F 1
Le Mesnilbus (50) 25 E 3
Le Mesnillard (50) 46 B 2

Localité *(Département)* **Page** **Coordonnées**

Mesnois *(39)* 110 B 5
Les Mesnuls *(78)* 50 C 2
Mespaul *(29)* 41 H 2
Mesplède *(64)* 186 A 3
Mesples *(03)* 118 C 2
Mespuits *(91)* 51 E 5
Mesquer *(44)* 82 A 3
Messac *(17)* 141 G 2
Messac *(35)* 65 E 4
Messais *(86)* 101 H 3
Messanges *(21)* 109 E 1
Messanges *(40)* 168 C 5
Messas *(45)* 70 B 5
Messé *(79)* 115 E 4
Messei *(61)* 47 E 2
Messein *(54)* 56 D 2
Messeix *(63)* 132 B 5
Messemé *(86)* 102 A 2
Messery *(74)* 124 C 2
Messeux *(16)* 128 D 1
Messey-sur-Grosne *(71)* 109 E 5
Messia-sur-Sorne *(39)* 110 A 5
Messigny-et-Vantoux *(21)* 93 F 3
Messimy *(69)* 135 G 4
Messimy-sur-Saône *(01)* 122 B 5
Messincourt *(08)* 19 G 3
Messon *(10)* 73 G 1
Messy *(77)* 31 H 5
Mesterrieux *(33)* 156 A 3
Mestes *(19)* 145 H 1
Mestry *(14)* 25 G 2
Mesves-sur-Loire *(58)* 90 B 5
Mesvres *(71)* 108 B 3
Métabief *(25)* 111 G 4
Les Métairies *(16)* 127 H 3
Métairies-St-Quirin *(57)* 58 B 2
Méteren *(59)* 3 H 4
Méthamis *(84)* 179 H 3
Métigny *(80)* 14 D 1
Metting *(57)* 38 C 5
Mettray *(37)* 86 D 3
Metz Ⓟ *(57)* 21 E 5
Metz-en-Couture *(62)* 8 C 5
Metz-le-Comte *(58)* 91 F 4
Metz-Robert *(10)* 73 H 3
Metz-Tessy *(74)* 138 A 1
Metzeral *(68)* 78 B 2
Metzeresche *(57)* 21 F 4
Metzervisse *(57)* 21 E 4
Metzing *(57)* 38 A 3
Meucon *(56)* 81 G 1
Meudon *(92)* 51 E 1
Meuilley *(21)* 109 E 1
Meulan-en-Yvelines *(78)* 30 C 4
Meulers *(76)* 13 H 2
Meulles *(14)* 28 B 5
Meulson *(21)* 92 D 1
Meunet-Planches *(36)* 104 D 4
Meunet-sur-Vatan *(36)* 104 C 2
Meung-sur-Loire *(45)* 70 B 5
Meurcé *(72)* 68 A 1
Meurchin *(62)* 4 B 5
Meurcourt *(70)* 77 E 5
La Meurdraquière *(50)* 24 D 5
Meures *(52)* 75 F 1
Meurival *(02)* 33 F 1
Meursac *(17)* 126 D 4
Meursanges *(21)* 109 F 2
Meursault *(21)* 109 E 2
Meurville *(10)* 74 D 1
Meuse *(52)* 76 A 3
Meusnes *(41)* 88 A 5
Meussia *(39)* 123 H 1
Meuvaines *(14)* 27 E 1
Meuvy *(52)* 76 A 2
Meux *(17)* 141 G 1
Le Meux *(60)* 31 H 1
Meuzac *(87)* 130 B 5
Mévoisins *(28)* 50 A 3
Mévouillon *(26)* 180 B 1
Meximieux *(01)* 136 D 2
Mexy *(54)* 20 B 2
Mey *(57)* 21 E 5
Meyenheim *(68)* 78 D 3
Meylan *(38)* 151 H 3
Meylan *(47)* 171 G 3
Meymac *(19)* 131 G 5
Meynes *(30)* 178 D 5
Meyrals *(24)* 157 H 1
Meyrannes *(30)* 178 A 1
Meyrargues *(13)* 196 A 2
Meyras *(07)* 162 D 3
Meyreuil *(13)* 196 A 3
Meyrié *(38)* 136 D 5
Meyrieu-les-Étangs *(38)* 136 D 5
Meyrieux-Trouet *(73)* 137 H 4
Meyrignac-l'Église *(19)* 145 E 1
Meyronne *(46)* 158 C 1
Meyronnes *(04)* 167 G 4
Meyrueis *(48)* 177 E 2
Meys *(69)* 135 F 4
Meyssac *(19)* 144 D 4
Meysse *(07)* 163 G 3
Meyssiez *(38)* 150 C 1
Meythet *(74)* 138 A 1
La Meyze *(87)* 130 A 4
Meyzieu *(69)* 136 C 3
Mézangers *(53)* 67 E 1
Mèze *(34)* 192 D 4
Mézel *(04)* 181 F 3
Mezel *(63)* 133 F 3
Mézens *(81)* 189 H 1
Mézeray *(72)* 67 H 5
Mézères *(43)* 148 C 3
Mézériat *(01)* 122 D 4
Mézerolles *(80)* 7 F 4
Mézerville *(11)* 189 H 5
Mézidon *(14)* 27 H 4
La Mézière *(35)* 65 E 1
Mézières-au-Perche *(28)* 69 H 1
Mézières-en-Brenne *(36)* 103 G 4
Mézières-en-Drouais *(28)* 49 H 2
Mézières-en-Gâtinais *(45)* 71 G 3
Mézières-en-Santerre *(80)* 15 H 3
Mézières-en-Vexin *(27)* 30 A 3
Mézières-lez-Cléry *(45)* 70 C 5
Mézières-sous-Lavardin *(72)* 67 H 2
Mézières-sur-Couesnon *(35)* 45 G 5
Mézières-sur-Issoire *(87)* 116 B 5
Mézières-sur-Oise *(02)* 17 E 3
Mézières-sur-Ponthouin *(72)* 68 B 2
Mézières-sur-Seine *(78)* 30 C 5
Mézilhac *(07)* 163 E 2
Mézilles *(89)* 90 C 1
Mézin *(47)* 171 H 3
Méziré *(90)* 96 D 2
Mézos *(40)* 168 D 3
Mézy-Moulins *(02)* 33 E 4
Mézy-sur-Seine *(78)* 30 C 5
Mezzavia *(2A)* 216 C 5
Mhère *(58)* 91 G 5
Mialet *(24)* 129 G 5
Mialet *(30)* 177 H 3
Mialos *(64)* 186 B 3
Miannay *(80)* 6 C 5
Michaugues *(58)* 91 E 5
Michelbach *(68)* 78 C 5
Michelbach-le-Bas *(68)* 97 G 1
Michelbach-le-Haut *(68)* 97 G 1
Michery *(89)* 72 C 1
Midrevaux *(88)* 56 A 5
Mièges *(39)* 111 E 4
Miélan *(32)* 187 G 4
Miellin *(70)* 77 H 4
Miermaigne *(28)* 69 F 1
Miers *(46)* 158 D 1
Miéry *(39)* 110 B 3
Mietesheim *(67)* 39 E 5
Mieussy *(74)* 125 E 4
Mieuxcé *(61)* 47 H 5
Mifaget *(64)* 203 H 1
Migé *(89)* 91 E 1
Migennes *(89)* 73 E 4
Miglos *(09)* 207 E 5
Mignaloux-Beauvoir *(86)* 115 G 1
Mignavillers *(70)* 95 G 1
Migné *(36)* 103 H 5
Migné-Auxances *(86)* 102 A 5
Mignères *(45)* 71 H 3
Mignerette *(45)* 71 G 3
Mignéville *(54)* 57 H 3
Mignières *(28)* 49 H 5
Mignovillard *(39)* 111 E 4
Migny *(36)* 104 D 2
Migré *(17)* 114 A 5
Migron *(17)* 127 G 3
Mijanès *(09)* 207 H 5
Mijoux *(01)* 124 A 2
La Milesse *(72)* 68 A 3
Milhac *(46)* 158 B 2
Milhac-d'Auberoche *(24)* 143 G 4
Milhac-de-Nontron *(24)* 143 F 1
Milhaguet *(87)* 129 F 4
Milhars *(81)* 174 C 3
Milhas *(31)* 205 H 3
Milhaud *(30)* 194 A 1
Milhavet *(81)* 174 C 4
Milizac *(29)* 41 E 3
Millac *(86)* 116 A 4
Millam *(59)* 3 E 3
Millançay *(41)* 88 B 3
Millas *(66)* 208 D 5
Millau ⟨SP⟩ *(12)* 176 B 3
Millay *(58)* 107 H 4
Millebosc *(76)* 14 A 1
Millemont *(78)* 50 B 1
Millencourt *(80)* 15 H 1
Millencourt-en-Ponthieu *(80)* 6 D 4
Millery *(21)* 92 B 3
Millery *(54)* 56 D 1
Millery *(69)* 135 H 4
Les Milles *(13)* 195 H 3
Millevaches *(19)* 131 G 4
Millières *(50)* 24 D 2
Millières *(52)* 75 H 2
Milliérines *(30)* 177 G 3
Millonfosse *(59)* 5 E 5
Milly *(50)* 46 B 3
Milly-la-Forêt *(91)* 51 G 5
Milly-Lamartine *(71)* 122 A 3
Milly-sur-Bradon *(55)* 35 G 1
Milly-sur-Thérain *(60)* 14 D 5
Milon-la-Chapelle *(78)* 50 D 2
Mimbaste *(40)* 185 G 2
Mimet *(13)* 196 A 4
Mimeure *(21)* 108 C 1
Mimizan *(40)* 168 D 2
Mimizan-Plage *(40)* 168 D 1
Minaucourt-le-Mesnil-lès-Hurlus *(51)* 34 D 3
Mindin *(44)* 82 B 4
Minerve *(34)* 191 G 5
Mingot *(65)* 187 F 4
Mingoval *(62)* 7 H 2
Miniac-Morvan *(35)* 45 E 3
Miniac-sous-Bécherel *(35)* 44 D 5
Les Minières *(27)* 49 F 1
Le Minihic-sur-Rance *(35)* 44 D 3
Minihy-Tréguier *(22)* 43 E 2
Minorville *(54)* 56 C 1
Minot *(21)* 93 E 1
Minversheim *(67)* 39 E 5
Minzac *(24)* 142 A 5
Minzier *(74)* 124 B 5
Miolans *(73)* 138 B 4
Miolles *(81)* 175 G 5
Mionnay *(01)* 136 B 2
Miomo *(2B)* 215 G 3
Mions *(69)* 136 B 4
Mios *(33)* 154 C 3
Miossens-Lanusse *(64)* 186 C 3
La Miouze *(63)* 132 D 3
Mirabeau *(04)* 181 F 3
Mirabeau *(84)* 196 B 1
Mirabel *(07)* 163 F 3
Mirabel *(82)* 173 H 3
Mirabel-aux-Baronnies *(26)* 179 G 1
Mirabel-et-Blacons *(26)* 164 D 2
Miradoux *(32)* 172 C 4
Le Mirail *(31)* 189 F 3
Miramar *(06)* 199 E 3
Miramas *(13)* 195 E 2
Mirambeau *(17)* 141 F 1
Mirambeau *(31)* 188 B 4
Miramont-d'Astarac *(32)* 187 H 3
Miramont-de-Comminges *(31)* 205 G 2
Miramont-de-Guyenne *(47)* 156 C 3
Miramont-de-Quercy *(82)* 173 E 2
Miramont-Latour *(32)* 188 A 1
Miramont-Sensacq *(40)* 186 C 2
Mirande ⟨SP⟩ *(32)* 187 G 3
Mirandol-Bourgnounac *(81)* 174 D 3
Mirannes *(32)* 187 G 2
Miraumont *(80)* 8 A 5
Miraval-Cabardès *(11)* 190 D 4
Mirbel *(52)* 75 F 1
Miré *(49)* 67 E 5
Mirebeau *(86)* 102 A 4
Mirebeau-sur-Bèze *(21)* 93 H 3
Mirebel *(39)* 110 C 4
Mirecourt *(88)* 57 E 5
Mirefleurs *(63)* 133 F 4
Miremont *(31)* 189 F 4
Miremont *(63)* 132 C 2
Mirepeisset *(11)* 191 H 5
Mirepeix *(64)* 204 A 1
Mirepoix *(09)* 207 G 2
Mirepoix *(32)* 188 A 1
Mirepoix-sur-Tarn *(31)* 174 A 5
Mireval *(34)* 193 F 3
Mireval-Lauragais *(11)* 190 B 5
Miribel *(01)* 136 B 2
Miribel *(26)* 150 C 3
Miribel-Lanchâtre *(38)* 151 G 5
Miribel-les-Échelles *(38)* 151 G 1
Mirmande *(26)* 163 H 2
Le Miroir *(71)* 123 E 1
Mirvaux *(80)* 15 G 1
Mirville *(76)* 12 C 4
Miscon *(26)* 165 G 3
Miserey *(27)* 29 H 4
Miserey-Salines *(25)* 94 D 4
Misérieux *(01)* 135 H 1
Misery *(80)* 16 B 2
Mison *(04)* 180 D 1
Missé *(79)* 101 F 2
Missècle *(81)* 190 B 1
Missègre *(11)* 208 B 3
Missery *(21)* 92 B 4
Missillac *(44)* 82 C 2
Missiriac *(56)* 64 B 4
Misson *(40)* 185 G 2
Missy *(14)* 27 E 3
Missy-aux-Bois *(02)* 32 C 2
Missy-lès-Pierrepont *(02)* 17 G 4
Missy-sur-Aisne *(02)* 32 D 1
Misy-sur-Yonne *(77)* 52 B 5
Mitry-Mory *(77)* 31 H 5
Mittainville *(78)* 50 B 2
Mittainvilliers-Vérigny *(28)* 49 H 4
Mittelbergheim *(67)* 58 D 4
Mittelbronn *(57)* 58 C 1
Mittelhausbergen *(67)* 59 F 2
Mittelhausen *(67)* 59 E 1
Mittelschaeffolsheim *(67)* 59 E 1
Mittelwihr *(68)* 78 D 1
Mittersheim *(57)* 38 A 5
Mittlach *(68)* 78 B 3
Mittois *(14)* 27 H 4
Mitzach *(68)* 78 B 4
Mixe *(40)* 168 D 3
Mizérieux *(42)* 134 D 3
Mizoën *(38)* 152 B 4
Mobecq *(50)* 24 D 2
Moca-Croce *(2A)* 219 E 1
Modane *(73)* 153 E 2
Modène *(84)* 179 G 3
Moëlan-sur-Mer *(29)* 62 B 5
Les Moëres *(59)* 3 G 2
Mœrnach *(68)* 97 F 2
Moëslains *(52)* 55 E 3
Mœurs-Verdey *(51)* 53 F 2
Mœuvres *(59)* 8 C 4
Moëze *(17)* 126 C 1
Moffans-et-Vacheresse *(70)* 95 G 1
Mogeville *(55)* 20 A 5
Mognard *(73)* 137 H 3
Mogneneins *(01)* 122 B 5
Mognéville *(55)* 55 F 1
Mogneville *(60)* 31 G 2
Moguériec *(29)* 41 H 1
Mogues *(08)* 19 G 3
Mohon *(56)* 64 A 2
Moidieu-Détourbe *(38)* 136 C 5
Moidrey *(50)* 45 G 3
Moigné *(35)* 65 E 2
Moigny-sur-École *(91)* 51 G 5
Moimay *(70)* 95 G 2
Moineville *(54)* 20 D 5
Moings *(17)* 127 G 5
Moingt *(42)* 134 D 5
Moinville-la-Jeulin *(28)* 50 B 5
Moirans *(38)* 151 F 2
Moirans-en-Montagne *(39)* 123 H 2
Moirax *(47)* 172 B 2
Moiré *(69)* 135 G 2
Moiremont *(51)* 35 E 3
Moirey-Flabas-Crépion *(55)* 35 H 1
Moiron *(39)* 110 B 5
Moiry *(08)* 19 H 4
Moisdon-la-Rivière *(44)* 83 G 1
Moisenay *(77)* 51 H 3
Moislains *(80)* 16 B 1
Moissac *(82)* 173 E 3
Moissac-Bellevue *(83)* 197 E 1
Moissac-Vallée-Française *(48)* 177 G 2
Moissannes *(87)* 130 C 2
Moissat *(63)* 133 G 3
Moisselles *(95)* 31 F 4
Moissey *(39)* 94 A 5
Moissieu-sur-Dolon *(38)* 150 C 1
Moisson *(78)* 30 B 4
Moissy-Cramayel *(77)* 51 G 3
Moissy-Moulinot *(58)* 91 F 4
Moisville *(27)* 49 G 1
Moisy *(41)* 69 H 4
Moïta *(2B)* 217 G 2
Les Moitiers-d'Allonne *(50)* 22 B 5
Les Moitiers-en-Bauptois *(50)* 22 D 5
Moitron *(21)* 93 E 1
Moitron-sur-Sarthe *(72)* 67 H 1
Moivre *(51)* 34 D 5
Moivrons *(54)* 57 E 1
Molac *(56)* 64 A 5
Molagnies *(76)* 14 C 5
Molain *(02)* 9 F 5
Molain *(39)* 110 C 3
Molamboz *(39)* 110 B 2
Molandier *(11)* 189 H 5
Molas *(31)* 188 B 4
Molay *(39)* 110 A 2
Molay *(70)* 76 B 5
Môlay *(89)* 91 H 1
Le Molay-Littry *(14)* 25 H 2
La Môle *(83)* 197 G 5
Moléans *(28)* 69 H 2
Molèdes *(15)* 146 D 3
Molère *(65)* 204 D 2
Molesmes *(21)* 74 B 4
Molesmes *(89)* 91 E 2
La Molette *(48)* 162 B 4
Molezon *(48)* 177 F 2
Moliens *(60)* 14 C 4
Molières *(24)* 157 F 2
Molières *(46)* 159 E 2
Molières *(82)* 173 G 2
Les Molières *(91)* 50 D 2
Molières-Cavaillac *(30)* 177 F 4
Molières-Glandaz *(26)* 165 F 2
Molières-sur-Cèze *(30)* 178 A 1
Moliets-et-Maa *(40)* 168 C 5
Moliets-Plage *(40)* 168 C 5
Molinchart *(02)* 17 E 5
Molines-en-Queyras *(05)* 167 G 2
Molinet *(03)* 121 E 2
Molineuf *(41)* 87 G 2
Molinges *(39)* 123 H 3
Molinons *(89)* 73 E 1
Molinot *(21)* 108 D 2
Molins-sur-Aube *(10)* 54 B 4
Molitg-les-Bains *(66)* 212 B 3
Mollans *(70)* 95 F 1
Mollans-sur-Ouvèze *(26)* 179 H 1
Mollau *(68)* 78 B 4
Mollégès *(13)* 179 F 5
Molles *(03)* 120 B 5
Les Mollettes *(73)* 138 A 5
Molleville *(11)* 190 A 5
Molliens-au-Bois *(80)* 15 G 1
Molliens-Dreuil *(80)* 15 E 2
La Mollière *(80)* 6 B 4
Mollkirch *(67)* 58 D 3
Mollon *(01)* 136 D 1
Molompize *(15)* 147 E 3
Molosmes *(89)* 73 H 4
Moloy *(21)* 93 F 2
Molphey *(21)* 92 A 4
Molpré *(39)* 111 E 4
Molring *(57)* 37 H 5
Molsheim ⟨SP⟩ *(67)* 58 D 3
Moltifao *(2B)* 215 E 5
Les Molunes *(39)* 124 A 3
Momas *(64)* 186 B 3
Mombrier *(33)* 141 F 4
Momères *(65)* 204 C 1
Momerstroff *(57)* 21 G 5
Mommenheim *(67)* 59 E 1
Momuy *(40)* 186 A 2
Momy *(64)* 186 D 4
Mon Idée *(08)* 10 C 5
Monacia-d'Aullène *(2A)* 219 E 4
Monacia-d'Orezza *(2B)* 217 G 1
Monaco *(MCO)* 183 G 5
Monampteuil *(02)* 17 F 5
Monassut-Audiracq *(64)* 186 D 4
Le Monastère *(12)* 175 G 1
Le Monastier *(48)* 161 F 4
Le Monastier-sur-Gazeille *(43)* 148 C 5
Monay *(39)* 110 B 3
Monbadon *(33)* 142 A 5
Monbahus *(47)* 156 D 4
Monbalen *(47)* 172 C 1
Monbardon *(32)* 188 A 4
Monbazillac *(24)* 156 D 2
Monbéqui *(82)* 173 F 5
Monblanc *(32)* 188 C 4
Monbos *(24)* 156 D 2
Monbrun *(32)* 188 D 2
Moncale *(2B)* 214 C 5
Moncassin *(32)* 187 H 4
Moncaup *(31)* 205 G 3
Moncaup *(64)* 186 D 3
Moncaut *(47)* 172 B 2
Moncayolle-Larrory-Mendibieu *(64)* 185 G 5
Moncé-en-Belin *(72)* 68 A 4
Moncé-en-Saosnois *(72)* 68 B 1
Monceau-le-Neuf-et-Faucouzy *(02)* 17 F 3
Monceau-le-Waast *(02)* 17 F 4
Monceau-lès-Leups *(02)* 17 E 4
Monceau-St-Waast *(59)* 9 H 4
Monceau-sur-Oise *(02)* 17 F 1
Les Monceaux *(14)* 28 A 3
Monceaux *(60)* 31 G 2
Monceaux-au-Perche *(61)* 48 D 4
Monceaux-en-Bessin *(14)* 26 D 2
Monceaux-l'Abbe *(60)* 14 C 4
Monceaux-le-Comte *(58)* 91 F 4
Monceaux-sur-Dordogne *(19)* 145 E 4
Moncel-lès-Lunéville *(54)* 57 G 3
Moncel-sur-Seille *(54)* 57 F 1
Moncel-sur-Vair *(88)* 56 B 4
La Moncelle *(08)* 19 F 3
Moncetz-l'Abbaye *(51)* 54 D 2
Moncetz-Longevas *(51)* 34 B 5
Moncey *(25)* 95 E 3
Monchaux *(80)* 6 C 3
Monchaux-Soreng *(76)* 14 B 1
Monchaux-sur-Écaillon *(59)* 9 E 3
Moncheaux *(59)* 4 C 5
Moncheaux-lès-Frévent *(62)* 7 G 3
Monchecourt *(59)* 8 D 3
Monchel-sur-Canche *(62)* 7 F 3
Moncheux *(57)* 37 E 5
Monchiet *(62)* 8 A 4
Monchy-au-Bois *(62)* 8 A 4
Monchy-Breton *(62)* 7 H 2
Monchy-Cayeux *(62)* 7 G 2
Monchy-Humières *(60)* 16 A 5
Monchy-Lagache *(80)* 16 B 2
Monchy-le-Preux *(62)* 8 B 3
Monchy-St-Éloi *(60)* 31 G 2
Monchy-sur-Eu *(76)* 14 A 1
Moncla *(64)* 186 C 2
Monclar *(32)* 171 F 4
Monclar *(47)* 156 D 5
Monclar-de-Quercy *(82)* 174 A 4
Monclar-sur-Losse *(32)* 187 G 3
Moncley *(25)* 94 C 4
Moncontour *(22)* 63 H 1
Moncontour *(86)* 101 G 3
Moncorneil-Grazan *(32)* 188 A 4
Moncourt *(57)* 57 G 1
Moncoutant *(79)* 100 D 4
Moncrabeau *(47)* 172 A 3
Moncy *(61)* 46 D 1
Mondavezan *(31)* 188 D 5
Mondelange *(57)* 21 E 4
Mondement-Montgivroux *(51)* 53 F 1
Mondescourt *(60)* 16 C 4
Mondevert *(35)* 66 A 2
Mondeville *(14)* 27 F 3
Mondeville *(91)* 51 F 4
Mondicourt *(62)* 7 H 4
Mondigny *(08)* 18 D 3
Mondilhan *(31)* 188 A 5
Mondion *(86)* 102 C 3
Mondon *(25)* 95 F 3
Mondonville *(31)* 189 E 2
Mondonville-St-Jean *(28)* 50 C 5
Mondorff *(57)* 21 E 2
Mondoubleau *(41)* 69 E 3
Mondouzil *(31)* 189 G 2
Mondragon *(84)* 179 E 1
Mondrainville *(14)* 27 E 3
Mondrecourt *(55)* 35 G 4
Mondrepuis *(02)* 10 A 4
Mondreville *(77)* 71 H 2
Mondreville *(78)* 30 A 5
Monein *(64)* 186 A 4
Monès *(31)* 188 D 4
Monesple *(09)* 206 D 2
Monestier *(03)* 119 H 4
Monestier *(07)* 149 F 3
Monestier *(24)* 156 C 2
Le Monestier *(63)* 134 A 5
Monestier-d'Ambel *(38)* 166 A 1
Monestier-de-Clermont *(38)* 151 G 5
Le Monestier-du-Percy *(38)* 165 G 1
Monestier-Merlines *(19)* 132 B 4
Monestier-Port-Dieu *(19)* 146 A 1
Monestiés *(81)* 174 D 3
Monestrol *(31)* 189 H 5
Monétay-sur-Allier *(03)* 120 A 3
Monétay-sur-Loire *(03)* 120 D 2
Monéteau *(89)* 73 E 5
Monêtier-Allemont *(05)* 166 A 5
Le Monêtier-les-Bains *(05)* 152 D 4
Monfaucon *(24)* 156 C 1
Monfaucon *(65)* 187 F 3
Monferran-Plavès *(32)* 188 A 3
Monferran-Savès *(32)* 188 C 2
Monflanquin *(47)* 157 F 4
Monfort *(32)* 188 B 1
Monfréville *(14)* 25 G 1
Mongaillard *(47)* 171 H 2
Mongausy *(32)* 188 B 3
Mongauzy *(33)* 156 A 4
Monget *(40)* 186 A 2
La Mongie *(65)* 204 D 3
Monguilhem *(32)* 171 E 5
Monheurt *(47)* 171 H 1
Monhoudou *(72)* 68 B 1
Monieux *(84)* 180 A 3
Monistrol-d'Allier *(43)* 147 H 5
Monistrol-sur-Loire *(43)* 148 D 2
Monlaur-Bernet *(32)* 187 H 4
Monléon-Magnoac *(65)* 187 H 5
Monlet *(43)* 148 A 3
Monlezun *(32)* 187 F 3
Monlezun-d'Armagnac *(32)* 171 E 5
Monlong *(65)* 205 F 1
Monmadalès *(24)* 157 E 2
Monmarvès *(24)* 157 E 2
Monnai *(61)* 28 B 5
Monnaie *(37)* 86 D 3
Monneren *(57)* 21 F 3
La Monnerie-le-Montel *(63)* 134 A 2
Monnerville *(91)* 50 D 5
Monnes *(02)* 32 C 3
Monnet-la-Ville *(39)* 110 C 4
Monnetay *(39)* 123 F 2
Monnetier-Mornex *(74)* 124 C 4
Monneville *(60)* 30 D 3
Monnières *(39)* 110 A 1
Monnières *(44)* 99 G 1
Monoblet *(30)* 177 H 4
Monpardiac *(32)* 187 F 3
Monpazier *(24)* 157 G 3
Monpezat *(64)* 186 D 3
Monplaisant *(24)* 157 G 2
Monprimblanc *(33)* 155 G 3
Mons *(16)* 128 A 2
Mons *(17)* 127 G 2
Mons *(30)* 178 A 3
Mons *(31)* 189 G 2
Mons *(34)* 191 H 3
Mons *(63)* 133 G 1
Mons *(83)* 198 C 1
Mons-Boubert *(80)* 6 C 4
Mons-en-Barœul *(59)* 4 C 3
Mons-en-Chaussée *(80)* 16 B 2
Mons-en-Laonnois *(02)* 17 E 5
Mons-en-Montois *(77)* 52 C 4
Mons-en-Pévèle *(59)* 4 C 5
Monsac *(24)* 157 F 2
Monsaguel *(24)* 157 E 2
Monsec *(24)* 143 E 1
Monségur *(33)* 156 B 3
Monségur *(40)* 186 A 2
Monségur *(47)* 157 G 4
Monségur *(64)* 187 E 4
La Monselie *(15)* 146 A 2
Monsempron-Libos *(47)* 157 G 4
Monsireigne *(85)* 100 B 4
Monsols *(69)* 121 H 4
Monsteroux-Milieu *(38)* 149 H 1
Monsures *(80)* 15 E 3
Monswiller *(67)* 58 D 1
Mont *(64)* 186 A 3
Mont *(65)* 205 E 4
Le Mont *(70)* 77 G 5
Mont *(71)* 107 G 5
Le Mont *(88)* 58 B 4
Mont-Bernanchon *(62)* 3 G 5
Mont-Bertrand *(14)* 25 G 4
Mont-Bonvillers *(54)* 20 C 4
Mont-Cauvaire *(76)* 13 G 4
Mont-d'Astarac *(32)* 187 H 5
Mont-Dauphin *(05)* 167 F 2
Mont-de-Galié *(31)* 205 G 3
Mont-de-Lans *(38)* 152 B 4
Mont-de-Laval *(25)* 95 H 5
Mont-de-l'If *(76)* 13 F 4
Mont-de-Marrast *(32)* 187 G 4
Mont-de-Marsan Ⓟ *(40)* 170 C 4
Mont-de-Vougney *(25)* 96 C 4
Mont-Denis *(73)* 152 D 2
Mont des Cats *(59)* 3 G 4
Mont-devant-Sassey *(55)* 35 F 1
Le Mont-Dieu *(08)* 19 E 4
Mont-Disse *(64)* 186 D 2
Mont-Dol *(35)* 45 F 3
le Mont-Dore *(63)* 132 D 5

Mont-d'Origny *(02)* 17 **E 2**
Mont-et-Marré *(58)* 107 **F 1**
Mont-Laurent *(08)* 18 **C 5**
Mont-le-Franois *(70)* 94 **A 2**
Mont-le-Vernois *(70)* 94 **D 1**
Mont-le-Vignoble *(54)* 56 **C 3**
Mont-lès-Lamarche *(88)* 76 **C 3**
Mont-lès-Neufchâteau *(88)* 56 **B 5**
Mont-lès-Seurre *(71)* 109 **G 2**
Mont-l'Étroit *(54)* 56 **B 4**
Mont-l'Évêque *(60)* 31 **H 3**
Mont-Louis *(66)* 211 **H 4**
Mont-Notre-Dame *(02)* 33 **E 2**
Mont-Ormel *(61)* 48 **A 1**
Mont-près-Chambord *(41)* 88 **A 2**
Mont-Roc *(81)* 190 **D 1**
Mont-Saxonnex *(74)* 125 **E 5**
Mont-sous-Vaudrey *(39)* 110 **B 2**
Le Mont-St-Adrien *(60)* 30 **D 1**
Mont-St-Aignan *(76)* 13 **G 5**
Mont-St-Éloi *(62)* 8 **A 3**
Mont-St-Jean *(02)* 18 **A 2**
Mont-St-Jean *(21)* 92 **B 5**
Mont-St-Jean *(72)* 67 **G 1**
Mont-St-Léger *(70)* 94 **C 1**
Mont-St-Martin *(02)* 33 **E 2**
Mont-St-Martin *(08)* 34 **C 1**
Mont-St-Martin *(38)* 151 **G 2**
Mont-St-Martin *(54)* 20 **B 2**
Le Mont-St-Michel *(50)* 45 **G 2**
Mont-St-Père *(02)* 33 **E 4**
Mont-St-Quentin *(80)* 16 **B 1**
Mont-St-Remy *(08)* 34 **B 1**
Mont-St-Sulpice *(89)* 73 **F 4**
Mont-St-Vincent *(71)* 108 **C 5**
Mont-sur-Courville *(51)* 33 **F 2**
Mont-sur-Meurthe *(54)* 57 **E 3**
Mont-sur-Monnet *(39)* 110 **C 4**
Montabard *(61)* 47 **H 1**
Montabon *(72)* 86 **B 1**
Montabot *(50)* 25 **F 5**
Montacher *(89)* 72 **B 2**
Montadet *(32)* 188 **C 4**
Montady *(34)* 192 **A 5**
Montagagne *(09)* 206 **D 3**
Montagna-le-Reconduit *(39)* 123 **F 2**
Montagna-le-Templier *(39)* 123 **F 3**
Montagnac *(30)* 178 **A 4**
Montagnac *(34)* 192 **D 3**
Montagnac-
d'Auberoche *(24)* 143 **G 3**
Montagnac-la-Crempse *(24)* 143 **E 5**
Montagnac-Montpezat *(04)* 181 **F 5**
Montagnac-
sur-Auvignon *(47)* 172 **A 2**
Montagnac-sur-Lède *(47)* 157 **F 4**
Montagnat *(01)* 123 **E 4**
Montagne *(33)* 141 **H 5**
Montagne *(38)* 150 **D 3**
La Montagne *(44)* 83 **E 5**
La Montagne *(70)* 77 **G 3**
Montagne-Fayel *(80)* 14 **D 1**
Montagney *(70)* 94 **B 4**
Montagney-Servigney *(25)* 95 **F 2**
Montagnieu *(01)* 137 **E 3**
Montagnieu *(38)* 137 **E 5**
Montagnol *(12)* 176 **B 5**
Montagnole *(73)* 137 **H 5**
Montagny *(42)* 135 **E 1**
Montagny *(69)* 135 **H 4**
Montagny *(73)* 139 **E 5**
Montagny-en-Vexin *(60)* 30 **C 3**
Montagny-lès-Beaune *(21)* 109 **E 2**
Montagny-lès-Buxy *(71)* 108 **D 5**
Montagny-les-Lanches *(74)* 138 **A 2**
Montagny-lès-Seurre *(21)* 109 **H 2**
Montagny-
près-Louhans *(71)* 109 **H 5**
Montagny-Ste-Félicité *(60)* 31 **H 3**
Montagny-sur-Grosne *(71)* 121 **H 3**
Montagoudin *(33)* 156 **A 3**
Montagrier *(24)* 142 **D 2**
Montagudet *(82)* 173 **E 2**
Montagut *(64)* 186 **B 3**
Montaignac *(19)* 145 **F 2**
Montaignac-
St-Hippolyte *(19)* 145 **F 2**
Montaigu *(02)* 17 **G 5**
Montaigu *(39)* 110 **B 5**
Montaigu *(85)* 99 **H 2**
Montaigu-de-Quercy *(82)* 173 **E 1**
Montaigu-la-Brisette *(50)* 23 **E 3**
Montaigu-le-Blin *(03)* 120 **B 3**
Montaigu-les-Bois *(50)* 25 **E 5**
Montaiguët-en-Forez *(03)* 120 **D 4**
Montaigut *(63)* 119 **F 5**
Montaigut-le-Blanc *(23)* 117 **G 5**
Montaigut-le-Blanc *(63)* 133 **F 5**
Montaigut-sur-Save *(31)* 189 **E 2**
Montaillé *(72)* 68 **D 4**
Montailleur *(73)* 138 **C 4**
Montaillou *(09)* 207 **G 5**
Montaimont *(73)* 152 **C 1**
Montain *(39)* 110 **B 4**
Montaïn *(82)* 173 **F 4**
Montainville *(28)* 70 **A 1**
Montainville *(78)* 50 **C 1**
Montalba-d'Amélie *(66)* 212 **D 4**
Montalba-le-Château *(66)* 208 **C 5**
Montalembert *(79)* 115 **E 5**
Montalet-le-Bois *(78)* 30 **C 4**
Montalieu-Vercieu *(38)* 137 **E 2**
Montalivet-les-Bains *(33)* 140 **B 1**
Montalzat *(82)* 173 **H 2**
Montamat *(32)* 188 **B 3**
Montambert *(58)* 107 **F 4**
Montamel *(46)* 158 **B 3**
Montamisé *(86)* 102 **B 5**
Montamy *(14)* 25 **H 4**
Montanay *(69)* 136 **B 2**
Montanceix *(24)* 143 **E 4**
Montancy *(25)* 96 **D 3**
Montandon *(25)* 96 **C 4**
Montanel *(50)* 45 **H 3**
Montaner *(64)* 187 **E 4**
Montanges *(01)* 123 **H 4**
Montangon *(10)* 54 **B 5**
Montans *(81)* 174 **C 5**
Montapas *(58)* 107 **F 1**
Montarcher *(42)* 148 **B 1**
Montardit *(09)* 206 **B 2**
Montardon *(64)* 186 **C 4**
Montaren-
et-St-Médiers *(30)* 178 **C 3**
Montargis *(19)* 144 **D 2**
Montargis (SP) *(45)* 71 **H 3**
Montarlot *(77)* 52 **A 5**
Montarlot-
lès-Champlitte *(70)* 94 **A 1**
Montarlot-lès-Rioz *(70)* 94 **D 3**
Montarnaud *(34)* 193 **E 2**
Montaron *(58)* 107 **G 3**
Montastruc *(47)* 156 **D 4**
Montastruc *(65)* 205 **E 1**
Montastruc *(82)* 173 **G 3**
Montastruc-de-Salies *(31)* 205 **H 2**
Montastruc-
la-Conseillère *(31)* 189 **G 1**
Montastruc-Savès *(31)* 188 **C 4**
Le Montat *(46)* 158 **B 5**
Montataire *(60)* 31 **F 2**
Montauban (P) *(82)* 173 **G 4**
Montauban-
de-Bretagne *(35)* 64 **D 1**
Montauban-de-Luchon *(31)* 205 **F 4**
Montauban-de-Picardie *(80)* 16 **A 1**
Montauban-
sur-l'Ouvèze *(26)* 180 **B 1**
Montaud *(34)* 193 **G 1**
Montaud *(38)* 151 **F 2**
Montaudin *(53)* 46 **B 5**
Montaulieu *(26)* 165 **E 5**
Montaulin *(10)* 74 **A 1**
Montaure *(27)* 29 **G 2**
Montauriol *(11)* 190 **A 5**
Montauriol *(47)* 157 **E 3**
Montauriol *(66)* 212 **D 3**
Montauriol *(81)* 175 **E 3**
Montauroux *(83)* 198 **C 1**
Montaut *(09)* 207 **E 1**
Montaut *(24)* 157 **E 2**
Montaut *(31)* 189 **E 4**
Montaut *(32)* 187 **H 4**
Montaut *(40)* 186 **A 1**
Montaut *(47)* 157 **E 3**
Montaut *(64)* 204 **A 1**
Montaut-les-Créneaux *(32)* 188 **A 1**
Montautour *(35)* 66 **A 1**
Montauville *(54)* 36 **D 5**
Montay *(59)* 9 **F 5**
Montayral *(47)* 157 **G 5**
Montazeau *(24)* 156 **B 1**
Montazels *(11)* 208 **A 3**
Montbard (SP) *(21)* 92 **B 2**
Montbarla *(82)* 173 **E 2**
Montbarrey *(39)* 110 **B 2**
Montbarrois *(45)* 71 **F 3**
Montbartier *(82)* 173 **G 5**
Montbavin *(02)* 17 **E 5**
Montbazens *(12)* 159 **G 5**
Montbazin *(34)* 193 **E 3**
Montbazon *(37)* 86 **D 5**
Montbel *(09)* 207 **G 3**
Montbel *(48)* 162 **A 4**
Montbéliard (SP) *(25)* 96 **C 2**
Montbéliardot *(25)* 95 **H 5**
Montbellet *(71)* 122 **B 2**
Montbenoît *(25)* 111 **G 2**
Montberaud *(31)* 206 **B 1**
Montbernard *(31)* 188 **B 5**
Montberon *(31)* 189 **G 1**
Montbert *(44)* 99 **G 1**
Montberthault *(21)* 92 **A 3**
Montbeton *(82)* 173 **G 4**
Montbeugny *(03)* 120 **B 1**
Montbizot *(72)* 68 **A 2**
Montblainville *(55)* 35 **F 2**
Montblanc *(34)* 192 **C 4**
Montboillon *(70)* 94 **D 3**
Montboissier *(28)* 69 **H 1**
Montbolo *(66)* 212 **D 4**
Montbonnot-St-Martin *(38)* 151 **H 2**
Montboucher *(23)* 130 **D 2**
Montboucher-
sur-Jabron *(26)* 163 **H 4**
Montboudif *(15)* 146 **B 2**
Montbouton *(90)* 96 **D 2**
Montbouy *(45)* 72 **A 5**
Montboyer *(16)* 142 **B 2**
Montbozon *(70)* 95 **F 3**
Montbrand *(05)* 165 **H 3**
Montbras *(55)* 56 **B 3**
Montbray *(50)* 25 **F 5**
Montbré *(51)* 33 **H 3**
Montbrehain *(02)* 16 **D 1**
Montbrison *(26)* 164 **C 5**
Montbrison (SP) *(42)* 134 **D 4**
Montbron *(16)* 129 **E 4**
Montbronn *(57)* 38 **C 4**
Montbrun *(46)* 159 **E 4**
Montbrun *(48)* 177 **E 1**
Montbrun-Bocage *(31)* 206 **C 2**
Montbrun-
des-Corbières *(11)* 208 **D 1**
Montbrun-Lauragais *(31)* 189 **G 4**
Montbrun-les-Bains *(26)* 180 **A 2**
Montcabrier *(46)* 157 **H 4**
Montcabrier *(81)* 189 **H 2**
Montcalm *(30)* 194 **A 2**
Montcaret *(24)* 156 **B 1**
Montcarra *(38)* 137 **E 4**
Montcavrel *(62)* 6 **D 1**
Montceau *(38)* 137 **E 4**
Montceau-et-Écharnant *(21)* 108 **D 2**
Montceau-les-Mines *(71)* 108 **B 5**
Montceaux *(01)* 122 **B 5**
Montceaux-lès-Meaux *(77)* 32 **B 5**
Montceaux-lès-Provins *(77)* 52 **D 2**
Montceaux-lès-Vaudes *(10)* 74 **A 2**
Montceaux-l'Étoile *(71)* 121 **E 3**
Montceaux-Ragny *(71)* 109 **E 5**
Montcel *(63)* 133 **E 1**
Le Montcel *(73)* 138 **A 3**
Montcenis *(71)* 108 **B 4**
Montcet *(01)* 122 **D 4**
Montcey *(70)* 95 **E 1**
Montchaboud *(38)* 151 **H 4**
Montchal *(42)* 135 **E 3**
Montchâlons *(02)* 17 **F 5**
Montchamp *(14)* 25 **H 5**
Montchamp *(15)* 147 **E 4**
Montchanin *(71)* 108 **C 4**
Montcharvot *(52)* 76 **B 4**
Montchaton *(50)* 24 **D 4**
Montchaude *(16)* 141 **H 1**
Montchauvet *(14)* 25 **H 5**
Montchauvet *(78)* 30 **B 5**
Montchauvrot *(39)* 110 **B 4**
Montchavin *(73)* 139 **E 4**
Montchenot *(51)* 33 **H 3**
Montchenu *(26)* 150 **C 3**
Montcheutin *(08)* 34 **D 2**
Montchevrel *(61)* 48 **B 3**
Montchevrier *(36)* 117 **G 2**
Montclar *(04)* 166 **D 5**
Montclar *(11)* 208 **A 1**
Montclar *(12)* 175 **H 4**
Montclar-
de-Comminges *(31)* 206 **A 1**
Montclar-Lauragais *(31)* 189 **H 4**
Montclar-sur-Gervanne *(26)* 164 **D 2**
Montclard *(43)* 147 **H 3**
Montcléra *(46)* 158 **A 3**
Montclus *(05)* 165 **H 5**
Montclus *(30)* 178 **C 1**
Montcombroux-
les-Mines *(03)* 120 **C 3**
Montcony *(71)* 109 **H 5**
Montcorbon *(45)* 72 **B 4**
Montcornet *(02)* 17 **H 3**
Montcornet *(08)* 10 **D 5**
Montcourt *(70)* 76 **D 4**
Montcourt-Fromonville *(77)* 71 **H 1**
Montcoy *(71)* 109 **F 4**
Montcresson *(45)* 72 **A 4**
Montcuit *(50)* 25 **E 3**
Montcul *(69)* 136 **C 3**
Montcuq-en-
Quercy-Blanc *(46)* 173 **F 1**
Montcusel *(39)* 123 **G 3**
Montcy-Notre-Dame *(08)* 18 **D 2**
Montdardier *(30)* 177 **F 4**
Montdauphin *(77)* 52 **D 1**
Montdidier *(57)* 37 **H 4**
Montdidier (SP) *(80)* 15 **H 4**
Montdoré *(70)* 76 **D 4**
Montdoumerc *(46)* 173 **H 1**
Montdragon *(81)* 190 **C 1**
Montdurausse *(81)* 174 **A 4**
Monte *(2B)* 215 **G 5**
Monte-Carlo *(MCO)* 183 **G 5**
Monte Cecu *(2B)* 217 **E 2**
Monte d'Oro *(2A)* 217 **E 3**
Monteaux *(41)* 87 **F 3**
Montebourg *(50)* 23 **E 4**
Montech *(82)* 173 **F 4**
Montécheroux *(25)* 96 **C 3**
Montegrosso *(2B)* 214 **C 5**
Montégut *(32)* 188 **A 2**
Montégut *(40)* 171 **E 5**
Montégut *(65)* 205 **F 2**
Montégut-Arros *(32)* 187 **F 4**
Montégut-Bourjac *(31)* 188 **C 5**
Montégut-
en-Couserans *(09)* 206 **B 3**
Montégut-Lauragais *(31)* 190 **A 3**
Montégut-Plantaurel *(09)* 206 **D 2**
Montégut-Savès *(32)* 188 **C 4**
Monteignet-
sur-l'Andelot *(03)* 120 **A 5**
Le Monteil *(15)* 146 **A 2**
Le Monteil *(43)* 148 **B 4**
Le Monteil-au-Vicomte *(23)* 131 **F 2**
Monteille *(14)* 27 **H 3**
Monteils *(12)* 174 **C 1**
Monteils *(82)* 173 **H 2**
Monteils *(Près de Alès) (30)* 178 **A 3**
Monteils
(Près de Barjac) (30) 178 **C 1**
Montel-de-Gelat *(63)* 132 **B 2**
Montéléger *(26)* 164 **C 1**
Montélier *(26)* 150 **C 5**
Montélimar *(26)* 163 **G 4**
Le Montellier *(01)* 136 **C 1**
Montels *(09)* 206 **D 3**
Montels *(34)* 192 **A 5**
Montels *(81)* 174 **C 4**
Montemaggiore *(2B)* 214 **C 5**
Montembœuf *(16)* 129 **E 3**
Montenach *(57)* 21 **F 3**
Montenay *(53)* 46 **C 5**
Montendre *(17)* 141 **G 2**
Montendry *(73)* 138 **B 5**
Montenescourt *(62)* 7 **H 3**
Monteneuf *(56)* 64 **C 4**
Montenils *(77)* 53 **E 1**
Montenois *(25)* 95 **H 2**
Montenoison *(58)* 91 **E 5**
Montenoy *(54)* 57 **E 1**
Montépilloy *(60)* 31 **H 3**
Monteplain *(39)* 94 **B 5**
Montépreux *(51)* 53 **H 2**
Monterblanc *(56)* 81 **H 1**
Montereau *(45)* 71 **G 5**
Montereau-
Fault-Yonne *(77)* 52 **B 5**
Montereau-sur-le-Jard *(77)* 51 **H 3**
Monterfil *(35)* 64 **D 2**
Montérolier *(76)* 14 **A 4**
Monterrein *(56)* 64 **B 4**
Montertelot *(56)* 64 **A 4**
Montescot *(66)* 213 **F 3**
Montescourt-Lizerolles *(02)* 16 **D 3**
Montespan *(31)* 205 **H 2**
Montesquieu *(34)* 192 **B 3**
Montesquieu *(47)* 172 **A 2**
Montesquieu *(82)* 173 **E 2**
Montesquieu-Avantès *(09)* 206 **B 2**
Montesquieu-
des-Albères *(66)* 213 **E 4**
Montesquieu-Guittaut *(31)* 188 **B 5**
Montesquieu-Lauragais *(31)* 189 **G 4**
Montesquieu-
Volvestre *(31)* 206 **C 1**
Montesquiou *(32)* 187 **G 2**
Montessaux *(70)* 77 **G 5**
Montesson *(52)* 76 **B 5**
Montesson *(78)* 31 **E 5**
Montestruc-sur-Gers *(32)* 188 **A 1**
Montestrucq *(64)* 185 **H 3**
Le Montet *(03)* 119 **G 2**
Montet-et-Bouxal *(46)* 159 **F 2**
Monteton *(47)* 156 **C 3**
Monteux *(84)* 179 **G 3**
Montévrain *(77)* 51 **H 1**
Monteynard *(38)* 151 **G 5**
Montézic *(12)* 160 **B 3**
Montfa *(09)* 206 **C 2**
Montfa *(81)* 190 **C 2**
Montfalcon *(38)* 150 **D 2**
Montfarville *(50)* 23 **E 2**
Montfaucon *(02)* 32 **D 5**
Montfaucon *(25)* 95 **E 5**
Montfaucon *(30)* 179 **E 3**
Montfaucon *(46)* 158 **C 3**
Montfaucon *(49)* 100 **A 1**
Montfaucon *(79)* 113 **H 3**
Montfaucon-
d'Argonne *(55)* 35 **F 2**
Montfaucon-
en-Velay *(43)* 148 **D 3**
Montfavet *(84)* 179 **F 4**
Montfermeil *(93)* 31 **G 5**
Montfermier *(82)* 173 **H 2**
Montfermy *(63)* 132 **D 2**
Montferrand *(11)* 190 **A 4**
Montferrand *(63)* 133 **F 3**
Montferrand-
du-Périgord *(24)* 157 **G 2**
Montferrand-la-Fare *(26)* 165 **F 5**
Montferrand-
le-Château *(25)* 94 **D 5**
Montferrat *(38)* 137 **F 5**
Montferrat *(83)* 197 **G 2**
Montferrer *(66)* 212 **C 4**
Montferrier *(09)* 207 **F 4**
Montferrier-sur-Lez *(34)* 193 **F 2**
Montfey *(10)* 73 **G 3**
Montfiquet *(14)* 25 **G 3**
Montfleur *(39)* 123 **F 3**
Montflours *(53)* 66 **C 2**
Montflovin *(25)* 111 **G 2**
Montfort *(04)* 181 **E 3**
Montfort *(24)* 158 **A 1**
Montfort *(25)* 110 **D 1**
Montfort *(49)* 85 **F 5**
Montfort *(64)* 185 **G 4**
Montfort-
en-Chalosse *(40)* 185 **G 1**
Montfort-l'Amaury *(78)* 50 **C 2**
Montfort-le-Gesnois *(72)* 68 **B 3**
Montfort-sur-Argens *(83)* 197 **E 3**
Montfort-sur-Boulzane *(11)* 208 **B 5**
Montfort-sur-Meu *(35)* 64 **D 1**
Montfort-sur-Risle *(27)* 28 **D 2**
Montfranc *(12)* 175 **G 5**
Montfrin *(30)* 178 **D 5**
Montfroc *(26)* 180 **C 2**
Montfuron *(04)* 180 **C 5**
Montgaillard *(09)* 207 **E 3**
Montgaillard *(11)* 208 **D 3**
Montgaillard *(40)* 186 **B 1**
Montgaillard *(65)* 204 **C 1**
Montgaillard *(81)* 174 **A 5**
Montgaillard *(82)* 172 **D 4**
Montgaillard-de-Salies *(31)* 206 **A 2**
Montgaillard-Lauragais *(31)* 189 **H 4**
Montgaillard-sur-Save *(31)* 188 **B 5**
Montgardin *(05)* 166 **C 3**
Montgardon *(50)* 24 **C 1**
Montgaroult *(61)* 47 **G 2**
Montgauch *(09)* 206 **A 3**
Montgaudry *(61)* 48 **B 5**
Montgazin *(31)* 189 **E 5**
Montgé-en-Goële *(77)* 31 **H 4**
Montgeard *(31)* 189 **H 5**
Montgellafrey *(73)* 152 **C 1**
Montgenèvre *(05)* 153 **F 5**
Montgenost *(51)* 53 **E 3**
Montgérain *(60)* 15 **H 5**
Montgermont *(35)* 65 **F 1**
Montgeron *(91)* 51 **G 2**
Montgeroult *(95)* 30 **D 4**
Montgesoye *(25)* 111 **E 1**
Montgesty *(46)* 158 **A 4**
Montgey *(81)* 190 **A 3**
Montgibaud *(19)* 130 **B 5**
Montgilbert *(73)* 138 **C 5**
Montgirod *(73)* 139 **E 5**
Montgiscard *(31)* 189 **G 4**
Montgivray *(36)* 118 **A 1**
Montgobert *(02)* 32 **C 2**
Montgon *(08)* 18 **D 5**
Montgothier *(50)* 46 **A 2**
Montgradail *(11)* 207 **H 2**
Montgras *(31)* 188 **D 4**
Montgreleix *(15)* 146 **C 2**
Montgrésin *(60)* 31 **G 3**
Montgru-St-Hilaire *(02)* 32 **D 3**
Montguers *(26)* 180 **B 1**
Montgueux *(10)* 73 **H 1**
Montguillon *(49)* 66 **C 5**
Montguyon *(17)* 141 **H 3**
Les Monthairons *(55)* 35 **H 4**
Montharville *(28)* 69 **H 2**
Monthault *(35)* 46 **A 3**
Monthaut *(11)* 207 **H 2**
Monthelie *(21)* 109 **E 2**
Monthelon *(51)* 33 **G 4**
Monthelon *(71)* 108 **A 2**
Monthenault *(02)* 17 **F 5**
Montheries *(52)* 75 **E 2**
Montherlant *(60)* 30 **D 2**
Monthermé *(08)* 11 **E 5**
Monthiers *(02)* 32 **D 4**
Monthieux *(01)* 136 **B 1**
Monthion *(73)* 138 **C 4**
Monthodon *(37)* 87 **E 1**
Monthoiron *(86)* 102 **C 5**
Monthois *(08)* 34 **D 2**
Montholier *(39)* 110 **B 3**
Monthou-sur-Bièvre *(41)* 87 **H 3**
Monthou-sur-Cher *(41)* 87 **H 4**
Monthuchon *(50)* 24 **D 3**
Monthurel *(02)* 33 **E 4**
Monthureux-le-Sec *(88)* 76 **D 1**
Monthureux-
sur-Saône *(88)* 76 **D 3**
Monthyon *(77)* 32 **A 4**
Monti *(06)* 183 **G 4**
Monticello *(2B)* 214 **D 4**
Montier-en-Der *(52)* 54 **D 4**
Montier-en-l'Isle *(10)* 74 **D 1**
Montiéramey *(10)* 74 **B 1**
Montierchaume *(36)* 104 **B 3**
Montiers *(60)* 15 **H 5**
Montiers-sur-Saulx *(55)* 55 **G 3**
Monties *(32)* 188 **A 4**
Montignac *(33)* 155 **H 2**
Montignac *(65)* 204 **C 1**
Montignac *(près de
Montpon-Menestérol) (24)* 142 **B 4**
Montignac *(près de
Sarlat-la-Canéda) (24)* 144 **A 4**
Montignac-Charente *(16)* 128 **B 3**
Montignac-de-Lauzun *(47)* 156 **D 4**
Montignac-le-Coq *(16)* 142 **C 2**
Montignac-Toupinerie *(47)* 156 **C 4**
Montignargues *(30)* 178 **B 4**
Montigné *(16)* 128 **A 2**
Montigné *(79)* 114 **C 4**
Montigné-le-Brillant *(53)* 66 **C 3**
Montigné-lès-Rairies *(49)* 85 **G 2**
Montigné-sur-Moine *(49)* 100 **A 1**
Montigny *(14)* 27 **E 4**
Montigny *(18)* 89 **H 5**
Montigny *(45)* 71 **E 2**
Montigny *(50)* 46 **A 2**
Montigny *(54)* 57 **H 3**
Montigny *(72)* 48 **A 4**
Montigny *(76)* 13 **G 5**
Montigny *(79)* 100 **D 4**
Montigny-
aux-Amognes *(58)* 106 **D 2**
Montigny-devant-Sassey *(55)* 19 **G 5**
Montigny-en-Arrouaise *(02)* 17 **E 1**
Montigny-en-Cambrésis *(59)* 9 **E 5**
Montigny-en-Gohelle *(62)* 4 **B 5**
Montigny-en-Morvan *(58)* 107 **G 1**
Montigny-en-Ostrevant *(59)* 8 **D 2**
Montigny-la-Resle *(89)* 73 **F 5**
Montigny-l'Allier *(02)* 32 **B 4**
Montigny-
le-Bretonneux *(78)* 50 **D 2**
Montigny-le-Chartif *(28)* 69 **G 1**
Montigny-le-Franc *(02)* 17 **H 3**
Montigny-le-Gannelon *(28)* 69 **G 3**
Montigny-le-Guesdier *(77)* 52 **C 5**
Montigny-le-Roi *(52)* 76 **A 3**
Montigny-Lencoup *(77)* 52 **B 4**
Montigny-Lengrain *(02)* 32 **B 1**
Montigny-lès-Arsures *(39)* 110 **C 2**
Montigny-lès-Cherlieu *(70)* 76 **C 5**
Montigny-lès-Condé *(02)* 33 **E 5**
Montigny-lès-Cormeilles *(95)* 31 **E 5**
Montigny-les-Jongleurs *(80)* 7 **F 4**
Montigny-lès-Metz *(57)* 36 **D 3**
Montigny-les-Monts *(10)* 73 **H 2**
Montigny-
lès-Vaucouleurs *(55)* 56 **A 3**
Montigny-lès-Vesoul *(70)* 94 **D 1**
Montigny-Montfort *(21)* 92 **B 2**
Montigny-Mornay-Villeneuve-
sur-Vingeanne *(21)* 94 **A 2**
Montigny-sous-Marle *(02)* 17 **G 3**
Montigny-St-Barthélemy *(21)* 92 **B 3**
Montigny-sur-Armançon *(21)* 92 **B 3**
Montigny-sur-Aube *(21)* 75 **E 4**
Montigny-sur-Avre *(28)* 49 **F 2**
Montigny-sur-Canne *(58)* 107 **F 3**
Montigny-sur-Chiers *(54)* 20 **B 2**
Montigny-sur-Crécy *(02)* 17 **F 3**
Montigny-sur-l'Ain *(39)* 110 **C 4**
Montigny-sur-l'Hallue *(80)* 15 **G 1**
Montigny-sur-Loing *(77)* 51 **H 5**
Montigny-sur-Meuse *(08)* 11 **E 3**
Montigny-sur-Vence *(08)* 18 **D 4**
Montigny-sur-Vesle *(51)* 33 **F 2**
Montilliers *(49)* 85 **E 5**
Montillot *(89)* 91 **F 3**
Montilly *(03)* 119 **H 1**
Montilly-sur-Noireau *(61)* 47 **E 1**
Montils *(17)* 127 **F 4**
Les Montils *(41)* 87 **H 3**
Les Montils *(77)* 52 **A 4**
Montipouret *(36)* 104 **C 5**
Montirat *(11)* 208 **B 1**
Montirat *(81)* 174 **D 2**
Montireau *(28)* 49 **F 5**
Montiron *(32)* 188 **B 2**
Montivernage *(25)* 95 **G 4**
Montivilliers *(76)* 12 **B 5**
Montjardin *(11)* 207 **H 3**
Montjaux *(12)* 176 **A 3**
Montjavoult *(60)* 30 **C 3**
Montjay *(05)* 165 **G 5**
Montjay *(71)* 109 **H 4**
Montjean *(16)* 115 **E 5**
Montjean *(53)* 66 **B 3**
Montjean-sur-Loire *(49)* 84 **B 3**
Montjézieu *(48)* 161 **F 5**
Montjoi *(11)* 208 **C 3**
Montjoi *(82)* 172 **D 2**
Montjoie *(63)* 119 **F 5**
Montjoie-en-Couserans *(09)* 206 **B 3**
Montjoie-le-Château *(25)* 96 **D 3**
Montjoie-St-Martin *(50)* 45 **H 3**
Montjoire *(31)* 189 **G 1**
Montjouvent *(39)* 123 **G 1**
Montjoux *(26)* 164 **D 4**
Montjoyer *(26)* 163 **H 4**
Montjustin *(04)* 180 **C 5**
Montjustin-et-Velotte *(70)* 95 **F 1**
Montlandon *(28)* 49 **F 5**
Montlandon *(52)* 76 **A 4**
Montlaur *(11)* 208 **C 2**
Montlaur *(12)* 176 **A 5**
Montlaur *(31)* 189 **G 3**
Montlaur-en-Diois *(26)* 165 **F 3**
Montlaux *(04)* 180 **D 3**
Montlauzun *(46)* 173 **F 1**
Montlay-en-Auxois *(21)* 92 **B 4**
Montlebon *(25)* 111 **H 1**
Montlegun *(11)* 208 **B 1**
Montlevicq *(36)* 118 **A 1**
Montlevon *(02)* 33 **E 5**
Montlhéry *(91)* 51 **E 3**
Montliard *(45)* 71 **F 3**
Montlieu-la-Garde *(17)* 141 **H 3**
Montlignon *(95)* 31 **F 4**
Montliot-et-Courcelles *(21)* 74 **C 4**
Montlivault *(41)* 87 **H 2**
Montlobre *(34)* 193 **E 2**
Montlognon *(60)* 31 **H 3**
Montloué *(02)* 17 **H 3**
Montlouis *(18)* 105 **E 4**
Montlouis-sur-Loire *(37)* 87 **E 4**
Montluçon (SP) *(03)* 118 **D 3**
Montluel *(01)* 136 **C 2**
Montmachoux *(77)* 72 **B 1**
Montmacq *(60)* 16 **B 5**
Montmagny *(95)* 31 **F 5**
Montmahoux *(25)* 110 **D 2**
Montmain *(21)* 109 **G 2**
Montmain *(76)* 29 **G 1**
Montmalin *(39)* 110 **C 2**
Montmançon *(21)* 93 **H 4**
Montmarault *(03)* 119 **G 3**

Localité *(Département)* Page Coordonnées

Montmarlon *(39)* 110 D 3
Montmarquet *(80)* 14 C 2
Montmartin *(60)* 15 H 5
Montmartin-en-Graignes *(50)* 25 F 2
Montmartin-le-Haut *(10)* 74 C 1
Montmartin-sur-Mer *(50)* 24 D 4
Montmaur *(05)* 166 A 3
Montmaur *(11)* 190 A 4
Montmaur-en-Diois *(26)* 165 F 2
Montmaurin *(31)* 205 G 1
Montmédy *(55)* 19 H 5
Montmeillant *(08)* 18 B 3
Montmelard *(71)* 121 H 3
Montmelas-St-Sorlin *(69)* 135 G 1
Montmélian *(73)* 138 A 5
Montmerle-sur-Saône *(01)* 122 B 5
Montmerrei *(61)* 47 H 3
Montmeyan *(83)* 196 D 1
Montmeyran *(26)* 164 C 1
Montmin *(74)* 138 B 2
Montmirail *(51)* 53 E 1
Montmirail *(72)* 69 E 2
Montmiral *(26)* 150 D 3
Montmirat *(30)* 178 A 5
Montmirey-la-Ville *(39)* 94 A 5
Montmirey-le-Château *(39)* 94 A 5
Montmoreau-St-Cybard *(16)* 142 B 1
Montmorency *(95)* 31 F 5
Montmorency-Beaufort *(10)* 54 C 4
Montmorillon SP *(86)* 116 B 2
Montmorin *(05)* 165 G 4
Montmorin *(63)* 133 G 4
Montmorot *(39)* 110 A 5
Montmort *(51)* 33 G 5
Montmort *(71)* 108 A 4
Montmotier *(88)* 77 E 3
Montmoyen *(21)* 93 E 1
Montmurat *(15)* 159 G 3
Montner *(66)* 208 D 5
Montoillot *(21)* 92 D 5
Montoir-de-Bretagne *(44)* 82 C 4
Montoire-sur-le-Loir *(41)* 87 E 1
Montois-la-Montagne *(57)* 20 D 5
Montoison *(26)* 164 C 1
Montoldre *(03)* 120 B 3
Montolieu *(11)* 190 C 5
Montolivet *(77)* 52 D 1
Montonvillers *(80)* 15 F 1
Montord *(03)* 119 H 3
Montory *(64)* 203 E 1
Montot *(21)* 109 H 1
Montot *(70)* 94 B 2
Montot-sur-Rognon *(52)* 75 H 1
Montouliers *(34)* 191 H 5
Montoulieu *(09)* 207 E 3
Montoulieu *(34)* 177 G 4
Montoulieu-St-Bernard *(31)* 205 H 1
Montournais *(85)* 100 C 4
Montours *(35)* 45 H 4
Montourtier *(53)* 67 E 1
Montoussé *(65)* 205 E 2
Montoussin *(31)* 188 C 5
Montoy-Flanville *(57)* 21 F 5
Montpascal *(73)* 152 C 1
Montpellier P *(34)* 193 F 2
Montpellier-de-Médillan *(17)* 127 E 4
Montpellier-la-Paillade *(34)* 193 F 2
Montpensier *(63)* 133 F 1
Montperreux *(25)* 111 F 3
Montpeyroux *(12)* 160 C 3
Montpeyroux *(24)* 142 B 5
Montpeyroux *(34)* 192 D 1
Montpeyroux *(63)* 133 F 4
Montpezat *(04)* 181 F 5
Montpezat *(30)* 178 A 5
Montpézat *(32)* 188 C 4
Montpezat-d'Agenais *(47)* 172 B 1
Montpezat-de-Quercy *(82)* 173 H 2
Montpezat-sous-Bauzon *(07)* 162 D 2
Montpinchon *(50)* 25 E 4
Montpinier *(81)* 190 C 2
Montpitol *(31)* 189 H 1
Montplonne *(55)* 55 G 2
Montpollin *(49)* 85 G 2
Montpon-Ménestérol *(24)* 142 B 5
Montpont-en-Bresse *(71)* 122 D 1
Montpothier *(10)* 53 E 3
Montpouillan *(47)* 156 B 4
Montrabé *(31)* 189 G 2
Montrabot *(50)* 25 G 3
Montracol *(01)* 122 D 4
Montravers *(79)* 100 C 3
Montréal *(07)* 163 E 4
Montréal *(11)* 207 H 1
Montréal-du-Gers *(32)* 171 H 4
Montréal *(89)* 91 H 2
Montréal-la-Cluse *(01)* 123 G 4
Montréal-les-Sources *(26)* 165 E 5
Montrécourt *(59)* 9 E 4
Montredon *(11)* 208 B 1
Montredon *(13)* 195 H 5
Montredon *(46)* 159 G 3
Montredon-des-Corbières *(11)* 209 F 1
Montredon-Labessonnié *(81)* 190 D 1
Montregard *(43)* 149 E 3
Montréjeau *(31)* 205 F 2
Montrelais *(44)* 84 B 3
Montrelet *(80)* 7 F 5
Montrem *(24)* 143 E 4
Montrésor *(37)* 103 G 1
Montret *(71)* 109 G 5
Montreuil *(28)* 49 H 1
Montreuil *(53)* 47 E 5
Montreuil SP *(62)* 6 D 2
Montreuil *(85)* 113 G 2
Montreuil *(93)* 51 F 1
Montreuil-au-Houlme *(61)* 47 F 2
Montreuil-aux-Lions *(02)* 32 C 4
Montreuil-Bellay *(49)* 101 G 1
Montreuil-Bonnin *(86)* 115 E 1
Montreuil-des-Landes *(35)* 66 A 1
Montreuil-en-Auge *(14)* 27 H 3
Montreuil-en-Caux *(76)* 13 G 3
Montreuil-en-Touraine *(37)* 87 E 3
Montreuil-Juigné *(49)* 84 D 2
Montreuil-la-Cambe *(61)* 27 H 5
Montreuil-l'Argillé *(27)* 28 C 5
Montreuil-le-Chétif *(72)* 67 H 1
Montreuil-le-Gast *(35)* 65 F 1
Montreuil-le-Henri *(72)* 68 C 4
Montreuil-sous-Pérouse *(35)* 65 H 2
Montreuil-sur-Barse *(10)* 74 B 1
Montreuil-sur-Blaise *(52)* 55 E 4
Montreuil-sur-Brêche *(60)* 15 F 5
Montreuil-sur-Epte *(95)* 30 B 3
Montreuil-sur-Ille *(35)* 45 F 5
Montreuil-sur-Loir *(49)* 85 E 2
Montreuil-sur-Lozon *(50)* 25 E 3
Montreuil-sur-Maine *(49)* 84 D 1
Montreuil-sur-Thérain *(60)* 31 E 1
Montreuil-sur-Thonnance *(52)* 55 G 4
Montreuillon *(58)* 107 G 1
Montreux *(54)* 58 A 3
Montreux-Château *(90)* 96 D 1
Montreux-Jeune *(68)* 96 D 1
Montreux-Vieux *(68)* 96 D 1
Montrevault-sur-Èvre *(49)* 84 A 5
Montrevel *(38)* 137 E 5
Montrevel *(39)* 123 F 2
Montrevel-en-Bresse *(01)* 122 D 3
Montribourg *(52)* 75 E 3
Montrichard-Val-de-Cher *(41)* 87 G 4
Montricher-Albanne *(73)* 152 D 2
Montricoux *(82)* 174 A 3
Montrieux-en-Sologne *(41)* 88 B 2
Montrigaud *(26)* 150 D 3
Montriond *(74)* 125 F 4
Montroc-le-Planet *(74)* 125 G 5
Montrodat *(48)* 161 F 4
Montrol-Sénard *(87)* 129 G 1
Montrollet *(16)* 129 G 1
Montromant *(69)* 135 F 4
Montrond *(05)* 165 H 5
Montrond *(39)* 110 C 4
Montrond *(73)* 152 C 3
Montrond-le-Château *(25)* 94 D 5
Montrond-les-Bains *(42)* 135 E 4
Montrosier *(81)* 174 B 3
Montrottier *(69)* 135 F 3
Montroty *(76)* 30 B 1
Montrouge *(92)* 51 F 1
Montrouveau *(41)* 86 D 1
Montroy *(17)* 113 F 4
Montrozier *(12)* 160 C 5
Montry *(77)* 52 A 1
Monts *(37)* 86 C 5
Monts *(60)* 30 D 3
Monts-de-Vaux *(39)* 110 C 3
Les Monts d'Olmes *(09)* 207 F 4
Monts-en-Bessin *(14)* 27 E 3
Monts-en-Ternois *(62)* 7 G 3
Monts-sur-Guesnes *(86)* 102 A 3
Montsalès *(12)* 159 F 4
Montsalier *(04)* 180 C 3
Montsalvy *(15)* 160 A 3
Montsaon *(52)* 75 F 2
Montsapey *(73)* 138 C 5
Montsauche-les-Settons *(58)* 91 H 5
Montsaugeon *(52)* 93 H 1
Montsaunès *(31)* 206 A 2
Montsec *(55)* 36 B 5
Montsecret *(61)* 46 D 1
Montségur *(09)* 207 F 4
Montségur-sur-Lauzon *(26)* 163 H 5
Montselgues *(07)* 162 C 4
Montséret *(11)* 209 E 2
Montsérié *(65)* 205 E 2
Montseron *(09)* 206 C 3
Montseugny *(70)* 94 A 4
Montseveroux *(38)* 150 B 1
Montsoreau *(49)* 85 H 5
Montsoué *(40)* 186 B 1
Montsoult *(95)* 31 F 4
Montsûrs *(53)* 67 E 2
Montsurvent *(50)* 24 D 3
Montsuzain *(10)* 54 A 4
Montureux-et-Prantigny *(70)* 94 B 2
Montureux-lès-Baulay *(70)* 76 D 5
Montursin *(25)* 96 D 3
Montusclat *(43)* 148 C 5
Montussaint *(25)* 95 F 3
Montussan *(33)* 155 F 1
Montvalen *(81)* 174 A 5
Montvalent *(46)* 158 C 1
Montvalezan *(73)* 139 F 4
Montvendre *(26)* 164 C 1
Montverdun *(42)* 134 D 4
Montvernier *(73)* 152 C 1
Montvert *(15)* 145 G 5
Montvicq *(03)* 119 F 3
Montviette *(14)* 28 A 4
Montville *(76)* 13 G 5
Montviron *(50)* 45 H 1
Montzéville *(55)* 35 G 3
Monviel *(47)* 157 E 4
Monvilliers *(28)* 50 C 5
Monze *(11)* 208 C 1
Moon-sur-Elle *(50)* 25 G 2
Moosch *(68)* 78 B 4
Mooslargue *(68)* 97 F 2
Moraches *(58)* 91 E 5
Moragne *(17)* 126 D 1
Morains *(51)* 53 G 1
Morainville *(28)* 50 C 5
Morainville-Jouveaux *(27)* 28 C 2
Morainvilliers *(78)* 30 D 5
Morancé *(69)* 135 H 2
Morancez *(28)* 50 A 5
Morancourt *(52)* 55 F 4
Morand *(37)* 87 F 2
Morangis *(51)* 33 G 5
Morangis *(91)* 51 F 2
Morangles *(60)* 31 F 3
Morannes-sur-Sarthe *(49)* 67 E 5
Moranville *(55)* 20 A 5
Moras *(38)* 136 D 4
Moras-en-Valloire *(26)* 150 C 2
Morbecque *(59)* 3 G 5
Morbier *(39)* 124 B 1
Morcenx *(40)* 169 F 3
Morchain *(80)* 16 B 2
Morchies *(62)* 8 B 4
Morcourt *(02)* 16 D 2
Morcourt *(80)* 15 H 2
Mordelles *(35)* 65 E 2
Mordreuc *(22)* 44 D 3
Moréac *(56)* 63 G 5
Morée *(41)* 69 G 4
Moreilles *(85)* 113 F 2
Morello *(Col de) (2B)* 217 F 3
Morelmaison *(88)* 56 C 5
Morembert *(10)* 54 B 4
Morestel *(38)* 137 F 4
Moret-sur-Loing *(77)* 52 A 5
Morêtel-de-Mailles *(38)* 152 A 1
Morette *(38)* 151 F 2
Moreuil *(80)* 15 G 3
Morey *(70)* 94 B 1
Morey *(71)* 108 D 4
Morey-St-Denis *(21)* 93 F 5
Morez *(39)* 124 B 1
Morfontaine *(54)* 20 C 3
Morganx *(40)* 186 A 2
Morgat *(29)* 41 E 5
Morgemoulin *(55)* 20 A 5
Morgny *(27)* 30 A 1
Morgny-en-Thiérache *(02)* 17 H 3
Morgny-la-Pommeraye *(76)* 13 H 5
Morhange *(57)* 37 G 5
Moriani-Plage *(2B)* 217 H 1
Moriat *(63)* 147 F 1
Moricq *(85)* 112 D 2
Morienne *(76)* 14 C 3
Morienval *(60)* 32 A 2
Morières-lès-A. *(84)* 179 F 4
Moriers *(28)* 69 H 1
Morieux *(22)* 43 H 4
Moriez *(04)* 181 H 3
Morigny *(50)* 25 F 5
Morigny-Champigny *(91)* 51 E 4
Morillon *(74)* 125 F 5
Moringhem *(62)* 2 D 4
Morionvilliers *(52)* 55 H 5
Morisel *(80)* 15 G 3
Moriville *(88)* 57 F 5
Moriviller *(54)* 57 F 4
Morizécourt *(88)* 76 C 2
Morizès *(33)* 155 H 3
Morlaàs *(64)* 186 C 4
Morlac *(18)* 105 F 5
Morlaincourt *(55)* 55 H 2
Morlaix SP *(29)* 42 A 3
Morlancourt *(80)* 15 H 1
Morlanne *(64)* 186 A 3
Morlet *(71)* 108 C 2
Morley *(55)* 55 G 3
Morlhon-le-Haut *(12)* 174 D 1
Morlincourt *(60)* 16 B 4
Mormaison *(85)* 99 G 3
Mormant *(77)* 52 A 3
Mormant-sur-Vernisson *(45)* 71 H 4
Mormès *(32)* 171 E 5
Mormoiron *(84)* 179 H 3
Mornac *(16)* 128 C 4
Mornac-sur-Seudre *(17)* 126 C 3
Mornand-en-Forez *(42)* 134 D 4
Mornans *(26)* 164 D 3
Mornant *(69)* 135 G 4
Mornas *(84)* 179 E 2
Mornay *(21)* 94 A 2
Mornay *(71)* 121 G 1
Mornay-Berry *(18)* 106 A 2
Mornay-sur-Allier *(18)* 106 B 4
Moroges *(71)* 108 D 4
Morogues *(18)* 89 G 5
Morosaglia *(2B)* 217 F 1
Morre *(25)* 95 E 5
Morsain *(02)* 16 C 5
Morsains *(51)* 53 E 1
Morsalines *(50)* 23 E 3
Morsan *(27)* 28 D 3
Morsang-sur-Orge *(91)* 51 F 3
Morsang-sur-Seine *(91)* 51 G 3
Morsbach *(57)* 37 H 2
Morsbronn-les-Bains *(67)* 39 F 4
Morschwiller *(67)* 39 G 5
Morschwiller-le-Bas *(68)* 78 D 5
Morsiglia *(2B)* 215 F 1
Mortagne *(88)* 57 H 5
Mortagne-au-Perche SP *(61)* 48 C 4
Mortagne-du-Nord *(59)* 5 E 5
Mortagne-sur-Gironde *(17)* 126 D 5
Mortagne-sur-Sèvre *(85)* 100 B 2
Mortain-Bocage *(50)* 46 B 2
Mortcerf *(77)* 52 A 1
La Morte *(38)* 151 H 4
Morteau *(25)* 111 H 1
Morteaux-Coulibœuf *(14)* 27 H 5
Mortefontaine *(02)* 32 B 2
Mortefontaine *(60)* 31 G 4
Mortefontaine-en-Thelle *(60)* 31 E 2
Mortemart *(87)* 129 G 1
Mortemer *(60)* 15 H 4
Mortemer *(76)* 14 B 3
Morterolles *(23)* 131 E 2
Morterolles-sur-Semme *(87)* 117 E 5
Mortery *(77)* 52 C 3
Morthemer *(86)* 115 H 2
Morthomiers *(18)* 105 F 2
Le Mortier *(19)* 145 E 3
Mortiers *(02)* 17 F 3
Mortiers *(17)* 141 G 1
Morton *(86)* 101 H 1
Mortrée *(61)* 47 H 3
Mortroux *(23)* 117 H 3
Mortzwiller *(68)* 78 B 5
Morval *(62)* 8 B 5
Morvillars *(90)* 96 D 2
Morville *(50)* 22 D 4
Morville *(88)* 76 C 1
Morville-en-Beauce *(45)* 71 E 1
Morville-lès-Vic *(57)* 57 G 1
Morville-sur-Andelle *(76)* 14 A 5
Morville-sur-Nied *(57)* 37 F 4
Morville-sur-Seille *(54)* 36 D 5
Morvillers *(60)* 14 D 4
Morvillers-St-Saturnin *(80)* 14 C 3
Morvilliers *(10)* 54 C 5
Morvilliers *(28)* 49 F 3
Mory *(62)* 8 B 4
Mory *(77)* 31 H 5
Mory-Montcrux *(60)* 15 G 4
Morzine *(74)* 125 F 4
Mosles *(14)* 25 H 1
Moslins *(51)* 33 G 5
Mosnac *(16)* 128 A 4
Mosnac *(17)* 127 F 5
Mosnay *(36)* 117 F 1
Mosnes *(37)* 87 F 3
Mosset *(66)* 212 B 2
Mosson *(21)* 74 D 4
Mostuéjouls *(12)* 176 C 2
Motey-Besuche *(70)* 94 B 4
Motey-sur-Saône *(70)* 94 B 2
La Mothe-Achard *(85)* 99 E 5
La Mothe-St-Héray *(79)* 114 D 3
Mothern *(67)* 39 H 4
Motreff *(29)* 62 C 2
La Motte *(22)* 63 H 2
La Motte *(60)* 32 B 1
La Motte *(83)* 197 G 3
La Motte-au-Bois *(59)* 3 G 5
La Motte-Chalancon *(26)* 165 F 4
La Motte-d'Aigues *(84)* 180 B 5
La Motte-d'Aveillans *(38)* 151 H 5
La Motte-de-Galaure *(26)* 149 H 3
La Motte-du-Caire *(04)* 166 B 5
La Motte-en-Bauges *(73)* 138 B 3
La Motte-en-Champsaur *(05)* 166 B 2
La Motte-Fanjas *(26)* 150 D 4
La Motte-Feuilly *(36)* 118 A 1
La Motte-Fouquet *(61)* 47 F 3
La Motte-Servolex *(73)* 137 H 4
La Motte-St-Jean *(71)* 121 E 2
La Motte-St-Martin *(38)* 151 G 5
La Motte-Ternant *(21)* 92 B 4
La Motte-Tilly *(10)* 52 D 4
Mottereau *(28)* 69 G 1
Motteville *(76)* 13 F 4
Mottier *(38)* 151 E 1
Motz *(73)* 137 H 1
Mouacourt *(54)* 57 G 2
Mouais *(44)* 65 F 5
Mouans-Sartoux *(06)* 199 E 1
Mouaville *(54)* 20 B 5
Mouazé *(35)* 65 F 1
Mouchamps *(85)* 100 A 4
Mouchan *(32)* 171 H 5
Mouchard *(39)* 110 C 2
La Mouche *(50)* 45 H 1
Mouchès *(32)* 187 H 3
Mouchin *(59)* 4 D 4
Mouchy-le-Châtel *(60)* 31 E 2
Moudeyres *(43)* 148 C 5
Mouen *(14)* 27 E 3
Mouettes *(27)* 29 H 5
Mouffy *(89)* 91 E 1
Mouflaines *(27)* 30 A 2
Mouflers *(80)* 7 E 5
Mouflières *(80)* 14 C 1
Mougau-Bian *(29)* 41 H 4
Mougins *(06)* 199 E 1
Mougon *(79)* 114 C 3
Mouguerre *(64)* 184 D 3
Mouhers *(36)* 117 G 1
Mouhet *(36)* 117 E 3
Mouhous *(64)* 186 C 3
Mouillac *(33)* 141 G 5
Mouillac *(82)* 174 A 1
La Mouille *(39)* 124 A 1
Mouilleron *(52)* 93 G 1
Mouilleron-le-Captif *(85)* 99 G 4
Mouilleron-St-Germain *(85)* 100 B 5
Mouilly *(55)* 36 A 4
Moulainville *(55)* 20 A 5
Moularès *(81)* 175 E 3
Moulay *(53)* 66 D 1
Moulayrès *(81)* 190 B 1
Moulédous *(65)* 187 F 5
Moulès *(13)* 194 D 2
Moulès-et-Baucels *(34)* 177 G 4
Mouleydier *(24)* 157 E 1
Moulézan *(30)* 178 A 4
Moulhard *(28)* 69 F 1
Moulicent *(61)* 49 E 3
Moulidars *(16)* 128 A 4
Mouliets-et-Villemartin *(33)* 156 A 1
Mouliherne *(49)* 85 H 3
Moulin-de-Redon *(13)* 196 B 4
Moulin-du-Pont *(29)* 61 G 3
Moulin-Mage *(81)* 191 G 1
Moulin-Neuf *(09)* 207 G 2
Moulin-Neuf *(24)* 142 A 5
Moulin-sous-Touvent *(60)* 16 C 5
Moulin-Vieux *(06)* 198 D 1
La Mouline *(12)* 175 G 1
Moulineaux *(76)* 29 F 1
Moulines *(14)* 27 F 4
Moulines *(50)* 46 B 3
Moulinet *(06)* 183 G 3
Le Moulinet *(30)* 178 A 2
Moulinet *(47)* 157 E 4
Le Moulinet-sur-Solin *(45)* 71 H 5
Moulins *(02)* 33 F 1
Moulins P *(03)* 120 A 1
Moulins *(35)* 65 H 3
Moulins *(79)* 100 C 2
Les Moulins *(83)* 200 D 3
Les Moulins *(Près de Coursegoules) (06)* 183 E 5
Les Moulins *(Près de Falicon) (06)* 183 F 5
Moulins-en-Tonnerrois *(89)* 91 H 1
Moulins-Engilbert *(58)* 107 G 2
Moulins-la-Marche *(61)* 48 C 3
Moulins-le-Carbonnel *(72)* 47 H 5
Moulins-lès-Metz *(57)* 36 D 3
Moulins-St-Hubert *(55)* 19 G 4
Moulins-sur-Céphons *(36)* 104 A 2
Moulins-sur-Orne *(61)* 47 H 1
Moulins-sur-Ouanne *(89)* 90 D 1
Moulins-sur-Yèvre *(18)* 105 G 2
Moulis *(09)* 206 B 3
Moulis-en-Médoc *(33)* 140 D 4
Moulismes *(86)* 116 A 3
Moulle *(62)* 3 E 4
Le Moulleau *(33)* 154 B 3
Moulon *(33)* 155 H 1
Moulon *(45)* 71 G 3
Moulons *(17)* 141 G 2
Moulot *(58)* 91 E 3
Moulotte *(55)* 36 B 3
Moult *(14)* 27 G 3
Moumoulous *(65)* 187 F 4
Moumour *(64)* 185 H 5
Mounes-Prohencoux *(12)* 191 G 1
La Moure *(83)* 197 G 4
Mourède *(32)* 171 H 5
Mourens *(33)* 155 H 3
Mourenx *(64)* 186 A 4
Mouret *(12)* 160 A 4
Moureuille *(63)* 119 F 5
Mourèze *(34)* 192 C 2
Mourière *(70)* 77 H 5
Mouriès *(13)* 195 E 1
Mouriez *(62)* 7 E 3
Le Mourillon *(83)* 201 E 4
Mourioux-Vieilleville *(23)* 117 F 5
Mourjou *(15)* 159 H 3
Mourmelon-le-Grand *(51)* 34 B 3
Mourmelon-le-Petit *(51)* 34 A 3
Mournans-Charbonny *(39)* 110 D 4
Mouron *(08)* 34 D 2
Mouron-sur-Yonne *(58)* 91 F 5
Mouroux *(77)* 52 B 1
Mours *(95)* 31 E 3
Mours-St-Eusèbe *(26)* 150 C 4
Mourvilles-Basses *(31)* 189 H 3
Mourvilles-Hautes *(31)* 190 A 4
Mouscardès *(40)* 185 G 2
Moussac *(30)* 178 B 4
Moussac *(86)* 116 A 4
Moussages *(15)* 146 A 3
Moussan *(11)* 209 F 1
Moussé *(35)* 65 H 4
Mousseaux-lès-Bray *(77)* 52 C 5
Mousseaux-Neuville *(27)* 29 H 5
Mousseaux-sur-Seine *(78)* 30 B 4
Moussey *(10)* 73 H 1
Moussey *(57)* 57 H 2
Moussey *(88)* 58 B 4
Les Moussières *(39)* 124 A 3
Mousson *(54)* 36 D 5
Moussonvilliers *(61)* 49 E 3
Moussoulens *(11)* 190 C 5
Moussy *(51)* 33 G 4
Moussy *(58)* 91 E 5
Moussy *(95)* 30 C 3
Moussy-le-Neuf *(77)* 31 G 4
Moussy-le-Vieux *(77)* 31 H 4
Moussy-Verneuil *(02)* 33 E 1
Moustajon *(31)* 205 F 4
Mousterlin *(29)* 61 H 4
Moustéru *(22)* 43 E 4
Moustey *(40)* 154 D 5
Le Moustier *(24)* 143 H 5
Moustier *(47)* 156 C 3
Moustier-en-Fagne *(59)* 10 B 3
Moustier-Ventadour *(19)* 145 G 1
Moustiers-Ste-Marie *(04)* 181 G 5
Le Moustoir *(22)* 62 C 1
Moustoir-Ac *(56)* 63 G 5
Moustoir-Remungol *(56)* 63 F 4
La Moutade *(63)* 133 F 1
Moutardon *(16)* 128 C 1
Le Moutaret *(38)* 152 A 1
Le Moutchic *(33)* 140 B 4
Mouterhouse *(57)* 38 D 4
Mouterre-Silly *(86)* 101 H 2
Mouterre-sur-Blourde *(86)* 116 A 4
Mouthe *(25)* 111 F 4
Le Moutherot *(25)* 94 C 5
Mouthier-en-Bresse *(71)* 110 A 3
Mouthier-Haute-Pierre *(25)* 111 F 1
Mouthiers-sur-Boëme *(16)* 128 B 5
Mouthoumet *(11)* 208 C 3
Le Moutier *(78)* 50 B 1
Moutier-d'Ahun *(23)* 118 A 5
Moutier-Malcard *(23)* 117 H 3
Moutier-Rozeille *(23)* 131 G 2
Moutiers *(28)* 70 C 1
Moutiers *(35)* 66 A 3
Moutiers *(54)* 20 D 5
Moûtiers *(73)* 138 D 5
Moutiers-au-Perche *(61)* 49 E 4
Les Moutiers-en-Auge *(14)* 27 H 5
Les Moutiers-en-Cinglais *(14)* 27 F 4
Moutiers-en-Puisaye *(89)* 90 C 2
Les Moutiers-en-Retz *(44)* 98 C 1
Les Moutiers-Hubert *(14)* 28 B 5
Moutiers-les-Mauxfaits *(85)* 112 D 1
Moutiers-sous-Argenton *(79)* 101 E 2
Moutiers-sous-Chantemerle *(79)* 100 D 5
Moutiers-St-Jean *(21)* 92 A 2
Moutiers-sur-le-Lay *(85)* 113 E 1
Mouton *(16)* 128 C 2
Moutonne *(39)* 123 G 1
La Moutonne *(83)* 201 E 3
Moutonneau *(16)* 128 C 2
Moutoux *(39)* 110 D 4
Moutrot *(54)* 56 C 3
Mouvaux *(59)* 4 C 3
Moux *(11)* 208 D 1
Moux-en-Morvan *(58)* 108 A 1
Mouxy *(73)* 137 H 3
Mouy *(60)* 31 F 2
Mouy-sur-Seine *(77)* 52 C 5
Mouzay *(37)* 103 E 1
Mouzay *(55)* 19 G 5
Mouzeil *(44)* 83 H 3
Mouzens *(24)* 157 H 1
Mouzens *(81)* 190 A 3
Mouzeuil-St-Martin *(85)* 113 F 2
Mouzieys-Panens *(81)* 174 C 3
Mouzieys-Teulet *(81)* 175 E 5
Mouzillon *(44)* 99 H 1
Mouzon *(08)* 19 F 4
Mouzon *(16)* 129 E 3
Moval *(90)* 96 D 1
Moÿ-de-l'Aisne *(02)* 16 D 3
Moyaux *(14)* 28 B 3
Moydans *(05)* 165 F 5
Moye *(74)* 137 H 2
Moyemont *(88)* 57 G 5
Moyen *(54)* 57 G 3
Moyencourt *(80)* 16 B 3
Moyencourt-lès-Poix *(80)* 15 E 2
Moyenmoutier *(88)* 58 A 4
Moyenneville *(60)* 15 H 5
Moyenneville *(62)* 8 A 4
Moyenneville *(80)* 6 C 5
Moyenvic *(57)* 57 G 1
Moyeuvre-Grande *(57)* 20 D 4
Moyeuvre-Pite *(57)* 20 D 4
Moyon-Villages *(50)* 25 F 4
Moyrazès *(12)* 175 F 1
Moyvillers *(60)* 31 H 1
Mozac *(63)* 133 F 2
Mozé-sur-Louet *(49)* 84 D 4
Muchedent *(76)* 13 H 3
Mudaison *(34)* 193 G 2
Muel *(35)* 64 C 2
Muespach *(68)* 97 G 1
Muespach-le-Haut *(68)* 97 G 1
Mugron *(40)* 185 H 1
Muhlbach-sur-Bruche *(67)* 58 C 3
Muhlbach-sur-Munster *(68)* 78 B 2

A B C D E F G H I J K L **M** N O P Q R S T U V W X Y Z

Muides-sur-Loire (41) 88 A 1
Muidorge (60) 15 E 5
Muids (27) 29 H 3
Muille-Villette (80) 16 C 3
Muirancourt (60) 16 B 4
Muizon (51) 33 G 2
Les Mujouls (06) 182 C 4
La Mulatière (69) 135 H 3
Mulcent (78) 50 B 1
Mulcey (57) 57 G 1
Mulhausen (67) 39 E 5
Mulhouse SP (68) 78 D 5
Mulsanne (72) 68 A 4
Mulsans (41) 87 H 1
Mun (65) 187 G 5
Munchhausen (67) 39 H 4
Munchhouse (68) 79 E 4
Muncq-Nieurlet (62) 2 D 3
Mundolsheim (67) 59 F 2
Muneville-le-Bingard (50) 24 D 3
Muneville-sur-Mer (50) 24 D 5
Le Mung (17) 127 E 2
Munster (57) 38 A 5
Munster (68) 78 C 2
Muntzenheim (68) 79 E 2
Munwiller (68) 78 D 3
Mur-de-Barrez (12) 160 B 1
Mûr-de-Bretagne (22) 63 F 2
Mur-de-Sologne (41) 88 A 4
Muracciole (2B) 217 E 3
Murasson (12) 191 G 1
Murat (03) 119 F 3
Murat (15) 146 C 4
Murat-le-Quaire (63) 132 C 5
Murat-sur-Vèbre (81) 191 G 3
Murato (2B) 215 F 4
La Muraz (74) 124 C 4
Murbach (68) 78 C 3
La Mure (38) 151 H 5
La Mure-Argens (04) 182 A 3
Mureaumont (60) 14 C 4
Les Mureaux (78) 30 C 5
Mureils (26) 149 H 3
Mûres (74) 138 A 2
Muret SP (31) 189 E 4
Le Muret (40) 154 D 5
Muret-et-Crouttes (02) 32 D 2
Muret-le-Château (12) 160 B 4
La Murette (38) 151 F 1
Murianette (38) 151 H 3
Murinais (38) 151 E 3
Murles (34) 193 E 2
Murlin (58) 90 C 5
Muro (2B) 214 C 5
Murol (63) 133 E 5
Murols (12) 160 B 2
Muron (17) 113 G 5
Murs (36) 103 G 3
Murs (84) 179 H 4
Mûrs-Erigné (49) 84 D 3
Murs-et-Gélignieux (01) 137 G 4
Murtin-et-Bogny (08) 18 C 2
Murvaux (55) 35 G 1
Murviel-lès-Béziers (34) 192 A 4
Murviel-lès-Montpellier (34) 193 E 2
Murville (54) 20 C 4
Murzo (2A) 216 C 3
Mus (30) 193 H 1
Muscourt (02) 33 F 1
Musculdy (64) 202 D 1
Musièges (74) 124 A 5
Musigny (21) 108 C 1
La Musse (28) 50 A 2
Musseau (52) 93 G 1
Mussey (55) 55 F 1
Mussey-sur-Marne (52) 55 G 5
Mussidan (24) 142 D 5
Mussig (67) 59 E 5
Mussy-la-Fosse (21) 92 C 2
Mussy-sous-Dun (71) 121 G 4
Mussy-sur-Seine (10) 74 C 3
Mutigney (39) 94 A 4
Mutigny (51) 33 H 4
Mutrécy (14) 27 F 4
Muttersholtz (67) 59 E 5
Mutzenhouse (67) 59 E 1
Mutzig (67) 58 D 3
Le Muy (83) 197 H 3
Muzeray (55) 20 B 4
Muzillac (56) 82 A 1
Muzy (27) 49 H 1
Myans (73) 138 A 5
Myennes (58) 90 A 3
Myon (25) 110 D 2

N

Nabas (64) 185 G 4
Nabinaud (16) 142 C 2
Nabirat (24) 158 A 2
Nabringhen (62) 2 C 4
Nachamps (17) 127 F 1
Nadaillac (24) 144 B 5
Nadaillac-de-Rouge (46) 158 B 1
Nadaillat (63) 133 E 4
Nades (03) 119 G 5
Nadillac (46) 158 C 4
Naftel (50) 46 A 3
Nagel-Séez-Mesnil (27) 29 F 5
Nages (81) 191 G 2
Nages-et-Solorgues (30) 193 H 1
Nahuja (66) 211 H 5
Nailhac (24) 143 A 3
Naillat (23) 117 F 4
Nailloux (31) 189 G 5
Nailly (89) 72 C 1
Naintré (86) 102 B 4
Nainville-les-Roches (91) 51 G 4
Naisey-les-Granges (25) 95 F 5
Naives-en-Blois (55) 56 A 2
Naives-Rosières (55) 55 G 1
Naix-aux-Forges (55) 55 H 2
Naizin (56) 63 G 4
Najac (12) 174 C 2
Nalliers (85) 113 F 2
Nalliers (86) 116 B 1
Nalzen (09) 207 F 3
Nambsheim (68) 79 E 3
Nampcel (60) 16 C 5
Nampcelles-la-Cour (02) 17 H 3
Nampont-St-Martin (80) 6 C 3
Namps-au-Mont (80) 15 E 2
Namps-au-Val (80) 15 E 2
Nampteuil-sous-Muret (02) 32 D 2
Nampty (80) 15 F 2
Nan-sous-Thil (21) 92 B 4
Nanc-lès-Saint-Amour (39) 123 F 2
Nançay (18) 89 E 4
Nance (39) 110 A 4
Nances (73) 137 H 4
Nanclars (16) 128 C 2
Nançois-le-Grand (55) 55 H 2
Nançois-sur-Ornain (55) 55 G 2
Nancras (17) 126 D 3
Nancray (25) 95 E 5
Nancray-sur-Rimarde (45) 71 F 3
Nancuise (39) 123 G 2
Nancy P (54) 57 E 2
Nancy-sur-Cluses (74) 125 E 5
Nandax (42) 121 F 5
Nandy (77) 51 G 3
Nangeville (45) 71 F 1
Nangis (77) 52 B 3
Nangy (74) 124 C 4
Nannay (58) 90 C 5
Nans (25) 95 G 2
Les Nans (39) 110 D 4
Nans-les-Pins (83) 196 C 4
Nans-sous-Ste-Anne (25) 110 D 2
Nant (12) 176 D 4
Nant-le-Grand (55) 55 G 2
Nant-le-Petit (55) 55 G 2
Nanteau-sur-Essonne (77) 71 F 1
Nanteau-sur-Lunain (77) 72 A 1
Nanterre P (92) 51 E 1
Nantes R (44) 83 F 5
Nantes-en-Ratier (38) 151 H 5
Nanteuil (79) 114 C 2
Nanteuil-Auriac-de-Bourzac (24) 142 C 1
Nanteuil-en-Vallée (16) 128 C 1
Nanteuil-la-Forêt (51) 33 G 3
Nanteuil-la-Fosse (02) 32 D 1
Nanteuil-le-Haudouin (60) 32 A 3
Nanteuil-lès-Meaux (77) 32 A 5
Nanteuil-Notre-Dame (02) 32 D 3
Nanteuil-sur-Aisne (08) 18 B 5
Nanteuil-sur-Marne (77) 32 C 5
Nantey (39) 123 F 2
Nantheuil (24) 143 G 1
Nanthiat (24) 143 H 1
Nantiat (87) 130 A 1
Nantillé (17) 127 F 2
Nantillois (55) 35 F 2
Nantilly (70) 94 A 3
Nantoin (38) 150 D 1
Nantois (55) 55 H 2
Nanton (71) 109 E 5
Nantouard (70) 94 B 3
Nantouillet (77) 31 H 5
Nantoux (21) 109 E 2
Nantua SP (01) 123 G 4
Naours (80) 7 G 5
Napollon (13) 196 A 4
La Napoule (06) 199 E 2
Napt (01) 123 F 4
Narbéfontaine (57) 21 G 5
Narbief (25) 95 H 5
Narbonne SP (11) 209 F 1
Narbonne-Plage (11) 209 G 1
Narcastet (64) 186 C 5
Narcy (52) 55 F 3
Narcy (58) 90 B 5
Nargis (45) 71 H 2
Narnhac (15) 160 C 1
Narp (64) 185 G 4
Narrosse (40) 185 F 1
La Nartelle (83) 197 H 4
Nasbinals (48) 161 E 3
Nassandres (27) 28 D 3
Nassiet (40) 185 H 2
Nassigny (03) 118 D 2
Nastringues (24) 156 B 1
Nattages (01) 137 G 3
Natzwiller (67) 58 C 4
Naucelle (12) 175 F 2
Naucelles (15) 145 A 5
Les Naudins (18) 89 G 4
Naujac-sur-Mer (33) 140 C 2
Naujan-et-Postiac (33) 155 H 2
Nauroy (02) 16 D 1
Naussac (12) 159 F 4
Naussac-Fontanes (48) 162 B 2
Naussannes (24) 157 F 2
Nauvay (72) 68 B 1
Nauviale (12) 160 A 4
Naux (08) 11 E 5
Nauzan (17) 126 C 4
Navacelles (30) 178 B 2
Navailles-Angos (64) 186 C 4
Navarosse (40) 154 A 5
Navarrenx (64) 185 H 4
Naveil (41) 69 F 5
Navenne (70) 95 E 1
Naves (03) 119 H 5
Naves (07) 162 C 5
Naves (19) 144 D 2
Naves (59) 8 D 4
Naves (73) 138 D 4
Navès (81) 190 C 3
Nâves-Parmelan (74) 138 B 1
Navilly (71) 109 G 3
Nay (50) 25 E 2
Nay (64) 204 A 1
Nayemont-les-Fosses (88) 58 B 5
Le Nayrac (12) 160 B 3
Nazelles-Négron (37) 87 E 3
Néac (33) 141 H 5
Néant-sur-Yvel (56) 64 B 2
Neau (53) 67 E 2
Neaufles-Auvergny (27) 48 D 1
Neaufles-St-Martin (27) 30 B 2
Neauphe-sous-Essai (61) 48 A 3
Neauphe-sur-Dive (61) 47 H 1
Neauphle-le-Château (78) 50 C 1
Neauphle-le-Vieux (78) 50 C 1
Neauphlette (78) 30 A 5
Neaux (42) 134 D 1
Nébian (34) 192 C 2
Nébias (11) 207 H 4
Nébing (57) 37 H 5
Nébouzat (63) 132 D 4
Nécy (61) 47 G 1
Nedde (87) 131 E 4
Nédon (62) 7 G 1
Nédonchel (62) 7 G 1
Neewiller-près-Lauterbourg (67) 39 H 4
Neffes (05) 166 B 4
Neffiès (34) 192 C 3
Néfiach (66) 208 D 5
Négra (31) 189 H 4
Nègrepelisse (82) 173 H 3
Négreville (50) 22 D 4
Négrondes (24) 143 G 2
Néhou (50) 22 D 4
Nehwiller (67) 39 E 4
Nelling (57) 38 A 4
Nemours (77) 71 H 1
Nempont-St-Firmin (62) 6 C 2
Nénigan (31) 188 A 4
Néons-sur-Creuse (36) 103 E 4
Néoules (83) 196 D 4
Néoux (23) 131 H 2
Nepvant (55) 19 G 4
Nérac SP (47) 172 A 2
Nerbis (40) 185 H 1
Nercillac (16) 127 H 3
Néré (17) 127 H 1
Néret (36) 118 B 1
Nérigean (33) 155 G 1
Nérignac (86) 116 A 3
Néris-les-Bains (03) 119 E 4
Nermier (39) 123 G 1
Nernier (74) 124 C 2
Néron (28) 50 A 3
Néronde (42) 135 E 2
Néronde-sur-Dore (63) 133 H 3
Nérondes (18) 106 A 2
Ners (30) 178 A 3
Nersac (16) 128 B 4
Nervezain (70) 94 C 1
Nervieux (42) 134 D 3
Nerville-la-Forêt (95) 31 F 4
Néry (60) 31 H 2
Neschers (63) 133 F 5
Nescus (09) 206 D 3
Nesle- (76) 14 B 3
Nesle (80) 16 B 3
Nesle-et-Massoult (21) 74 B 5
Nesle-la-Reposte (51) 53 E 3
Nesle-le-Repons (51) 33 F 4
Nesle-l'Hôpital (80) 14 C 1
Nesle-Normandeuse (76) 14 C 1
Nesles (62) 2 B 5
Nesles (77) 52 B 2
Nesles-la-Montagne (02) 32 D 4
Nesles-la-Vallée (95) 31 E 3
Neslette (80) 14 B 1
Nesmy (85) 99 G 5
Nesploy (45) 71 F 3
Nespouls (19) 144 C 5
Nessa (2B) 214 D 5
Nestier (65) 205 F 2
Nettancourt (55) 35 E 5
Neublans-Abergement (39) 109 H 3
Neubois (67) 58 D 5
Le Neubourg (27) 29 E 3
Neuchâtel-Urtière (25) 96 C 3
Neuf-Berquin (59) 3 H 5
Neuf-Brisach (68) 79 E 2
Neuf-Église (63) 119 F 5
Neuf-Marché (76) 30 B 1
Neuf-Mesnil (59) 9 H 3
Neufbosc (76) 14 A 4
Le Neufbourg (50) 46 B 2
Neufchâteau SP (88) 56 B 5
Neufchâtel-en-Bray (76) 14 A 3
Neufchâtel-en-Saosnois (72) 48 A 5
Neufchâtel-Hardelot (62) 2 B 5
Neufchâtel-sur-Aisne (02) 33 H 1
Neufchef (57) 20 D 4
Neufchelles (60) 32 B 3
Neuffons (33) 156 A 3
Neuffontaines (58) 91 F 4
Neufgrange (57) 38 B 3
Neuflieux (02) 16 C 4
Neuflize (08) 34 A 1
Neufmaison (08) 18 C 3
Neufmaisons (54) 58 A 4
Neufmanil (08) 19 E 2
Neufmesnil (50) 22 D 5
Neufmoulin (80) 6 D 5
Neufmoulins (57) 58 A 2
Neufmoutiers-en-Brie (77) 52 A 2
Le Neufour (55) 35 E 3
Neufvillage (57) 37 H 4
Neufvy-sur-Aronde (60) 15 H 5
Neuhaeusel (67) 39 H 5
Neuil (37) 102 C 1
Neuilh (65) 204 C 2
Neuillac (17) 127 G 5
Neuillay-les-Bois (36) 104 A 4
Neuillé (49) 85 G 4
Neuillé-le-Lierre (37) 87 E 3
Neuillé-Pont-Pierre (37) 86 C 2
Neuilly (27) 29 H 5
Neuilly (58) 91 E 5
Neuilly (89) 72 D 4
Neuilly-en-Donjon (03) 120 D 3
Neuilly-en-Dun (18) 106 A 4
Neuilly-en-Sancerre (18) 89 H 5
Neuilly-en-Thelle (60) 31 F 3
Neuilly-en-Vexin (95) 30 D 3
Neuilly-la-Forêt (14) 25 F 2
Neuilly-le-Bisson (61) 48 A 4
Neuilly-le-Brignon (37) 102 D 2
Neuilly-le-Dien (80) 7 E 4
Neuilly-le-Réal (03) 120 B 2
Neuilly-le-Vendin (53) 47 F 4
Neuilly-lès-Dijon (21) 93 G 4
Neuilly-l'Évêque (52) 75 H 4
Neuilly-l'Hôpital (80) 6 D 4
Neuilly-Plaisance (93) 51 G 1
Neuilly-sous-Clermont (60) 31 F 1
Neuilly-St-Front (02) 32 C 3
Neuilly-sur-Eure (61) 49 E 4
Neuilly-sur-Marne (93) 51 G 1
Neuilly-sur-Seine (92) 51 E 1
Neuilly-sur-Suize (52) 75 G 3
Neulette (62) 7 F 2
Neulise (42) 134 D 2
Neulles (17) 127 G 5
Neulliac (56) 63 F 3
Neung-sur-Beuvron (41) 88 C 3
Neunhoffen (67) 39 E 3
Neunkirchen-lès-Bouzonville (57) 21 G 3
Neure (03) 106 B 4
Neurey-en-Vaux (70) 77 E 5
Neurey-lès-la-Demie (70) 95 E 2
Neussargues-Moissac (15) 146 D 4
Neuve-Chapelle (62) 3 H 5
La Neuve-Grange (27) 30 A 1
La Neuve-Lyre (27) 28 D 5
Neuve-Maison (02) 10 A 5
Neuvecelle (74) 125 E 2
Neuvéglise (15) 160 D 1
Neuvelle-lès-Champlitte (70) 94 A 2
Neuvelle-lès-Cromary (70) 95 E 3
Neuvelle-lès-la-Charité (70) 94 D 2
La Neuvelle-lès-Lure (70) 77 G 5
La Neuvelle-lès-Scey (70) 94 D 1
Neuvelle-lès-Voisey (52) 76 C 4
Neuves-Maisons (54) 56 D 2
La Neuveville-devant-Lépanges (88) 77 H 1
La Neuveville-sous-Châtenois (88) 56 C 5
La Neuveville-sous-Montfort (88) 76 D 1
Neuvic (19) 145 H 2
Neuvic (24) 142 D 4
Neuvic-Entier (87) 130 C 4
Neuvicq (17) 141 H 3
Neuvicq-le-Château (17) 127 H 3
Neuvillalais (72) 67 H 2
Neuville (03) 119 F 2
Neuville (19) 145 E 4
La Neuville (59) 4 C 5
Neuville (63) 133 H 3
La Neuville (80) 15 G 1
La Neuville-à-Maire (08) 19 E 4
Neuville-au-Bois (80) 14 C 1
Neuville-au-Cornet (62) 7 G 3
Neuville-au-Plain (50) 23 E 4
La Neuville-au-Pont (51) 35 E 3
Neuville-aux-Bois (45) 70 D 3
La Neuville-aux-Bois (51) 35 E 5
La Neuville-aux-Joûtes (08) 10 B 5
La Neuville-aux-Larris (51) 33 G 3
La Neuville-aux-Tourneurs (08) 10 B 5
Neuville-Bosc (60) 30 D 3
La Neuville-Bosmont (02) 17 G 3
Neuville-Bourjonval (62) 8 C 5
La Neuville-Chant-d'Oisel (76) 29 G 1
Neuville-Coppegueule (80) 14 C 2
La Neuville-d'Aumont (60) 31 E 2
Neuville-Day (08) 18 D 5
Neuville-de-Poitou (86) 102 A 5
La Neuville-du-Bosc (27) 29 E 3
Neuville-en-Avesnois (59) 9 F 4
Neuville-en-Beaumont (50) 22 C 5
La Neuville-en-Beine (02) 16 C 4
Neuville-en-Ferrain (59) 4 D 2
La Neuville-en-Hez (60) 31 F 1
La Neuville-en-Tourne-à-Fuy (08) 34 B 1
Neuville-en-Verdunois (55) 35 G 5
Neuville-Ferrières (76) 14 A 3
La Neuville-Garnier (60) 30 D 2
La Neuville-Housset (02) 17 F 2
La Neuville-lès-Bray (80) 16 A 1
Neuville-les-Dames (01) 122 C 4
Neuville-lès-Decize (58) 106 D 4
Neuville-lès-Dieppe (76) 13 G 1
La Neuville-lès-Dorengt (02) 17 F 1
Neuville-lès-Lœuilly (80) 15 F 3
Neuville-lès-This (08) 18 C 3
Neuville-lès-Vaucouleurs (55) 56 B 3
La Neuville-lès-Wasigny (08) 18 B 4
Neuville-lez-Beaulieu (08) 10 B 5
Neuville-près-Sées (61) 48 A 2
La Neuville-Sire-Bernard (80) 15 G 3
Neuville-sous-Montreuil (62) 6 D 1
Neuville-St-Amand (02) 16 D 2
La Neuville-St-Pierre (60) 15 F 5
Neuville-St-Rémy (59) 8 D 4
Neuville-St-Vaast (62) 8 A 3
Neuville-sur-Ailette (02) 17 F 5
Neuville-sur-Ain (01) 123 F 5
Neuville-sur-Authou (27) 28 D 3
Neuville-sur-Brenne (37) 87 E 2
Neuville-sur-Escaut (59) 9 E 3
La Neuville-sur-Essonne (45) 71 F 2
Neuville-sur-Margival (02) 17 E 5
Neuville-sur-Oise (95) 30 D 4
Neuville-sur-Ornain (55) 55 F 1
La Neuville-sur-Oudeuil (60) 14 D 4
La Neuville-sur-Ressons (60) 16 A 5
Neuville-sur-Saône (69) 135 H 2
Neuville-sur-Sarthe (72) 68 A 3
Neuville-sur-Seine (10) 74 B 3
Neuville-sur-Touques (61) 48 B 1
Neuville-sur-Vanne (10) 73 G 1
La Neuville-Vault (60) 14 D 5
Neuville-Vitasse (62) 8 B 3
Neuviller-la-Roche (67) 58 C 4
Neuviller-lès-Badonviller (54) 58 A 3
Neuviller-sur-Moselle (54) 57 E 3
Neuvillers-sur-Fave (88) 58 B 5
Neuvillette (02) 17 E 2
Neuvillette (80) 7 G 4
Neuvillette-en-Charnie (72) 67 G 2
Neuvilley (39) 110 B 3
Neuvilly (59) 9 F 4
Neuvilly-en-Argonne (55) 35 F 3
Neuvireuil (62) 8 B 3
Neuvizy (08) 18 C 4
Neuvy (03) 120 A 1
Neuvy (41) 88 A 2
Neuvy (51) 53 E 2
Neuvy-au-Houlme (61) 47 G 1
Neuvy-Bouin (79) 101 E 5
Neuvy-Deux-Clochers (18) 89 H 5
Neuvy-en-Beauce (28) 70 C 1
Neuvy-en-Champagne (72) 67 H 2
Neuvy-en-Dunois (28) 70 A 2
Neuvy-en-Mauges (49) 84 C 5
Neuvy-en-Sullias (45) 71 E 5
Neuvy-Grandchamp (71) 121 E 1
Neuvy-le-Barrois (18) 106 B 3
Neuvy-le-Roi (37) 86 C 2
Neuvy-Pailloux (36) 104 C 3
Neuvy-Sautour (89) 73 G 3
Neuvy-St-Sépulchre (36) 117 H 1
Neuvy-sur-Barangeon (18) 89 E 4
Neuvy-sur-Loire (58) 90 A 3
Neuwiller (68) 97 G 2
Neuwiller-lès-Saverne (67) 38 D 5
Neuzy (71) 121 E 2
Névache (05) 153 E 4
Nevers P (58) 106 C 2
Névez (29) 62 A 5
Névian (11) 209 E 1
Néville (76) 13 E 2
Néville-sur-Mer (50) 23 E 2
Nevoy (45) 89 G 1
Nevy-lès-Dole (39) 110 A 2
Nevy-sur-Seille (39) 110 B 4
Nexon (87) 130 A 4
Ney (39) 110 D 4
Neydens (74) 124 B 4
Neyrac-les-Bains (07) 162 D 3
Les Neyrolles (01) 123 G 4
Neyron (01) 136 B 2
Nézel (78) 30 C 5
Nézignan-l'Évêque (34) 192 C 4
Niafles (53) 66 B 4
Niaux (09) 207 E 4
Nibas (80) 6 C 5
Nibelle (45) 71 F 3
Nibles (04) 181 E 1
Nice P (06) 183 F 5
Nicey (21) 74 B 4
Nicey-sur-Aire (55) 35 H 5
Nicole (47) 172 A 1
Nicorps (50) 24 D 4
Niderhoff (57) 58 B 2
Niderviller (57) 58 B 1
Niederbronn-les-Bains (67) 39 E 4
Niederbruck (68) 78 B 4
Niederentzen (68) 78 D 3
Niederhaslach (67) 58 D 3
Niederhausbergen (67) 59 F 2
Niederhergheim (68) 78 D 3
Niederlauterbach (67) 39 H 4
Niedermodern (67) 39 E 5
Niedermorschwihr (68) 78 C 2
Niedernai (67) 59 E 3
Niederrœdern (67) 39 H 4
Niederschaeffolsheim (67) 39 F 5
Niedersoultzbach (67) 38 D 5
Niedersteinbach (67) 39 E 3
Niederstinzel (57) 38 B 5
Niedervisse (57) 21 G 5
Nielles-lès-Ardres (62) 2 D 3
Nielles-lès-Bléquin (62) 2 D 5
Nielles-lès-Calais (62) 2 C 3
Nieppe (59) 3 H 4
Le Nieppe (59) 3 F 4
Niergnies (59) 8 D 4
Nieudan (15) 145 G 5
Nieuil (16) 129 E 2
Nieuil-l'Espoir (86) 115 G 2
Nieul (87) 130 A 2
Nieul-le-Dolent (85) 99 F 5
Nieul-le-Virouil (17) 141 F 1
Nieul-lès-Saintes (17) 127 E 3
Nieul-sur-l'Autise (85) 113 H 2
Nieul-sur-Mer (17) 113 E 4
Nieulle-sur-Seudre (17) 126 C 3
Nieurlet (59) 3 E 4
Niévroz (01) 136 C 2
Niffer (68) 79 E 5
Niherne (36) 104 A 4
Nijon (52) 76 B 1
Nilvange (57) 20 D 4
Nîmes P (30) 178 C 5
Ninville (52) 75 H 2
Niolon (13) 195 G 4
Niort P (79) 114 A 3
Niort-de-Sault (11) 207 H 4
Niort-la-Fontaine (53) 47 E 4
Niozelles (04) 180 D 4
Nissan-lez-Enserune (34) 192 A 5
Nistos (65) 205 E 3
Nitry (89) 91 G 1
Nitting (57) 58 B 2
Nivelle (59) 5 E 5
Nivillac (56) 82 B 2
Nivillers (60) 15 E 5
Nivolas-Vermelle (38) 137 E 5
Nivollet-Montgriffon (01) 137 E 1
Nixéville-Blercourt (55) 35 G 3
Le Nizan (33) 155 G 4
Nizan-Gesse (31) 205 F 1
Nizas (32) 188 C 3
Nizas (34) 192 C 3
Nizerolles (03) 120 C 5
Nizon (29) 62 A 5
Nizy-le-Comte (02) 17 H 4
Noailhac (12) 159 H 4
Noailhac (19) 144 C 4
Noailhac (81) 190 D 3
Noaillac (33) 156 A 4
Noaillan (33) 155 G 4
Noailles (19) 144 C 4
Noailles (60) 31 E 2
Noailles (81) 174 C 4
Noailly (42) 121 E 5
Noalhac (48) 161 E 2
Noalhat (63) 133 H 2
Noards (27) 28 C 3
Nocario (2B) 217 F 1
Nocé (61) 48 D 5
Noceta (2B) 217 F 3
Nochize (71) 121 F 2
La Nocle-Maulaix (58) 107 G 4
Nod-sur-Seine (21) 74 C 5
Nods (25) 111 F 1
Noé (31) 189 E 5
Noé (89) 72 D 2
La Noë-Blanche (35) 65 E 5
Noé-les-Mallets (10) 74 C 2
La Noë-Poulain (27) 28 C 2
Noël-Cerneux (25) 111 H 1
Noëllet (49) 84 A 1
Noërs (54) 20 A 3
Les Noës (42) 134 B 1
Les Noës-près-Troyes (10) 73 H 1
Nœux-lès-Auxi (62) 7 F 4
Nœux-les-Mines (62) 4 A 5
Nogaret (31) 190 A 3
Nogaret (48) 177 G 2
Nogaro (32) 187 E 1
Nogent (52) 75 H 3
Nogent-en-Othe (10) 73 G 2
Nogent-l'Abbesse (51) 33 H 2
Nogent-l'Artaud (02) 32 D 5
Nogent-le-Bernard (72) 68 C 1
Nogent-le-Phaye (28) 50 A 4
Nogent-le-Roi (28) 50 A 3
Nogent-le-Rotrou SP (28) 49 E 5

Localité *(Département)* Page Coordonnées

Nogent-le-Sec *(27)* 29 F 5
Nogent-lès-Montbard *(21)* 92 B 2
Nogent-sur-Aube *(10)* 54 B 4
Nogent-sur-Eure *(28)* 49 H 5
Nogent-sur-Loir *(72)* 86 B 1
Nogent-sur-Marne *(94)* 51 G 1
Nogent-sur-Oise *(60)* 31 G 2
Nogent-sur-Seine *(10)* 53 E 4
Nogent-sur-Vernisson *(45)* 71 H 5
Nogentel *(02)* 32 D 4
Nogna *(39)* 110 B 5
Noguères *(64)* 186 A 4
Nohan *(08)* 11 E 5
Nohanent *(63)* 133 E 3
Nohant-en-Goût *(18)* 105 G 1
Nohant-en-Graçay *(18)* 104 C 1
Nohant-Vic *(36)* 118 A 1
Nohèdes *(66)* 212 A 3
Nohic *(82)* 173 H 5
Noidan *(21)* 92 B 4
Noidans-le-Ferroux *(70)* 94 D 2
Noidans-lès-Vesoul *(70)* 95 E 1
Noidant-Chatenoy *(52)* 75 H 5
Noidant-le-Rocheux *(52)* 75 G 5
Noilhan *(32)* 188 C 3
Nointel *(60)* 31 G 1
Nointel *(95)* 31 F 3
Nointot *(76)* 12 D 4
Noircourt *(02)* 18 A 4
Noirefontaine *(25)* 96 C 3
Noirémont *(60)* 15 F 5
Noirétable *(42)* 134 B 3
Noirlieu *(51)* 34 D 5
Noirlieu *(79)* 101 E 3
Noirmoutier-en-l'Île *(85)* 98 B 1
Noiron *(70)* 94 B 3
Noiron-sous-Gevrey *(21)* 93 G 5
Noiron-sur-Bèze *(21)* 93 H 3
Noiron-sur-Seine *(21)* 74 C 4
Noironte *(25)* 94 C 4
Noirpalu *(50)* 45 H 1
Noirterre *(79)* 101 E 3
Noirval *(08)* 19 E 5
Noiseau *(94)* 51 G 1
Noisiel *(77)* 51 H 1
Noisseville *(57)* 21 E 5
Noisy-le-Grand *(93)* 51 G 1
Noisy-le-Roi *(78)* 50 D 1
Noisy-le-Sec *(93)* 51 G 1
Noisy-Rudignon *(77)* 52 A 5
Noisy-sur-École *(77)* 51 G 5
Noisy-sur-Oise *(95)* 31 F 3
Noizay *(37)* 87 E 3
Noizé *(79)* 101 G 3
Nojals-et-Clotte *(24)* 157 F 2
Nojeon-en-Vexin *(27)* 30 A 2
Nolay *(21)* 108 D 2
Nolay *(58)* 106 D 1
Nolléval *(76)* 14 A 5
Nollieux *(42)* 134 C 3
Nomain *(59)* 4 D 5
Nomdieu *(47)* 172 A 3
Nomécourt *(52)* 55 F 4
Nomeny *(54)* 37 E 5
Nomexy *(88)* 57 F 5
Nommay *(25)* 96 C 2
Nompatelize *(88)* 58 A 5
Nonac *(16)* 142 B 1
Nonancourt *(27)* 49 G 2
Nonant *(14)* 26 D 2
Nonant-le-Pin *(61)* 48 A 2
Nonards *(19)* 145 E 5
Nonaville *(16)* 128 A 5
Noncourt *(88)* 56 B 5
Noncourt-
sur-le-Rongeant *(52)* 55 G 4
Nondkeil *(57)* 20 D 3
Nonette-Orsonnette *(63)* 147 F 1
Nonglard *(74)* 138 A 1
Nonhigny *(54)* 58 A 3
Nonières *(07)* 149 F 5
Les Nonières *(26)* 165 G 2
Nonsard-Lamarche *(55)* 36 B 5
Nontron *(24)* 129 F 5
Nonville *(77)* 72 A 1
Nonville *(88)* 76 D 2
Nonvilliers-Grandhoux *(28)* 49 G 5
Nonza *(2B)* 215 F 3
Nonzeville *(88)* 57 H 5
Noordpeene *(59)* 3 F 4
Nordausques *(62)* 2 D 3
Nordheim *(67)* 59 E 2
Nordhouse *(67)* 59 F 3
Noreuil *(62)* 8 B 4
Norges-la-Ville *(21)* 93 G 3
La Norma *(73)* 153 E 2
Normandel *(61)* 48 D 3
Normanville *(27)* 29 G 4
Normanville *(76)* 12 D 3
Normée *(51)* 53 H 1
Normier *(21)* 92 C 4
Norolles *(14)* 28 B 3
Noron-la-Poterie *(14)* 25 H 2
Noron-l'Abbaye *(14)* 27 G 5
Noroy *(60)* 31 G 1
Noroy-le-Bourg *(70)* 95 F 1
Noroy-lès-Jussey *(70)* 76 C 5
Noroy-sur-Ourcq *(02)* 32 C 3
Norrent-Fontes *(62)* 3 F 5
Norrey-en-Auge *(14)* 27 H 5
Norrois *(51)* 54 C 2
Norroy *(88)* 76 C 1
Norroy-le-Sec *(54)* 20 C 4
Norroy-le-Veneur *(57)* 20 D 5
Norroy-
lès-Pont-à-Mousson *(54)* 36 D 5
Nort-Leulinghem *(62)* 2 D 4
Nort-sur-Erdre *(44)* 83 G 3
Nortkerque *(62)* 2 D 3
Norville *(76)* 12 D 5
La Norville *(91)* 51 E 3
Nossage-et-Bénévent *(05)* 180 C 1
Nossoncourt *(88)* 57 H 4
Nostang *(56)* 81 E 1
Noth *(23)* 117 F 4
Nothalten *(67)* 58 D 4
Notre-Dame-
d'Aliermont *(76)* 13 H 2
Notre-Dame-d'Allençon *(49)* 85 E 4
Notre-Dame-
de-Bellecombe *(73)* 138 D 2
Notre-Dame-
de-Bliquetuit *(76)* 13 E 5
Notre-Dame-de-Boisset *(42)* 134 D 1
Notre-Dame-
de-Bon-Secours *(07)* 162 D 5
Notre-Dame-
de-Bondeville *(76)* 13 G 5
Notre-Dame-
de-Briançon *(73)* 138 D 5
Notre-Dame-de-Cenilly *(50)* 25 E 4
Notre-Dame-
de-Commiers *(38)* 151 G 4
Notre-Dame-de-Courson *(14)* 28 B 4
Notre-Dame-de-Fresnay *(14)* 27 H 5
Notre-Dame-de-Grace *(44)* 82 D 2
Notre-Dame-
de-Gravenchon *(76)* 12 D 5
Notre-Dame-de-la-Cour *(22)* 43 G 4
Notre-Dame-de-la-Mer *(78)* 30 A 4
Notre-Dame-
de-la-Rouvière *(30)* 177 F 3
Notre Dame de la Serra
(Belvédère de) (2B) 214 B 5
Notre-Dame-de-l'Isle *(27)* 30 A 3
Notre-Dame-de-Livaye *(14)* 27 H 3
Notre-Dame-de-Livoye *(50)* 46 A 1
Notre-Dame-de-Londres *(34)* 177 G 5
Notre-Dame-de-l'Osier *(38)* 151 E 2
Notre-Dame-
de-Mésage *(38)* 151 H 4
Notre-Dame-de-Monts *(85)* 98 B 3
Notre-Dame-de-Riez *(85)* 98 D 4
Notre-Dame-de-Sanilhac *(24)* 143 F 4
Notre-Dame-
de-Valfrancesque *(48)* 177 G 2
Notre-Dame-de-Vaulx *(38)* 151 H 5
Notre-Dame-d'Elle *(50)* 25 G 3
Notre-Dame-d'Épine *(27)* 28 D 3
Notre-Dame-des-Landes *(44)* 83 E 3
Notre-Dame-
des-Millières *(73)* 138 C 4
Notre-Dame-d'Estrées *(14)* 27 H 3
Notre-Dame-d'Oé *(37)* 86 D 3
Notre-Dame-d'Or *(86)* 101 H 4
Notre-Dame-du-Bec *(76)* 12 B 4
Notre-Dame-du-Cruet *(73)* 152 C 1
Notre-Dame-du-Hamel *(27)* 28 C 5
Notre-Dame-du-Parc *(76)* 13 G 3
Notre-Dame-du-Pé *(72)* 85 F 1
Notre-Dame-du-Pré *(73)* 139 E 5
Notre-Dame-du-Rocher *(61)* 47 F 1
Notre-Dame-du-Touchet *(50)* 46 B 3
Notre-Dame-Limite *(13)* 195 H 4
Nottonville *(28)* 70 A 2
La Nouaille *(23)* 131 F 2
Nouaillé-Maupertuis *(86)* 115 G 1
Nouainville *(50)* 22 C 3
Nouan *(18)* 160 A 5
Nouan-le-Fuzelier *(41)* 88 D 3
Nouan-sur-Loire *(41)* 88 A 1
Nouans *(72)* 68 A 1
Nouans-les-Fontaines *(37)* 103 H 1
Nouart *(08)* 19 F 5
Nouâtre *(37)* 102 C 2
La Nouaye *(35)* 64 D 1
La Noue *(17)* 112 D 4
La Noue *(51)* 53 E 2
Noueilles *(31)* 189 G 4
Nougaroulet *(32)* 188 B 1
Nouhant *(23)* 118 C 4
Nouic *(87)* 116 B 5
Nouilhan *(65)* 187 E 4
Les Nouillers *(17)* 127 E 1
Nouillonpont *(55)* 20 B 3
Nouilly *(57)* 21 E 5
Noulens *(32)* 171 G 5
Nourard-le-Franc *(60)* 15 G 5
Nourray *(41)* 87 F 1
Nousse *(40)* 185 H 1
Nousseviller-lès-Bitche *(57)* 38 C 3
Nousseviller-St-Nabor *(57)* 38 A 3
Nousty *(64)* 186 C 5
Nouvel-Avricourt *(57)* 57 H 2
Nouvelle-Église *(62)* 2 D 2
Nouvion *(80)* 6 D 4
Le Nouvion-
en-Thiérache *(02)* 9 G 5
Nouvion-et-Catillon *(02)* 17 E 3
Nouvion-le-Comte *(02)* 17 E 3
Nouvion-le-Vineux *(02)* 17 F 5
Nouvion-sur-Meuse *(08)* 19 E 3
Nouvoitou *(35)* 65 G 2
Nouvron-Vingré *(02)* 32 C 1
Nouzerines *(23)* 118 A 3
Nouzerolles *(23)* 117 G 3
Nouziers *(23)* 117 H 2
Nouzilly *(37)* 86 D 2
Nouzonville *(08)* 18 D 2
Novacelles *(63)* 147 H 1
Novalaise *(73)* 137 G 4
Novale *(2B)* 217 G 2
Novéant-sur-Moselle *(57)* 36 D 4
Novel *(74)* 125 F 2
Novella *(2B)* 215 E 4
Noves *(13)* 179 F 5
Noviant-aux-Prés *(54)* 36 C 5
Novillard *(90)* 96 D 1
Novillars *(25)* 95 E 4
Novillers *(60)* 31 E 2
Novion-Porcien *(08)* 18 C 4
Novy-Chevrières *(08)* 18 C 5
Noyal *(22)* 44 A 4
Noyal-Châtillon-
sur-Seiche *(35)* 65 F 2
Noyal-Muzillac *(56)* 82 A 1
Noyal-Pontivy *(56)* 63 G 3
Noyal-sous-Bazouges *(35)* 45 F 4
Noyal-sur-Brutz *(44)* 65 H 5
Noyal-sur-Vilaine *(35)* 65 G 2
Noyales *(02)* 17 E 2
Noyalo *(56)* 81 H 2
Noyant *(49)* 85 H 3
Noyant-d'Allier *(03)* 119 H 2
Noyant-de-Touraine *(37)* 102 C 1
Noyant-et-Aconin *(02)* 32 D 2
Noyant-la-Gravoyère *(49)* 84 B 1
Noyant-la-Plaine *(49)* 85 E 5
Noyarey *(38)* 151 G 2
Noyelle-Vion *(62)* 7 H 3
Noyelles-en-Chaussée *(80)* 7 E 4
Noyelles-Godault *(62)* 4 C 5
Noyelles-lès-Humières *(62)* 7 F 2
Noyelles-lès-Seclin *(59)* 4 C 4
Noyelles-lès-Vermelles *(62)* 4 A 5
Noyelles-sous-Bellonne *(62)* 8 C 3
Noyelles-sous-Lens *(62)* 4 B 5
Noyelles-sur-Escaut *(59)* 8 D 4
Noyelles-sur-Mer *(80)* 6 C 4
Noyelles-sur-Sambre *(59)* 9 G 4
Noyelles-sur-Selle *(59)* 9 E 3
Noyellette *(62)* 7 H 3
Noyen-sur-Sarthe *(72)* 67 G 4
Noyen-sur-Seine *(77)* 52 D 4
Le Noyer *(05)* 166 B 2
Le Noyer *(18)* 89 H 4
Le Noyer *(73)* 138 A 3
Le Noyer-en-Ouche *(27)* 29 E 4
Noyers *(27)* 30 B 2
Noyers *(45)* 71 G 4
Noyers *(52)* 76 A 2
Noyers *(89)* 91 H 1
Noyers-Auzécourt *(55)* 35 E 5
Noyers-Missy *(14)* 27 E 3
Noyers-Pont-Maugis *(08)* 19 E 3
Noyers-St-Martin *(60)* 15 F 5
Noyers-sur-Cher *(41)* 87 H 5
Noyers-sur-Jabron *(04)* 180 D 2
Noyon *(60)* 16 B 4
Nozay *(10)* 53 H 4
Nozay *(44)* 83 F 2
Nozay *(91)* 51 E 3
Nozeroy *(39)* 111 E 4
Nozières *(07)* 149 F 5
Nozières *(18)* 105 F 5
Nuaillé *(49)* 100 C 1
Nuaillé-d'Aunis *(17)* 113 G 4
Nuaillé-sur-Boutonne *(17)* 127 G 1
Nuars *(58)* 91 F 4
Nubécourt *(55)* 35 G 4
Nuces *(12)* 160 A 5
Nucourt *(95)* 30 C 3
Nueil-les-Aubiers *(79)* 100 D 2
Nueil-sous-Faye *(86)* 102 A 2
Nueil-sur-Layon *(49)* 101 E 1
Nuelles *(69)* 135 G 2
Nuillé-le-Jalais *(72)* 68 C 3
Nuillé-sur-Ouette *(53)* 67 E 3
Nuillé-sur-Vicoin *(53)* 66 C 3
Nuisement-sur-Coole *(51)* 34 A 5
Nuits *(89)* 92 A 1
Nuits-St-Georges *(21)* 109 F 1
Nullemont *(76)* 14 B 3
Nully *(52)* 55 E 5
Nuncq-Hautecôte *(62)* 7 G 3
Nuret-le-Ferron *(36)* 103 H 5
Nurieux-Volognat *(01)* 123 G 4
Nurlu *(80)* 16 B 1
Nuzéjouls *(46)* 158 B 4
Nuzéjoux *(19)* 146 A 1
Nve-Église *(67)* 58 D 5
Nyer *(66)* 212 A 4
Nyoiseau *(49)* 84 B 1
Nyons *(26)* 164 D 5

O

Obenheim *(67)* 59 F 4
Oberbronn *(67)* 39 E 4
Oberbruck *(68)* 78 B 4
Oberdorf *(68)* 97 F 1
Oberdorf-Spachbach *(67)* 39 F 4
Oberdorff *(57)* 21 G 4
Oberentzen *(68)* 78 D 3
Obergailbach *(57)* 38 C 3
Oberhaslach *(67)* 58 C 3
Oberhausbergen *(67)* 59 F 2
Oberhergheim *(68)* 78 D 3
Oberhoffen-
lès-Wissembourg *(67)* 39 G 3
Oberhoffen-sur-Moder *(67)* 39 G 5
Oberlarg *(68)* 97 F 2
Oberlauterbach *(67)* 39 H 4
Obermodern-Zutzendorf *(67)* 39 E 5
Obermorschwihr *(68)* 78 D 2
Obermorschwiller *(68)* 97 F 1
Obernai *(67)* 58 D 3
Oberrœdern *(67)* 39 G 4
Obersaasheim *(68)* 79 E 2
Oberschaeffolsheim *(67)* 59 E 2
Obersoultzbach *(67)* 38 D 5
Obersteigen *(67)* 58 C 2
Obersteinbach *(67)* 39 E 3
Oberstinzel *(57)* 58 B 1
Obervisse *(57)* 21 G 5
Obies *(59)* 9 G 3
Objat *(19)* 144 B 3
Oblinghem *(62)* 7 H 1
Obrechies *(59)* 10 A 2
Obreck *(57)* 37 G 5
Obsonville *(77)* 71 G 1
Obterre *(36)* 103 F 3
Obtrée *(21)* 74 C 4
Ocana *(2A)* 216 D 5
Occagnes *(61)* 47 H 1
Occey *(52)* 93 H 2
Occhiatana *(2B)* 214 D 5
Occoches *(80)* 7 F 4
Occonville *(28)* 50 B 4
Ochancourt *(80)* 6 C 5
Oches *(08)* 19 E 5
Ochey *(54)* 56 C 3
Ochiaz *(01)* 123 H 5
Ochtezeele *(59)* 3 F 3
Ocquerre *(77)* 32 B 4
Ocqueville *(76)* 13 E 2
Octeville-l'Avenel *(50)* 23 E 3
Octeville-sur-Mer *(76)* 12 A 4
Octon *(34)* 192 B 2
Odars *(31)* 189 G 3
Odeillo *(66)* 211 H 4
Odenas *(69)* 122 A 5
Oderen *(68)* 78 B 3
Odet *(29)* 61 H 2
Odival *(52)* 75 H 3
Odomez *(59)* 5 F 5
Odos *(65)* 204 C 1
Odratzheim *(67)* 58 D 2
Oëlleville *(88)* 56 D 5
Oermingen *(67)* 38 B 4
Œting *(57)* 38 A 2
Œuf-en-Ternois *(62)* 7 F 2
Œuilly *(02)* 33 F 1
Œuilly *(51)* 33 F 4
Oëy *(55)* 55 H 2
Oeyregave *(40)* 185 F 2
Oeyreluy *(40)* 185 F 1
Offekerque *(62)* 2 D 2
Offémont *(60)* 32 B 1
Offemont *(90)* 96 C 1
Offendorf *(67)* 59 G 1
Offignies *(80)* 14 D 2
Offin *(62)* 7 E 2
Offlanges *(39)* 94 A 5
Offoy *(60)* 15 E 3
Offoy *(80)* 16 B 3
Offranville *(76)* 13 G 2
Offrethun *(62)* 2 B 4
Offroicourt *(88)* 56 D 5
Offwiller *(67)* 39 E 4
Ogenne-Camptort *(64)* 185 H 5
Oger *(51)* 33 H 5
Ogeu-les-Bains *(64)* 203 G 1
Ogéviller *(54)* 57 H 3
Ogliastro *(2B)* 215 F 2
Ognes *(02)* 16 C 4
Ognes *(51)* 53 G 2
Ognes *(60)* 32 A 4
Ognéville *(54)* 56 D 4
Ognolles *(60)* 16 B 3
Ognon *(60)* 31 H 2
Ogy *(57)* 37 E 3
Ohain *(59)* 10 A 4
Oherville *(76)* 13 E 3
Ohis *(02)* 10 A 5
Ohlungen *(67)* 39 F 5
Ohnenheim *(67)* 79 E 1
L'Oie *(85)* 100 A 4
Oigney *(70)* 76 C 5
Oignies *(62)* 4 C 5
Oigny *(21)* 92 D 2
Oigny *(41)* 69 E 3
Oigny-en-Valois *(02)* 32 C 3
Oingt *(69)* 135 G 1
Oinville-sous-Auneau *(28)* 50 B 4
Oinville-St-Liphard *(28)* 70 C 1
Oinville-sur-Montcient *(78)* 30 C 4
Oiron *(79)* 101 G 2
Oiry *(51)* 33 H 4
Oiselay-et-Grachaux *(70)* 94 D 3
Oisemont *(80)* 14 C 1
Oisilly *(21)* 93 H 3
Oisly *(41)* 87 H 4
Oison *(45)* 70 D 2
Oisseau *(53)* 46 D 5
Oisseau-le-Petit *(72)* 47 H 5
Oissel *(76)* 29 G 1
Oissery *(77)* 32 A 4
Oissy *(80)* 15 E 2
Oisy *(02)* 9 G 5
Oisy *(58)* 91 E 3
Oisy *(59)* 9 E 2
Oisy-le-Verger *(62)* 8 C 3
Oizé *(72)* 67 H 5
Oizon *(18)* 89 G 3
Olargues *(34)* 191 H 3
Olbreuse *(79)* 114 A 4
Olby *(63)* 132 D 3
Olcani *(2B)* 215 F 2
Oléac-Debat *(65)* 187 F 5
Oléac-Dessus *(65)* 204 D 1
Olemps *(12)* 175 G 1
Olendon *(14)* 27 G 5
Oletta *(2B)* 215 F 4
Olette *(66)* 212 A 3
Olhain *(62)* 7 H 2
Les Olives *(13)* 200 A 2
Olivese *(2A)* 219 E 1
Olivet *(45)* 70 C 5
Olivet *(53)* 66 B 2
Olizy *(51)* 33 F 3
Olizy-Primat *(08)* 34 D 1
Olizy-sur-Chiers *(55)* 19 G 4
Ollainville *(88)* 76 C 1
Ollainville *(91)* 51 E 3
Ollans *(25)* 95 F 3
Ollé *(28)* 49 H 5
Ollencourt *(60)* 16 B 5
Olley *(54)* 20 B 5
Ollezy *(02)* 16 C 3
Les Ollières *(74)* 138 B 1
Ollières *(83)* 196 C 3
Les Ollières-sur-Eyrieux *(07)* 163 G 2
Olliergues *(63)* 134 A 4
Ollioules *(83)* 200 D 3
Olloix *(63)* 133 E 4
Les Olmes *(69)* 135 F 2
Olmet *(63)* 134 A 4
Olmet-et-Villecun *(34)* 192 B 1
Olmeta-di-Capocorso *(2B)* 215 F 3
Olmeta-di-Tuda *(2B)* 215 F 4
Olmeto *(2A)* 218 D 2
Olmi-Cappella *(2B)* 214 D 5
Olmiccia *(2A)* 219 E 2
Olmo *(2B)* 215 G 5
Olonne-sur-Mer *(85)* 112 A 1
Olonzac *(34)* 191 G 5
Oloron-Ste-Marie *(64)* 203 F 1
Ols-et-Rinhodes *(12)* 159 F 5
Oltingue *(68)* 97 G 2
Olwisheim *(67)* 59 E 1
Omblèze *(26)* 165 E 1
Omécourt *(60)* 14 D 4
Omelmont *(54)* 56 D 3
Les Omergues *(04)* 180 C 2
Omerville *(95)* 30 B 3
Omessa *(2B)* 217 E 1
Omet *(33)* 155 G 3
Omex *(65)* 204 B 2
Omey *(51)* 54 C 1
Omicourt *(08)* 19 E 4
Omiécourt *(80)* 16 A 2
Omissy *(02)* 16 D 2
Omméel *(61)* 48 A 1
Ommeray *(57)* 57 H 1
Ommoy *(61)* 47 H 1
Omont *(08)* 18 D 4
Omonville *(76)* 13 G 2
Omonville-la-Petite *(50)* 22 B 2
Omonville-la-Rogue *(50)* 22 B 2
Omps *(15)* 159 H 1
Oms *(66)* 212 D 3
Onans *(25)* 95 H 2
Onard *(40)* 169 F 5
Onay *(70)* 94 B 3
Oncieu *(01)* 137 E 1
Oncourt *(88)* 77 F 1
Oncy-sur-École *(91)* 51 G 5
Ondefontaine *(14)* 26 D 4
Ondes *(31)* 189 E 1
Ondres *(40)* 184 C 2
Ondreville-sur-Essonne *(45)* 71 F 2
Onesse-Laharie *(40)* 169 E 3
Onet-le-Château *(12)* 175 G 1
Oneux *(80)* 7 E 4
Ongles *(04)* 180 C 3
Onglières *(39)* 110 D 4
Onival *(80)* 6 B 5
Onjon *(10)* 54 A 5
Onlay *(58)* 107 G 2
Onnaing *(59)* 9 F 2
Onnion *(74)* 125 E 4
Onoz *(39)* 123 G 2
Ons-en-Bray *(60)* 30 C 1
Ontex *(73)* 137 H 3
Onville *(54)* 36 C 4
Onvillers *(80)* 15 H 4
Onzain *(41)* 87 G 3
Oô *(31)* 205 F 4
Oost-Cappel *(59)* 3 G 2
Opio *(06)* 199 E 1
Opme *(63)* 133 F 4
Opoul-Périllos *(66)* 209 E 4
Oppède *(84)* 179 H 5
Oppède-le-Vieux *(84)* 179 H 5
Oppedette *(04)* 180 C 4
Oppenans *(70)* 95 F 1
Oppy *(62)* 8 B 3
Optevoz *(38)* 137 E 3
Oraàs *(64)* 185 F 3
Oradour *(15)* 160 D 1
Oradour *(16)* 128 A 2
Oradour-Fanais *(16)* 116 A 5
Oradour-St-Genest *(87)* 116 C 4
Oradour-sur-Glane *(87)* 129 H 2
Oradour-sur-Vayres *(87)* 129 G 3
Orain *(21)* 94 A 2
Orainville *(02)* 33 H 1
Oraison *(04)* 181 E 4
Orange *(84)* 179 E 2
Orbagna *(39)* 123 F 1
Orbais-l'Abbaye *(51)* 33 F 5
Orban *(81)* 174 D 5
Orbé *(79)* 101 G 2
Orbec *(14)* 28 B 4
Orbeil *(63)* 133 G 5
Orbessan *(32)* 188 A 3
Orbey *(68)* 78 C 1
Orbigny *(37)* 87 G 5
Orbigny-au-Mont *(52)* 76 A 4
Orbigny-au-Val *(52)* 75 H 4
Orbois *(14)* 26 D 3
L'Orbrie *(85)* 113 H 1
Orçay *(41)* 88 D 5
Orcemont *(78)* 50 C 3
Orcenais *(18)* 105 F 5
Orcet *(63)* 133 F 4
Orcevaux *(52)* 75 H 5
Orchaise *(41)* 87 G 2
Orchamps *(39)* 110 B 1
Orchamps-Vennes *(25)* 95 G 5
Orches *(86)* 102 A 3
Orchies *(59)* 4 D 5
Orcier *(74)* 125 E 3
Orcières *(05)* 166 D 2
Orcières *(48)* 162 A 5
Orcières-Merlette *(05)* 166 D 2
Orcinas *(26)* 164 D 4
Orcines *(63)* 133 E 3
Orcival *(63)* 132 D 4
Orconte *(51)* 54 D 2
Ordan-Larroque *(32)* 187 H 1
Ordiarp *(64)* 202 D 1
Ordizan *(65)* 204 C 2
Ordonnac *(33)* 140 D 2
Ordonnaz *(01)* 137 F 2
Ore *(31)* 205 G 3
Orègue *(64)* 185 E 4
Oreilla *(66)* 212 A 3
Orelle *(73)* 152 D 2
Oresmaux *(80)* 15 F 3
Orezza *(Couvent d') (2B)* 217 G 1
Organ *(65)* 187 H 5
Orgeans *(25)* 96 C 4
Orgedeuil *(16)* 128 D 4
Orgeix *(09)* 207 G 5
Orgelet *(39)* 123 G 1
Orgères *(35)* 65 F 3
Orgères *(61)* 48 B 1
Orgères-en-Beauce *(28)* 70 B 2
Orgères-la-Roche *(53)* 47 G 3
Orgerus *(78)* 50 B 1
Orges *(52)* 75 E 2
Orgeux *(21)* 93 G 4
Orgeval *(02)* 17 F 5
Orgeval *(78)* 30 D 5
Orgibet *(09)* 206 A 3
Orglandes *(50)* 22 D 4
Orgnac-l'Aven *(07)* 178 C 1
Orgnac-sur-Vézère *(19)* 144 B 2
Orgon *(13)* 179 G 5
Orgueil *(82)* 173 H 5
Orgy *(89)* 73 E 5
Oricourt *(70)* 95 F 1
Orieux *(65)* 187 G 5
Orignac *(65)* 204 D 1
Origne *(33)* 155 F 4
Origné *(53)* 66 C 3
Orignolles *(17)* 141 H 3
Origny *(21)* 92 D 1
Origny-en-Thiérache *(02)* 10 A 5
Origny-le-Butin *(61)* 48 C 5
Origny-le-Roux *(61)* 48 B 5
Origny-le-Sec *(10)* 53 F 4
Origny-Ste-Benoite *(02)* 17 E 2
Orin *(64)* 185 H 5
Orincles *(65)* 204 C 1
Oriocourt *(57)* 37 F 5
Oriol-en-Royans *(26)* 151 E 5
Oriolles *(16)* 141 H 2
Orion *(64)* 185 G 4
Oris-en-Rattier *(38)* 151 H 5
Orist *(40)* 185 E 2
Orival *(16)* 142 B 2
Orival *(76)* 29 F 2
Orival *(80)* 14 D 2
Orléans *(45)* 70 C 4
Orléat *(63)* 133 H 2
Orleix *(65)* 187 F 5
Orliac *(24)* 157 H 2
Orliac-de-Bar *(19)* 145 E 2
Orliaguet *(24)* 158 B 1
Orliénas *(69)* 135 H 4
Orlu *(09)* 207 G 5
Orlu *(28)* 50 C 5
Orly *(94)* 51 F 2
Orly-sur-Morin *(77)* 32 C 5
Ormancey *(52)* 75 G 4
Ormeaux *(77)* 52 B 2

A B C D E F G H I J K L M N O P Q R S T U V W X Y Z

Ormenans (70) 95 E 3
Ormersviller (57) 38 C 2
Ormes (10) 53 H 3
Ormes (27) 29 F 4
Ormes (45) 70 C 4
Ormes (51) 33 G 2
Ormes (71) 109 F 5
Les Ormes (86) 102 C 2
Les Ormes (89) 72 C 5
Ormes-et-Ville (54) 57 E 4
Les Ormes-sur-Voulzie (77) 52 C 4
Ormesson (77) 71 H 1
Ormesson-sur-Marne (94) 51 G 1
Ormoiche (70) 77 F 5
Ormoy (28) 50 A 3
Ormoy (70) 76 D 4
Ormoy (89) 73 E 4
Ormoy (91) 51 G 3
Ormoy-la-Rivière (91) 51 E 5
Ormoy-le-Davien (60) 32 B 3
Ormoy-lès-Sexfontaines (52) 75 F 1
Ormoy-sur-Aube (52) 75 E 3
Ormoy-Villers (60) 32 A 3
Ornacieux (38) 150 D 1
Ornaisons (11) 209 E 1
Ornans (25) 111 E 1
Ornes (55) 20 A 4
Ornex (01) 124 B 3
Ornézan (32) 188 A 3
Orniac (46) 158 D 4
Ornolac-Ussat-les-Bains (09) 207 E 4
Ornon (38) 152 A 4
Orny (57) 37 E 4
Oroër (60) 15 E 5
Oroix (65) 187 E 5
Oron (57) 37 F 5
Orouet (85) 98 C 4
Oroux (79) 101 G 5
Orphin (78) 50 C 3
Orpierre (05) 180 C 1
Orquevaux (52) 55 H 5
Les Orres (05) 167 E 4
Orret (21) 92 D 2
Orriule (64) 185 G 4
Orrouer (28) 49 H 5
Orrouy (60) 32 A 2
Orry-la-Ville (60) 31 G 3
Ors (59) 9 F 5
Orsan (30) 179 E 2
Orsanco (64) 185 F 5
Orsans (11) 207 G 1
Orsans (25) 95 G 4
Orsay (91) 51 E 2
Orschwihr (68) 78 C 3
Orschwiller (67) 58 D 5
Orsennes (36) 117 G 2
Orsinval (59) 9 F 3
Orsonnette (63) 147 F 1
Orsonville (78) 50 C 4
Ortaffa (66) 213 F 3
Ortale (2B) 217 G 2
Orthevielle (40) 185 E 2
Orthez (64) 185 H 3
Orthoux-
Sérignac-Quilhan (30) 177 H 5
Ortillon (10) 54 A 4
Ortiporio (2B) 215 F 5
Orto (2A) 216 D 3
Ortoncourt (88) 57 G 4
Orus (09) 206 D 5
Orval (18) 105 G 5
Orval-sur-Sienne (50) 24 D 4
Orvault (44) 83 F 4
Orvaux (27) 29 F 5
Orve (25) 95 H 4
Orveau (91) 51 F 4
Orveau-Bellesauve (45) 71 F 1
Orville (21) 93 G 2
Orville (36) 104 C 1
Orville (45) 71 G 1
Orville (61) 28 B 5
Orville (62) 7 G 4
Orvillers-Sorel (60) 15 H 4
Orvilliers (78) 50 B 1
Orvilliers-St-Julien (10) 53 G 4
Orx (40) 184 D 2
Orzilhac (43) 148 B 5
Os-Marsillon (64) 186 A 4
Osani (2A) 216 B 2
Osches (55) 35 G 4
Osenbach (68) 78 C 3
Oslon (71) 109 F 4
Osly-Courtil (02) 32 C 1
Osmanville (14) 23 F 5
Osmery (18) 105 H 3
Osmets (65) 187 F 5
Osmoy (18) 105 G 2
Osmoy (78) 50 B 1
Osmoy-St-Valery (76) 13 H 2
Osne-le-Val (52) 55 G 4
Osnes (08) 19 G 3
Osny (95) 30 D 4
L'Ospédale (2A) 219 F 3
Ossages (40) 185 G 2
Ossas-Suhare (64) 203 E 1
Osse (25) 95 E 4
Ossé (35) 65 G 2
Osse-en-Aspe (64) 203 F 2
Osséja (66) 211 G 5
Osselle-Routelle (25) 110 C 1
Ossen (65) 204 B 2
Ossenx (64) 185 G 4
Osserain-Rivareyte (64) 185 G 4
Ossès (64) 184 D 5
Ossey-les-Trois-Maisons (10) 53 F 4
Ossonville (28) 50 B 5
Ossun (65) 204 B 1
Ossun-ez-Angles (65) 204 C 2
Ostabat-Asme (64) 185 F 5
Ostel (02) 33 E 1
Ostheim (68) 78 D 1
Osthoffen (67) 59 E 2
Osthouse (67) 59 E 4
Ostreville (62) 7 G 2
Ostricourt (59) 4 C 5
Ostwald (67) 59 F 3
Ota (2A) 216 B 3
Othe (54) 19 H 5
Othis (77) 31 H 4
Ottange (57) 20 D 3
Ottersthal (67) 58 C 1
Otterswiller (67) 58 D 1
Ottmarsheim (68) 79 E 4
Ottonville (57) 21 G 4
Ottrott (67) 58 D 3
Ottwiller (67) 38 C 5
Ouagne (58) 91 E 4
Ouainville (76) 12 D 2
Ouanne (89) 90 D 1
Ouarville (28) 50 B 5
Les Oubeaux (14) 25 F 2
Ouchamps (41) 87 H 3
Ouches (42) 134 C 1
Oucques (41) 69 H 5
Oudalle (76) 12 B 5
Oudan (58) 90 D 4
Oudeuil (60) 15 E 5
Oudezeele (59) 3 G 3
Oudincourt (52) 75 F 1
Oudon (44) 83 H 4
Oudrenne (57) 21 F 3
Oudry (71) 121 F 1
Oueilloux (65) 204 D 1
Ouerray (28) 49 H 5
Ouerre (28) 50 A 2
Ouessant (29) 40 B 3
Ouézy (14) 27 H 4
Ouffières (14) 27 E 4
Ouge (70) 76 B 5
Ouges (21) 93 G 5
Ougney (39) 94 B 5
Ougney-Douvot (25) 95 F 4
Ougny (58) 107 F 2
Ouhans (25) 111 F 2
Ouides (43) 162 A 1
Ouillon (64) 186 C 5
Ouilly-du-Houley (14) 28 B 3
Ouilly-le-Tesson (14) 27 G 4
Ouilly-le-Vicomte (14) 28 A 3
Ouistreham-Riva-Bella (14) 27 G 2
Oulches (36) 116 D 1
Oulches-
la-Vallée-Foulon (02) 33 F 1
Oulchy-la-Ville (02) 32 D 3
Oulchy-le-Château (02) 32 D 3
Oulins (28) 50 A 1
Oulles (38) 152 A 4
Oullins (69) 135 H 3
Oulmes (85) 113 H 2
Oulon (58) 90 D 5
Ounans (39) 110 B 2
Oupia (34) 191 G 5
Our (39) 110 B 1
Ourcel-Maison (60) 15 E 4
Ourches (26) 164 C 1
Ourches-sur-Meuse (55) 56 B 2
Ourde (65) 205 F 3
Ourdis-Cotdoussan (65) 204 C 2
Ourdon (65) 204 B 2
Ourouër (58) 106 D 2
Ourouer-les-Bourdelins (18) 106 A 3
Ouroux (69) 122 A 4
Ouroux-en-Morvan (58) 107 H 1
Ouroux-sous-le-Bois-
Ste-Marie (71) 121 G 3
Ouroux-sur-Saône (71) 109 F 4
Oursbelille (65) 187 E 5
Les Oursinières (83) 201 E 4
Ourton (62) 7 H 2
Ourville-en-Caux (76) 12 D 3
Ousse (64) 186 C 5
Ousse-Suzan (40) 169 G 4
Oussières (39) 110 B 3
Ousson-sur-Loire (45) 90 A 2
Oussoy-en-Gâtinais (45) 71 H 4
Oust (09) 206 B 4
Oust-Marest (80) 6 B 5
Ousté (65) 204 B 2
Outarville (45) 70 D 2
Outines (51) 54 D 3
Outreau (62) 2 A 4
Outrebois (80) 7 F 4
Outremécourt (52) 76 B 1
Outrepont (51) 54 D 1
Outriaz (01) 123 G 5
Outtersteene (59) 3 H 4
Ouvans (25) 95 G 4
Ouve-Wirquin (62) 2 D 5
Ouveillan (11) 191 H 5
Ouville (50) 25 E 4
Ouville-la-Bien-Tournée (14) 27 H 4
Ouville-la-Rivière (76) 13 F 2
Ouville-l'Abbaye (76) 13 F 3
Ouvrouer-les-Champs (45) 71 E 5
Ouzilly (86) 102 B 4
Ouzilly-Vignolles (86) 101 H 3
Ouzouer-des-Champs (45) 71 H 4
Ouzouer-le-Doyen (41) 69 H 4
Ouzouer-le-Marché (41) 70 A 4
Ouzouer-
sous-Bellegarde (45) 71 G 3
Ouzouer-sur-Loire (45) 71 G 5
Ouzouer-sur-Trézée (45) 90 A 1
Ouzous (65) 204 B 2
Ovanches (70) 94 D 1
Ovillers-la-Boisselle (80) 8 A 5
Oxelaëre (59) 3 F 4
Oyé (71) 121 F 3
Oye-et-Pallet (25) 111 F 3
Oye-Plage (62) 2 D 2
Oyes (51) 53 F 1
Oyeu (38) 151 F 1
Oyonnax (01) 123 G 3
Oyré (86) 102 C 3
Oyrières (70) 94 A 2
Oysonville (28) 50 D 5
Oytier-St-Oblas (38) 136 C 5
Oz (38) 152 A 3
Ozan (01) 122 C 2
Oze (05) 165 H 4
Ozenay (71) 122 B 1
Ozenx (64) 185 H 3
Ozerailles (54) 20 C 5
Ozeville (50) 23 E 4
Ozières (52) 76 A 1
Ozillac (17) 141 G 1
Ozoir-la-Ferrière (77) 51 H 2
Ozoir-le-Breuil (28) 70 A 3
Ozolles (71) 121 G 3
Ozon (07) 149 H 3
Ozon (65) 204 D 1
Ozouer-le-Voulgis (77) 51 H 3
Ozourt (40) 185 G 1

P

Paars (02) 33 E 2
Pabu (22) 43 E 4
La Pacaudière (42) 120 D 4
Pacé (35) 65 E 1
Pacé (61) 47 H 4
Pact (38) 150 C 2
Pacy-sur-Armançon (89) 73 H 5
Pacy-sur-Eure (27) 29 H 4
Padern (11) 208 D 4
Padiès (81) 175 F 3
Padirac (46) 158 D 1
Padoux (88) 57 G 5
Pageas (87) 129 H 4
Pagney (39) 94 B 5
Pagney-derrière-Barine (54) 56 C 2
Pagnoz (39) 110 C 2
Pagny-la-Blanche-Côte (55) 56 B 3
Pagny-la-Ville (21) 109 G 1
Pagny-le-Château (21) 109 G 2
Pagny-lès-Goin (57) 37 E 4
Pagny-sur-Meuse (55) 56 B 2
Pagny-sur-Moselle (54) 36 D 4
Pagolle (64) 185 F 5
Pailhac (65) 205 E 3
Pailharès (07) 149 F 4
Pailherols (15) 146 B 5
Pailhès (09) 206 D 2
Pailhès (34) 192 B 4
Paillart (60) 15 F 4
Paillé (17) 127 G 1
Paillencourt (59) 8 D 3
Paillères (48) 162 B 5
Paillet (33) 155 G 3
La Paillette (26) 164 D 4
Pailloles (47) 157 E 5
Le Pailly (52) 75 H 5
Pailly (89) 52 D 5
Paimbœuf (44) 82 C 4
Paimpol (22) 43 F 2
Paimpont (35) 64 C 2
Painblanc (21) 108 D 1
Pair-et-Grandrupt (88) 58 B 5
Pairis (68) 78 C 2
Paissy (02) 33 F 1
Paisy-Cosdon (10) 73 F 1
Paizay-le-Chapt (79) 114 C 5
Paizay-le-Sec (86) 116 A 1
Paizay-le-Tort (79) 114 C 4
Paizay-Naudouin-
Embourie (16) 128 A 1
Pajay (38) 150 D 1
Paladru (38) 137 F 5
Palagaccio (2B) 215 G 3
Palairac (11) 208 D 3
Le Palais (56) 81 E 4
Le Palais-sur-Vienne (87) 130 B 2
Palaiseau SP (91) 51 E 2
Palaiseul (52) 75 H 5
Palaja (11) 208 B 1
Palaminy (31) 206 A 1
Palante (70) 95 H 1
Palantine (25) 110 D 1
Palasca (2B) 214 D 4
Palau-de-Cerdagne (66) 211 G 5
Palau-del-Vidre (66) 213 F 3
Palavas-les-Flots (34) 193 F 3
Palazinges (19) 144 D 4
Palesne (60) 32 A 2
Paley (77) 72 A 1
Paleyrac (24) 157 G 1
Palhers (48) 161 F 4
Palinges (71) 121 F 1
Palis (10) 73 F 1
Palise (25) 95 E 3
Palisse (19) 145 G 1
Palladuc (63) 134 A 2
Pallanne (32) 187 F 3
Palleau (71) 109 F 2
Pallegney (88) 57 F 5
Le Pallet (44) 99 G 1
Palleville (81) 190 B 3
La Pallice (17) 113 E 4
Pallier (23) 131 F 3
La Pallu (53) 47 F 4
Palluau (85) 99 F 3
Palluau-sur-Indre (36) 103 H 3
Palluaud (16) 142 C 2
Pallud (73) 138 C 3
Palluel (62) 8 C 3
Palmas d'Aveyron (12) 160 C 5
La Palme (11) 209 F 3
La Palmyre (17) 126 B 3
Palneca (2A) 217 F 5
Palogneux (42) 134 C 3
Palombaggia (Plage de) (2A) 219 G 3
Palot (09) 207 F 3
La Palud-sur-Verdon (04) 181 G 5
Paluds-de-Noves (13) 179 F 5
Paluel (76) 12 D 2
Palus (30) 178 D 3
Le Palus-Plage (22) 43 G 3
Pamfou (77) 52 A 4
Pamiers SP (09) 207 E 2
Pampelonne (81) 175 E 3
Pamplie (79) 114 B 1
Pamproux (79) 114 D 2
Panassac (32) 187 H 4
Panazol (87) 130 B 2
Pancé (35) 65 F 4
Pancheraccia (2B) 217 G 3
Pancy-Courtecon (02) 17 F 5
Pandrignes (19) 145 E 3
Pange (57) 37 E 3
Panges (21) 93 E 4
Panilleuse (27) 30 A 3
Paniscoulé (30) 178 D 2
Panissage (38) 137 F 5
Panissières (42) 135 E 3
Panjas (32) 171 F 5
Panlatte (27) 49 G 1
Pannecé (44) 83 H 2
Pannecières (45) 71 E 1
Pannes (45) 71 H 3
Pannes (54) 36 B 5
Pannessières (39) 110 B 5
Panon (72) 48 B 5
Panossas (38) 136 D 4
La Panouse (48) 161 H 2
Pansey (52) 55 G 4
Pantin (93) 31 F 5
Panzoult (37) 102 B 1
Papleux (02) 9 H 5
La Pâquelais (44) 83 E 4
Paquier (21) 108 D 1
Paradou (13) 194 D 1
Paramé (35) 44 D 2
Parassy (18) 89 G 5
Parata (2B) 217 G 1
Parata (Pointe de la) (2A) 218 B 1
Paray-Douaville (78) 50 C 4
Paray-le-Frésil (03) 107 F 5
Paray-le-Monial (71) 121 F 2
Paray-sous-Briailles (03) 120 A 3
Paray-Vieille-Poste (91) 51 F 2
Paraza (11) 191 G 5
Parbayse (64) 186 A 4
Parc-d'Anxtot (76) 12 C 4
Parçay-les-Pins (49) 86 A 3
Parçay-Meslay (37) 86 D 3
Parçay-sur-Vienne (37) 102 C 1
Parcé (35) 66 A 1
Parcé-sur-Sarthe (72) 67 G 5
Parcey (39) 110 A 2
Parcieux (01) 135 H 2
Parcoul-Chenaud (24) 142 A 3
Le Parcq (62) 7 F 2
Parcy-et-Tigny (02) 32 D 2
Pardailhan (34) 191 G 4
Pardaillan (47) 156 C 3
Pardies (64) 186 A 4
Pardies-Piétat (64) 203 H 1
Pardines (63) 133 F 5
Paréac (65) 204 C 1
Pareid (55) 36 B 3
Parempuyre (33) 141 E 5
Parennes (72) 67 G 2
Parent (63) 133 F 4
Parentignat (63) 133 G 5
Parentis-en-Born (40) 154 B 5
Parenty (62) 2 C 5
Parey-sous-Montfort (88) 76 C 1
Parey-St-Césaire (54) 56 D 3
Parfondeval (02) 18 A 3
Parfondeval (61) 48 C 4
Parfondru (02) 17 F 5
Parfondrupt (55) 20 B 5
Parfouru-sur-Odon (14) 27 E 3
Pargnan (02) 33 F 1
Pargny (80) 16 B 2
Pargny-Filain (02) 17 E 5
Pargny-la-Dhuys (02) 33 E 5
Pargny-les-Bois (02) 17 F 3
Pargny-lès-Reims (51) 33 G 2
Pargny-Resson (08) 18 B 5
Pargny-sous-Mureau (88) 56 A 5
Pargny-sur-Saulx (51) 55 E 1
Pargues (10) 74 A 3
Parignargues (30) 178 B 5
Parigné (35) 46 A 4
Parigné-le-Pôlin (72) 67 H 5
Parigné-l'Évêque (72) 68 B 4
Parigné-sur-Braye (53) 46 D 5
Parigny (42) 134 D 1
Parigny (50) 46 B 3
Parigny-la-Rose (58) 91 E 4
Parigny-les-Vaux (58) 106 C 1
Paris (75) 51 F 1
Paris-l'Hôpital (71) 108 D 3
Parisot (81) 190 A 1
Parisot (82) 174 B 1
Parlan (15) 159 G 1
Parleboscq (40) 171 G 4
Parly (89) 72 D 5
Parmain (95) 31 E 4
Parmilieu (38) 137 E 2
Parnac (36) 117 E 2
Parnac (46) 158 A 4
Parnans (26) 150 D 4
Parnay (18) 105 G 4
Parnay (49) 85 H 5
Parné-sur-Roc (53) 66 D 3
Parnes (60) 30 B 3
Parnot (52) 76 B 3
Les Paroches (55) 36 A 5
Parois (55) 35 F 3
Paron (89) 72 C 2
Paroy (25) 110 D 1
Paroy (77) 52 C 4
Paroy-en-Othe (89) 73 E 3
Paroy-sur-Saulx (52) 55 G 4
Paroy-sur-Tholon (89) 72 D 4
Parpeçay (36) 88 B 5
Parpeville (02) 17 E 3
Parranquet (47) 157 F 3
Parrot (63) 146 D 2
Parroy (54) 57 G 2
Pars-lès-Chavanges (10) 54 C 4
Pars-lès-Romilly (10) 53 F 4
Parsac (33) 156 A 1
Parsac-Rimondeix (23) 118 B 4
Parthenay SP (79) 101 F 5
Parthenay-de-Bretagne (35) 65 E 1
Parthenay-le-Vieux (79) 101 F 5
Partinello (2A) 216 B 2
Parux (54) 58 A 3
Parves-et-Nattages (01) 137 G 3
Parville (27) 29 G 4
Parvillers-le-Quesnoy (80) 16 A 3
Parzac (16) 128 D 2
Les Pas (50) 45 G 3
Le Pas (53) 46 D 4
Pas-de-Jeu (79) 101 G 2
Pas-des-Lanciers (13) 195 G 4
Pas-en-Artois (62) 7 H 4
Le Pas-St-l'Homer (61) 49 F 4
Pasilly (89) 91 H 1
Paslières (63) 133 H 2
Pasly (02) 32 C 1
Pasques (21) 93 E 4
Le Pasquier (39) 110 D 4
Passa (66) 213 E 3
Le Passage (38) 137 F 5
Le Passage (47) 172 B 2
Passais (61) 46 C 3
Passavant (25) 95 F 4
Passavant-en-Argonne (51) 35 F 4
Passavant-la-Rochère (70) 76 D 3
Passavant-sur-Layon (49) 101 E 1
Passay (44) 99 F 1
Passel (60) 16 B 5
Passenans (39) 110 B 4
Les Passerons (13) 194 C 2
Passins (38) 137 E 4
Passirac (16) 142 A 2
Passonfontaine (25) 111 G 1
Passy (71) 121 H 1
Passy (74) 139 E 1
Passy (89) 72 D 2
Passy-en-Valois (02) 32 C 3
Passy-Grigny (51) 33 F 3
Passy-sur-Marne (02) 33 E 4
Passy-sur-Seine (77) 52 D 5
Pastricciola (2A) 216 D 3
Patay (45) 70 B 3
Patornay (39) 110 C 5
Patrimonio (2B) 215 F 3
Le Paty (28) 50 B 3
Pau P (64) 186 B 5
Paucourt (45) 72 A 3
Paudy (36) 104 C 2
Paugnat (63) 133 E 2
Pauilhac (32) 172 B 5
Pauillac (33) 140 D 3
Paule (22) 62 C 1
Paulhac (15) 146 D 5
Paulhac (31) 189 G 1
Paulhac (43) 147 F 2
Paulhac-en-Margeride (48) 147 G 5
Paulhaguet (43) 147 G 3
Paulhan (34) 192 C 3
Paulhe (12) 176 B 2
Paulhenc (15) 160 C 1
Paulhiac (47) 157 F 4
Pauligne (11) 208 A 2
Paulin (24) 144 B 5
Paulinet (81) 175 F 5
Paulmy (37) 103 E 2
Paulnay (36) 103 G 4
Paulx (44) 99 E 2
Paunat (24) 157 G 1
Paussac-et-St-Vivien (24) 143 E 2
Pautaines-Augeville (52) 55 H 5
Pauvres (08) 34 B 1
Pavant (02) 32 C 5
Pavezin (42) 149 G 1
Pavie (32) 188 A 2
Le Pavillon-Ste-Julie (10) 53 G 5
Les Pavillons-sous-Bois (93) 31 G 5
Pavilly (76) 13 F 4
Payns (10) 53 H 5
Payra-sur-l'Hers (11) 190 A 5
Payrac (46) 158 B 2
Payré (86) 115 F 3
Payré-sur-Vendée (85) 113 H 1
Payrignac (46) 158 B 2
Payrin-Augmontel (81) 190 D 3
Payros-Cazautets (40) 186 B 2
Payroux (86) 115 G 4
Payssous (31) 205 G 2
Payzac (07) 162 D 5
Payzac (24) 144 A 1
Pazac (30) 178 D 5
Pazayac (24) 144 B 4
Paziols (11) 208 D 4
Pazy (58) 91 F 5
Le Péage-de-Roussillon (38) 149 H 1
Péas (51) 53 F 2
Peaugres (07) 149 G 2
Péaule (56) 82 A 1
Péault (85) 113 E 1
Pébées (32) 188 D 4
Pébrac (43) 147 G 5
Pech (09) 207 E 5
Pech-Luna (11) 207 G 1
Péchabou (31) 189 G 3
Pécharic-et-le-Py (11) 207 F 1
Péchaudier (81) 190 B 3
Pechbonnieu (31) 189 F 1
Pechbusque (31) 189 F 3
Le Pêchereau (36) 117 F 1
Pécorade (40) 186 B 2
Le Pecq (78) 30 D 5
Pecquencourt (59) 8 D 2
Pecqueuse (91) 50 D 3
Pécy (77) 52 B 3
Pédernec (22) 43 E 3
Pégairolles-de-Buèges (34) 177 F 5
Pégairolles-
de-l'Escalette (34) 192 B 1
Pégomas (06) 199 E 2
Le Pègue (26) 164 D 5
Péguilhan (31) 188 A 5
Peigney (52) 75 H 4
Peillac (56) 64 B 5
Peille (06) 183 G 5
Peillon (06) 183 G 5
Peillonnex (74) 124 D 4
Peintre (39) 94 A 5
Les Peintures (33) 142 A 4
Peipin (04) 181 E 2
Peïra-Cava (06) 183 F 3
Peisey-Nancroix (73) 139 F 4
Pel-et-Der (10) 54 B 5
Pelacoy (46) 158 B 4
Pélasque (06) 183 F 3
Pélissanne (13) 195 F 2
Pellafol (38) 166 A 1
Pelleautier (05) 166 B 4
Pellefigue (32) 188 B 3
Pellegrue (33) 156 B 2
Pelleport (31) 188 D 1
Pellerey (21) 93 E 3
Le Pellerin (44) 83 E 5
La Pellerine (49) 85 H 3
La Pellerine (53) 46 B 5
Pellevoisin (36) 103 H 2
Pellouailles-les-Vignes (49) 85 E 2
Pelonne (26) 165 F 5
Pelouse (48) 161 H 4
Pelousey (25) 94 D 4
Peltre (57) 37 E 3
Pélussin (42) 149 G 1
Pelves (62) 8 B 3
Pelvoux (05) 152 D 5
Pen Bé (44) 82 A 3
Pen-Guen (22) 44 C 2
Penchard (77) 32 A 5
Pencran (29) 41 G 4
Pendé (80) 6 C 4
Pénestin (56) 82 A 2
Penguily (22) 44 A 4
Penhoat (22) 43 F 2
Penhors (29) 61 E 3
Penin (62) 7 H 3
Le Pénity (22) 42 C 5
Penly (76) 13 H 1
Penmarch (29) 61 F 4
Pennautier (11) 208 B 1
La Penne (06) 182 D 4
Penne (81) 174 B 3
Penne-d'Agenais (47) 157 F 5
La Penne-sur-Huveaune (13) 196 A 5
La Penne-sur-l'Ouvèze (26) 179 H 1

Localité *(Département)* **Page** **Coordonnées**

Pennedepie *(14)* 28 A 1
Pennes-le-Sec *(26)* 165 E 3
Les Pennes-Mirabeau *(13)* 195 H 4
Pennesières *(70)* 95 E 2
Penol *(38)* 150 D 1
Le Penon *(40)* 184 D 1
Pensol *(87)* 129 G 4
Penta-Acquatella *(2B)* 215 F 5
Penta-di-Casinca *(2B)* 215 G 5
Penthièvre *(56)* 81 E 3
Pentrez-Plage *(29)* 61 F 1
Penvénan *(22)* 43 E 1
Penvins *(56)* 81 G 3
Péone *(06)* 182 C 2
Pépieux *(11)* 191 F 5
Pérassay *(36)* 118 B 2
Peray *(72)* 68 B 1
Perceneige *(89)* 52 D 5
Percey *(89)* 73 G 4
Percey-le-Grand *(70)* 93 H 2
Percey-le-Pautel *(52)* 75 H 5
Percey-sous-Montormentier *(52)* 93 H 1
Le Perchay *(95)* 30 C 4
La Perche *(18)* 105 G 5
Perchède *(32)* 186 D 1
Le Percy *(38)* 165 G 1
Percy-en-Auge *(14)* 27 H 4
Percy-en-Normandie *(50)* 25 F 5
Perdreauville *(78)* 30 B 5
Péré *(17)* 113 G 5
Péré *(65)* 204 D 1
Péreille *(09)* 207 F 3
Perelli *(2B)* 217 G 2
Perello *(56)* 80 C 1
Pérenchies *(59)* 4 B 3
Péret *(34)* 192 C 3
Péret-Bel-Air *(19)* 145 F 1
Péreuil *(16)* 128 A 5
Péreyres *(07)* 162 D 2
Pergain-Taillac *(32)* 172 B 3
Peri *(2A)* 216 D 5
Le Périer *(38)* 152 A 5
Périers *(50)* 24 D 2
Périers-en-Auge *(14)* 27 H 2
Périers-sur-le-Dan *(14)* 27 F 2
Pérignac *(16)* 142 B 1
Pérignac *(17)* 127 F 4
Pérignat-lès-Sarliève *(63)* 133 F 3
Pérignat-sur-Allier *(63)* 133 F 3
Périgné *(79)* 114 C 4
Périgneux *(42)* 148 C 1
Périgny *(03)* 120 B 4
Périgny *(14)* 27 E 5
Périgny *(17)* 113 F 4
Périgny *(41)* 87 G 1
Périgny *(86)* 102 A 5
Périgny *(94)* 51 G 2
Périgny-la-Rose *(10)* 53 F 3
Périgueux [P] *(24)* 143 F 3
Périssac *(33)* 141 G 5
Perles *(02)* 33 F 2
Perles-et-Castelet *(09)* 207 F 5
Pern *(46)* 173 H 1
Pernand-Vergelesses *(21)* 109 E 1
Pernant *(02)* 32 C 1
Pernay *(37)* 86 C 3
La Pernelle *(50)* 23 E 3
Pernes *(62)* 7 G 1
Pernes-lès-Boulogne *(62)* 2 B 4
Pernes-les-Fontaines *(84)* 179 G 4
Pernois *(80)* 7 F 5
Pero *(Plage de) (2A)* 216 B 4
Pero-Casevecchie *(2B)* 217 G 1
Pérols *(34)* 193 G 3
Pérols-sur-Vézère *(19)* 131 F 5
Péron *(01)* 124 A 4
Péronnas *(01)* 123 E 4
Péronne *(71)* 122 B 2
Péronne [SP] *(80)* 16 B 1
Péronne-en-Mélantois *(59)* 4 D 4
Péronville *(28)* 70 A 3
Pérouges *(01)* 136 D 2
La Pérouille *(36)* 104 A 5
Pérouse *(90)* 96 D 1
Péroy-les-Gombries *(60)* 32 A 3
Perpezac-le-Blanc *(19)* 144 B 3
Perpezac-le-Noir *(19)* 144 C 2
Perpezat *(63)* 132 D 4
Perpignan [P] *(66)* 209 E 5
Les Perques *(50)* 22 C 4
Perquie *(40)* 171 E 5
Perrancey-les-Vieux-Moulins *(52)* 75 H 4
Le Perray-en-Yvelines *(78)* 50 C 2
Perrecy-les-Forges *(71)* 121 F 1
Le Perréon *(69)* 122 A 5
Perret *(22)* 63 E 2
Perreuil *(71)* 108 D 4
Perreuse *(89)* 90 C 2
Perreux *(42)* 134 D 1
Perreux *(89)* 72 C 5
Le Perreux-sur-Marne *(94)* 51 G 1
Perrex *(01)* 122 C 4
Le Perrier *(30)* 193 H 3
Perrier *(63)* 133 F 5
Le Perrier *(85)* 98 C 3
La Perrière *(61)* 48 C 5
La Perrière *(73)* 139 E 5
Perrières *(14)* 27 G 5
Perriers-en-Beauficel *(50)* 46 B 1
Perriers-la-Campagne *(27)* 29 E 3
Perriers-sur-Andelle *(27)* 29 H 1
Perrignier *(74)* 124 D 3
Perrigny *(39)* 110 B 5
Perrigny *(71)* 109 F 4
Perrigny *(89)* 73 E 5
Perrigny-lès-Dijon *(21)* 93 F 5
Perrigny-sur-Armançon *(89)* 92 A 1
Perrigny-sur-l'Ognon *(21)* 94 A 4
Perrigny-sur-Loire *(71)* 120 D 1
Perrogney *(52)* 75 G 5
Le Perron *(50)* 25 G 4
Perros-Guirec *(22)* 42 D 1
Perrou *(61)* 47 E 3
Perrouse *(70)* 94 D 4
Perroy *(58)* 90 C 4
Perruel *(27)* 29 H 1
Perrusse *(52)* 76 A 2
Perrusson *(37)* 103 F 1
Pers *(15)* 159 G 1
Pers *(79)* 115 E 4
Pers-en-Gâtinais *(45)* 72 A 2
Pers-Jussy *(74)* 124 C 4
Persac *(86)* 116 A 3
Persan *(95)* 31 E 3
Persquen *(56)* 63 E 3
Pertain *(80)* 16 A 2
Perthes *(08)* 18 B 5
Perthes *(52)* 55 E 2
Perthes *(77)* 51 G 4
Perthes-lès-Brienne *(10)* 54 C 4
Pertheville-Ners *(14)* 27 G 5
Le Perthus *(66)* 213 E 4
Perthuy *(51)* 53 E 1
Le Pertre *(35)* 66 B 3
Le Pertuis *(43)* 148 C 4
Pertuis *(84)* 196 A 1
Le Pertuiset *(42)* 148 D 1
La Péruse *(16)* 129 E 2
Pervenchères *(61)* 48 B 4
Perville *(82)* 172 D 2
Pescadoires *(46)* 157 H 4
Peschadoires *(63)* 133 H 3
Le Pescher *(19)* 144 D 4
Péseux *(25)* 95 H 4
Peseux *(39)* 109 H 2
Peslières *(63)* 147 G 1
Pesmes *(70)* 94 A 4
Pessac *(33)* 155 E 1
Pessac-sur-Dordogne *(33)* 156 B 1
Pessan *(32)* 188 A 2
Pessans *(25)* 110 C 1
Pessat-Villeneuve *(63)* 133 F 2
La Pesse *(39)* 124 A 3
Pessines *(17)* 127 E 3
Pessoulens *(32)* 172 D 5
Petersbach *(67)* 38 C 5
Petichet *(38)* 151 H 5
Le Petit-Abergement *(01)* 123 H 5
Petit-Appeville *(76)* 13 G 1
Petit-Auverné *(44)* 83 H 1
Petit-Bersac *(24)* 142 C 2
Le Petit-Bornand-les-Glières *(74)* 124 D 5
Le Petit-Celland *(50)* 46 A 2
Petit-Couronne *(76)* 29 F 1
Petit-Croix *(90)* 96 D 1
Petit-Failly *(54)* 20 A 3
Petit-Fayt *(59)* 9 G 5
Petit-Fort-Philippe *(59)* 2 D 2
Le Petit-Fougeray *(35)* 65 F 3
Petit-Landau *(68)* 79 E 5
Petit-Mars *(44)* 83 G 3
Le Petit-Mercey *(39)* 94 C 5
Petit-Mesnil *(10)* 54 C 5
Petit-Noir *(39)* 109 H 2
Petit Palais *(84)* 179 G 5
Petit-Palais-et-Cornemps *(33)* 142 A 5
Petit-Piquey *(33)* 154 A 2
Le Petit-Pressigny *(37)* 103 E 3
Le Petit-Quevilly *(76)* 29 F 1
Petit-Réderching *(57)* 38 C 3
Petit-Tenquin *(57)* 37 H 4
Le Petit-Val *(27)* 30 A 4
Petit-Verly *(02)* 17 E 1
La Petite-Boissière *(79)* 100 C 3
Petite-Chaux *(25)* 111 E 4
La Petite-Fosse *(88)* 58 B 5
La Petite Galade *(13)* 195 H 2
La Petite-Marche *(03)* 118 D 4
La Petite-Pierre *(67)* 38 C 5
La Petite-Raon *(88)* 58 B 4
Petite-Rosselle *(57)* 37 H 2
La Petite-Verrière *(71)* 108 A 2
Petitefontaine *(90)* 78 B 5
Les Petites-Armoises *(08)* 19 E 5
Les Petites-Dalles *(76)* 12 D 2
Les Petites-Loges *(51)* 34 A 3
Petitmagny *(90)* 78 A 5
Petitmont *(54)* 58 A 3
Les Petits-Robins *(26)* 163 H 1
Petiville *(14)* 27 G 2
Petiville *(76)* 12 D 5
Petosse *(85)* 113 G 1
Petreto-Bicchisano *(2A)* 218 D 2
Pettoncourt *(57)* 57 F 1
Pettonville *(54)* 57 H 3
Peujard *(33)* 141 F 4
Peumerit *(29)* 61 F 3
Peumerit-Quintin *(22)* 42 D 5
Peuplingues *(62)* 2 B 3
Peuton *(53)* 66 C 4
Peuvillers *(55)* 35 H 1
Peux-et-Couffouleux *(12)* 191 H 1
Pévange *(57)* 37 G 5
Pévy *(51)* 33 G 2
Pexiora *(11)* 190 B 5
Pexonne *(54)* 58 A 3
Pey *(40)* 185 E 2
Peymeinade *(06)* 198 D 1
Peynier *(13)* 196 B 3
Peypin *(13)* 196 A 4
Peypin-d'Aigues *(84)* 180 B 5
Peyrabout *(23)* 117 H 5
La Peyrade *(34)* 193 E 4
Peyragudes *(65)* 205 E 4
Le Peyrat *(09)* 207 G 3
Peyrat-de-Bellac *(87)* 116 C 5
Peyrat-la-Nonière *(23)* 118 B 5
Peyrat-le-Château *(87)* 130 D 3
La Peyratte *(79)* 101 G 5
Peyraube *(65)* 204 D 1
Peyraud *(07)* 149 G 2
Peyre *(07)* 162 C 4
Peyre *(40)* 186 A 2
Peyre-Auselère *(09)* 206 C 4
Peyrecave *(32)* 172 D 4
Peyrefitte-du-Razès *(11)* 207 H 2
Peyrefitte-sur-l'Hers *(11)* 190 A 5
Peyregoux *(81)* 190 C 1
Peyrehorade *(40)* 185 F 2
Peyrelade *(87)* 129 H 1
Peyreleau *(12)* 176 C 2
Peyrelevade *(19)* 131 F 4
Peyrelongue-Abos *(64)* 186 D 4
Peyremale *(30)* 178 A 1
Peyrens *(11)* 190 B 4
Peyresq *(04)* 182 A 2
Peyrestortes *(66)* 209 E 5
Peyret-St-André *(65)* 187 H 5
Peyriac-de-Mer *(11)* 209 F 2
Peyriac-Minervois *(11)* 191 F 5
Peyriat *(01)* 123 G 4
Peyrière *(47)* 156 C 4
Peyrieu *(01)* 137 G 4
Peyrignac *(24)* 144 A 4
Peyriguère *(65)* 187 F 5
Peyrilhac *(87)* 129 H 1
Peyrillac-et-Millac *(24)* 158 B 1
Peyrilles *(46)* 158 B 3
Peyrins *(26)* 150 C 4
Peyrissac *(19)* 144 D 1
Peyrissas *(31)* 188 C 5
Peyrole *(81)* 190 A 1
Peyrolles *(11)* 208 B 3
Peyrolles *(30)* 177 G 3
Peyrolles-en-Provence *(13)* 196 A 2
Peyroules *(04)* 182 B 5
Peyrouse *(65)* 204 B 2
Peyrouzet *(31)* 205 H 1
Peyruis *(04)* 181 E 3
Peyrun *(65)* 187 F 5
Peyrus *(26)* 150 C 5
Peyrusse *(15)* 146 D 3
Peyrusse-Grande *(32)* 187 F 2
Peyrusse-le-Roc *(12)* 159 G 4
Peyrusse-Massas *(32)* 187 H 1
Peyrusse-Vieille *(32)* 187 F 2
Peyssies *(31)* 189 E 5
Peyzac-le-Moustier *(24)* 143 H 5
Peyzieux-sur-Saône *(01)* 122 B 5
Pézarches *(77)* 52 B 2
Pezé-le-Robert *(72)* 67 H 1
Pézenas *(34)* 192 C 4
Pézènes-les-Mines *(34)* 192 B 2
Pezens *(11)* 190 D 5
Pézilla-de-Conflent *(66)* 208 C 5
Pézilla-la-Rivière *(66)* 209 E 5
Pezou *(41)* 69 G 5
Pezuls *(24)* 157 F 1
Pézy *(28)* 70 A 1
Pfaffenheim *(68)* 78 D 3
Pfaffenhoffen *(67)* 39 E 5
Pfalzweyer *(67)* 38 C 5
Pfastatt *(68)* 78 D 5
Pfetterhouse *(68)* 97 E 2
Pfettisheim *(67)* 59 E 1
Pfulgriesheim *(67)* 59 E 2
Phaffans *(90)* 96 D 1
Phalempin *(59)* 4 C 4
Phalsbourg *(57)* 58 C 1
Philippsbourg *(57)* 39 E 4
Philondenx *(40)* 186 B 2
Phlin *(54)* 37 E 5
Pia *(66)* 209 F 5
Piacé *(72)* 68 A 1
Le Pian-Médoc *(33)* 141 E 5
Le Pian-sur-Garonne *(33)* 155 H 3
Piana *(2A)* 216 B 3
Pianello *(2B)* 217 G 2
Piano *(2B)* 217 G 1
Pianottoli-Caldarello *(2A)* 219 E 4
Piaon *(06)* 183 G 4
Les Piards *(39)* 123 H 1
La Piarre *(05)* 165 G 4
Piau-Engaly *(65)* 204 C 4
Piazzali *(2B)* 217 G 2
Piazzole *(2B)* 217 G 1
Piblange *(57)* 21 F 4
Pibrac *(31)* 189 E 2
Picarreau *(39)* 110 C 4
Picarrou *(31)* 189 G 5
Picauville *(50)* 23 E 5
Pichanges *(21)* 93 G 3
Picherande *(63)* 146 C 1
Picquigny *(80)* 15 E 1
Pie-d'Orezza *(2B)* 217 F 1
Pied-de-Borne *(48)* 162 C 5
Piedicorte-di-Gaggio *(2B)* 217 F 2
Piedicroce *(2B)* 217 G 1
Piedigriggio *(2B)* 217 E 1
Piedipartino *(2B)* 217 G 1
Piégon *(26)* 179 G 1
Piégros-la-Clastre *(26)* 164 D 2
Piégut *(04)* 166 B 4
Piégut-Pluviers *(24)* 129 F 4
Piencourt *(27)* 28 B 3
Piène-Haute *(06)* 183 G 4
Piennes *(54)* 20 C 4
Piennes-Onvillers *(80)* 15 H 4
Piépape *(52)* 93 H 1
Pierlas *(06)* 182 D 3
La Pierre *(38)* 152 A 2
Pierre-Bénite *(69)* 135 H 4
Pierre-Buffière *(87)* 130 B 4
Pierre-Châtel *(38)* 151 H 5
Pierre-de-Bresse *(71)* 109 H 3
Pierre-la-Treiche *(54)* 56 C 2
Pierre-Levée *(77)* 32 B 5
Pierre-Morains *(51)* 53 H 1
Pierre-Percée *(54)* 58 A 3
Pierre-Perthuis *(89)* 91 G 3
Pierrebrune *(30)* 178 C 1
Pierreclos *(71)* 122 A 3
Pierrecourt *(70)* 94 A 1
Pierrecourt *(76)* 14 B 2
Pierrefaites *(52)* 76 B 5
Pierrefeu *(06)* 183 E 4
Pierrefeu-du-Var *(83)* 197 E 5
Pierrefiche *(12)* 160 D 5
Pierrefiche *(48)* 162 A 3
Pierrefiques *(76)* 12 B 3
Pierrefitte *(19)* 144 D 1
Pierrefitte *(23)* 118 B 5
Pierrefitte *(79)* 101 F 3
Pierrefitte *(88)* 77 E 1
Pierrefitte-en-Auge *(14)* 28 A 2
Pierrefitte-en-Beauvaisis *(60)* 14 D 5
Pierrefitte-en-Cinglais *(14)* 27 F 5
Pierrefitte-ès-Bois *(45)* 89 H 3
Pierrefitte-Nestalas *(65)* 204 B 3
Pierrefitte-sur-Aire *(55)* 35 H 5
Pierrefitte-sur-Loire *(03)* 120 D 2
Pierrefitte-sur-Sauldre *(41)* 89 E 3
Pierrefitte-sur-Seine *(93)* 31 F 5
Pierrefonds *(60)* 32 B 1
Pierrefontaine-lès-Blamont *(25)* 96 C 3
Pierrefontaine-les-Varans *(25)* 95 G 5
Pierrefontaines *(52)* 75 G 5
Pierrefort *(15)* 160 C 1
Pierregot *(80)* 15 G 1
Pierrelatte *(26)* 163 G 5
Pierrelaye *(95)* 31 E 4
Pierrelongue *(26)* 179 H 1
Pierremande *(02)* 16 D 4
Pierremont *(62)* 7 F 2
Pierrepont *(02)* 17 G 4
Pierrepont *(14)* 27 F 5
Pierrepont *(54)* 20 B 3
Pierrepont-sur-Avre *(80)* 15 H 3
Pierrepont-sur-l'Arentèle *(88)* 57 H 5
Pierrerue *(04)* 180 D 4
Pierrerue *(34)* 191 H 4
Pierres *(14)* 25 H 5
Pierres *(28)* 50 A 3
Pierres Pouquelées *(50)* 22 B 2
Pierreval *(76)* 13 H 5
Pierrevert *(04)* 180 D 5
Pierreville *(50)* 22 B 4
Pierreville *(54)* 56 D 3
Pierrevillers *(57)* 20 D 5
Pierric *(44)* 83 E 1
Pierroton *(33)* 154 D 2
Pierry *(51)* 33 G 4
Pietra-di-Verde *(2B)* 217 G 2
Pietracorbara *(2B)* 215 G 2
Pietralba *(2B)* 215 E 5
Pietranera *(2B)* 215 G 3
Pietraserena *(2B)* 217 G 2
Pietricaggio *(2B)* 217 G 2
Pietrosella *(2A)* 218 C 1
Pietroso *(2B)* 217 F 3
Piets-Plasence-Moustrou *(64)* 186 B 3
Pieusse *(11)* 208 A 2
Les Pieux *(50)* 22 B 4
Piève *(2B)* 215 F 4
Piffonds *(89)* 72 C 3
Pigerolles *(23)* 131 F 3
Pigna *(2B)* 214 C 4
Pignan *(34)* 193 E 2
Pignans *(83)* 197 F 4
Pignicourt *(02)* 33 H 1
Pignols *(63)* 133 G 4
Pigny *(18)* 105 G 1
Pihem *(62)* 3 E 5
Pihen-lès-Guines *(62)* 2 B 3
Pila-Canale *(2A)* 218 D 1
Pilat-Plage *(33)* 154 A 3
Pillac *(16)* 142 B 2
Pillemoine *(39)* 110 D 4
Les Pilles *(26)* 164 D 5
Pillon *(55)* 20 A 3
Pimbo *(40)* 186 B 2
Pimelles *(89)* 74 A 5
Pimorin *(39)* 123 F 1
Pimprez *(60)* 16 B 5
Le Pin *(03)* 120 D 2
Le Pin *(14)* 28 B 3
Le Pin *(17)* 141 G 2
Le Pin *(30)* 178 D 3
Le Pin *(38)* 151 F 1
Le Pin *(39)* 110 B 4
Le Pin *(44)* 84 A 2
Pin *(70)* 94 C 4
Le Pin *(77)* 31 H 5
Le Pin *(77)* 31 H 5
Le Pin *(79)* 100 D 3
Le Pin *(82)* 173 E 3
Le Pin-au-Haras *(61)* 48 A 2
Pin-Balma *(31)* 189 G 2
Le Pin-en-Mauges *(49)* 84 B 5
Le Pin-la-Garenne *(61)* 48 C 4
Le Pin-Murelet *(31)* 188 C 4
Pinarellu *(2A)* 219 G 2
Pinas *(65)* 205 E 2
Pinay *(42)* 134 D 2
Pincé *(72)* 67 F 5
Pindères *(47)* 171 G 1
Pindray *(86)* 116 A 2
Les Pineaux *(85)* 99 H 5
Pinel-Hauterive *(47)* 157 E 5
Pinet *(34)* 192 D 4
Pineuilh *(33)* 156 C 1
Piney *(10)* 54 B 5
Pino *(2B)* 215 F 1
Pinols *(43)* 147 G 4
Pinon *(02)* 17 E 5
Les Pins *(16)* 128 D 3
Pins-Justaret *(31)* 189 F 3
Pinsac *(46)* 158 C 1
Pinsaguel *(31)* 189 F 3
Pinsot *(38)* 152 B 1
Pintac *(65)* 187 E 5
Pinterville *(27)* 29 G 3
Pintheville *(55)* 36 A 3
Les Pinthières *(28)* 50 A 2
Piobetta *(2B)* 217 G 1
Pioch-Badet *(13)* 194 B 3
Pioggiola *(2B)* 214 D 5
Piolenc *(84)* 179 E 2
Pionnat *(23)* 118 A 5
Pionsat *(63)* 119 E 5
Pioussay *(79)* 114 D 5
Pipriac *(35)* 64 D 4
Piquecos *(82)* 173 G 3
Pirajoux *(01)* 123 E 2
Piré-sur-Seiche *(35)* 65 G 3
Pirey *(25)* 94 D 4
Piriac-sur-Mer *(44)* 81 H 4
Pirmil *(72)* 67 G 4
Pirou *(50)* 24 C 2
Pirou-Plage *(50)* 24 C 2
Pis *(32)* 188 B 1
Pisany *(17)* 126 D 3
Piscop *(95)* 31 F 4
Piseux *(27)* 49 F 1
Pisieu *(38)* 150 C 1
Pisseleu *(60)* 15 E 5
Pisseleux *(02)* 32 B 2
Pisseloup *(52)* 76 B 4
La Pisseure *(70)* 77 E 4
Pissos *(40)* 169 G 1
Pissotte *(85)* 113 G 1
Pissy *(80)* 15 E 2
Pissy-Pôville *(76)* 13 G 5
Pisy *(89)* 92 A 2
Pite-Forêt *(59)* 9 E 2
Pite-Synthe *(59)* 3 F 2
Pitgam *(59)* 3 F 2
Pithiviers [SP] *(45)* 71 E 2
Pithiviers-le-Vieil *(45)* 71 E 2
Pithon *(02)* 16 C 3
Pîtres *(27)* 29 G 2
Pittefaux *(62)* 2 B 4
Pizay *(01)* 136 C 2
Pizay *(69)* 122 B 5
Pizieux *(72)* 48 B 5
Le Pizou *(24)* 142 B 5
Le Pla *(09)* 207 H 5
Plabennec *(29)* 41 F 3
Placé *(53)* 66 C 1
Les Places *(27)* 28 C 3
Placey *(25)* 94 C 4
Plachy-Buyon *(80)* 15 F 2
Placy *(14)* 27 F 4
Placy-Montaigu *(50)* 25 G 4
Le Plagnal *(07)* 162 B 3
Plagne *(01)* 123 H 4
Plagne *(31)* 206 A 1
La Plagne *(73)* 139 E 5
Les Plagnes *(74)* 125 F 3
Plagnole *(31)* 188 D 4
Plaigne *(11)* 207 F 1
Plailly *(60)* 31 G 4
Plaimbois-du-Miroir *(25)* 95 H 5
Plaimbois-Vennes *(25)* 95 H 5
Plaimpied-Givaudins *(18)* 105 G 2
La Plaine *(49)* 100 D 1
Plaine *(67)* 58 B 4
Plaine-de-Walsch *(57)* 58 B 1
Plaine-Haute *(22)* 43 G 5
Plaine-Joux *(74)* 139 E 1
La Plaine-sur-Mer *(44)* 82 B 5
Plainemont *(70)* 77 E 4
Plaines-St-Lange *(10)* 74 C 3
Plainfaing *(88)* 78 B 1
Plainoiseau *(39)* 110 B 4
Les Plains-et-Grands-Essarts *(25)* 96 D 4
Plaintel *(22)* 43 G 5
Plainval *(60)* 15 G 5
Plainville *(27)* 28 C 4
Plainville *(60)* 15 G 4
Plaisance *(12)* 175 G 4
Plaisance *(24)* 157 E 2
Plaisance *(32)* 187 E 2
Plaisance *(34)* 191 H 2
Plaisance *(86)* 116 B 3
Plaisance-du-Touch *(31)* 189 E 3
Plaisia *(39)* 123 G 1
Plaisians *(26)* 180 A 1
Plaisir *(78)* 50 D 1
Plaissan *(34)* 192 D 3
Plaizac *(16)* 128 A 3
Le Plan *(06)* 199 E 1
Le Plan *(13)* 196 A 3
Le Plan *(31)* 206 B 1
Plan *(38)* 151 E 2
Plan-d'Aups-Ste-Baume *(83)* 196 B 4
Plan-de-Baix *(26)* 164 D 1
Plan-de-Cuques *(13)* 196 A 4
Le Plan-de-la-Tour *(83)* 197 H 4
Plan-d'Orgon *(13)* 179 G 5
Le Plan-du-Castellet *(83)* 200 C 3
Plan-du-Var *(06)* 183 E 4
Planaise *(73)* 138 A 5
Planay *(21)* 92 B 1
Planay *(73)* 139 E 5
La Planche *(44)* 99 G 2
Plancher-Bas *(70)* 77 H 5
Plancher-les-Mines *(70)* 77 H 5
Plancherine *(73)* 138 C 3
Les Planches *(27)* 29 G 3
Planches *(61)* 48 B 2
Les Planches-en-Montagne *(39)* 110 D 5
Les Planches-près-Arbois *(39)* 110 C 3
Planchez *(58)* 107 H 1
Plancoët *(22)* 44 C 3
Plancy-l'Abbaye *(10)* 53 H 3
La Planée *(25)* 111 F 3
Planès *(66)* 211 H 4
Le Planey *(74)* 139 E 2
Planèzes *(66)* 208 D 5
Planfoy *(42)* 149 E 1
Planguenoual *(22)* 44 A 3
Planioles *(46)* 159 F 3
Le Planois *(71)* 109 H 4
Le Planquay *(27)* 28 C 4
Planquery *(14)* 25 H 3
Planques *(62)* 7 E 2
Planrupt *(52)* 54 D 4
Les Plans *(30)* 178 B 2
Les Plans *(34)* 192 B 1
Le Plantay *(01)* 136 C 1
Les Plantiers *(30)* 177 F 3
Le Plantis *(61)* 48 B 3
Planty *(10)* 73 F 1
Planzolles *(07)* 162 D 4
Plappeville *(57)* 21 E 5
Plasne *(39)* 110 B 4
Plasnes *(27)* 28 D 3
Plassac *(17)* 127 F 5
Plassac *(33)* 141 E 4
Plassac-Rouffiac *(16)* 128 B 5
Plassay *(17)* 127 E 2
Le Plat *(69)* 121 H 4
Plateau-d'Assy *(74)* 139 E 1
Plats *(07)* 149 H 5
Plaudren *(56)* 81 H 1
Plauzat *(63)* 133 F 4
Plavilla *(11)* 207 G 1
Plazac *(24)* 143 H 5
Pleaux *(15)* 145 G 4
Pléboulle *(22)* 44 B 2
Pléchâtel *(35)* 65 E 4
Plédéliac *(22)* 44 B 4
Plédran *(22)* 43 H 5
Pléguien *(22)* 43 G 3
Pléhédel *(22)* 43 F 3
Pleine-Fougères *(35)* 45 G 3
Pleine-Selve *(02)* 17 E 2
Pleine-Selve *(33)* 141 F 2
Pleine-Sève *(76)* 13 E 2
Plélan-le-Grand *(35)* 64 C 3
Plélan-le-Petit *(22)* 44 C 4
Plélauff *(22)* 63 E 2
Plélo *(22)* 43 G 4
Plémet *(22)* 63 H 2
Plémy *(22)* 63 H 1
Plénée-Jugon *(22)* 44 B 4
Pléneuf-Val-André *(22)* 44 A 2
Plénise *(39)* 111 E 3
Plénisette *(39)* 110 D 4
Plerguer *(35)* 45 E 3
Plérin *(22)* 43 H 4
Plerneuf *(22)* 43 G 4
Plescop *(56)* 81 G 2
Plesder *(35)* 44 D 4
Plésidy *(22)* 43 E 5
Pleslin-Trigavou *(22)* 44 D 3
Plesnois *(57)* 20 D 5

Plesnoy (52) 76 A 4
Plessala (22) 63 H 1
Plessé (44) 82 D 2
Plessier-de-Roye (60) 16 A 4
Le Plessier-Huleu (02) 32 D 2
Le Plessier-Rozainvillers (80) 15 H 3
Le Plessier-sur-Bulles (60) 15 F 5
Le Plessier-sur-St-Just (60) 15 G 5
Le Plessis-aux-Bois (60) 32 B 3
Le Plessis-aux-Bois (77) 31 H 4
Plessis-Barbuise (10) 53 E 3
Le Plessis-Belleville (60) 31 H 4
Le Plessis-Bouchard (95) 31 E 5
Le Plessis-Brion (60) 16 B 5
Le Plessis-Dorin (41) 69 E 3
Plessis-du-Mée (89) 52 D 5
Le Plessis-Feu-Aussoux (77) 52 B 2
Le Plessis-Gassot (95) 31 F 4
Plessis-Gatebled (10) 52 D 5
Le Plessis-Grammoire (49) 85 E 3
Le Plessis-Grimoult (14) 27 E 5
Le Plessis-Grohan (27) 29 G 5
Le Plessis-Hébert (27) 29 H 5
Le Plessis-Lastelle (50) 24 D 2
Le Plessis-l'Échelle (41) 69 H 5
Le Plessis-l'Évêque (77) 31 H 4
Le Plessis-Luzarches (95) 31 G 4
Le Plessis-Macé (49) 84 D 2
Le Plessis-Pâté (91) 51 F 3
Le Plessis-Patte-d'Oie (60) 16 C 3
Le Plessis-Placy (77) 32 B 4
Le Plessis-Robinson (92) 51 E 1
Plessis-St-Benoist (91) 50 D 4
Plessis-St-Jean (89) 52 D 5
Le Plessis-Ste-Opportune (27) 29 E 4
Le Plessis-Trévise (94) 51 G 1
Plessix-Balisson (22) 44 C 3
Plestan (22) 44 A 4
Plestin-les-Grèves (22) 42 C 3
Pleubian (22) 43 F 1
Pleucadeuc (56) 64 A 5
Pleudaniel (22) 43 F 2
Pleudihen-sur-Rance (22) 44 D 3
Pleugriffet (56) 63 H 4
Pleugueneuc (35) 45 E 4
Pleumartin (86) 102 D 4
Pleumeleuc (35) 64 D 1
Pleumeur-Bodou (22) 42 C 2
Pleumeur-Gautier (22) 43 E 2
Pleure (39) 110 A 3
Pleurs (51) 53 G 2
Pleurtuit (35) 44 D 3
Pleuven (29) 61 H 3
Pleuvezain (88) 56 C 5
Pleuville (16) 115 G 5
Pléven (22) 44 B 3
Plévenon (22) 44 B 2
Plévin (22) 62 C 2
Pleyben (29) 61 H 1
Pleyber-Christ (29) 42 A 4
Pliboux (79) 115 E 4
Plichancourt (51) 54 D 2
Plieux (32) 172 C 4
Plivot (51) 33 H 4
Ploaré (29) 61 F 2
Plobannalec-Lesconil (29) 61 F 4
Plobsheim (67) 59 F 3
Ploemel (56) 81 E 2
Ploemeur (56) 80 C 1
Ploërdut (56) 62 D 3
Ploeren (56) 81 F 2
Ploërmel (56) 64 A 3
Ploeuc-L'Hermitage (22) 63 H 1
Ploéven (29) 61 G 1
Ploëzal (22) 43 E 2
Plogastel-St-Germain (29) 61 F 3
Plogoff (29) 60 D 2
Plogonnec (29) 61 G 2
Ploisy (02) 32 C 2
Plomb (50) 45 H 1
Plombières-les-Bains (88) 77 G 3
Plombières-lès-Dijon (21) 93 F 4
Plomelin (29) 61 G 3
Plomeur (29) 61 F 4
Plomion (02) 17 H 2
Plomodiern (29) 61 G 1
Plonéis (29) 61 G 2
Plonéour-Lanvern (29) 61 F 3
Plonévez-du-Faou (29) 62 A 1
Plonévez-Porzay (29) 61 G 1
Plorec-sur-Arguenon (22) 44 B 3
Plottes (71) 122 B 1
Plou (18) 105 E 2
Plouagat (22) 43 F 4
Plouaret (22) 42 C 3
Plouarzel (29) 40 D 3
Plouasne (22) 44 D 5
Plouay (56) 62 D 4
Ploubalay (22) 44 C 3
Ploubazlanec (22) 43 F 2
Ploubezre (22) 42 D 2
Ploudalmézeau (29) 40 D 2
Ploudaniel (29) 41 F 3
Ploudiry (29) 41 G 4
Plouëc-du-Trieux (22) 43 E 3
Plouédern (29) 41 G 3
Plouégat-Guérand (29) 42 B 3
Plouégat-Moysan (29) 42 C 3
Plouénan (29) 41 H 2
Plouër-sur-Rance (22) 44 D 3
Plouescat (29) 41 G 2
Plouézec (22) 43 F 2
Plouezoc'h (29) 42 A 3
Ploufragan (22) 43 G 5
Plougar (29) 41 G 3
Plougasnou (29) 42 B 2
Plougastel-Daoulas (29) 41 F 4
Plougonvelin (29) 40 D 4
Plougonven (29) 42 B 4
Plougonver (22) 42 D 4
Plougoulm (29) 41 H 2
Plougoumelen (56) 81 F 2
Plougourvest (29) 41 H 3
Plougras (22) 42 C 4
Plougrescant (22) 43 E 1
Plouguenast (22) 63 H 1
Plouguerneau (29) 41 E 2
Plouguernével (22) 63 E 2
Plouguiel (22) 43 E 2
Plouguin (29) 41 E 3
Plouha (22) 43 G 3
Plouharnel (56) 81 E 2
Plouhinec (29) 61 E 2
Plouhinec (56) 80 D 1
Plouider (29) 41 G 2
Plouigneau (29) 42 B 3
Plouisy (22) 43 E 4
Ploujean (29) 42 A 3
Ploulec'h (22) 42 C 2
Ploumagoar (22) 43 E 4
Ploumanach (22) 42 D 1
Ploumilliau (22) 42 C 3
Ploumoguer (29) 40 D 4
Plounéour-Ménez (29) 42 A 4
Plounéour-Trez (29) 41 F 2
Plounérin (22) 42 C 4
Plounéventer (29) 41 G 3
Plounévez-Lochrist (29) 41 G 2
Plounévez-Moëdec (22) 42 D 4
Plounévez-Quintin (22) 63 E 1
Plounévézel (29) 62 B 1
Plounez (22) 43 F 2
Plourac'h (22) 42 C 5
Plouray (56) 62 D 2
Plourhan (22) 43 G 3
Plourin (29) 40 D 3
Plourin-lès-Morlaix (29) 42 A 4
Plourivo (22) 43 F 2
Plouvain (62) 8 B 3
Plouvara (22) 43 G 4
Plouvien (29) 41 F 3
Plouvorn (29) 41 H 2
Plouyé (29) 62 B 1
Plouzané (29) 40 D 4
Plouzélambre (22) 42 C 3
Plouzévédé (29) 41 H 2
Plovan (29) 61 F 3
Ployart-et-Vaurseine (02) 17 G 5
Le Ployron (60) 15 H 4
Plozévet (29) 61 E 3
Pludual (22) 43 F 3
Pluduno (22) 44 C 3
Plufur (22) 42 C 3
Pluguffan (29) 61 G 3
Pluherlin (56) 64 A 5
Plumaudan (22) 44 C 4
Plumaugat (22) 44 C 5
Plumelec (56) 63 H 5
Pluméliau (56) 63 F 4
Plumelin (56) 63 F 5
Plumergat (56) 81 F 1
Plumetot (14) 27 F 2
Plumieux (22) 63 H 3
Plumont (39) 110 B 1
Pluneret (56) 81 F 2
Plurien (22) 44 B 2
Plusquellec (22) 42 C 5
Plussulien (22) 63 F 1
Pluvault (21) 93 H 5
Pluvet (21) 93 H 5
Pluvigner (56) 81 F 1
Pluzunet (22) 42 D 3
Pocancy (51) 34 A 5
Pocé-les-Bois (35) 65 H 2
Pocé-sur-Cisse (37) 87 F 3
Podensac (33) 155 G 3
Le Poët (05) 180 D 1
Le Poët-Célard (26) 164 D 3
Le Poët-en-Percip (26) 180 A 1
Le Poët-Laval (26) 164 C 4
Le Poët-Sigillat (26) 165 E 5
Pœuilly (80) 16 C 2
Poey-de-Lescar (64) 186 B 4
Poey-d'Oloron (64) 185 H 5
Poëzat (03) 119 H 5
Poggio-di-Nazza (2B) 217 F 4
Poggio-di-Venaco (2B) 217 E 2
Poggio-d'Oletta (2B) 215 F 4
Poggio-Marinaccio (2B) 217 F 1
Poggio-Mezzana (2B) 217 G 1
Poggiolo (2A) 216 D 3
Pogny (51) 54 C 1
Poids-de-Fiole (39) 110 B 5
Poigny (77) 52 C 4
Poigny-la-Forêt (78) 50 B 2
Poil (58) 107 H 3
Poilcourt-Sydney (08) 33 H 1
Poilhes (34) 192 A 5
Poillé-sur-Vègre (72) 67 F 4
Poilley (35) 45 H 4
Poilley (50) 45 H 3
Poilly (51) 33 G 3
Poilly-lez-Gien (45) 89 G 1
Poilly-sur-Serein (89) 73 G 5
Poilly-sur-Tholon (89) 72 D 5
Poinçon-lès-Larrey (21) 74 C 4
Le Poinçonnet (36) 104 B 4
Poincy (77) 32 A 5
Poinsenot (52) 93 F 1
Poinson-lès-Fayl (52) 76 B 5
Poinson-lès-Grancey (52) 93 F 1
Poinson-lès-Nogent (52) 75 H 3
La Pointe (49) 84 D 3
La Pointe-de-Contes (06) 183 F 5
Pointel (61) 47 F 2
Pointis-de-Rivière (31) 205 F 2
Pointis-Inard (31) 205 H 2
Pointre (39) 94 A 5
Pointvillers (25) 110 D 1
Poinville (28) 70 C 2
Le Poiré-sur-Velluire (85) 113 G 2
Le Poiré-sur-Vie (85) 99 F 4
Poiroux (85) 112 C 1
Poisat (38) 151 H 3
Poiseul (52) 76 A 4
Poiseul-la-Grange (21) 93 E 2
Poiseul-la-Ville-et-Laperrière (21) 92 D 2
Poiseul-lès-Saulx (21) 93 F 2
Poiseux (58) 106 C 1
Poisieux (18) 104 D 2
Le Poislay (41) 69 F 3
Poisson (71) 121 F 3
Poissons (52) 55 G 4
Poissy (78) 30 D 5
Poisvilliers (28) 50 A 4
Poisy (74) 138 A 1
La Poitevinière (49) 84 B 5
Poitiers Ⓟ (86) 115 G 1
Poivres (10) 54 A 2
Poix (51) 34 C 5
Poix-de-Picardie (80) 14 D 3
Poix-du-Nord (59) 9 F 4
Poix-Terron (08) 18 D 4
Le Poizat (01) 123 H 4
Le Poizat-Lalleyriat (01) 123 H 4
Polaincourt-et-Clairefontaine (70) 76 D 4
Polastron (31) 188 C 5
Polastron (32) 188 B 3
Poleymieux (69) 135 H 2
Poliénas (38) 151 F 2
Polignac (17) 141 G 2
Polignac (43) 148 B 4
Poligné (35) 65 F 4
Poligny (05) 166 B 2
Poligny (10) 74 B 2
Poligny (39) 110 C 3
Poligny (77) 71 H 1
Polincove (62) 2 D 3
Polisot (10) 74 B 3
Polisy (10) 74 B 3
Pollestres (66) 213 E 3
Polliat (01) 122 D 4
Pollieu (01) 137 G 2
Pollionnay (69) 135 G 3
Polminhac (15) 146 B 5
Polveroso (2B) 217 G 1
Pomacle (51) 33 H 1
La Pomarède (11) 190 B 4
Pomarède (46) 158 A 4
Pomaret (48) 162 B 5
Pomarez (40) 185 G 2
Pomas (11) 208 A 2
Pomayrols (12) 160 D 5
Pomerol (33) 141 H 5
Pomérols (34) 192 D 4
Pomeys (69) 135 F 4
Pommard (21) 109 E 2
Pommera (62) 7 G 4
La Pommeraie-sur-Sèvre (85) 100 C 3
La Pommeraye (14) 27 F 5
La Pommeraye (49) 84 B 4
Pommeret (22) 43 H 5
Pommereuil (59) 9 F 5
Pommereux (76) 14 B 4
Pommeréval (76) 13 H 3
Pommerieux (53) 66 B 5
Pommérieux (57) 36 D 4
Pommerit-Jaudy (22) 43 E 2
Pommerit-le-Vicomte (22) 43 F 3
Pommerol (26) 165 F 4
Pommeuse (77) 52 B 1
Pommevic (82) 172 D 3
Pommier (62) 7 H 4
Pommier-de-Beaurepaire (38) 150 C 1
Pommiers (02) 32 C 1
Pommiers (30) 177 F 4
Pommiers (36) 117 G 1
Pommiers (42) 134 D 3
Pommiers (69) 135 G 1
Pommiers-la-Placette (38) 151 G 2
Pommiers-Moulons (17) 141 G 2
Pomoy (70) 95 F 1
Pompaire (79) 101 F 5
Pompéjac (33) 155 G 5
Pompertuzat (31) 189 G 3
Pompey (54) 56 D 1
Pompiac (32) 188 C 3
Le Pompidou (48) 177 F 2
Pompierre (88) 76 B 1
Pompierre-sur-Doubs (25) 95 G 3
Pompiey (47) 171 H 2
Pompignac (33) 155 F 1
Pompignan (30) 177 G 5
Pompignan (82) 173 G 5
Pompogne (47) 171 G 1
Pomponne (77) 51 H 1
Pomport (24) 156 D 2
Pomps (64) 186 A 3
Pomy (11) 207 H 2
Poncé-sur-le-Loir (72) 68 D 5
Poncey-lès-Athée (21) 93 H 5
Poncey-sur-l'Ignon (21) 93 E 3
Le Ponchel (62) 7 E 3
Ponches-Estruval (80) 6 D 3
Ponchon (60) 31 E 1
Poncin (01) 123 F 5
Poncins (42) 134 D 3
Pondaurat (33) 155 H 4
Le Pondy (18) 105 H 4
Ponet-et-St-Auban (26) 165 E 2
Ponlat-Taillebourg (31) 205 F 2
Pons (17) 127 F 4
Ponsampère (32) 187 G 4
Ponsan-Soubiran (32) 187 H 4
Ponsas (26) 149 H 3
Ponson-Debat-Pouts (64) 187 E 5
Ponson-Dessus (64) 186 D 5
Ponsonnas (38) 151 H 5
Pont (21) 93 H 5
Le Pont (86) 116 A 2
Pont-à-Bucy (02) 17 E 3
Pont-à-la-Planche (87) 129 G 2
Pont-à-Marcq (59) 4 C 4
Pont-à-Mousson (54) 36 D 5
Pont-à-Vendin (62) 4 B 5
Pont-Arcy (02) 33 E 1
Pont-Audemer (27) 28 C 1
Pont-Augan (56) 63 E 5
Pont-Authou (27) 28 D 2
Pont-Aven (29) 62 A 5
Pont-Bellanger (14) 25 G 5
Le Pont-Chrétien-Chabenet (36) 117 F 1
Pont-Croix (29) 61 E 2
Pont-Crouzet (81) 190 B 4
Pont-d'Ain (01) 123 E 5
Le Pont-d'Avène (30) 178 A 2
Pont-de-Barret (26) 164 C 3
Le Pont-de-Beauvoisin (38) 137 G 5
Le Pont-de-Beauvoisin (73) 137 G 5
Pont-de-Braye (72) 68 D 5
Pont-de-Buis-lès-Quimerch (29) 41 H 5
Pont-de-Chéruy (38) 136 D 3
Le Pont-de-Claix (38) 151 G 3
Pont-de-Crau (13) 194 C 2
Pont-de-Dore (63) 133 H 2
Pont de Grifferus (79) 101 E 2
Pont de Janug (34) 177 G 5
Pont-de-la-Chaux (39) 110 D 5
Pont-de-la-Maye (33) 155 F 1
Pont-de-Labeaume (07) 162 D 3
Pont de Lanau (15) 160 D 1
Pont-de-l'Arche (27) 29 G 2
Pont-de-Larn (81) 191 E 3
Pont-de-l'Isère (26) 149 H 5
Pont-de-Menat (63) 119 G 5
Pont-de-Metz (80) 15 F 2
Le Pont-de-Montvert (48) 177 G 1
Pont-de-Noblat (87) 130 C 3
Le Pont-de-Planches (70) 94 D 2
Pont-de-Poitte (39) 110 C 5
Le Pont-de-Rhaud (13) 195 F 2
Pont-de-Roide (25) 96 C 3
Pont-de-Ruan (37) 86 C 5
Pont-de-Salars (12) 175 H 1
Pont-de-Vaux (01) 122 C 2
Pont-de-Veyle (01) 122 C 4
Pont-d'Héry (39) 110 D 3
Pont-d'Ouilly (14) 27 F 5
Pont-du-Bois (70) 77 E 3
Pont-du-Casse (47) 172 C 2
Pont-du-Château (63) 133 F 3
Pont-du-Châtel (29) 41 G 2
Pont-du-Fossé (05) 166 C 2
Pont-du-Navoy (39) 110 C 4
Pont-en-Royans (38) 151 E 4
Pont-et-Massène (21) 92 B 3
Pont-Évêque (38) 136 B 5
Pont-Farcy (50) 25 F 5
Pont-Hébert (50) 25 F 3
Pont-James (44) 99 F 2
Pont-la-Ville (52) 75 E 2
Pont-l'Abbé (29) 61 F 4
Pont-l'Abbé (50) 22 D 5
Pont-l'Abbé-d'Arnoult (17) 126 D 2
Pont-lès-Bonfays (88) 77 E 1
Pont-les-Moulins (25) 95 F 4
Pont-l'Évêque (14) 28 A 2
Pont-l'Évêque (60) 16 B 5
Pont-Lorois (56) 80 D 2
Pont-Maugis (08) 19 F 3
Pont-Melvez (22) 42 D 5
Pont-Noyelles (80) 15 G 1
Pont-Péan (35) 65 F 3
Pont-Réan (35) 65 E 3
Pont-Remy (80) 6 D 5
Pont-Salomon (43) 148 D 2
Pont-Scorff (56) 62 C 5
Pont-St-Esprit (30) 178 D 1
Pont-St-Mamet (24) 143 E 5
Pont-St-Mard (02) 16 D 5
Pont-St-Martin (44) 99 F 1
Pont St-Nicolas (30) 178 C 4
Pont-St-Pierre (27) 29 H 2
Pont-St-Vincent (54) 56 D 3
Pont-Ste-Marie (10) 53 H 5
Pont-Ste-Maxence (60) 31 G 2
Pont-sur-l'Ognon (70) 95 F 2
Pont-sur-Madon (88) 57 E 5
Pont-sur-Meuse (55) 56 A 1
Pont-sur-Sambre (59) 9 H 4
Pont-sur-Seine (10) 53 E 4
Pont-sur-Vanne (89) 72 D 2
Pont-sur-Yonne (89) 72 C 1
Pont-Trambouze (69) 121 G 5
Pont-Varin (52) 55 E 4
Pontacq (64) 204 B 1
Pontaillac (17) 126 C 4
Pontailler-sur-Saône (21) 94 A 4
Pontaix (26) 165 E 2
Pontamafrey-Montpascal (73) 152 C 2
Pontarion (23) 131 E 1
Pontarlier Ⓢ (25) 111 G 3
Pontarmé (60) 31 G 3
Pontaubault (50) 45 H 2
Pontaubert (89) 91 G 3
Pontault-Combault (77) 51 G 1
Pontaumur (63) 132 C 2
Pontavert (02) 33 G 1
Pontcarré (77) 51 H 1
Pontcey (70) 94 D 1
Pontchardon (61) 28 B 5
Pontcharra (38) 152 A 1
Pontcharra-sur-Turdine (69) 135 F 2
Pontcharraud (23) 131 H 2
Pont-Château (44) 82 C 3
Pontcirq (46) 158 A 4
Ponte-Leccia (2B) 217 E 1
Ponte Nuovo (2B) 215 F 5
Pontécoulant (14) 27 E 5
Ponteilla (66) 213 E 3
Ponteils-et-Brésis (30) 162 C 5
Pontempeyrat (43) 148 B 2
Pontenx-les-Forges (40) 169 E 1
Le Pontet (33) 141 E 3
Le Pontet (73) 138 B 5
Le Pontet (84) 179 F 4
Les Pontets (25) 111 E 4
Pontevès (83) 196 D 2
Ponteyraud (24) 142 C 3
Pontfaverger-Moronvilliers (51) 34 A 2
Pontgibaud (63) 132 D 3
Pontgouin (28) 49 G 4
Ponthévrard (78) 50 C 4
Ponthion (51) 54 D 1
Ponthoile (80) 6 C 4
Le Ponthou (29) 42 B 4
Ponthouin (72) 68 B 1
Ponthoux (39) 123 H 2
Pontiacq-Viellepinte (64) 186 D 4
Pontigné (49) 85 G 2
Pontigny (89) 73 F 4
Pontis (04) 166 D 4
Pontivy Ⓢ (56) 63 F 3
Pontlevoy (41) 87 G 4
Pontlieue (72) 68 A 3
Pontmain (53) 46 B 4
Pontoise Ⓟ (95) 30 D 4
Pontoise-lès-Noyon (60) 16 C 5
Pontonx-sur-l'Adour (40) 169 F 5
Pontorson (50) 45 G 3
Pontours (24) 157 F 1
Pontoux (71) 109 G 3
Pontoy (57) 37 E 4
Pontpierre (57) 37 G 3
Pontpoint (60) 31 H 2
Pontrieux (22) 43 E 3
Pontru (02) 16 C 1
Pontruet (02) 16 D 1
Ponts (50) 45 H 2
Les Ponts-de-Cé (49) 85 E 3
Ponts-et-Marais (76) 6 B 5
Pontvallain (72) 68 A 5
Popian (34) 192 D 2
Popolasca (2B) 217 E 1
Porcaro (56) 64 C 3
La Porcelette (13) 194 D 3
Porcelette (57) 21 H 5
Porchères (33) 142 A 4
Porcheresse (16) 142 A 1
La Porcherie (87) 130 C 5
Porcheux (60) 30 C 2
Porcheville (78) 30 C 5
Porcieu-Amblagnieu (38) 137 E 2
Pordic (22) 43 G 4
Le Porge (33) 154 B 1
Pornic (44) 82 C 5
Pornichet (44) 82 A 4
Porquéricourt (60) 16 B 4
Porquerolles (83) 201 F 4
Porri (2B) 215 G 5
Pors-Even (22) 43 F 2
Pors-Hir (22) 43 E 1
Porsmilin (29) 40 D 4
Porspoder (29) 40 D 3
Port (01) 123 G 4
Le Port (09) 206 C 4
Port-à-Binson (51) 33 F 4
Port-Bail (50) 22 C 5
Port-Barcarès (66) 209 F 4
Port-Blanc (22) 43 E 1
Port-Blanc (56) 81 F 2
Port-Boulet (37) 86 A 5
Port-Bourgenay (85) 112 B 2
Port-Brillet (53) 66 B 2
Port-Camargue (30) 193 H 3
Port-Cros (83) 201 H 4
Port-d'Agrès (12) 159 H 3
Port-d'Atelier (70) 76 D 5
Port-de-Bouc (13) 195 E 4
Port-de-Carhaix (29) 62 B 1
Port de Génissac (33) 155 H 1
Port-de-la-Meule (85) 98 A 4
Port-de-Lanne (40) 185 E 2
Port-de-Miramar (83) 201 G 3
Port-de-Piles (86) 102 C 2
Port de Salles (86) 115 H 4
Port-d'Envaux (17) 127 E 2
Port-des-Barques (17) 126 C 1
Port du Corniguel (29) 61 G 3
Port-en-Bessin (14) 23 H 5
Port-Grimaud (83) 197 H 5
Port-Haliguen (56) 81 E 3
Port-Jérôme (76) 12 D 5
Port-Joinville (85) 98 A 4
Port-la-Forêt (29) 61 H 3
Port-la-Nouvelle (11) 209 F 2
Port-Launay (29) 61 H 1
Port-Lazo (22) 43 G 2
Port-le-Grand (80) 6 C 4
Port-Lesney (39) 110 C 2
Port-Leucate (11) 209 F 4
Port-Louis (56) 80 D 1
Port-Maguide (40) 154 A 4
Port-Manech (29) 62 A 5
Le Port-Marly (78) 51 E 1
Port-Moguer (22) 43 G 3
Port-Mort (27) 29 H 3
Port-Navalo (56) 81 F 3
Port-Racine (50) 22 B 2
Port-St-Louis-du-Rhône (13) 194 D 4
Port-St-Père (44) 83 E 5
Port-Ste-Foy-et-Ponchapt (24) 156 B 1
Port-Ste-Marie (47) 172 A 1
Port-sur-Saône (70) 94 D 1
Port-sur-Seille (54) 36 D 5
Port-Tudy (56) 80 C 2
Port-Vendres (66) 213 G 4
Port-Villez (78) 30 A 4
La Porta (2B) 217 F 1
Porta (66) 211 F 4
Porte-Joie (27) 29 H 2
Porté-Puymorens (66) 211 F 3
Le Portel (62) 2 A 4
Portel-des-Corbières (11) 209 F 2
Portes (27) 29 F 4
Portes (30) 177 H 1
Les Portes-en-Ré (17) 112 C 3
Portes-en-Valdaine (26) 163 H 4
Portes-lès-Valence (26) 163 H 1
Portet (64) 186 D 2
Portet-d'Aspet (31) 205 H 3
Portet-de-Luchon (31) 205 F 4
Portet-sur-G. (31) 189 F 3
Portets (33) 155 F 2
Porticcio (2A) 218 C 1
Porticciolo (Marine de) (2B) 215 G 2
Portieux (88) 57 F 5
Portiragnes (34) 192 C 5
Portiragnes-Plage (34) 192 C 5
Portivy (56) 81 E 3
Porto (2A) 216 B 3
Porto-Pollo (2A) 218 C 2
Porto-Vecchio (2A) 219 G 3
Ports (37) 102 C 2
Portsall (29) 40 D 2
Posanges (21) 92 C 3
Poses (27) 29 G 2
Possesse (51) 34 D 5
La Possonnière (49) 84 C 4
La Postolle (89) 72 D 1
Postroff (57) 38 B 5
Potangis (51) 53 F 3
Poteau-du-Gay (19) 145 G 3
Potelières (30) 178 B 2
Potelle (59) 9 G 3
La Poterie (22) 44 A 3
La Poterie-au-Perche (61) 48 D 3
La Poterie-Cap-d'Antifer (76) 12 B 3
La Poterie-Mathieu (27) 28 C 2
Pothières (21) 74 C 4
Potigny (14) 27 G 5
Potte (80) 16 B 2
Pouan-les-Vallées (10) 53 H 3
Pouançay (86) 101 G 1
Pouancé (49) 66 A 5
Pouant (86) 102 A 2
Poubeau (31) 205 F 4
Poucharramet (31) 188 D 4
Poudenas (47) 171 H 3
Poudenx (40) 186 A 2
Poudis (81) 190 B 3
Poueyferré (65) 204 B 1
La Pouëze (49) 84 C 2
Pouffonds (79) 114 D 4
La Pouge (23) 131 F 1

Le Pouget *(34)* 192 D 2
Pougnadoresse *(30)* 178 C 3
Pougné *(16)* 128 C 1
Pougne-Hérisson *(79)* 101 E 5
Pougny *(01)* 124 A 4
Pougny *(58)* 90 B 4
Pougues-les-Eaux *(58)* 106 C 2
Pougy *(10)* 54 B 4
Pouillac *(17)* 141 H 2
Pouillat *(01)* 123 F 3
Pouillé *(41)* 87 H 4
Pouillé *(85)* 113 G 1
Pouillé *(86)* 115 H 1
Pouillé-les-Côteaux *(44)* 84 A 3
Pouillenay *(21)* 92 C 3
Pouilley-Français *(25)* 94 C 5
Pouilley-les-Vignes *(25)* 94 A 4
Pouillon *(40)* 185 F 2
Pouillon *(51)* 33 G 2
Pouilloux *(71)* 121 G 1
Pouilly *(57)* 37 E 4
Pouilly *(60)* 30 D 2
Pouilly-en-Auxois *(21)* 92 C 5
Pouilly-en-Bassigny *(52)* 76 B 3
Pouilly-le-Monial *(69)* 135 G 1
Pouilly-lès-Feurs *(42)* 135 E 3
Pouilly-les-Nonains *(42)* 134 C 1
Pouilly-sous-Charlieu *(42)* 121 F 5
Pouilly-sur-Loire *(58)* 90 B 5
Pouilly-sur-Meuse *(55)* 19 G 4
Pouilly-sur-Saône *(21)* 109 G 2
Pouilly-sur-Serre *(02)* 17 F 3
Pouilly-sur-Vingeanne *(21)* 94 A 2
Le Poujol-sur-Orb *(34)* 192 A 3
Poujols *(34)* 192 B 1
Poul-Fétan *(56)* 63 E 5
Poulaines *(36)* 104 B 1
Poulainville *(80)* 15 F 1
Poulan-Pouzols *(81)* 174 D 5
Poulangy *(52)* 75 G 3
Poulay *(53)* 47 E 5
Pouldavid *(29)* 61 F 2
Pouldergat *(29)* 61 F 2
Pouldouran *(22)* 43 E 2
Pouldreuzic *(29)* 61 F 3
Le Pouldu *(29)* 80 B 1
Poule-les-Écharmeaux *(69)* 121 H 5
Pouliacq *(64)* 186 C 3
Les Poulières *(88)* 77 H 1
Pouligney-Lusans *(25)* 95 E 4
Pouligny-Notre-Dame *(36)* 118 A 2
Pouligny-St-Martin *(36)* 118 A 2
Pouligny-St-Pierre *(36)* 103 F 5
Le Pouliguen *(44)* 82 A 4
Poullan-sur-Mer *(29)* 61 E 2
Poullaouen *(29)* 42 B 5
Poullignac *(16)* 142 A 1
Poulx *(30)* 178 C 4
Poumarous *(65)* 204 D 1
Poupas *(82)* 172 D 4
Poupry *(28)* 70 C 3
Pouques-Lormes *(58)* 91 G 4
Pourcharesses *(48)* 162 B 5
Pourchères *(07)* 162 B 5
Pourcieux *(83)* 196 C 3
Pourcy *(51)* 33 G 3
Pourlans *(71)* 109 H 2
Pournoy-la-Chétive *(57)* 36 D 4
Pournoy-la-Grasse *(57)* 37 E 4
Pourrain *(89)* 90 D 1
Pourrières *(83)* 196 B 3
Poursac *(16)* 128 C 1
Poursay-Garnaud *(17)* 127 G 1
Poursiugues-Boucoue *(64)* 186 B 3
Pouru-aux-Bois *(08)* 19 F 3
Pouru-St-Remy *(08)* 19 F 3
Pourville-sur-Mer *(76)* 13 G 1
Le Pous *(34)* 177 G 5
Poussan *(34)* 193 E 3
Poussanges *(23)* 131 G 3
Poussay *(88)* 56 D 5
Pousseaux *(58)* 91 E 3
Poussignac *(47)* 171 G 1
Poussy-la-Campagne *(14)* 27 G 4
Pousthomy *(12)* 175 G 5
Le Pout *(33)* 155 G 2
Pouvrai *(61)* 68 C 1
Pouxeux *(88)* 77 G 2
Pouy *(65)* 187 H 5
Pouy-de-Touges *(31)* 188 D 5
Pouy-Loubrin *(32)* 188 A 3
Pouy-Roquelaure *(32)* 172 B 3
Pouy-sur-Vannes *(10)* 73 E 1
Pouyalet *(33)* 140 D 3
Pouyastruc *(65)* 187 F 5
Pouydesseaux *(40)* 170 D 4
Pouydraguin *(32)* 187 E 2
Pouylebon *(32)* 187 G 3
Pouzac *(65)* 204 C 2
Pouzauges *(85)* 100 B 4
Pouzauges-le-Vieux *(85)* 100 B 4
Pouzay *(37)* 102 C 1
Pouze *(31)* 189 G 4
Pouzilhac *(30)* 178 D 3
Le Pouzin *(07)* 163 G 2
Pouzioux *(86)* 116 A 1
Pouzol *(63)* 119 G 5
Pouzolles *(34)* 192 B 3
Pouzols *(34)* 192 D 2
Pouzols-Minervois *(11)* 191 G 5
Pouzy-Mésangy *(03)* 106 B 5
Poyanne *(40)* 185 H 1
Poyans *(70)* 94 A 3
Poyartin *(40)* 185 G 1
Poyols *(26)* 165 F 3
Pozières *(80)* 8 A 5
Pra-d'Airand *(06)* 182 C 2
Pra Loup *(04)* 167 E 5
Le Pradal *(34)* 192 A 2
Pradals *(30)* 177 E 3
Les Pradeaux *(63)* 133 G 5
Le Pradel *(30)* 178 A 2
Pradelle *(26)* 165 E 3
Pradelles *(43)* 162 B 2
Pradelles *(59)* 3 G 4
Pradelles-Cabardès *(11)* 191 E 4
Pradelles-en-Val *(11)* 208 C 1
Pradère-les-Bourguets *(31)* 188 D 2
Prades *(07)* 163 E 3
Prades *(09)* 207 G 5
Prades *(12)* 175 H 1
Les Prades *(15)* 146 C 3
Prades *(43)* 147 H 5
Prades *(48)* 177 E 1
Prades (SP) *(66)* 212 B 3
Prades *(81)* 190 B 2
Prades-d'Aubrac *(12)* 160 D 4
Prades-le-Lez *(34)* 193 F 1
Prades-sur-Vernazobre *(34)* 191 H 4
Le Pradet *(83)* 201 E 4
Pradettes *(09)* 207 F 3
Pradières *(09)* 207 E 3
Pradiers *(15)* 146 D 3
Pradinas *(12)* 175 E 2
Pradines *(19)* 131 E 5
Pradines *(42)* 134 D 1
Pradines *(46)* 158 B 5
Pradons *(07)* 163 E 4
Prads-Haute-Bléone *(04)* 181 H 1
Prahecq *(79)* 114 B 4
Prailles *(79)* 114 C 3
Pralognan-la-Vanoise *(73)* 153 E 1
Prâlon *(21)* 93 E 4
Pralong *(42)* 134 C 4
Pramousquier *(83)* 201 H 3
Pramouton *(05)* 167 E 4
Prangey *(52)* 75 H 5
Pranles *(07)* 163 F 2
Pranzac *(16)* 128 D 4
Prapic *(05)* 166 D 2
Prapoutel-les-Sept-Laux *(38)* 152 A 2
Praslay *(52)* 75 G 5
Praslin *(10)* 74 A 3
Prasville *(28)* 70 B 1
Prat *(22)* 43 E 3
Prat-Bonrepaux *(09)* 206 A 2
Prat de Bouc *(15)* 146 C 4
Prat-Peyrot *(48)* 177 E 3
Prato-di-Giovellina *(2B)* 217 E 1
Prats-de-Carlux *(24)* 158 A 1
Prats-de-Mollo-la-Preste *(66)* 212 C 5
Prats-de-Sournia *(66)* 208 C 5
Prats-du-Périgord *(24)* 157 H 3
Pratviel *(81)* 190 A 2
Pratz *(39)* 123 H 2
Pratz *(52)* 75 E 1
Prauthoy *(52)* 93 H 1
Pray *(41)* 87 G 1
Praye *(54)* 56 D 4
Prayols *(09)* 207 E 3
Prayssac *(46)* 158 A 4
Prayssas *(47)* 172 B 1
Les Praz-de-Chamonix *(74)* 139 F 1
Le Praz-de-Lys *(74)* 125 E 4
Praz-sur-Arly *(74)* 138 D 2
Le Pré-d'Auge *(14)* 28 A 3
Pré-en-Pail-Saint-Samson *(53)* 47 G 4
Le Pré-Saint-Gervais *(93)* 51 F 1
Pré-St-Évroult *(28)* 70 A 2
Pré-St-Martin *(28)* 70 A 1
Préaux *(07)* 149 G 3
Les Préaux *(27)* 28 C 2
Préaux *(36)* 103 H 2
Préaux *(53)* 67 E 4
Préaux *(76)* 13 H 5
Préaux *(77)* 72 A 1
Préaux-Bocage *(14)* 27 E 4
Préaux-du-Perche *(61)* 48 D 5
Préaux-St-Sébastien *(14)* 28 B 5
Prébois *(38)* 165 H 1
Précey *(50)* 45 H 3
Préchac *(32)* 188 A 1
Préchac *(33)* 155 G 5
Préchac *(65)* 204 B 3
Préchac-sur-Adour *(32)* 187 E 2
Préchacq-Josbaig *(64)* 185 H 5
Préchacq-les-Bains *(40)* 185 G 1
Préchacq-Navarrenx *(64)* 185 H 5
Préciamont *(60)* 32 B 3
Précieux *(42)* 134 D 5
Précigné *(72)* 67 F 5
Précilhon *(64)* 203 G 1
Précorbin *(50)* 25 G 3
Précy *(18)* 106 A 1
Précy-le-Sec *(89)* 91 G 2
Précy-Notre-Dame *(10)* 54 B 5
Précy-sous-Thil *(21)* 92 B 4
Précy-St-Martin *(10)* 54 B 5
Précy-sur-Marne *(77)* 31 H 5
Précy-sur-Oise *(60)* 31 F 3
Précy-sur-Vrin *(89)* 72 C 4
Prédefin *(62)* 7 F 1
Préfailles *(44)* 82 B 5
Préfontaines *(45)* 71 H 2
Prégilbert *(89)* 91 F 1
Préguillac *(17)* 127 E 4
Préhy *(89)* 73 F 5
Preignac *(33)* 155 G 3
Preignan *(32)* 188 A 1
Preigney *(70)* 76 C 5
Preixan *(11)* 208 A 1
Prélenfrey *(38)* 151 G 4
Prelles *(05)* 167 E 1
Prémanon *(39)* 124 B 1
Premeaux-Prissey *(21)* 109 F 1
Prémery *(58)* 106 D 1
Prémesques *(59)* 4 B 3
Prémeyzel *(01)* 137 G 3
Prémian *(34)* 191 G 3
Premières *(21)* 93 H 5
Prémierfait *(10)* 53 H 4
Prémilhat *(03)* 118 D 3
Prémillieu *(01)* 137 F 2
Prémont *(02)* 16 D 1
Prémontré *(02)* 17 E 5
Prendeignes *(46)* 159 F 3
Préneron *(32)* 187 G 1
La Prénessaye *(22)* 63 H 2
Prenois *(21)* 93 E 4
Prénouvellon *(41)* 70 A 4
Prénovel *(39)* 123 H 1
Prény *(54)* 36 C 4
Préporché *(58)* 107 G 3
Prépotin *(61)* 48 C 3
Les Prés *(26)* 165 G 4
Les Prés-Vuillins *(25)* 111 G 1
Présailles *(43)* 162 C 1
Préseau *(59)* 9 F 3
Présentevillers *(25)* 96 C 2
Préserville *(31)* 189 G 3
Présilly *(39)* 123 G 1
Présilly *(74)* 124 B 5
Presle *(70)* 95 F 2
Presle *(73)* 138 B 5
Presles *(14)* 25 H 5
Presles *(38)* 151 E 4
Presles *(95)* 31 F 4
Presles-en-Brie *(77)* 51 H 2
Presles-et-Boves *(02)* 33 E 1
Presles-et-Thierny *(02)* 17 F 5
Presly *(18)* 89 F 4
Presnoy *(45)* 71 G 4
Pressac *(86)* 115 H 5
Pressagny-le Val *(27)* 30 A 3
Pressagny-l'Orgueilleux *(27)* 30 A 3
Pressiat *(01)* 123 F 3
Pressignac *(16)* 129 F 3
Pressignac-Vicq *(24)* 157 F 1
Pressigny *(52)* 76 B 5
Pressigny *(79)* 101 G 4
Pressigny-les-Pins *(45)* 71 H 4
Pressins *(38)* 137 G 5
Pressy *(62)* 7 G 1
Pressy-sous-Dondin *(71)* 121 H 2
La Preste *(66)* 212 B 5
La Prétière *(25)* 95 H 3
Pretin *(39)* 110 C 2
Prétot-Ste-Suzanne *(50)* 22 D 5
Prétot-Vicquemare *(76)* 13 F 3
Prêtreville *(14)* 28 B 4
Préty *(71)* 122 C 1
Pretz-en-Argonne *(55)* 35 F 5
Preuilly *(18)* 105 E 1
Preuilly-la-Ville *(36)* 103 E 5
Preuilly-sur-Claise *(37)* 103 E 3
Preures *(62)* 6 D 1
Preuschdorf *(67)* 39 F 4
Preuseville *(76)* 14 B 2
Preutin-Higny *(54)* 20 C 3
Preux-au-Bois *(59)* 9 F 4
Preux-au-Sart *(59)* 9 G 3
Préval *(72)* 68 D 1
Prévelles *(72)* 68 C 2
Prévenchères *(48)* 162 B 4
Préveranges *(18)* 118 B 2
Prévessin-Moëns *(01)* 124 B 3
La Prévière *(49)* 66 A 5
Prévillers *(60)* 14 D 4
Prévinquières *(12)* 175 E 1
Prévocourt *(57)* 37 F 5
Prey *(27)* 29 G 5
Prey *(88)* 77 H 1
Preyssac-d'Excideuil *(24)* 143 H 2
Prez *(08)* 18 B 2
Prez-sous-Lafauche *(52)* 56 A 5
Prez-sur-Marne *(52)* 55 F 3
Priaires *(79)* 113 H 5
Priay *(01)* 136 D 1
Priez *(02)* 32 C 3
Prignac *(17)* 127 G 2
Prignac-en-Médoc *(33)* 140 D 2
Prignac-et-Marcamps *(33)* 141 F 4
Prigonrieux *(24)* 156 D 1
Primarette *(38)* 150 C 1
Primat *(08)* 34 D 1
La Primaube *(12)* 175 G 1
Primel-Trégastel *(29)* 42 A 2
Primelin *(29)* 60 D 2
Primelles *(18)* 105 E 3
Prin-Deyrançon *(79)* 113 H 4
Prinçay *(86)* 102 A 3
Princé *(35)* 66 A 1
Pringé *(72)* 85 H 1
Pringy *(51)* 54 C 1
Pringy *(74)* 138 A 1
Pringy *(77)* 51 G 4
Prinquiau *(44)* 82 C 3
Prinsuéjols *(48)* 161 E 3
Printzheim *(67)* 38 D 5
Prisces *(02)* 17 G 3
Prisches *(59)* 9 G 5
Prissac *(36)* 116 D 2
Prissé *(71)* 122 B 3
Prissé-la-Charrière *(79)* 114 A 4
Privas (P) *(07)* 163 F 2
Privezac *(12)* 159 G 5
Prix-lès-Mézières *(08)* 18 D 3
Priziac *(56)* 62 C 3
Prizy *(71)* 121 F 3
La Proiselière-et-Langle *(70)* 77 G 4
Proissans *(24)* 158 A 1
Proisy *(02)* 17 G 1
Proix *(02)* 17 F 1
Projan *(32)* 186 C 2
Les Promelles *(30)* 178 A 3
Promilhanes *(46)* 159 E 5
Prompsat *(63)* 133 E 2
Prondines *(63)* 132 C 3
Pronleroy *(60)* 15 H 5
Pronville-en-Artois *(62)* 8 C 4
Propiac *(26)* 179 H 1
Propières *(69)* 121 H 4
Propriano *(2A)* 218 D 3
Prosnes *(51)* 34 A 3
Prouais *(28)* 50 A 2
Prouilly *(51)* 33 G 2
Proulieu *(01)* 137 E 2
Proupiary *(31)* 205 H 1
Proussy *(14)* 27 E 5
Prouvais *(02)* 17 H 5
Prouville *(80)* 7 F 4
Prouvy *(59)* 9 E 3
Prouzel *(80)* 15 F 2
Provemont *(27)* 30 B 2
Provenchère *(25)* 95 H 4
Provenchère *(70)* 77 E 5
Provenchères-lès-Darney *(88)* 76 D 2
Provenchères-et-Colroy *(88)* 58 B 5
Provenchères-sur-Marne *(52)* 55 F 5
Provenchères-sur-Meuse *(52)* 76 A 3
Provency *(89)* 91 H 2
Proverville *(10)* 74 D 1
Proveysieux *(38)* 151 G 2
Proville *(59)* 8 D 4
Provin *(59)* 4 B 5
Provins (SP) *(77)* 52 D 3
Proviseux-et-Plesnoy *(02)* 17 H 5
Proyart *(80)* 15 H 2
Prudemanche *(28)* 49 G 2
Prudhomat *(46)* 159 E 1
Prugnanes *(66)* 208 B 4
Prugny *(10)* 73 G 1
Pruillé *(49)* 84 D 2
Pruillé-le-Chétif *(72)* 67 H 3
Pruillé-l'Éguillé *(72)* 68 B 5
Pruines *(12)* 160 A 4
Prunay *(51)* 34 A 3
Prunay -en-Yvelines *(78)* 50 C 4
Prunay-Belleville *(10)* 53 F 5
Prunay-Cassereau *(41)* 87 E 1
Prunay-le-Gillon *(28)* 50 B 5
Prunay-le-Temple *(78)* 50 B 1
Prunay-sur-Essonne *(91)* 51 F 5
Prunelli-di-Casacconi *(2B)* 215 G 5
Prunelli-di-Fiumorbo *(2B)* 217 G 4
Prunet *(07)* 162 D 3
Prunet *(15)* 160 A 2
Prunet *(31)* 189 H 3
Prunet-et-Belpuig *(66)* 212 D 3
Prunete *(2B)* 217 H 2
Prunières *(05)* 166 D 3
Prunières *(38)* 151 H 5
Prunières *(48)* 161 F 1
Pruniers *(36)* 104 D 3
Pruniers *(49)* 84 D 3
Pruniers-en-Sologne *(41)* 88 B 4
Pruno *(2B)* 217 G 1
Prunoy *(89)* 72 C 4
Prusly-sur-Ource *(21)* 74 D 4
Prusy *(10)* 73 H 4
Pruzilly *(71)* 122 A 4
Puberg *(67)* 38 C 4
Publier *(74)* 125 E 2
Publy *(39)* 110 B 5
Puceul *(44)* 83 F 2
Le Puch *(09)* 207 H 5
Le Puch *(33)* 155 H 2
Puch-d'Agenais *(47)* 171 H 1
Puchay *(27)* 30 A 1
Puchevillers *(80)* 7 G 5
Le Puech *(34)* 192 B 2
Puéchabon *(34)* 192 D 1
Puéchoursi *(81)* 190 A 3
Puechredon *(30)* 178 A 4
Puellemontier *(52)* 54 D 4
Puessans *(25)* 95 F 3
Puget *(84)* 195 G 1
Puget-Rostang *(06)* 182 C 3
Puget-sur-Argens *(83)* 197 H 3
Puget-Théniers *(06)* 182 C 3
Puget-Ville *(83)* 197 E 5
Pugey *(25)* 94 D 5
Pugieu *(01)* 137 G 2
Puginier *(11)* 190 A 4
Pugnac *(33)* 141 F 4
Pugny *(79)* 100 D 4
Pugny-Chatenod *(73)* 137 H 3
Puichéric *(11)* 208 D 1
Le Puid *(88)* 58 B 4
Puihardy *(79)* 114 A 1
Puilacher *(34)* 192 D 3
Puilaurens *(11)* 208 B 4
Puilboreau *(17)* 113 E 4
Puilly-et-Charbeaux *(08)* 19 G 4
Puimichel *(04)* 181 E 4
Puimisson *(34)* 192 B 4
Puimoisson *(04)* 181 F 4
La Puisaye *(28)* 49 F 3
Puiseaux *(45)* 71 G 2
Puiselet-le-Marais *(91)* 51 E 5
Puisenval *(76)* 14 A 2
Le Puiset *(28)* 70 C 2
Le Puiset-Doré *(49)* 84 A 5
Puiseux *(08)* 18 C 4
Puiseux *(28)* 49 H 3
Puiseux-en-Bray *(60)* 30 C 1
Puiseux-en-France *(95)* 31 G 4
Puiseux-en-Retz *(02)* 32 B 2
Puiseux-le-Hauberger *(60)* 31 E 3
Puiseux-Pontoise *(95)* 30 D 4
Puisieulx *(51)* 33 H 3
Puisieux *(62)* 8 A 5
Puisieux *(77)* 32 A 4
Puisieux-et-Clanlieu *(02)* 17 F 2
Puissalicon *(34)* 192 B 4
Puisseguin *(33)* 142 A 5
Puisserguier *(34)* 192 A 4
Puits *(21)* 92 C 1
Le Puits-de-Rians *(83)* 196 B 2
Le Puits-des-Mèzes *(52)* 75 G 2
Puits-et-Nuisement *(10)* 74 C 1
Puits-la-Vallée *(60)* 15 F 4
Puivert *(11)* 207 H 3
Pujaudran *(32)* 188 D 2
Pujaut *(30)* 179 E 4
Pujo *(65)* 187 E 4
Pujo-le-Plan *(40)* 170 D 5
Les Pujols *(09)* 207 F 2
Pujols *(33)* 156 A 1
Pujols *(47)* 157 E 5
Pujols-sur-Ciron *(33)* 155 G 4
Le Puley *(71)* 108 D 5
Puligny-Montrachet *(21)* 109 E 3
Pullay *(27)* 49 E 2
Pulligny *(54)* 56 D 3
Pulney *(54)* 56 D 4
Pulnoy *(54)* 57 E 2
Pulvérières *(63)* 132 D 2
Pulversheim *(68)* 78 D 4
Punchy *(80)* 16 A 3
Punerot *(88)* 56 B 4
Puntous *(65)* 187 H 5
Pupillin *(39)* 110 C 3
Pure *(08)* 19 G 3
Purgerot *(70)* 76 D 5
Pusey *(70)* 95 E 1
Pusignan *(69)* 136 C 3
Pussay *(91)* 50 C 5
Pussigny *(37)* 102 C 2
Pusy-et-Épenoux *(70)* 95 E 1
Putanges-le-Lac *(61)* 47 G 1
Puteaux *(92)* 51 E 1
Putot-en-Auge *(14)* 27 H 2
Putot-en-Bessin *(14)* 27 E 2
Puttelange-aux-Lacs *(57)* 38 A 3
Puttelange-lès-Thionville *(57)* 21 E 2
Puttigny *(57)* 37 G 5
Puxe *(54)* 20 C 5
Puxieux *(54)* 36 C 3
Le Puy *(25)* 95 F 4
Le Puy *(33)* 156 B 3
Puy-d'Arnac *(19)* 145 E 5
Puy-de-Serre *(85)* 113 H 1
Puy-du-Lac *(17)* 127 E 1
Le Puy-en-Velay (P) *(43)* 148 B 4
Puy-Guillaume *(63)* 133 H 1
Puy-l'Évêque *(46)* 157 H 4
Puy-Malsignat *(23)* 131 G 1
Le Puy-Notre-Dame *(49)* 101 F 1
Puy-Sanières *(05)* 166 D 3
Puy-St-André *(05)* 153 E 5
Le Puy-St-Bonnet *(49)* 100 B 2
Puy-St-Eusèbe *(05)* 166 D 3
Puy-St-Gulmier *(63)* 132 C 3
Puy-St-Martin *(26)* 164 C 3
Puy-St-Pierre *(05)* 153 E 5
Puy-St-Vincent *(05)* 167 E 1
Le Puy-Ste-Réparade *(13)* 195 H 1
Puybarban *(33)* 156 A 4
Puybegon *(81)* 190 A 1
Puybelliard *(85)* 100 A 4
Puybrun *(46)* 159 E 1
Puycalvel *(81)* 190 B 2
Puycasquier *(32)* 188 B 1
Puycelsi *(81)* 174 A 4
Le Puyconnieux *(87)* 129 G 4
Puycornet *(82)* 173 G 2
Puydaniel *(31)* 189 F 5
Puydarrieux *(65)* 187 G 5
Puydrouard *(17)* 113 G 5
La Puye *(86)* 102 D 5
Puygaillard-de-Lomagne *(82)* 172 D 4
Puygaillard-de-Quercy *(82)* 174 A 4
Puygiron *(26)* 163 H 4
Puygouzon *(81)* 174 D 5
Puygros *(73)* 138 A 4
Puyguilhem *(24)* 156 C 2
Puyjourdes *(46)* 159 E 5
Puylagarde *(82)* 174 B 1
Puylaroque *(82)* 174 A 2
Puylaurens *(81)* 190 B 3
Puylaurent *(48)* 162 B 4
Puylausic *(32)* 188 C 4
Puyloubier *(13)* 196 B 3
Puymangou *(24)* 142 B 3
Puymaurin *(31)* 188 B 4
Puyméras *(84)* 179 G 1
Puymiclan *(47)* 156 C 4
Puymirol *(47)* 172 D 2
Puymoyen *(16)* 128 B 4
Puynormand *(33)* 142 A 5
Puyol-Cazalet *(40)* 186 B 2
Puyoô *(64)* 185 G 3
Puyravault *(17)* 113 G 5
Puyravault *(85)* 113 F 2
Puyraveau *(79)* 101 G 2
Puyréaux *(16)* 128 C 2
Puyrenier *(24)* 142 D 1
Puyricard *(13)* 195 H 2
Puyrolland *(17)* 113 H 5
Puys *(76)* 13 G 1
Puységur *(32)* 188 A 1
Puysségur *(31)* 188 D 1
Puysserampion *(47)* 156 C 3
Puyvalador *(66)* 211 H 3
Puyvert *(84)* 195 H 1
Puzeaux *(80)* 16 A 2
Puzieux *(57)* 37 F 5
Puzieux *(88)* 56 D 5
Py *(66)* 212 B 4
Pyla-sur-Mer *(33)* 154 A 3
La Pyle *(27)* 29 E 3
Pyrénées 2000 *(66)* 211 H 4
Pys *(80)* 8 A 5

Q

Quaëdypre *(59)* 3 F 2
Quaix-en-Chartreuse *(38)* 151 G 2
Quantilly *(18)* 89 G 5
Quarante *(34)* 191 H 5
Quarouble *(59)* 9 F 2
Quarré-les-Tombes *(89)* 91 H 4
La Quarte *(70)* 76 B 5
Le Quartier *(63)* 119 E 5
Quasquara *(2A)* 219 E 1
Quatre-Champs *(08)* 19 E 5
Les Quatre Chemins *(15)* 145 H 5
Les Quatre-Chemins *(85)* 113 E 2
Les Quatre Croix *(45)* 72 B 3
Quatre-Routes-d'Albussac *(19)* 144 D 4
Les Quatre-Routes-du-Lot *(46)* 144 D 5
Les Quatre-Termes *(13)* 195 G 2
Les Quatre Vents *(34)* 193 F 3
Quatremare *(27)* 29 G 3
Quatzenheim *(67)* 59 E 2
Quéant *(62)* 8 C 4
Queaux *(86)* 115 H 3
Québriac *(35)* 45 E 5
Quédillac *(35)* 44 C 5
Queige *(73)* 138 D 3
Quelaines-St-Gault *(53)* 66 C 4
Les Quelles *(67)* 58 C 4
Quelmes *(62)* 2 D 4
Quelneuc *(56)* 64 C 4
Quelven *(56)* 63 F 3
Queménéven *(29)* 61 G 2
Quemigny-Poisot *(21)* 93 E 5
Quemigny-sur-Seine *(21)* 92 D 1
Quemper-Guézennec *(22)* 43 F 3
Quemperven *(22)* 42 D 2
Quend *(80)* 6 C 3
Quend-Plage-les-Pins *(80)* 6 B 3
Quenne *(89)* 73 F 5
Quenoche *(70)* 95 E 3
Quenza *(2A)* 219 E 2
Quercamps *(62)* 2 D 4
Querciolo *(2B)* 215 G 5
Quercitello *(2B)* 217 F 1
Quérénaing *(59)* 9 F 3
Quérigut *(09)* 207 H 5
Quernes *(62)* 3 F 5
Le Quéroy *(16)* 128 C 4
Querqueville *(50)* 22 C 2
Querré *(49)* 84 D 1
Querrien *(29)* 62 C 4
Querrieu *(80)* 15 G 1
Quers *(70)* 77 G 5
Quesmy *(60)* 16 C 4
Le Quesne *(80)* 14 C 2
Le Quesnel *(80)* 15 H 3
Le Quesnel-Aubry *(60)* 15 F 5
Le Quesnoy *(59)* 9 F 3
Le Quesnoy-en-Artois *(62)* 7 E 3
Quesnoy-le-Montant *(80)* 6 C 5
Quesnoy-sur-Airaines *(80)* 14 D 1
Quesnoy-sur-Deûle *(59)* 4 C 3
Quesques *(62)* 2 C 4
Quessigny *(27)* 29 H 5
Quessoy *(22)* 43 H 5
Quessy *(02)* 16 D 4
Questembert *(56)* 82 A 1
Questrecques *(62)* 2 B 5
Quet-en-Beaumont *(38)* 166 A 1
Quetigny *(21)* 93 G 4
Quettehou *(50)* 23 E 3

Quettetot (50) 22 C 4
Quetteville (14) 28 B 1
Quettreville-sur-Sienne (50) 24 D 4
Queudes (51) 53 F 3
La Queue-d'Haye (27) 30 A 3
La Queue-en-Brie (94) 51 G 1
La Queue-les-Yvelines (78) 50 B 1
Queuille (63) 132 D 1
Quevauvillers (80) 15 E 2
Quéven (56) 62 C 5
Quévert (22) 44 D 4
Quevillon (76) 29 F 1
Quevilloncourt (54) 56 D 4
Quévreville-la-Poterie (76) 29 G 1
Queyrac (33) 140 C 1
Queyrières (05) 167 E 1
Queyrières (43) 148 C 4
Queyssac (24) 156 D 1
Queyssac-les-Vignes (19) 144 D 5
Quézac (15) 159 G 2
Quézac (48) 177 E 1
Quiberon (56) 81 E 3
Quiberville (76) 13 F 1
Quiberville-Plage (76) 13 F 1
Quibou (50) 25 F 3
Quié (09) 207 E 4
Quiers (77) 52 B 3
Quiers-sur-Bézonde (45) 71 F 3
Quiéry-la-Motte (62) 8 C 2
Quierzy (02) 16 C 4
Quiestède (62) 3 E 5
Quiévelon (59) 10 A 2
Quiévrechain (59) 9 G 2
Quièvrecourt (76) 14 A 3
Quiévy (59) 9 E 4
Quilen (62) 7 E 1
Quillan (11) 208 A 4
Quillebeuf-sur-Seine (27) 12 D 5
Le Quillio (22) 63 G 2
Quilly (08) 34 C 1
Quilly (44) 82 D 2
Quily (56) 64 A 3
Quimerch (29) 41 G 5
Quimiac (44) 82 A 3
Quimper Ⓟ (29) 61 G 3
Quimperlé (29) 62 B 5
Quincampoix (76) 13 H 5
Quincampoix-Fleuzy (60) 14 C 3
Quinçay (86) 115 F 1
Quincé (49) 85 E 4
Quincerot (21) 92 A 2
Quincerot (89) 74 A 4
Quincey (10) 53 E 4
Quincey (21) 109 F 1
Quincey (70) 95 E 1
Quincié-en-Beaujolais (69) 122 A 5
Quincieu (38) 151 E 2
Quincieux (69) 135 H 2
Quincy (18) 105 E 1
Quincy-Basse (02) 16 D 5
Quincy-Landzécourt (55) 19 H 5
Quincy-le-Vicomte (21) 92 A 2
Quincy-sous-le-Mont (02) 33 E 2
Quincy-sous-Sénart (91) 51 G 2
Quincy-Voisins (77) 32 A 5
Quinéville (50) 23 E 4
Quingey (25) 110 C 1
Quinquempoix (60) 15 G 5
Quins (12) 175 F 2
Quinsac (24) 143 F 1
Quinsac (33) 155 F 2
Quinsac (87) 144 A 1
Quinson (04) 196 D 1
Quinssaines (03) 118 D 3
Quint-Fonsegrives (31) 189 G 2
Quintal (74) 138 A 2
La Quinte (72) 67 H 3
Quintenas (07) 149 G 3
Quintenic (22) 44 B 3
Quintigny (39) 110 A 4
Quintillan (11) 208 D 3
Quintin (22) 43 G 5
Le Quiou (22) 44 D 5
Quirbajou (11) 208 A 4
Quiry-le-Sec (80) 15 G 4
Quissac (30) 177 H 5
Quissac (46) 158 D 3
Quistinic (56) 63 E 5
Quittebeuf (27) 29 F 4
Quitteur (70) 94 B 2
Quivières (80) 16 B 2
Quœux-Haut-Maînil (62) 7 F 3

R

Rabastens (81) 174 A 5
Rabastens-de-Bigorre (65) 187 F 4
Rabat-les-Trois-Seigneurs (09) 207 E 4
La Rabatelière (85) 99 H 3
Rablay-sur-Layon (49) 84 D 4
Rabodanges (61) 47 F 1
Le Rabot (41) 88 D 1
Rabou (05) 166 B 3
Rabouillet (66) 208 B 5
Racécourt (88) 77 E 1
Rachecourt-sur-Marne (52) 55 F 3
Rachecourt-Suzémont (52) 55 E 4
Râches (59) 4 C 5
Racines (10) 73 G 3
La Racineuse (71) 109 G 3
Racou-Plage (66) 213 G 3
Racquinghem (62) 3 F 5
Racrange (57) 37 G 5
Raddon-et-Chapendu (70) 77 G 4
Radenac (56) 63 H 4
Radepont (27) 29 H 1
Radinghem (62) 7 F 1
Radinghem-en-Weppes (59) 4 B 4
Radon (61) 48 A 4
Radonvilliers (10) 54 C 5
Raedersdorf (68) 97 G 2
Raedersheim (68) 78 D 3
Raffetot (76) 12 D 4
Raffiny (63) 148 B 1
Rageade (15) 147 F 4
Raguenès-Plage (29) 62 A 5
Rahart (41) 69 F 4
Rahay (72) 69 E 4
Rahling (57) 38 C 4
Rahon (25) 95 H 4
Rahon (39) 110 A 2
Rai (61) 48 C 2
Raids (50) 25 E 2
Raillencourt-Ste-Olle (59) 8 D 4
Railleu (66) 212 A 3
Raillicourt (08) 18 C 4
Raillimont (02) 18 A 3
Raimbeaucourt (59) 4 C 5
Rainans (39) 110 A 1
Raincheval (80) 7 G 5
Raincourt (70) 76 C 4
Le Raincy ⓈⓅ (93) 31 G 5
Rainfreville (76) 13 F 2
Rainneville (80) 15 F 1
Rainsars (59) 9 H 5
Rainville (88) 56 C 5
Rainvillers (60) 30 D 1
Les Rairies (49) 85 G 1
Raismes (59) 9 E 2
Raissac (09) 207 F 3
Raissac-d'Aude (11) 209 E 1
Raissac-sur-Lampy (11) 190 C 5
Raix (16) 128 B 1
Raizeux (78) 50 B 3
Ramasse (01) 123 F 4
Ramatuelle (83) 197 H 5
Rambaud (05) 166 B 3
Rambervillers (88) 57 H 5
Rambluzin-et-Benoite-Vaux (55) 35 H 4
Rambouillet ⓈⓅ (78) 50 C 3
Rambucourt (55) 36 B 5
Ramburelles (80) 14 C 1
Rambures (80) 14 C 1
Ramecourt (62) 7 G 2
Ramecourt (88) 56 D 5
Ramerupt (10) 54 A 4
Ramicourt (02) 16 D 1
Ramillies (59) 8 D 4
Rammersmatt (68) 78 B 4
Ramonchamp (88) 77 H 4
Ramonville-St-Agne (31) 189 F 3
Ramoulu (45) 71 F 1
Ramous (64) 185 G 3
Ramousies (59) 10 A 3
Ramouzens (32) 171 H 5
Rampan (50) 25 F 3
Rampieux (24) 157 F 2
Rampillon (77) 52 B 4
Rampont (55) 35 G 3
Rampoux (46) 158 A 3
Le Ranc (30) 177 H 3
Rancé (01) 136 B 1
Rancenay (25) 94 D 5
Rancennes (08) 11 E 3
Rances (10) 54 C 4
Ranchal (69) 121 H 5
Ranchot (39) 94 C 5
Ranchy (14) 25 H 2
Rancogne (16) 128 D 4
Rançon (76) 13 E 5
Rancon (87) 116 D 5
Rançonnières (52) 76 A 4
Rancoudray (50) 46 C 2
Rancourt (80) 16 B 1
Rancourt (88) 76 D 1
Rancourt-sur-Ornain (55) 55 E 1
Rancy (71) 122 D 1
Randan (63) 133 G 1
Randanne (63) 133 E 4
Randens (73) 138 C 5
Randevillers (25) 95 G 4
Randonnai (61) 48 D 3
Rânes (61) 47 G 2
Rang (25) 95 H 3
Rang-du-Fliers (62) 6 C 2
Rangecourt (52) 76 A 3
Rangen (67) 58 D 2
Ranguevaux (57) 20 D 4
Rannée (35) 65 H 4
Ranrupt (67) 58 C 4
Rans (39) 110 C 1
Ransart (62) 8 A 4
Ranspach (68) 78 B 4
Ranspach-le-Bas (68) 97 G 1
Ranspach-le-Haut (68) 97 G 1
Rantechaux (25) 111 G 1
Rantigny (60) 31 F 2
Ranton (86) 101 G 2
Rantzwiller (68) 97 F 1
Ranville (14) 27 G 2
Ranville-Breuillaud (16) 128 A 2
Ranzevelle (70) 76 D 4
Ranzières (55) 35 H 4
Raon-aux-Bois (88) 77 G 2
Raon-lès-Leau (54) 58 B 3
Raon-l'Étape (88) 58 A 4
Raon-sur-Plaine (88) 58 B 3
Rapaggio (2B) 217 G 1
Rapale (2B) 215 F 4
Rapey (88) 57 E 5
Raphèle-lès-Arles (13) 194 D 2
Rapilly (14) 47 F 1
Rapsécourt (51) 34 D 4
Raray (60) 31 H 2
Rarécourt (55) 35 F 4
Rasiguères (66) 208 D 5
Raslay (86) 101 H 1
Rasteau (84) 179 G 1
Le Rat (19) 131 F 3
Ratenelle (71) 122 C 1
Ratières (26) 150 B 3
Ratte (71) 109 H 5
Ratzwiller (67) 38 C 4
Raucoules (43) 148 D 3
Raucourt (54) 37 E 5
Raucourt-au-Bois (59) 9 F 4
Raucourt-et-Flaba (08) 19 F 4
Raulecourt (55) 56 B 1
Raulhac (15) 160 B 1
Rauret (43) 162 A 2
Rauville-la-Bigot (50) 22 C 4
Rauville-la-Place (50) 22 D 5
Rauwiller (67) 38 B 5
Rauzan (33) 155 H 2
Raveau (58) 106 B 1
Ravel (63) 133 G 3
Ravel-et-Ferriers (26) 165 G 3
Ravenel (60) 15 G 5
Ravennefontaines (52) 76 A 3
Ravenoville (50) 23 E 4
Raves (88) 58 B 5
Ravières (89) 92 A 1
Ravigny (53) 47 H 4
Raville (28) 50 A 2
Raville (57) 37 F 3
Raville-sur-Sânon (54) 57 G 2
Ravilloles (39) 123 H 2
La Ravoire (73) 138 A 5
Ray-sur-Saône (70) 94 C 2
Raye-sur-Authie (62) 7 E 3
Rayet (47) 157 F 3
Raymond (18) 105 H 3
Raynans (25) 95 H 2
Le Rayol (83) 201 H 3
Rayol-Canadel-sur-Mer (83) 201 H 3
Rayssac (81) 175 F 5
Razac-de-Saussignac (24) 156 C 2
Razac-d'Eymet (24) 156 D 3
Razac-sur-l'Isle (24) 143 E 3
Raze (70) 94 D 2
Razecueillé (31) 205 H 3
Razengues (32) 188 C 2
Razès (87) 130 B 1
Razimet (47) 171 H 1
Razines (37) 102 B 2
Réal (66) 211 H 3
Réalcamp (76) 14 B 2
Réallon (05) 166 D 3
Réalmont (81) 190 C 1
Réalville (82) 173 H 3
Réans (32) 171 G 5
Réau (77) 51 H 3
Réaumont (38) 151 F 1
Réaumur (85) 100 C 4
Réaup (47) 171 H 3
Réauville (26) 163 H 5
Réaux-sur-Trèfle (17) 127 G 5
Rebais (77) 52 C 1
Rebecques (62) 3 E 5
Rébénacq (64) 203 H 1
Rebergues (62) 2 C 4
Rebets (76) 14 A 5
Rebeuville (88) 56 B 5
Rebigue (31) 189 G 3
Rebouc (65) 205 E 3
Rebourguil (12) 175 H 5
Rebourseaux (89) 73 F 4
Reboursin (36) 104 C 1
Rebréchien (45) 70 D 4
Rebreuve-Ranchicourt (62) 7 H 2
Rebreuve-sur-Canche (62) 7 G 3
Rebreuviette (62) 7 G 3
Recanoz (39) 110 A 4
Recey-sur-Ource (21) 75 E 5
Réchésy (90) 97 E 2
Réchicourt (55) 20 B 4
Réchicourt-la-Petite (54) 57 G 1
Réchicourt-le-Château (57) 58 A 2
Récicourt (55) 35 F 3
Réclainville (28) 50 B 5
Reclesne (71) 108 B 2
Reclinghem (62) 7 F 1
Réclonville (54) 57 H 3
Recloses (77) 51 H 5
Recologne (25) 94 C 4
Recologne (70) 94 C 2
Recologne-lès-Rioz (70) 94 D 3
Recoubeau-Jansac (26) 165 F 3
Recoules-d'Aubrac (48) 160 D 3
Recoules-de-Fumas (48) 161 F 3
Recoules-Prévinquières (12) 176 B 1
Récourt (52) 76 A 3
Récourt (62) 8 C 3
Récourt-le-Creux (55) 35 H 4
Recouvrance (90) 96 D 1
Le Recoux (48) 176 C 1
Recques-sur-Course (62) 6 D 1
Recques-sur-Hem (62) 2 D 3
Recquignies (59) 10 A 1
Le Reculey (14) 25 H 5
Reculfoz (25) 111 E 4
Recurt (65) 205 E 1
Recy (51) 34 A 5
Rédange (57) 20 C 2
Rédené (29) 62 C 5
Redessan (30) 178 C 5
Réding (57) 58 B 1
Le Redon (13) 195 H 5
Redon ⓈⓅ (35) 82 C 1
La Redorte (11) 191 F 5
Redortiers (04) 180 B 3
Réez-Fosse-Martin (60) 32 A 4
Reffannes (79) 114 C 1
Reffroy (55) 55 H 2
Reffuveille (50) 46 A 2
Refranche (25) 110 D 1
Régades (31) 205 G 2
Régat (09) 207 G 3
La Réglisserie (30) 178 B 4
Regnauville (62) 7 E 3
Regnévelle (88) 76 D 3
Regnéville-sur-Mer (50) 24 C 4
Regnéville-sur-Meuse (55) 35 G 2
Regney (88) 57 F 5
Régnié-Durette (69) 122 A 5
Regnière-Écluse (80) 6 D 3
Regniowez (08) 10 C 5
Regny (02) 17 E 2
Régny (42) 134 D 1
La Regrippière (44) 83 H 5
Réguiny (56) 63 G 4
Réguisheim (68) 78 D 3
Régusse (83) 197 E 1
Rehaincourt (88) 57 G 5
Rehainviller (54) 57 F 3
Rehaupal (88) 77 H 2
Reherrey (54) 57 H 3
Réhon (54) 20 B 2
Reichsfeld (67) 58 D 4
Reichshoffen (67) 39 E 4
Reichstett (67) 59 F 2
Reignac (16) 141 H 1
Reignac (33) 141 F 3
Reignac-sur-Indre (37) 87 E 5
Reignat (63) 133 G 3
Reigneville-Bocage (50) 22 D 5
Reignier-Esery (74) 124 C 4
Reigny (18) 118 C 1
Reilhac (15) 146 A 5
Reilhac (43) 147 G 4
Reilhac (46) 158 D 3
Reilhaguet (46) 158 C 2
Reilhanette (26) 180 A 2
Reillanne (04) 180 C 4
Reillon (54) 57 H 2
Reilly (60) 30 C 2
Reims ⓈⓅ (51) 33 H 2
Reims-la-Brûlée (51) 54 D 2
Reinhardsmunster (67) 58 C 1
Reiningue (68) 78 C 5
Reipertswiller (67) 38 D 4
Reithouse (39) 123 G 1
Reitwiller (67) 59 E 1
Réjaumont (32) 172 B 5
Réjaumont (65) 205 E 1
Rejet-de-Beaulieu (59) 9 F 5
Relanges (88) 76 D 2
Relans (39) 110 A 4
Le Relecq-Kerhuon (29) 41 F 4
Le Releg (29) 42 A 4
Relevant (01) 122 C 5
Rely (62) 7 G 1
Remaisnil (80) 7 F 4
Rémalard-en-Perche (61) 49 E 5
Remaucourt (02) 16 D 2
Remaucourt (08) 18 A 4
La Remaudière (44) 83 H 5
Remaugies (80) 15 H 4
Remauville (77) 72 A 2
Rembercourt-Sommaisne (55) 35 G 5
Rembercourt-sur-Mad (54) 36 C 4
Rémécourt (60) 31 G 1
Rémelfang (57) 21 G 4
Rémelfing (57) 38 B 3
Rémeling (57) 21 G 3
Remennecourt (55) 55 E 1
Remenoville (54) 57 F 4
Rémérangles (60) 31 F 1
Réméréville (54) 57 F 2
Rémering (57) 21 H 4
Rémering-lès-Puttelange (57) 38 A 3
Remicourt (51) 35 E 5
Remicourt (88) 56 D 5
Remiencourt (80) 15 G 3
Remies (02) 17 E 3
La Remigeasse (17) 126 A 1
Remigny (02) 16 D 3
Remigny (71) 108 D 3
Rémilly (57) 37 F 4
Rémilly (58) 107 G 4
Remilly-Aillicourt (08) 19 F 4
Remilly-en-Montagne (21) 92 D 4
Remilly-les-Pothées (08) 18 C 2
Remilly-sur-Lozon (50) 25 E 2
Remilly-sur-Tille (21) 93 G 4
Remilly-Wirquin (62) 3 E 5
Réminiac (56) 64 B 4
Remiremont (88) 77 G 3
Remoiville (55) 19 H 5
Remollon (05) 166 C 4
Remomeix (88) 58 B 5
Remoncourt (54) 57 H 2
Remoncourt (88) 76 D 1
Rémondans-Vaivre (25) 95 H 3
Remont (25) 111 G 1
Rémonville (08) 35 F 1
Remoray-Boujeons (25) 111 F 4
Remouillé (44) 99 G 1
Remoulins (30) 178 D 4
Removille (88) 56 C 5
Rempnat (87) 131 E 4
La Remuée (76) 12 C 5
Remungol (56) 63 F 4
Rémuzat (26) 165 F 5
Remy (60) 31 H 1
Rémy (62) 8 B 3
Renac (35) 64 D 5
Renage (38) 151 F 2
Renaison (42) 134 C 1
La Renaissance (17) 126 C 1
Renansart (02) 17 E 3
Renaucourt (70) 94 C 1
La Renaudie (63) 134 A 3
La Renaudière (49) 100 A 1
Renauvoid (88) 77 F 2
Renay (41) 69 G 5
Renazé (53) 66 A 5
Rencurel (38) 151 F 4
René (72) 68 A 1
Renédale (25) 111 F 1
Renescure (59) 3 F 4
Renève (21) 93 H 3
Réning (57) 37 H 4
Rennemoulin (78) 50 D 1
Rennepont (52) 75 E 2
Rennes Ⓡ (35) 65 F 2
Rennes-en-Grenouilles (53) 47 E 4
Rennes-le-Chau (11) 208 A 3
Rennes-les-Bains (11) 208 B 3
Rennes-sur-Loue (25) 110 C 2
Renneval (02) 17 H 3
Renneville (08) 18 A 4
Renneville (27) 29 H 1
Renneville (31) 189 H 4
Renno (2A) 216 C 3
Le Renouard (61) 28 A 5
Rentières (63) 147 E 1
Renty (62) 2 D 5
Renung (40) 186 C 1
Renwez (08) 10 D 5
La Réole (33) 156 A 3
La Réorthe (85) 100 A 5
Réotier (05) 167 E 2
Repaix (54) 57 H 2
La Répara-Auriples (26) 164 C 3
Réparsac (16) 127 H 3
Repel (88) 56 D 5
Repentigny (14) 27 H 3
Replonges (01) 122 C 3
Le Reposoir (74) 125 E 5
Les Repôts (39) 110 A 5
Reppe (90) 96 D 1
Requeil (72) 68 A 5
Réquista (12) 175 G 4
Résenlieu (61) 48 B 1
La Résie-St-Martin (70) 94 B 4
Résigny (02) 18 A 3
Resson (55) 55 G 1
Ressons-l'Abbaye (60) 30 D 2
Ressons-le-Long (02) 32 C 1
Ressons-sur-Matz (60) 16 A 5
Les Ressuintes (28) 49 F 3
Restigné (37) 86 A 5
Restinclières (34) 193 G 1
Restonica (Gorges de la) (2B) 217 E 2
Le Retail (79) 114 B 1
Rétaud (17) 127 E 4
Reterre (23) 118 D 5
Rethel ⓈⓅ (08) 18 B 5
Retheuil (02) 32 B 2
Rethondes (60) 32 A 1
Rethonvillers (80) 16 A 3
Réthoville (50) 23 E 2
Retiers (35) 65 H 4
Retjons (40) 170 D 3
Retonfey (57) 21 F 5
Rétonval (76) 14 B 2
Retournac (43) 148 C 3
Retourneloup (51) 53 E 2
Retschwiller (67) 39 G 4
Rettel (57) 21 F 3
Rety (62) 2 B 4
Retzwiller (68) 97 E 1
Reugney (25) 111 E 2
Reugny (03) 119 E 2
Reugny (37) 87 E 3
Reuil (51) 33 F 4
Reuil-en-Brie (77) 32 C 5
Reuil-sur-Brèche (60) 15 F 5
Reuilly (27) 29 G 4
Reuilly (36) 104 D 2
Reuilly-Sauvigny (02) 33 E 4
Reulle-Vergy (21) 93 E 5
Reumont (59) 9 E 5
La Réunion (47) 171 G 1
Reutenbourg (67) 58 D 1
Reuves (51) 53 G 1
Reuville (76) 13 F 3
Reux (14) 28 A 2
Réveillon (51) 52 D 2
Réveillon (61) 48 C 4
Revel (31) 190 B 4
Revel (38) 151 H 3
Revel-Tourdan (38) 150 C 1
Revelles (80) 15 E 2
Revémont (54) 20 B 3
Revens (30) 176 D 3
Reventin-Vaugris (38) 149 H 1
Revercourt (28) 49 F 2
Revest-des-Brousses (04) 180 C 4
Revest-du-Bion (04) 180 B 3
Le Revest-les-Eaux (83) 201 E 3
Revest-les-Roches (06) 183 E 4
Revest-St-Martin (04) 180 D 3
La Revêtizon (79) 114 A 4
Reviers (14) 27 E 2
Revigny (39) 110 B 5
Revigny-sur-Ornain (55) 55 E 1
Réville (50) 23 E 3
Réville-aux-Bois (55) 35 H 1
Révillon (02) 33 F 1
Revin (08) 10 D 4
Revonnas (01) 123 E 4
Rexingen (67) 38 B 5
Rexpoëde (59) 3 G 2
Le Rey (30) 177 F 4
Reyersviller (57) 38 D 3
Reygade (19) 145 E 5
Reynel (52) 55 H 5
Reynès (66) 212 D 4
Reynier (04) 181 F 1
Reyniès (82) 173 G 5
Reyrevignes (46) 159 E 3
Reyrieux (01) 135 H 1
Les Reys-de-Saulce (26) 163 H 2
Reyssouze (01) 122 C 2
Reyvroz (74) 125 E 3
Rezay (18) 105 E 5
Rezé (44) 83 F 5
Rézentières (15) 147 E 4
Rezonville (57) 36 C 3
Rezza (2A) 216 D 4
Rhèges (10) 53 H 3
Le Rheu (35) 65 E 2
Le Rhien (70) 77 H 5
Rhinau (67) 59 F 4
Rhodes (57) 58 A 1
Rhodon (41) 87 G 1
Rhuis (60) 31 H 2
Ri (61) 47 G 1
Ria-Sirach (66) 212 B 3
Riaillé (44) 83 H 2
Le Rialet (81) 191 E 3
Rians (18) 105 H 1
Rians (83) 196 B 2
Riantec (56) 80 D 1
Riaucourt (52) 75 G 2
Riaville (55) 36 A 3
Ribagnac (24) 156 D 2
Ribarrouy (64) 186 C 3
Ribaute (11) 208 D 2
Ribaute-les-Tavernes (30) 178 A 3
Le Ribay (53) 47 F 5
Ribeaucourt (55) 55 H 3
Ribeaucourt (80) 7 F 5
Ribeauvillé ⓈⓅ (68) 78 D 1
Ribeauville (près d'Aubenton) (02) 18 A 2
Ribeauville (près de Bohain-en-Vermandois) (02) 9 F 5
Ribécourt-Dreslincourt (60) 16 B 5
Ribécourt-la-Tour (59) 8 C 5
Ribemont (02) 17 E 2
Ribemont-sur-Ancre (80) 15 H 1
Ribennes (48) 161 G 3
Ribérac (24) 142 C 3
Ribes (07) 162 D 4
La Ribeyre (07) 162 D 5
Ribeyret (05) 165 G 5
Ribiers (05) 180 D 1
Riblaire (79) 101 F 3
Ribouisse (11) 207 G 1
Riboux (83) 196 B 5
La Ricamarie (42) 149 E 1
Ricarville (76) 12 D 4
Ricarville-du-Val (76) 13 H 2
Ricaud (11) 190 A 5
Ricaud (65) 204 D 1
Les Riceys (10) 74 B 3
La Richardais (35) 44 D 2
Richardménil (54) 57 E 3
Richarville (91) 50 D 4
La Riche (37) 86 D 4
Riche (57) 37 G 5
Richebourg (52) 75 F 3
Richebourg (62) 4 A 4
Richebourg (78) 50 B 1
Richecourt (55) 36 B 5
Richelieu (37) 102 B 2
Richeling (57) 38 A 3
Richemont (16) 127 G 3
Richemont (57) 21 E 4
Richemont (76) 14 B 2

Localité *(Département)* Page Coordonnées

Richerenches *(84)* 164 C 5
Richeval *(57)* 58 A 2
Richeville *(27)* 30 A 2
Richtolsheim *(67)* 59 E 5
Richwiller *(68)* 78 D 4
Ricourt *(32)* 187 F 3
Ricquebourg *(60)* 16 A 5
Riec-sur-Belon *(29)* 62 B 5
Riedheim *(67)* 38 D 5
Riedisheim *(68)* 78 D 5
Riedseltz *(67)* 39 G 3
Riedwihr *(68)* 78 D 1
Riel-les-Eaux *(21)* 74 D 3
Riencourt *(80)* 15 E 1
Riencourt-lès-Bapaume *(62)* 8 B 5
Riencourt-lès-Cagnicourt *(62)* 8 B 4
Riervescemont *(90)* 78 A 5
Riespach *(68)* 97 F 2
Rieucazé *(31)* 205 G 2
Rieucros *(09)* 207 F 2
Rieulay *(59)* 8 D 2
Rieumajou *(31)* 189 H 4
Rieumes *(31)* 188 D 4
Rieupeyroux *(12)* 175 E 1
Rieussec *(34)* 191 G 4
Rieutort-de-Randon *(48)* 161 G 3
Rieux *(31)* 189 E 5
Rieux *(51)* 53 E 1
Rieux *(56)* 82 C 1
Rieux *(60)* 31 G 2
Rieux *(76)* 14 B 1
Rieux-de-Pelleport *(09)* 207 E 2
Rieux-en-Cambrésis *(59)* 9 E 4
Rieux-en-Val *(11)* 208 C 2
Rieux-Minervois *(11)* 191 F 5
Riez *(04)* 181 F 5
Rigarda *(66)* 212 C 3
Rigaud *(06)* 182 D 3
Rigautou *(81)* 190 D 3
Rignac *(12)* 159 H 5
Rignac *(46)* 158 D 2
Rignat *(01)* 123 F 5
Rigné *(79)* 101 F 3
Rigney *(25)* 95 E 3
Rignieu-le-desert *(01)* 136 D 2
Rignieux-le-Franc *(01)* 136 D 1
Rignosot *(25)* 95 E 3
Rignovelle *(70)* 77 G 5
Rigny *(70)* 94 B 3
Rigny-la-Nonneuse *(10)* 53 F 5
Rigny-la-Salle *(55)* 56 B 2
Rigny-le-Ferron *(10)* 73 F 1
Rigny-St-Martin *(55)* 56 B 3
Rigny-sur-Arroux *(71)* 121 E 1
Rigny-Ussé *(37)* 86 A 5
Riguepeu *(32)* 187 G 2
Rilhac-Lastours *(87)* 129 H 4
Rilhac-Rancon *(87)* 130 B 2
Rilhac-Treignac *(19)* 130 D 5
Rilhac-Xaintrie *(19)* 145 G 4
Rillans *(25)* 95 F 3
Rillé *(37)* 86 A 3
Rillieux-la-Pape *(69)* 136 B 2
Rilly-la-Montagne *(51)* 33 H 3
Rilly-Ste-Syre *(10)* 53 H 4
Rilly-sur-Aisne *(08)* 18 D 5
Rilly-sur-Loire *(41)* 87 G 3
Rilly-sur-Vienne *(37)* 102 C 2
Rimaucourt *(52)* 75 H 1
Rimbach-près-Guebwiller *(68)* 78 C 3
Rimbach-près-Masevaux *(68)* 78 B 4
Rimbachzell *(68)* 78 C 3
Rimbez-et-Baudiets *(40)* 171 G 3
Rimboval *(62)* 7 E 1
Rimeize *(48)* 161 F 2
Rimling *(57)* 38 C 3
Rimogne *(08)* 10 D 5
Rimon-et-Savel *(26)* 165 E 3
Rimondeix *(23)* 118 A 4
Rimons *(33)* 156 A 3
Rimont *(09)* 206 C 3
Rimou *(35)* 45 G 4
Rimplas *(06)* 183 E 2
Rimsdorf *(67)* 38 B 4
Ringeldorf *(67)* 39 E 5
Ringendorf *(67)* 39 E 5
Rinxent *(62)* 2 B 4
Riocaud *(33)* 156 B 2
Riolas *(31)* 188 C 5
Riols *(34)* 191 G 3
Le Riols *(81)* 174 C 2
Riom (SP) *(63)* 133 F 2
Riom-ès-Montagnes *(15)* 146 B 2
Rioms *(26)* 180 B 1
Rion-des-Landes *(40)* 169 F 4
Rions *(33)* 155 G 3
Riorges *(42)* 134 C 1
Riotord *(43)* 149 E 3
Rioupéroux *(38)* 151 H 4
Rioux *(17)* 127 E 4
Rioux-Martin *(16)* 142 A 3
Rioz *(70)* 95 E 3
Riquewihr *(68)* 78 D 1
Ris *(63)* 133 H 1
Ris *(65)* 205 E 4
Ris-Orangis *(91)* 51 F 3
Riscle *(32)* 186 D 2
Risoul *(05)* 167 F 2
Risoul 1850 *(05)* 167 F 3
Ristolas *(05)* 167 H 1
Rittershoffen *(67)* 39 G 4
Ritzing *(57)* 21 F 3
Riunoguès *(66)* 213 E 4
Riupeyrous *(64)* 186 C 4
Riva-Bella *(14)* 27 G 2
Rivalet *(63)* 133 E 5
Rivarennes *(36)* 103 H 5
Rivarennes *(37)* 86 B 5
Rivas *(42)* 135 E 5
Rive-de-Gier *(42)* 135 G 5
Rivecourt *(60)* 31 H 1
Rivedoux-Plage *(17)* 112 D 4
Rivehaute *(64)* 185 G 4
Rivel *(11)* 207 H 3
Riventosa *(2B)* 217 E 2
Rivèrenert *(09)* 206 B 3
Riverie *(69)* 135 G 4
Rivery *(80)* 15 F 2
Les Rives *(34)* 176 D 5
Rives *(38)* 151 F 1
Rives *(47)* 157 F 3
Rivesaltes *(66)* 209 E 5
La Rivière *(33)* 141 G 5
Rivière *(37)* 102 A 1
La Rivière *(38)* 151 F 2
La Rivière *(48)* 177 G 1
Rivière *(62)* 8 A 4
La Rivière-de-Corps *(10)* 73 H 1
La Rivière-de-Mansac *(19)* 144 B 4
La Rivière-Drugeon *(25)* 111 F 3
La Rivière-Enverse *(74)* 125 F 5
Rivière-les-Fosses *(52)* 93 G 1
Rivière-Saas-et-Gourby *(40)* 185 E 1
La Rivière-St-Sauveur *(14)* 28 B 1
Rivière-sur-Tarn *(12)* 176 C 2
La Rivière-Thibouville *(27)* 28 D 3
Rivières *(16)* 128 D 3
Rivières *(30)* 178 B 2
Rivières *(81)* 174 C 5
Les Rivières-Henruel *(51)* 54 C 2
Rivières-le-Bois *(52)* 76 A 5
Riville *(76)* 12 D 3
Rivolet *(69)* 135 G 1
Rix *(39)* 111 E 3
Rix *(58)* 91 E 3
Rixheim *(68)* 78 D 5
La Rixouse *(39)* 124 A 1
Rizaucourt *(52)* 75 E 1
Roaillan *(33)* 155 G 4
Roaix *(84)* 179 G 1
Roanne (SP) *(42)* 134 D 1
Roannes-St-Mary *(15)* 159 H 1
Robécourt *(88)* 76 B 2
Robecq *(62)* 3 G 5
Robersart *(59)* 9 F 4
Robert-Espagne *(55)* 55 F 2
Robert-Magny *(52)* 55 E 4
Robertot *(76)* 13 E 3
Roberval *(60)* 31 H 2
Robiac-Rochessadoule *(30)* 178 A 1
La Robine-sur-Galabre *(04)* 181 G 2
Robion *(84)* 179 H 5
Le Roc *(46)* 158 B 1
Le Roc-St-André *(56)* 64 A 4
Rocamadour *(46)* 158 C 2
Rocbaron *(83)* 197 E 4
Rocé *(41)* 69 G 5
La Roche *(06)* 183 E 2
La Roche *(19)* 144 C 2
Roche *(38)* 136 D 4
Roche *(41)* 69 H 5
Roche *(42)* 134 C 4
La Roche-Bernard *(56)* 82 B 2
La Roche-Blanche *(44)* 84 A 3
La Roche-Blanche *(63)* 133 F 4
La Roche-Canillac *(19)* 145 F 3
La Roche-Chalais *(24)* 142 A 3
Roche-Charles-
la-Mayrand *(63)* 146 D 1
La Roche-Clermault *(37)* 102 A 1
Roche-d'Agoux *(63)* 132 C 1
La Roche-de-Glun *(26)* 149 H 5
La Roche-de-Rame *(05)* 167 E 1
La Roche-Derrien *(22)* 43 E 2
La Roche-des-Arnauds *(05)* 166 A 3
La Roche-en-Brenil *(21)* 92 A 4
Roche-en-Régnier *(43)* 148 B 3
Roche-et-Raucourt *(70)* 94 B 1
La Roche-Guyon *(95)* 30 B 4
La Roche-Jaune *(22)* 43 E 1
Roche-la-Molière *(42)* 149 E 1
La Roche-l'Abeille *(87)* 130 A 5
Roche-le-Peyroux *(19)* 145 H 1
Roche-lès-Clerval *(25)* 95 G 3
Roche-lez-Beaupré *(25)* 95 E 4
La Roche-Mabile *(61)* 47 H 4
La Roche-Maurice *(29)* 41 G 3
La Roche-Noire *(63)* 133 F 4
La Roche-Posay *(86)* 103 E 4
La Roche-Rigault *(86)* 102 A 3
Roche-St-Secret-Béconne *(26)* 164 C 4
La Roche-sur-Foron *(74)* 124 D 5
La Roche-sur-Grane *(26)* 164 C 3
La Roche-sur-le-Buis *(26)* 180 A 1
Roche-sur-Linotte-
et-Sorans-les-Cordiers *(70)* 95 E 2
La Roche-sur-Yon [P] *(85)* 99 G 5
La Roche-Vanneau *(21)* 92 C 3
La Roche-Vineuse *(71)* 122 B 3
Rochebaudin *(26)* 164 C 3
La Rochebeaucourt-
et-Argentine *(24)* 142 D 1
Rochebrune *(05)* 166 C 4
Rochebrune *(26)* 165 E 5
Rochechinard *(26)* 150 D 4
Rochechouart (SP) *(87)* 129 G 3
Rochecolombe *(07)* 163 E 4
Rochecorbon *(37)* 86 D 3
Rochefort (SP) *(17)* 126 C 1
Rochefort *(21)* 74 D 5
Rochefort *(73)* 137 G 4
Rochefort-du-Gard *(30)* 179 E 4
Rochefort-en-Terre *(56)* 64 B 5
Rochefort-en-Valdaine *(26)* 163 H 4
Rochefort-en-Yvelines *(78)* 50 D 3
Rochefort-Montagne *(63)* 132 D 4
Rochefort-Samson *(26)* 150 D 5
Rochefort-sur-la-Côte *(52)* 75 G 1
Rochefort-sur-Loire *(49)* 84 D 4
Rochefort-sur-Nenon *(39)* 110 B 1
La Rochefoucauld *(16)* 128 D 3
Rochefourchat *(26)* 165 E 3
La Rochegiron *(04)* 180 C 3
Rochegude *(26)* 179 F 1
Rochegude *(30)* 178 B 2
Rochejean *(25)* 111 F 4
La Rochelle [P] *(17)* 113 E 4
La Rochelle *(70)* 76 B 5
La Rochelle-Normande *(50)* 45 H 1
Rochemaure *(07)* 163 G 3
La Rochénard *(79)* 114 A 4
Rochepaule *(07)* 149 E 4
La Rochepot *(21)* 108 D 2
Rocher *(07)* 162 D 4
Le Rochereau *(86)* 101 H 5
Roches *(23)* 118 A 4
Les Roches *(69)* 135 G 3
Les Roches-de-Condrieu *(38)* 149 G 1
Roches-lès-Blamont *(25)* 96 C 3
Les Roches-l'Évêque *(41)* 69 E 5
Roches-Prémarie-Andillé *(86)* 115 G 2
Roches-sur-Marne *(52)* 55 F 3
Roches-sur-Rognon *(52)* 55 G 5
Rocheservière *(85)* 99 F 2
Rochessadoule *(30)* 178 A 1
Rochessauve *(07)* 163 G 3
Rochesson *(88)* 78 A 2
Rochetaillée *(38)* 152 A 3
Rochetaillée *(52)* 75 G 4
Rochetaillée-sur-Saône *(69)* 135 H 2
Rochetaillée-sur-Saône *(69)* 136 B 2
Rochetoirin *(38)* 137 E 4
Rochetrejoux *(85)* 100 A 4
La Rochette *(04)* 182 C 4
La Rochette *(05)* 166 C 3
La Rochette *(07)* 162 D 1
La Rochette *(16)* 128 C 3
La Rochette *(23)* 131 G 1
La Rochette *(73)* 138 B 5
La Rochette *(77)* 51 H 4
La Rochette-du-Buis *(26)* 180 A 1
Rocheville *(50)* 22 C 4
Rochonvillers *(57)* 20 D 3
Rochy-Condé *(60)* 31 E 1
Rocles *(03)* 119 G 2
Rocles *(07)* 162 D 4
Rocles *(48)* 162 A 2
Roclincourt *(62)* 8 A 3
Rocourt *(88)* 76 B 2
Rocourt-St-Martin *(02)* 32 D 3
Rocquancourt *(14)* 27 F 3
La Rocque *(14)* 26 D 5
Rocquefort *(76)* 13 E 4
Rocquemont *(60)* 32 A 2
Rocquemont *(76)* 13 H 4
Rocquencourt *(60)* 15 G 4
Rocquencourt *(78)* 51 E 1
Rocques *(14)* 28 B 3
Rocquigny *(02)* 9 H 5
Rocquigny *(08)* 18 A 3
Rocquigny *(62)* 8 B 5
Rocroi *(08)* 10 C 5
Rodalbe *(57)* 37 H 5
Rodelinghem *(62)* 2 C 3
Rodelle *(12)* 160 B 4
Rodemack *(57)* 21 E 2
Roderen *(68)* 78 B 4
Rodern *(68)* 58 D 5
Rodès *(66)* 212 C 2
Rodez [P] *(12)* 175 G 1
Rodilhan *(30)* 178 C 5
Rodome *(11)* 207 H 4
La Roë *(53)* 66 A 4
Roëllecourt *(62)* 7 G 2
Rœschwoog *(67)* 39 H 5
Rœulx *(59)* 9 E 3
Rœux *(62)* 8 B 3
Roézé-sur-Sarthe *(72)* 67 H 4
Roffey *(89)* 73 G 4
Roffiac *(15)* 146 D 4
Rogalle *(09)* 206 B 4
Rogécourt *(02)* 17 E 4
Rogerville *(76)* 12 B 5
Rogéville *(54)* 56 C 1
Roggenhouse *(68)* 79 E 3
Rogliano *(2B)* 215 F 1
Rogna *(39)* 123 H 3
Rognac *(13)* 195 G 3
Rognaix *(73)* 138 D 4
Rognes *(13)* 195 H 1
Rognon *(25)* 95 F 3
Rognonas *(13)* 179 E 4
Rogny *(02)* 17 G 3
Rogny-les-Sept-Écluses *(89)* 90 A 1
Rogues *(30)* 177 E 5
Rogy *(80)* 15 F 3
Rohaire *(28)* 49 E 2
Rohan *(56)* 63 G 3
Rohr *(67)* 59 E 1
Rohrbach-lès-Bitche *(57)* 38 C 3
Rohrwiller *(67)* 59 G 1
Roiffé *(86)* 101 H 1
Roiffieux *(07)* 149 G 3
Roiglise *(80)* 16 A 3
Roilly *(21)* 92 B 3
Roinville *(28)* 50 B 4
Roinville *(91)* 50 D 4
Roinvilliers *(91)* 51 E 5
Roisel *(80)* 16 C 1
Les Roises *(55)* 56 B 4
Roisey *(42)* 149 G 1
Roissard *(38)* 165 G 1
Roissy-en-Brie *(77)* 51 H 1
Roissy-en-France *(95)* 31 G 5
Roiville *(61)* 28 A 5
Roizy *(08)* 34 A 1
Rolampont *(52)* 75 H 4
Rolbing *(57)* 38 D 2
Rollainville *(88)* 56 B 5
Rollancourt *(62)* 7 F 2
Rolland *(33)* 142 A 4
Rolleboise *(78)* 30 B 4
Rolleville *(76)* 12 B 4
Rollot *(80)* 15 H 4
Rom *(79)* 115 E 3
Romagnat *(63)* 133 F 3
La Romagne *(08)* 18 B 3
Romagne *(33)* 155 H 2
Romagné *(35)* 45 H 5
La Romagne *(49)* 100 A 1
Romagne *(86)* 115 F 4
Romagne-sous-les-Côtes *(55)* 20 A 4
Romagne-
sous-Montfaucon *(55)* 35 F 1
Romagnieu *(38)* 137 G 4
Romagny *(68)* 97 E 1
Romagny Fontenay *(50)* 46 B 2
Romagny-
sous-Rougemont *(90)* 78 B 5
Romain *(25)* 95 F 3
Romain *(39)* 94 B 5
Romain *(51)* 33 F 2
Romain *(54)* 57 F 3
Romain-aux-Bois *(88)* 76 B 2
Romain-sur-Meuse *(52)* 76 A 1
Romainville *(93)* 51 F 1
Roman *(27)* 49 F 1
Romanèche *(01)* 123 F 4
Romanèche-Thorins *(71)* 122 B 4
Romange *(39)* 94 B 5
Romans *(01)* 122 D 5
Romans *(79)* 114 C 3
Romans-sur-Isère *(26)* 150 C 4
Romanswiller *(67)* 58 D 2
Romazières *(17)* 127 H 1
Romazy *(35)* 45 G 5
Rombach-le-Franc *(68)* 58 C 5
Rombas *(57)* 20 D 4
Rombies-et-Marchipont *(59)* 9 F 2
Romby *(62)* 3 F 5
Romegoux *(17)* 126 D 2
Romelfing *(57)* 38 B 5
Romenay *(71)* 122 D 1
Romeny-sur-Marne *(02)* 32 D 5
Romeries *(59)* 9 F 4
Romery *(02)* 17 F 2
Romery *(51)* 33 G 4
Romescamps *(60)* 14 C 3
Romestaing *(47)* 156 A 5
Romette *(05)* 166 B 3
Romeyer *(26)* 165 F 2
La Romieu *(32)* 172 B 4
Romigny *(51)* 33 F 3
Romiguières *(34)* 176 C 5
Romillé *(35)* 65 E 1
Romilly *(41)* 69 F 4
Romilly-la-Puthenaye *(27)* 29 E 4
Romilly-sur-Aigre *(28)* 69 H 4
Romilly-sur-Andelle *(27)* 29 H 2
Romilly-sur-Seine *(10)* 53 F 4
Romme *(74)* 125 E 5
Romont *(88)* 57 G 5
Romorantin-
Lanthenay (SP) *(41)* 88 B 4
Rompon *(07)* 163 G 2
Rônai *(61)* 47 G 1
Ronce-les-Bains *(17)* 126 B 2
Roncenay *(10)* 73 H 2
Le Roncenay *(27)* 49 F 1
Le Roncenay-Authenay *(27)* 49 F 1
Roncey *(50)* 25 E 4
Ronchamp *(70)* 77 H 5
Ronchaux *(25)* 110 D 1
Ronchères *(02)* 33 E 3
Ronchères *(89)* 90 C 1
Roncherolles-en-Bray *(76)* 14 A 4
Roncherolles-sur-le-Vivier *(76)* 13 H 5
Ronchin *(59)* 4 C 4
Ronchois *(76)* 14 B 3
Roncourt *(57)* 20 D 5
Roncq *(59)* 4 C 2
Rond-d'Orléans *(02)* 16 D 4
La Ronde *(17)* 113 G 3
La Ronde *(79)* 100 D 4
La Ronde-Haye *(50)* 24 D 3
Le Rondeau *(38)* 137 E 4
Rondefontaine *(25)* 111 F 4
Ronel *(81)* 175 E 5
Ronfeugerai *(61)* 47 E 1
Rongères *(03)* 120 B 3
Ronnet *(03)* 119 E 4
Ronno *(69)* 135 F 1
Ronquerolles *(60)* 31 F 1
Ronquerolles *(95)* 31 E 3
Ronsenac *(16)* 142 C 1
Ronssoy *(80)* 16 C 1
Rontalon *(69)* 135 G 4
Ronthon *(50)* 45 G 1
Rontignon *(64)* 186 C 5
Ronvaux *(55)* 36 A 3
Ronzières *(63)* 133 F 5
Roôcourt-la-Côte *(52)* 75 G 1
Roost-Warendin *(59)* 4 C 5
Roppe *(90)* 96 D 1
Roppenheim *(67)* 39 H 5
Roppentzwiller *(68)* 97 F 2
Roppeviller *(57)* 38 D 3
La Roque-Alric *(84)* 179 G 2
La Roque-Baignard *(14)* 28 A 3
La Roque-Bouillac *(12)* 159 G 4
Roque d'acier *(13)* 179 E 5
La Roque-d'Anthéron *(13)* 195 G 1
La Roque-Esclapon *(83)* 197 H 1
La Roque-Gageac *(24)* 158 A 1
La Roque-Ste-Marguerite *(12)* 176 C 3
La Roque-sur-Cèze *(30)* 178 D 2
La Roque-sur-Pernes *(84)* 179 G 4
Roquebillière *(06)* 183 F 3
Roquebrun *(34)* 192 A 3
Roquebrune- *(06)* 183 G 5
Roquebrune *(32)* 187 G 1
Roquebrune *(33)* 156 A 3
Roquebrune-sur-Argens *(83)* 197 H 3
La Roquebrussanne *(83)* 196 D 4
Roquecor *(82)* 173 E 1
Roquecourbe *(81)* 190 D 2
Roquecourbe-Minervois *(11)* 208 D 1
Roquedur *(30)* 177 F 4
Roquefère *(11)* 190 D 4
Roquefeuil *(11)* 207 H 4
Roquefixade *(09)* 207 F 3
Roquefort *(13)* 196 B 5
Roquefort *(32)* 188 A 1
Roquefort *(40)* 170 D 3
Roquefort *(47)* 172 B 2
Roquefort-de-Sault *(11)* 208 A 5
Roquefort-
des-Corbières *(11)* 209 F 3
Roquefort-la-Bédoule *(13)* 196 A 5
Roquefort-les-Cascades *(09)* 207 F 3
Roquefort-les-Pins *(06)* 199 E 1
Roquefort-sur-G. *(31)* 206 A 1
Roquefort-sur-Soulzon *(12)* 176 B 4
Roquelaure *(32)* 188 A 1
Roquelaure-St-Aubin *(32)* 188 C 2
Roquemaure *(30)* 179 E 3
Roquemaure *(81)* 174 A 5
Roquepine *(32)* 172 A 4
Roqueredonde *(34)* 192 B 1
Roques *(31)* 189 F 3
Roques *(32)* 171 H 5
Roqueserière *(31)* 189 H 1
Roquessels *(34)* 192 B 3
Roquesteron *(06)* 182 D 4
Roquesteron-Grasse *(06)* 182 D 4
Roquetaillade *(11)* 208 A 3
Roquetoire *(62)* 3 F 5
La Roquette *(12)* 175 G 1
La Roquette *(27)* 29 H 2
La Roquette-sur-Siagne *(06)* 199 E 2
La Roquette-sur-Var *(06)* 183 E 4
Roquettes *(31)* 189 F 3
Roquevaire *(13)* 196 A 4
Roquevidal *(81)* 190 A 2
Roquiague *(64)* 203 E 1
La Roquille *(33)* 156 C 2
Rorbach-lès-Dieuze *(57)* 37 H 5
Rorschwihr *(68)* 78 D 1
Rorthais *(79)* 100 C 3
Les Rosaires *(22)* 43 H 4
Rosans *(05)* 165 F 5
Rosay *(28)* 50 A 2
Rosay *(39)* 123 F 1
Rosay *(51)* 54 D 1
Rosay *(76)* 13 H 3
Rosay *(78)* 30 B 5
Rosay-sur-Lieure *(27)* 30 A 1
Rosazia *(2A)* 216 C 4
Rosbruck *(57)* 37 H 2
Roscanvel *(29)* 41 E 5
Roscoff *(29)* 41 H 1
La Rose *(18)* 105 F 1
Rosel *(14)* 27 E 2
Roselay *(71)* 108 B 5
Rosenau *(68)* 97 G 1
Rosendaël *(59)* 3 F 1
Rosenwiller *(67)* 58 D 3
Roset-Fluans *(25)* 94 C 5
Rosey *(70)* 94 D 2
Rosey *(71)* 108 D 4
Rosheim *(67)* 58 D 3
La Rosière *(14)* 26 D 1
La Rosière *(70)* 77 H 4
La Rosière1850 *(73)* 139 F 4
Rosières *(07)* 162 D 4
Rosières *(18)* 105 E 3
Rosières *(43)* 148 B 4
Rosières *(60)* 31 H 3
Rosières *(81)* 174 D 3
Rosières-aux-Salines *(54)* 57 F 3
Rosières-devant-Bar *(55)* 55 G 1
Rosières-en-Blois *(55)* 56 A 3
Rosières-en-Haye *(54)* 56 D 1
Rosières-en-Santerre *(80)* 15 H 2
Rosières-près-Troyes *(10)* 73 H 1
Rosières-sur-Barbèche *(25)* 95 H 4
Rosières-sur-Mance *(70)* 76 C 4
Les Rosiers *(30)* 178 A 2
Rosiers-de-Juillac *(19)* 144 A 2
Rosiers-d'Égletons *(19)* 145 F 2
Les Rosiers-sur-Loire *(49)* 85 F 4
Rosis *(34)* 191 H 2
Rosnay *(36)* 103 G 5
Rosnay *(51)* 33 G 2
Rosnay *(85)* 112 D 1
Rosnay-l'Hôpital *(10)* 54 C 4
Rosnes *(55)* 35 G 5
Rosnoën *(29)* 41 G 5
Rosny-sous-Bois *(93)* 51 G 1
Rosny-sur-Seine *(78)* 30 B 5
Rosoy *(60)* 31 G 2
Rosoy *(89)* 72 D 2
Rosoy-en-Multien *(60)* 32 B 4
Rosoy-sur-Amance *(52)* 76 A 5
Rospez *(22)* 42 D 2
Rospigliani *(2B)* 217 F 3
Rosporden *(29)* 62 A 4
Rossay *(86)* 101 H 2
Rosselange *(57)* 20 D 4
Rossfeld *(67)* 59 E 4
Rossillon *(01)* 137 F 2
Rostassac *(46)* 158 A 4
Rosteig *(67)* 38 C 4
Rostrenen *(22)* 62 D 2
Rosult *(59)* 5 E 5
Rosureux *(25)* 95 H 5
Rotalier *(39)* 123 F 1
Rotangy *(60)* 15 E 4
Rothau *(67)* 58 C 3
Rothbach *(67)* 38 D 4
Rothéneuf *(35)* 44 D 2
Rotherens *(73)* 138 B 5
La Rothière *(10)* 54 C 5
Rothois *(60)* 14 D 4
Rothonay *(39)* 123 G 1
Le Rotoir *(91)* 50 D 4
Les Rotours *(61)* 47 G 1
Rots *(14)* 27 E 2
Rott *(67)* 39 G 3
Rottelsheim *(67)* 59 F 1
Rottier *(26)* 165 F 4
Rou-Marson *(49)* 85 G 5
Rouairoux *(81)* 191 F 3
Rouans *(44)* 82 D 5
La Rouaudière *(53)* 66 A 4
Roubaix *(59)* 4 D 3
Roubia *(11)* 191 G 5
Le Roubian *(13)* 179 E 5
Roubion *(06)* 182 D 2
Roucamps *(14)* 26 D 4
Roucourt *(59)* 8 D 3
Roucy *(02)* 33 G 1
Roudouallec *(56)* 62 B 2
Rouécourt *(52)* 55 F 5
Rouède *(31)* 205 H 2
Rouellé *(61)* 46 D 3
Rouelles *(52)* 75 F 5
Rouelles *(76)* 12 B 5
Rouen [R] *(76)* 29 G 1
Rouessé-Fontaine *(72)* 48 A 5
Rouessé-Vassé *(72)* 67 G 2
Rouet *(34)* 177 G 5
Rouez *(72)* 67 G 2
Rouffach *(68)* 78 D 3
Rouffange *(39)* 94 B 5
Rouffiac *(15)* 145 G 5
Rouffiac *(16)* 142 B 2
Rouffiac *(17)* 127 F 4
Rouffiac *(81)* 174 D 5
Rouffiac-d'Aude *(11)* 208 A 2
Rouffiac-des-Corbières *(11)* 208 C 4
Rouffiac-Tolosan *(31)* 189 G 2
Rouffignac *(17)* 141 F 2
Rouffignac *(24)* 143 G 4
Rouffignac-de-Sigoulès *(24)* 156 D 2
Rouffigny *(50)* 46 A 1
Rouffilhac *(46)* 158 B 2
Rouffillac *(24)* 158 B 1
Rouffy *(51)* 33 H 5
Rougé *(44)* 65 G 5
La Rouge *(61)* 68 D 1
Rouge-Perriers *(27)* 29 E 3
Rougefay *(62)* 7 F 3
Rougegoutte *(90)* 78 A 5
Rougemont *(21)* 92 A 1
Rougemont *(25)* 95 F 2
Rougemont-
le-Château *(90)* 78 B 5
Rougemontiers *(27)* 28 D 1
Rougemontot *(25)* 95 F 3
Rougeou *(41)* 88 A 4
Rougeries *(02)* 17 G 2
Les Rouges-Eaux *(88)* 57 H 5
Le Rouget-Pers *(15)* 159 G 1
Rougeux *(52)* 76 A 5
Rougiers *(83)* 196 C 4
Rougnac *(16)* 128 D 5
Rougnat *(23)* 132 B 1

Rougon (04) 181 H 5
Rouhe (25) 110 D 1
Rouhling (57) 38 A 3
Rouillac (16) 128 A 3
Rouillac (22) 44 B 5
Rouillas-Bas (63) 133 E 4
Rouillé (86) 115 E 2
Rouillon (72) 68 A 3
Rouilly (77) 52 C 3
Rouilly-Sacey (10) 54 A 5
Rouilly-St-Loup (10) 74 A 1
Roujan (34) 192 B 3
Roulans (25) 95 F 4
Le Roulier (88) 77 G 1
Roullée (72) 48 B 4
Roullens (11) 208 A 1
Roullet-St-Estèphe (16) 128 B 5
Roullours (14) 46 C 1
Roumagne (47) 156 C 3
Roumare (76) 13 F 5
Roumazières (16) 129 E 2
Roumazières-Loubert (16) 129 E 2
Roumégoux (15) 159 G 1
Roumégoux (81) 190 D 1
Roumengoux (09) 207 G 2
Roumens (31) 190 A 4
Roumoules (04) 181 F 5
Rountzenheim (67) 39 G 5
Roupeldange (57) 21 G 5
Rouperroux (61) 47 H 3
Rouperroux-le-Coquet (72) 68 B 1
Roupy (02) 16 C 2
La Rouquette (12) 174 C 1
Roure (06) 182 D 2
Le Rouret (06) 199 E 1
Rousies (59) 9 H 3
Roussac (87) 116 D 5
Roussas (26) 163 H 5
Roussay (49) 100 A 1
Roussayrolles (81) 174 B 3
Rousseloy (60) 31 F 2
Roussennac (12) 159 G 5
Roussent (62) 6 D 2
Les Rousses (39) 124 B 1
Rousses (48) 177 F 2
Rousset (05) 166 C 4
Rousset (13) 196 A 3
Le Rousset (71) 121 H 1
Le Rousset-Marizy (71) 121 H 1
Rousset-les-Vignes (26) 164 D 5
La Roussière (27) 28 D 5
Roussieux (26) 180 B 1
Roussillon (38) 149 H 1
Roussillon (84) 180 A 4
Roussillon-en-Morvan (71) 108 A 2
Roussines (16) 129 E 3
Roussines (36) 117 E 2
Rousson (30) 178 A 2
Rousson (89) 72 C 3
Roussy-le-Village (57) 21 E 2
Routelle (25) 94 C 5
Routes (76) 13 E 3
Routier (11) 207 H 2
Routot (27) 28 D 1
Rouvenac (11) 207 H 3
Rouves (54) 37 E 5
La Rouvière (30) 178 B 4
Les Rouvières (83) 196 D 1
Rouvignies (59) 9 E 3
Rouville (60) 32 A 3
Rouville (76) 12 D 4
Rouvillers (60) 31 G 1
Rouvray (21) 92 A 3
Rouvray (27) 29 H 4
Rouvray (89) 73 F 4
Rouvray-Catillon (76) 14 A 4
Rouvray-St-Denis (28) 70 D 1
Rouvray-St-Florentin (28) 70 A 1
Rouvray-Ste-Croix (45) 70 B 3
Rouvre (79) 114 B 2
Rouvrel (80) 15 G 3
Rouvres (14) 27 G 4
Rouvres (28) 50 A 1
Rouvres (77) 31 H 4
Rouvres-en-Multien (60) 32 B 4
Rouvres-en-Plaine (21) 93 G 5
Rouvres-en-Woëvre (55) 20 B 5
Rouvres-en-Xaintois (88) 56 D 5
Rouvres-la-Chétive (88) 56 B 5
Rouvres-les-Bois (36) 104 B 2
Rouvres-les-Vignes (10) 75 E 1
Rouvres-sous-Meilly (21) 92 D 5
Rouvres-St-Jean (45) 71 E 1
Rouvres-sur-Aube (52) 75 F 4
Rouvrois-sur-Meuse (55) 36 A 5
Rouvrois-sur-Othain (55) 20 B 3
Rouvroy (02) 16 D 2
Rouvroy (62) 8 B 2
Rouvroy-en-Santerre (80) 16 A 3
Rouvroy-les-Merles (60) 15 G 4
Rouvroy-Ripont (51) 34 D 2
Rouvroy-sur-Audry (08) 18 C 2
Rouvroy-sur-Marne (52) 55 G 5
Rouvroy-sur-Serre (02) 18 A 3
Le Roux (07) 162 D 2
Rouxeville (50) 25 G 3
La Rouxière (44) 84 A 3
Rouxmesnil-Bouteilles (76) 13 G 1
Rouy (58) 107 E 2
Rouy-le-Grand (80) 16 B 3
Rouy-le-Petit (80) 16 B 3
Rouze (09) 207 H 5
Rouzède (16) 129 E 4
Rouziers (15) 159 G 2
Rouziers-de-Touraine (37) 86 D 3
Le Rove (13) 195 G 4
Roville-aux-Chênes (88) 57 G 4
Roville-devant-Bayon (54) 57 E 4
Rovon (38) 151 F 3
Roy-Boissy (60) 14 D 4
Roya (06) 182 C 1
Royan (17) 126 C 4
Royas (38) 136 C 5
Royat (63) 133 E 3
Royaucourt (60) 15 H 4
Royaucourt-et-Chailvet (02) 17 E 5
Royaumeix (54) 56 C 1
Royaumont (Abbaye de) (95) 31 F 3
Roybon (38) 150 D 2
Roye (70) 95 G 1
Roye (80) 16 A 3
Roye-sur-Matz (60) 16 A 4
Royer (71) 122 B 1
Royère-de-Vassivière (23) 131 E 3
Royères (87) 130 B 2
Roynac (26) 164 C 3
Royon (62) 7 E 1
Royville (76) 13 F 3
Roz-Landrieux (35) 45 E 3
Roz-sur-Couesnon (35) 45 G 3
Rozay-en-Brie (77) 52 B 2
Le Rozel (50) 22 B 4
Rozelieures (54) 57 F 4
Rozérieulles (57) 36 D 3
Rozerotte (88) 76 D 1
Rozès (32) 172 A 5
Rozet-St-Albin (02) 32 D 3
Le Rozier (48) 176 C 2
Rozier-Côtes-d'Aurec (42) 148 C 2
Rozier-en-Donzy (42) 135 E 3
Rozières (52) 55 E 4
Rozières-en-Beauce (45) 70 B 4
Rozières-sur-Crise (02) 32 D 2
Rozières-sur-Mouzon (88) 76 B 2
Roziers-St-Georges (87) 130 C 3
Rozoy-Bellevalle (02) 32 D 5
Rozoy-le-Vieil (45) 72 A 2
Rozoy-sur-Serre (02) 18 A 3
Ruages (58) 91 F 4
Ruan (45) 70 C 2
Ruan-sur-Egvonne (41) 69 G 3
Ruaudin (72) 68 A 4
Ruaux (88) 77 F 3
Rubécourt-et-Lamécourt (08) 19 F 3
Rubelles (77) 51 H 3
Rubempré (80) 15 G 1
Rubercy (14) 25 H 2
Rubescourt (80) 15 H 4
Rubigny (08) 18 A 3
Rubrouck (59) 3 F 3
Ruca (22) 44 B 3
Ruch (33) 156 A 2
Rucqueville (14) 27 E 2
Rudeau-Ladosse (24) 143 E 1
Rudelle (46) 159 E 2
Rue (80) 6 C 3
La Rue-St-Pierre (60) 31 F 1
La Rue-St-Pierre (76) 13 H 4
Ruederbach (68) 97 F 1
Rueil-la-Gadelière (28) 49 F 2
Rueil-Malmaison (92) 51 E 1
Ruelisheim (68) 78 D 4
Ruelle-sur-Touvre (16) 128 C 4
Les Ruelles (78) 50 B 2
Les Rues-des-Vignes (59) 8 D 5
Ruesnes (59) 9 F 3
Rueyres (46) 159 E 2
Ruffec (16) 128 C 1
Ruffec (36) 103 G 5
Ruffey-le-Château (25) 94 C 4
Ruffey-lès-Beaune (21) 109 F 2
Ruffey-lès-Echirey (21) 93 G 4
Ruffey-sur-Seille (39) 110 A 4
Ruffiac (47) 156 A 5
Ruffiac (56) 64 B 4
Ruffieu (01) 137 G 1
Ruffieux (73) 137 H 2
Ruffigné (44) 65 G 5
Ruffosses (50) 22 D 3
Rugles (27) 48 D 1
Rugney (88) 57 E 5
Rugny (89) 74 A 4
Ruhans (70) 95 E 3
Ruillé-en-Champagne (72) 67 G 3
Ruillé-Froid-Fonds (53) 66 D 4
Ruillé-le-Gravelais (53) 66 B 2
Ruillé-sur-Loir (72) 68 D 5
Ruisseauville (62) 7 F 1
Ruitz (62) 7 H 2
Rulhe (12) 159 H 4
Rullac-St-Cirq (12) 175 F 3
Rully (14) 46 D 1
Rully (60) 31 H 2
Rully (71) 109 E 3
Rumaisnil (80) 15 E 2
Rumaucourt (62) 8 C 4
Rumegies (59) 5 E 5
Rumengol (29) 41 G 5
Rumersheim-le-Haut (68) 79 E 4
Rumesnil (14) 27 H 3
Rumigny (08) 18 B 2
Rumigny (80) 15 F 2
Rumilly (62) 7 E 1
Rumilly (74) 137 H 2
Rumilly-en-Cambrésis (59) 8 D 5
Rumilly-lès-Vaudes (10) 74 A 2
Ruminghem (62) 3 E 3
Rumont (55) 55 G 1
Rumont (77) 71 G 1
Runan (22) 43 E 3
Rungis (94) 51 F 2
Ruoms (07) 163 E 5
Rupéreux (77) 52 D 3
Ruppes (88) 56 B 4
Rupt (52) 55 G 4
Rupt-aux-Nonains (55) 55 F 2
Rupt-devant-St-Mihiel (55) 35 H 5
Rupt-en-Woëvre (55) 35 H 4
Rupt-sur-Moselle (88) 77 H 3
Rupt-sur-Othain (55) 20 A 3
Rupt-sur-Saône (70) 94 D 1
Rurange-lès-Thionville (57) 21 E 4
Rurey (25) 110 D 1
Rusio (2B) 217 F 1
Russ (67) 58 C 3
Russange (57) 20 C 2
Le Russey (25) 96 C 5
Russy (14) 23 H 5
Russy-Bémont (60) 32 B 2
Rustenhart (68) 79 E 3
Rustiques (11) 208 C 1
Rustrel (84) 180 B 4
Rustroff (57) 21 F 3
Rutali (2B) 215 F 4
Ruvigny (10) 74 A 1
Ruy (38) 137 E 4
Ruyaulcourt (62) 8 C 5
Ruynes-en-Margeride (15) 147 F 5
Ry (76) 14 A 5
Rye (39) 110 A 3
Ryes (14) 27 E 1

S

S-Pierre-d'Albigny (73) 138 B 4
Saâcy-sur-Marne (77) 32 C 5
Saales (67) 58 B 4
Saâne-St-Just (76) 13 F 3
Saasenheim (67) 59 E 5
Sabadel-Latronquière (46) 159 F 2
Sabadel-Lauzès (46) 158 C 4
Sabaillan (32) 188 B 4
Sabalos (65) 187 F 5
Sabarat (09) 206 D 2
Sabarros (65) 187 H 5
Sabazan (32) 187 E 1
Sablé-sur-Sarthe (72) 67 F 5
Le Sableau (85) 113 F 2
Sables (72) 68 B 2
Les Sables-d'Olonne SP (85) 112 A 1
Sables-d'Or-les-Pins (22) 44 B 2
Sablet (84) 179 G 2
Sablières (07) 162 C 4
Sablonceaux (17) 126 D 3
Sablonnières (38) 137 E 3
Sablonnières (77) 52 D 1
Sablons (33) 141 H 4
Sablons (38) 149 G 2
Sablons-sur-Huisne (61) 49 E 5
Sabonnères (31) 188 D 3
La Sabotterie (08) 18 D 4
Sabran (30) 178 D 2
Sabres (40) 169 G 2
Saccourvielle (31) 205 F 4
Sacé (53) 66 D 1
Sacey (50) 45 G 3
Saché (37) 86 C 5
Sachin (62) 7 G 1
Sachy (08) 19 G 3
Sacierges-St-Martin (36) 117 E 2
Saclas (91) 51 E 5
Saclay (91) 51 E 2
Saconin-et-Breuil (02) 32 C 1
Sacoué (65) 205 F 3
Le Sacq (27) 29 F 5
Sacquenay (21) 93 H 2
Sacquenville (27) 29 F 4
Sacy (51) 33 G 3
Sacy (89) 91 G 1
Sacy-le-Grand (60) 31 G 1
Sacy-le-Petit (60) 31 H 1
Sadeillan (32) 187 G 4
Sadillac (24) 156 D 2
Sadirac (33) 155 G 2
Sadournin (65) 187 G 5
Sadroc (19) 144 C 2
Saessolsheim (67) 58 D 1
Saffais (54) 57 E 3
Saffloz (39) 110 C 5
Saffré (44) 83 F 2
Saffres (21) 92 C 4
Sagelat (24) 157 H 2
Sagnat (23) 117 F 3
La Sagne (06) 182 B 4
Sagnes-et-Goudoulet (07) 162 D 2
Sagone (2A) 216 B 4
Sagonne (18) 106 A 4
Sagriès (30) 178 C 4
Sagy (71) 109 H 5
Sagy (95) 30 D 4
Sahorre (66) 212 B 4
Sahune (26) 165 E 5
Sahurs (76) 29 F 1
Sai (61) 47 H 2
Saignes (15) 146 A 2
Saignes (46) 159 E 2
Saigneville (80) 6 C 4
Saignon (84) 180 B 5
Saiguède (31) 188 D 3
Sail-les-Bains (42) 120 D 4
Sail-sous-Couzan (42) 134 C 3
Sailhan (65) 205 E 4
Saillac (19) 144 D 5
Saillac (46) 174 B 1
Saillagouse (66) 211 H 4
Saillans (26) 164 D 2
Saillans (33) 141 G 5
Le Saillant (19) 144 B 2
Saillant (63) 148 B 1
Saillat-sur-Vienne (87) 129 G 2
Saillé (44) 82 A 4
Saillenard (71) 109 H 5
Sailly (08) 19 G 4
Sailly (52) 55 G 4
Sailly (71) 122 A 1
Sailly (78) 30 C 4
Sailly-Achâtel (57) 37 E 4
Sailly-au-Bois (62) 7 H 5
Sailly-en-Ostrevent (62) 8 C 3
Sailly-Flibeaucourt (80) 6 D 4
Sailly-Labourse (62) 4 A 5
Sailly-Laurette (80) 15 H 1
Sailly-le-Sec (80) 15 H 1
Sailly-lez-Cambrai (59) 8 D 4
Sailly-lez-Lannoy (59) 4 D 3
Sailly-Saillisel (80) 8 B 5
Sailly-sur-la-Lys (62) 3 H 5
Sain-Bel (69) 135 G 3
Saincaize-Meauce (58) 106 B 3
Sainghin-en-Mélantois (59) 4 D 4
Sainghin-en-Weppes (59) 4 B 4
Sainneville (76) 12 B 4
Sainpuits (89) 90 C 3
Sains (35) 45 G 3
Sains-du-Nord (59) 9 H 5
Sains-en-Amiénois (80) 15 F 2
Sains-en-Gohelle (62) 4 A 5
Sains-lès-Fressin (62) 7 E 2
Sains-lès-Marquion (62) 8 C 4
Sains-lès-Pernes (62) 7 G 1
Sains-Morainvillers (60) 15 G 4
Sains-Richaumont (02) 17 F 2
Le Saint (56) 62 C 3
St-Aaron (22) 44 A 3
St-Abit (64) 204 A 1
St-Abraham (56) 64 A 4
St-Acheul (80) 7 F 4
St-Adjutory (16) 128 D 3
St-Adrien (22) 43 E 4
St-Affrique (12) 176 A 4
St-Affrique-les-Montagnes (81) 190 C 3
St-Agathon (22) 43 F 4
St-Agil (41) 69 E 3
St-Agnan (02) 33 E 4
St-Agnan (58) 92 A 4
St-Agnan (71) 120 D 2
St-Agnan (81) 189 H 2
St-Agnan (89) 72 B 1
St-Agnan-de-Cernières (27) 28 C 5
St-Agnan-en-Vercors (26) 151 F 5
St-Agnan-le-Malherbe (14) 27 E 4
St-Agnan-sur-Erre (61) 48 D 5
St-Agnan-sur-Sarthe (61) 48 C 3
St-Agnant (17) 126 C 2
St-Agnant-de-Versillat (23) 117 F 4
St-Agnant-près-Crocq (23) 131 H 3
St-Agnant-sous-les-Côtes (55) 56 A 1
St-Agne (24) 157 E 1
St-Agnet (40) 186 C 2
St-Agnin-sur-Bion (38) 136 D 5
St-Agoulin (63) 133 F 1
St-Agrève (07) 149 E 5
St-Aignan (08) 19 E 4
St-Aignan (33) 141 G 5
St-Aignan (41) 87 H 5
St-Aignan (56) 63 F 2
St-Aignan (72) 68 B 1
St-Aignan (82) 173 E 4
St-Aignan-de-Couptrain (53) 47 F 4
St-Aignan-de-Cramesnil (14) 27 G 4
St-Aignan-des-Gués (45) 71 F 5
St-Aignan-des-Noyers (18) 106 A 4
St-Aignan-Grandlieu (44) 99 F 1
St-Aignan-le-Jaillard (45) 89 G 1
St-Aignan-sur-Roë (53) 66 A 4
St-Aignan-sur-Ry (76) 14 A 5
St-Aigny (36) 103 F 5
St-Aigulin (17) 142 A 3
St-Ail (54) 20 D 5
St-Albain (71) 122 C 2
St-Alban (01) 123 F 5
St-Alban (22) 44 A 3
St-Alban (31) 189 F 2
St-Alban-Auriolles (07) 163 E 5
St-Alban-d'Ay (07) 149 G 3
St-Alban-de-Montbel (73) 137 H 5
St-Alban-de-Roche (38) 136 D 4
St-Alban-des-Villards (73) 152 C 2
St-Alban-d'Hurtières (73) 138 C 5
St-Alban-du-Rhône (38) 149 G 1
St-Alban-en-Montagne (07) 162 B 3
St-Alban-les-Eaux (42) 134 C 1
St-Alban-Leysse (73) 138 A 4
St-Alban-sur-Limagnole (48) 161 G 2
St-Albin-de-Vaulserre (38) 137 G 5
St-Alby (81) 190 D 3
St-Alexandre (30) 178 D 2
St-Algis (02) 17 G 1
St-Allouestre (56) 63 G 5
St-Alpinien (23) 131 G 1
St-Alyre-d'Arlanc (63) 147 H 2
St-Alyre-ès-Montagne (63) 146 D 2
St-Amadou (09) 207 F 2
St-Amancet (81) 190 C 4
St-Amand (23) 131 G 1
St-Amand (50) 25 G 4
St-Amand (62) 7 H 4
St-Amand-de-Belvès (24) 157 H 2
St-Amand-de-Coly (24) 144 A 4
St-Amand-de-Vergt (24) 143 F 5
St-Amand-des-Hautes-Terres (27) 29 F 2
St-Amand-en-Puisaye (58) 90 B 3
St-Amand-Jartoudeix (23) 130 D 2
St-Amand-le-Petit (87) 130 D 3
St-Amand-les-Eaux (59) 5 E 5
St-Amand-Longpré (41) 87 F 1
St-Amand-Magnazeix (87) 117 E 5
St-Amand-Montrond SP (18) 105 G 5
St-Amand-sur-Fion (51) 54 C 1
St-Amand-sur-Ornain (55) 55 H 3
St-Amand-sur-Sèvre (79) 100 C 3
St-Amandin (15) 146 B 2
St-Amans (09) 207 E 1
St-Amans (11) 207 G 1
St-Amans (48) 161 G 3
St-Amans-de-Pellagal (82) 173 F 2
St-Amans-des-Cots (12) 160 B 3
St-Amans-du-Pech (82) 172 D 1
St-Amans-Soult (81) 191 E 3
St-Amans-Valtoret (81) 191 E 3
St-Amant-de-Boixe (16) 128 B 3
St-Amant-de-Bonnieure (16) 128 C 2
St-Amant-de-Montmoreau (16) 142 B 1
St-Amant-de-Nouère (16) 128 A 3
St-Amant-Roche-Savine (63) 134 A 5
St-Amant-Tallende (63) 133 F 4
St-Amarin (68) 78 B 4
St-Ambreuil (71) 109 E 5
St-Ambroix (18) 105 E 3
St-Ambroix (30) 178 A 1
St-Amé (88) 77 H 2
St-Amour (39) 123 E 2
St-Amour-Bellevue (71) 122 B 4
St-Anastaise (63) 146 D 1
St-Andelain (58) 90 B 5
St-Andéol (26) 165 E 1
St-Andéol (38) 151 F 5
St-Andéol-de-Berg (07) 163 F 4
St-Andéol-de-Clerguemort (48) 177 H 1
St-Andéol-de-Fourchades (07) 162 D 1
St-Andéol-de-Vals (07) 163 E 3
St-Andéol-le-Château (69) 135 H 5
St-Andeux (21) 92 A 4
St-Andiol (13) 179 F 5
St-André (16) 127 G 3
St-André (31) 188 B 5
St-André (32) 188 B 3
St-André (59) 4 C 3
St-André (66) 213 F 3
St-André (73) 153 E 2
St-André (81) 175 F 4
St-André-Capcèze (48) 162 B 5
St-André-d'Allas (24) 158 A 1
St-André-d'Apchon (42) 134 C 1
St-André-de-Bâgé (01) 122 C 3
St-André-de-Boëge (74) 124 D 4
St-André-de-Bohon (50) 25 E 2
St-André-de-Briouze (61) 47 F 2
St-André-de-Buèges (34) 177 F 5
St-André-de-Chalencon (43) 148 B 2
St-André-de-Corcy (01) 136 B 1
St-André-de-Cruzières (07) 178 B 1
St-André-de-Cubzac (33) 141 F 5
St-André-de-Double (24) 142 C 4
St-André-de-la-Marche (49) 100 B 1
St-André-de-la-Roche (06) 183 F 5
St-André-de-Lancize (48) 177 G 1
St-André-de-l'Épine (50) 25 G 3
St-André-de-l'Eure (27) 29 H 5
St-André-de-Lidon (17) 127 E 4
St-André-de-Majencoules (30) 177 F 4
St-André-de-Messei (61) 47 E 2
St-André-de-Najac (12) 174 D 2
St-André-de-Roquelongue (11) 209 E 2
St-André-de-Roquepertuis (30) 178 C 2
St-André-de-Rosans (05) 165 G 5
St-André-de-Sangonis (34) 192 D 2
St-André-de-Seignanx (40) 184 D 2
St-André-de-Valborgne (30) 177 F 2
St-André-de-Vézines (12) 176 C 2
St-André-d'Embrun (05) 167 E 3
St-André-des-Eaux (22) 44 D 4
St-André-des-Eaux (44) 82 B 4
St-André-d'Hébertot (14) 28 B 2
St-André-d'Huiriat (01) 122 C 4
St-André-d'Olérargues (30) 178 C 2
St-André-d'Ornay (85) 99 G 5
St-André-du-Bois (33) 155 H 3
St-André-en-Barrois (55) 35 G 4
St-André-en-Bresse (71) 109 G 5
St-André-en-Morvan (58) 91 G 4
St-André-en-Royans (38) 151 E 4
St-André-en-Terre-Plaine (89) 91 H 3
St-André-en-Vivarais (07) 149 E 4
St-André-et-Appelles (33) 156 B 1
St-André-Farivillers (60) 15 F 4
St-André-Goule-d'Oie (85) 99 H 3
St-André-la-Côte (69) 135 G 4
St-André-Lachamp (07) 162 D 4
St-André-le-Bouchoux (01) 122 D 5
St-André-le-Coq (63) 133 G 1
St-André-le-Désert (71) 121 H 2
St-André-le-Gaz (38) 137 F 5
St-André-le-Puy (42) 135 E 4
St-André-les-Alpes (04) 181 H 3
St-André-les-Vergers (10) 73 H 1
St-André-sur-Cailly (76) 13 H 5
St-André-sur-Orne (14) 27 F 3
St-André-sur-Sèvre (79) 100 C 4
St-André-sur-Vieux-Jonc (01) 122 D 4
St-André-Treize-Voies (85) 99 G 2
St-Androny (33) 141 E 3
St-Ange-et-Torçay (28) 49 G 3
St-Ange-le-Viel (77) 72 A 1
St-Angeau (16) 128 C 2
St-Angel (03) 119 E 3
St-Angel (19) 145 G 1
St-Angel (63) 133 E 1
St-Anthème (63) 134 C 5
St-Anthot (21) 92 D 4
St-Antoine (05) 152 D 5
St-Antoine (13) 195 H 4
St-Antoine (15) 159 H 2
St-Antoine (25) 111 F 4
St-Antoine (29) 42 A 3
St-Antoine (32) 172 D 3
St-Antoine (33) 141 G 5
St-Antoine-Cumond (24) 142 B 3
St-Antoine-d'Auberoche (24) 143 G 4
St-Antoine-de-Breuilh (24) 156 B 1
St-Antoine-de-Ficalba (47) 172 C 1
St-Antoine-du-Queyret (33) 156 A 2
St-Antoine-du-Rocher (37) 86 D 3
St-Antoine-la-Forêt (76) 12 C 5
St-Antoine-l'Abbaye (38) 150 D 3
St-Antoine-sur-l'Isle (33) 142 A 5
St-Antonin (06) 182 D 4
St-Antonin (32) 188 B 1
St-Antonin-de-Lacalm (81) 190 D 1
St-Antonin-de-Sommaire (27) 48 D 1
St-Antonin-du-Var (83) 197 F 2
St-Antonin-Noble-Val (82) 174 B 2
St-Antonin-sur-Bayon (13) 196 A 3
St-Aoustrille (36) 104 C 3
St-Août (36) 104 D 5
St-Apollinaire (05) 166 D 3
St-Apollinaire (21) 93 G 4
St-Apollinaire-de-Rias (07) 149 F 5
St-Appolinaire (69) 135 F 1
St-Appolinard (38) 150 D 3
St-Appolinard (42) 149 G 2
St-Aquilin (24) 142 D 3
St-Aquilin-d'Augerons (27) 28 C 5
St-Aquilin-de-Corbion (61) 48 C 3
St-Aquilin-de-Pacy (27) 29 H 4
St-Araille (31) 188 C 4
St-Arailles (32) 187 G 2
St-Arcons-d'Allier (43) 147 H 4
St-Arcons-de-Barges (43) 162 B 1
St-Arey (38) 165 H 1
St-Armel (35) 65 F 3
St-Armel (56) 81 G 3
St-Armou (64) 186 C 4
St-Arnac (66) 208 C 5
St-Arnoult (14) 28 A 1
St-Arnoult (41) 87 E 1
St-Arnoult (60) 14 C 4
St-Arnoult (76) 13 E 5
St-Arnoult-des-Bois (28) 49 H 4
St-Arnoult-en-Yvelines (78) 50 C 3
St-Arroman (32) 187 H 4
St-Arroman (65) 205 E 2
St-Arroumex (82) 173 E 4
St-Astier (24) 143 E 4
St-Astier (47) 156 C 2
St-Auban (04) 181 E 3
St-Auban (06) 182 B 4
St-Auban-d'Oze (05) 166 A 4
St-Auban-sur-l'Ouvèze (26) 180 A 1
St-Aubert (59) 9 E 4
St-Aubert-sur-Orne (61) 47 F 1
St-Aubin (02) 16 C 5
St-Aubin (10) 53 E 4
St-Aubin (21) 108 D 2
St-Aubin (27) 29 G 4
St-Aubin (36) 104 D 4
St-Aubin (39) 109 H 2
St-Aubin (40) 185 H 1
St-Aubin (47) 157 G 5
St-Aubin (59) 9 H 4
St-Aubin (62) 6 C 2
St-Aubin (91) 51 E 2
St-Aubin-Celloville (76) 29 G 1
St-Aubin-Château-Neuf (89) 72 D 5

Localité *(Département)* Page Coordonnées

St-Aubin-d'Appenai *(61)* 48 B 3
St-Aubin-d'Arquenay *(14)* 27 G 2
St-Aubin-d'Aubigné *(35)* 45 F 5
St-Aubin-de-Baubigné *(79)* 100 C 2
St-Aubin-de-Blaye *(33)* 141 F 2
St-Aubin-de-Bonneval *(61)* 28 B 5
St-Aubin-de-Branne *(33)* 155 H 1
St-Aubin-de-Cadelech *(24)* 156 D 3
St-Aubin-de-Courteraie *(61)* 48 C 3
St-Aubin-de-Crétot *(76)* 12 D 4
St-Aubin-de-Lanquais *(24)* 157 E 2
St-Aubin-de-Locquenay *(72)* 67 H 1
St-Aubin-de-Luigné *(49)* 84 D 4
St-Aubin-de-Médoc *(33)* 141 E 5
St-Aubin-de-Nabirat *(24)* 158 A 2
St-Aubin-de-Scellon *(27)* 28 C 3
St-Aubin-de-Terregatte *(50)* 45 H 3
St-Aubin-d'Écrosville *(27)* 29 F 3
St-Aubin-des-Bois *(14)* 46 A 1
St-Aubin-des-Bois *(28)* 49 H 4
St-Aubin-des-Châteaux *(44)* 65 G 5
St-Aubin-des-Chaumes *(58)* 91 F 4
St-Aubin-des-Coudrais *(72)* 68 C 2
St-Aubin-des-Grois *(61)* 48 D 5
St-Aubin-des-Hayes *(27)* 28 D 4
St-Aubin-des-Landes *(35)* 65 H 2
St-Aubin-des-Ormeaux *(85)* 100 A 2
St-Aubin-des-Préaux *(50)* 45 G 1
St-Aubin-du-Cormier *(35)* 65 H 1
St-Aubin-du-Désert *(53)* 47 G 5
St-Aubin-du-Pavail *(35)* 65 G 2
St-Aubin-du-Perron *(50)* 25 E 3
St-Aubin-du-Plain *(79)* 101 E 3
St-Aubin-du-Thenney *(27)* 28 C 4
St-Aubin-en-Bray *(60)* 30 C 1
St-Aubin-en-Charollais *(71)* 121 F 2
St-Aubin-Épinay *(76)* 29 G 1
St-Aubin-Fosse-Louvain *(53)* 46 C 4
St-Aubin-la-Plaine *(85)* 113 F 1
St-Aubin-le-Cauf *(76)* 13 H 2
St-Aubin-le-Cloud *(79)* 101 E 5
St-Aubin-le-Dépeint *(37)* 86 B 1
St-Aubin-le-Guichard *(27)* 28 D 4
St-Aubin-le-Monial *(03)* 119 G 1
St-Aubin-le-Vertueux *(27)* 28 D 4
St-Aubin-lès-Elbeuf *(76)* 29 F 2
St-Aubin-les-Forges *(58)* 106 C 1
St-Aubin-Montenoy *(80)* 14 D 2
St-Aubin-Rivière *(80)* 14 C 2
St-Aubin-Routot *(76)* 12 C 5
St-Aubin-sous-Erquery *(60)* 31 G 1
St-Aubin-sur-Aire *(55)* 55 H 2
St-Aubin-sur-Gaillon *(27)* 29 H 3
St-Aubin-sur-Loire *(71)* 120 C 1
St-Aubin-sur-Mer *(14)* 27 F 1
St-Aubin-sur-Mer *(76)* 13 F 2
St-Aubin-sur-Quillebeuf *(27)* 12 D 5
St-Aubin-sur-Scie *(76)* 13 G 2
St-Aubin-sur-Yonne *(89)* 72 D 3
St-Augustin *(03)* 106 B 4
St-Augustin *(17)* 126 B 3
St-Augustin *(19)* 145 E 1
St-Augustin *(77)* 52 B 1
St-Augustin-des-Bois *(49)* 84 C 3
St-Aulaire *(19)* 144 B 3
St-Aulais-la-Chapelle *(16)* 142 A 1
St-Aulaye-Puymangou *(24)* 142 B 3
St-Aunès *(34)* 193 G 2
St-Aunix-Lengros *(32)* 187 E 2
St-Aupre *(38)* 151 G 1
St-Austremoine *(43)* 147 G 4
St-Auvent *(87)* 129 G 3
St-Avaugourd-des-Landes *(85)* 112 C 1
St-Avé *(56)* 81 G 2
St-Aventin *(31)* 205 F 4
St-Avertin *(37)* 86 D 4
St-Avit *(16)* 142 B 3
St-Avit *(26)* 150 B 3
St-Avit *(40)* 170 C 4
St-Avit *(41)* 69 E 3
St-Avit *(47)* 156 B 4
St-Avit *(63)* 132 B 2
St-Avit *(81)* 190 C 3
St-Avit-de-Soulège *(33)* 156 B 1
St-Avit-de-Tardes *(23)* 131 H 2
St-Avit-de-Vialard *(24)* 143 G 5
St-Avit-Frandat *(32)* 172 C 4
St-Avit-le-Pauvre *(23)* 131 F 1
St-Avit-les-Guespières *(28)* 69 G 1
St-Avit-Rivière *(24)* 157 G 2
St-Avit-Sénieur *(24)* 157 F 2
St-Avit-St-Nazaire *(33)* 156 C 1
St-Avold *(57)* 21 H 5
St-Avre *(73)* 152 C 1
St-Ay *(45)* 70 B 5
St-Aybert *(59)* 5 F 5
St-Aygulf *(83)* 198 C 4
St-Babel *(63)* 133 G 5
St-Baldoph *(73)* 138 A 5
St-Bandry *(02)* 32 C 1
St-Baraing *(39)* 110 A 2
St-Barbant *(87)* 116 B 5
St-Bard *(23)* 131 H 2
St-Bardoux *(26)* 150 C 4
St-Barnabé *(13)* 195 H 5
St-Barnabé *(22)* 63 H 3
St-Barthélemy *(38)* 150 C 2
St-Barthélemy *(40)* 184 D 3
St-Barthélemy *(50)* 46 B 2
St-Barthélemy *(56)* 63 F 4
St-Barthélemy *(70)* 77 H 5
St-Barthélemy *(77)* 52 D 1
St-Barthélemy-d'Agenais *(47)* 156 C 4
St-Barthélemy-d'Anjou *(49)* 85 E 3
St-Barthélemy-de-Bellegarde *(24)* 142 C 4
St-Barthélemy-de-Bussière *(24)* 129 F 4
St-Barthélemy-de-Séchilienne *(38)* 151 H 4
St-Barthélemy-de-Vals *(26)* 149 H 3
St-Barthélemy-Grozon *(07)* 149 G 5
St-Barthélemy-le-Meil *(07)* 163 F 1
St-Barthélemy-le-Plain *(07)* 149 G 4
St-Barthélemy-Lestra *(42)* 135 E 3
St-Basile *(07)* 149 F 5
St-Baslemont *(88)* 76 D 2
St-Baudel *(18)* 105 E 4
St-Baudelle *(53)* 66 D 1
St-Baudille-de-la-Tour *(38)* 137 E 3
St-Baudille-et-Pipet *(38)* 165 H 1
St-Bauld *(37)* 103 E 1
St-Baussant *(54)* 36 B 5
St-Bauzeil *(09)* 207 E 2
St-Bauzély *(30)* 178 B 4
St-Bauzile *(07)* 163 G 3
St-Bauzile *(48)* 161 G 5
St-Bauzille-de-la-Sylve *(34)* 192 D 2
St-Bauzille-de-Montmel *(34)* 193 G 1
St-Bauzille-de-Putois *(34)* 177 G 5
St-Bazile *(87)* 129 G 3
St-Bazile-de-la-Roche *(19)* 145 F 4
St-Bazile-de-Meyssac *(19)* 144 D 5
St-Béat *(31)* 205 G 3
St-Beaulize *(12)* 176 B 5
St-Beauzeil *(82)* 172 D 1
St-Beauzély *(12)* 176 A 2
St-Beauzile *(81)* 174 B 4
St-Beauzire *(43)* 147 F 3
St-Beauzire *(63)* 133 F 2
St-Bénézet *(30)* 194 B 1
St-Bénézet *(30)* 178 A 4
St-Bénigne *(01)* 122 C 2
St-Benin *(59)* 9 F 5
St-Benin-d'Azy *(58)* 106 D 2
St-Benin-des-Bois *(58)* 106 D 1
St-Benoist-sur-Mer *(85)* 112 D 2
St-Benoist-sur-Vanne *(10)* 73 F 1
St-Benoît *(04)* 182 B 3
St-Benoît *(11)* 207 H 3
St-Benoît *(28)* 69 F 2
St-Benoit *(38)* 136 B 5
St-Benoît *(86)* 115 F 1
St-Benoît-de-Carmaux *(81)* 174 D 3
St-Benoît-des-Ombres *(27)* 28 D 2
St-Benoît-des-Ondes *(35)* 45 E 2
St-Benoît-d'Hébertot *(14)* 28 B 2
St-Benoît-du-Sault *(36)* 117 E 2
St-Benoit-en-Diois *(26)* 165 E 3
St-Benoît-en-Woëvre *(55)* 36 B 4
St-Benoît-la-Chipotte *(88)* 57 H 4
St-Benoît-la-Forêt *(37)* 86 B 5
St-Benoît-sur-Loire *(45)* 71 F 5
St-Benoît-sur-Seine *(10)* 53 H 5
St-Bérain *(43)* 147 H 5
St-Berain-sous-Sanvignes *(71)* 108 B 5
St-Bérain-sur-Dheune *(71)* 108 D 4
St-Bernard *(01)* 135 H 1
St-Bernard *(21)* 109 F 1
St-Bernard *(38)* 151 H 2
St-Bernard *(57)* 21 F 4
Saint-Bernard *(68)* 78 C 5
St-Béron *(73)* 137 G 5
St-Berthevin *(53)* 66 C 2
St-Berthevin-la-Tannière *(53)* 46 B 4
St-Bertrand-de-Comminges *(31)* 205 F 2
St-Biez-en-Belin *(72)* 68 A 5
St-Bihy *(22)* 43 F 5
St-Blaise *(06)* 183 F 4
St-Blaise *(74)* 124 B 5
St-Blaise-du-Buis *(38)* 151 F 1
St-Blaise-la-Roche *(67)* 58 C 4
St-Blancard *(32)* 188 A 5
St-Blimont *(80)* 6 B 5
St-Blin *(52)* 75 H 1
St-Boès *(64)* 185 H 3
St-Bohaire *(41)* 87 G 1
St-Boil *(71)* 108 D 5
St-Boingt *(54)* 57 F 4
St-Bois *(01)* 137 G 3
St-Bomer *(28)* 69 E 2
St-Bômer-les-Forges *(61)* 46 D 2
St-Bon *(51)* 53 E 2
St-Bon-Tarentaise *(73)* 139 E 5
St-Bonnet *(16)* 128 A 5
St-Bonnet -le-Bourg *(63)* 147 H 1
St-Bonnet-Avalouze *(19)* 145 E 3
St-Bonnet-Briance *(87)* 130 C 4
St-Bonnet-de-Bellac *(87)* 116 B 5
St-Bonnet-de-Chavagne *(38)* 150 D 4
St-Bonnet-de-Chirac *(48)* 161 F 4
St-Bonnet-de-Condat *(15)* 146 C 2
St-Bonnet-de-Cray *(71)* 121 F 4
St-Bonnet-de-Four *(03)* 119 F 3
St-Bonnet-de-Joux *(71)* 121 H 2
St-Bonnet-de-Montauroux *(48)* 162 A 2
St-Bonnet-de-Mure *(69)* 136 C 4
St-Bonnet-de-Rochefort *(03)* 119 H 5
St-Bonnet-de-Salendrinque *(30)* 177 G 3
St-Bonnet-de-Salers *(15)* 146 A 4
St-Bonnet-de-Valclérieux *(26)* 150 D 3
St-Bonnet-de-Vieille-Vigne *(71)* 121 G 1
St-Bonnet-des-Bruyères *(69)* 121 H 4
St-Bonnet-des-Quarts *(42)* 120 D 5
St-Bonnet-du-Gard *(30)* 178 D 4
St-Bonnet-Elvert *(19)* 145 E 4
St-Bonnet-en-Bresse *(71)* 109 G 3
St-Bonnet-en-Champsaur *(05)* 166 B 2
St-Bonnet-la-Rivière *(19)* 144 B 2
St-Bonnet-le-Chastel *(63)* 147 H 1
St-Bonnet-le-Château *(42)* 148 C 1
St-Bonnet-le-Courreau *(42)* 134 C 4
St-Bonnet-le-Froid *(43)* 149 E 4
St-Bonnet-le-Troncy *(69)* 121 H 5
St-Bonnet-l'Enfantier *(19)* 144 C 2
St-Bonnet-lès-Allier *(63)* 133 G 3
St-Bonnet-les-Oules *(42)* 135 E 5
St-Bonnet-les-Tours-de-Merle *(19)* 145 F 4
St-Bonnet-près-Bort *(19)* 132 A 5
St-Bonnet-près-Orcival *(63)* 132 D 4
St-Bonnet-près-Riom *(63)* 133 F 2
St-Bonnet-sur-Gironde *(17)* 141 E 1
St-Bonnet-Tronçais *(03)* 105 H 5
St-Bonnot *(58)* 90 D 5
St-Bouize *(18)* 90 A 5
St-Brancher *(89)* 91 H 3
St-Branchs *(37)* 86 D 5
St-Brandan *(22)* 43 G 5
St-Brès *(06)* 182 C 2
St-Brès *(30)* 178 A 1
St-Brès *(32)* 188 B 1
St-Brès *(34)* 193 G 2
St-Bresson *(30)* 177 F 4
St-Bresson *(70)* 77 G 4
St-Bressou *(46)* 159 F 3
St-Brevin-les-Pins *(44)* 82 B 4
St-Brevin-l'Océan *(44)* 82 B 4
St-Briac-sur-Mer *(35)* 44 C 2
St-Brice *(16)* 127 H 4
St-Brice *(33)* 155 H 2
St-Brice *(50)* 45 H 2
St-Brice *(53)* 67 E 4
St-Brice *(61)* 46 D 3
St-Brice *(77)* 52 D 3
St-Brice-Courcelles *(51)* 33 H 2
St-Brice-de-Landelles *(50)* 46 A 3
St-Brice-en-Coglès *(35)* 45 H 4
St-Brice-sous-Forêt *(95)* 31 F 5
St-Brice-sous-Rânes *(61)* 47 G 2
St-Brice-sur-Vienne *(87)* 129 G 2
St-Brieuc [P] *(22)* 43 H 4
St-Brieuc-de-Mauron *(56)* 64 B 2
St-Brieuc-des-Iffs *(35)* 45 E 5
St-Bris-des-Bois *(17)* 127 F 3
St-Bris-le-Vineux *(89)* 91 F 1
St-Brisson *(58)* 91 A 5
St-Brisson-sur-Loire *(45)* 89 H 2
St-Broing *(70)* 94 B 3
St-Broing-les-Moines *(21)* 93 E 1
St-Broingt-le-Bois *(52)* 75 H 5
St-Broingt-les-Fosses *(52)* 93 H 1
St-Broladre *(35)* 45 F 3
St-Bueil *(38)* 137 G 5
St-Cado *(56)* 81 E 1
St-Calais *(72)* 68 D 4
St-Calais-du-Désert *(53)* 47 F 4
St-Calez-en-Saosnois *(72)* 48 B 5
St-Canadet *(13)* 195 H 2
St-Cannat *(13)* 195 G 2
St-Caprais *(03)* 119 E 1
St-Caprais *(18)* 105 F 3
St-Caprais *(31)* 189 F 1
St-Caprais *(32)* 188 B 2
St-Caprais *(46)* 157 H 3
St-Caprais-de-Blaye *(33)* 141 F 2
St-Caprais-de-Bordeaux *(33)* 155 F 2
St-Caprais-de-Lerm *(47)* 172 C 2
St-Capraise-de-Lalinde *(24)* 157 E 1
St-Capraise-d'Eymet *(24)* 156 D 2
St-Caradec *(22)* 63 G 2
St-Caradec-Trégomel *(56)* 62 D 3
St-Carné *(22)* 44 D 4
St-Carreuc *(22)* 43 H 5
St-Cassien *(24)* 157 G 3
St-Cassien *(38)* 151 F 1
St-Cassien *(86)* 101 H 3
Saint-Cassin *(73)* 137 H 5
St-Cast-le-Guildo *(22)* 44 C 2
St-Castin *(64)* 186 C 4
St-Célerin *(72)* 68 B 2
St-Céneré *(53)* 66 D 2
St-Céneri-le-Gérei *(61)* 47 H 5
St-Céols *(18)* 89 H 5
St-Céré *(46)* 159 E 1
St-Cergues *(74)* 124 D 3
St-Cernin *(15)* 146 A 4
St-Cernin *(46)* 158 C 4
St-Cernin-de-Labarde *(24)* 157 E 2
St-Cernin-de-Larche *(19)* 144 B 4
St-Cernin-de-l'Herm *(24)* 157 H 3
St-Cernin-de-Reilhac *(24)* 143 G 5
St-Césaire *(17)* 127 F 3
St-Césaire *(30)* 178 B 5
St-Césaire-de-Gauzignan *(30)* 178 B 3
St-Cézaire-sur-Siagne *(06)* 198 D 1
St-Cézert *(31)* 189 E 1
St-Chabrais *(23)* 118 B 5
St-Chaffrey *(05)* 153 E 5
St-Chamant *(15)* 146 A 4
St-Chamant *(19)* 145 E 4
St-Chamarand *(46)* 158 B 3
St-Chamas *(13)* 195 F 3
St-Chamassy *(24)* 157 G 1
St-Chamond *(42)* 149 F 1
St-Champ *(01)* 137 G 3
St-Chaptes *(30)* 178 B 4
St-Charles *(54)* 20 C 2
St-Charles-de-Percy *(14)* 25 H 5
St-Charles-la-Forêt *(53)* 66 D 4
St-Chartier *(36)* 104 D 5
St-Chartres *(86)* 101 G 3
St-Chef *(38)* 137 E 4
St-Chels *(46)* 159 E 4
St-Chély-d'Apcher *(48)* 161 F 2
St-Chély-d'Aubrac *(12)* 160 D 4
St-Chéron *(27)* 30 A 5
St-Chéron *(51)* 54 C 3
St-Chéron *(91)* 51 E 3
St-Chéron-des-Champs *(28)* 50 A 3
St-Chinian *(34)* 191 H 4
St-Christ-Briost *(80)* 16 B 2
St-Christau *(64)* 203 G 1
St-Christaud *(31)* 206 B 1
St-Christaud *(32)* 187 G 3
St-Christo-en-Jarez *(42)* 135 F 5
St-Christol *(07)* 163 E 1
St-Christol *(34)* 193 G 1
St-Christol *(84)* 180 B 3
St-Christol-de-Rodières *(30)* 178 C 1
St-Christol-lès-Alès *(30)* 178 A 3
St-Christoly-de-Blaye *(33)* 141 F 3
St-Christoly-Médoc *(33)* 140 D 1
St-Christophe *(03)* 120 B 5
St-Christophe *(16)* 129 G 1
St-Christophe *(17)* 113 F 4
St-Christophe *(23)* 117 H 5
St-Christophe *(28)* 69 H 2
St-Christophe *(69)* 121 H 4
St-Christophe *(81)* 174 D 2
St-Christophe *(86)* 102 B 3
St-Christophe-à-Berry *(02)* 32 B 1
St-Christophe-d'Allier *(43)* 162 A 1
St-Christophe-de-Chaulieu *(61)* 46 C 1
St-Christophe-de-Double *(33)* 142 A 4
St-Christophe-de-Valains *(35)* 45 G 5
St-Christophe-des-Bardes *(33)* 155 H 1
St-Christophe-des-Bois *(35)* 65 H 1
St-Christophe-Dodinicourt *(10)* 54 C 4
St-Christophe-du-Bois *(49)* 100 B 2
St-Christophe-du-Foc *(50)* 22 C 3
St-Christophe-du-Jambet *(72)* 67 H 1
St-Christophe-du-Ligneron *(85)* 99 E 3
St-Christophe-du-Luat *(53)* 67 E 2
St-Christophe-en-Bazelle *(36)* 104 B 1
St-Christophe-en-Boucherie *(36)* 105 E 5
St-Christophe-en-Bresse *(71)* 109 F 4
St-Christophe-en-Brionnais *(71)* 121 F 3
St-Christophe-en-Champagne *(72)* 67 G 3
St-Christophe-en-Oisans *(38)* 152 B 5
St-Christophe-et-le-Laris *(26)* 150 C 3
St-Christophe-la-Couperie *(49)* 83 H 5
St-Christophe-la-Grotte *(73)* 151 H 1
St-Christophe-le-Chaudry *(18)* 118 C 1
St-Christophe-le-Jajolet *(61)* 47 H 2
St-Christophe-les-Gorges *(15)* 145 H 4
St-Christophe-sur-Avre *(27)* 49 E 2
St-Christophe-sur-Condé *(27)* 28 D 2
St-Christophe-sur-Dolaison *(43)* 148 A 5
St-Christophe-sur-Guiers *(38)* 151 H 1
St-Christophe-sur-le-Nais *(37)* 86 C 2
St-Christophe-sur-Roc *(79)* 114 B 2
St-Christophe-Vallon *(12)* 159 H 5
St-Cibard *(33)* 142 A 5
St-Cierge-la-Serre *(07)* 163 G 2
St-Cierge-sous-le-Cheylard *(07)* 149 E 5
St-Ciergues *(52)* 75 G 4
St-Ciers-Champagne *(17)* 141 G 1
St-Ciers-d'Abzac *(33)* 141 G 4
St-Ciers-de-Canesse *(33)* 141 E 4
St-Ciers-du-Taillon *(17)* 141 E 1
St-Ciers-sur-Bonnieure *(16)* 128 C 2
St-Ciers-sur-Gironde *(33)* 141 E 2
St-Cirgue *(81)* 175 F 4
St-Cirgues *(43)* 147 G 2
St-Cirgues *(46)* 159 G 2
St-Cirgues-de-Jordanne *(15)* 146 B 5
St-Cirgues-de-Malbert *(15)* 145 H 4
St-Cirgues-de-Prades *(07)* 162 D 3
St-Cirgues-en-Montagne *(07)* 162 C 2
St-Cirgues-la-Loutre *(19)* 145 G 4
St-Cirgues-sur-Couze *(63)* 133 F 5
St-Cirice *(82)* 172 D 3
St-Cirq *(24)* 157 G 1
St-Cirq *(82)* 174 A 3
St-Cirq-Lapopie *(46)* 158 D 5
St-Cirq-Madelon *(46)* 158 A 2
St-Cirq-Souillaguet *(46)* 158 B 3
St-Civran *(36)* 117 E 2
St-Clair *(04)* 181 G 5
St-Clair *(07)* 149 G 2
St-Clair *(46)* 158 B 3
St-Clair *(82)* 173 E 2
St-Clair *(86)* 101 H 3
St-Clair-d'Arcey *(27)* 28 D 4
St-Clair-de-Halouze *(61)* 46 D 2
St-Clair-de-la-Tour *(38)* 137 F 5
St-Clair-du-Rhône *(38)* 149 G 1
St-Clair-sur-Epte *(95)* 30 B 3
St-Clair-sur-Galaure *(38)* 150 D 2
St-Clair-sur-l'Elle *(50)* 25 G 2
St-Clair-sur-les-Monts *(76)* 13 E 4
St-Clar *(32)* 172 C 5
St-Clar-de-Rivière *(31)* 189 E 4
St-Claud *(16)* 128 D 2
St-Claude [SP] *(39)* 124 A 2
St-Claude-de-Diray *(41)* 87 H 2
St-Clément *(02)* 17 H 3
St-Clément *(03)* 120 C 5
St-Clément *(07)* 148 D 5
St-Clément *(15)* 146 B 5
St-Clément *(19)* 144 D 2
St-Clément *(30)* 177 H 5
Saint-Clément *(50)* 46 C 2
St-Clément *(54)* 57 G 3
St-Clément *(89)* 72 D 1
St-Clément-à-Arnes *(08)* 34 B 2
St-Clément-de-la-Place *(49)* 84 C 2
St-Clément-de-Régnat *(63)* 133 G 1
St-Clément-de-Rivière *(34)* 193 F 2
St-Clément-de-Valorgue *(63)* 134 C 5
St-Clément-de-Vers *(69)* 121 H 4
St-Clément-des-Baleines *(17)* 112 C 3
St-Clément-des-Levées *(49)* 85 G 4
St-Clément-les-Places *(69)* 135 F 3
St-Clément-sur-Durance *(05)* 167 E 2
St-Clément-sur-Guye *(71)* 108 D 5
St-Clément-sur-Valsonne *(69)* 135 F 2
St-Clémentin *(79)* 100 D 2
St-Clet *(22)* 43 E 3
St-Cloud *(92)* 51 E 1
St-Cloud-en-Dunois *(28)* 70 A 3
St-Colomb-de-Lauzun *(47)* 156 D 3
St-Colomban *(06)* 183 F 3
St-Colomban *(44)* 99 F 2
St-Colomban-des-Villards *(73)* 152 B 2
St-Colombier *(56)* 81 G 3
St-Côme *(33)* 155 H 5
St-Côme-de-Fresné *(14)* 27 E 1
St-Côme-d'Olt *(12)* 160 C 4
St-Côme-du-Mont *(50)* 23 E 5
St-Côme-et-Maruéjols *(30)* 178 B 5
St-Congard *(56)* 64 B 5
St-Connan *(22)* 43 F 5
St-Connec *(22)* 63 F 2
St-Constant-Fournoulès *(15)* 159 G 3
St-Contest *(14)* 27 F 2
St-Corneille *(72)* 68 B 3
St-Cornier-des-Landes *(61)* 46 D 2
St-Cosme *(68)* 78 B 5
St-Cosme-en-Vairais *(72)* 68 C 1
St-Couat-d'Aude *(11)* 208 D 1
St-Couat-du-Razès *(11)* 207 H 3
St-Coulitz *(29)* 61 H 1
St-Coulomb *(35)* 45 E 2
St-Coutant *(16)* 128 D 1
St-Coutant *(79)* 114 D 4
St-Coutant-le-Grand *(17)* 127 E 1
St-Créac *(32)* 172 D 4
St-Créac *(65)* 204 B 2
St-Crépin *(05)* 167 E 2
St-Crépin *(12)* 191 F 1
St-Crépin *(17)* 127 E 1
St-Crépin-aux-Bois *(60)* 32 B 1
St-Crépin-d'Auberoche *(24)* 143 G 4
St-Crépin-de-Richemont *(24)* 143 E 1
St-Crépin-et-Carlucet *(24)* 144 A 5
St-Crépin-Ibouvillers *(60)* 30 D 2
St-Crespin *(76)* 13 G 3
St-Crespin-sur-Moine *(49)* 99 H 1
St-Cricq *(32)* 188 C 1
St-Cricq-Chalosse *(40)* 185 H 2
St-Cricq-du-Gave *(40)* 185 F 3
St-Cricq-Villeneuve *(40)* 170 D 4
St-Cybard *(16)* 142 B 1
St-Cybardeaux *(16)* 128 A 3
St-Cybranet *(24)* 158 A 2
St-Cyprien *(19)* 144 B 3
St-Cyprien *(24)* 157 H 1
St-Cyprien *(42)* 135 E 5
St-Cyprien *(46)* 173 G 1
St-Cyprien *(66)* 213 F 3
St-Cyprien-Plage *(66)* 213 F 3
St-Cyprien-sur-Dourdou *(12)* 159 H 4
St-Cyr *(07)* 149 G 3
St-Cyr *(50)* 22 D 4
St-Cyr *(69)* 135 H 3
St-Cyr *(71)* 109 F 5
St-Cyr *(86)* 102 B 5
St-Cyr *(87)* 129 G 3
St-Cyr-de-Favières *(42)* 134 D 1
St-Cyr-de-Salerne *(27)* 28 D 3
St-Cyr-de-Valorges *(42)* 135 E 2
St-Cyr-des-Gâts *(85)* 113 G 1
St-Cyr-du-Bailleul *(50)* 46 C 3
St-Cyr-du-Doret *(17)* 113 G 3
St-Cyr-du-Gault *(41)* 87 F 2
St-Cyr-du-Ronceray *(14)* 28 B 4
St-Cyr-en-Arthies *(95)* 30 B 4
St-Cyr-en-Bourg *(49)* 85 G 5
St-Cyr-en-Pail *(53)* 47 G 4
St-Cyr-en-Retz *(44)* 98 D 1
St-Cyr-en-Talmondais *(85)* 112 D 2
St-Cyr-en-Val *(45)* 70 D 5
St-Cyr-la-Campagne *(27)* 29 F 2
St-Cyr-la-Lande *(79)* 101 G 2
St-Cyr-la-Rivière *(91)* 51 E 5
St-Cyr-la-Roche *(19)* 144 B 3
St-Cyr-la-Rosière *(61)* 48 D 5
St-Cyr-le-Chatoux *(69)* 135 G 1
St-Cyr-le-Gravelais *(53)* 66 B 3
St-Cyr-l'École *(78)* 50 D 1
St-Cyr-les-Champagnes *(24)* 144 A 2
St-Cyr-les-Colons *(89)* 91 F 1
St-Cyr-les-Vignes *(42)* 135 E 4
St-Cyr-Montmalin *(39)* 110 C 2
St-Cyr-sous-Dourdan *(91)* 50 D 3
St-Cyr-sur-le-Rhône *(69)* 136 B 5
St-Cyr-sur-Loire *(37)* 86 D 4
St-Cyr-sur-Menthon *(01)* 122 C 3
St-Cyr-sur-Mer *(83)* 200 C 3
St-Cyr-sur-Morin *(77)* 32 C 5
St-Cyran-du-Jambot *(36)* 103 G 2
St-Dalmas-de-Tende *(06)* 183 H 2
St-Dalmas-le-Selvage *(06)* 167 G 5
St-Daunès *(46)* 173 F 1
St-Degan *(56)* 81 F 1
St-Denis *(11)* 190 C 5
St-Denis *(30)* 178 B 2
St-Denis [SP] *(93)* 31 F 5
St-Denis-Catus *(46)* 158 B 4
St-Denis-Combarnazat *(63)* 133 G 1
St-Denis-d'Aclon *(76)* 13 F 2
St-Denis-d'Anjou *(53)* 67 E 5
St-Denis-d'Augerons *(27)* 28 C 5
St-Denis-d'Authou *(28)* 49 F 5
St-Denis-de-Cabanne *(42)* 121 F 4
St-Denis-de-Gastines *(53)* 46 C 5
St-Denis-de-Jouhet *(36)* 117 H 1
St-Denis-de-l'Hôtel *(45)* 71 E 5
St-Denis-de-Mailloc *(14)* 28 B 4
St-Denis-de-Méré *(14)* 27 E 5
St-Denis-de-Palin *(18)* 105 G 3
St-Denis-de-Pile *(33)* 141 H 5
St-Denis-de-Vaux *(71)* 108 D 4
St-Denis-de-Villenette *(61)* 47 E 4
St-Denis-des-Coudrais *(72)* 68 C 2
St-Denis-des-Monts *(27)* 29 E 2
St-Denis-des-Murs *(87)* 130 C 3
St-Denis-des-Puits *(28)* 49 G 5
St-Denis-d'Oléron *(17)* 112 D 5
St-Denis-d'Orques *(72)* 67 F 3
St-Denis-du-Béhélan *(27)* 49 F 1
St-Denis-du-Maine *(53)* 67 E 3
St-Denis-du-Payré *(85)* 112 D 2
St-Denis-du-Pin *(17)* 127 F 1
St-Denis-en-Bugey *(01)* 137 E 1
St-Denis-en-Margeride *(48)* 161 G 2
St-Denis-en-Val *(45)* 70 D 4
St-Denis-la-Chevasse *(85)* 99 G 3
St-Denis-le-Ferment *(27)* 30 B 2
St-Denis-le-Gast *(50)* 25 E 5
St-Denis-le-Thiboult *(76)* 14 A 5
St-Denis-le-Vêtu *(50)* 24 D 4
St-Denis-lès-Bourg *(01)* 123 E 4
St-Denis-lès-M. *(46)* 144 D 5
St-Denis-les-Ponts *(28)* 69 H 3
St-Denis-lès-Rebais *(77)* 52 C 1
St-Denis-lès-Sens *(89)* 72 C 1
St-Denis-Maisoncelles *(14)* 25 H 4
St-Denis-sur-Coise *(42)* 135 F 4
St-Denis-sur-Huisne *(61)* 48 C 4
St-Denis-sur-Loire *(41)* 87 H 2
St-Denis-sur-Ouanne *(89)* 72 C 5
St-Denis-sur-Sarthon *(61)* 47 H 4
St-Denis-sur-Scie *(76)* 13 G 3
St-Deniscourt *(60)* 14 D 4
St-Denœux *(62)* 6 D 1
St-Denoual *(22)* 44 B 3
St-Derrien *(29)* 41 G 3
St-Désert *(71)* 108 D 4
St-Désir *(14)* 28 A 3
St-Désirat *(07)* 149 G 2
St-Désiré *(03)* 118 C 2
St-Dézery *(19)* 131 H 5
St-Dézéry *(30)* 178 B 4
St-Didier *(21)* 92 A 4
St-Didier *(35)* 65 H 2
St-Didier *(39)* 110 A 4
St-Didier *(58)* 91 F 4
St-Didier *(69)* 135 H 3
St-Didier *(84)* 179 G 3
St-Didier-d'Allier *(43)* 148 A 5
St-Didier-d'Aussiat *(01)* 122 D 3
St-Didier-de-Bizonnes *(38)* 137 E 5
St-Didier-de-Formans *(01)* 135 H 1
St-Didier-de-la-Tour *(38)* 137 F 5
St-Didier-des-Bois *(27)* 29 F 2

St-Didier-en-Bresse (71) 109 G 3
St-Didier-en-Brionnais (71) 121 F 3
St-Didier-en-Donjon (03) 120 D 3
St-Didier-en-Velay (43) 148 D 2
St-Didier-la-Forêt (03) 120 A 4
St-Didier-sous-Aubenas (07) 163 E 3
St-Didier-sous-Écouves (61) 47 H 3
St-Didier-sous-Riverie (69) 135 G 4
St-Didier-sur-Arroux (71) 108 A 4
St-Didier-sur-Beaujeu (69) 122 A 5
St-Didier-sur-Chalaronne (01) 122 B 4
St-Didier-sur-Doulon (43) 147 H 2
St-Didier-sur-Rochefort (42) 134 B 3
St-Dié-des-Vosges SP (88) 58 A 5
St-Dier-d'Auvergne (63) 133 H 4
St-Diéry (63) 133 E 5
St-Dionisy (30) 178 B 5
St-Disdier (05) 166 A 2
St-Divy (29) 41 F 3
St-Dizant-du-Bois (17) 141 F 1
St-Dizant-du-Gua (17) 141 E 1
St-Dizier SP (52) 55 E 2
St-Dizier-en-Diois (26) 165 F 4
St-Dizier-la-Tour (23) 118 B 5
St-Dizier-Les-Domaines (23) 118 A 3
St-Dizier-l'Évêque (90) 96 D 2
St-Dizier-Leyrenne (23) 130 D 1
St-Dolay (56) 82 C 2
St-Domet (23) 131 H 1
St-Domineuc (35) 45 E 4
St-Donan (22) 43 G 5
St-Donat (63) 146 B 1
St-Donat-sur-l'Herbasse (26) 150 C 4
St-Dos (64) 185 F 3
St-Doulchard (18) 105 F 1
St-Drézéry (34) 193 G 1
St-Dyé-sur-Loire (41) 88 A 1
St-Eble (43) 147 H 4
St-Ébremond-de-Bonfossé (50) 25 F 3
St-Edmond (71) 121 F 4
St-Égrève (38) 151 G 2
St-Élier (27) 29 F 5
St-Éliph (28) 49 F 4
St-Élix-d'Astarac (32) 188 B 3
St-Élix-le-Château (31) 188 D 5
St-Élix-Séglan (31) 205 H 1
St-Élix-Theux (32) 187 H 4
St-Ellier-du-Maine (53) 46 B 4
St-Ellier-les-Bois (61) 47 G 4
St-Éloi (01) 136 C 1
St-Éloi (22) 42 D 3
St-Éloi (23) 117 H 5
St-Éloi (58) 106 C 2
St-Éloi-de-Fourques (27) 29 E 2
St-Eloy (29) 41 G 4
St-Éloy-d'Allier (03) 118 C 2
St-Éloy-de-Gy (18) 105 F 1
St-Éloy-la-Glacière (63) 134 A 5
St-Éloy-les-Mines (63) 119 F 5
St-Éloy-les-Tuileries (19) 144 A 1
St-Éman (28) 49 G 5
St-Émiland (71) 108 C 3
St-Émilien-de-Blain (44) 83 E 3
St-Émilion (33) 155 H 1
St-Ennemond (03) 107 E 5
St-Épain (37) 102 C 1
St-Epvre (57) 37 F 4
St-Erblon (35) 65 F 3
St-Erblon (53) 66 A 5
St-Erme-Outre-et-Ramecourt (02) 17 G 5
St-Escobille (91) 50 D 5
St-Esprit-des-Bois (22) 44 B 4
St-Esteben (64) 185 E 4
St-Estèphe (16) 128 A 5
St-Estèphe (24) 129 F 5
St-Estèphe (33) 140 D 2
St-Estève (13) 195 F 3
St-Estève (66) 209 E 5
St-Estève-Janson (13) 195 H 1
St-Étienne P (42) 149 E 1
St-Étienne-à-Arnes (08) 34 B 2
St-Étienne-au-Mont (62) 2 B 5
St-Étienne-au-Temple (51) 34 B 4
St-Étienne-aux-Clos (19) 132 B 5
St-Étienne-Cantalès (15) 145 G 5
St-Étienne-d'Albagnan (34) 191 G 3
St-Etienne-d'Alensac (30) 178 A 3
St-Étienne-de-Baïgorry (64) 202 B 1
St-Étienne-de-Boulogne (07) 163 F 2
St-Étienne-de-Brillouet (85) 113 F 1
St-Étienne-de-Carlat (15) 160 A 1
St-Étienne-de-Chigny (37) 86 C 4
St-Étienne-de-Chomeil (15) 146 B 2
St-Étienne-de-Crossey (38) 151 G 1
St-Étienne-de-Cuines (73) 152 C 1
St-Étienne-de-Fontbellon (07) 163 E 3
St-Étienne-de-Fougères (47) 157 F 4
St-Étienne-de-Fursac (23) 117 F 5
St-Étienne-de-Gourgas (34) 192 C 1
St-Étienne-de-Lisse (33) 156 A 1
Saint-Étienne-de-l'Olm (30) 178 A 3
St-Étienne-de-Lugdarès (07) 162 B 3
St-Étienne-de-Maurs (15) 159 G 2
St-Étienne-de-Mer-Morte (44) 99 E 2
St-Étienne-de-Montluc (44) 83 E 4
St-Étienne-de-Puycorbier (24) 142 C 4
St-Étienne-de-Serre (07) 163 F 2
St-Étienne-de-St-Geoirs (38) 151 E 2
St-Étienne-de-Tinée (06) 182 C 1
St-Étienne-de-Tulmont (82) 173 H 3
St-Étienne-de-Valoux (07) 149 G 3
St-Étienne-de-Vicq (03) 120 B 4
St-Étienne-de-Villeréal (47) 157 F 3
St-Étienne-des-Champs (63) 132 B 3
St-Étienne-des-Guérets (41) 87 F 2
St-Étienne-des-Sorts (30) 179 E 2
St-Étienne-d'Escattes (30) 178 A 5
St-Étienne-d'Orthe (40) 185 E 2
St-Étienne-du-Bois (01) 123 E 3
St-Étienne-du-Bois (85) 99 F 3
St-Étienne-du-Grès (13) 194 D 1
St-Étienne-du-Gué-de-l'Isle (22) 63 H 3
St-Étienne-du-Rouvray (76) 29 G 1
St-Étienne-du-Valdonnez (48) 161 H 5
St-Étienne-du-Vauvray (27) 29 G 2
St-Étienne-du-Vigan (43) 162 B 2
St-Étienne-en-Bresse (71) 109 G 5
St-Étienne-en-Coglès (35) 45 H 4
St-Étienne-en-Dévoluy (05) 166 A 2
St-Étienne-Estréchoux (34) 192 A 2
St-Étienne-la-Cigogne (79) 114 A 5
St-Étienne-la-Geneste (19) 145 H 1
St-Étienne-la-Thillaye (14) 28 A 2
St-Étienne-la-Varenne (69) 122 A 5
St-Étienne-l'Allier (27) 28 C 2
St-Étienne-Lardeyrol (43) 148 C 4
St-Étienne-le-Laus (05) 166 C 4
St-Étienne-le-Molard (42) 134 D 3
St-Étienne-les-Orgues (04) 180 D 3
St-Étienne-lès-Remiremont (88) 77 H 2
St-Étienne-Roilaye (60) 32 B 1
St-Étienne-sous-Bailleul (27) 29 H 3
St-Étienne-sous-Barbuise (10) 53 H 4
St-Étienne-sur-Blesle (43) 147 E 2
St-Étienne-sur-Chalaronne (01) 122 C 5
St-Étienne-sur-Oullières (69) 122 A 5
St-Étienne-sur-Reyssouze (01) 122 C 2
St-Étienne-sur-Suippe (51) 33 H 1
St-Étienne-sur-Usson (63) 133 H 5
St-Étienne-Vallée-Française (48) 177 G 2
St-Eugène (02) 33 E 4
St-Eugène (17) 127 H 5
St-Eugène (71) 108 A 4
St-Eulien (51) 55 E 2
Saint-Euphraise-et-Clairizet (51) 33 G 3
St-Euphrône (21) 92 B 3
St-Eusèbe (71) 108 C 5
St-Eusèbe (74) 138 A 1
St-Eusèbe-en-Champsaur (05) 166 B 2
St-Eustache (74) 138 B 2
Saint Eustache (Col de) (2A) 219 E 2
St-Eustache-la-Forêt (76) 12 C 5
St-Eutrope (16) 142 B 1
St-Eutrope-de-Born (47) 157 E 4
St-Évarzec (29) 61 H 3
St-Evroult-de-Montfort (61) 48 B 1
St-Evroult-Notre-Dame-du-Bois (61) 48 C 1
St-Exupéry (33) 155 H 3
St-Exupéry-les-Roches (19) 131 H 5
St-Fargeau (89) 90 B 2
St-Fargeau-Ponthierry (77) 51 G 3
St-Fargeol (03) 119 E 5
St-Faust (64) 186 B 5
St-Félicien (07) 149 G 4
St-Féliu-d'Amont (66) 208 D 5
St-Féliu-d'Avall (66) 212 D 2
St-Félix (03) 120 B 4
St-Félix (16) 142 A 1
St-Félix (17) 113 H 5
St-Félix (46) 159 G 3
St-Félix (60) 31 F 1
St-Félix (74) 138 A 2
St-Félix-de-Bourdeilles (24) 143 E 1
St-Félix-de-Foncaude (33) 155 H 3
St-Félix-de-l'Héras (34) 176 D 5
St-Félix-de-Lodez (34) 192 C 2
St-Félix-de-Lunel (12) 160 A 4
St-Félix-de-Pallières (30) 177 H 4
St-Félix-de-Reillac-et-Mortemart (24) 143 G 5
St-Félix-de-Rieutord (09) 207 E 2
St-Félix-de-Sorgues (12) 176 B 5
St-Félix-de-Tournegat (09) 207 F 2
St-Félix-de-Villadeix (24) 157 F 1
St-Félix-Lauragais (31) 190 A 4
St-Fergeux (08) 18 A 4
Saint-Ferjeux (70) 95 G 2
St-Ferme (33) 156 A 2
St-Ferréol (74) 138 C 3
St-Ferréol (près de Boulogne-sur-Gesse) (31) 188 B 5
St-Ferréol (près de Revel) (31) 190 B 4
St-Ferréol-d'Auroure (43) 148 D 2
St-Ferréol-des-Côtes (63) 134 A 5
St-Ferréol-Trente-Pas (26) 165 E 5
St-Ferriol (11) 208 A 4
St-Fiacre (22) 43 F 5
St-Fiacre (56) 62 C 3
St-Fiacre (77) 32 A 5
St-Fiacre-sur-Maine (44) 83 G 5
St-Fiel (23) 117 H 4
St-Firmin (05) 166 B 1
St-Firmin (54) 56 D 4
St-Firmin (58) 106 D 2
St-Firmin (71) 108 C 4
St-Firmin (80) 6 C 3
St-Firmin-des-Bois (45) 72 A 4
St-Firmin-des-Prés (41) 69 G 5
St-Firmin-sur-Loire (45) 89 H 2
St-Flavy (10) 53 F 5
Saint-Florent (2B) 215 F 4
St-Florent (45) 89 G 1
St-Florent-des-Bois (85) 99 G 5
St-Florent-le-Vieil (49) 84 A 4
St-Florent-sur-Auzonnet (30) 178 A 2
St-Florent-sur-Cher (18) 105 E 2
St-Florentin (36) 104 C 2
St-Florentin (89) 73 F 3
St-Floret (63) 133 F 5
St-Floris (62) 3 G 5
St-Flour SP (15) 147 E 5
St-Flour (63) 133 H 4
St-Flour-de-Mercoire (48) 162 A 3
St-Flovier (37) 103 F 2
St-Floxel (50) 23 E 4
St-Folquin (62) 2 D 2
St-Fons (69) 136 B 3
St-Forgeot (71) 108 B 2
St-Forget (78) 50 D 2
St-Forgeux (69) 135 F 2
St-Forgeux-Lespinasse (42) 121 E 5
St-Fort (53) 66 D 5
St-Fort-sur-Gironde (17) 127 E 5
St-Fort-sur-le-Né (16) 127 G 5
St-Fortunat-sur-Eyrieux (07) 163 G 1
St-Fraigne (16) 128 A 1
St-Fraimbault (61) 46 D 4
St-Fraimbault-de-Prières (53) 46 D 5
St-Frajou (31) 188 B 5
St-Franc (73) 137 G 5
St-Franchy (58) 107 E 1
St-François-de-Sales (73) 138 A 3
St-François-Lacroix (57) 21 F 3
St-François-Longchamp (73) 152 C 1
St-Frégant (29) 41 F 2
St-Fréjoux (19) 131 H 5
St-Frézal-d'Albuges (48) 162 A 4
St-Frézal-de-Ventalon (48) 177 G 1
St-Frichoux (11) 191 E 5
St-Frion (23) 131 G 2
St-Fromond (50) 25 F 2
St-Front (16) 128 C 2
St-Front (43) 148 C 5
St-Front-d'Alemps (24) 143 F 2
St-Front-de-Pradoux (24) 142 D 4
St-Front-la-Rivière (24) 143 F 1
St-Front-sur-Lémance (47) 157 G 4
St-Front-sur-Nizonne (24) 143 E 1
St-Froult (17) 126 C 1
St-Fulgent (85) 99 H 3
St-Fulgent-des-Ormes (61) 48 C 5
St-Fuscien (80) 15 F 2
St-Gabriel-Brécy (14) 27 E 2
St-Gal (48) 161 G 3
St-Gal-sur-Sioule (63) 119 G 5
St-Galmier (42) 135 E 5
St-Gand (70) 94 C 2
St-Ganton (35) 64 D 5
St-Gatien-des-Bois (14) 28 A 1
St-Gaudens SP (31) 205 G 2
St-Gaudent (86) 115 F 5
St-Gaudéric (11) 207 G 2
St-Gault (53) 66 C 4
St-Gaultier (36) 103 H 5
St-Gauzens (81) 190 A 1
St-Gayrand (47) 156 D 5
St-Gein (40) 170 D 5
St-Gelais (79) 114 B 2
St-Gelven (22) 63 E 2
St-Gély-du-Fesc (34) 193 F 1
St-Génard (79) 114 C 4
St-Gence (87) 130 A 2
St-Généroux (79) 101 G 3
St-Genès-Champanelle (63) 133 E 4
St-Genès-Champespe (63) 146 B 1
St-Genès-de-Blaye (33) 141 E 3
St-Genès-de-Castillon (33) 156 A 1
St-Genès-de-Fronsac (33) 141 G 4
St-Genès-de-Lombaud (33) 155 G 2
St-Genès-du-Retz (63) 133 F 1
St-Genès-la-Tourette (63) 133 H 5
St-Genest (03) 118 D 4
St-Genest (51) 53 E 3
St-Genest (88) 57 G 5
St-Genest-d'Ambière (86) 102 D 3
St-Genest-de-Beauzon (07) 162 D 5
St-Genest-de-Contest (81) 190 C 1
St-Genest-Lachamp (07) 163 E 1
St-Genest-Lerpt (42) 149 E 1
St-Genest-Malifaux (42) 149 E 2
St-Genest-sur-Roselle (87) 130 B 4
St-Geneys-près-St-Paulien (43) 148 A 3
St-Gengoulph (02) 32 C 3
St-Gengoux-de-Scissé (71) 122 B 2
St-Gengoux-le-National (71) 108 D 5
St-Geniès (24) 144 A 5
St-Geniès-Bellevue (31) 189 G 2
St-Geniès-de-Comolas (30) 179 E 3
St-Geniès-de-Fontedit (34) 192 B 4
St-Geniès-de-Malgoirès (30) 178 B 4
St-Geniès-de-Varensal (34) 191 H 2
St-Geniès-des-Mourgues (34) 193 G 1
St-Geniez (04) 181 E 1
St-Geniez-d'Olt-et-d'Aubrac (12) 160 D 5
St-Geniez-ô-Merle (19) 145 F 4
St-Genis (05) 165 H 5
St-Genis-de-Saintonge (17) 127 F 5
St-Génis-des-Fontaines (66) 213 F 3
St-Genis-d'Hiersac (16) 128 B 3
St-Genis-du-Bois (33) 155 H 2
St-Genis-l'Argentière (69) 135 F 4
St-Genis-Laval (69) 135 H 4
St-Genis-les-Ollières (69) 135 H 3
St-Genis-Pouilly (01) 124 B 3
St-Genis-sur-Menthon (01) 122 C 3
St-Genix-sur-Guiers (73) 137 G 4
St-Genou (36) 103 H 3
St-Genouph (37) 86 C 4
St-Gens (84) 179 H 4
St-Geoire-en-Valdaine (38) 151 G 1
St-Geoirs (38) 151 E 2
St-Georges (15) 147 E 5
St-Georges (16) 128 C 1
St-Georges (32) 188 C 1
St-Georges (33) 141 H 5
St-Georges (47) 157 G 5
St-Georges (57) 58 A 2
St-Georges (62) 7 E 2
St-Georges (82) 174 A 2
St-Georges-Antignac (17) 127 F 5
St-Georges-Armont (25) 95 G 3
St-Georges-Blancaneix (24) 156 C 1
St-Georges-Buttavent (53) 46 D 5
St-Georges-d'Annebecq (61) 47 F 3
St-Georges-d'Aunay (14) 26 D 4
St-Georges-d'Aurac (43) 147 H 4
St-Georges-de-Baroille (42) 134 D 2
St-Georges-de-Bohon (50) 25 E 2
St-Georges-de-Chesné (35) 45 H 5
St-Georges-de-Commiers (38) 151 G 4
St-Georges-de-Didonne (17) 126 C 4
St-Georges-de-Gréhaigne (35) 45 G 3
St-Georges-de-la-Couée (72) 68 C 5
St-Georges-de-la-Rivière (50) 22 C 5
St-Georges-de-Lévéjac (48) 176 C 1
St-Georges-de-Livoye (50) 46 A 1
St-Georges-de-Longuepierre (17) 114 B 5
St-Georges-de-Luzençon (12) 176 B 3
St-Georges-de-Mons (63) 132 D 2
St-Georges-de-Montaigu (85) 99 H 2
St-Georges-de-Montclard (24) 143 E 5
St-Georges-de-Noisné (79) 114 C 1
St-Georges-de-Pointindoux (85) 99 F 5
St-Georges-de-Poisieux (18) 105 G 5
St-Georges-de-Reintembault (35) 46 A 3
St-Georges-de-Reneins (69) 122 B 5
St-Georges-de-Rex (79) 113 H 3
St-Georges-de-Rouelley (50) 46 C 3
St-Georges-d'Elle (50) 25 G 3
St-Georges-des-Agoûts (17) 141 E 1
St-Georges-des-Coteaux (17) 127 E 3
St-Georges-des-Gardes (49) 100 C 1
St-Georges-des-Groseillers (61) 47 E 1
St-Georges-des-Sept-Voies (49) 85 F 4
St-Georges-d'Espéranche (38) 136 C 5
St-Georges-d'Hurtières (73) 138 C 5
St-Georges-d'Oléron (17) 126 A 1
St-Georges-d'Orques (34) 193 E 2
St-Georges-du-Bois (17) 113 H 4
St-Georges-du-Bois (49) 85 F 3
St-Georges-du-Bois (72) 67 H 3
St-Georges-du-Mesnil (27) 28 C 3
St-Georges-du-Rosay (72) 68 C 2
St-Georges-du-Vièvre (27) 28 D 2
St-Georges-en-Auge (14) 27 H 4
St-Georges-en-Couzan (42) 134 C 4
St-Georges-Haute-Ville (42) 134 D 5
St-Georges-la-Pouge (23) 131 F 1
St-Georges-Lagricol (43) 148 B 2
St-Georges-le-Fléchard (53) 67 E 3
St-Georges-le-Gaultier (72) 67 G 1
St-Georges-lès-Baillargeaux (86) 102 B 5
St-Georges-les-Bains (07) 163 H 1
St-Georges-les-Landes (87) 117 E 3
St-Georges-Montcocq (50) 25 F 3
St-Georges-Motel (27) 49 H 1
St-Georges-Nigremont (23) 131 H 3
St-Georges-sur-Allier (63) 133 F 4
St-Georges-sur-Arnon (36) 104 D 2
St-Georges-sur-Baulche (89) 73 E 5
St-Georges-sur-Cher (41) 87 G 4
St-Georges-sur-Erve (53) 67 F 2
St-Georges-sur-Eure (28) 49 H 5
St-Georges-sur-Fontaine (76) 13 H 5
St-Georges-sur-la-Prée (18) 88 C 5
St-Georges-sur-l'Aa (59) 3 E 2
St-Georges-sur-Layon (49) 85 E 5
St-Georges-sur-Loire (49) 84 C 3
St-Georges-sur-Moulon (18) 105 F 1
St-Georges-sur-Renon (01) 122 D 5
St-Geours-d'Auribat (40) 185 G 1
St-Geours-de-Maremne (40) 185 E 1
St-Gérand (56) 63 G 3
St-Gérand-de-Vaux (03) 120 A 3
St-Gérand-le-Puy (03) 120 B 4
St-Géraud (47) 156 B 3
St-Géraud-de-Corps (24) 142 C 5
St-Géréon (44) 83 H 4
St-Germain (07) 163 F 4
St-Germain (10) 73 H 1
St-Germain (54) 57 F 4
St-Germain (70) 77 G 5
St-Germain (86) 116 B 1
St-Germain-au-Mt-d'Or (69) 135 H 2
St-Germain-Beaupré (23) 117 F 3
St-Germain-Chassenay (58) 106 D 4
St-Germain-d'Anxure (53) 66 D 1
St-Germain-d'Arcé (72) 86 A 2
St-Germain-d'Aunay (61) 28 B 5
St-Germain-de-Belvès (24) 157 H 2
St-Germain-de-Calberte (48) 177 G 2
St-Germain-de-Clairefeuille (61) 48 A 2
St-Germain-de-Confolens (16) 129 F 1
St-Germain-de-Coulamer (53) 67 G 1
St-Germain-de-Fresney (27) 29 H 5
St-Germain-de-Grave (33) 155 H 3
St-Germain-de-Joux (01) 123 H 4
St-Germain-de-la-Coudre (61) 68 D 1
Saint-Germain-de-la-Grange (78) 50 C 1
St-Germain-de-la-Rivière (33) 141 G 5
St-Germain-de-Livet (14) 28 A 4
St-Germain-de-Longue-Chaume (79) 101 E 4
St-Germain-de-Lusignan (17) 141 F 1
St-Germain-de-Marencennes (17) 113 G 5
St-Germain-de-Martigny (61) 48 C 3
St-Germain-de-Modéon (21) 92 A 4
St-Germain-de-Montbron (16) 128 D 4
St-Germain-de-Montgommery (14) 28 A 5
Saint-Germain-de-Pasquier (27) 29 F 2
St-Germain-de-Prinçay (85) 100 A 4
St-Germain-de-Salles (03) 119 H 4
St-Germain-de-Tallevende-la-Lande-Vaumont (14) 46 C 1
St-Germain-de-Tournebut (50) 23 E 3
St-Germain-de-Varreville (50) 23 E 4
St-Germain-de-Vibrac (17) 141 G 1
St-Germain-d'Ectot (14) 25 H 3
St-Germain-d'Elle (50) 25 G 3
St-Germain-des-Angles (27) 29 G 4
St-Germain-des-Bois (18) 105 G 3
St-Germain-des-Bois (58) 91 E 4
St-Germain-des-Champs (89) 91 H 4
St-Germain-des-Essourts (76) 13 H 5
St-Germain-des-Fossés (03) 120 B 4
St-Germain-des-Grois (61) 49 E 5
St-Germain-des-Prés (24) 143 H 2
St-Germain-des-Prés (45) 72 A 4
St-Germain-des-Prés (49) 84 C 3
St-Germain-des-Prés (81) 190 B 3
St-Germain-des-Vaux (50) 22 B 2
St-Germain-d'Esteuil (33) 140 D 2
St-Germain-d'Étables (76) 13 H 2
St-Germain-du-Bel-Air (46) 158 B 3
St-Germain-du-Bois (71) 109 H 4
St-Germain-du-Corbéis (61) 47 H 4
St-Germain-du-Crioult (14) 26 D 5
St-Germain-du-Pert (14) 23 G 5
St-Germain-du-Pinel (35) 66 A 3
St-Germain-du-Plain (71) 109 F 5
St-Germain-du-Puch (33) 155 G 1
St-Germain-du-Puy (18) 105 G 1
St-Germain-du-Salembre (24) 142 D 4
St-Germain-du-Seudre (17) 127 E 5
St-Germain-du-Teil (48) 161 E 5
St-Germain-du-Val (72) 85 G 1
St-Germain-en-Brionnais (71) 121 G 3
St-Germain-en-Coglès (35) 45 H 4
St-Germain-en-Laye SP (78) 30 D 5
St-Germain-en-Montagne (39) 110 D 4
St-Germain-et-Mons (24) 157 E 1
St-Germain-la-Blanche-Herbe (14) 27 F 3
St-Germain-la-Campagne (27) 28 B 4
St-Germain-la-Chambotte (73) 137 H 3
St-Germain-la-Montagne (42) 121 H 4
St-Germain-la-Poterie (60) 30 D 1
St-Germain-la-Ville (51) 34 B 5
St-Germain-l'Aiguiller (85) 100 B 5
St-Germain-Langot (14) 27 F 5
St-Germain-Laprade (43) 148 B 5
St-Germain-Laval (42) 134 C 3
St-Germain-Laval (77) 52 B 5
St-Germain-Lavolps (19) 131 G 5
St-Germain-Laxis (77) 51 H 3
St-Germain-le-Châtelet (90) 78 B 5
St-Germain-le-Fouilloux (53) 66 C 2
St-Germain-le-Gaillard (28) 49 G 5
St-Germain-le-Gaillard (50) 22 B 4
St-Germain-le-Guillaume (53) 66 C 1
St-Germain-le-Rocheux (21) 74 D 5
St-Germain-le-Vasson (14) 27 F 4
St-Germain-le-Vieux (61) 48 B 3
St-Germain-Lembron (63) 147 F 1
St-Germain-lès-Arlay (39) 110 B 4
St-Germain-lès-Arpajon (91) 51 E 3
St-Germain-les-Belles (87) 130 C 4
St-Germain-lès-Buxy (71) 109 E 5
St-Germain-lès-Corbeil (91) 51 G 3
St-Germain-les-Paroisses (01) 137 F 3
St-Germain-lès-Senailly (21) 92 B 2
St-Germain-les-Vergnes (19) 144 D 3
St-Germain-Lespinasse (42) 121 E 5
St-Germain-l'Herm (63) 147 H 1
St-Germain-Nuelles (69) 135 G 2
St-Germain-près-Herment (63) 132 B 4
St-Germain-sous-Cailly (76) 13 H 4
St-Germain-sous-Doue (77) 52 C 1
St-Germain-sur-Avre (27) 49 H 2
St-Germain-sur-Ay (50) 24 C 2
St-Germain-sur-Ay-Plage (50) 24 C 2
St-Germain-sur-Bresle (80) 14 C 2
St-Germain-sur-Eaulne (76) 14 B 3
St-Germain-sur-École (77) 51 G 4
St-Germain-sur-Ille (35) 65 F 1
St-Germain-sur-Meuse (55) 56 B 2
St-Germain-sur-Moine (49) 100 A 1
St-Germain-sur-Morin (77) 52 A 1
St-Germain-sur-Renon (01) 122 D 5
St-Germain-sur-Rhône (74) 123 H 5
St-Germain-sur-Sarthe (72) 67 H 1
St-Germain-sur-Sèves (50) 25 E 2
St-Germain-sur-Vienne (37) 85 H 5
St-Germain-Village (27) 28 C 1
St-Germainmont (08) 18 A 5
St-Germé (32) 186 D 1
St-Germer-de-Fly (60) 30 C 1
St-Germier (31) 189 H 4
St-Germier (32) 188 C 2
St-Germier (79) 114 D 2
St-Germier (81) 190 C 2
St-Géron (43) 147 F 2
St-Gérons (15) 145 G 5
St-Gervais (16) 128 D 1
St-Gervais (30) 178 D 2
St-Gervais (33) 141 F 5
St-Gervais (38) 151 F 3
St-Gervais (85) 98 C 2
St-Gervais (95) 30 C 3
St-Gervais-d'Auvergne (63) 132 D 1
St-Gervais-de-Vic (72) 68 D 4
St-Gervais-des-Sablons (61) 28 A 5
St-Gervais-du-Perron (61) 48 A 3
St-Gervais-en-Belin (72) 68 A 4
St-Gervais-en-Vallière (71) 109 F 3
St-Gervais-la-Forêt (41) 87 H 2
St-Gervais-les-Bains (74) 139 E 1
St-Gervais-les-Trois-Clochers (86) 102 B 3
St-Gervais-sous-Meymont (63) 134 A 4
St-Gervais-sur-Couches (71) 108 D 3
St-Gervais-sur-Mare (34) 192 A 2
St-Gervais-sur-Roubion (26) 163 H 3
St-Gervasy (30) 178 C 5
St-Gervazy (63) 147 F 1
St-Géry (24) 142 C 5
St-Géry (46) 158 C 5
St-Geyrac (24) 143 G 4
St-Gibrien (51) 34 A 5
St-Gildas (22) 43 F 5
St-Gildas-de-Rhuys (56) 81 G 3
St-Gildas-des-Bois (44) 82 C 2
St-Gilles (30) 194 B 2
St-Gilles (35) 65 E 1
St-Gilles (36) 117 E 2
St-Gilles (50) 25 F 3
St-Gilles (51) 33 F 2
St-Gilles (71) 108 D 3
St-Gilles-Croix-de-Vie (85) 98 D 4
St-Gilles-de-Crétot (76) 13 E 4
St-Gilles-de-la-Neuville (76) 12 C 4
St-Gilles-des-Marais (61) 46 D 3

Localité *(Département)* **Page Coordonnées**

St-Gilles-du-Mené *(22)* 44 A 5
St-Gilles-les-Bois *(22)* 43 F 3
St-Gilles-les-Forêts *(87)* 130 D 4
St-Gilles-Pligeaux *(22)* 43 F 5
St-Gilles-Vieux-Marché *(22)* 63 F 2
St-Gineis-en-Coiron *(07)* 163 F 3
St-Gingolph *(74)* 125 F 2
St-Girod *(73)* 138 A 3
St-Girons (SP) *(09)* 206 B 3
St-Girons-d'Aiguevives *(33)* 141 F 3
St-Girons-en-Béarn *(64)* 185 G 2
St-Girons-Plage *(40)* 168 C 4
St-Gladie-Arrive-Munein *(64)* 185 G 4
Saint-Glen *(22)* 44 A 4
St-Goazec *(29)* 62 A 2
St-Gobain *(02)* 16 D 4
St-Gobert *(02)* 17 G 2
St-Goin *(64)* 185 H 5
St-Gondon *(45)* 89 G 1
St-Gondran *(35)* 45 E 5
St-Gonlay *(35)* 64 C 2
St-Gonnery *(56)* 63 G 3
St-Gor *(40)* 171 E 3
St-Gorgon *(56)* 82 B 1
St-Gorgon *(88)* 57 H 5
St-Gorgon-Main *(25)* 111 F 1
St-Gouéno *(22)* 44 A 5
St-Gourgon *(41)* 87 F 1
St-Gourson *(16)* 128 C 1
St-Goussaud *(23)* 130 C 1
St-Gouvry *(56)* 63 G 3
St-Grat *(06)* 183 F 2
St-Gratien *(80)* 15 G 1
St-Gratien *(95)* 31 F 5
St-Gratien-Savigny *(58)* 107 F 3
St-Gravé *(56)* 64 B 5
St-Grégoire *(35)* 65 F 1
St-Grégoire *(81)* 175 E 4
St-Grégoire-d'Ardennes *(17)* 127 F 5
St-Grégoire-du-Vièvre *(27)* 28 D 2
St-Griède *(32)* 186 D 1
St-Groux *(16)* 128 B 2
St-Guen *(22)* 63 F 2
St-Guénolé *(29)* 61 F 4
St-Guilhem-le-Désert *(34)* 192 D 1
St-Guillaume *(38)* 151 G 5
St-Guinoux *(35)* 45 E 3
St-Guiraud *(34)* 192 C 2
St-Guyomard *(56)* 64 A 4
St-Haon *(43)* 162 A 1
St-Haon-le-Châtel *(42)* 121 E 5
St-Haon-le-Vieux *(42)* 121 E 5
St-Héand *(42)* 135 F 5
St-Hélen *(22)* 44 D 4
St-Hélier *(21)* 92 D 4
St-Hellier *(76)* 13 H 3
St-Henri *(46)* 158 B 4
St-Herblain *(44)* 83 F 5
St-Herblon *(44)* 84 A 3
St-Herbot *(29)* 62 A 1
St-Hérent *(63)* 147 E 1
St-Hernin *(29)* 62 B 2
St-Hervé *(22)* 63 G 1
St-Hilaire *(03)* 119 G 2
St-Hilaire *(11)* 208 B 2
St-Hilaire *(16)* 141 H 1
St-Hilaire *(25)* 95 F 4
St-Hilaire *(31)* 189 E 4
St-Hilaire *(38)* 151 H 2
St-Hilaire *(43)* 147 G 2
St-Hilaire *(46)* 159 G 2
St-Hilaire *(63)* 119 E 5
St-Hilaire *(91)* 50 D 5
St-Hilaire-au-Temple *(51)* 34 B 4
St-Hilaire-Bonneval *(87)* 130 B 4
St-Hilaire-Cottes *(62)* 7 G 1
St-Hilaire-Cusson-la-Valmitte *(42)* 148 C 2
St-Hilaire-de-Beauvoir *(34)* 193 G 1
St-Hilaire-de-Brens *(38)* 136 D 4
St-Hilaire-de-Brethmas *(30)* 178 A 3
St-Hilaire-de-Briouze *(61)* 47 F 2
St-Hilaire-de-Chaléons *(44)* 98 D 1
St-Hilaire-de-Clisson *(44)* 99 H 1
St-Hilaire-de-Court *(18)* 88 D 5
St-Hilaire-de-Gondilly *(18)* 106 A 2
St-Hilaire-de-la-Côte *(38)* 151 E 1
St-Hilaire-de-la-Noaille *(33)* 156 A 3
St-Hilaire-de-Lavit *(48)* 177 G 1
St-Hilaire-de-Loulay *(85)* 99 G 2
St-Hilaire-de-Lusignan *(47)* 172 B 2
St-Hilaire-de-Mortagne *(85)* 100 B 2
St-Hilaire-de-Riez *(85)* 98 D 4
St-Hilaire-de-Villefranche *(17)* 127 F 2
St-Hilaire-de-Voust *(85)* 113 H 1
St-Hilaire-des-Landes *(35)* 45 H 5
St-Hilaire-des-Loges *(85)* 113 H 2
St-Hilaire-d'Estissac *(24)* 142 D 5
St-Hilaire-d'Ozilhan *(30)* 178 D 4
St-Hilaire-du-Bois *(17)* 141 F 1
St-Hilaire-du-Bois *(33)* 156 A 3
St-Hilaire-du-Bois *(49)* 100 D 1
St-Hilaire-du-Bois *(85)* 100 B 5
St-Hilaire-du-Harcouët *(50)* 46 A 3
St-Hilaire-du-Maine *(53)* 66 B 1
St-Hilaire-du-Rosier *(38)* 150 D 4
St-Hilaire-en-Lignières *(18)* 105 E 5
St-Hilaire-en-Morvan *(58)* 107 G 1
St-Hilaire-en-Woëvre *(55)* 36 B 3
St-Hilaire-Foissac *(19)* 145 G 2
St-Hilaire-Fontaine *(58)* 107 F 4
St-Hilaire-la-Croix *(63)* 133 E 1
St-Hilaire-la-Forêt *(85)* 112 C 2
St-Hilaire-la-Gérard *(61)* 47 H 3
St-Hilaire-la-Gravelle *(41)* 69 G 4
St-Hilaire-la-Palud *(79)* 113 H 3
St-Hilaire-la-Plaine *(23)* 118 A 5
St-Hilaire-La-Treille *(87)* 116 D 4
St-Hilaire-le-Château *(23)* 131 E 1
St-Hilaire-le-Châtel *(61)* 48 C 3
St-Hilaire-le-Grand *(51)* 34 B 3
St-Hilaire-le-Lierru *(72)* 68 C 2
St-Hilaire-le-Petit *(51)* 34 B 2
St-Hilaire-le-Vouhis *(85)* 100 A 5
St-Hilaire-les-Andrésis *(45)* 72 B 3
St-Hilaire-les-Courbes *(19)* 131 E 5
St-Hilaire-les-Monges *(63)* 132 C 3
St-Hilaire-les-Places *(87)* 130 A 4
St-Hilaire-lez-Cambrai *(59)* 9 E 4
St-Hilaire-Luc *(19)* 145 G 2
St-Hilaire-Petitville *(50)* 25 E 1
St-Hilaire-Peyroux *(19)* 144 D 3
St-Hilaire-sous-Charlieu *(42)* 121 F 5
St-Hilaire-sous-Romilly *(10)* 53 F 4
St-Hilaire-St-Florent *(49)* 85 G 5
St-Hilaire-St-Mesmin *(45)* 70 C 5
St-Hilaire-sur-Benaize *(36)* 116 C 1
St-Hilaire-sur-Erre *(61)* 68 D 1
St-Hilaire-sur-Helpe *(59)* 9 H 4
St-Hilaire-sur-Puiseaux *(45)* 71 H 4
St-Hilaire-sur-Risle *(61)* 48 C 2
St-Hilaire-sur-Yerre *(28)* 69 G 3
St-Hilaire-Taurieux *(19)* 145 E 4
St-Hilarion *(78)* 50 B 3
St-Hilliers *(77)* 52 C 3
St-Hippolyte *(12)* 160 B 3
St-Hippolyte *(13)* 194 D 2
St-Hippolyte *(15)* 146 B 3
St-Hippolyte *(17)* 126 D 1
St-Hippolyte *(25)* 96 C 4
St-Hippolyte *(33)* 155 H 1
St-Hippolyte *(37)* 103 F 2
St-Hippolyte *(66)* 209 F 5
St-Hippolyte *(68)* 58 D 5
St-Hippolyte-de-Caton *(30)* 178 B 3
St-Hippolyte-de-Montaigu *(30)* 178 C 3
St-Hippolyte-du-Fort *(30)* 177 G 4
St-Hippolyte-le-Graveyron *(84)* 179 G 2
St-Honoré *(38)* 151 H 5
St-Honoré *(76)* 13 H 3
St-Honoré-les-Bains *(58)* 107 G 3
St-Hostien *(43)* 148 C 4
St-Hubert *(57)* 21 F 4
St-Hubert *(78)* 50 C 2
St-Hugues-de-Chartreuse *(38)* 151 H 2
St-Huruge *(71)* 122 A 1
St-Hymer *(14)* 28 A 2
St-Hymetière *(39)* 123 G 3
St-Igeaux *(22)* 63 E 1
St-Igest *(12)* 159 F 5
St-Ignan *(31)* 205 G 1
St-Ignat *(63)* 133 G 2
St-Igne *(82)* 174 C 2
St-Igneuc *(22)* 44 B 4
St-Igny-de-Roche *(71)* 121 G 4
St-Igny-de-Vers *(69)* 121 H 4
St-Ilan *(22)* 43 H 4
St-Illide *(15)* 145 H 4
St-Illiers-la-Ville *(78)* 30 A 5
St-Illiers-le-Bois *(78)* 30 A 5
St-Ilpize *(43)* 147 G 3
St-Imoges *(51)* 33 H 3
St-Inglevert *(62)* 2 B 3
St-Isle *(53)* 66 B 2
St-Ismier *(38)* 151 H 2
St-Izaire *(12)* 175 H 4
St-Jacques *(04)* 181 H 3
St-Jacques *(06)* 198 D 1
St-Jacques-d'Aliermont *(76)* 13 H 2
St-Jacques-d'Ambur *(63)* 132 D 2
St-Jacques-d'Atticieux *(07)* 149 G 2
St-Jacques-de-la-Lande *(35)* 65 F 2
St-Jacques-de-Néhou *(50)* 22 C 4
St-Jacques-de-Thouars *(79)* 101 F 2
St-Jacques-des-Arrêts *(69)* 122 A 4
St-Jacques-des-Blats *(15)* 146 A 4
St-Jacques-des-Guérets *(41)* 69 E 5
St-Jacques-en-Valgodemard *(05)* 166 B 1
St-Jacques-sur-Darnétal *(76)* 29 G 1
St-Jacut-de-la-Mer *(22)* 44 C 2
St-Jacut-du-Mené *(22)* 44 A 5
St-Jacut-les-Pins *(56)* 64 B 5
St-Jal *(19)* 144 D 1
St-James *(50)* 45 H 3
St-Jammes *(64)* 186 C 4
St-Jans-Cappel *(59)* 3 H 4
St-Jean *(06)* 199 E 2
St-Jean *(22)* 43 E 4
St-Jean *(31)* 189 G 2
St-Jean-aux-Amognes *(58)* 106 D 2
St-Jean-aux-Bois *(08)* 18 B 3
St-Jean-aux-Bois *(60)* 32 A 1
St-Jean-Balanant *(29)* 41 F 3
St-Jean-Bonnefonds *(42)* 149 E 1
St-Jean-Brévelay *(56)* 63 G 5
St-Jean-Cap-Ferrat *(06)* 199 G 1
St-Jean-Chambre *(07)* 163 F 1
St-Jean-d'Angély (SP) *(17)* 127 F 1
St-Jean-d'Abbetot *(76)* 12 C 5
St-Jean-d'Aigues-Vives *(09)* 207 G 3
St-Jean-d'Alcapiès *(12)* 176 B 4
St-Jean-d'Alcas *(12)* 176 B 4
St-Jean-d'Angle *(17)* 126 C 2
St-Jean-d'Ardières *(69)* 122 B 5
St-Jean-d'Arves *(73)* 152 C 3
St-Jean-d'Arvey *(73)* 138 A 4
St-Jean-d'Assé *(72)* 68 A 2
St-Jean-d'Ataux *(24)* 142 D 4
St-Jean-d'Aubrigoux *(43)* 148 A 2
St-Jean-d'Aulps *(74)* 125 F 3
St-Jean-d'Avelanne *(38)* 137 G 5
St-Jean-de-Barrou *(11)* 209 E 3
St-Jean-de-Bassel *(57)* 38 A 5
St-Jean-de-Beauregard *(91)* 51 E 3
St-Jean-de-Belleville *(73)* 152 D 1
St-Jean-de-Beugné *(85)* 113 F 1
St-Jean-de-Blaignac *(33)* 155 H 1
St-Jean-de-Bœuf *(21)* 93 E 5
St-Jean-de-Boiseau *(44)* 83 E 5
St-Jean-de-Bonneval *(10)* 73 H 2
St-Jean-de-Bournay *(38)* 136 C 5
St-Jean-de-Braye *(45)* 70 D 4
St-Jean-de-Buèges *(34)* 177 F 5
St-Jean-de-Ceyrargues *(30)* 178 B 3
St-Jean-de-Chevelu *(73)* 137 H 3
St-Jean-de-Côle *(24)* 143 G 1
St-Jean-de-Cornies *(34)* 193 G 1
St-Jean-de-Couz *(73)* 137 H 5
St-Jean-de-Crieulon *(30)* 177 H 4
St-Jean-de-Cuculles *(34)* 193 F 1
St-Jean-de-Daye *(50)* 25 F 2
St-Jean-de-Duras *(47)* 156 C 3
St-Jean-de-Folleville *(76)* 12 D 5
St-Jean-de-Fos *(34)* 192 D 1
St-Jean-de-Gonville *(01)* 124 A 4
St-Jean-de-la-Blaquière *(34)* 192 C 1
St-Jean-de-la-Croix *(49)* 84 D 3
St-Jean-de-la-Forêt *(61)* 48 D 5
St-Jean-de-la-Haize *(50)* 45 H 2
St-Jean-de-la-Léqueraye *(27)* 28 C 2
St-Jean-de-la-Motte *(72)* 67 H 5
St-Jean-de-la-Neuville *(76)* 12 C 4
St-Jean-de-la-Porte *(73)* 138 B 4
St-Jean-de-la-Rivière *(50)* 22 C 5
St-Jean-de-la-Ruelle *(45)* 70 C 4
St-Jean-de-Laur *(46)* 159 E 5
St-Jean-de-Lier *(40)* 169 F 5
St-Jean-de-Linières *(49)* 84 D 3
St-Jean-de-Liversay *(17)* 113 G 3
St-Jean-de-Livet *(14)* 28 B 4
St-Jean-de-Losne *(21)* 109 H 1
St-Jean-de-Luz *(64)* 184 B 4
St-Jean-de-Marcel *(81)* 175 E 3
St-Jean-de-Marsacq *(40)* 185 E 2
St-Jean-de-Maruéjols-et-Avéjan *(30)* 178 B 1
St-Jean-de-Maurienne (SP) *(73)* 152 C 2
St-Jean-de-Minervois *(34)* 191 G 4
St-Jean-de-Moirans *(38)* 151 F 2
St-Jean-de-Monts *(85)* 98 C 3
St-Jean-de-Muzols *(07)* 149 H 4
St-Jean-de-Nay *(43)* 148 A 4
St-Jean-de-Niost *(01)* 136 D 2
St-Jean-de-Paracol *(11)* 207 H 3
St-Jean-de-Pourcharesse *(07)* 162 C 4
St-Jean-de-Rebervilliers *(28)* 49 G 3
St-Jean-de-Rives *(81)* 189 H 1
St-Jean-de-Sault *(84)* 180 A 3
St-Jean-de-Sauves *(86)* 101 H 3
St-Jean-de-Savigny *(50)* 25 G 2
St-Jean-de-Serres *(30)* 178 A 4
St-Jean-de-Sixt *(74)* 138 C 1
St-Jean-de-Soudain *(38)* 137 E 5
St-Jean-de-Tholome *(74)* 124 D 4
St-Jean-de-Thouars *(79)* 101 F 2
St-Jean-de-Thurac *(47)* 172 C 2
St-Jean-de-Thurigneux *(01)* 136 B 1
St-Jean-de-Touslas *(69)* 135 G 5
St-Jean-de-Trézy *(71)* 108 D 4
St-Jean-de-Valériscle *(30)* 178 A 2
St-Jean-de-Vals *(81)* 190 D 2
St-Jean-de-Vaulx *(38)* 151 H 4
St-Jean-de-Vaux *(71)* 108 D 4
St-Jean-de-Védas *(34)* 193 F 2
St-Jean-de-Verges *(09)* 207 E 3
St-Jean-Delnous *(12)* 175 F 3
St-Jean-des-Baisants *(50)* 25 G 3
St-Jean-des-Bois *(61)* 46 C 2
St-Jean-des-Champs *(50)* 45 G 1
St-Jean-des-Échelles *(72)* 68 D 2
St-Jean-des-Essartiers *(14)* 25 H 4
St-Jean-des-Mauvrets *(49)* 85 E 3
St-Jean-des-Ollières *(63)* 133 H 4
St-Jean-des-Vignes *(69)* 135 G 2
St-Jean-d'Estissac *(24)* 142 D 5
St-Jean-d'Étreux *(39)* 123 F 2
St-Jean-devant-Possesse *(51)* 34 D 5
St-Jean-d'Eyraud *(24)* 142 D 5
St-Jean-d'Hérans *(38)* 165 H 1
St-Jean-d'Heurs *(63)* 133 H 3
St-Jean-d'Illac *(33)* 154 D 1
St-Jean-d'Ormont *(88)* 58 B 5
St-Jean-du-Bleynard *(48)* 162 A 4
St-Jean-du-Bois *(72)* 67 H 4
St-Jean-du-Bouzet *(82)* 172 D 4
St-Jean-du-Bruel *(12)* 176 D 4
St-Jean-du-Cardonnay *(76)* 13 G 5
St-Jean-du-Castillonnais *(09)* 205 H 3
St-Jean-du-Corail *(50)* 46 C 3
St-Jean-du-Corail-des-Bois *(50)* 46 A 1
St-Jean-du-Doigt *(29)* 42 B 2
St-Jean-du-Falga *(09)* 207 E 2
St-Jean-du-Gard *(30)* 177 G 3
St-Jean-du-Pin *(30)* 178 A 3
St-Jean-du-Thenney *(27)* 28 C 4
St-Jean-en-Royans *(26)* 151 E 4
St-Jean-en-Val *(63)* 133 G 5
St-Jean-et-St-Paul *(12)* 176 B 4
St-Jean-Froidmentel *(41)* 69 G 4
St-Jean-Kerdaniel *(22)* 43 F 4
St-Jean-Kourtzerode *(57)* 58 C 1
St-Jean-la-Bussière *(69)* 135 E 1
St-Jean-la-Fouillouse *(48)* 162 A 3
St-Jean-la-Poterie *(56)* 82 C 1
St-Jean-la-Rivière *(06)* 183 F 4
St-Jean-la-Vêtre *(42)* 134 B 3
St-Jean-Lachalm *(43)* 148 A 5
St-Jean-Lagineste *(46)* 159 E 2
St-Jean-Lasseille *(66)* 213 E 3
St-Jean-le-Blanc *(14)* 26 D 5
St-Jean-le-Blanc *(45)* 70 C 4
St-Jean-le-Centenier *(07)* 163 F 3
St-Jean-le-Comtal *(32)* 187 H 2
St-Jean-le-Thomas *(50)* 45 G 1
St-Jean-le-Vieux *(01)* 123 F 5
St-Jean-le-Vieux *(38)* 151 H 3
St-Jean-le-Vieux *(64)* 202 C 1
St-Jean-lès-Buzy *(55)* 20 B 5
St-Jean-les-Deux-Jumeaux *(77)* 32 B 5
St-Jean-lès-Longuyon *(54)* 20 A 3
St-Jean-Lespinasse *(46)* 159 E 1
St-Jean-Lherm *(31)* 189 G 1
St-Jean-Ligoure *(87)* 130 B 4
St-Jean-Mirabel *(46)* 159 G 3
St-Jean-Pied-de-Port *(64)* 202 B 1
St-Jean-Pierre-Fixte *(28)* 69 E 1
St-Jean-Pla-de-Corts *(66)* 213 E 4
Saint-Jean-Poudge *(64)* 186 D 3
St-Jean-Poutge *(32)* 187 G 1
St-Jean-Rohrbach *(57)* 38 A 4
St-Jean-Roure *(07)* 149 E 5
St-Jean-Saverne *(67)* 58 D 1
St-Jean-Soleymieux *(42)* 134 C 5
St-Jean-St-Germain *(37)* 103 F 1
St-Jean-St-Gervais *(63)* 147 G 1
St-Jean-St-Nicolas *(05)* 166 C 2
St-Jean-sur-Couesnon *(35)* 45 H 5
St-Jean-sur-Erve *(53)* 67 F 3
St-Jean-sur-Mayenne *(53)* 66 C 2
St-Jean-sur-Moivre *(51)* 34 C 5
St-Jean-sur-Reyssouze *(01)* 122 D 2
St-Jean-sur-Tourbe *(51)* 34 D 3
St-Jean-sur-Veyle *(01)* 122 C 4
St-Jean-sur-Vilaine *(35)* 65 H 2
St-Jean-Trolimon *(29)* 61 F 4
St-Jeannet *(04)* 181 F 4
St-Jeannet *(06)* 183 E 5
St-Jeanvrin *(18)* 118 B 1
St-Jeoire *(74)* 124 D 4
St-Jeoire-Prieuré *(73)* 138 A 5
St-Jérôme *(13)* 195 H 4
St-Jeure-d'Andaure *(07)* 149 E 4
St-Jeure-d'Ay *(07)* 149 G 3
St-Jeures *(43)* 148 D 4
St-Joachim *(44)* 82 B 3
St-Jodard *(42)* 134 D 2
St-Joire *(55)* 55 H 3
St-Jores *(50)* 22 D 5
St-Jorioz *(74)* 138 B 2
St-Jory *(31)* 189 F 1
St-Jory-de-Chalais *(24)* 129 G 5
St-Jory-las-Bloux *(24)* 143 G 2
St-Joseph *(42)* 135 G 5
St-Joseph *(50)* 22 D 3
St-Joseph-de-Rivière *(38)* 151 G 1
St-Joseph-des-Bancs *(07)* 163 E 2
St-Josse *(62)* 6 C 1
St-Jouan-de-l'Isle *(22)* 44 C 5
St-Jouan-des-Guérets *(35)* 44 D 2
St-Jouin *(14)* 27 H 2
St-Jouin-Bruneval *(76)* 12 B 4
St-Jouin-de-Blavou *(61)* 48 C 4
St-Jouin-de-Marnes *(79)* 101 G 3
St-Jouin-de-Milly *(79)* 100 D 4
St-Jouvent *(87)* 130 A 1
St-Juan *(25)* 95 F 4
St-Judoce *(22)* 44 D 4
St-Juéry *(12)* 175 H 5
St-Juéry *(48)* 161 E 1
St-Juéry *(81)* 175 E 4
St-Juire-Champgillon *(85)* 113 F 1
St-Julia *(31)* 190 A 3
St-Julia-de-Bec *(11)* 208 A 4
St-Julien *(21)* 93 G 3
St-Julien *(22)* 43 G 5
St-Julien *(34)* 191 H 3
St-Julien *(39)* 123 F 2
St-Julien *(56)* 81 E 3
St-Julien *(69)* 135 G 1
St-Julien *(70)* 94 B 1
St-Julien *(88)* 76 C 3
St-Julien-aux-Bois *(19)* 145 G 4
St-Julien-Beychevelle *(33)* 141 E 3
St-Julien-Boutières *(07)* 149 E 5
St-Julien-Chapteuil *(43)* 148 C 5
St-Julien-d'Empare *(12)* 159 F 4
St-Julien-d'Ance *(43)* 148 B 2
St-Julien-d'Armagnac *(40)* 171 F 4
St-Julien-d'Arpaon *(48)* 177 F 1
St-Julien-d'Asse *(04)* 181 F 4
St-Julien-de-Bourdeilles *(24)* 143 E 2
St-Julien-de-Briola *(11)* 207 G 1
St-Julien-de-Cassagnas *(30)* 178 A 2
St-Julien-de-Chédon *(41)* 87 G 4
St-Julien-de-Civry *(71)* 121 G 3
St-Julien-de-Concelles *(44)* 83 G 4
St-Julien-de-Coppel *(63)* 133 G 4
St-Julien-de-Crempse *(24)* 143 E 5
St-Julien-de-Gras-Capou *(09)* 207 G 2
St-Julien-de-Jonzy *(71)* 121 F 4
St-Julien-de-Jordanne *(15)* 146 B 4
St-Julien-de-la-Liègue *(27)* 29 H 3
St-Julien-de-la-Nef *(30)* 177 F 4
St-Julien-de-Lampon *(24)* 158 B 1
St-Julien-de-l'Escap *(17)* 127 F 1
St-Julien-de-l'Herms *(38)* 150 C 1
St-Julien-de-Mailloc *(14)* 28 B 4
St-Julien-de-Peyrolas *(30)* 178 D 1
St-Julien-de-Piganiol *(12)* 159 H 3
St-Julien-de-Raz *(38)* 151 G 1
St-Julien-de-Toursac *(15)* 159 G 2
St-Julien-de-Vouvantes *(44)* 83 H 1
St-Julien-des-Chazes *(43)* 147 H 4
St-Julien-des-Landes *(85)* 99 E 5
St-Julien-des-Points *(48)* 177 H 1
St-Julien-d'Eymet *(24)* 156 D 2
St-Julien-d'Oddes *(42)* 134 C 2
St-Julien-du-Gua *(07)* 163 E 2
St-Julien-du-Pinet *(43)* 148 C 4
St-Julien-du-Puy *(81)* 190 B 1
St-Julien-du-Sault *(89)* 72 D 3
St-Julien-du-Serre *(07)* 163 E 3
St-Julien-du-Terroux *(53)* 47 F 4
St-Julien-du-Tournel *(48)* 162 A 4
St-Julien-du-Verdon *(04)* 182 A 4
St-Julien-en-Beauchêne *(05)* 165 H 3
St-Julien-en-Born *(40)* 168 D 3
St-Julien-en-Champsaur *(05)* 166 B 2
St-Julien-en-Genevois (SP) *(74)* 124 B 4
St-Julien-en-Quint *(26)* 165 E 1
St-Julien-en-St-Alban *(07)* 163 G 2
St-Julien-en-Vercors *(26)* 151 F 4
St-Julien-Gaulène *(81)* 175 F 4
St-Julien-la-Geneste *(63)* 132 C 1
St-Julien-la-Genête *(23)* 118 D 5
St-Julien-la-Vêtre *(42)* 134 B 3
St-Julien-Labrousse *(07)* 163 F 1
St-Julien-l'Ars *(86)* 115 H 1
St-Julien-le-Châtel *(23)* 118 B 5
St-Julien-le-Faucon *(14)* 28 A 4
St-Julien-le-Montagnier *(83)* 196 C 1
St-Julien-le-Pèlerin *(19)* 145 F 5
St-Julien-le-Petit *(87)* 130 D 3
St-Julien-le-Roux *(07)* 163 G 1
St-Julien-le-Vendômois *(19)* 144 B 1
St-Julien-lès-Gorze *(54)* 36 C 4
St-Julien-les-Martigues *(13)* 195 F 4
St-Julien-lès-Metz *(57)* 21 E 5
St-Julien-lès-Montbéliard *(25)* 95 H 2
St-Julien-les-Rosiers *(30)* 178 A 2
St-Julien-lès-Russey *(25)* 96 C 5
St-Julien-les-Villas *(10)* 73 H 1
St-Julien-Maumont *(19)* 144 D 5
St-Julien-Molhesabate *(43)* 149 E 3
St-Julien-Molin-Molette *(42)* 149 F 2
St-Julien-Mont-Denis *(73)* 152 D 2
St-Julien-près-Bort *(19)* 145 H 1
St-Julien-Puy-Lavèze *(63)* 132 C 4
St-Julien-sous-les-Côtes *(55)* 56 A 1
St-Julien-sur-Bibost *(69)* 135 F 3
St-Julien-sur-Calonne *(14)* 28 B 2
St-Julien-sur-Cher *(41)* 88 B 5
St-Julien-sur-Dheune *(71)* 108 C 4
St-Julien-sur-Garonne *(31)* 188 D 5
St-Julien-sur-Reyssouze *(01)* 122 D 2
St-Julien-sur-Sarthe *(61)* 48 B 4
St-Julien-sur-Veyle *(01)* 122 C 4
St-Julien-Vocance *(07)* 149 F 3
St-Junien *(87)* 129 G 2
St-Junien-la-Bregère *(23)* 130 D 2
St-Junien-les-Combes *(87)* 116 C 5
St-Jure *(57)* 37 E 4
St-Jurs *(04)* 181 G 4
St-Just *(01)* 123 E 4
St-Just *(15)* 161 F 1
St-Just *(18)* 105 G 2
St-Just *(24)* 142 D 2
St-Just *(27)* 30 A 4
St-Just *(34)* 193 H 2
St-Just *(35)* 64 D 5
St-Just *(63)* 148 A 1
St-Just-Chaleyssin *(38)* 136 C 5
St-Just-d'Ardèche *(07)* 178 D 1
St-Just-d'Avray *(69)* 135 F 1
St-Just-de-Claix *(38)* 151 E 4
St-Just-en-Bas *(42)* 134 B 3
St-Just-en-Brie *(77)* 52 B 3
St-Just-en-Chaussée *(60)* 15 G 5
St-Just-en-Chevalet *(42)* 134 B 2
St-Just-et-le-Bézu *(11)* 208 A 4
St-Just-et-Vacquières *(30)* 178 B 3
St-Just-Ibarre *(64)* 202 D 1
St-Just-la-Pendue *(42)* 135 E 2
St-Just-le-Martel *(87)* 130 B 2
St-Just-Luzac *(17)* 126 C 2
St-Just-Malmont *(43)* 148 D 2
St-Just-près-Brioude *(43)* 147 F 3
St-Just-Sauvage *(51)* 53 F 3
St-Just-St-Rambert *(42)* 135 E 5
St-Just-sur-Dive *(49)* 85 G 5
St-Just-sur-Viaur *(12)* 175 F 3
St-Justin *(32)* 187 F 3
St-Justin *(40)* 171 E 4
St-Juvat *(22)* 44 D 5
St-Juvin *(08)* 35 E 1
St-Lactencin *(36)* 104 A 3
St-Lager *(69)* 122 A 5
St-Lager-Bressac *(07)* 163 G 2
St-Lamain *(39)* 110 B 4
St-Lambert *(14)* 27 E 5
St-Lambert *(78)* 50 D 2
St-Lambert-des-Levées *(49)* 85 G 4
St-Lambert-du-Lattay *(49)* 84 D 4
St-Lambert-et-Mont-de-Jeux *(08)* 18 D 5
St-Lambert-la-Potherie *(49)* 84 D 3
St-Lambert-sur-Dive *(61)* 47 H 1
St-Langis-lès-Mortagne *(61)* 48 C 4
St-Lanne *(65)* 186 D 2
St-Laon *(86)* 101 H 2
St-Lary *(09)* 205 H 3
St-Lary *(32)* 187 H 1
St-Lary-Boujean *(31)* 205 G 1
St-Lary-Soulan *(65)* 204 D 4
St-Lattier *(38)* 150 D 4
St-Launeuc *(22)* 44 B 5
St-Laure *(63)* 133 G 2
St-Laurent *(08)* 18 D 3
St-Laurent *(18)* 89 E 5
St-Laurent *(22)* 43 E 3
St-Laurent *(23)* 117 H 5
St-Laurent *(31)* 188 B 5
St-Laurent *(47)* 172 A 1
St-Laurent *(74)* 124 D 5
St-Laurent -sur-Sèvre *(85)* 100 B 2
St-Laurent-Blangy *(62)* 8 B 3
St-Laurent-Bretagne *(64)* 186 D 4
St-Laurent-Chabreuges *(43)* 147 F 2
St-Laurent-d'Agny *(69)* 135 H 4
St-Laurent-d'Aigouze *(30)* 193 H 2
St-Laurent-d'Andenay *(71)* 108 C 4
St-Laurent-d'Arce *(33)* 141 F 4
St-Laurent-de-Belzagot *(16)* 142 B 1
St-Laurent-de-Brèvedent *(76)* 12 B 5
St-Laurent-de-Carnols *(30)* 178 D 2
St-Laurent-de-Cerdans *(66)* 212 D 5
St-Laurent-de-Céris *(16)* 128 D 2
St-Laurent-de-Chamousset *(69)* 135 F 3
St-Laurent-de-Cognac *(16)* 127 G 3
St-Laurent-de-Condel *(14)* 27 F 4
St-Laurent-de-Cuves *(50)* 46 A 1
St-Laurent-de-Gosse *(40)* 185 E 2
St-Laurent-de-Jourdes *(86)* 115 H 3
St-Laurent-de-la-Barrière *(17)* 113 H 5
St-Laurent-de-la-Cabrerisse *(11)* 208 D 2
St-Laurent-de-la-Mer *(22)* 43 H 4
St-Laurent-de-la-Plaine *(49)* 84 C 4
St-Laurent-de-la-Prée *(17)* 126 C 1
St-Laurent-de-la-Salanque *(66)* 209 F 5
St-Laurent-de-la-Salle *(85)* 113 G 1
St-Laurent-de-Lévézou *(12)* 176 A 2
St-Laurent-de-Lin *(37)* 86 A 3
St-Laurent-de-Mure *(69)* 136 C 4
St-Laurent-de-Muret *(48)* 161 F 3
St-Laurent-de-Neste *(65)* 205 F 2
St-Laurent-de-Terregatte *(50)* 45 H 3
St-Laurent-de-Trèves *(48)* 177 F 1
St-Laurent-de-Vaux *(69)* 135 G 3
St-Laurent-de-Veyrès *(48)* 161 E 2
St-Laurent-des-Arbres *(30)* 179 E 3
St-Laurent-des-Autels *(49)* 83 H 4
St-Laurent-des-Bâtons *(24)* 143 F 5
St-Laurent-des-Bois *(27)* 49 H 1
St-Laurent-des-Bois *(41)* 69 H 5
St-Laurent-des-Combes *(16)* 142 A 2
St-Laurent-des-Combes *(33)* 155 H 1
St-Laurent-des-Hommes *(24)* 142 C 4
St-Laurent-des-Mortiers *(53)* 66 D 5
St-Laurent-des-Vignes *(24)* 156 D 1
St-Laurent-d'Oingt *(69)* 135 G 1
St-Laurent-d'Olt *(12)* 161 E 5
St-Laurent-d'Onay *(26)* 150 C 3
St-Laurent-du-Bois *(33)* 155 H 3
St-Laurent-du-Cros *(05)* 166 B 3
St-Laurent-du-Mont *(14)* 27 H 3
St-Laurent-du-Mottay *(49)* 84 B 4
St-Laurent-du-Pape *(07)* 163 G 1
St-Laurent-du-Plan *(33)* 155 H 3
St-Laurent-du-Pont *(38)* 151 G 1
St-Laurent-du-Tencement *(27)* 28 C 5
St-Laurent-du-Var *(06)* 199 F 1
St-Laurent-du-Verdon *(04)* 196 D 1
St-Laurent-en-Beaumont *(38)* 165 H 1
St-Laurent-en-Brionnais *(71)* 121 G 4
St-Laurent-en-Caux *(76)* 13 F 3
St-Laurent-en-Gâtines *(37)* 86 D 2
St-Laurent-en-Grandvaux *(39)* 124 A 1
St-Laurent-en-Royans *(26)* 151 E 4
St-Laurent-la-Conche *(42)* 135 E 4
St-Laurent-la-Gâtine *(28)* 50 A 2
St-Laurent-la-Roche *(39)* 110 A 5
St-Laurent-la-Vallée *(24)* 157 H 2
St-Laurent-la-Vernède *(30)* 178 C 3

A B C D E F G H I J K L M N O P Q R S T U V W X Y Z

St-Laurent-l'Abbaye (58) 90 B 4
St-Laurent-le-Minier (30) 177 F 4
St-Laurent-les-Bains (07) 162 B 3
St-Laurent-les-Églises (87) 130 C 2
St-Laurent-les-Tours (46) 159 E 1
St-Laurent-Lolmie (46) 173 F 1
St-Laurent-Médoc (33) 140 D 3
St-Laurent-Nouan (41) 88 A 1
St-Laurent-Rochefort (42) 134 C 3
St-Laurent-sous-Coiron (07) 163 F 3
St-Laurent-sur-Gorre (87) 129 G 3
St-Laurent-sur-Manoire (24) 143 F 4
St-Laurent-sur-Mer (14) 23 H 5
St-Laurent-sur-Othain (55) 20 A 3
St-Laurent-sur-Oust (56) 64 B 4
St-Laurent-sur-Saône (01) 122 B 3
St-Laurs (79) 114 A 1
St-Léger (06) 182 C 3
St-Léger (16) 142 B 1
St-Léger (17) 127 F 4
St-Léger (47) 171 H 1
St-Léger (50) 45 G 1
St-Léger (53) 67 E 2
St-Léger (62) 8 B 4
St-Léger (73) 138 C 5
St-Léger (77) 52 C 1
St-Léger-aux-Bois (60) 16 B 5
St-Léger-aux-Bois (76) 14 B 2
St-Léger-Bridereix (23) 117 F 4
St-Léger-de-Balson (33) 155 F 5
St-Léger-de-Fougeret (58) 107 G 2
St-Léger-de-la-Martinière (79) 114 D 4
St-Léger-de-Montbrillais (86) 101 G 1
St-Léger-de-Montbrun (79) 101 G 2
St-Léger-de-Peyre (48) 161 F 4
St-Léger-de-Rôtes (27) 28 D 3
St-Léger-de-Vignague (33) 156 A 2
St-Léger-des-Aubées (28) 50 B 5
St-Léger-des-Bois (49) 84 C 3
St-Léger-des-Prés (35) 45 F 4
St-Léger-des-Vignes (58) 107 E 4
St-Léger-du-Bg-Denis (76) 29 G 1
St-Léger-du-Bois (71) 108 C 2
St-Léger-du-Gennetey (27) 29 E 2
St-Léger-du-Malzieu (48) 161 F 1
St-Léger-du-Ventoux (84) 179 H 2
St-Léger-Dubosq (14) 27 H 2
St-Léger-en-Bray (60) 30 D 1
St-Léger-en-Yvelines (78) 50 B 2
St-Léger-la-Montagne (87) 130 B 1
St-Léger-le-Guérétois (23) 117 H 5
St-Léger-le-Petit (18) 106 B 1
St-Léger-lès-Authie (80) 7 H 5
St-Léger-lès-Domart (80) 7 F 5
St-Léger-les-Mélèzes (05) 166 C 3
St-Léger-lès-Paray (71) 121 F 2
St-Léger-les-Vignes (44) 83 E 5
St-Léger-Magnazeix (87) 116 D 4
St-Léger-près-Troyes (10) 73 H 1
St-Léger-sous-Beuvray (71) 108 A 3
St-Léger-sous-Brienne (10) 54 C 5
St-Léger-sous-Cholet (49) 100 B 1
St-Léger-sous-la-Bussière (71) 122 A 3
St-Léger-sous-Margerie (10) 54 C 4
St-Léger-sur-Bresle (80) 14 C 2
St-Léger-sur-Dheune (71) 108 D 3
St-Léger-sur-Roanne (42) 134 C 1
St-Léger-sur-Sarthe (61) 48 B 4
St-Léger-sur-Vouzance (03) 121 E 2
St-Léger-Triey (21) 93 H 4
St-Léger-Vauban (89) 91 H 4
St-Léomer (86) 116 B 2
St-Léon (03) 120 C 2
St-Léon (31) 189 G 4
St-Léon (33) 155 G 2
St-Léon (47) 171 H 1
St-Léon-d'Issigeac (24) 157 F 2
St-Léon-sur-l'Isle (24) 142 D 4
St-Léon-sur-Vézère (24) 143 H 5
St-Léonard (32) 172 C 5
St-Léonard (51) 33 H 2
St-Léonard (62) 2 B 5
St-Léonard (76) 12 C 3
St-Léonard (88) 78 A 1
St-Léonard-de-Noblat (87) 130 C 3
St-Léonard-des-Bois (72) 47 H 5
St-Léonard-des-Parcs (61) 48 B 3
St-Léonard-en-Beauce (41) 69 H 5
St-Léons (12) 176 B 2
St-Léopardin-d'Augy (03) 106 C 5
St-Léry (56) 64 B 2
St-Leu-d'Esserent (60) 31 F 3
St-Leu-la-Forêt (95) 31 E 4
St-Lézer (65) 187 E 4
St-Lézin (49) 84 C 5
St-Lieux-Lafenasse (81) 190 C 1
St-Lieux-lès-Lavaur (81) 189 H 1
St-Liguaire (79) 114 A 3
St-Lin (79) 114 C 1
St-Lions (04) 181 H 3
St-Lizier (09) 206 B 3
St-Lizier-du-Planté (32) 188 C 4
St-Lô [P] (50) 25 F 3
St-Lô-d'Ourville (50) 22 C 5
St-Lon-les-Mines (40) 185 F 2
St-Longis (72) 48 B 5
St-Lormel (22) 44 C 3
St-Lothain (39) 110 B 3
St-Loube (32) 188 C 4
St-Loubert (33) 155 H 4
St-Loubès (33) 141 F 5
St-Loubouer (40) 186 B 1
St-Louet-sur-Seulles (14) 26 D 3
St-Louet-sur-Vire (50) 25 G 4
St-Louis (57) 58 C 1
St-Louis (68) 97 H 1
St-Louis-de-Montferrand (33) 141 F 5
St-Louis-en-l'Isle (24) 142 D 4
St-Louis-et-Parahou (11) 208 B 4
St-Louis-lès-Bitche (57) 38 C 4
St-Loup (03) 120 A 3
St-Loup (17) 127 F 1
St-Loup (23) 118 B 5
St-Loup (39) 109 H 2
St-Loup (50) 45 H 2
St-Loup (51) 53 G 2
St-Loup (58) 90 B 3
St-Loup (69) 135 F 2
St-Loup (82) 172 D 3
St-Loup-Cammas (31) 189 G 2
St-Loup-de-Buffigny (10) 53 F 4
St-Loup-de-Fribois (14) 27 H 3
St-Loup-de-Gonois (45) 72 A 3
St-Loup-de-Naud (77) 52 C 4
St-Loup-de-Varennes (71) 109 E 4
St-Loup-des-Chaumes (18) 105 F 4
St-Loup-des-Vignes (45) 71 F 3
St-Loup-d'Ordon (89) 72 C 3
St-Loup-du-Dorat (53) 67 E 4
St-Loup-du-Gast (53) 46 D 5
St-Loup-en-C. (31) 188 A 5
St-Loup-en-Champagne (08) 18 A 5
St-Loup-Géanges (71) 109 F 2
St-Loup-Hors (14) 26 D 2
St-Loup-Lamairé (79) 101 G 4
St-Loup-Nantouard (70) 94 B 3
St-Loup-sur-Aujon (52) 75 F 4
St-Loup-sur-Cher (41) 88 C 5
St-Loup-sur-Semouse (70) 77 F 4
St-Loup-Terrier (08) 18 D 4
St-Loyer-des-Champs (61) 47 H 2
St-Lubin-de-Cravant (28) 49 F 2
St-Lubin-de-la-Haye (28) 50 A 1
St-Lubin-des-Joncherets (28) 49 G 2
St-Lubin-en-Vergonnois (41) 87 G 2
St-Luc (27) 29 G 5
St-Lucien (28) 50 B 3
St-Lucien (76) 14 A 5
St-Lumier-en-Champagne (51) 54 C 1
St-Lumier-la-Populeuse (51) 54 D 2
St-Lumine-de-Clisson (44) 99 G 1
St-Lumine-de-Coutais (44) 99 E 1
St-Lunaire (35) 44 D 2
St-Luperce (28) 49 H 4
St-Lupicin (39) 123 H 2
St-Lupien (10) 53 F 5
St-Lyé (10) 53 H 5
St-Lyé-la-Forêt (45) 70 D 3
St-Lyphard (44) 82 B 3
St-Lys (31) 189 E 3
St-Macaire (33) 155 H 4
St-Macaire-du-Bois (49) 101 F 1
St-Macaire-en-Mauges (49) 100 B 1
St-Maclou (27) 28 C 1
St-Maclou-de-Folleville (76) 13 G 3
St-Maclou-la-Brière (76) 12 C 4
St-Macoux (86) 115 F 5
St-Maden (22) 44 D 5
St-Magne (33) 155 E 4
St-Magne-de-Castillon (33) 156 A 1
St-Maigner (63) 119 E 5
St-Maigrin (17) 141 H 1
St-Maime (04) 180 D 4
St-Maime-de-Péreyrol (24) 143 E 5
St-Maixant (23) 131 G 1
St-Maixant (33) 155 G 3
St-Maixent (72) 68 D 2
St-Maixent-de-Beugné (79) 114 A 1
St-Maixent-l'École (79) 114 C 2
St-Maixent-sur-Vie (85) 98 D 4
St-Maixme-Hauterive (28) 49 G 3
St-Malo [SP] (35) 44 D 2
St-Malo-de-Beignon (56) 64 C 3
St-Malo-de-Guersac (44) 82 B 3
St-Malo-de-la-Lande (50) 24 D 3
St-Malo-de-Phily (35) 65 E 4
St-Malo-des-Trois-Fontaines (56) 64 A 2
St-Malô-du-Bois (85) 100 B 2
St-Malo-en-Donziois (58) 90 D 4
St-Malon-sur-Mel (35) 64 C 2
St-Mamert (69) 122 A 4
St-Mamert-du-Gard (30) 178 A 5
St-Mamet (31) 205 F 5
St-Mamet-la-Salvetat (15) 159 H 1
St-Mammès (77) 52 A 5
St-Mandé (94) 51 F 1
St-Mandé-sur-Brédoire (17) 127 H 1
St-Mandrier-sur-Mer (83) 201 E 4
St-Manvieu-Bocage (14) 46 B 1
St-Manvieu-Norrey (14) 27 E 3
St-Marc (15) 161 E 1
St-Marc (44) 82 B 4
St-Marc-à-Frongier (23) 131 G 2
St-Marc-à-Loubaud (23) 131 F 2
St-Marc-du-Cor (41) 69 F 4
St-Marc-Jaumegarde (13) 196 A 2
St-Marc-la-Lande (79) 114 B 1
St-Marc-le-Blanc (35) 45 H 5
St-Marc-sur-Couesnon (35) 45 H 5
St-Marc-sur-Seine (21) 92 D 1
St-Marcan (35) 45 F 3
St-Marceau (08) 18 D 3
St-Marceau (72) 68 A 2
St-Marcel (08) 18 C 3
St-Marcel (13) 196 A 5
St-Marcel (27) 30 A 4
St-Marcel (36) 117 F 1
St-Marcel (54) 36 C 3
St-Marcel (56) 64 A 4
St-Marcel (70) 76 C 4
St-Marcel (71) 109 F 4
St-Marcel (73) 138 D 5
St-Marcel (81) 174 C 3
St-Marcel-Bel-Accueil (38) 136 D 4
St-Marcel-d'Ardèche (07) 178 D 1
St-Marcel-de-Careiret (30) 178 C 2
St-Marcel-de-Félines (42) 134 D 2
St-Marcel-du-Périgord (24) 157 F 1
St-Marcel-d'Urfé (42) 134 B 2
St-Marcel-en-Dombes (01) 136 B 1
St-Marcel-en-Marcillat (03) 118 D 5
St-Marcel-en-Murat (03) 119 G 3
St-Marcel-l'Éclairé (69) 135 F 2
St-Marcel-lès-Annonay (07) 149 F 2
St-Marcel-lès-Sauzet (26) 163 H 3
St-Marcel-lès-Valence (26) 150 B 5
St-Marcel-Paulel (31) 189 G 2
St-Marcel-sur-Aude (11) 209 F 1
St-Marcelin-de-Cray (71) 121 H 1
St-Marcellin (38) 151 E 3
St-Marcellin-en-Forez (42) 134 D 5
St-Marcellin-lès-Vaison (84) 179 G 1
St-Marcet (31) 205 G 1
St-Marcory (24) 157 G 2
St-Marcouf (14) 25 G 2
St-Marcouf (50) 23 E 4
St-Mard (02) 33 E 1
St-Mard (17) 113 H 5
St-Mard (54) 57 E 3
St-Mard (77) 31 H 4
St-Mard (80) 16 A 3
St-Mard-de-Réno (61) 48 D 4
St-Mard-de-Vaux (71) 108 D 4
St-Mard-lès-Rouffy (51) 33 H 5
St-Mard-sur-Auve (51) 34 D 4
St-Mard-sur-le-Mont (51) 35 E 5
St-Mards (76) 13 G 3
St-Mards-de-Blacarville (27) 28 C 1
St-Mards-de-Fresne (27) 28 C 4
St-Mards-en-Othe (10) 73 G 2
St-Marien (23) 118 B 2
St-Mariens (33) 141 G 4
St-Mars-de-Coutais (44) 99 E 1
St-Mars-de-Locquenay (72) 68 C 4
St-Mars-d'Égrenne (61) 46 D 3
St-Mars-des-Prés (85) 100 A 5
St-Mars-d'Outillé (72) 68 B 4
St-Mars-du-Désert (44) 83 G 3
St-Mars-du-Désert (53) 67 G 1
St-Mars-en-Brie (77) 52 D 2
St-Mars-la-Brière (72) 68 B 3
St-Mars-la-Jaille (44) 84 A 2
St-Mars-la-Réorthe (85) 100 B 3
St-Mars-sous-Ballon (72) 68 A 2
St-Mars-sur-Colmont (53) 46 D 5
St-Mars-sur-la-Futaie (53) 46 B 4
St-Marsal (66) 212 D 4
St-Marsault (79) 100 C 4
St-Martial (07) 162 D 1
St-Martial (12) 175 E 2
St-Martial (15) 161 E 1
St-Martial (16) 142 B 1
St-Martial (17) 114 A 5
St-Martial (30) 177 G 3
St-Martial (33) 155 H 3
St-Martial-d'Albarède (24) 143 H 2
St-Martial-d'Artenset (24) 142 B 5
St-Martial-de-Gimel (19) 145 E 3
St-Martial-de-Mirambeau (17) 141 F 1
St-Martial-de-Nabirat (24) 158 A 2
St-Martial-de-Valette (24) 129 E 5
St-Martial-de-Vitaterne (17) 141 G 1
St-Martial-Entraygues (19) 145 F 4
St-Martial-le-Mont (23) 131 G 1
St-Martial-le-Vieux (23) 131 H 4
St-Martial-sur-Isop (87) 116 B 5
St-Martial-sur-Né (17) 127 G 4
St-Martial-Viveyrol (24) 142 C 2
St-Martin (32) 187 G 3
St-Martin (50) 24 C 5
St-Martin (54) 57 H 3
St-Martin (64) 185 E 5
St-Martin (65) 204 C 1
St-Martin (66) 208 C 5
St-Martin (67) 58 C 4
St-Martin-au-Bosc (76) 14 B 2
St-Martin-aux-Arbres (76) 13 F 4
St-Martin-aux-Bois (60) 15 H 5
St-Martin-aux-Buneaux (76) 12 D 2
St-Martin-aux-Champs (51) 54 C 1
St-Martin-aux-Chartrains (14) 28 A 2
St-Martin-Belle-Roche (71) 122 B 2
St-Martin-Bellevue (74) 138 B 1
St-Martin-Boulogne (62) 2 B 4
St-Martin-Cantalès (15) 145 H 4
St-Martin-Chau (23) 131 E 2
St-Martin-Choquel (62) 2 C 5
St-Martin-d'Oydes (09) 206 D 1
St-Martin-d'Abbat (45) 71 E 5
St-Martin-d'Ablois (51) 33 G 4
St-Martin-d'Août (26) 150 C 3
St-Martin-d'Arberoue (64) 185 E 4
St-Martin-d'Arc (73) 152 D 2
St-Martin-d'Arcé (49) 85 G 2
St-Martin-d'Ardèche (07) 178 D 1
St-Martin-d'Armagnac (32) 186 D 1
St-Martin-d'Arrossa (64) 184 D 5
St-Martin-d'Ary (17) 141 H 3
St-Martin-d'Aubigny (50) 25 E 3
St-Martin-d'Audouville (50) 23 E 4
St-Martin-d'Auxigny (18) 89 F 5
St-Martin-d'Auxy (71) 108 C 5
St-Martin-de-Bavel (01) 137 G 2
St-Martin-de-Beauville (47) 172 D 2
St-Martin-de-Belleville (73) 152 D 1
St-Martin-de-Bernegoue (79) 114 B 4
St-Martin-de-Bienfaite-La Cressonnière (14) 28 B 4
St-Martin-de-Blagny (14) 25 G 2
St-Martin-de-Bonfossé (50) 25 F 4
St-Martin-de-Boscherville (76) 29 F 1
St-Martin-de-Bossenay (10) 53 F 4
St-Martin-de-Boubaux (48) 177 H 2
St-Martin-de-Bréthencourt (78) 50 C 4
St-Martin-de-Brômes (04) 181 E 5
St-Martin-de-Caralp (09) 207 E 3
St-Martin-de-Castillon (84) 180 B 5
St-Martin-de-Cenilly (50) 25 E 4
St-Martin-de-Clelles (38) 165 G 1
St-Martin-de-Commune (71) 108 C 3
St-Martin-de-Connée (53) 67 G 1
St-Martin-de-Coux (17) 142 A 3
St-Martin-de-Crau (13) 194 D 2
St-Martin-de-Curton (47) 171 G 1
St-Martin-de-Fontenay (14) 27 F 3
St-Martin-de-Fraigneau (85) 113 H 2
St-Martin-de-Fresnay (14) 27 H 5
St-Martin-de-Fressengeas (24) 143 G 1
St-Martin-de-Fugères (43) 162 B 1
St-Martin-de-Goyne (32) 172 B 4
St-Martin-de-Gurson (24) 142 B 5
St-Martin-de-Hinx (40) 185 E 2
St-Martin-de-Juillers (17) 127 G 1
St-Martin-de-Jussac (87) 129 G 2
St-Martin-de-la-Brasque (84) 180 B 5
St-Martin-de-la-Cluze (38) 151 G 5
St-Martin-de-la-Coudre (17) 113 H 5
St-Martin-de-la-Lieue (14) 28 A 3
St-Martin-de-la-Mer (21) 92 A 5
St-Martin-de-la-Place (49) 85 G 4
St-Martin-de-la-Porte (73) 152 D 2
St-Martin-de-Lamps (36) 104 A 2
St-Martin-de-Landelles (50) 46 A 3
St-Martin-de-Lansuscle (48) 177 G 2
St-Martin-de-l'Arçon (34) 191 H 3
St-Martin-de-Laye (33) 141 H 4
St-Martin-de-Lenne (12) 160 D 5
St-Martin-de-Lerm (33) 156 A 3
St-Martin-de-Lixy (71) 121 G 4
St-Martin-de-Londres (34) 193 E 1
St-Martin-de-Mâcon (79) 101 G 2
St-Martin-de-Mailloc (14) 28 B 4
St-Martin-de-Mieux (14) 27 G 5
St-Martin-de-Nigelles (28) 50 B 3
St-Martin-de-Pallières (83) 196 C 2
St-Martin-de-Queyrières (05) 167 E 1
St-Martin-de-Ré (17) 112 D 4
St-Martin-de-Ribérac (24) 142 D 3
St-Martin-de-Salencey (71) 121 H 1
St-Martin-de-Sallen (14) 27 E 5
St-Martin-de-Sanzay (79) 101 F 1
St-Martin-de-Seignanx (40) 184 D 2
St-Martin-de-Sescas (33) 155 H 3
St-Martin-de-Sossenac (30) 177 H 4
St-Martin-de-St-Maixent (79) 114 C 2
St-Martin-de-Tallevende (14) 46 C 1
St-Martin-de-Valamas (07) 149 E 5
St-Martin-de-Valgalgues (30) 178 A 2
St-Martin-de-Varreville (50) 23 E 4
St-Martin-de-Vaulserre (38) 137 G 5
St-Martin-de-Vers (46) 158 C 4
St-Martin-de-Villeréal (47) 157 F 3
St-Martin-de-Villereglan (11) 208 A 2
St-Martin-d'Écublei (61) 48 D 1
St-Martin-d'Entraunes (06) 182 B 2
St-Martin-des-Besaces (14) 25 H 4
St-Martin-des-Bois (41) 87 E 1
St-Martin-des-Champs (18) 106 A 1
St-Martin-des-Champs (29) 42 A 3
St-Martin-des-Champs (50) 45 H 2
St-Martin-des-Champs (77) 52 D 1
St-Martin-des-Champs (78) 50 B 1
St-Martin-des-Champs (89) 90 B 1
St-Martin-des-Combes (24) 143 E 5
St-Martin-des-Combes (34) 192 B 2
St-Martin-des-Entrées (14) 26 D 2
St-Martin-des-Fontaines (85) 113 G 1
St-Martin-des-Lais (03) 107 F 5
St-Martin-des-Landes (61) 47 G 3
St-Martin-des-Monts (72) 68 C 2
St-Martin-des-Noyers (85) 99 H 4
St-Martin-des-Olmes (63) 134 B 5
St-Martin-des-Pézerit (61) 48 C 3
St-Martin-des-Plains (63) 147 F 1
St-Martin-des-Prés (22) 63 F 1
St-Martin-des-Puits (11) 208 C 2
St-Martin-des-Tilleuls (85) 100 A 2
St-Martin-d'Estréaux (42) 120 D 4
St-Martin-d'Hardinghem (62) 2 D 5
St-Martin-d'Hères (38) 151 H 3
St-Martin-d'Heuille (58) 106 C 2
St-Martin-d'Ollières (63) 147 G 1
St-Martin-Don (14) 25 G 5
St-Martin-d'Oney (40) 169 H 4
St-Martin-d'Ordon (89) 72 C 3
St-Martin-du-Bec (76) 12 B 4
St-Martin-du-Bois (33) 141 H 4
St-Martin-du-Bois (49) 84 C 1
St-Martin-du-Boschet (77) 52 D 2
St-Martin-du-Clocher (16) 115 E 5
St-Martin-du-Fault (87) 130 A 2
St-Martin-du-Fouilloux (49) 84 C 3
St-Martin-du-Fouilloux (79) 114 D 1
St-Martin-du-Frêne (01) 123 G 4
St-Martin-du-Lac (71) 121 E 4
St-Martin-du-Limet (53) 66 B 5
St-Martin-du-Manoir (76) 12 B 5
St-Martin-du-Mesnil-Oury (14) 28 A 4
St-Martin-du-Mont (01) 123 E 5
St-Martin-du-Mont (21) 93 E 3
St-Martin-du-Mont (71) 109 H 5
St-Martin-du-Puy (33) 156 A 3
St-Martin-du-Puy (58) 91 G 4
St-Martin-du-Tartre (71) 108 D 5
St-Martin-du-Tertre (89) 72 C 1
St-Martin-du-Tertre (95) 31 F 4
St-Martin-du-Tilleul (27) 28 C 3
St-Martin-du-Touch (31) 189 F 2
St-Martin-du-Var (06) 183 E 4
St-Martin-du-Vieux-Bellême (61) 48 C 5
St-Martin-du-Vivier (76) 13 H 5
St-Martin-d'Uriage (38) 151 H 3
St-Martin-en-Bière (77) 51 G 5
St-Martin-en-Bresse (71) 109 G 4
St-Martin-en-Campagne (76) 13 H 1
St-Martin-en-Gâtinois (71) 109 F 3
St-Martin-en-Haut (69) 135 G 4
St-Martin-en-Vercors (26) 151 F 4
St-Martin-Gimois (32) 188 B 3
St-Martin-la-Campagne (27) 29 F 4
St-Martin-la-Garenne (78) 30 B 4
St-Martin-la-Méanne (19) 145 F 3
St-Martin-la-Patrouille (71) 121 H 1
St-Martin-la-Plaine (42) 135 G 5
St-Martin-la-Sauveté (42) 134 C 2
St-Martin-Labouval (46) 158 D 5
St-Martin-Lacaussade (33) 141 E 3
St-Martin-Laguépie (81) 174 C 3
St-Martin-l'Aiguillon (61) 47 G 3
St-Martin-Lalande (11) 190 B 5
St-Martin-l'Ars (86) 115 H 4
St-Martin-Lars-en-Ste-Hermine (85) 100 A 5
St-Martin-l'Astier (24) 142 C 4
St-Martin-le-Beau (37) 87 E 4
St-Martin-le-Bouillant (50) 46 A 1
St-Martin-le-Châtel (01) 122 D 3
St-Martin-le-Colonel (26) 150 D 5
St-Martin-le-Gaillard (76) 14 A 1
St-Martin-le-Gréard (50) 22 C 3
St-Martin-le-Hébert (50) 22 C 4
St-Martin-le-Mault (87) 116 D 3
St-Martin-le-Nœud (60) 30 D 1
St-Martin-le-Pin (24) 129 E 5
St-Martin-le-Redon (46) 157 H 4
St-Martin-le-Vieil (11) 190 C 5
St-Martin-le-Vieux (87) 129 H 3
St-Martin-le-Vinoux (38) 151 G 3
St-Martin-les-Eaux (04) 180 C 4
St-Martin-lès-Langre (52) 75 H 4
St-Martin-lès-Melle (79) 114 C 4
St-Martin-lès-Seyne (04) 166 C 5
St-Martin-Lestra (42) 135 E 3
St-Martin-lez-Tatinghem (62) 3 E 4
St-Martin-l'Heureux (51) 34 B 2
St-Martin-l'Hortier (76) 14 A 3
St-Martin-l'Inférieur (07) 163 G 3
St-Martin-Longueau (60) 31 G 1
St-Martin-Lys (11) 208 A 4
St-Martin-Osmonville (76) 13 H 4
St-Martin-Petit (47) 156 B 4
St-Martin-Rivière (02) 9 F 5
St-Martin-Sepert (19) 144 C 1
St-Martin-sous-Montaigu (71) 108 D 4
St-Martin-sous-Vigouroux (15) 160 C 1
St-Martin-St-Firmin (27) 28 C 2
St-Martin-Ste-Catherine (23) 130 C 1
St-Martin-sur-Armançon (89) 73 H 4
St-Martin-sur-Arve (74) 139 E 1
St-Martin-sur-Cojeul (62) 8 B 4
St-Martin-sur-Écaillon (59) 9 F 3
St-Martin-sur-la-Chambre (73) 152 C 1
St-Martin-sur-la-Renne (52) 75 F 2
St-Martin-sur-le-Pré (51) 34 B 5
St-Martin-sur-Nohain (58) 90 B 4
St-Martin-sur-Ocre (45) 89 H 1
St-Martin-sur-Ocre (89) 72 D 5
St-Martin-sur-Oreuse (89) 72 D 1
St-Martin-sur-Ouanne (89) 72 B 5
St-Martin-sur-Oust (56) 64 B 5
St-Martin-Terressus (87) 130 B 2
St-Martin-Valmeroux (15) 146 A 4
St-Martin-Vésubie (06) 183 F 2
St-Martinien (03) 118 D 3
St-Martory (31) 206 A 1
St-Mary (16) 128 D 2
St-Mary-le-Plain (15) 147 E 3
St-Masmes (51) 34 A 2
St-Mathieu (87) 129 F 4
St-Mathieu-de-Tréviers (34) 193 F 1
St-Mathurin (85) 99 E 5
St-Mathurin-Léobazel (19) 145 F 5
St-Mathurin-sur-Loire (49) 85 F 3
St-Matré (46) 157 H 5
St-Maudan (22) 63 G 3
St-Maudez (22) 44 C 4
St-Maugan (35) 64 C 1
St-Maulvis (80) 14 C 1
St-Maur (18) 118 C 1
St-Maur (32) 187 G 3
St-Maur (36) 104 B 4
St-Maur (39) 110 B 5
St-Maur (60) 14 D 4
St-Maur-des-Bois (50) 46 A 1
St-Maur-des-Fossés (94) 51 G 1
St-Maur-sur-le-Loir (28) 69 H 2
St-Maurice (26) 150 D 4
St-Maurice (52) 75 H 4
St-Maurice (58) 107 E 1
St-Maurice (63) 133 F 4
St-Maurice (67) 58 D 5
St-Maurice (94) 51 G 1
St-Maurice-aux-Forges (54) 58 A 3
St-Maurice-aux-Riches-Hommes (89) 53 E 5
St-Maurice-Colombier (25) 95 H 3
St-Maurice-Crillat (39) 123 H 1
St-Maurice-d'Ardèche (07) 163 E 4
St-Maurice-de-Beynost (01) 136 B 2
St-Maurice-de-Cazevieille (30) 178 B 3
St-Maurice-de-Gourdans (01) 136 D 2
St-Maurice-de-Lestapel (47) 157 E 4
St-Maurice-de-Lignon (43) 148 C 3
St-Maurice-de-Rémens (01) 136 D 1
St-Maurice-de-Rotherens (73) 137 G 4
St-Maurice-de-Satonnay (71) 122 B 2
St-Maurice-de-Tavernole (17) 127 G 5
St-Maurice-de-Ventalon (48) 177 G 1
St-Maurice-des-Champs (71) 108 D 5
St-Maurice-des-Lions (16) 129 F 1
St-Maurice-des-Noues (85) 100 C 5
St-Maurice-d'Ételan (76) 12 D 5
St-Maurice-d'Ibie (07) 163 F 4
St-Maurice-du-Désert (61) 47 F 3
St-Maurice-en-Chalencon (07) 163 F 1
St-Maurice-en-Cotentin (50) 22 C 5
St-Maurice-en-Gourgois (42) 148 D 1
St-Maurice-en-Quercy (46) 159 F 2
St-Maurice-en-Rivière (71) 109 F 3
St-Maurice-en-Trièves (38) 165 G 2
St-Maurice-Etusson (79) 100 D 2
St-Maurice-en-Valgodemard (05) 166 B 1
St-Maurice-la-Clouère (86) 115 G 3
St-Maurice-la-Souterraine (23) 117 E 4
St-Maurice-le-Girard (85) 100 C 5
St-Maurice-le-Vieil (89) 72 D 5
St-Maurice-les-Brousses (87) 130 A 4
St-Maurice-lès-Charencey (61) 49 E 3
St-Maurice-lès-Châteauneuf (71) 121 G 4
St-Maurice-lès-Couches (71) 108 D 3
St-Maurice-l'Exil (38) 149 G 1
St-Maurice-Montcouronne (91) 51 E 3
St-Maurice-Navacelles (34) 177 E 5
St-Maurice-près-Crocq (23) 131 H 2
St-Maurice-près-Pionsat (63) 132 B 1
St-Maurice-sous-les-Côtes (55) 36 B 4
St-Maurice-St-Germain (28) 49 F 4
St-Maurice-sur-Adour (40) 170 C 5
St-Maurice-sur-Aveyron (45) 72 A 5
St-Maurice-sur-Dargoire (69) 135 G 5
St-Maurice-sur-Eygues (26) 179 G 1
St-Maurice-sur-Fessard (45) 71 H 3
St-Maurice-sur-Huisne (61) 48 D 4
St-Maurice-sur-Mortagne (88) 57 G 4
St-Maurice-sur-Moselle (88) 78 A 4
St-Maurice-sur-Vingeanne (21) 93 H 2
St-Maurice-Thizouaille (89) 72 D 5

St-Maurin (47) 172 D 2
St-Max (54) 57 E 2
St-Maxent (80) 14 C 1
St-Maximin (30) 178 C 4
St-Maximin (38) 152 A 1
St-Maximin (60) 31 G 3
St-Maximin-la-Ste-Baume (83) 196 C 3
St-Maxire (79) 114 A 2
St-May (26) 165 E 5
St-Mayeux (22) 63 F 2
St-Méard (87) 130 C 4
St-Méard-de-Drône (24) 142 D 3
St-Méard-de-Gurçon (24) 156 B 1
St-Médard (16) 127 H 5
St-Médard (17) 141 G 1
St-Médard (31) 205 H 1
St-Médard (32) 187 H 3
St-Médard (36) 103 G 2
St-Médard (40) 170 C 4
St-Médard (46) 158 A 4
St-Médard (57) 57 G 1
St-Médard (64) 186 A 3
St-Médard (79) 114 C 4
St-Médard-d'Aunis (17) 113 F 4
St-Médard-de-Guizières (33) 142 A 5
St-Médard-de-Mussidan (24) 142 C 4
St-Médard-de-Presque (46) 159 E 1
St-Médard-d'Excideuil (24) 143 H 2
St-Médard-d'Eyrans (33) 155 F 2
St-Médard-en-Forez (42) 135 E 5
St-Médard-en-Jalles (33) 155 E 1
St-Médard-la-Rochette (23) 131 G 1
St-Médard-Nicourby (46) 159 F 2
St-Médard-sur-Ille (35) 45 F 5
St-Méen (29) 41 G 3
St-Méen-le-Grand (35) 64 C 1
St-Melaine (35) 65 H 2
St-Melaine-sur-Aubance (49) 85 E 4
St-Mélany (07) 162 C 4
St-Méloir-des-Bois (22) 44 C 4
St-Méloir-des-Ondes (35) 45 E 2
St-Même-le-Tenu (44) 99 E 1
St-Même-les-Carrières (16) 127 H 4
St-Memmie (51) 34 B 5
St-Menge (88) 56 C 5
St-Menges (08) 19 E 3
St-Menoux (03) 119 H 1
St-Merd-de-Lapleau (19) 145 F 3
St-Merd-la-Breuille (23) 132 A 3
St-Merd-les-Oussines (19) 131 F 4
St-Méry (77) 52 A 3
St-Meslin-du-Bosc (27) 29 E 3
St-Mesmes (77) 31 H 5
St-Mesmin (10) 53 G 4
St-Mesmin (21) 92 D 4
St-Mesmin (24) 144 A 2
St-Mesmin (85) 100 C 4
St-Mexant (19) 144 D 2
St-Mézard (32) 172 B 3
St-M'Hervé (35) 66 A 1
St-M'Hervon (35) 64 D 1
St-Micaud (71) 108 C 5
St-Michel (02) 10 A 5
St-Michel (09) 206 D 1
St-Michel (16) 128 B 4
St-Michel (31) 206 B 1
St-Michel (32) 187 H 4
St-Michel (34) 176 D 5
St-Michel (45) 71 F 3
St-Michel (52) 93 H 1
St-Michel (64) 202 B 1
St-Michel (82) 172 D 3
St-Michel-Chef-Chef (44) 82 C 5
St-Michel-d'Aurance (07) 163 F 1
St-Michel-de-Bannières (46) 144 D 5
St-Michel-de-Boulogne (07) 163 E 2
St-Michel-de-Castelnau (33) 171 F 1
St-Michel-de-Chabrillanoux (07) 163 F 1
St-Michel-de-Chaillol (05) 166 C 2
St-Michel-de-Chavaignes (72) 68 C 3
St-Michel-de-Dèze (48) 177 H 2
St-Michel-de-Double (24) 142 C 4
St-Michel-de-Feins (53) 66 D 5
St-Michel-de-Fronsac (33) 141 G 5
St-Michel-de-la-Pierre (50) 24 D 3
St-Michel-de-la-Roë (53) 66 A 4
St-Michel-de-Lanès (11) 189 H 5
St-Michel-de-Lapujade (33) 156 B 3
St-Michel-de-Livet (14) 28 A 4
St-Michel-de-Llotes (66) 212 D 3
St-Michel-de-Maurienne (73) 152 D 2
St-Michel-de-Montaigne (24) 156 A 1
St-Michel-de-Montjoie (50) 46 B 1
St-Michel-de-Plélan (22) 44 C 3
St-Michel-de-Rieufret (33) 155 F 3
St-Michel-de-Rivière (24) 142 A 4
St-Michel-de-St-Geoirs (38) 151 E 2
St-Michel-de-Vax (81) 174 B 3
St-Michel-de-Veisse (23) 131 F 2
St-Michel-de-Villadeix (24) 143 F 5
St-Michel-de-Volangis (18) 105 G 1
St-Michel-des-Andaines (61) 47 F 3
St-Michel-des-Loups (50) 45 G 1
St-Michel-d'Euzet (30) 178 D 2
St-Michel-d'Halescourt (76) 14 B 4
St-Michel-en-Beaumont (38) 166 A 1
St-Michel-en-Brenne (36) 103 G 4
St-Michel-en-Grève (22) 42 C 2
St-Michel-en-l'Herm (85) 113 E 2
St-Michel-Escalus (40) 168 D 4
St-Michel-et-Chanveaux (49) 84 A 1
St-Michel-Labadié (81) 175 F 4
St-Michel-le-Cloucq (85) 113 H 1
St-Michel-L'Écluse-et-Léparon (24) 142 B 4
St-Michel-les-Portes (38) 165 G 1
St-Michel-l'Observatoire (04) 180 C 4
St-Michel-Loubéjou (46) 159 E 1
St-Michel-Mont-Mercure (85) 100 B 3
St-Michel-sous-Bois (62) 7 E 1
St-Michel-sur-Loire (37) 86 B 4
St-Michel-sur-Meurthe (88) 58 A 5
St-Michel-sur-Orge (91) 51 F 3
St-Michel-sur-Rhône (42) 149 G 1
St-Michel-sur-Savasse (26) 150 C 3
St-Michel-sur-Ternoise (62) 7 G 2
St-Michel-Tubœuf (61) 48 D 2
St-Mihiel (55) 36 A 5
St-Mitre-les-Remparts (13) 195 F 3
St-Molf (44) 82 A 3
St-Momelin (59) 3 E 4
St-Mont (32) 186 D 2
St-Montan (07) 163 G 5
St-Moré (89) 91 G 2
St-Moreil (23) 130 D 2
St-Morel (08) 34 D 1
St-Morillon (33) 155 F 3
St-Mury-Monteymond (38) 152 A 2
St-Myon (63) 133 F 1
St-Nabor (67) 58 D 3
St-Nabord (88) 77 G 2
St-Nabord-sur-Aube (10) 54 A 4
St-Nauphary (82) 173 H 4
St-Nazaire (30) 178 D 2
St-Nazaire (44) 82 B 4
St-Nazaire (47) 156 D 3
St-Nazaire (66) 213 F 2
St-Nazaire-d'Aude (11) 209 E 1
St-Nazaire-de-Ladarez (34) 192 A 3
St-Nazaire-de-Pézan (34) 193 H 2
St-Nazaire-de-Valentane (82) 173 E 2
Saint-Nazaire-des-Gardies (30) 177 H 4
St-Nazaire-en-Royans (26) 150 D 4
St-Nazaire-le-Désert (26) 165 E 3
St-Nazaire-les-Eymes (38) 151 H 2
St-Nazaire-sur-Charente (17) 126 C 1
St-Nectaire (63) 133 E 5
St-Nexans (24) 157 E 2
St-Nic (29) 61 F 1
St-Nicodème (22) 62 D 1
St-Nicolas (62) 8 A 3
St-Nicolas-aux-Bois (02) 17 E 4
St-Nicolas-Courbefy (87) 129 H 5
St-Nicolas-d'Aliermont (76) 13 H 2
St-Nicolas-d'Attez (27) 49 F 1
St-Nicolas-de-Bliquetuit (76) 13 E 5
St-Nicolas-de-Bourgueil (37) 85 H 5
St-Nicolas-de-la-Balerme (47) 172 C 3
St-Nicolas-de-la-Grave (82) 173 E 3
St-Nicolas-de-la-Haie (76) 12 D 5
St-Nicolas-de-la-Taille (76) 12 D 5
St-Nicolas-de-Macherin (38) 151 F 1
St-Nicolas-de-Pierrepont (50) 22 C 5
St-Nicolas-de-Port (54) 57 E 2
St-Nicolas-de-Redon (44) 82 C 1
St-Nicolas-de-Sommaire (61) 48 D 1
St-Nicolas-de-Véroce (74) 139 E 2
St-Nicolas-des-Biefs (03) 134 B 1
St-Nicolas-des-Bois (50) 46 A 1
St-Nicolas-des-Bois (61) 47 H 4
St-Nicolas-des-Eaux (56) 63 F 4
St-Nicolas-des-Laitiers (61) 48 C 1
St-Nicolas-des-Motets (37) 87 F 2
St-Nicolas-du-Bosc (27) 29 E 3
St-Nicolas-du-Pélem (22) 63 E 1
St-Nicolas-du-Tertre (56) 64 B 4
St-Nicolas-en-Forêt (57) 20 D 4
St-Nicolas-la-Chapelle (10) 53 E 4
St-Nicolas-la-Chapelle (73) 138 D 2
St-Nicolas-lès-Cîteaux (21) 109 F 1
St-Nizier-d'Azergues (69) 121 H 5
St-Nizier-de-Fornas (42) 148 C 1
St-Nizier-du-Moucherotte (38) 151 G 3
St-Nizier-le-Bouchoux (01) 122 D 2
St-Nizier-le-Désert (01) 122 D 5
St-Nizier-sous-Charlieu (42) 121 F 5
St-Nizier-sur-Arroux (71) 108 A 4
St-Nolff (56) 81 H 2
St-Nom-la-Bretèche (78) 50 D 1
St-Offenge (73) 138 A 3
St-Omer (14) 27 E 5
St-Omer (44) 82 D 2
St-Omer (62) 3 E 4
St-Omer-Capelle (62) 2 D 2
St-Omer-en-Chaussée (60) 14 D 5
St-Ondras (38) 137 F 5
St-Onen-la-Chapelle (35) 64 C 1
St-Oradoux-de-Chirouze (23) 131 H 3
St-Oradoux-près-Crocq (23) 131 H 2
St-Orens (32) 188 C 1
St-Orens-de-Gameville (31) 189 G 3
St-Orens-Pouy-Petit (32) 172 A 5
St-Ost (32) 187 H 4
St-Ouen (41) 69 F 5
St-Ouen (80) 7 F 5
St-Ouen-sur-Seine (93) 31 F 5
St-Ouen-d'Aunis (17) 113 F 4
St-Ouen-de-la-Cour (61) 48 C 5
St-Ouen-de-Mimbré (72) 67 H 1
St-Ouen-de-Pontcheuil (27) 29 F 2
St-Ouen-de-Sécherouvre (61) 48 C 3
St-Ouen-de-Thouberville (27) 29 E 1
St-Ouen-des-Alleux (35) 45 G 5
St-Ouen-des-Besaces (14) 25 H 4
St-Ouen-des-Champs (27) 28 C 1
St-Ouën-des-Toits (53) 66 B 2
St-Ouën-des-Vallons (53) 67 E 2
St-Ouen-Domprot (51) 54 B 3
St-Ouen-du-Mesnil-Oger (14) 27 G 3
St-Ouen-du-Breuil (76) 13 G 4
St-Ouen-du-Tilleul (27) 29 F 2
St-Ouen-en-Belin (72) 68 A 5
St-Ouen-en-Brie (77) 52 A 3
St-Ouen-en-Champagne (72) 67 G 4
St-Ouen-la-Rouërie (35) 45 G 4
St-Ouen-la-Thène (17) 127 H 2
St-Ouen-l'Aumône (95) 31 E 4
St-Ouen-le-Brisoult (61) 47 F 4
St-Ouen-le-Houx (14) 28 A 5
St-Ouen-le-Mauger (76) 13 F 3
St-Ouen-le-Pin (14) 28 A 3
St-Ouen-lès-Parey (88) 76 B 1
St-Ouen-les-Vignes (37) 87 F 3
St-Ouen-Marchefroy (28) 50 A 1
St-Ouen-sous-Bailly (76) 13 H 1
St-Ouen-sur-Gartempe (87) 116 C 5
St-Ouen-sur-Iton (61) 48 D 2
St-Ouen-sur-Loire (58) 106 D 3
St-Ouen-sur-Maine (61) 47 G 2
St-Ouen-sur-Morin (77) 32 C 5
St-Oulph (10) 53 G 4
St-Ours (63) 132 D 2
St-Ours (73) 138 A 3
St-Outrille (18) 104 C 1
St-Ovin (50) 46 A 2
St-Oyen (73) 138 D 5
St-Pabu (29) 41 E 2
St-Paër (27) 30 B 2
St-Paër (76) 13 F 5
St-Pair (14) 27 G 3
St-Pair-du-Mont (14) 27 H 3
St-Pair-sur-Mer (50) 45 G 1
St-Pal-de-Chalencon (43) 148 B 2
St-Pal-de-Mons (43) 148 D 3
St-Pal-de-Senouire (43) 147 H 3
St-Palais (03) 118 C 2
St-Palais (18) 89 F 5
St-Palais (33) 141 F 2
St-Palais (64) 185 F 4
St-Palais-de-Négrignac (17) 141 H 2
St-Palais-de-Phiolin (17) 127 F 5
St-Palais-du-Né (16) 127 H 5
St-Palais-sur-Mer (17) 126 C 4
St-Pancrace (06) 183 F 5
St-Pancrace (24) 143 E 1
Saint-Pancrace (2B) 216 D 2
St-Pancrace (73) 152 C 2
St-Pancrasse (38) 151 H 2
St-Pancré (54) 20 B 2
St-Pandelon (40) 185 F 1
St-Pantaléon (46) 173 G 1
St-Pantaléon (84) 179 H 5
St-Pantaléon-de-Lapleau (19) 145 G 2
St-Pantaléon-de-Larche (19) 144 B 4
St-Pantaléon-les-Vignes (26) 164 D 5
St-Pantaly-d'Ans (24) 143 H 3
St-Pantaly-d'Excideuil (24) 143 H 2
St-Papoul (11) 190 B 5
St-Pardon (33) 141 G 5
St-Pardon-de-Conques (33) 155 H 4
St-Pardoult (17) 127 G 1
St-Pardoux (63) 133 E 1
St-Pardoux (79) 114 B 1
St-Pardoux (87) 130 A 1
St-Pardoux-Corbier (19) 144 B 1
St-Pardoux-d'Arnet (23) 131 H 2
St-Pardoux-de-Drône (24) 142 D 3
St-Pardoux-du-Breuil (47) 156 B 4
St-Pardoux-et-Vielvic (24) 157 G 2
St-Pardoux-Isaac (47) 156 C 3
St-Pardoux-la-Croisille (19) 145 F 3
St-Pardoux-la-Rivière (24) 129 F 5
St-Pardoux-le-Neuf (19) 131 H 5
St-Pardoux-le-Neuf (23) 131 G 2
St-Pardoux-le-Vieux (19) 131 H 5
St-Pardoux-les-Cards (23) 118 A 5
St-Pardoux-l'Ortigier (19) 144 C 2
St-Pardoux-Morterolles (23) 131 E 2
St-Pargoire (34) 192 D 3
St-Parize-en-Viry (58) 106 D 4
St-Parize-le-Châtel (58) 106 C 4
St-Parres-aux-Tertres (10) 73 H 1
St-Parres-lès-Vaudes (10) 74 A 2
St-Parthem (12) 159 H 3
St-Pastour (47) 157 E 4
St-Pastous (65) 204 B 2
St-Paterne (72) 48 A 5
St-Paterne-Racan (37) 86 C 2
St-Pathus (77) 32 A 4
St-Patrice (37) 86 A 5
St-Patrice-de-Claids (50) 24 D 2
St-Patrice-du-Désert (61) 47 F 3
St-Paul (19) 145 E 3
St-Paul (33) 141 E 3
St-Paul (60) 30 D 1
St-Paul (61) 46 D 1
St-Paul (65) 205 F 2
St-Paul (73) 137 G 4
St-Paul (87) 130 B 3
St-Paul (88) 56 C 5
St-Paul-aux-Bois (02) 16 C 5
St-Paul-Cap-de-Joux (81) 190 B 2
St-Paul-de-Baïse (32) 187 G 1
St-Paul-de-Fenouillet (66) 208 C 4
St-Paul-de-Fourques (27) 29 E 2
St-Paul-de-Jarrat (09) 207 E 3
St-Paul-de-Loubressac (46) 173 H 1
St-Paul-de-Salers (15) 146 A 4
St-Paul-de-Serre (24) 143 E 4
St-Paul-de-Tartas (43) 162 B 2
St-Paul-de-Varax (01) 122 D 5
St-Paul-de-Varces (38) 151 G 4
St-Paul-de-Vence (06) 199 F 1
St-Paul-de-Vern (46) 159 E 1
St-Paul-de-Vézelin (42) 134 D 2
St-Paul-des-Landes (15) 145 H 5
St-Paul-d'Espis (82) 173 E 2
St-Paul-d'Izeaux (38) 151 E 2
St-Paul-d'Oueil (31) 205 F 4
St-Paul-du-Bois (49) 100 D 1
St-Paul-du-Vernay (14) 25 H 3
St-Paul-d'Uzore (42) 134 D 4
St-Paul-en-Born (40) 168 D 1
St-Paul-en-Chablais (74) 125 E 2
St-Paul-en-Cornillon (42) 148 D 1
St-Paul-en-Forêt (83) 197 H 2
St-Paul-en-Gâtine (79) 100 D 5
St-Paul-en-Jarez (42) 135 G 5
St-Paul-en-Pareds (85) 100 A 3
St-Paul-et-Valmalle (34) 193 E 2
St-Paul-Flaugnac (46) 173 G 1
St-Paul-la-Coste (30) 177 H 2
St-Paul-la-Roche (24) 143 H 1
St-Paul-le-Froid (48) 161 H 2
St-Paul-le-Gaultier (72) 47 G 5
St-Paul-le-Jeune (07) 178 A 1
St-Paul-lès-Dax (40) 185 F 1
St-Paul-les-Fonts (30) 178 D 3
St-Paul-lès-Monestier (38) 151 G 5
St-Paul-lès-Romans (26) 150 D 4
St-Paul-lez-Durance (13) 196 B 1
St-Paul-Lizonne (24) 142 C 2
St-Paul-Mont-Penit (85) 99 E 3
St-Paul-sur-Isère (73) 138 D 4
St-Paul-sur-Risle (27) 28 C 1
St-Paul-sur-Save (31) 189 E 1
St-Paul-sur-Ubaye (04) 167 F 3
St-Paul-Trois-Châteaux (26) 163 H 5
St-Paulet (11) 190 A 4
St-Paulet-de-Caisson (30) 178 D 1
St-Paulien (43) 148 A 4
St-Pavace (72) 68 A 3
St-Pé-d'Ardet (31) 205 G 3
St-Pé-de-Bigorre (65) 204 A 2
St-Pé-de-Léren (64) 185 F 3
St-Pé-Delbosc (31) 188 A 5
St-Pé-St-Simon (47) 171 G 4
St-Pée-d'En-Bas (64) 203 F 1
St-Pée-d'En-Haut (64) 203 F 1
St-Pée-sur-Nivelle (64) 184 C 4
St-Pellerin (28) 69 G 3
St-Pellerin (50) 25 F 1
St-Péran (35) 64 D 2
St-Péravy-Épreux (45) 70 D 1
St-Péravy-la-Colombe (45) 70 B 3
St-Péray (07) 149 H 5
St-Perdon (40) 169 H 5
St-Perdoux (24) 157 E 2
St-Perdoux (46) 159 F 3
St-Père (58) 90 B 4
St-Père (89) 91 G 3
St-Père-en-Retz (44) 82 C 5
St-Père-Marc-en-Poulet (35) 45 E 3
St-Père-sur-Loire (45) 71 F 5
St-Péreuse (58) 107 G 2
St-Pern (35) 44 D 5
St-Perreux (56) 82 C 1
St-Péver (22) 43 F 4
St-Pey-d'Armens (33) 155 H 1
St-Pey-de-Castets (33) 156 A 1
St-Phal (10) 73 H 2
St-Philbert-de-Bouaine (85) 99 F 2
St-Philbert-de-Grand-Lieu (44) 99 F 1
St-Philbert-des-Champs (14) 28 B 3
St-Philbert-du-Peuple (49) 85 G 4
St-Philbert-du-Pont-Charrault (85) 100 A 5
St-Philbert-en-Mauges (49) 84 A 5
St-Philbert-sur-Boissey (27) 29 E 2
St-Philbert-sur-Orne (61) 47 F 1
St-Philbert-sur-Risle (27) 28 D 2
St-Philibert (21) 93 F 5
St-Philibert (56) 81 F 2
St-Philibert-d'Entremont (38) 151 H 1
St-Philippe-d'Aiguille (33) 156 A 1
St-Philippe-du-Seignal (33) 156 C 1
St-Piat (28) 50 A 4
St-Pierre (04) 182 D 4
St-Pierre (15) 145 H 2
St-Pierre (31) 189 H 2
St-Pierre (39) 124 A 1
St-Pierre (51) 34 A 5
St-Pierre (67) 58 D 4
St-Pierre (84) 179 E 1
St-Pierre-à-Arnes (08) 34 B 2
St-Pierre-à-Champ (79) 101 E 1
St-Pierre-à-Gouy (80) 15 E 1
St-Pierre-Aigle (02) 32 C 2
St-Pierre-Avez (05) 180 D 1
St-Pierre-Azif (14) 27 H 2
St-Pierre-Bellevue (23) 131 E 2
St-Pierre-Bénouville (76) 13 F 3
St-Pierre-Bois (67) 58 D 5
St-Pierre-Brouck (59) 3 E 3
St-Pierre-Canivet (14) 27 G 5
St-Pierre-Chérignat (23) 130 C 1
St-Pierre-Colamine (63) 133 E 5
St-Pierre-d'Allevard (38) 152 A 1
St-Pierre-d'Alvey (73) 137 G 4
St-Pierre-d'Amilly (17) 113 H 4
St-Pierre-d'Argençon (05) 165 H 4
St-Pierre-d'Arthéglise (50) 22 C 4
St-Pierre-d'Aubézies (32) 187 F 2
St-Pierre-d'Aurillac (33) 155 H 4
St-Pierre-d'Autils (27) 30 A 3
St-Pierre-de-Bailleul (27) 29 H 3
St-Pierre-de-Bat (33) 155 H 3
St-Pierre-de-Belleville (73) 138 C 5
St-Pierre-de-Bœuf (42) 149 G 1
St-Pierre-de-Bressieux (38) 150 D 2
St-Pierre-de-Buzet (47) 171 H 1
St-Pierre-de-Caubel (47) 157 E 5
St-Pierre-de-Cernières (27) 28 C 5
St-Pierre-de-Chandieu (69) 136 C 4
St-Pierre-de-Chartreuse (38) 151 H 1
St-Pierre-de-Chérennes (38) 151 E 4
St-Pierre-de-Chevillé (72) 86 B 1
St-Pierre-de-Chignac (24) 143 G 4
St-Pierre-de-Clairac (47) 172 C 2
St-Pierre-de-Côle (24) 143 F 2
St-Pierre-de-Colombier (07) 162 D 2
St-Pierre-de-Cormeilles (27) 28 B 2
St-Pierre-de-Coutances (50) 24 D 4
St-Pierre-de-Curtille (73) 137 H 3
St-Pierre-de-Frugie (24) 129 H 5
St-Pierre-de-Fursac (23) 117 F 5
St-Pierre-de-Genebroz (73) 151 G 1
St-Pierre-de-Jards (36) 104 D 1
St-Pierre-de-Juillers (17) 127 G 1
St-Pierre-de-la-Fage (34) 192 C 1
St-Pierre-de-Lages (31) 189 G 3
St-Pierre-de-Lamps (36) 104 A 2
St-Pierre-de-l'Isle (17) 127 G 1
St-Pierre-de-Maillé (86) 103 E 5
St-Pierre-de-Mailloc (14) 28 B 4
St-Pierre-de-Manneville (76) 29 F 1
St-Pierre-de-Méaroz (38) 165 H 1
St-Pierre-de-Mésage (38) 151 H 4
St-Pierre-de-Mézoargues (13) 178 D 5
St-Pierre-de-Mons (33) 155 H 4
St-Pierre-de-Nogaret (47) 156 C 5
St-Pierre-de-Nogaret (48) 161 E 5
St-Pierre-de-Plesguen (35) 45 E 4
St-Pierre-de-Rivière (09) 207 E 3
St-Pierre-de-Salerne (27) 28 D 3
St-Pierre-de-Semilly (50) 25 G 3
St-Pierre-de-Soucy (73) 138 B 5
St-Pierre-de-Trivisy (81) 191 E 1
St-Pierre-de-Vacquière (30) 178 B 5
St-Pierre-de-Varengeville (76) 13 F 5
St-Pierre-de-Varennes (71) 108 C 3
St-Pierre-de-Vassols (84) 179 H 3
St-Pierre-dels-Forcats (66) 211 H 4
Saint-Pierre-d'Entremont (38) 151 H 1
St-Pierre-d'Entremont (61) 46 D 1
St-Pierre-d'Entremont (73) 151 H 1
St-Pierre-des-Bois (72) 67 G 4
St-Pierre-des-Champs (11) 208 D 3
St-Pierre-des-Corps (37) 86 D 4
St-Pierre-des-Échaubrognes (79) 100 C 2
St-Pierre-des-Fleurs (27) 29 F 2
St-Pierre-des-Ifs (14) 28 A 3
St-Pierre-des-Ifs (27) 28 D 2
St-Pierre-des-Jonquières (76) 14 A 2
St-Pierre-des-Landes (53) 66 B 1
St-Pierre-des-Loges (61) 48 C 2
St-Pierre-des-Nids (53) 47 G 5
St-Pierre-des-Ormes (72) 68 B 1
St-Pierre-des-Tripiers (48) 176 D 2
St-Pierre-d'Exideuil (86) 115 F 5
St-Pierre-d'Eyraud (24) 156 C 1
St-Pierre-d'Irube (64) 184 C 3
St-Pierre-d'Oléron (17) 126 A 1
St-Pierre-du-Bosguérard (27) 29 E 2
St-Pierre-du-Bû (14) 27 G 5
St-Pierre-du-Champ (43) 148 B 3
St-Pierre-du-Chemin (85) 100 C 5
St-Pierre-du-Fresne (14) 25 H 4
St-Pierre-du-Jonquet (14) 27 G 3
St-Pierre-du-Lorouër (72) 68 C 5
St-Pierre-du-Mesnil (27) 28 C 5
St-Pierre-du-Mont (14) 23 G 5
St-Pierre-du-Mont (40) 169 H 5
St-Pierre-du-Mont (58) 91 E 4
St-Pierre-du-Palais (17) 141 H 3
St-Pierre-du-Perray (91) 51 G 3
St-Pierre-du-Regard (61) 47 E 1
St-Pierre-du-Val (27) 28 B 1
St-Pierre-du-Vauvray (27) 29 G 2
St-Pierre-Église (50) 23 E 2
St-Pierre-en-Faucigny (74) 124 D 5
St-Pierre-en-Port (76) 12 D 2
St-Pierre-en-Val (76) 6 B 5
St-Pierre-en-Vaux (21) 108 C 2
St-Pierre-es-Champs (60) 30 B 1
St-Pierre-Eynac (43) 148 C 4
St-Pierre-la-Bourlhonne (63) 134 B 4
St-Pierre-la-Bruyère (61) 49 E 5
St-Pierre-la-Cour (53) 66 B 2
St-Pierre-la-Garenne (27) 29 H 3
St-Pierre-la-Mer (11) 209 G 1
St-Pierre-la-Noaille (42) 121 F 4
St-Pierre-la-Palud (69) 135 G 3
St-Pierre-la-Rivière (61) 48 A 1
St-Pierre-la-Roche (07) 163 G 3
St-Pierre-la-Vieille (14) 27 E 5
St-Pierre-Lafeuille (46) 158 B 4
St-Pierre-Langers (50) 45 G 1
St-Pierre-Laval (03) 120 D 4
St-Pierre-Lavis (76) 12 D 4
St-Pierre-le-Bost (23) 118 B 3
St-Pierre-le-Chastel (63) 132 D 3
St-Pierre-le-Déchausselat (07) 162 C 5
St-Pierre-le-Moûtier (58) 106 C 4
St-Pierre-le-Vieux (48) 161 F 1
St-Pierre-le-Vieux (71) 121 H 3
St-Pierre-le-Vieux (76) 13 F 2
St-Pierre-le-Vieux (85) 113 H 2
St-Pierre-le-Viger (76) 13 F 2
St-Pierre-lès-A. (13) 196 A 4
St-Pierre-lès-Bitry (60) 32 B 1
St-Pierre-les-Bois (18) 105 F 5
St-Pierre-lès-Elbeuf (76) 29 F 2
St-Pierre-les-Étieux (18) 105 H 5
St-Pierre-lès-Franqueville (02) 17 G 2
St-Pierre-lès-Nemours (77) 71 H 1
St-Pierre-Montlimart (49) 84 A 4
St-Pierre-Quiberon (56) 81 E 3
St-Pierre-Roche (63) 132 D 4
St-Pierre-sur-Dives (14) 27 H 4
St-Pierre-sur-Doux (07) 149 E 4
St-Pierre-sur-Dropt (47) 156 B 3
St-Pierre-sur-Erve (53) 67 F 3
St-Pierre-sur-Orthe (53) 67 G 1
St-Pierre-sur-Vence (08) 18 D 3
St-Pierre-Tarentaine (14) 25 H 4
St-Pierre-Toirac (46) 159 F 4
St-Pierremont (02) 17 G 3
St-Pierremont (08) 19 F 5
St-Pierremont (88) 57 G 4
St-Pierreville (07) 163 F 1
St-Pierrevillers (55) 20 B 3
St-Plaisir (03) 119 G 1
St-Plancard (31) 205 F 1
St-Planchers (50) 45 G 1
St-Plantaire (36) 117 G 2
St-Point (71) 122 A 3
St-Point-Lac (25) 111 F 3
St-Pois (50) 46 B 1
St-Poix (53) 66 B 3
St-Pol-de-Léon (29) 41 H 2
St-Pol-sur-Mer (59) 3 F 2
St-Pol-sur-Ternoise (62) 7 G 2
St-Polgues (42) 134 C 2
St-Polycarpe (11) 208 A 2
St-Pompain (79) 114 A 2
St-Pompont (24) 157 H 2
St-Poncy (15) 147 E 3
St-Pons (04) 167 F 5
St-Pons (07) 163 F 3
St-Pons-de-Mauchiens (34) 192 D 3
St-Pons-de-Thomières (34) 191 G 3
St-Pons-la-Calm (30) 178 D 3
St-Pons-les-Mûres (83) 197 H 4
St-Pont (03) 120 A 5
St-Porchaire (17) 126 D 2
St-Porchaire (79) 101 E 3
St-Porquier (82) 173 F 4
St-Pôtan (22) 44 B 3
St-Pouange (10) 73 H 1
St-Pourçain-sur-Besbre (03) 120 C 2
St-Pourçain-sur-Sioule (03) 120 A 3
St-Prancher (88) 56 C 5
St-Préjet-Armandon (43) 147 H 3
St-Préjet-d'Allier (43) 161 H 1
St-Prest (28) 50 A 4
St-Preuil (16) 127 H 4
St-Priest (07) 163 F 2
St-Priest (23) 118 C 5
St-Priest (69) 136 B 4
St-Priest-Bramefant (63) 133 H 1
St-Priest-d'Andelot (03) 119 H 5
St-Priest-de-Gimel (19) 145 E 2
St-Priest-des-Champs (63) 132 C 1
St-Priest-en-Jarez (42) 149 E 1
St-Priest-en-Murat (03) 119 F 3
St-Priest-la-Feuille (23) 117 F 4
St-Priest-la-Marche (18) 118 B 2
St-Priest-la-Plaine (23) 117 F 4
St-Priest-la-Prugne (42) 134 B 1
St-Priest-la-Roche (42) 134 D 2
St-Priest-la-Vêtre (42) 134 B 3
St-Priest-le-Betoux (87) 116 D 4
St-Priest-les-Fougères (24) 129 H 5
St-Priest-Ligoure (87) 130 A 4
St-Priest-Palus (23) 130 D 2
St-Priest-sous-Aixe (87) 129 H 3
St-Priest-Taurion (87) 130 B 2
St-Prim (38) 149 G 1
St-Privat (07) 163 E 3
St-Privat (19) 145 G 4

St-Privat (34) 192 C 1
St-Privat-d'Allier (43) 147 A 5
St-Privat-de-Champclos (30) 178 C 1
St-Privat-de-Vallongue (48) 177 G 1
St-Privat-des-Prés (24) 142 C 3
St-Privat-des-Vieux (30) 178 A 2
St-Privat-du-Dragon (43) 147 G 3
St-Privat-du-Fau (48) 161 F 1
St-Privat-la-Montagne (57) 20 D 5
St-Privé (71) 108 D 5
St-Privé (89) 90 B 1
St-Prix (03) 120 C 4
St-Prix (07) 149 F 5
St-Prix (71) 107 H 3
St-Prix (95) 31 E 4
St-Prix-lès-Arnay (21) 108 C 1
St-Projet (15) 159 H 3
St-Projet (46) 158 C 2
St-Projet (82) 174 B 1
St-Projet-de-Salers (15) 146 A 4
St-Projet-St-Constant (16) 128 D 3
St-Prouant (85) 100 B 4
St-Pryvé-St-Mesmin (45) 70 C 4
St-Puy (32) 172 A 5
St-Python (59) 9 E 4
St-Quantin-de-Rançanne (17) 127 F 5
St-Quay-Perros (22) 42 D 2
St-Quay-Portrieux (22) 43 G 3
St-Quentin (SP) (02) 16 D 2
St Quentin-au-Bosc (76) 13 H 1
St-Quentin-de-Baron (33) 155 G 1
St-Quentin-de-Blavou (61) 48 B 4
St-Quentin-de-Caplong (33) 156 B 2
St-Quentin-de-Chalais (16) 142 B 2
St-Quentin-des-Isles (27) 28 D 4
St-Quentin-des-Prés (60) 14 C 5
St-Quentin-du-Dropt (47) 157 E 3
St-Quentin-en-Mauges (49) 84 B 4
St-Quentin-en-Tourmont (80) 6 C 3
St-Quentin-en-Yvelines (78) 50 D 2
St-Quentin-Fallavier (38) 136 C 4
St-Quentin-la-Chabanne (23) 131 G 2
St-Quentin-la-Motte-Croix-au-Bailly (80) 6 B 5
St-Quentin-la-Poterie (30) 178 C 3
St-Quentin-la-Tour (09) 207 G 2
St-Quentin-le-Petit (08) 17 H 4
St-Quentin-le-Verger (51) 53 F 3
St-Quentin-les-Anges (53) 66 B 5
St-Quentin-lès-Beaurepaire (49) 85 G 1
St-Quentin-les-Chardonnets (61) 46 D 1
St-Quentin-les-Marais (51) 54 C 1
St-Quentin-sur-Allan (02) 32 C 3
St-Quentin-sur-Charente (16) 129 F 2
St-Quentin-sur-Coole (51) 54 B 1
St-Quentin-sur-Indrois (37) 87 F 5
St-Quentin-sur-Isère (38) 151 F 2
St-Quentin-sur-le-Homme (50) 45 H 2
St-Quentin-sur-Nohain (58) 90 B 4
St-Quentin-sur-Sauxillanges (63) 133 G 5
St-Quintin-sur-Sioule (63) 119 G 5
St-Quirc (09) 189 G 5
St-Quirin (57) 58 B 2
St-Rabier (24) 143 A 3
St-Racho (71) 121 G 4
St-Rambert-d'Albon (26) 149 H 2
St-Rambert-en-Bugey (01) 137 E 1
St-Raoul (56) 64 C 3
St-Raphaël (24) 143 H 2
St-Raphaël (83) 198 D 3
St-Régis-du-Coin (42) 149 E 2
St-Règle (37) 87 F 4
St-Remèze (07) 163 F 5
St-Remimont (54) 57 E 3
St-Remimont (88) 76 C 1
St-Rémy (01) 122 D 4
St-Rémy (12) 159 F 5
St-Rémy (14) 27 E 5
St-Rémy (19) 131 H 4
St-Rémy (21) 92 B 1
St-Rémy (24) 142 B 5
St-Rémy (27) 30 B 3
St-Rémy (71) 109 E 4
St-Rémy (79) 114 A 3
St-Remy (88) 58 A 5
St-Rémy-au-Bois (62) 6 D 2
St-Rémy-aux-Bois (54) 57 F 4
St-Rémy-Blanzy (02) 32 D 2
St-Rémy-Boscrocourt (76) 14 A 1
St-Remy-Chaussée (59) 9 H 4
St-Rémy-de-Blot (63) 119 G 5
St-Rémy-de-Chargnat (63) 133 G 5
St-Rémy-de-Chaudes-Aigues (15) 160 D 2
St-Rémy-de-Maurienne (73) 152 C 1
St-Rémy-de-Provence (13) 179 F 5
St-Rémy-de-Salers (15) 146 A 4
St-Rémy-de-Sillé (72) 67 G 2
St-Rémy-des-Landes (50) 22 C 5
St-Rémy-des-Monts (72) 68 B 1
St-Remy-du-Nord (59) 9 H 4
St-Rémy-du-Plain (35) 45 G 5
St-Rémy-du-Val (72) 48 A 5
St-Remy-en-Bouzemont-St-Genest-et-Isson (51) 54 D 3
St-Remy-en-Comté (70) 76 D 4
St-Remy-en-l'Eau (60) 15 G 5
St-Rémy-en-Mauges (49) 84 A 4
St-Rémy-en-Montmorillon (86) 116 B 3
St-Rémy-en-Rollat (03) 120 A 4
St-Remy-la-Calonne (55) 36 A 4
St-Rémy-la-Vanne (77) 52 C 1
St-Rémy-la-Varenne (49) 85 F 3
St-Remy-le-Petit (08) 34 A 1
St-Rémy-lès-Chevreuse (78) 50 D 2
St-Rémy-l'Honoré (78) 50 C 2
St-Remy-sous-Barbuise (10) 53 H 4
St-Remy-sous-Broyes (51) 53 F 2
St-Rémy-sur-Avre (28) 49 G 2
St-Remy-sur-Bussy (51) 34 C 4
St-Rémy-sur-Creuse (86) 102 D 3
St-Rémy-sur-Durolle (63) 134 A 2
St-Renan (29) 41 E 3
St-René (22) 43 H 5
St-Restitut (26) 179 E 1
St-Révérend (85) 98 D 4
St-Révérien (58) 91 E 5
St-Rieul (22) 44 B 4
St-Rigomer-des-Bois (72) 48 A 5
St-Rimay (41) 69 E 5
St-Riquier (80) 7 E 4
St-Riquier-en-Rivière (76) 14 B 2
St-Riquier-ès-Plains (76) 13 E 2
St-Rirand (42) 120 D 5
St-Rivalain (56) 63 E 4
St-Rivoal (29) 41 H 5
St-Robert (19) 144 A 3
St-Robert (47) 172 D 2
St-Roch (37) 86 C 3
St-Roch-sur-Égrenne (61) 46 D 3
St-Rogatien (17) 113 F 4
St-Romain (16) 142 B 2
St-Romain (21) 108 D 2
St-Romain (63) 148 B 1
St-Romain (69) 135 H 2
St-Romain (86) 115 G 4
St-Romain-d'Ay (07) 149 G 3
St-Romain-de-Benet (17) 126 D 3
St-Romain-de-Colbosc (76) 12 C 5
St-Romain-de-Jalionas (38) 136 D 3
St-Romain-de-Lerps (07) 149 H 5
St-Romain-de-Monpazier (24) 157 G 2
St-Romain-de-Popey (69) 135 F 2
St-Romain-de-Surieu (38) 149 H 1
St-Romain-de-Vignague (33) 156 A 3
St-Romain-d'Urfé (42) 134 B 2
St-Romain-en-Gal (69) 136 B 5
St-Romain-en-Gier (69) 135 H 5
St-Romain-en-Jarez (42) 135 G 5
St-Romain-en-Viennois (84) 179 G 1
St-Romain-et-St-Clément (24) 143 G 1
St-Romain-la-Motte (42) 121 E 5
St-Romain-la-Virvée (33) 141 G 5
St-Romain-Lachalm (43) 149 E 2
St-Romain-le-Noble (47) 172 C 2
St-Romain-le-Preux (89) 72 C 4
St-Romain-le-Puy (42) 134 D 5
St-Romain-les-Atheux (42) 149 E 2
St-Romain-sous-Gourdon (71) 108 C 5
St-Romain-sous-Versigny (71) 108 A 5
St-Romain-sur-Cher (41) 87 H 4
St-Romain-sur-Gironde (17) 141 E 1
St-Roman (26) 165 F 2
St-Roman-de-Bellet (06) 183 F 5
St-Roman-de-Codières (30) 177 G 4
St-Roman-de-Malegarde (84) 179 F 1
St-Roman-de-Tousque (48) 177 G 2
St-Romans (38) 151 E 4
St-Romans-des-Champs (79) 114 B 4
St-Romans-lès-Melle (79) 114 C 4
St-Rome (31) 189 H 4
St-Rome-de-Cernon (12) 176 B 4
St-Rome-de-Dolan (48) 176 C 1
St-Rome-de-Tarn (12) 176 A 3
St-Romphaire (50) 25 F 4
St-Rustice (31) 189 F 1
St-Saëns (76) 13 H 4
St-Saire (76) 14 A 3
St-Salvadou (12) 174 D 1
St-Salvadour (19) 144 D 1
St-Salvi-de-Carcavès (81) 191 F 1
St-Salvy (47) 172 A 1
St-Salvy-de-la-Balme (81) 190 D 2
St-Samson (14) 27 G 3
St-Samson (53) 47 G 4
St-Samson (56) 63 G 3
St-Samson-de-Bonfossé (50) 25 F 4
St-Samson-de-la-Roque (27) 28 C 1
St-Samson-la-Poterie (60) 14 C 4
St-Samson-sur-Rance (22) 44 D 3
St-Sandoux (63) 133 F 4
St-Santin (12) 159 G 3
St-Santin-Cantalès (15) 145 H 5
St-Santin-de-Maurs (15) 159 G 3
St-Sardos (47) 172 B 1
St-Sardos (82) 173 F 5
St-Sardos-de-Laurenque (47) 157 G 4
St-Satur (18) 90 A 4
St-Saturnin (15) 146 C 3
St-Saturnin (16) 128 B 4
St-Saturnin (18) 118 B 2
St-Saturnin (48) 161 E 5
St-Saturnin (51) 53 G 3
St-Saturnin (63) 133 F 4
St-Saturnin (72) 68 A 3
St-Saturnin-de-Lenne (12) 160 D 5
St-Saturnin-de-Lucian (34) 192 C 1
St-Saturnin-du-Bois (17) 113 H 5
St-Saturnin-du-Limet (53) 66 A 5
St-Saturnin-lès-Apt (84) 180 A 4
St-Saturnin-lès-Avignon (84) 179 F 4
St-Saturnin-sur-Loire (49) 85 E 3
St-Saud-Lacoussière (24) 129 F 5
St-Sauflieu (80) 15 F 3
St-Saulge (58) 107 E 1
St-Saulve (59) 9 F 2
St-Saury (15) 159 G 1
St-Sauvant (17) 127 F 3
St-Sauvant (86) 115 E 3
St-Sauves-d'Auvergne (63) 132 C 5
St-Sauveur (05) 167 E 3
St-Sauveur (21) 94 A 4
St-Sauveur (29) 41 H 4
St-Sauveur (31) 189 F 1
St-Sauveur (33) 140 D 3
St-Sauveur (38) 151 E 3
St-Sauveur (54) 58 A 3
St-Sauveur (60) 31 H 2
St-Sauveur (70) 77 F 5
St-Sauveur (79) 101 E 4
St-Sauveur (80) 15 F 1
St-Sauveur (85) 98 A 4
St-Sauveur-Camprieu (30) 177 E 3
St-Sauveur-d'Aunis (17) 113 G 4
St-Sauveur-de-Bergerac (24) 157 E 1
St-Sauveur-de-Carrouges (61) 47 G 3
St-Sauveur-de-Chaulieu (50) 46 C 1
St-Sauveur-de-Cruzières (07) 178 B 1
St-Sauveur-de-Flée (49) 66 C 5
St-Sauveur-de-Ginestoux (48) 161 H 3
St-Sauveur-de-Landemont (49) 83 H 4
St-Sauveur-de-Meilhan (47) 156 A 4
St-Sauveur-de-Montagut (07) 163 F 1
St-Sauveur-de-Peyre (48) 161 F 3
St-Sauveur-de-Pierrepont (50) 22 C 5
St-Sauveur-de-Puynormand (33) 142 A 5
St-Sauveur-d'Émalleville (76) 12 C 4
St-Sauveur-des-Landes (35) 45 H 5
St-Sauveur-en-Diois (26) 164 D 2
St-Sauveur-en-Puisaye (89) 90 C 2
St-Sauveur-en-Rue (42) 149 F 2
St-Sauveur-Gouvernet (26) 165 F 5
St-Sauveur-la-Pommeraye (50) 24 D 5
St-Sauveur-la-Sagne (63) 147 H 1
St-Sauveur-la-Vallée (46) 158 C 3
St-Sauveur-Lalande (24) 142 C 5
St-Sauveur-le-Vicomte (50) 22 D 5
St-Sauveur-Lendelin (50) 24 D 3
St-Sauveur-les-Bains (65) 204 B 4
St-Sauveur-lès-Bray (77) 52 C 4
St-Sauveur-Levasville (28) 49 H 3
St-Sauveur-sur-École (77) 51 G 4
St-Sauveur-sur-Tinée (06) 183 E 2
St-Sauvier (03) 118 C 3
St-Sauvy (32) 188 B 1
St-Savin (33) 141 F 3
St-Savin (38) 137 E 4
Saint-Savin (65) 204 B 3
St-Savin (86) 116 B 1
St-Savinien (17) 127 E 2
St-Saviol (86) 115 F 5
St-Savournin (13) 196 A 4
St-Sébastien (23) 117 F 3
St-Sébastien (38) 165 H 1
St-Sébastien-d'Aigrefeuille (30) 177 H 3
St-Sébastien-de-Morsent (27) 29 G 4
St-Sébastien-de-Raids (50) 25 E 2
St-Sébastien-sur-Loire (44) 83 F 5
St-Secondin (86) 115 G 3
St-Ségal (29) 41 H 5
St-Séglin (35) 64 D 4
St-Seine (58) 107 G 5
St-Seine-en-Bâche (21) 109 H 1
St-Seine-l'Abbaye (21) 93 E 3
St-Seine-sur-Vingeanne (21) 94 A 2
St-Selve (33) 155 F 3
St-Senier-de-Beuvron (50) 45 H 3
St-Senier-sous-Avranches (50) 45 H 2
St-Senoch (37) 103 F 2
St-Senoux (35) 65 E 4
St-Sériès (34) 193 H 1
St-Sernin (07) 163 E 4
St-Sernin (11) 207 F 1
St-Sernin (47) 156 C 2
St-Sernin-du-Bois (71) 108 C 3
St-Sernin-du-Plain (71) 108 D 3
St-Sernin-lès-Lavaur (81) 190 B 3
St-Sernin-sur-Rance (12) 175 G 5
St-Sérotin (89) 72 C 1
St-Servais (22) 42 D 5
St-Servais (29) 41 G 3
St-Servan-sur-Mer (35) 44 D 2
St-Servant (56) 64 A 3
St-Setiers (19) 131 G 4
St-Seurin-de-Bourg (33) 141 F 4
St-Seurin-de-Cadourne (33) 140 D 2
St-Seurin-de-Cursac (33) 141 E 3
St-Seurin-de-Palenne (17) 127 F 4
St-Seurin-de-Prats (24) 156 B 1
St-Seurin-d'Uzet (17) 126 D 5
St-Seurin-sur-l'Isle (33) 142 A 5
St-Sève (33) 156 A 3
St-Sever (40) 186 A 1
St-Sever-Calvados (14) 46 B 1
St-Sever-de-Rustan (65) 187 F 4
St-Sever-de-Saintonge (17) 127 F 3
St-Sever-du-Moustier (12) 191 F 1
St-Séverin (16) 142 C 2
St-Séverin-d'Estissac (24) 142 D 4
St-Séverin-sur-Boutonne (17) 114 B 5
St-Siffret (30) 178 C 3
St-Sigismond (45) 70 B 4
St-Sigismond (49) 84 B 3
St-Sigismond (74) 125 E 5
St-Sigismond (85) 113 H 3
St-Sigismond-de-Clermont (17) 141 F 1
St-Silvain-Bas-le-Roc (23) 118 B 3
St-Silvain-Bellegarde (23) 131 H 1
St-Silvain-Montaigut (23) 117 G 5
St-Silvain-sous-Toulx (23) 118 B 4
St-Siméon (27) 28 C 2
St-Siméon (61) 46 D 4
St-Siméon (77) 52 C 1
St-Siméon-de-Bressieux (38) 150 D 2
St-Simeux (16) 128 A 4
St-Simon (02) 16 C 3
St-Simon (15) 146 A 5
St-Simon (16) 128 A 4
St-Simon (31) 189 F 3
St-Simon (46) 159 E 3
St-Simon-de-Bordes (17) 141 F 1
St-Simon-de-Pellouaille (17) 127 E 4
St-Sixt (74) 124 D 5
St-Sixte (42) 134 C 3
St-Sixte (47) 172 C 3
St-Solen (22) 44 D 4
St-Solve (19) 144 B 2
St-Sorlin (69) 135 G 4
St-Sorlin-d'Arves (73) 152 B 2
St-Sorlin-de-Conac (17) 141 E 1
St-Sorlin-de-Morestel (38) 137 F 4
St-Sorlin-de-Vienne (38) 149 H 1
St-Sorlin-en-Bugey (01) 137 E 2
St-Sorlin-en-Valloire (26) 150 B 2
St-Sornin (03) 119 G 2
St-Sornin (16) 128 D 4
St-Sornin (17) 126 C 3
St-Sornin (85) 112 D 1
St-Sornin-la-Marche (87) 116 B 4
St-Sornin-Lavolps (19) 144 B 2
St-Sornin-Leulac (87) 116 D 4
St-Soulan (32) 188 B 3
St-Souplet (59) 9 F 5
St-Souplet-sur-Py (51) 34 B 2
St-Soupplets (77) 32 A 4
St-Sozy (46) 158 C 1
St-Stail (88) 58 B 4
St-Suliac (35) 44 D 3
St-Sulpice (01) 122 D 3
St-Sulpice (46) 159 E 4
St-Sulpice (49) 85 E 3
St-Sulpice (53) 66 D 4
St-Sulpice (58) 106 D 2
St-Sulpice (60) 31 E 1
St-Sulpice (63) 132 C 4
St-Sulpice (70) 95 G 2
St-Sulpice (73) 137 H 4
St-Sulpice-d'Arnoult (17) 126 D 2
St-Sulpice-de-Cognac (16) 127 G 3
St-Sulpice-de-Faleyrens (33) 155 H 1
St-Sulpice-de-Favières (91) 51 E 4
St-Sulpice-de-Grimbouville (27) 28 C 1
St-Sulpice-de-Guilleragues (33) 156 A 3
St-Sulpice-de-Mareuil (24) 143 E 1
St-Sulpice-de-Pommeraye (41) 87 G 2
St-Sulpice-de-Pommiers (33) 155 H 3
St-Sulpice-de-Roumagnac (24) 142 D 3
St-Sulpice-de-Royan (17) 126 C 4
St-Sulpice-de-Ruffec (16) 128 C 1
St-Sulpice-des-Landes (35) 65 F 5
St-Sulpice-des-Landes (44) 83 H 2
St-Sulpice-des-Rivoires (38) 137 F 5
St-Sulpice-d'Excideuil (24) 143 H 1
St-Sulpice-d'Eymet (24) 156 C 3
St-Sulpice-en-Pareds (85) 100 B 5
St-Sulpice-et-Cameyrac (33) 141 G 5
St-Sulpice-la-Forêt (35) 65 F 1
St-Sulpice-la-Pointe (81) 189 H 1
St-Sulpice-Laurière (87) 130 C 1
St-Sulpice-le-Dunois (23) 117 G 3
St-Sulpice-le-Guérétois (23) 117 H 4
St-Sulpice-le-Verdon (85) 99 G 3
St-Sulpice-les-Bois (19) 131 G 5
St-Sulpice-les-Champs (23) 131 F 1
St-Sulpice-les-Feuilles (87) 117 E 3
St-Sulpice-sur-Lèze (31) 189 E 5
St-Sulpice-sur-Risle (61) 48 D 1
St-Supplet (54) 20 B 3
St-Sylvain (14) 27 G 4
St-Sylvain (19) 145 E 3
St-Sylvain (76) 13 E 2
St-Sylvain-d'Anjou (49) 85 E 2
St-Sylvestre (07) 149 G 5
St-Sylvestre (74) 138 A 2
St-Sylvestre (87) 130 B 1
St-Sylvestre-Cappel (59) 3 G 4
St-Sylvestre-de-Cormeilles (27) 28 C 2
St-Sylvestre-Pragoulin (63) 133 G 1
St-Sylvestre-sur-Lot (47) 157 F 5
St-Symphorien (18) 105 F 4
St-Symphorien (27) 28 C 2
St-Symphorien (33) 155 F 5
St-Symphorien (35) 45 E 5
St-Symphorien (48) 161 H 1
St-Symphorien (72) 67 G 3
St-Symphorien (79) 114 A 3
St-Symphorien-d'Ancelles (71) 122 B 4
St-Symphorien-de-Lay (42) 134 D 1
St-Symphorien-de-Mahun (07) 149 F 3
St-Symphorien-de-Marmagne (71) 108 B 4
St-Symphorien-de-Thénières (12) 160 B 2
St-Symphorien-des-Bois (71) 121 G 3
St-Symphorien-des-Bruyères (61) 48 C 1
St-Symphorien-des-Monts (50) 46 B 3
St-Symphorien-d'Ozon (69) 136 B 4
St-Symphorien-le-Valois (50) 24 D 1
St-Symphorien-les-Buttes (50) 25 G 4
St-Symphorien-sous-Chomérac (07) 163 G 2
St-Symphorien-sur-Coise (69) 135 F 4
St-Symphorien-sur-Couze (87) 130 A 1
St-Symphorien-sur-Saône (21) 109 H 1
St-Thégonnec-Loc-Eguiner (29) 42 A 4
St-Thélo (22) 63 G 2
St-Théodorit (30) 178 A 4
St-Théoffrey (38) 151 H 5
St-Thibaud-de-Couz (73) 137 H 5
St-Thibault (10) 74 A 1
St-Thibault (21) 92 C 4
St-Thibault (60) 14 D 3
St-Thibault-des-Vignes (77) 51 H 1
St-Thibaut (02) 33 E 2
St-Thibéry (34) 192 C 4
St-Thiébaud (39) 110 C 2
St-Thiébault (52) 76 A 1
St-Thierry (51) 33 G 2
St-Thois (29) 62 A 2
St-Thomas (02) 17 G 5
St-Thomas (31) 188 D 3
St-Thomas-de-Conac (17) 141 E 1
St-Thomas-de-Courceriers (53) 67 F 1
St-Thomas-en-Argonne (51) 35 E 3
St-Thomas-en-Royans (26) 151 E 4
St-Thomas-la-Garde (42) 134 D 5
St-Thomé (07) 163 G 4
St-Thonan (29) 41 F 3
St-Thual (35) 44 D 5
St-Thurial (35) 64 D 2
St-Thuriau (56) 63 F 4
St-Thurien (27) 28 C 1
St-Thurien (29) 62 B 4
St-Thurin (42) 134 B 3
St-Tricat (62) 2 C 3
St-Trimoël (22) 44 A 4
St-Trinit (84) 180 B 3
St-Trivier-de-Courtes (01) 122 D 2
St-Trivier-sur-Moignans (01) 122 C 5
St-Trojan (33) 141 F 4
St-Trojan-les-Bains (17) 126 B 2
St-Tropez (83) 197 H 5
St-Tugdual (56) 62 D 3
St-Tugen (29) 60 D 2
St-Turquoit (26) 179 F 1
St-Ulphace (72) 69 E 2
St-Ulrich (68) 97 E 1
St-Uniac (35) 64 D 1
St-Urbain (29) 41 G 4
St-Urbain (85) 98 C 3
Saint-Urbain-sur-Marne (52) 55 G 5
St-Urcisse (47) 172 D 2
St-Urcisse (81) 174 A 4
St-Urcize (15) 160 D 3
St-Ursin (50) 45 H 1
St-Usage (10) 74 C 2
St-Usage (21) 109 H 1
St-Usuge (71) 109 H 5
St-Utin (51) 54 C 3
St-Uze (26) 149 H 3
St-Vaast-de-Longmont (60) 31 H 2
St-Vaast-d'Équiqueville (76) 13 H 2
St-Vaast-Dieppedalle (76) 13 E 3
St-Vaast-du-Val (76) 13 G 3
St-Vaast-en-Auge (14) 27 H 2
St-Vaast-en-Cambrésis (59) 9 E 4
St-Vaast-en-Chaussée (80) 15 F 1
St-Vaast-la-Hougue (50) 23 E 3
St-Vaast-lès-Mello (60) 31 F 2
St-Vaast-sur-Seulles (14) 26 D 3
St-Vaize (17) 127 E 2
St-Valbert (70) 77 F 4
St-Valentin (36) 104 C 3
St-Valérien (85) 113 G 1
St-Valérien (89) 72 B 2
St-Valery (60) 14 C 3
St-Valery-en-Caux (76) 13 E 2
St-Valery-sur-Somme (80) 6 C 4
St-Vallerin (71) 108 D 5
St-Vallier (16) 142 A 2
St-Vallier (26) 149 H 3
St-Vallier (71) 108 B 5
St-Vallier (88) 57 F 5
St-Vallier-de-Thiey (06) 198 D 1
St-Vallier-sur-Marne (52) 75 H 4
St-Varent (79) 101 F 3
St-Vaury (23) 117 G 4
St-Venant (62) 3 G 5
St-Vénérand (43) 162 A 1
St-Vérain (58) 90 B 3
St-Véran (05) 167 G 2
St-Véran (12) 176 C 3
St-Vérand (38) 151 E 3
St-Vérand (69) 135 F 2
St-Vérand (71) 122 B 4
St-Vert (43) 147 H 2
St-Viance (19) 144 B 3
St-Viâtre (41) 88 C 3
St-Viaud (44) 82 C 4
St-Victeur (72) 47 H 5
St-Victor (03) 118 D 3
St-Victor (07) 149 G 4
St-Victor (15) 145 H 5
St-Victor (24) 142 D 2
St-Victor-de-Buthon (28) 49 F 5
St-Victor-de-Cessieu (38) 137 E 5
St-Victor-de-Chrétienville (27) 28 C 4
St-Victor-de-Malcap (30) 178 B 2
St-Victor-de-Morestel (38) 137 F 3
St-Victor-de-Réno (61) 48 D 4
St-Victor-d'Épine (27) 28 D 3
St-Victor-des-Oules (30) 178 C 3
St-Victor-en-Marche (23) 117 H 5
St-Victor-et-Melvieu (12) 176 A 3
St-Victor-la-Coste (30) 178 D 3
St-Victor-la-Rivière (63) 133 E 5
St-Victor-l'Abbaye (76) 13 G 4
St-Victor-Malescours (43) 148 D 2
St-Victor-Montvianeix (63) 134 A 2
St-Victor-Rouzaud (09) 207 E 2
St-Victor-sur-Arlanc (43) 148 A 2
St-Victor-sur-Avre (27) 49 E 2
St-Victor-sur-Loire (42) 148 D 1
St-Victor-sur-Ouche (21) 93 E 5
St-Victor-sur-Rhins (42) 135 E 1
St-Victoret (13) 195 G 4
St-Victour (19) 145 H 1
St-Victurnien (87) 129 H 2
St-Vidal (43) 148 A 4
St-Vigor (27) 29 H 4
St-Vigor-des-Mézerets (14) 26 D 5
St-Vigor-des-Monts (50) 25 F 5
St-Vigor-d'Ymonville (76) 12 C 5
St-Vigor-le-Grand (14) 26 D 2
St-Vincent (31) 189 H 4
St-Vincent (43) 148 B 4
St-Vincent (63) 133 F 5
St-Vincent (64) 204 A 1
St-Vincent (82) 173 H 2
St-Vincent-Bragny (71) 121 F 1
St-Vincent-Cramesnil (76) 12 C 5
St-Vincent-de-Barbeyrargues (34) 193 F 1
St-Vincent-de-Barrès (07) 163 G 3
St-Vincent-de-Boisset (42) 134 D 1
St-Vincent-de-Connezac (24) 142 D 3
St-Vincent-de-Cosse (24) 157 H 1
St-Vincent-de-Durfort (07) 163 G 1
St-Vincent-de-Lamontjoie (47) 172 B 3
St-Vincent-de-Mercuze (38) 152 A 1
St-Vincent-de-Paul (33) 141 F 5
St-Vincent-de-Paul (40) 185 F 1
St-Vincent-de-Pertignas (33) 155 H 2
St-Vincent-de-Reins (69) 121 H 5
St-Vincent-de-Salers (15) 146 A 3
St-Vincent-de-Tyrosse (40) 184 D 1
St-Vincent-des-Bois (27) 29 H 4
St-Vincent-des-Landes (44) 83 G 1
St-Vincent-des-Prés (71) 122 A 2
St-Vincent-des-Prés (72) 68 B 1
St-Vincent-d'Olargues (34) 191 H 3

Localité (Département) Page Coordonnées

St-Vincent-du-Boulay (27) 28 C 3
St-Vincent-du-Lorouër (72) 68 C 5
St-Vincent-du-Pendit (46) 159 E 1
St-Vincent-en-Bresse (71) 109 G 5
St-Vincent-Jalmoutiers (24) 142 B 3
St-Vincent-la-Châtre (79) 114 D 4
St-Vincent-la-Commanderie (26) 150 D 5
St-Vincent-le-Paluel (24) 158 A 1
St-Vincent-les-Forts (04) 166 D 4
St-Vincent-Lespinasse (82) 173 E 3
St-Vincent-Puymaufrais (85) 100 A 5
St-Vincent-Rive-d'Olt (46) 158 A 5
St-Vincent-Sterlanges (85) 100 A 4
St-Vincent-sur-Graon (85) 112 D 1
St-Vincent-sur-Jabron (04) 180 C 2
St-Vincent-sur-Jard (85) 112 C 2
St-Vincent-sur-l'Isle (24) 143 G 3
St-Vincent-sur-Oust (56) 64 C 5
St-Vinnemer (89) 73 H 5
St-Vit (25) 94 C 5
St-Vital (73) 138 C 4
St-Vite (47) 157 G 5
St-Vitte (18) 118 D 1
St-Vitte-sur-Briance (87) 130 C 4
St-Vivien (17) 113 F 5
St-Vivien (24) 156 B 1
St-Vivien-de-Blaye (33) 141 F 4
St-Vivien-de-Médoc (33) 140 C 1
St-Vivien-de-Monségur (33) 156 B 3
St-Voir (03) 120 B 2
St-Vougay (29) 41 H 2
St-Vrain (51) 54 D 2
St-Vrain (91) 51 F 4
St-Vran (22) 44 A 5
St-Vulbas (01) 136 D 2
St-Waast (59) 9 G 3
St-Wandrille-Rançon (76) 13 E 5
St-Witz (95) 31 G 4
St-Xandre (17) 113 E 4
St-Yaguen (40) 169 G 4
St-Yan (71) 121 E 2
St-Ybard (19) 144 C 1
St-Ybars (09) 206 D 1
St-Ylie (39) 110 A 1
Saint-Yon (91) 51 E 3
St-Yorre (03) 120 B 5
St-Yrieix-la-Montagne (23) 131 F 2
St-Yrieix-la-Perche (87) 130 A 5
St-Yrieix-le-Déjalat (19) 145 F 1
St-Yrieix-les-Bois (23) 117 H 5
St-Yrieix-sous-Aixe (87) 129 H 2
St-Yrieix-sur-Charente (16) 128 B 4
St-Ythaire (71) 122 A 1
St-Yves (56) 63 E 4
St-Yvi (29) 61 H 3
St-Yvoine (63) 133 F 5
St-Yzan-de-Soudiac (33) 141 G 3
St-Yzans-de-Médoc (33) 140 D 2
St-Zacharie (83) 196 B 4
Ste-Adresse (76) 12 A 5
Ste-Agathe (63) 134 A 3
Ste-Agathe-d'Aliermont (76) 14 A 2
Ste-Agathe-en-Donzy (42) 135 E 2
Ste-Agathe-la-Bouteresse (42) 134 D 3
Ste-Agnès (06) 183 G 5
Ste-Agnès (38) 152 A 2
Ste-Agnès (39) 110 A 5
Ste-Alauzie (46) 173 G 1
Ste-Alvère (24) 143 F 5
Ste-Anastasie (15) 146 D 3
Ste-Anastasie (30) 178 B 4
Ste-Anastasie-sur-Issole (83) 197 E 4
Ste-Anne (25) 110 D 2
Ste-Anne (32) 188 C 1
Ste-Anne (41) 69 F 5
Ste-Anne-d'Auray (56) 81 F 1
Ste-Anne-du-Castellet (83) 196 C 5
Ste-Anne-du-Portzic (29) 41 E 4
Ste-Anne-la-Condamine (04) 167 F 4
Ste-Anne-St-Priest (87) 130 D 4
Ste-Anne-sur-Brivet (44) 82 D 2
Ste-Anne-sur-Gervonde (38) 136 D 5
Ste-Anne-sur-Vilaine (35) 65 E 5
Ste-Aulde (77) 32 C 5
Ste-Aurence-Cazaux (32) 187 H 4
Ste-Austreberthe (62) 7 E 2
Ste-Austreberthe (76) 13 F 4
Ste-Barbe (22) 43 F 2
Ste-Barbe (57) 21 F 5
Ste-Barbe (88) 57 H 4
Ste-Barbe-sur-Gaillon (27) 29 H 3
Ste-Bazeille (47) 156 B 4
Ste-Beuve-en-Rivière (76) 14 B 3
Ste-Blandine (38) 137 E 5
Ste-Blandine (79) 114 C 4
Ste-Brigitte (56) 63 E 2
Ste-Camelle (11) 190 A 5
Ste-Catherine (62) 8 A 3
Ste-Catherine (63) 147 G 1
Ste-Catherine (69) 135 G 4
Ste-Catherine-de-Fierbois (37) 102 D 1
Ste-Cécile (36) 104 B 1
Ste-Cécile (50) 46 A 1
Ste-Cécile (71) 122 A 2
Ste-Cécile (85) 100 A 4
Ste-Cécile-d'Andorge (30) 177 H 1
Ste-Cécile-du-Cayrou (81) 174 B 4
Ste-Cécile-les-Vignes (84) 179 F 1
Ste-Céronne-lès-Mortagne (61) 48 C 3
Ste-Cérotte (72) 68 D 4
Ste-Christie (32) 188 A 1
Ste-Christie-d'Armagnac (32) 187 E 1
Ste-Christine (49) 84 B 4
Ste-Christine (63) 132 D 1
Ste-Christine (85) 113 H 3
Ste-Claire (06) 183 F 4
Ste-Colombe (05) 180 C 1
Ste-Colombe (16) 128 C 2
Ste-Colombe (17) 141 H 2
Ste-Colombe (25) 111 F 3
Ste-Colombe (33) 156 A 1
Ste-Colombe (35) 65 G 4
Ste-Colombe (40) 186 A 1
Ste-Colombe (46) 159 F 2
Ste-Colombe (50) 22 D 4
Ste-Colombe (69) 136 B 5
Ste-Colombe (76) 13 E 2
Ste-Colombe (77) 52 C 4
Ste-Colombe (84) 179 H 2
Ste-Colombe (89) 91 H 2
Ste-Colombe-de-Duras (47) 156 B 3
Ste-Colombe-de-la-Commanderie (66) 212 D 3
Ste-Colombe-de-Montauroux (48) 162 A 2
Ste-Colombe-de-Peyre (48) 161 F 3
Ste-Colombe-de-Villeneuve (47) 172 C 1
Ste-Colombe-des-Bois (58) 90 C 4
Ste-Colombe-en-Auxois (21) 92 C 3
Ste-Colombe-en-Bruilhois (47) 172 B 2
Ste-Colombe-la-Commanderie (27) 29 F 3
Ste-Colombe-près-Vernon (27) 29 H 4
Ste-Colombe-sur-Gand (42) 135 E 2
Ste-Colombe-sur-Guette (11) 208 A 5
Ste-Colombe-sur-l'Hers (11) 207 G 3
Ste-Colombe-sur-Loing (89) 90 C 2
Ste-Colombe-sur-Seine (21) 74 C 4
Ste-Colome (64) 203 H 1
Ste-Consorce (69) 135 H 3
Ste-Croix (01) 136 C 2
Ste-Croix (02) 17 G 5
Ste-Croix (04) 196 B 1
Ste-Croix (12) 159 F 5
Ste-Croix (24) 157 F 2
Ste-Croix (26) 165 E 2
Ste-Croix (46) 173 F 1
Ste-Croix (71) 123 E 1
Ste-Croix (81) 174 D 4
Ste-Croix-à-Lauze (04) 180 C 4
Ste-Croix-aux-Mines (68) 58 C 5
Ste-Croix-de-Caderle (30) 177 G 3
Ste-Croix-de-Mareuil (24) 142 D 1
Ste-Croix-de-Quintillargues (34) 193 F 1
Ste-Croix-du-Mont (33) 155 G 3
Ste-Croix-du-Verdon (04) 181 F 5
Ste-Croix-en-Jarez (42) 149 G 1
Ste-Croix-en-Plaine (68) 78 D 2
Ste-Croix-Grand'Tonne (14) 27 E 2
Ste-Croix-Hague (50) 22 B 2
Ste-Croix-sur-Aizier (27) 28 D 1
Ste-Croix-sur-Buchy (76) 14 A 4
Ste-Croix-sur-Mer (14) 27 E 1
Ste-Croix-sur-Orne (61) 47 F 1
Ste-Croix-Vallée-Française (48) 177 G 2
Ste-Croix-Volvestre (09) 206 B 2
Ste-Dode (32) 187 G 4
Ste-Eanne (79) 114 D 2
Ste-Engrâce (64) 203 E 2
Ste-Enimie (48) 176 D 1
Ste-Eugénie-de-Villeneuve (43) 147 H 4
Ste-Eugienne (50) 45 H 1
Ste-Eulalie (07) 162 D 2
Ste-Eulalie (11) 208 A 1
Ste-Eulalie (15) 145 H 4
Ste-Eulalie (33) 141 F 5
Ste-Eulalie (48) 161 G 2
Ste-Eulalie-d'Ans (24) 143 H 2
Ste-Eulalie-de-Cernon (12) 176 C 4
Ste-Eulalie-d'Eymet (24) 156 C 2
Ste-Eulalie-d'Olt (12) 160 D 5
Ste-Eulalie-en-Born (40) 168 D 1
Ste-Eulalie-en-Royans (26) 151 E 4
Ste-Euphémie (01) 135 H 1
Ste-Euphémie-sur-Ouvèze (26) 180 A 1
Ste-Eusoye (60) 15 F 4
Ste-Fauste (36) 104 C 4
Ste-Féréole (19) 144 C 3
Ste-Feyre (23) 117 H 5
Ste-Feyre-la-Montagne (23) 131 G 2
Ste-Flaive-des-Loups (85) 99 F 5
Ste-Florence (33) 156 A 1
Ste-Florence (85) 99 H 4
Ste-Florine (43) 147 F 1
Ste-Foi (09) 207 G 2
Ste-Fortunade (19) 144 D 3
Ste-Foy (40) 170 D 4
Ste-Foy (69) 135 H 3
Ste-Foy (71) 121 F 4
Ste-Foy (76) 13 G 2
Ste-Foy (85) 112 B 1
Ste-Foy-d'Aigrefeuille (31) 189 G 3
Ste-Foy-de-Belvès (24) 157 H 2
Ste-Foy-de-Longas (24) 157 F 1
Ste-Foy-de-Montgommery (14) 28 A 5
Ste-Foy-de-Peyrolières (31) 188 D 3
Ste-Foy-la-Grande (33) 156 C 1
Ste-Foy-la-Longue (33) 155 H 3
Ste-Foy-l'Argentière (69) 135 F 4
Ste-Foy-St-Sulpice (42) 134 D 3
Ste-Foy-Tarentaise (73) 139 F 4
Ste-Gauburge (61) 48 D 5
Ste-Gauburge-Ste-Colombe (61) 48 C 2
Ste-Gemme (17) 126 D 3
Ste-Gemme (32) 188 B 1
Ste-Gemme (33) 156 B 3
Ste-Gemme (36) 103 H 4
Ste-Gemme (51) 33 F 3
Ste-Gemme (79) 101 F 3
Ste-Gemme (81) 175 E 3
Ste-Gemme-en-Sancerrois (18) 90 A 4
Ste-Gemme-la-Plaine (85) 113 E 1
Ste-Gemme-Martaillac (47) 156 B 5
Ste-Gemme-Moronval (28) 49 H 2
Ste-Gemmes (41) 69 G 5
Ste-Gemmes-d'Andigné (49) 84 B 1
Ste-Gemmes-le-Robert (53) 67 F 1
Ste-Gemmes-sur-Loire (49) 84 D 3
Ste-Geneviève (02) 17 H 3
Ste-Geneviève (50) 23 E 2
Ste-Geneviève (54) 36 D 5
Ste-Geneviève (60) 31 E 2
Ste-Geneviève (76) 14 A 4
Ste-Geneviève-des-Bois (45) 72 A 5
Ste-Geneviève-des-Bois (91) 51 F 3
Ste-Geneviève-lès-Gasny (27) 30 A 4
Ste-Geneviève-sur-Argence (12) 160 C 2
Ste-Hélène (33) 140 D 5
Ste-Hélène (48) 161 H 4
Ste-Hélène (56) 80 D 1
Ste-Hélène (71) 108 D 4
Ste-Hélène (88) 57 H 5
Ste-Hélène-Bondeville (76) 12 C 3
Ste-Hélène-du-Lac (73) 138 A 5
Ste-Hélène-sur-Isère (73) 138 C 4
Ste-Hermine (85) 113 F 1
Ste-Honorine-de-Ducy (14) 25 H 3
Ste-Honorine-des-Pertes (14) 23 H 5
Ste-Honorine-du-Fay (14) 27 E 4
Ste-Honorine-la-Chardonne (61) 47 E 1
Ste-Honorine-la-Guillaume (61) 47 F 1
Ste-Innocence (24) 156 D 2
Ste-Jalle (26) 165 E 5
Ste-Jamme-sur-Sarthe (72) 68 A 2
Ste-Julie (01) 136 D 2
Ste-Juliette (82) 173 F 1
Ste-Juliette-sur-Viaur (12) 175 G 2
Ste-Léocadie (66) 211 H 4
Ste-Lheurine (17) 127 G 5
Ste-Livière (52) 55 E 3
Ste-Livrade (31) 188 D 2
Ste-Livrade-sur-Lot (47) 157 E 5
Ste-Lizaigne (36) 104 D 2
Ste-Luce (38) 166 A 1
Ste-Luce-sur-Loire (44) 83 G 4
Sainte-Lucie-de-Porto-Vecchio (2A) 219 G 2
Sainte-Lucie-de-Tallano (2A) 219 E 2
Ste-Lunaise (18) 105 F 3
Ste-Magnance (89) 91 H 3
Ste-Marguerite (13) 195 H 5
Ste-Marguerite (43) 147 H 3
Ste-Marguerite (67) 58 D 4
Ste-Marguerite (84) 179 H 2
Ste-Marguerite (88) 58 B 5
Ste-Marguerite-de-Carrouges (61) 47 G 3
Ste-Marguerite-de-l'Autel (27) 29 E 5
Ste-Marguerite-de-Viette (14) 28 A 4
Ste-Marguerite-d'Elle (14) 25 G 2
Ste-Marguerite-des-Loges (14) 28 A 4
Ste-Marguerite-en-Ouche (27) 28 D 4
Ste-Marguerite-Lafigère (07) 162 C 4
Ste-Marguerite-sur-Duclair (76) 13 F 5
Ste-Marguerite-sur-Fauville (76) 12 D 3
Ste-Marguerite-sur-Mer (76) 13 F 1
Ste-Marie (05) 165 F 4
Ste-Marie (08) 34 C 1
Ste-Marie (15) 160 C 1
Ste-Marie (25) 95 H 2
Ste-Marie (32) 188 C 2
Ste-Marie (35) 64 D 5
Ste-Marie (44) 82 C 5
Ste-Marie (58) 107 E 1
Sainte-Marie (65) 205 F 3
Ste-Marie-à-Py (51) 34 C 2
Ste-Marie-au-Bosc (76) 12 B 3
Ste-Marie-aux-Chênes (57) 20 D 5
Ste-Marie-aux-Mines (68) 58 C 5
Ste-Marie-Cappel (59) 3 G 4
Ste-Marie-d'Alloix (38) 152 A 1
Ste-Marie-d'Alvey (73) 137 G 4
Ste-Marie-d'Attez (27) 49 F 1
Ste-Marie-de-Campan (65) 204 D 3
Ste-Marie-de-Chignac (24) 143 F 4
Ste-Marie-de-Cuines (73) 152 C 1
Ste-Marie-de-Gosse (40) 185 E 2
Ste-Marie-de-Ré (17) 112 D 4
Ste-Marie-de-Vars (05) 167 F 3
Ste-Marie-de-Vatimesnil (27) 30 A 2
Ste-Marie-de-Vaux (87) 129 H 2
Ste-Marie-des-Chaizes (43) 147 H 4
Ste-Marie-des-Champs (76) 13 E 4
Ste-Marie-du-Bois (50) 46 C 3
Ste-Marie-du-Bois (53) 47 E 4
Ste-Marie-du-Lac-Nuisement (51) 54 D 3
Ste-Marie-du-Mont (38) 152 A 1
Ste-Marie-du-Mont (50) 23 F 5
Ste-Marie-en-Chanois (70) 77 G 4
Ste-Marie-en-Chaux (70) 77 F 5
Ste-Marie-Kerque (62) 2 D 3
Ste-Marie-la-Blanche (21) 109 E 2
Ste-Marie-la-Mer (66) 209 F 5
Ste-Marie-la-Robert (61) 47 G 3
Ste-Marie-Lapanouze (19) 145 H 1
Ste-Marie-Laumont (14) 25 G 5
Ste-Marie-Outre-l'Eau (14) 25 G 5
Ste-Marie-sur-Ouche (21) 93 E 4
Ste-Marthe (27) 29 E 5
Ste-Marthe (47) 156 B 5
Ste-Maure (10) 53 H 5
Ste-Maure-de-Peyriac (47) 171 G 4
Ste-Maure-de-Touraine (37) 102 C 1
Ste-Maxime (83) 197 H 4
Ste-Même (17) 127 G 2
Ste-Menehould (SP) (51) 35 E 3
Ste-Mère (32) 172 C 4
Ste-Mère-Église (50) 23 E 5
Ste-Mesme (78) 50 D 4
Ste-Mondane (24) 158 B 1
Ste-Montaine (18) 89 F 3
Ste-Nathalène (24) 158 A 1
Ste-Néomaye (79) 114 C 3
Ste-Olive (01) 136 B 1
Ste-Opportune (61) 47 F 2
Ste-Opportune-du-Bosc (27) 29 E 3
Ste-Opportune-la-Mare (27) 28 C 1
Ste-Orse (24) 143 H 3
Ste-Osmane (72) 68 C 4
Ste-Ouenne (79) 114 B 2
Ste-Pallaye (89) 91 F 1
Ste-Paule (69) 135 G 1
Ste-Pazanne (44) 99 E 1
Ste-Pexine (85) 113 E 1
Ste-Pezenne (79) 114 A 3
Ste-Pience (50) 45 H 1
Ste-Pôle (54) 57 H 3
Ste-Preuve (02) 17 H 4
Ste-Radegonde (12) 175 G 1
Ste-Radegonde (17) 126 D 2
Ste-Radegonde (24) 157 E 3
Ste-Radegonde (32) 172 B 5
Ste-Radegonde (33) 156 A 1
Ste-Radegonde (71) 107 H 5
Ste-Radegonde (79) 101 F 2
Ste-Radégonde (86) 102 D 5
Ste-Radegonde-des-Noyers (85) 113 F 2
Ste-Ramée (17) 141 E 1
Ste-Reine (70) 94 C 2
Ste-Reine (73) 138 B 4
Ste-Reine-de-Bretagne (44) 82 B 3
Sainte-Restitude (2B) 214 C 5
Ste-Ruffine (57) 36 D 3
Ste-Sabine (21) 92 D 5
Ste-Sabine (24) 157 F 3
Ste-Sabine-sur-Longève (72) 67 H 2
Ste-Savine (10) 73 H 1
Ste-Scolasse-sur-Sarthe (61) 48 B 3
Ste-Segrée (80) 14 D 3
Ste-Sève (29) 42 A 3
Ste-Sévère (16) 127 H 3
Ste-Sévère-sur-Indre (36) 118 A 2
Ste-Sigolène (43) 148 D 3
Ste-Solange (18) 105 G 1
Ste-Soline (79) 115 E 4
Ste-Souline (16) 142 A 1
Ste-Soulle (17) 113 F 4
Ste-Suzanne (09) 206 D 1
Ste-Suzanne (25) 96 C 2
Ste-Suzanne-et-Chammes (53) 67 F 2
Ste-Suzanne (64) 185 H 3
Ste-Suzanne-sur-Vitre (50) 25 F 4
Ste-Terre (33) 155 H 1
Ste-Thecle (06) 183 F 5
Ste-Thérence (03) 118 D 4
Ste-Thorette (18) 105 E 2
Ste-Tréphine (22) 63 E 1
Ste-Trie (24) 144 A 2
Ste-Tulle (04) 180 D 5
Ste-Valière (11) 191 G 5
Ste-Vaubourg (08) 18 D 5
Ste-Verge (79) 101 F 2
Ste-Vertu (89) 91 G 1
Sainteny (50) 25 E 2
Saintes (SP) (17) 127 E 3
Stes-Maries-de-la-Mer (13) 194 B 4
Saintines (60) 31 H 2
Saintry-sur-Seine (91) 51 G 3
Saints-en-Puisaye (89) 90 C 2
Sts-Geosmes (52) 75 H 5
Sainville (28) 50 C 5
Saires (86) 102 A 3
Saires-la-Verrerie (61) 47 E 2
Les Saisies (73) 138 D 3
Saissac (11) 190 C 5
Saisseval (80) 15 E 2
Saisy (71) 108 C 2
Saivres (79) 114 C 2
Le Saix (05) 165 H 4
Saïx (81) 190 C 3
Saix (86) 101 H 1
Saizenay (39) 110 D 2
Saizerais (54) 56 D 1
Saizy (58) 91 F 4
Sajas (31) 188 C 4
Salagnac (24) 144 A 2
Salagnon (38) 137 E 4
Salaise-sur-Sanne (38) 149 H 2
Salans (39) 94 C 5
Salasc (34) 192 B 2
Salau (09) 206 B 5
Salaunes (33) 140 D 5
Salavas (07) 163 E 5
Salavre (01) 123 E 3
Salazac (30) 178 D 1
Salbris (41) 88 D 3
Les Salces (48) 161 E 4
Saléchan (65) 205 G 3
Saleich (31) 206 A 2
Saleignes (17) 127 H 1
Saleilles (66) 213 F 2
Les Salelles (48) 161 F 5
Les Salelles (près de Les Vans) (07) 162 C 5
Les Salelles (près de Vallon-Pont-d'Arc) (07) 163 F 4
Salency (60) 16 C 4
Salenthal (67) 58 D 2
Saléon (05) 165 H 5
Salérans (05) 180 C 1
Salerm (31) 188 B 5
Salernes (83) 197 E 2
Salers (15) 146 A 4
Sales (74) 137 H 2
Salesches (59) 9 F 4
La Salette-Fallavaux (38) 166 A 1
Salettes (26) 164 C 4
Salettes (43) 162 B 1
Saleux (80) 15 F 2
Salgues (12) 160 C 4
Salice (2A) 216 D 4
Saliceto (2B) 217 F 1
Saliers (13) 194 B 2
Saliès (81) 174 D 5
Salies-de-Béarn (64) 185 G 3
Salies-du-Salat (31) 206 A 2
Salignac (04) 181 E 2
Salignac (33) 141 G 5
Salignac-de-Mirambeau (17) 141 F 2
Salignac-Eyvigues (24) 144 B 5
Salignac-sur-Charente (17) 127 G 4
Saligney (39) 94 B 5
Saligny (85) 99 G 3
Saligny (89) 72 D 1
Saligny-le-Vif (18) 105 H 2
Saligny-sur-Roudon (03) 120 D 2
Saligos (65) 204 B 3
Salindres (30) 178 A 2
Salinelles (30) 178 A 5
Salins (15) 145 H 3
Salins (77) 52 B 5
Les Salins (83) 198 C 5
Les Salins-d'Hyères (83) 201 F 3
Salins-les-Bains (39) 110 D 2
Salins-Fontaine (73) 138 D 5
Salives (21) 93 E 2
Sallagriffon (06) 182 C 4
Sallanches (74) 139 E 1
Sallaumines (62) 4 B 5
La Salle (13) 195 H 3
La Salle (71) 122 B 2
La Salle (88) 58 A 5
La Salle-de-Vihiers (49) 100 D 1
La Salle-en-Beaumont (38) 166 A 1
La Salle-et-Chapelle-Aubry (49) 84 B 5
La Salle-les-Alpes (05) 153 E 5
La Salle-Prunet (48) 177 F 1
Sallebœuf (33) 155 G 1
Sallebruneau (33) 155 H 2
Sallèdes (63) 133 G 4
Sallèles-Cabardès (11) 191 E 5
Sallèles-d'Aude (11) 191 H 5
Sallen (14) 25 H 3
Sallenelle (80) 6 B 4
Sallenelles (14) 27 G 2
Sallenôves (74) 138 A 1
Sallertaine (85) 98 D 3
Les Salles (33) 142 A 5
Salles (33) 154 C 4
Les Salles (42) 134 B 2
Salles (47) 157 G 4
Salles (65) 204 B 2
Salles (79) 114 D 2
Salles (81) 174 D 3
Salles-Adour (65) 204 C 1
Salles-Arbuissonnas-en-Beaujolais (69) 135 G 1
Salles-Courbatiès (12) 159 F 5
Salles-Curan (12) 175 H 2
Salles-d'Angles (16) 127 G 4
Salles-d'Armagnac (32) 171 F 5
Salles-d'Aude (11) 209 G 1
Salles-de-Barbezieux (16) 141 H 1
Salles-de-Belvès (24) 157 G 2
Salles-de-Villefagnan (16) 128 B 1
Les Salles-du-Gardon (30) 177 H 2
Salles-en-Toulon (86) 115 H 2
Salles-et-Pratviel (31) 205 F 4
Salles-la-Source (12) 160 A 5
Salles-Lavalette (16) 142 C 1
Les Salles-Lavauguyon (87) 129 F 3
Salles-lès-Aulnay (17) 127 G 1
Salles-Mongiscard (64) 185 G 3
Salles-sous-Bois (26) 164 C 5
Salles-sur-Garonne (31) 189 E 5
Salles-sur-l'Hers (11) 189 H 5
Salles-sur-Mer (17) 113 F 5
Les Salles-sur-Verdon (83) 181 G 5
Sallespisse (64) 185 H 3
Salmagne (55) 55 H 1
Salmaise (21) 92 D 3
Salmbach (67) 39 H 4
Salmiech (12) 175 G 2
Salomé (59) 4 B 4
Salon (10) 53 H 3
Salon (24) 143 F 5
Salon-de-Provence (13) 195 F 2
Salon-la-Tour (19) 130 C 5
Salonnes (57) 57 F 1
Salornay-sur-Guye (71) 122 A 1
Salouël (80) 15 F 2
Salperwick (62) 3 E 4
Salsein (09) 206 A 3
Salses-le-Château (66) 209 F 4
Salsigne (11) 190 D 5
Salt-en-Donzy (42) 135 E 3
Les Salvages (81) 190 D 2
Salvagnac (81) 174 A 5
Salvagnac-Cajarc (12) 159 E 5
Salvagnac-St-Loup (12) 159 F 4
La Salvetat-Belmontet (82) 173 H 4
La Salvetat-Lauragais (31) 190 A 3
La Salvetat-Peyralès (12) 175 E 2
La Salvetat-St-Gilles (31) 189 E 3
La Salvetat-sur-Agout (34) 191 F 2
Salvezines (11) 208 B 5
Salvi (Col de) (2B) 214 C 5
Salviac (46) 158 A 3
Salvizinet (42) 135 E 3
Salza (11) 208 C 3
Salzuit (43) 147 G 3
Samadet (40) 186 B 2
Saman (31) 188 A 5
Samaran (32) 187 H 4
Samatan (32) 188 C 3
Samazan (47) 156 B 5
Sambin (41) 87 H 3
Sambourg (89) 73 H 5
Le Sambuc (13) 194 D 3
Saméon (59) 5 E 5
Samer (62) 2 B 5
Samerey (21) 109 H 1
Sames (64) 185 E 3
Sammarçolles (86) 101 H 2
Sammeron (77) 32 B 5
Samoëns (74) 125 F 5
Samognat (01) 123 G 3
Samogneux (55) 35 G 2
Samois-sur-Seine (77) 51 H 4
Samonac (33) 141 F 4
Samoreau (77) 51 H 5
Samouillan (31) 188 C 5
Samoussy (02) 17 G 4
Sampans (39) 110 A 1
Sampigny (55) 56 A 1
Sampigny-lès-Maranges (71) 108 D 3
Sampolo (2A) 217 E 5
Sampzon (07) 163 E 5
Samson (25) 110 C 1
Samsons-Lion (64) 186 D 4
Samuran (65) 205 F 3
San Cervone (Col de) (2B) 217 F 2
San-Damiano (2B) 217 G 1
San-Gavino-d'Ampugnani (2B) 217 G 1
San-Gavino-di-Carbini (2A) 219 F 2
San-Gavino-di-Fiumorbo (2B) 217 F 5
San-Gavino-di-Tenda (2B) 215 F 4
San-Giovanni-di-Moriani (2B) 217 G 1
San-Giuliano (2B) 217 G 2
San-Lorenzo (2B) 217 F 1
San-Martino-di-Lota (2B) 215 G 3
San Michele de Murato (Église) (2B) 215 F 4
San-Nicolao (2B) 217 G 1
San-Pellegrino (2B) 215 H 5
San Stefano (Col de) (2B) 215 F 4
Sana (31) 206 A 1
Sanary-sur-Mer (83) 200 D 3
Sancé (71) 122 B 3
Sancergues (18) 106 A 1
Sancerre (18) 90 A 4
Sancey (25) 95 H 4
Sancey-le-Long (25) 95 H 4
Sancheville (28) 70 A 2
Sanchey (88) 77 F 1
Sancoins (18) 106 A 4
Sancourt (27) 30 B 1
Sancourt (59) 8 D 4
Sancourt (80) 16 B 3
Sancy (54) 20 C 4
Sancy (77) 52 B 1
Sancy-les-Cheminots (02) 32 D 1
Sancy-lès-Provins (77) 52 D 2
Sand (67) 59 E 4
Sandarville (28) 49 H 5

Sandaucourt (88) 76 C 1
Sandillon (45) 70 D 5
Sandouville (76) 12 C 5
Sandrancourt (78) 30 B 4
Sandrans (01) 122 C 5
Sangatte (62) 2 B 2
Sanghen (62) 2 C 4
Sanguinaires (Iles) (2A) 218 B 1
Sanguinet (40) 154 B 4
Sanilhac (07) 162 D 4
Sanilhac-Sagriès (30) 178 C 4
Sanissac (30) 177 F 4
Sannat (23) 118 C 5
Sannerville (14) 27 G 3
Sannes (84) 196 A 1
Sannois (95) 31 E 5
Sanous (65) 187 E 4
Sanry-lès-Vigy (57) 21 E 5
Sanry-sur-Nied (57) 37 E 3
Sans-Vallois (88) 76 D 1
Sansa (66) 212 A 3
Sansac-de-Marmiesse (15) 159 H 1
Sansac-Veinazès (15) 160 A 2
Sansais (79) 114 A 3
Sansan (32) 188 A 3
Sanssac-l'Église (43) 148 A 4
Sanssat (03) 120 B 4
Santa-Lucia-di-Mercurio (2B) 217 F 2
Santa-Lucia-di-Moriani (2B) 217 G 1
Santa-Maria-di-Lota (2B) 215 G 3
Santa-Maria-Figaniella (2A) 219 E 2
Santa-Maria-Poggio (2B) 217 F 1
Santa-Maria-Poggio (2B) 217 G 1
Santa-Maria-Siché (2A) 218 D 1
Santa-Reparata-di-Balagna (2B) 214 C 4
Santa-Reparata-di-Moriani (2B) 217 G 1
Sant'Andréa-di-Bozio (2B) 217 F 2
Sant'Andréa-di-Cotone (2B) 217 G 2
Sant'Andréa-d'Orcino (2A) 216 C 4
Santans (39) 110 B 2
Sant'Antonino (2B) 214 C 5
Santeau (45) 71 E 3
Santec (29) 41 H 1
Santenay (21) 108 D 3
Santenay (41) 87 F 2
Santenoge (52) 75 F 5
Santeny (94) 51 G 2
Santes (59) 4 B 4
Santeuil (28) 50 B 5
Santeuil (95) 30 D 3
Santigny (89) 92 A 2
Santilly (28) 70 C 2
Santilly (71) 108 D 5
Santo-Pietro-di-Tenda (2B) 215 F 4
Santo-Pietro-di-Venaco (2B) 217 E 2
Santoche (25) 95 G 3
Santosse (21) 108 D 2
Santranges (18) 89 H 3
Sanvensa (12) 174 D 1
Sanvic (76) 12 A 5
Sanvignes-les-Mines (71) 108 B 5
Sanxay (86) 114 D 2
Sanzay (79) 101 E 2
Sanzey (54) 56 C 1
Saon (14) 25 H 2
Saône (25) 95 E 5
Saonnet (14) 25 H 2
Saorge (06) 183 H 3
Saosnes (72) 48 B 5
Saou (26) 164 D 3
Le Sap-André (61) 48 B 1
Le Sap-en-Auge (61) 28 B 5
Le Sapey (38) 151 H 4
Sapignicourt (51) 55 E 2
Sapignies (62) 8 B 4
Sapogne-et-Feuchères (08) 19 E 3
Sapogne-sur-Marche (08) 19 H 4
Sapois (39) 110 D 4
Sapois (88) 77 H 3
Saponay (02) 33 E 3
Saponcourt (70) 76 D 4
Le Sappey (74) 124 C 5
Le Sappey-en-Chartreuse (38) 151 H 2
Saramon (32) 188 B 3
Saran (45) 70 C 4
Saraz (25) 110 D 2
Sarbazan (40) 170 D 3
Sarcé (72) 86 A 1
Sarceaux (61) 47 H 2
Sarcelles SP (95) 31 F 5
Sarcenas (38) 151 G 2
Sarcey (52) 75 H 3
Sarcey (69) 135 G 2
Sarcicourt (52) 75 F 2
Sarcos (32) 188 A 4
Sarcus (60) 14 D 3
Sarcy (51) 33 G 3
Sardan (30) 178 A 5
Sardent (23) 131 E 1
Sardieu (38) 150 D 1
Sardon (63) 133 F 1
Sardy-lès-Épiry (58) 91 F 5
Sare (64) 184 B 4
Sargé-lès-le-Mans (72) 68 A 3
Sargé-sur-Braye (41) 69 E 4
Sari-d'Orcino (2A) 216 C 4
Sari-Solenzara (2A) 219 G 1
Sariac-Magnoac (65) 187 H 5
Sarlabous (65) 204 D 2
Sarlande (24) 143 H 1
Sarlat-la-Canéda SP (24) 158 A 1
Sarliac-sur-l'Isle (24) 143 G 3
Sarniguet (65) 187 E 5
Sarnois (60) 14 D 4
Saron-sur-Aube (51) 53 F 3
Sarp (65) 205 F 2
Sarpoil (63) 147 F 1
Sarpourenx (64) 185 H 3
Sarragachies (32) 187 E 1
Sarrageois (25) 111 F 4
Sarraguzan (32) 187 G 4
Les Sarraix (63) 134 A 2
Sarralbe (57) 38 A 4
Sarraltroff (57) 58 B 1
Sarran (15) 146 B 2
Sarran (19) 145 E 1
Sarrance (64) 203 F 2
Sarrancolin (65) 205 E 3
Sarrant (32) 188 C 1
Sarras (07) 149 H 3
Sarrazac (24) 143 H 1
Sarrazac (46) 144 C 5
Sarraziet (40) 186 B 1
Sarre-Union (67) 38 B 4
Sarrebourg SP (57) 58 B 1
Sarrecave (31) 205 F 1
Sarreguemines SP (57) 38 B 3
Sarreinsming (57) 38 B 3
Sarremezan (31) 205 G 1
Sarrewerden (67) 38 B 4
Sarrey (52) 75 H 3
Sarriac-Bigorre (65) 187 F 4
Sarrians (84) 179 G 3
Sarrigné (49) 85 E 3
Sarrogna (39) 123 G 2
Sarrola-Carcopino (2A) 216 C 5
Sarron (40) 186 C 2
Sarron (60) 31 H 2
Sarrouilles (65) 187 F 5
Sarroux (19) 146 A 1
Sarry (51) 34 B 5
Sarry (71) 121 F 3
Sarry (89) 91 H 1
Le Sars (62) 8 A 5
Sars-et-Rosières (59) 5 E 5
Sars-le-Bois (62) 7 G 3
Sars-Poteries (59) 10 A 2
Le Sart (59) 9 G 5
Sartène SP (2A) 218 D 3
Sartes (88) 76 B 1
Sartilly-Baie-Bocage (50) 45 G 1
Sarton (62) 7 G 5
Sartrouville (78) 31 E 5
Sarzay (36) 117 H 1
Sarzeau (56) 81 G 3
Sasnières (41) 87 E 1
Sassangy (71) 108 D 5
Sassay (41) 87 H 4
Sassegnies (59) 9 G 4
Sassenage (38) 151 G 3
Sassenay (71) 109 F 4
Sassetot-le-Malgardé (76) 13 F 3
Sassetot-le-Mauconduit (76) 12 D 2
Sasseville (76) 13 E 2
Sassey (27) 29 G 4
Sassey-sur-Meuse (55) 35 G 1
Sassierges-St-Germain (36) 104 C 4
Sassis (65) 204 B 4
Sassy (14) 27 G 4
Sathonay-Camp (69) 136 B 2
Sathonay-Village (69) 136 B 2
Satillieu (07) 149 F 3
Satolas-et-Bonce (38) 136 C 4
Saturargues (34) 193 H 1
Saubens (31) 189 F 3
Saubion (40) 184 D 1
Saubole (64) 186 D 5
Saubrigues (40) 184 D 2
Saubusse (40) 185 E 1
Saucats (33) 155 E 3
Saucède (64) 185 H 5
La Saucelle (28) 49 F 3
Sauchay (76) 13 H 1
Sauchy-Cauchy (62) 8 C 4
Sauchy-Lestrée (62) 8 C 4
Sauclières (12) 176 D 4
Saucourt-sur-Rognon (52) 55 G 5
Saudemont (62) 8 C 3
Saudoy (51) 53 F 2
Saudron (52) 55 H 4
Saudrupt (55) 55 F 2
Saugeot (39) 110 C 5
Saugnac-et-Cambran (40) 185 F 1
Saugnacq-et-Muret (40) 154 D 5
Saugnieu (69) 136 C 3
Saugon (33) 141 F 3
Saugues (43) 147 H 5
Sauguis-St-Étienne (64) 203 E 1
Saugy (18) 105 E 3
Saujac (12) 159 E 4
Saujean (30) 194 C 1
Saujon (17) 126 D 4
La Saulce (05) 166 B 5
Saulce-sur-Rhône (26) 163 H 2
Saulces-Champenoises (08) 18 C 5
Saulces-Monclin (08) 18 C 4
Saulcet (03) 120 A 3
Saulchery (02) 32 D 5
Le Saulchoy (60) 15 E 4
Saulchoy (62) 6 D 3
Saulchoy-sous-Poix (80) 14 D 3
Saulcy (10) 75 E 1
Le Saulcy (88) 58 B 4
Saulcy-sur-Meurthe (88) 58 A 5
Saules (25) 111 E 1
Saules (71) 108 D 5
Saulgé (86) 116 B 3
Saulgé-l'Hôpital (49) 85 E 4
Saulges (53) 67 E 3
Saulgond (16) 129 F 1
Sauliac-sur-Célé (46) 158 D 4
Saulieu (21) 92 A 5
Saulles (52) 94 A 1
Saulmory-Villefranche (55) 19 G 5
Saulnay (36) 103 G 3
Saulnes (54) 20 C 2
Saulnières (28) 49 H 3
Saulnières (35) 65 F 4
Saulnot (70) 95 H 2
Saulny (57) 20 D 5
Saulon-la-Chapelle (21) 93 G 5
Saulon-la-Rue (21) 93 F 5
La Saulsotte (10) 53 E 4
Sault (84) 180 A 3
Sault-Brénaz (01) 137 E 2
Sault-de-Navailles (64) 185 H 2
Sault-lès-Rethel (08) 18 B 5
Sault-St-Remy (08) 33 H 1
Saultain (59) 9 F 3
Saulty (62) 7 H 4
Saulx (70) 95 F 1
Saulx-en-Barrois (55) 55 H 2
Saulx-le-Duc (21) 93 F 2
Saulx-lès-Champlon (55) 36 A 4
Saulx-les-Chartreux (91) 51 E 2
Saulx-Marchais (78) 50 C 1
Saulxerotte (54) 56 C 4
Saulxures (52) 76 A 3
Saulxures (67) 58 B 4
Saulxures-lès-Bulgnéville (88) 76 C 1
Saulxures-lès-Nancy (54) 57 E 2
Saulxures-lès-Vannes (54) 56 B 3
Saulxures-sur-Moselotte (88) 77 H 3
Saulzais-le-Potier (18) 118 D 1
Saulzet (03) 119 H 5
Saulzet-le-Chaud (63) 133 E 4
Saulzet-le-Froid (63) 132 D 4
Saulzoir (59) 9 E 3
Saumane (04) 180 C 3
Saumane (30) 177 G 3
Saumane-de-Vaucluse (84) 179 G 4
Sauméjan (47) 171 F 2
Saumeray (28) 69 H 1
Saumont (47) 172 A 3
Saumont-la-Poterie (76) 14 B 4
Saumos (33) 140 C 5
Saumur SP (49) 85 G 5
Saunay (37) 87 F 2
La Saunière (23) 117 H 5
Saunières (71) 109 G 3
Sauqueuse-St-Lucien (60) 15 E 5
Sauqueville (76) 13 G 2
Saurais (79) 101 G 5
Saurat (09) 206 D 4
Sauret-Besserve (63) 132 D 1
Saurier (63) 133 E 5
Sausheim (68) 78 D 4
Saussan (34) 193 E 3
Saussay (28) 49 H 1
Saussay (76) 13 F 4
Saussay-la-Campagne (27) 30 A 2
La Saussaye (27) 29 F 2
Saussemesnil (50) 22 D 3
Saussenac (81) 175 E 4
Saussens (31) 189 H 2
Sausses (04) 182 C 3
Les Sausses (06) 182 C 4
Sausset-les-Pins (13) 195 F 4
Sausseuzemare-en-Caux (76) 12 C 3
Saussey (21) 108 D 1
Saussey (50) 24 D 4
Saussignac (24) 156 C 2
Saussines (34) 193 G 1
Saussy (21) 93 F 3
Sautel (09) 207 F 3
Sauternes (33) 155 G 4
Sauteyrargues (34) 177 H 5
Sauto (66) 212 A 4
Sautron (44) 83 E 4
Sauvage (51) 53 F 3
Sauvage-Magny (52) 54 D 5
La Sauvagère (61) 47 F 3
Les Sauvages (69) 135 F 2
Sauvagnac (16) 129 E 3
Sauvagnac (87) 130 B 1
Sauvagnas (47) 172 C 2
Sauvagnat (63) 132 C 3
Sauvagnat-Ste-Marthe (63) 133 F 5
Sauvagney (25) 94 D 4
Sauvagnon (64) 186 B 4
Sauvagny (03) 119 F 2
Sauvain (42) 134 C 4
Sauvat (15) 146 A 2
Sauve (30) 177 H 4
La Sauve (33) 155 G 2
Sauvebœuf (24) 157 F 1
Sauvelade (64) 185 H 4
Sauverny (01) 124 B 3
Sauvessanges (63) 148 B 1
Les Sauvestres (84) 179 H 4
La Sauvetat (32) 172 B 5
La Sauvetat (43) 162 B 1
La Sauvetat (63) 133 F 4
La Sauvetat-de-Savères (47) 172 D 2
La Sauvetat-du-Dropt (47) 156 C 3
La Sauvetat-sur-Lède (47) 157 F 5
Sauveterre (30) 179 E 3
Sauveterre (32) 188 B 4
Sauveterre (48) 161 G 5
Sauveterre (65) 187 F 3
Sauveterre (81) 191 E 3
Sauveterre (82) 173 G 1
Sauveterre-de-Béarn (64) 185 G 4
Sauveterre-de-Comminges (31) 205 G 2
Sauveterre-de-Guyenne (33) 156 A 2
Sauveterre-de-Rouergue (12) 175 E 2
Sauveterre-la-Lémance (47) 157 H 4
Sauveterre-St-Denis (47) 172 C 2
Sauviac (32) 187 H 4
Sauviac (33) 155 H 5
Sauvian (34) 192 B 5
Sauviat (63) 133 H 4
Sauviat-sur-Vige (87) 130 C 2
Sauvignac (16) 142 A 2
Sauvigney-lès-Gray (70) 94 B 3
Sauvigney-lès-Pesmes (70) 94 A 4
Sauvigny (55) 56 B 4
Sauvigny-le-Beuréal (89) 92 A 3
Sauvigny-le-Bois (89) 91 H 3
Sauvigny-les-Bois (58) 106 D 3
Sauville (08) 19 E 4
Sauville (88) 76 B 2
Sauvillers-Mongival (80) 15 G 3
Sauvimont (32) 188 C 4
Sauvoy (55) 56 A 2
Saux (46) 157 H 5
Saux-et-Pomarède (31) 205 G 1
Sauxillanges (63) 133 G 5
Le Sauze (04) 167 F 5
Sauze (06) 182 C 2
Sauze-du-Lac (05) 166 D 4
Sauzé-Vaussais (79) 115 E 5
Sauzelle (17) 126 A 1
Sauzelles (36) 103 F 5
Sauzet (26) 163 H 3
Sauzet (30) 178 B 4
Sauzet (46) 158 A 5
La Sauzière-St-Jean (81) 174 A 4
Sauzon (56) 80 D 4
Savarthès (31) 205 H 2
Savas (07) 149 G 2
Savas-Mépin (38) 136 C 5
Savasse (26) 163 H 3
Savenay (44) 82 D 3
Savenès (82) 173 F 5
Savennes (23) 117 H 5
Savennes (63) 132 B 5
Savennières (49) 84 D 4
Saverdun (09) 207 E 1
Savères (31) 188 D 4
Saverne SP (67) 58 D 1
Saveuse (80) 15 F 2
Savianges (71) 108 D 5
Savières (10) 53 H 5
Savigna (39) 123 G 2
Savignac (12) 174 C 1
Savignac (33) 155 H 4
Savignac-de-Duras (47) 156 B 2
Savignac-de-l'Isle (33) 141 H 5
Savignac-de-Miremont (24) 143 G 5
Savignac-de-Nontron (24) 129 F 5
Savignac-Lédrier (24) 144 A 2
Savignac-les-Églises (24) 143 G 2
Savignac-les-Ormeaux (09) 207 F 5
Savignac-Mona (32) 188 C 3
Savignac-sur-Leyze (47) 157 F 4
Savignargues (30) 178 A 4
Savigné (86) 115 F 5
Savigné-l'Évêque (72) 68 B 3
Savigné-sous-le-Lude (72) 85 H 2
Savigné-sur-Lathan (37) 86 B 3
Savigneux (01) 135 H 1
Savigneux (42) 134 D 4
Savignies (60) 14 D 5
Savigny (50) 25 E 4
Savigny (52) 76 B 5
Savigny (69) 135 G 3
Savigny (74) 124 A 5
Savigny (88) 57 E 5
Savigny-en-Revermont (71) 110 A 5
Savigny-en-Sancerre (18) 90 A 3
Savigny-en-Septaine (18) 105 G 2
Savigny-en-Terre-Plaine (89) 91 H 3
Savigny-en-Véron (37) 85 H 5
Savigny-le-Sec (21) 93 F 3
Savigny-le-Temple (77) 51 G 3
Savigny-le-Vieux (50) 46 B 3
Savigny-lès-Beaune (21) 109 E 1
Savigny-Lévescault (86) 115 G 1
Savigny-Poil-Fol (58) 107 G 4
Savigny-sous-Faye (86) 102 A 3
Savigny-sous-Mâlain (21) 93 E 4
Savigny-sur-Aisne (08) 34 D 1
Savigny-sur-Ardres (51) 33 F 2
Savigny-sur-Braye (41) 69 E 4
Savigny-sur-Clairis (89) 72 B 3
Savigny-sur-Grosne (71) 122 A 1
Savigny-sur-Orge (91) 51 F 2
Savigny-sur-Seille (71) 109 G 5
Savilly (21) 108 B 1
Savines-le-Lac (05) 166 D 4
Savins (77) 52 C 4
Savoillan (84) 180 A 2
Savoisy (21) 92 B 1
Savolles (21) 93 H 4
Savonnières (37) 86 C 4
Savonnières-devant-Bar (55) 55 G 1
Savonnières-en-Perthois (55) 55 F 3
Savonnières-en-Woëvre (55) 36 A 5
Savouges (21) 93 F 5
Savournon (05) 165 H 5
Savoyeux (70) 94 B 2
Savy (02) 16 C 2
Savy-Berlette (62) 7 H 3
Saxel (74) 124 D 3
Saxi-Bourdon (58) 107 E 2
Saxon-Sion (54) 56 D 4
Sayat (63) 133 E 3
Saze (30) 179 E 4
Sazeray (36) 118 A 2
Sazeret (03) 119 G 3
Sazilly (37) 102 B 1
Sazos (65) 204 B 3
Scaër (29) 62 B 3
Les Scaffarels (04) 182 B 3
Scata (2B) 217 G 1
Sceau-St-Angel (24) 143 F 1
Sceautres (07) 163 G 3
Sceaux (89) 91 H 2
Sceaux (92) 51 F 1
Sceaux-d'Anjou (49) 84 D 1
Sceaux-du-Gâtinais (45) 71 G 2
Sceaux-sur-Huisne (72) 68 C 2
Scey-Maisières (25) 111 E 1
Scey-sur-Saône-et-St-Albin (70) 94 D 1
Schaeffersheim (67) 59 E 4
Schaffhouse-près-Seltz (67) 39 H 4
Schaffhouse-sur-Zorn (67) 59 E 1
Schalbach (57) 38 B 5
Schalkendorf (67) 39 E 5
Scharrachbergheim-Irmstett (67) 58 D 2
Scheibenhard (67) 39 H 3
Scherlenheim (67) 59 E 1
Scherwiller (67) 58 D 5
Schillersdorf (67) 38 D 5
Schiltigheim (67) 59 F 2
Schirmeck (67) 58 C 3
Schirrhein (67) 39 G 5
Schirrhoffen (67) 39 G 5
Schleithal (67) 39 G 3
Schlierbach (68) 78 D 5
Schmittviller (57) 38 B 4
Schneckenbusch (57) 58 B 1
Schnersheim (67) 59 E 2
Schœnau (67) 59 F 5
Schœnbourg (67) 38 C 5
Schœneck (57) 38 A 2
Schœnenbourg (67) 39 G 4
Schopperten (67) 38 B 4
Schorbach (57) 38 D 3
Schweighouse-sur-Moder (67) 39 F 5
Schweighouse-Thann (68) 78 C 5
Schwenheim (67) 58 D 1
Schwerdorff (57) 21 G 3
Schweyen (57) 38 C 2
Schwindratzheim (67) 59 E 1
Schwoben (68) 97 F 1
Schwobsheim (67) 59 E 5
Sciecq (79) 114 A 3
Scientrier (74) 124 D 4
Scieurac-et-Flourès (32) 187 F 3
Sciez (74) 124 D 3
Scillé (79) 100 D 5
Scionzier (74) 125 E 5
Sclos (06) 183 F 4
Scolca (2B) 215 F 5
Scorbé-Clairvaux (86) 102 B 4
Scoury (36) 103 G 5
Scrignac (29) 42 B 5
Scrupt (51) 54 D 2
Scy-Chazelles (57) 36 D 3
Scye (70) 94 D 1
Séailles (32) 187 F 1
La Séauve-sur-Semène (43) 148 D 2
Sébazac-Concourès (12) 160 B 5
Sébécourt (27) 29 E 5
Sébeville (50) 23 E 5
Seboncourt (02) 17 E 1
Sebourg (59) 9 F 3
Sébrazac (12) 160 B 4
Séby (64) 186 B 3
Sec-Bois (59) 3 G 4
Secenans (70) 95 H 2
Séchault (08) 34 D 2
Sécheras (07) 149 G 4
Sécheval (08) 10 D 5
Le Séchier (05) 166 B 1
Séchilienne (38) 151 H 4
Séchin (25) 95 F 4
Seclin (59) 4 C 4
Secondigné-sur-Belle (79) 114 B 4
Secondigny (79) 101 E 5
Secourt (57) 37 E 4
Secqueville-en-Bessin (14) 27 E 2
Sedan SP (08) 19 F 3
Sédeilhac (31) 205 F 1
Séderon (26) 180 B 2
Sedze-Maubecq (64) 186 D 4
Sedzère (64) 186 D 4
Seebach (67) 39 G 4
Sées (61) 48 A 3
Séez (73) 139 F 4
Le Ségala (11) 190 A 5
Ségalas (47) 156 D 4
Ségalas (65) 187 F 4
La Ségalassière (15) 159 G 1
Séglien (56) 63 E 3
Ségny (01) 124 B 3
Segonzac (16) 127 H 4
Segonzac (19) 144 A 2
Segonzac (24) 142 D 3
Ségos (32) 186 C 2
Ségoufielle (32) 188 D 2
Segré SP (49) 84 B 1
Ségreville (31) 189 H 3
Ségrie (72) 67 H 1
Ségrie-Fontaine (61) 47 F 1
Segrois (21) 109 E 1
Ségry (36) 104 D 3
La Séguinière (49) 100 B 1
Ségur (12) 176 A 1
Le Ségur (81) 174 D 3
Ségur-le-Château (19) 144 A 1
Ségur-les-Villas (15) 146 C 3
Ségura (09) 207 F 2
Séguret (84) 179 G 2
Ségus (65) 204 B 2
Seich (65) 205 F 2
Seichamps (54) 57 E 1
Seichebrières (45) 71 E 4
Seicheprey (54) 36 B 5
Seiches-sur-le-Loir (49) 85 F 2
Seignalens (11) 207 G 2
Seigné (17) 127 H 1
Seignelay (89) 73 E 4
Seigneulles (55) 55 G 1
Seignosse (40) 184 D 1
Seigny (21) 92 C 2
Seigy (41) 87 H 5
Seilh (31) 189 F 1
Seilhac (19) 144 D 2
Seilhan (31) 205 F 2
Seillac (41) 87 G 2
Seillans (83) 197 H 1
Seillonnaz (01) 137 F 2
Seillons-Source-d'Argens (83) 196 C 3
Seine-Port (77) 51 G 3
Seingbouse (57) 37 H 3
Seissan (32) 188 A 3
Seix (09) 206 B 4
Le Sel-de-Bretagne (35) 65 F 4
Selaincourt (54) 56 C 3
Selens (02) 16 C 5
Sélestat SP (67) 58 D 5
Séligné (79) 114 B 5
Séligney (39) 110 A 2
Selincourt (80) 14 D 2
La Selle (70) 77 H 5
La Selle-Craonnaise (53) 66 B 4
La Selle-en-Coglès (35) 45 H 4
La Selle-en-Hermoy (45) 72 A 3
La Selle-en-Luitré (35) 46 A 5
La Selle-Guerchaise (35) 66 A 3
La Selle-la-Forge (61) 47 E 2
La Selle-sur-le-Bied (45) 72 A 3
Selles (27) 28 C 2
Selles (51) 34 A 2
Selles (62) 2 C 4
Selles (70) 76 D 3
Selles-St-Denis (41) 88 C 4
Selles-sur-Cher (41) 88 A 5
Selles-sur-Nahon (36) 103 H 2
Sellières (39) 110 B 3
Selommes (41) 69 G 5
Seloncourt (25) 96 C 2
Selongey (21) 93 G 2
Selonnet (04) 166 D 5
Seltz (67) 39 H 4
La Selve (02) 17 H 4
La Selve (12) 175 G 3
Sem (09) 206 D 5
Sémalens (81) 190 C 2
Semallé (61) 48 A 4
Semarey (21) 92 D 5
Sembadel (43) 148 A 2
Sembadel-Gare (43) 148 A 2
Sembas (47) 172 C 1
Semblançay (37) 86 C 3
Sembleçay (36) 88 B 5
Sembouès (32) 187 F 3
Séméac (65) 187 E 5
Séméacq-Blachon (64) 186 D 3
Semécourt (57) 21 E 5
Sémelay (58) 107 G 3
Semène (43) 148 D 1
Semens (33) 155 H 3
Sementron (89) 90 D 1
Sémeries (59) 9 H 4
Semerville (41) 69 H 4
Semezanges (21) 93 E 5
Sémézies-Cachan (32) 188 B 3
Semide (08) 34 C 1
Semillac (17) 141 F 1
Semilly (52) 75 H 1
Semmadon (70) 76 C 5
Semoine (10) 53 H 2
Semond (21) 92 C 1
Semondans (25) 95 H 2

Localité (Département) Page Coordonnées

Semons (38) 150 D 1
Semousies (59) 9 H 4
Semoussac (17) 141 E 1
Semoutiers (52) 75 F 3
Semoy (45) 70 D 4
Sempesserre (32) 172 C 4
Sempigny (60) 16 B 5
Sempy (62) 6 D 1
Semur-en-Auxois (21) 92 B 3
Semur-en-Brionnais (71) 121 F 4
Semur-en-Vallon (72) 68 D 3
Semussac (17) 126 D 4
Semuy (08) 18 D 5
Le Sen (40) 170 C 2
Sénac (65) 187 F 4
Senaide (88) 76 C 3
Sénaillac-Latronquière (46) 159 F 2
Sénaillac-Lauzès (46) 158 D 3
Senailly (21) 92 B 2
Senainville (28) 50 B 4
Sénamont (28) 49 H 4
Senan (89) 72 D 4
Senantes (28) 50 A 3
Senantes (60) 14 C 5
Senard (55) 35 F 4
Sénarens (31) 188 C 5
Senargent-Mignafans (70) 95 G 2
Senarpont (80) 14 C 2
Sénart (11) 51 G 3
Sénas (13) 195 F 1
Senaud (39) 123 F 2
Senaux (81) 191 F 1
Sencenac-Puy-de-Fourches (24) 143 E 2
Senconac (09) 207 F 4
Sendets (33) 155 H 5
Sendets (64) 186 C 5
Séné (56) 81 G 2
Sénéchas (30) 177 H 1
Sénèque (Tour de) (2B) 215 F 2
Sénergues (12) 160 A 3
Senesse-de-Senabugue (09) 207 F 2
Sénestis (47) 156 B 5
Séneujols (43) 148 A 5
Senez (04) 181 H 4
Sénezergues (15) 159 H 3
Sengouagnet (31) 205 H 3
Séniergues (46) 158 C 3
Senillé (86) 102 C 4
Senillé-Saint-Sauveur (86) 102 C 4
Seninghem (62) 2 D 4
Senlecques (62) 2 C 5
Senlis SP (60) 31 G 3
Senlis (62) 7 F 1
Senlis-le-Sec (80) 7 H 5
Senlisse (78) 50 D 2
Senneçay (18) 105 F 3
Sennecé-lès-Mâcon (71) 122 B 3
Sennecey-le-Grand (71) 109 E 5
Sennecey-lès-Dijon (21) 93 G 4
Sennely (45) 89 E 1
Sennevières (37) 103 F 1
Senneville-sur-Fécamp (76) 12 C 3
Sennevoy-le-Bas (89) 74 B 5
Sennevoy-le-Haut (89) 74 B 5
Senon (55) 20 B 4
Senonches (28) 49 F 3
Senoncourt (70) 76 D 4
Senoncourt-les-Maujouy (55) 35 G 4
Senones (88) 58 A 4
Senonges (88) 76 D 2
Senonnes (53) 66 A 5
Senonville (55) 36 A 5
Senots (60) 30 D 2
Senouillac (81) 174 C 4
Sénoville (50) 22 B 4
Senozan (71) 122 B 2
Sens SP (89) 72 D 2
Sens-Beaujeu (18) 89 H 4
Sens-de-Bretagne (35) 45 G 5
Sens-sur-Seille (71) 109 H 4
Sentein (09) 206 A 4
Sentelie (80) 15 E 3
Sentenac-de-Sérou (09) 206 D 3
Sentenac-d'Oust (09) 206 B 4
Sentheim (68) 78 B 5
Sentilly (61) 47 G 1
La Sentinelle (59) 9 E 2
Sentous (65) 187 G 5
Senuc (08) 34 D 2
Senven-Léhart (22) 43 F 5
La Séoube (65) 204 D 3
Sépeaux-Saint-Romain (89) 72 C 4
Sepmeries (59) 9 F 3
Sepmes (37) 102 D 2
Seppois-le-Bas (68) 97 E 2
Seppois-le-Haut (68) 97 E 2
Sept-Forges (61) 47 E 4
Sept-Frères (14) 25 F 5
Sept-Meules (76) 14 A 1
Sept-Saulx (51) 34 A 3
Sept-Sorts (77) 32 B 5
Sept-Vents (14) 25 H 3
Septème (38) 136 C 5
Septèmes-les-Vallons (13) 195 H 4
Septeuil (78) 30 B 5
Septfonds (82) 174 A 2
Septfonds (89) 90 B 1
Septfontaines (25) 111 E 2
Septmoncel (39) 124 A 2
Septmonts (02) 32 D 2
Septsarges (55) 35 F 2
Septvaux (02) 16 D 4
Sepvigny (55) 56 B 3
Sepvret (79) 114 D 3
Sepx (31) 205 H 1
Sequedin (59) 4 C 4
Sequehart (02) 16 D 1
Le Sequestre (81) 174 D 5
Serain (02) 9 E 5
Seraincourt (08) 18 A 4
Seraincourt (95) 30 C 4
Sérandon (19) 145 H 2
Séranon (06) 182 B 5
Serans (60) 30 C 3
Serans (61) 47 G 2
Seranville (54) 57 G 4
Séranvillers-Forenville (59) 8 D 5
Seraucourt-le-Grand (02) 16 C 3
Seraumont (88) 56 A 4
Serazereux (28) 49 H 3
Serbannes (03) 120 A 5
Serbonnes (89) 72 C 1
Serches (02) 32 D 1
Sercœur (88) 57 G 5
Sercus (59) 3 F 4
Sercy (71) 122 A 1
Serdinya (66) 212 B 3
Sère (32) 188 A 4
Sère-en-Lavedan (65) 204 B 2
Sère-Lanso (65) 204 B 2
Sère-Rustaing (65) 187 G 5
Serécourt (88) 76 C 2
Séreilhac (87) 129 H 3
Serémange-Erzange (57) 20 D 4
Sérempuy (32) 188 B 1
Sérénac (81) 175 E 4
Sérent (56) 64 A 4
Séresville (28) 50 A 4
Sérévillers (60) 15 G 4
Serez (27) 29 H 5
Sérézin-de-la-Tour (38) 137 E 5
Sérézin-du-Rhône (69) 135 H 4
Sergeac (24) 143 H 5
Sergenaux (39) 110 A 3
Sergenon (39) 110 A 3
Sergines (89) 52 C 5
Sergy (01) 124 B 3
Sergy (02) 33 E 3
Séricourt (62) 7 G 3
Sériers (15) 146 D 5
Sérifontaine (60) 30 C 1
Sérignac (46) 157 H 5
Sérignac (82) 173 E 4
Sérignac-Péboudou (47) 157 E 3
Sérignac-sur-Garonne (47) 172 B 2
Sérignan (34) 192 B 5
Sérignan-du-Comtat (84) 179 F 2
Sérignan-Plage (34) 192 C 5
Sérigné (85) 113 G 1
Sérigny (61) 48 C 5
Sérigny (86) 102 B 3
Sérilhac (19) 144 D 4
Seringes-et-Nesles (02) 33 E 3
Séris (41) 70 A 5
Serley (71) 109 H 4
Sermages (58) 107 G 2
Sermaise (49) 85 F 2
Sermaise (91) 50 D 4
Sermaises (45) 71 E 1
Sermaize (60) 16 B 4
Sermaize-les-Bains (51) 55 E 1
Sermamagny (90) 78 A 5
Sermange (39) 94 B 5
Sermano (2B) 217 F 2
Sermentizon (63) 133 H 3
Sermentot (14) 26 D 3
Sermérieu (38) 137 E 4
Sermersheim (67) 59 E 4
Sermesse (71) 109 G 3
Sermiers (51) 33 H 3
Sermizelles (89) 91 G 2
Sermoise (02) 32 D 1
Sermoise-sur-Loire (58) 106 C 3
Sermoyer (01) 122 C 1
Sermur (23) 132 A 1
Sernhac (30) 178 D 4
Serocourt (88) 76 C 2
Séron (65) 186 D 5
Serpaize (38) 136 B 5
La Serpent (11) 208 A 3
Serques (62) 3 E 4
Serqueux (52) 76 B 3
Serqueux (76) 14 B 4
Serquigny (27) 28 D 3
Serra-di-Ferro (2A) 218 C 2
Serra-di-Fiumorbo (2B) 217 G 5
Serra di Pigno (2B) 215 G 3
Serra-di-Scopamène (2A) 219 E 2
Serralongue (66) 212 C 5
Serraval (74) 138 C 2
La Serre (12) 175 G 5
La Serre (19) 145 H 1
La Serre-Bussière-Vieille (23) 131 H 1
La Serre-de-Cazaux (31) 205 G 1
Serre-les-Moulières (39) 94 B 5
Serre-les-Sapins (25) 94 D 5
Serre-Nerpol (38) 151 E 2
Serres (05) 165 H 5
Serres (11) 208 B 3
Serres (54) 57 F 2
Serres (84) 179 G 3
Serres-Castet (64) 186 B 4
Serres-et-Montguyard (24) 156 D 3
Serres-Gaston (40) 186 B 2
Serres-Morlaàs (64) 186 C 5
Serres-Ste-Marie (64) 186 A 4
Serres-sur-Arget (09) 206 D 3
Serreslous-et-Arribans (40) 186 A 1
Serriera (2A) 216 B 2
Serrières (07) 149 G 2
Serrières (71) 122 A 3
Serrières-de-Briord (01) 137 E 2
Serrières-en-Chautagne (73) 137 H 2
Serrières-sur-Ain (01) 123 F 4
Serrigny (89) 73 G 5
Serrigny-en-Bresse (71) 109 G 4
Serris (77) 51 H 1
Serrouville (54) 20 C 3
Serruelles (18) 105 F 3
Sers (16) 128 C 5
Sers (65) 204 C 3
Servais (02) 16 D 4
Serval (02) 33 F 1
Servance (70) 77 H 4
Servanches (24) 142 B 4
Servant (63) 119 F 5
Servas (01) 122 D 5
Servas (30) 178 A 2
Servaville-Salmonville (76) 13 H 5
Servel (22) 42 C 2
Serverette (48) 161 G 3
Serves-sur-Rhône (26) 149 H 4
Servian (34) 192 B 4
Servières (48) 161 G 4
Servières-le-Château (19) 145 F 4
Serviers-et-Labaume (30) 178 C 3
Serviès (81) 190 B 2
Serviès-en-Val (11) 208 C 2
Servignat (01) 122 D 2
Servigney (25) 95 F 3
Servigney (70) 77 F 5
Servigny (50) 24 D 3
Servigny-lès-Raville (57) 37 F 3
Servigny-lès-Ste-Barbe (57) 21 E 5
Serville (28) 50 A 2
Servilly (03) 120 C 4
Servin (25) 95 G 4
Servins (62) 4 A 5
Servon (50) 45 H 3
Servon (77) 51 G 2
Servon-Melzicourt (51) 35 E 2
Servon-sur-Vilaine (35) 65 G 2
Servoz (74) 139 E 1
Sery (08) 18 B 4
Sery (89) 91 F 2
Séry-lès-Mézières (02) 17 E 3
Séry-Magneval (60) 32 A 2
Serzy-et-Prin (51) 33 F 2
Sessenheim (67) 39 G 5
Sète (34) 193 E 4
Setques (62) 3 E 4
Les Settons (58) 91 H 5
Seugy (95) 31 F 3
Seuil (08) 18 C 5
Seuillet (03) 120 B 4
Seuilly (37) 102 A 1
Seur (41) 87 H 3
Le Seure (17) 127 G 3
Seurre (21) 109 G 2
Seux (80) 15 E 2
Seuzey (55) 36 A 4
Sevelinges (42) 121 G 5
Sevenans (90) 96 C 1
Sévérac (44) 82 C 2
Sévérac-d'Aveyron (12) 176 B 1
Sévérac-l'Église (12) 176 A 1
Seveux (70) 94 B 2
Sevi (Col de) (2A) 216 C 3
Sévignac (22) 44 B 5
Sévignacq (64) 186 C 4
Sévignacq-Meyracq (64) 203 H 1
Sévigny (61) 47 H 1
Sévigny-la-Forêt (08) 10 C 5
Sévigny-Waleppe (08) 17 H 4
Sévis (76) 13 H 3
Sevrai (61) 47 G 2
Sevran (93) 31 G 5
Sèvres (92) 51 E 1
Sèvres-Anxaumont (86) 115 G 1
Sevrey (71) 109 E 4
Sevrier (74) 138 B 2
Sévry (18) 106 A 1
Sewen (68) 78 A 4
Sexcles (19) 145 F 5
Sexey-aux-Forges (54) 56 D 2
Sexey-les-Bois (54) 56 D 2
Sexfontaines (52) 75 F 1
Seychalles (63) 133 G 3
Seyches (47) 156 C 4
Seyne (04) 166 D 5
La Seyne-sur-Mer (83) 200 D 4
Seynes (30) 178 B 3
Seynod (74) 138 A 2
Seyre (31) 189 H 4
Seyresse (40) 185 F 1
Seyssel (01) 137 H 1
Seyssel (74) 137 H 1
Seysses (31) 189 E 3
Seysses-Savès (32) 188 D 3
Seyssinet-Pariset (38) 151 G 3
Seyssins (38) 151 G 3
Seyssuel (38) 136 B 5
Seythenex (74) 138 C 3
Seytroux (74) 125 E 3
Sézanne (51) 53 F 2
Sézéria (39) 123 G 1
Siarrouy (65) 187 E 5
Siaugues-Ste-Marie (43) 147 H 4
Sibiril (29) 41 H 2
Sibiville (62) 7 G 3
La Sicaudais (44) 82 D 5
Siccieu-St-Julien-et-Carisieu (38) 137 E 3
Sichamps (58) 106 D 1
Sickert (68) 78 B 5
Sideville (50) 22 C 3
Sidiailles (18) 118 C 2
Siecq (17) 127 H 2
Siegen (67) 39 G 4
Sièges (39) 123 H 3
Les Sièges (89) 73 E 2
Sierck-les-Bains (57) 21 F 3
Sierentz (68) 79 E 5
Siersthal (57) 38 C 3
Sierville (76) 13 G 4
Siest (40) 185 F 1
Sieurac (81) 190 C 1
Sieuras (09) 206 C 1
Siévoz (38) 151 H 5
Siewiller (67) 38 C 5
Sigale (06) 182 D 4
Sigalens (33) 156 A 5
Sigean (11) 209 F 2
Sigloy (45) 71 E 5
Signac (31) 205 G 3
Signes (83) 196 C 5
Signéville (52) 75 G 1
Signy-l'Abbaye (08) 18 B 3
Signy-le-Petit (08) 10 B 5
Signy-Montlibert (08) 19 H 4
Signy-Signets (77) 32 B 5
Sigogne (16) 127 H 3
Sigolsheim (68) 78 D 1
Sigonce (04) 180 D 3
Sigottier (05) 165 H 4
Sigoulès (24) 156 D 2
Sigournais (85) 100 A 4
Sigoyer (04) 166 A 5
Sigoyer (05) 166 A 4
Siguer (09) 207 E 5
Sigy (77) 52 C 4
Sigy-en-Bray (76) 14 A 5
Sigy-le-Châtel (71) 122 A 1
Silfiac (56) 63 E 2
Silhac (07) 163 F 1
Sillans (38) 151 E 2
Sillans-la-Cascade (83) 197 E 2
Sillars (86) 116 A 2
Sillas (33) 156 A 5
Sillé-le-Guillaume (72) 67 G 2
Sillé-le-Philippe (72) 68 B 2
Sillegny (57) 36 D 4
Sillery (51) 33 H 3
Silley-Amancey (25) 111 E 1
Silley-Bléfond (25) 95 F 4
Sillingy (74) 138 A 1
Silly-en-Gouffern (61) 47 H 2
Silly-en-Saulnois (57) 37 E 4
Silly-la-Poterie (02) 32 C 3
Silly-le-Long (60) 32 A 4
Silly-sur-Nied (57) 21 F 5
Silly-Tillard (60) 31 E 2
Silmont (55) 55 G 2
Siltzheim (67) 38 B 3
Silvareccio (2B) 215 G 5
Silvarouvres (52) 75 E 3
Simacourbe (64) 186 D 4
Simandre (71) 109 F 5
Simandre-sur-Suran (01) 123 F 4
Simandres (69) 136 B 4
Simard (71) 109 G 4
Simencourt (62) 8 A 3
Simeyrols (24) 158 B 1
Simiane-Collongue (13) 195 H 3
Simiane-la-Rotonde (04) 180 B 4
Simon-la-Vineuse (85) 113 F 1
Simorre (32) 188 B 4
Simplé (53) 66 C 4
Sin-le-Noble (59) 8 C 2
Sinard (38) 151 G 5
Sinceny (02) 16 D 4
Sincey-lès-Rouvray (21) 92 A 3
Sindères (40) 169 E 3
Singles (63) 132 B 5
Singleyrac (24) 156 D 2
Singly (08) 18 D 4
Singrist (67) 58 D 2
Sinsat (09) 207 E 4
Sinzos (65) 204 D 1
Sion (32) 187 E 1
Sion (54) 56 D 4
Sion-les-Mines (44) 65 E 5
Sion-sur-l'Océan (85) 98 C 4
Sioniac (19) 145 E 5
Sionne (88) 56 B 5
Sionviller (54) 57 G 2
Siorac-de-Ribérac (24) 142 C 3
Siorac-en-Périgord (24) 157 G 1
Siouville-Hague (50) 22 B 3
Sirac (32) 188 C 1
Siracourt (62) 7 F 2
Siradan (65) 205 F 3
Siran (15) 145 G 5
Siran (34) 191 F 5
Sireix (65) 204 A 3
Sireuil (16) 128 A 4
Sireuil (24) 143 H 5
Sirod (39) 110 D 4
Sironne (05) 165 G 5
Siros (64) 186 B 4
Sisco (2B) 215 G 2
Sissonne (02) 17 G 4
Sissy (02) 17 E 2
Sistels (82) 172 C 3
Sisteron (04) 181 E 2
Sivergues (84) 180 A 5
Sivignon (71) 121 H 2
Sivry (54) 37 E 5
Sivry-Ante (51) 35 E 4
Sivry-Courtry (77) 51 H 4
Sivry-la-Perche (55) 35 G 3
Sivry-lès-Buzancy (08) 35 E 1
Sivry-sur-Meuse (55) 35 G 1
Six-Fours-les-Plages (83) 200 D 4
Sixt-Fer-à-Cheval (74) 125 F 5
Sixt-sur-Aff (35) 64 C 5
Sizun (29) 41 H 4
Smarves (86) 115 G 1
Smermesnil (76) 14 A 2
Soccia (2A) 216 D 3
Sochaux (25) 96 C 2
Socoa (64) 184 B 4
Socourt (88) 57 E 4
Socx (59) 3 F 2
Sode (31) 205 F 4
Soetrich (57) 21 E 3
Sœurdres (49) 66 D 5
Sognes (89) 53 E 5
Sognolles-en-Montois (77) 52 C 4
Sogny-aux-Moulins (51) 34 B 5
Sogny-en-l'Angle (51) 54 D 1
Soignolles (14) 27 G 4
Soignolles-en-Brie (77) 51 H 3
Soigny (51) 53 E 1
Soindres (78) 30 B 5
Soing-Cubry-Charentenay (70) 94 C 2
Soings-en-Sologne (41) 88 A 4
Soirans (21) 93 H 5
Soissons SP (02) 32 D 1
Soissons-sur-Nacey (21) 94 A 5
Soisy-Bouy (77) 52 D 4
Soisy-sur-École (91) 51 G 4
Soisy-sur-Marne (95) 31 F 5
Soisy-sur-Seine (91) 51 G 3
Soize (02) 17 H 3
Soizé (28) 69 E 2
Soizy-aux-Bois (51) 53 F 1
Solaize (69) 136 B 4
Solaro (2B) 217 G 5
Solbach (67) 58 C 4
Soleilhas (04) 182 B 4
Solemont (25) 95 H 3
Solente (60) 16 B 3
Solenzara (2A) 219 G 1
Le Soler (66) 213 E 2
Solérieux (26) 163 H 5
Solers (77) 51 H 3
Solesmes (59) 9 F 4
Solesmes (72) 67 F 4
Soleymieu (38) 137 E 3
Soleymieux (42) 134 C 5
Soleyrols (48) 177 G 1
Solférino (40) 169 F 2
Solgne (57) 37 E 4
Soliers (14) 27 F 3
Solignac (87) 130 A 3
Solignac-sous-Roche (43) 148 B 3
Solignac-sur-Loire (43) 148 B 5
Solignat (63) 133 F 5
Soligny-la-Trappe (61) 48 C 3
Soligny-les-Étangs (10) 53 E 5
Sollacaro (2A) 218 D 2
Sollières-Sardières (73) 153 F 2
Solliès-Pont (83) 196 D 5
Solliès-Toucas (83) 196 D 5
Solliès-Ville (83) 201 E 3
Sologny (71) 122 A 3
Solomiac (32) 172 D 5
Solre-le-Chau (59) 10 A 2
Solrinnes (59) 10 A 2
Solterre (45) 71 H 4
Solutré-Pouilly (71) 122 B 3
Le Somail (11) 191 H 5
Somain (59) 8 D 2
Sombacour (25) 111 F 2
Sombernon (21) 92 D 4
Sombrin (62) 7 H 4
Sombrun (65) 187 E 3
Somloire (49) 100 D 2
Sommaing (59) 9 F 3
Sommaisne (55) 35 G 5
Sommancourt (52) 55 F 4
Sommant (71) 108 A 2
Sommauthe (08) 19 F 5
Somme (18) 105 E 1
Somme-Bionne (51) 34 D 3
Somme-Suippe (51) 34 C 3
Somme-Tourbe (51) 34 D 3
Somme-Vesle (51) 34 C 4
Somme-Yèvre (51) 34 D 5
Sommecaise (89) 72 C 5
Sommedieue (55) 35 H 3
Sommeilles (55) 35 E 5
Sommelans (02) 32 C 3
Sommelonne (55) 55 F 2
Sommepy-Tahure (51) 34 C 2
Sommerance (08) 35 E 1
Sommerécourt (52) 76 B 1
Sommereux (60) 14 D 4
Sommermont (52) 55 F 4
Sommeron (02) 17 H 1
Sommervieu (14) 26 D 2
Sommerviller (54) 57 F 2
Sommery (76) 14 A 4
Sommesnil (76) 13 E 3
Sommesous (51) 54 A 2
La Sommette (25) 95 G 5
Sommette-Eaucourt (02) 16 C 3
Sommeval (10) 73 H 2
Sommeville (52) 55 F 3
Sommevoire (52) 55 E 5
Sommières (30) 193 G 1
Sommières-du-Clain (86) 115 G 4
Sompt (79) 114 D 4
Sompuis (51) 54 B 2
Somsois (51) 54 C 3
Son (08) 18 B 4
Sonac (46) 159 E 3
Sonchamp (78) 50 C 3
Soncourt (88) 56 C 4
Soncourt-sur-Marne (52) 75 F 1
Sondernach (68) 78 B 3
Sondersdorf (68) 97 F 2
La Sône (38) 150 D 4
Songeons (60) 14 D 5
Songeson (39) 110 C 5
Songieu (01) 137 G 1
Songy (51) 54 C 1
Sonnac (12) 159 G 4
Sonnac (17) 127 H 2
Sonnac-sur-l'Hers (11) 207 H 3
Sonnay (38) 149 H 2
Sonnaz (73) 137 H 4
Sonneville (16) 128 A 3
Sons-et-Ronchères (02) 17 F 3
Sonthonnax-la-Montagne (01) 123 G 4
Sonzay (37) 86 C 2
Soorts-Hossegor (40) 184 D 1
Soppe-le-Bas (68) 78 C 5
Soppe-le-Haut (68) 78 B 5
Sor (09) 206 A 3
Sorans-lès-Breurey (70) 94 D 3
Sorba (Col de) (2B) 217 F 3
Sorbais (02) 17 G 1
Sorbets (32) 187 E 1
Sorbets (40) 186 C 2
Sorbey (55) 20 A 3
Sorbey (57) 37 E 4
Sorbier (03) 120 C 3
Sorbiers (05) 165 G 5
Sorbiers (42) 135 F 5
Sorbo-Ocagnano (2B) 215 G 5
Sorbollano (2A) 219 E 2
Sorbon (08) 18 B 5
Sorbs (34) 176 D 5
Sorcy-Bauthémont (08) 18 C 5
Sorcy-St-Martin (55) 56 A 2
Sorde-l'Abbaye (40) 185 F 3
Sore (40) 169 H 1
Soréac (65) 187 F 5
Sorède (66) 213 F 4
Sorel (80) 8 C 5
Sorel-en-Vimeu (80) 14 D 1
Sorel-Moussel (28) 49 H 1
Sorendal (08) 11 E 5
Sorèze (81) 190 B 4
Sorgeat (09) 207 G 5
Sorges-et-Ligueux-en-Périgord (24) 143 G 2
Sorgues (84) 179 F 3
Sorigny (37) 86 D 5
Les Sorinières (44) 83 F 5
Sorio (2B) 215 F 4
Sormery (89) 73 F 3
Sormonne (08) 18 C 2
Sornac (19) 131 G 4
Sornay (70) 94 B 4
Sornay (71) 109 G 5
Sornéville (54) 57 F 1
Sorquainville (76) 12 D 3
Sorrus (62) 6 C 2
Sort-en-Chalosse (40) 185 G 1
Sortosville (50) 22 D 4
Sortosville-en-Beaumont (50) 22 C 4
Sos (47) 171 G 3
Sospel (06) 183 G 4
Sossais (86) 102 B 3
Sost (65) 205 F 3
Sotta (2A) 219 F 4
Sottevast (50) 22 C 3
Sotteville (50) 22 C 3
Sotteville-lès-Rouen (76) 29 G 1
Sotteville-sous-le-Val (76) 29 G 2
Sotteville-sur-Mer (76) 13 F 2
Soturac (46) 157 H 4
Sotzeling (57) 37 G 5
Souain-Perthes-lès-Hurlus (51) 34 C 3
Soual (81) 190 C 3
Souancé-au-Perche (28) 69 E 1
Souanyas (66) 212 A 3
Souastre (62) 7 H 4
Soubès (34) 192 C 1
Soubise (17) 126 C 1
Soublecause (65) 187 E 3
Soubran (17) 141 F 2

Soubrebost (23) 131 E 1
Soucé (53) 46 D 4
Soucelles (49) 85 E 2
La Souche (07) 162 D 3
Souché (79) 114 B 3
Souchez (62) 8 A 2
Soucht (57) 38 C 4
Soucia (39) 123 H 1
Soucieu-en-Jarrest (69) 135 H 4
Soucirac (46) 158 C 3
Souclin (01) 137 E 2
Soucy (02) 32 B 2
Soucy (89) 72 D 1
Soudaine-Lavinadière (19) 130 D 5
Soudan (44) 65 H 5
Soudan (79) 114 D 2
Soudat (24) 129 E 4
Souday (41) 69 E 3
Soudé (51) 54 B 2
Soudeilles (19) 145 F 1
Soudorgues (30) 177 G 3
Soudron (51) 54 A 1
Soueich (31) 205 H 2
Soueix-Rogalle (09) 206 B 4
Souel (81) 174 C 4
Soues (65) 204 C 1
Soues (80) 15 E 1
Souesmes (41) 89 E 3
Souffelweyersheim (67) 59 F 2
Soufflenheim (67) 39 G 5
Souffrignac (16) 129 E 5
Sougé (36) 104 A 3
Sougé (41) 68 D 5
Sougé-le-Ganelon (72) 47 H 5
Sougéal (35) 45 G 3
Sougères-en-Puisaye (89) 90 D 2
Sougères-sur-Sinotte (89) 73 F 5
Sougraigne (11) 208 B 4
Sougy (45) 70 C 3
Sougy-sur-Loire (58) 106 D 3
Les Souhesmes-Rampont (55) 35 G 3
Souhey (21) 92 B 3
Le Souich (62) 7 G 4
Souilhanels (11) 190 A 5
Souilhe (11) 190 A 4
Souillac (46) 158 C 1
Souillé (72) 68 A 2
Souilly (55) 35 G 4
Soula (09) 207 F 3
Soulac-sur-Mer (33) 126 B 5
Soulages (15) 147 F 4
Soulages-Bonneval (12) 160 C 3
Soulaincourt (52) 55 H 4
Soulaines-Dhuys (10) 54 D 5
Soulaines-sur-Aubance (49) 85 E 4
Soulaire-et-Bourg (49) 84 D 2
Soulaires (28) 50 A 4
Soulan (09) 206 B 3
Soulan (65) 204 D 4
Soulanger (49) 85 F 5
Soulanges (51) 54 C 1
Soulangis (18) 105 G 1
Soulangy (14) 27 G 5
Soulatgé (11) 208 C 4
Soulaucourt-sur-Mouzon (52) 76 B 1
Soulaures (24) 157 G 3
Soulce-Cernay (25) 96 D 4
Soulgé-sur-Ouette (53) 66 D 3
Le Soulié (34) 191 F 3
Soulière (84) 195 H 1
Soulières (51) 33 G 5
Soulièvres (79) 101 G 4
Soulignac (33) 155 G 2
Souligné-Flacé (72) 67 H 3
Souligné-sous-Ballon (72) 68 A 2
Soulignonne (17) 126 D 3
Souligny (10) 73 H 1
Soulitré (72) 68 C 3
Soullans (85) 98 D 3
Soulles (50) 25 F 4
Soulom (65) 204 B 3
Soulomès (46) 158 C 3
Soulosse-sous-St-Élophe (88) 56 B 4
Soultz-Haut-Rhin (68) 78 C 4
Soultz-les-Bains (67) 58 D 2
Soultz-sous-Forêts (67) 39 G 4
Soultzbach-les-Bains (68) 78 C 2
Soultzeren (68) 78 B 2
Soultzmatt (68) 78 C 3
Soulvache (44) 65 G 4
Soumaintrain (89) 73 G 3
Soumans (23) 118 C 3
Soumartre (34) 192 B 2
Soumensac (47) 156 C 3
Souméras (17) 141 G 2
Soumont (34) 192 C 1
Soumont-St-Quentin (14) 27 G 4
Soumoulou (64) 186 D 5
Soupex (11) 190 A 4
Soupir (02) 33 E 1
Souppes-sur-Loing (77) 71 H 2
Souprosse (40) 169 G 5
Le Souquet (40) 169 E 4
Souraïde (64) 184 C 4
Sourans (25) 95 H 3
La Source (45) 70 C 5
Source-Seine (21) 92 D 3
Sourcieux-les-Mines (69) 135 G 3
Le Sourd (02) 17 G 2
Sourdeval (50) 46 C 2
Sourdeval-les-Bois (50) 25 E 5
Sourdon (80) 15 G 3
Sourdun (77) 52 D 4
Le Sourn (56) 63 F 3
Sournia (66) 208 B 5
Sourniac (15) 145 H 3
Sourribes (04) 181 E 2
Sours (28) 50 A 5
Soursac (19) 145 G 3
Sourzac (24) 142 D 4
Sous-la-Tour (22) 43 H 4
Sous-Parsat (23) 131 F 1
Sousceyrac-en-Quercy (46) 159 F 1
Sousmoulins (17) 141 G 2
Souspierre (26) 164 C 4
Soussac (33) 156 A 2
Soussans (33) 141 E 4
Soussey-sur-Brionne (21) 92 C 4
Soustelle (30) 177 H 2
Soustons (40) 168 C 5
Sousville (38) 151 H 5
Souternon (42) 134 C 2
La Souterraine (23) 117 F 4
Soutiers (79) 114 C 1
Souvans (39) 110 B 2
Souvignargues (30) 178 A 5
Souvigné (16) 128 B 1
Souvigné (37) 86 B 2
Souvigné (79) 114 C 3
Souvigné-sur-Même (72) 68 D 1
Souvigné-sur-Sarthe (72) 67 E 5
Souvigny (03) 119 H 1
Souvigny-de-Touraine (37) 87 F 4
Souvigny-en-Sologne (41) 89 E 2
Souyeaux (65) 187 F 5
Souzay-Champigny (49) 85 H 5
Souzy (69) 135 F 4
Souzy-la-Briche (91) 51 E 4
Soveria (2B) 217 E 1
Soyans (26) 164 C 3
Soyaux (16) 128 C 4
Soye (25) 95 G 3
Soye-en-Septaine (18) 105 G 2
Soyécourt (80) 16 A 2
Soyers (52) 76 B 4
Soyons (07) 163 H 1
Soyria (39) 123 H 1
Sparsbach (67) 38 D 5
Spay (72) 68 A 4
Spechbach (68) 78 C 5
Spechbach-le-Bas (68) 78 C 5
Speloncato (2B) 214 D 5
Spelunca (Gorges de) (2A) 216 C 3
Spéracèdes (06) 198 D 1
Spézet (29) 62 B 2
Spicheren (57) 38 A 2
Spin'a Cavallu
(Pont génois) (2A) 219 E 3
Spincourt (55) 20 B 4
Spontour-sur-Dordogne (19) 145 G 3
Sponville (54) 36 B 3
Spoy (10) 74 D 1
Spoy (21) 93 G 3
Spycker (59) 3 E 2
Squiffiec (22) 43 E 3
Staffelfelden (68) 78 C 4
Stains (93) 31 F 5
Stainville (55) 55 G 2
Staple (59) 3 F 4
Stattmatten (67) 39 G 5
Stazzona (2B) 217 G 1
Steenbecque (59) 3 F 5
Steene (59) 3 F 2
Steenvoorde (59) 3 G 3
Steenwerck (59) 3 H 4
Steige (67) 58 C 4
Steinbach (68) 78 C 4
Steinbourg (67) 58 D 1
Steinbrunn-le-Bas (68) 78 D 5
Steinbrunn-le-Haut (68) 78 D 5
Steinseltz (67) 39 G 3
Steinsoultz (68) 97 F 1
Stella-Plage (62) 6 C 1
Stenay (55) 19 G 5
Sternenberg (68) 78 C 5
Stetten (68) 97 G 1
Stigny (89) 74 A 5
Still (67) 58 D 3
Stiring-Wendel (57) 38 A 2
Stival (56) 63 F 3
Stonne (08) 19 E 4
Storckensohn (68) 78 B 4
Stosswihr (68) 78 B 2
Stotzheim (67) 59 E 4
Strasbourg R (67) 59 F 2
Strazeele (59) 3 G 4
Strenquels (46) 144 D 5
Strueth (68) 97 E 1
Struth (67) 38 C 5
Stuckange (57) 21 E 4
Stundwiller (67) 39 G 4
Sturzelbronn (57) 39 E 3
Stutzheim-Offenheim (67) 59 E 2
Suarce (90) 97 E 1
Suaucourt-et-Pisseloup (70) 94 B 1
Suaux (16) 129 E 2
Le Subdray (18) 105 F 2
Sublaines (37) 87 F 5
Subles (14) 25 H 2
Subligny (18) 89 H 4
Subligny (50) 45 H 1
Subligny (89) 72 C 2
Subtray (36) 103 G 4
Suc-et-Sentenac (09) 206 D 5
Succieu (38) 137 E 5
Sucé-sur-Erdre (44) 83 F 4
Les Suchaux (25) 111 H 1
Sucy-en-Brie (94) 51 G 2
Suèvres (41) 88 A 1
Sugères (63) 133 G 5
Sugny (08) 34 C 1
Suhescun (64) 185 E 5
Suilly-la-Tour (58) 90 B 4
Suin (71) 121 H 2
Suippes (51) 34 C 3
Suisse (57) 37 G 4
Suizy-le-Franc (51) 33 F 5
Sulignat (01) 122 C 4
Sully (14) 25 H 2
Sully (60) 14 C 5
Sully (71) 108 C 2
Sully-la-Chapelle (45) 71 E 4
Sully-sur-Loire (45) 89 F 1
Sulniac (56) 81 H 2
Sumène (30) 177 F 4
Sundhoffen (68) 78 D 2
Sundhouse (67) 59 E 5
Super-Besse (63) 132 D 5
Super-Lioran (15) 146 C 4
Super-Sauze (04) 167 F 5
Superbagnères (31) 205 F 5
Superdévoluy (05) 166 A 2
Supt (39) 110 D 3
Le Suquet (06) 183 F 3
Surat (63) 133 F 2
Surba (09) 207 E 4
Surbourg (67) 39 F 4
Surcamps (80) 7 E 5
Surdon (61) 48 A 2
Surdoux (87) 130 D 5
Suré (61) 48 B 5
Suresnes (92) 51 E 1
Surfonds (72) 68 C 3
Surfontaine (02) 17 E 3
Surgères (17) 113 H 5
Surgy (58) 91 E 3
Suriauville (88) 76 C 1
Surimeau (79) 114 A 3
Surin (79) 114 A 2
Surin (86) 115 G 5
Surins (36) 104 A 4
Suris (16) 129 E 2
Surjoux (01) 123 H 5
Surmont (25) 95 H 4
Surques (62) 2 C 4
Surrain (14) 23 H 5
Surtainville (50) 22 B 4
Surtauville (27) 29 F 3
Survie (61) 48 A 1
Surville (14) 28 A 2
Surville (27) 29 G 3
Surville (50) 24 C 1
Survilliers (95) 31 G 4
Sury (08) 18 D 3
Sury-aux-Bois (45) 71 F 4
Sury-en-Vaux (18) 90 A 4
Sury-ès-Bois (18) 89 H 3
Sury-le-Comtal (42) 134 D 5
Sury-près-Léré (18) 90 A 3
Surzur (56) 81 H 3
Sus (64) 185 H 5
Sus-St-Léger (62) 7 G 4
Susmiou (64) 185 H 5
Sussac (87) 130 D 4
Sussargues (34) 193 G 1
Sussat (03) 119 G 5
Sussey (21) 92 B 5
Susville (38) 151 H 5
Sutrieu (01) 137 G 1
Suzan (09) 206 D 2
Suzanne (08) 18 D 5
Suzanne (80) 16 A 1
Suzannecourt (52) 55 G 4
Suzay (27) 30 A 2
Suze (26) 164 D 2
Suze-la-Rousse (26) 179 F 1
La Suze-sur-Sarthe (72) 67 H 4
Suzette (84) 179 G 2
Suzoy (60) 16 B 4
Suzy (02) 17 E 5
Sy (08) 19 E 5
Syam (39) 110 D 4
Sylvains-les-Moulins (27) 29 G 5
Sylvanès (12) 176 B 5
Sylvéréal (30) 194 A 3
Le Syndicat (88) 77 H 2

T

Tabaille-Usquain (64) 185 G 4
Tabanac (33) 155 G 2
La Table (73) 138 B 5
Le Tablier (85) 112 D 1
Tabre (09) 207 G 3
La Tâche (16) 128 D 2
Tachoires (32) 188 A 3
Tacoignières (78) 50 B 1
Taconnay (58) 91 E 4
Taden (22) 44 D 3
Tadousse-Ussau (64) 186 D 3
Taglio-Isolaccio (2B) 217 G 1
La Tagnière (71) 108 A 4
Tagnon (08) 34 A 1
Tagolsheim (68) 97 F 1
Tagsdorf (68) 97 F 1
Tailhac (43) 147 G 5
Taillades (84) 179 G 5
Le Taillan-Médoc (33) 141 E 5
Taillancourt (55) 56 B 3
Taillant (17) 127 F 2
Taillebois (61) 47 F 1
Taillebourg (17) 127 E 2
Taillebourg (47) 156 B 5
Taillecavat (33) 156 B 3
Taillecourt (25) 96 C 2
La Taillée (85) 113 G 2
Taillefontaine (02) 32 B 2
Taillepied (50) 22 C 5
Taillet (66) 212 D 4
Taillette (08) 10 C 5
Tailleville (14) 27 F 2
Taillis (35) 65 H 1
Tailly (08) 19 F 5
Tailly (21) 109 E 2
Tailly (80) 14 D 1
Tain-l'Hermitage (26) 149 H 4
Taingy (89) 90 D 2
Taintrux (88) 58 A 5
Taisnières-en-Thiérache (59) 9 G 4
Taisnières-sur-Hon (59) 9 G 3
Taisnil (80) 15 E 2
Taissy (51) 33 H 3
Taïx (81) 174 D 4
Taizé (71) 122 A 1
Taizé (79) 101 G 3
Taizé-Aizie (16) 115 F 5
Taizy (08) 18 B 5
Tajan (65) 205 E 1
Tal-Ar-Groas (29) 41 F 5
Talairan (11) 208 D 2
Talais (33) 126 C 5
Talange (57) 21 E 4
Talant (21) 93 F 4
Talasani (2B) 217 G 1
Talau (66) 212 A 3
La Talaudière (42) 149 E 1
Talazac (65) 187 E 5
Talcy (41) 69 H 5
Talcy (89) 91 H 2
Talence (33) 155 E 1
Talencieux (07) 149 G 3
Talensac (35) 64 D 2
Talissieu (01) 137 G 2
Talizat (15) 147 E 4
Tallans (25) 95 F 3
Tallard (05) 166 B 4
Tallenay (25) 94 D 4
Tallende (63) 133 F 4
Taller (40) 169 E 4
Talloires-Montmin (74) 138 B 2
Tallone (2B) 217 G 2
Le Tallud (79) 101 F 5
Tallud-Ste-Gemme (85) 100 B 5
Talmas (80) 7 G 5
Talmay (21) 94 A 4
Talmont-St-Hilaire (85) 112 B 1
Talmont-sur-Gironde (17) 126 D 5
Talmontiers (60) 30 B 1
Talon (58) 91 E 4
Talouan (89) 72 D 3
Talus-St-Prix (51) 53 F 1
Taluyers (69) 135 H 4
Tamariguières (34) 193 H 2
La Tamarissière (34) 192 C 5
Tamerville (50) 22 D 3
Tamnay-en-Bazois (58) 107 F 2
Tamniès (24) 143 H 5
Tanavelle (15) 146 D 5
Tanay (21) 93 H 3
Tancarville (76) 12 C 5
Tancoigné (49) 85 E 5
Tancon (71) 121 G 4
Tanconville (54) 58 A 2
Tancrou (77) 32 B 5
Tangry (62) 7 G 2
La Tania (73) 139 E 5
Taninges (74) 125 E 4
Tanis (50) 45 G 3
Tanlay (89) 73 H 5
Tannay (08) 19 E 5
Tannay (58) 91 E 4
Tanneron (83) 198 D 2
Tannerre-en-Puisaye (89) 90 C 1
La Tannière (53) 46 B 4
Tannières (02) 33 E 2
Tannois (55) 55 G 2
Tanques (61) 47 H 2
Tantonville (54) 56 D 4
Le Tanu (50) 45 H 1
Tanus (81) 175 E 3
Tanville (61) 47 H 3
Tanzac (17) 127 E 5
Taponas (69) 122 B 5
Taponnat-Fleurignac (16) 128 D 3
Tarabel (31) 189 H 3
Taradeau (83) 197 G 3
Tarare (69) 135 F 2
Tarascon (13) 179 E 5
Tarascon-sur-Ariège (09) 207 E 4
Tarasteix (65) 187 E 5
Tarbes P (65) 187 E 5
Tarcenay (25) 95 E 5
Tardais (28) 49 F 3
Tardes (23) 118 C 5
Tardets-Sorholus (64) 203 E 1
La Tardière (85) 100 C 5
Tardinghen (62) 2 B 3
Tarentaise (42) 149 F 1
Tarerach (66) 208 C 5
Targassonne (66) 211 H 4
Targé (86) 102 C 4
Target (03) 119 G 4
Targon (33) 155 G 2
Tarnac (19) 131 F 4
Tarnès (33) 141 G 5
Tarnos (40) 184 C 2
Taron-Sadirac-
Viellenave (64) 186 C 3
Tarquimpol (57) 57 H 1
Tarrano (2B) 217 G 1
Tarsac (32) 186 D 2
Tarsacq (64) 186 A 4
Tarsul (21) 93 F 2
Tart-l'Abbaye (21) 93 H 5
Tart-le-Bas (21) 93 G 5
Tart-le-Haut (21) 93 G 5
Tartaras (42) 135 G 5
Tartas (40) 169 G 5
Tartécourt (70) 76 D 4
Tartiers (02) 32 C 1
Tartigny (60) 15 G 4
Tartonne (04) 181 H 3
Le Tartre (71) 109 H 4
Le Tartre-Gaudran (78) 50 A 2
Tartuguière (34) 193 H 2
Tarzy (08) 10 B 5
Tasdon (17) 113 E 4
Tasque (32) 187 E 2
Tassé (72) 67 G 4
Tassenières (39) 110 A 3
Tassillé (72) 67 G 3
Tassin-la-Demi-Lune (69) 135 H 3
Tasso (2A) 217 E 5
Tatinghem (62) 3 E 4
Le Tâtre (16) 141 H 1
Taugon (17) 113 G 3
Taulé (29) 42 A 3
Taulhac-près-le-Puy (43) 148 B 5
Taulignan (26) 164 C 5
Taulis (66) 212 D 4
Taupont (56) 64 A 3
Tauriac (33) 141 F 4
Tauriac (46) 158 D 1
Tauriac (81) 174 A 5
Tauriac-de-Camarès (12) 192 A 1
Tauriac-de-Naucelle (12) 175 E 2
Tauriers (07) 162 D 4
Taurignan-Castet (09) 206 B 2
Taurignan-Vieux (09) 206 B 2
Taurinya (66) 212 B 3
Taurize (11) 208 C 2
Taussac (12) 160 B 1
Taussac-la-Billière (34) 192 A 2
Taussat (33) 154 B 2
Tautavel (66) 208 D 4
Tauves (63) 132 C 5
Tauxières-Mutry (51) 33 H 4
Tauxigny (37) 87 E 5
Tavaco (2A) 216 D 4
Tavant (37) 102 B 1
Tavaux (39) 110 A 2
Tavaux-et-Pontséricourt (02) 17 G 3
Tavel (30) 179 E 4
Tavera (2A) 216 D 4
Tavernay (71) 108 A 2
Les Tavernes (30) 178 A 3
Tavernes (83) 196 D 2
Taverny (95) 31 E 4
Tavers (45) 88 A 1
Tavey (70) 96 C 2
Taxat-Senat (03) 119 H 4
Taxenne (39) 94 B 5
Tayac (33) 142 A 5
Taybosc (32) 188 B 1
Tayrac (12) 175 E 2
Tayrac (47) 172 D 2
Tazilly (58) 107 H 4
Le Tech (66) 212 C 5
Têche (38) 151 E 3
Técou (81) 174 C 5
Teghime (Col de) (2B) 215 F 4
Le Teich (33) 154 C 3
Teigny (58) 91 F 4
Le Teil (07) 163 G 4
Teilhède (63) 133 E 1
Teilhet (09) 207 F 2
Teilhet (63) 119 F 5
Teillay (35) 65 G 5
Teillay-le-Gaudin (45) 70 D 2
Teillay-St-Benoît (45) 70 D 2
Teillé (44) 83 H 3
Teillé (72) 68 A 2
Teillet (81) 175 E 5
Teillet-Argenty (03) 118 D 4
Le Teilleul (50) 46 C 3
Teillots (24) 144 A 3
Teissières-de-Cornet (15) 145 H 5
Teissières-lès-Bouliès (15) 160 A 2
Telgruc-sur-Mer (29) 41 F 5
Tellancourt (54) 20 B 2
Tellecey (21) 93 H 4
Tellières-le-Plessis (61) 48 B 3
Teloché (72) 68 A 4
Le Temple (33) 154 C 1
Le Temple (41) 69 E 4
Le Temple (79) 100 C 3
Le Temple-de-Bretagne (44) 83 E 4
Temple-Laguyon (24) 143 H 3
Le Temple-sur-Lot (47) 156 D 5
Templemars (59) 4 C 4
Templeuve (59) 4 D 4
Templeux-la-Fosse (80) 16 B 1
Templeux-le-Guérard (80) 16 C 1
Tempoure (47) 157 G 4
Tenay (01) 137 F 1
Tence (43) 148 D 4
Tencin (38) 152 A 2
Tende (06) 183 H 2
Tendon (88) 77 H 2
Tendron (18) 106 A 2
Tendu (36) 104 A 5
Teneur (62) 7 F 2
Tennie (72) 67 G 2
Tenteling (57) 38 A 3
Tercé (86) 115 H 1
Tercillat (23) 118 A 3
Tercis-les-Bains (40) 185 F 1
Terdeghem (59) 3 G 4
Térénez (29) 42 A 2
Tergnier (02) 16 D 4
Terjat (03) 119 E 4
Le Terme (31) 173 H 5
Termes (08) 34 D 1
Termes (11) 208 C 3
Termes (48) 161 E 2
Termes-d'Armagnac (32) 187 E 2
Termignon (73) 153 F 2
Terminiers (28) 70 B 3
Ternand (69) 135 F 1
Ternant (17) 127 F 1
Ternant (21) 93 E 5
Ternant (58) 107 G 4
Ternant-les-Eaux (63) 147 E 1
Ternas (62) 7 G 3
Ternat (52) 75 G 4
Ternay (41) 86 D 1
Ternay (69) 135 H 4
Ternay (86) 101 G 2
Les Ternes (15) 146 D 5
Ternuay-Melay-
et-St-Hilaire (70) 77 H 5
Terny-Sorny (02) 32 D 1
Terramesnil (80) 7 G 5
Terrans (71) 109 H 3
La Terrasse (38) 151 H 2
La Terrasse-sur-Dorlay (42) 149 F 1
Terrasson-Lavilledieu (24) 144 A 4
Terrats (66) 213 E 3
Terraube (32) 172 B 5
Terre-Clapier (81) 175 E 5
Terrebasse (31) 206 A 1
Terrefondrée (21) 93 E 1
Terrehault (72) 68 B 1
Terrenoire (42) 149 E 1
Les Terres-de-Chaux (25) 96 C 4
La Terrisse (12) 160 C 2
Terroles (11) 208 B 3
Terron-sur-Aisne (08) 18 D 5
Terrou (46) 159 F 2
Tersanne (26) 150 C 3
Tersannes (87) 116 C 3
Terssac (81) 174 D 4
Tertenoz (74) 138 C 3
Le Tertre-St-Denis (78) 30 B 5
Tertry (80) 16 C 2
Terves (79) 100 D 4
Terville (57) 21 E 3
Tessancourt-sur-Aubette (78) 30 C 4
Tessé-Froulay (61) 47 E 3
Tessé-la-Madeleine (61) 47 E 3
Tessel (14) 27 E 3
Tessens (73) 139 E 4
Tesson (17) 127 E 4
Tessonnière (79) 101 F 4
La Tessoualle (49) 100 B 2
Tessy-Bocage (50) 25 F 4
La Teste-de-Buch (33) 154 B 3
Tétaigne (08) 19 G 3
Téteghem-
Coudekerque-Village (59) 3 F 2
Téterchen (57) 21 G 4
Téthieu (40) 185 G 1
Teting-sur-Nied (57) 37 G 3
Teuillac (33) 141 F 4
Teulat (81) 189 H 2
Le Teulet (19) 145 G 5
Teurthéville-Bocage (50) 23 E 3
Teurthéville-Hague (50) 22 C 3
Teyjat (24) 129 E 5
Teyran (34) 193 F 2
Teyssières (26) 164 D 5
Teyssieu (46) 159 F 1
Teyssode (81) 190 A 2
Thaas (51) 53 G 3
Thaims (17) 126 D 4
Thairé (17) 113 F 5
Thaix (58) 107 F 4
Thal-Drulingen (67) 38 B 4
Thal-Marmoutier (67) 58 D 1
Thalamy (19) 132 B 5
Thann SP (68) 78 C 4
Thannenkirch (68) 58 D 5
Thanvillé (67) 58 D 5
Thaon (14) 27 F 2
Thaon-les-Vosges (88) 77 F 1
Tharaux (30) 178 B 2
Tharoiseau (89) 91 G 3
Tharon-Plage (44) 82 B 5
Tharot (89) 91 G 2

Localité *(Département)* Page Coordonnées

Thaumiers *(18)* 105 H 4
Thauron *(23)* 131 E 1
Thauvenay *(18)* 90 A 5
Thèbe *(65)* 205 F 3
Théding *(57)* 38 A 3
Thédirac *(46)* 158 A 3
Thégra *(46)* 158 D 2
Théhillac *(56)* 82 C 1
Le Theil *(03)* 119 H 3
Le Theil *(15)* 146 A 4
Le Theil *(23)* 130 C 2
Le Theil *(50)* 22 D 3
Le Theil *(61)* 68 D 1
Le Theil-Bocage *(14)* 25 H 5
Le Theil-de-Bretagne *(35)* 65 G 4
Le Theil-en-Auge *(14)* 28 B 1
Le Theil-Nolent *(27)* 28 C 3
Theil-Rabier *(16)* 114 D 5
Theil-sur-Vanne *(89)* 72 D 2
Theillay *(41)* 88 D 4
Theillement *(27)* 29 E 2
Theix-Noyalo *(56)* 81 H 2
Theizé *(69)* 135 G 1
Thel *(69)* 121 H 5
Théleville *(28)* 50 A 4
Théligny *(72)* 69 E 2
Thélis-la-Combe *(42)* 149 F 2
Thélod *(54)* 56 D 3
Thelonne *(08)* 19 F 4
Thélus *(62)* 8 B 3
Théméricourt *(95)* 30 C 4
Thêmes *(89)* 72 D 3
Thémines *(46)* 159 E 2
Théminettes *(46)* 159 E 2
Thénac *(17)* 127 E 4
Thénac *(24)* 156 C 2
Thenailles *(02)* 17 H 2
Thenay *(36)* 103 H 5
Thenay *(41)* 87 H 4
Thenelles *(02)* 17 E 2
Thénésol *(73)* 138 C 3
Theneuil *(37)* 102 B 1
Theneuille *(03)* 119 F 1
Thénezay *(79)* 101 G 5
Thénioux *(18)* 88 C 5
Thenissey *(21)* 92 D 3
Thénisy *(77)* 52 C 4
Thennelières *(10)* 74 A 1
Thennes *(80)* 15 G 2
Thenon *(24)* 143 H 4
Thénorgues *(08)* 35 E 1
Théoule-sur-Mer *(06)* 199 E 2
Therdonne *(60)* 31 E 1
Thérines *(60)* 14 D 4
Thermes-Magnoac *(65)* 188 A 5
Thérondels *(12)* 160 C 1
Thérouanne *(62)* 3 E 5
Thérouldeville *(76)* 12 D 3
Thervay *(39)* 94 B 5
Thésée *(41)* 87 H 4
Thésy *(39)* 110 D 3
Theuley *(70)* 94 C 1
Théus *(05)* 166 C 4
Theuville *(28)* 50 A 5
Theuville *(95)* 30 D 3
Theuville-aux-Maillots *(76)* 12 D 3
Theuvy-Achères *(28)* 49 H 3
Thevet-St-Julien *(36)* 104 D 5
Théville *(50)* 22 D 2
Thevray *(27)* 28 D 5
They-sous-Montfort *(88)* 76 D 1
They-sous-Vaudemont *(54)* 56 D 4
Theys *(38)* 152 A 2
Théza *(66)* 213 F 3
Thézac *(17)* 126 D 4
Thézac *(47)* 157 H 5
Thézan-des-Corbières *(11)* 209 E 2
Thézan-lès-Béziers *(34)* 192 B 4
Thèze *(04)* 166 A 5
Thèze *(64)* 186 C 3
Thézey-St-Martin *(54)* 37 E 5
Théziers *(30)* 178 D 5
Thézillieu *(01)* 137 F 2
Thézy-Glimont *(80)* 15 G 2
Thiais *(94)* 51 F 2
Thiancourt *(90)* 96 D 2
Thianges *(58)* 107 E 3
Thiant *(59)* 9 E 3
Thiat *(87)* 116 B 4
Thiaucourt-
Regniéville *(54)* 36 C 4
Thiaville-sur-Meurthe *(54)* 57 H 4
Thiberville *(27)* 28 C 3
Thibie *(51)* 34 A 5
Thibivillers *(60)* 30 C 2
Thibouville *(27)* 29 E 3
Thicourt *(57)* 37 G 4
Thiébauménil *(54)* 57 G 3
Thiéblemont-
Farémont *(51)* 54 D 2
Thiébouhans *(25)* 96 C 4
Thiédeville *(76)* 13 F 3
Thieffrain *(10)* 74 B 1
Thieffrans *(70)* 95 F 2
Thiéfosse *(88)* 77 H 3
Thiel-sur-Acolin *(03)* 120 B 1
Thiembronne *(62)* 2 D 5
Thiénans *(70)* 95 F 3
Thiennes *(59)* 3 F 5
Thiepval *(80)* 8 A 5
Thiergeville *(76)* 12 D 3
Thiernu *(02)* 17 G 3
Thiers *(63)* 133 H 2
Thiers-sur-Thève *(60)* 31 G 3
Thierville *(27)* 28 D 2
Thierville-sur-Meuse *(55)* 35 H 3
Thiéry *(06)* 182 D 3
Thiescourt *(60)* 16 B 5
Thiétreville *(76)* 12 D 3
Le Thieulin *(28)* 49 G 5
Thieulloy-la-Ville *(80)* 14 D 3
Thieulloy-l'Abbaye *(80)* 14 D 2
Thieuloy-St-Antoine *(60)* 14 D 4
La Thieuloye *(62)* 7 G 2
Thieux *(60)* 15 F 5
Thieux *(77)* 31 H 4
Thiéville *(14)* 27 H 4
Thièvres *(62)* 7 H 5
Thiézac *(15)* 146 B 5
Thignonville *(45)* 71 E 1
Thil *(01)* 136 C 2
Thil *(10)* 54 D 5
Le Thil *(27)* 30 A 2
Thil *(31)* 188 D 1
Thil *(51)* 33 G 2
Thil *(54)* 20 C 2
Thil-Manneville *(76)* 13 G 2
Le Thil-Riberpré *(76)* 14 B 4
Thil-sur-Arroux *(71)* 108 A 4
Thilay *(08)* 11 E 5
Le Thillay *(95)* 31 G 4
Thilleux *(52)* 55 E 4
Les Thilliers-en-Vexin *(27)* 30 B 2
Thillois *(51)* 33 G 2
Thillombois *(55)* 35 H 5
Thillot *(55)* 36 A 4
Le Thillot *(88)* 77 H 4
Thilouze *(37)* 86 C 5
Thimert *(28)* 49 G 3
Thimonville *(57)* 37 F 4
Thimory *(45)* 71 G 4
Thin-le-Moutier *(08)* 18 C 3
Thines *(07)* 162 C 4
Thiolières *(63)* 134 A 5
Thionne *(03)* 120 B 2
Thionville *(57)* 21 E 3
Thiouville *(76)* 12 D 3
Thiraucourt *(88)* 56 D 5
Thiré *(85)* 113 F 1
Thiron-Gardais *(28)* 69 F 1
This *(08)* 18 D 3
Thise *(25)* 95 E 4
Thivars *(28)* 50 A 5
Thivencelle *(59)* 5 F 5
Thiverny *(60)* 31 F 2
Thiverval-Grignon *(78)* 50 C 1
Thivet *(52)* 75 H 3
Thiviers *(24)* 143 G 1
Thiville *(28)* 69 H 3
Thizay *(36)* 104 C 3
Thizay *(37)* 101 H 1
Thizy *(89)* 91 H 2
Thizy-les-Bourgs *(69)* 135 E 1
Thoard *(04)* 181 F 2
Thodure *(38)* 150 D 2
Thoigné *(72)* 68 A 1
Thoiras *(30)* 177 H 3
Thoiré-sous-Contensor *(72)* 48 A 5
Thoiré-sur-Dinan *(72)* 68 B 5
Thoires *(21)* 74 D 4
Thoirette *(39)* 123 G 3
Thoiria *(39)* 123 H 1
Thoiry *(01)* 124 A 3
Thoiry *(73)* 138 A 4
Thoiry *(78)* 50 C 1
Thoissey *(01)* 122 B 4
Thoissia *(39)* 123 F 2
Thoisy-la-Berchère *(21)* 92 B 5
Thoisy-le-Désert *(21)* 92 C 5
Thoix *(80)* 15 E 3
Thol-lès-Millières *(52)* 76 A 2
Thollet *(86)* 116 C 2
Thollon-les-Mémises *(74)* 125 F 2
Le Tholonet *(13)* 196 A 3
Le Tholy *(88)* 77 H 2
Thomer-la-Sôgne *(27)* 29 G 5
Thomery *(77)* 52 A 5
Thomirey *(21)* 108 D 1
Thonac *(24)* 143 H 5
Thônes *(74)* 138 C 2
Thonnance-lès-Joinville *(52)* 55 G 4
Thonnance-les-Moulins *(52)* 55 G 4
Thonne-la-Long *(55)* 19 H 4
Thonne-le-Thil *(55)* 19 H 4
Thonne-les-Prés *(55)* 19 H 5
Thonnelle *(55)* 19 H 4
Thonon-les-Bains *(74)* 124 D 2
Les Thons *(88)* 76 C 3
Thonville *(57)* 37 G 4
Le Thor *(84)* 179 G 4
Thorailles *(45)* 72 A 3
Thoraise *(25)* 94 D 5
Thorame-Basse *(04)* 181 H 2
Thorame-Haute *(04)* 182 A 2
Thoras *(43)* 161 H 1
Thoré-la-Rochette *(41)* 69 F 5
Thorée-les-Pins *(72)* 85 H 1
Thorenc *(06)* 182 C 5
Thorens-Glières *(74)* 138 B 1
Thorey *(89)* 74 A 4
Thorey-en-Plaine *(21)* 93 G 5
Thorey-Lyautey *(54)* 56 D 4
Thorey-sous-Charny *(21)* 92 C 4
Thorey-sur-Ouche *(21)* 108 D 1
Thorigné *(79)* 114 D 3
Thorigné *(79)* 114 C 3
Thorigné-d'Anjou *(49)* 84 D 1
Thorigné-en-Charnie *(53)* 67 F 3
Thorigné-Fouillard *(35)* 65 F 1
Thorigné-sur-Dué *(72)* 68 C 3
Thorigny *(79)* 114 A 4
Thorigny *(85)* 99 H 5
Thorigny-sur-Marne *(77)* 51 H 1
Thorigny-sur-Oreuse *(89)* 72 D 1
Le Thoronet *(83)* 197 F 3
Thorrenc *(07)* 149 G 3
Thors *(10)* 55 E 5
Thors *(17)* 127 G 2
Thory *(80)* 15 G 3
Thory *(89)* 91 G 2
Thoste *(21)* 92 A 3
Le Thou *(17)* 113 G 5
Thou *(18)* 89 H 3
Thou *(45)* 90 A 2
Thouarcé *(49)* 85 E 5
Thouaré-sur-Loire *(44)* 83 G 4
Thouars *(79)* 101 F 2
Thouars-sur-Arize *(09)* 206 C 1
Thouars-sur-Garonne *(47)* 172 A 1
Thouarsais-Bouildroux *(85)* 100 B 5
Le Thoult-Trosnay *(51)* 53 F 1
Le Thour *(08)* 18 A 5
Le Thoureil *(49)* 85 F 4
Thourie *(35)* 65 G 4
Thouron *(87)* 130 A 1
Thourotte *(60)* 16 B 5
Thoury *(41)* 88 A 2
Thoury-Férottes *(77)* 72 A 1
Thoux *(32)* 188 C 2
Thubœuf *(53)* 47 E 4
Le Thuel *(02)* 17 H 4
Thuès-Entre-Valls *(66)* 212 A 4
Thuès-les-Bains *(66)* 212 A 4
Thueyts *(07)* 162 D 3
Thugny-Trugny *(08)* 18 C 5
La Thuile *(73)* 138 A 5
Les Thuiles *(04)* 167 E 5
Thuilley-aux-Groseilles *(54)* 56 C 3
Thuillières *(88)* 76 D 2
Thuir *(66)* 213 E 3
Thuisy *(10)* 73 G 1
Le Thuit *(27)* 29 H 2
Le Thuit-Anger *(27)* 29 F 2
Thuit-Hébert *(27)* 29 E 2
Le Thuit-Signol *(27)* 29 F 2
Le Thuit-Simer *(27)* 29 E 2
Thulay *(25)* 96 C 3
Thumeréville *(54)* 20 C 5
Thumeries *(59)* 4 C 5
Thun-l'Évêque *(59)* 8 D 4
Thun-St-Amand *(59)* 5 E 5
Thun-St-Martin *(59)* 8 D 4
Thurageau *(86)* 102 A 4
Thuré *(86)* 102 B 4
Thuret *(63)* 133 G 1
Thurey *(71)* 109 G 4
Thurey-le-Mont *(25)* 95 E 3
Thurins *(69)* 135 G 4
Thury *(21)* 108 C 2
Thury *(89)* 90 D 2
Thury-en-Valois *(60)* 32 B 3
Thury-Harcourt *(14)* 27 E 4
Thury-sous-Clermont *(60)* 31 F 1
Thusy *(74)* 137 H 1
Thuy *(65)* 187 F 5
Thyez *(74)* 125 E 5
Thyl *(73)* 152 D 2
Tibiran-Jaunac *(65)* 205 F 2
Ticheville *(61)* 28 B 5
Tichey *(21)* 109 H 2
Tieffenbach *(67)* 38 C 4
Tiercé *(49)* 85 E 2
Tiercelet *(54)* 20 C 3
Le Tiercent *(35)* 45 H 5
Tierceville *(14)* 27 E 2
Tieste-Uragnoux *(32)* 187 E 3
La Tieule *(48)* 161 E 5
Tiffauges *(85)* 100 A 2
Tigeaux *(77)* 52 A 1
Tigery *(91)* 51 G 3
Tignac *(09)* 207 F 5
Tigné *(49)* 85 E 5
Tignécourt *(88)* 76 C 3
Tignes *(73)* 139 G 5
Le Tignet *(06)* 198 D 1
Tignieu-Jameyzieu *(38)* 136 D 3
Tigny-Noyelle *(62)* 6 C 3
Tigy *(45)* 71 E 5
Til-Châtel *(21)* 93 G 2
Tilh *(40)* 185 G 2
Tilhouse *(65)* 204 D 2
Tillac *(32)* 187 G 3
Tillay-le-Péneux *(28)* 70 B 2
Tillé *(60)* 15 E 5
Tillenay *(21)* 93 H 5
Le Tilleul *(76)* 12 B 3
Tilleul-Dame-Agnès *(27)* 29 E 4
Le Tilleul-Lambert *(27)* 29 F 4
Le Tilleul-Othon *(27)* 29 E 3
Tilleux *(88)* 56 B 5
Tillières *(49)* 99 H 1
Tillières-sur-Avre *(27)* 49 F 2
Tilloloy *(80)* 16 A 4
Tillou *(79)* 114 D 5
Tilloy-et-Bellay *(51)* 34 C 4
Tilloy-Floriville *(80)* 14 B 1
Tilloy-lès-Conty *(80)* 15 E 3
Tilloy-lès-Hermaville *(62)* 7 H 3
Tilloy-lès-Mofflaines *(62)* 8 B 3
Tilloy-lez-Conty *(59)* 8 D 4
Tilloy-lez-Mofflaines *(59)* 4 D 5
Tilly *(27)* 30 A 3
Tilly *(36)* 116 D 2
Tilly *(78)* 50 A 1
Tilly-Capelle *(62)* 7 F 2
Tilly-la-Campagne *(14)* 27 F 3
Tilly-sur-Meuse *(55)* 35 H 4
Tilly-sur-Seulles *(14)* 26 D 3
Tilques *(62)* 3 E 4
Tincey-et-Pontrebeau *(70)* 94 C 1
Tinchebray *(61)* 46 D 1
Tincourt-Boucly *(80)* 16 B 1
Tincques *(62)* 7 H 2
Tincry *(57)* 37 F 5
Les Tines *(74)* 139 F 1
Tingry *(62)* 2 B 5
Tinqueux *(51)* 33 H 2
Tinténiac *(35)* 45 E 5
Tintry *(71)* 108 C 3
Tintury *(58)* 107 E 2
Tiranges *(43)* 148 B 2
Tirent-Pontéjac *(32)* 188 B 3
Tirepied *(50)* 45 H 2
Tissey *(89)* 73 G 5
Le Titre *(80)* 6 D 4
Tiuccia *(2A)* 216 C 4
Tivernon *(45)* 70 C 2
Tiviers *(15)* 147 E 4
Tivolaggio *(2A)* 218 D 3
Tizac-de-Curton *(33)* 155 H 1
Tizac-de-Lapouyade *(33)* 141 G 4
Tizzano *(2A)* 218 D 4
Tocane-St-Apre *(24)* 142 D 3
Tocqueville *(27)* 28 D 1
Tocqueville *(50)* 23 E 2
Tocqueville-en-Caux *(76)* 13 F 3
Tocqueville-les-Murs *(76)* 12 D 3
Tocqueville-sur-Eu *(76)* 13 H 1
Tœufles *(80)* 6 C 5
Toges *(08)* 34 D 1
Togny-aux-Bœufs *(51)* 54 B 1
Tolla *(2A)* 216 D 5
Tollaincourt *(88)* 76 B 2
Tollent *(62)* 7 E 3
Tollevast *(50)* 22 C 3
La Tombe *(77)* 52 B 5
Tombebœuf *(47)* 156 D 4
Tomblaine *(54)* 57 E 2
Tomino *(2B)* 215 G 1
Les Tonils *(26)* 164 D 3
Tonnac *(81)* 174 B 3
Tonnay-Boutonne *(17)* 127 E 1
Tonnay-Charente *(17)* 126 D 1
Tonneins *(47)* 156 C 5
Tonnerre *(89)* 73 H 5
Tonneville *(50)* 22 C 2
Tonnoy *(54)* 57 E 3
Tonquédec *(22)* 42 D 3
Torcé *(35)* 65 H 2
Torcé-en-Vallée *(72)* 68 B 2
Torcé-Viviers-en-Charnie *(53)* 67 F 2
Torcenay *(52)* 76 A 5
Torchamp *(61)* 46 D 3
Torchefelon *(38)* 137 E 5
Torcheville *(57)* 37 H 5
Torcieu *(01)* 137 E 1
Torcy *(62)* 7 E 1
Torcy *(71)* 108 C 4
Torcy *(77)* 51 H 1
Torcy-en-Valois *(02)* 32 C 4
Torcy-et-Pouligny *(21)* 92 A 3
Torcy-le-Grand *(10)* 54 A 4
Torcy-le-Grand *(76)* 13 H 2
Torcy-le-Petit *(10)* 54 A 4
Torcy-le-Petit *(76)* 13 H 2
Tordères *(66)* 213 E 3
Tordouet *(14)* 28 B 4
Torfou *(49)* 100 A 1
Torfou *(91)* 51 E 4
Torigny-les-Villes *(50)* 25 G 4
Tornac *(30)* 177 H 4
Tornay *(52)* 94 B 1
Le Torp-Mesnil *(76)* 13 F 3
Torpes *(25)* 94 D 5
Torpes *(71)* 109 H 3
Le Torpt *(27)* 28 B 1
Le Torquesne *(14)* 28 A 4
Torre *(2A)* 219 G 3
Torreilles *(66)* 209 F 5
Torsac *(16)* 128 C 5
Torsiac *(43)* 147 F 2
Tortebesse *(63)* 132 C 3
Tortefontaine *(62)* 6 D 3
Tortequesne *(62)* 8 C 3
Torteron *(18)* 106 B 2
Torteval-Quesnay *(14)* 25 H 3
Tortezais *(03)* 119 F 3
Tortisambert *(14)* 28 A 5
Torville *(45)* 71 E 2
Torvilliers *(10)* 73 H 1
Torxé *(17)* 127 F 1
Tosny *(27)* 29 H 3
Tosse *(40)* 184 D 1
Tossiat *(01)* 123 E 5
Tostat *(65)* 187 E 5
Tostes *(27)* 29 G 2
Totainville *(88)* 56 D 5
Tôtes *(14)* 27 H 5
Tôtes *(76)* 13 G 3
Touchay *(18)* 105 E 5
La Touche *(26)* 163 H 4
Les Touches *(44)* 83 G 3
Les Touches-de-Périgny *(17)* 127 H 2
Toucy *(89)* 90 D 1
Toudon *(06)* 183 E 4
Touët-de-l'Escarène *(06)* 183 F 4
Touët-sur-Var *(06)* 182 D 3
Touffailles *(82)* 173 E 1
Toufflers *(59)* 4 D 3
Touffréville *(14)* 27 G 3
Touffreville *(27)* 30 A 1
Touffreville-la-Cable *(76)* 12 D 5
Touffreville-la-Corbeline *(76)* 13 E 4
Touffreville-sur-Eu *(76)* 14 A 1
Touget *(32)* 188 C 1
Touille *(31)* 206 A 2
Touillon *(21)* 92 B 1
Touillon-et-Loutelet *(25)* 111 G 3
Toujouse *(32)* 171 E 5
Toul *(54)* 56 C 2
Toulaud *(07)* 163 H 1
Toulenne *(33)* 155 G 4
Touligny *(08)* 18 D 3
Toulis-et-Attencourt *(02)* 17 G 3
Toulon *(83)* 201 E 3
Toulon-la-Montagne *(51)* 53 G 1
Toulon-sur-Allier *(03)* 120 A 1
Toulon-sur-Arroux *(71)* 108 A 5
Toulonjac *(12)* 159 F 5
Toulouges *(66)* 213 E 2
Toulouse *(31)* 189 F 2
Toulouse-le-Château *(39)* 110 B 3
Toulouzette *(40)* 185 H 1
Toulx-Ste-Croix *(23)* 118 B 4
Touques *(14)* 28 A 1
Le Touquet-Paris-Plage *(62)* 6 C 1
Touquettes *(61)* 48 C 1
Touquin *(77)* 52 B 2
La Tour *(06)* 183 E 3
La Tour *(30)* 178 A 2
La Tour *(74)* 124 D 4
La Tour-Blanche *(24)* 142 D 2
La Tour-d'Aigues *(84)* 196 A 1
La Tour-d'Auvergne *(63)* 132 C 5
Tour-de-Faure *(46)* 158 D 5
La Tour-de-Mare *(83)* 198 D 3
La Tour-de-Salvagny *(69)* 135 H 3
La Tour-de-Sçay *(25)* 95 E 3
La Tour-du-Crieu *(09)* 207 E 2
La Tour-du-Meix *(39)* 123 G 1
Le Tour-du-Parc *(56)* 81 H 3
La Tour-du-Pin *(38)* 137 E 5
Tour-en-Bessin *(14)* 25 H 2
La Tour-en-Jarez *(42)* 149 E 1
Tour-en-Sologne *(41)* 88 A 2
La Tour-St-Gelin *(37)* 102 B 2
La Tour-sur-Orb *(34)* 192 A 2
Tourailles *(41)* 87 G 1
Les Tourailles *(61)* 47 F 1
Tourailles-sous-Bois *(55)* 55 H 4
Tourbes *(34)* 192 C 4
Tourcelles-Chaumont *(08)* 34 C 1
Tourch *(29)* 62 A 3
Tourcoing *(59)* 4 D 3
Tourdun *(32)* 187 F 3
La Tourette *(19)* 131 H 5
La Tourette *(42)* 148 C 1
La Tourette-Cabardès *(11)* 190 D 4
Tourette-du-Château *(06)* 183 E 4
Tourgéville *(14)* 28 A 1
La Tourlandry *(49)* 100 C 1
Tourlaville *(50)* 22 D 2
Tourliac *(47)* 157 F 3
Tourly *(60)* 30 D 3
Tourmignies *(59)* 4 C 5
Tourmont *(39)* 110 B 3
Tournai-sur-Dive *(61)* 47 H 1
Tournan *(32)* 188 B 4
Tournan-en-Brie *(77)* 51 H 2
Tournans *(25)* 95 F 3
Tournavaux *(08)* 11 E 5
Tournay *(65)* 204 D 1
Tournay-sur-Odon *(14)* 27 E 3
Le Tourne *(33)* 155 G 2
Tournebu *(14)* 27 F 5
Tournecoupe *(32)* 172 D 5
Tournedos-Bois-Hubert *(27)* 29 F 4
Tournedos-sur-Seine *(27)* 29 H 2
Tournedoz *(25)* 95 H 3
Tournefeuille *(31)* 189 E 2
Tournefort *(06)* 183 E 3
Tournehem-sur-la-Hem *(62)* 2 D 4
Tournemire *(12)* 176 B 4
Tournemire *(15)* 146 A 5
Tournes *(08)* 18 D 2
Le Tourneur *(14)* 25 H 4
Tourneville *(27)* 29 G 4
Tourniac *(15)* 145 G 3
Tourniaire *(13)* 194 D 2
Tournières *(14)* 25 G 2
Tournissan *(11)* 208 D 2
Tournoisis *(45)* 70 B 3
Tournon *(73)* 138 C 4
Tournon-d'Agenais *(47)* 157 G 5
Tournon-St-Martin *(36)* 103 E 5
Tournon-St-Pierre *(37)* 103 E 4
Tournon-sur-Rhône *(07)* 149 H 4
Tournous-Darré *(65)* 187 G 5
Tournous-Devant *(65)* 187 H 5
Tournus *(71)* 122 C 1
Tourny *(27)* 30 A 3
Le Tourondel *(19)* 145 E 1
Tourouvre-au-Perche *(61)* 48 D 3
Tourouzelle *(11)* 191 G 5
Tourreilles *(11)* 208 A 3
Les Tourreilles *(31)* 205 F 2
Tourrenquets *(32)* 188 A 1
Tourrette-Levens *(06)* 183 F 5
Les Tourrettes *(26)* 163 H 3
Tourrettes *(83)* 198 C 1
Tourrettes-sur-Loup *(06)* 183 E 5
Tourriers *(16)* 128 C 3
Tours *(37)* 86 D 4
Tours-en-Savoie *(73)* 138 D 4
Tours-en-Vimeu *(80)* 6 C 5
Tours-sur-Marne *(51)* 33 H 4
Tours-sur-Meymont *(63)* 134 A 4
Tourtenay *(79)* 101 G 2
Tourteron *(08)* 18 D 5
Tourtoirac *(24)* 143 H 3
Tourtour *(83)* 197 F 2
Tourtouse *(09)* 206 B 2
Tourtrès *(47)* 156 D 4
Tourtrol *(09)* 207 F 2
Tourves *(83)* 196 D 4
Tourville-en-Auge *(14)* 28 A 2
Tourville-la-Chapelle *(27)* 29 E 2
Tourville-la-Chapelle *(76)* 13 H 1
Tourville-la-Rivière *(76)* 29 G 2
Tourville-les-Ifs *(76)* 12 C 3
Tourville-sur-Arques *(76)* 13 G 2
Tourville-sur-Odon *(14)* 27 E 3
Tourville-
sur-Pont-Audemer *(27)* 28 C 1
Tourville-sur-Sienne *(50)* 24 C 4
Toury *(28)* 70 C 2
Toury-Lurcy *(58)* 107 E 5
Toury-sur-Jour *(58)* 106 C 5
Tourzel-Ronzières *(63)* 133 F 5
Toussaint *(76)* 12 C 3
Toussieu *(69)* 136 B 4
Toussieux *(01)* 135 H 1
Tousson *(77)* 51 G 5
La Toussuire *(73)* 152 C 2
Toussus-le-Noble *(78)* 51 E 2
Toutainville *(27)* 28 C 1
Toutenant *(71)* 109 G 3
Toutencourt *(80)* 7 H 5
Toutens *(31)* 189 H 3
Toutlemonde *(49)* 100 C 1
Toutry *(21)* 92 A 3
Touvérac *(16)* 141 H 1
Le Touvet *(38)* 152 A 1
Touville *(27)* 29 E 2
Touvois *(44)* 99 E 3
Touvre *(16)* 128 C 4
Touzac *(16)* 127 H 5
Touzac *(46)* 157 H 4
Tox *(2B)* 217 G 2
Toy-Viam *(19)* 131 E 4
Tracy-Bocage *(14)* 26 D 4
Tracy-le-Mont *(60)* 16 B 5
Tracy-le-Val *(60)* 16 B 5
Tracy-sur-Loire *(58)* 90 A 4
Tracy-sur-Mer *(14)* 26 D 1
Trades *(69)* 122 A 3
Traenheim *(67)* 58 D 2
Tragny *(57)* 37 F 4
Traînel *(10)* 52 D 5
Traînou *(45)* 70 D 4
Le Trait *(76)* 13 E 5
Traitiéfontaine *(70)* 95 E 3
Traize *(73)* 137 G 4
Tralaigues *(63)* 132 B 2
Tralonca *(2B)* 217 F 2
Tramain *(22)* 44 B 4
Tramayes *(71)* 122 A 3
Trambly *(71)* 121 H 3
Tramecourt *(62)* 7 F 2
Tramery *(51)* 33 F 2
Tramezaïgues *(65)* 204 D 4
Tramolé *(38)* 136 D 5
Tramont-Émy *(54)* 56 C 4
Tramont-Lassus *(54)* 56 C 4
Tramont-St-André *(54)* 56 C 4
Tramoyes *(01)* 136 B 2
Trampot *(88)* 55 H 5
Trancault *(10)* 53 E 5
La Tranche-sur-Mer *(85)* 112 C 3
La Tranclière *(01)* 123 E 5
Trancrainville *(28)* 70 C 1
Trangé *(72)* 68 A 3
Le Tranger *(36)* 103 G 3
Trannes *(10)* 74 C 1
Tranqueville-Graux *(88)* 56 C 4
Trans *(53)* 67 F 1
Trans-en-Provence *(83)* 197 G 3
Trans-la-Forêt *(35)* 45 G 3
Trans-sur-Erdre *(44)* 83 G 3
Le Translay *(80)* 14 C 1
Le Transloy *(62)* 8 B 5
Tranzault *(36)* 117 H 1
Trappes *(78)* 50 D 1
Traslepuy *(30)* 179 E 3
Trassanel *(11)* 191 E 5
Traubach-le-Bas *(68)* 97 E 1
Traubach-le-Haut *(68)* 97 E 1
Trausse *(11)* 191 F 5

Travaillan (84) 179 F 2
Travecy (02) 16 D 3
Traversères (32) 188 A 3
Traves (70) 94 D 1
Le Travet (81) 190 D 1
Travexin (88) 78 A 3
Le Trayas (83) 199 E 3
Trayes (79) 101 E 5
Tréal (56) 64 B 4
Tréauville (50) 22 B 3
Trébabu (29) 40 D 4
Treban (03) 119 H 3
Tréban (81) 175 F 3
Trébas (81) 175 F 4
Trébédan (22) 44 C 4
Trèbes (11) 208 B 1
Trébeurden (22) 42 C 2
Trébons (65) 204 C 2
Trébons-de-Luchon (31) 205 F 4
Trébons-sur-la-Grasse (31) 189 H 4
Tréboul (29) 61 F 2
Trébrivan (22) 62 C 1
Trébry (22) 44 A 4
Tréclun (21) 93 H 5
Trécon (51) 53 H 1
Trédaniel (22) 63 H 1
Trédarzec (22) 43 E 2
Trédias (22) 44 C 4
Trédion (56) 81 H 1
Trédrez-Locquémeau (22) 42 C 2
Tréduder (22) 42 C 3
Trefcon (02) 16 C 2
Tréfeuntec (29) 61 F 1
Treffay (39) 110 D 4
Treffendel (35) 64 D 2
Treffiagat (29) 61 F 4
Treffieux (44) 83 F 1
Treffléan (56) 81 H 2
Treffort (38) 151 G 5
Treffort-Cuisiat (01) 123 F 3
Treffrin (22) 62 C 1
Tréflaouénan (29) 41 H 2
Tréflévénez (29) 41 G 4
Tréflez (29) 41 G 2
Tréfols (51) 53 E 1
Tréfumel (22) 44 D 5
Trégarantec (29) 41 G 3
Trégarvan (29) 41 G 5
Trégastel (22) 42 C 1
Trégastel-Plage (22) 42 C 1
Tréglamus (22) 43 E 4
Tréglonou (29) 41 E 2
Trégomar (22) 44 B 3
Trégomeur (22) 43 G 4
Trégon (22) 44 C 3
Trégonneau (22) 43 E 3
Trégourez (29) 62 A 2
Trégrom (22) 42 D 3
Tréguennec (29) 61 F 3
Trégueux (22) 43 H 5
Tréguidel (22) 43 G 3
Tréguier (22) 43 E 2
Trégunc (29) 62 A 5
Tréhet (41) 86 D 1
Tréhiguier (56) 82 A 2
Tréhorenteuc (56) 64 B 3
Le Tréhou (29) 41 G 4
Treignac (19) 131 E 5
Treignat (03) 118 C 3
Treigny (89) 90 C 2
Treilles (11) 209 F 3
Treilles-en-Gâtinais (45) 71 H 3
Treillières (44) 83 F 4
Le Trein (09) 206 C 4
Treix (52) 75 G 2
Treize-Septiers (85) 99 H 2
Treize-Vents (85) 100 B 3
Tréjouls (82) 173 F 1
Trélans (48) 161 E 4
Trélazé (49) 85 E 3
Trélechamp (74) 125 G 5
Trélévern (22) 42 D 1
Trelins (42) 134 C 3
Trélissac (24) 143 F 3
Trélivan (22) 44 C 4
Trelly (50) 24 D 4
Trélon (59) 10 A 3
Trélou-sur-Marne (02) 33 E 4
Trémaouézan (29) 41 G 3
Trémargat (22) 62 D 1
Trémauville (76) 12 D 4
Trémazan (29) 40 D 2
La Tremblade (17) 126 B 3
La Tremblais (44) 82 C 3
Tremblay (35) 45 G 4
Le Tremblay (49) 84 B 1
Tremblay-en-France (93) 31 G 5
Tremblay-les-Villages (28) 49 H 3
Le Tremblay-Omonville (27) 29 E 3
Le Tremblay-sur-Mauldre (78) 50 C 1
Tremblay-Vieux-Pays (93) 31 G 5
Tremblecourt (54) 56 C 1
Le Tremblois (70) 94 B 3
Tremblois-lès-Carignan (08) 19 G 3
Tremblois-lès-Rocroi (08) 10 C 5
Trémeheuc (35) 45 F 4
Trémel (22) 42 C 3
Tréméloir (22) 43 G 4
Trémentines (49) 100 C 1
Tréméoc (29) 61 G 3
Tréméreuc (22) 44 D 3
Trémery (57) 21 E 4
Trémeur (22) 44 B 5
Tréméven (22) 43 F 3
Tréméven (29) 62 C 4
Trémilly (52) 54 D 5
Tréminis (38) 165 H 2
Trémoins (70) 95 H 2
Trémolat (24) 157 F 1
Trémons (47) 157 G 5
Trémont (49) 101 E 1
Trémont (61) 48 B 3
Trémont-sur-Saulx (55) 55 F 1
Trémonzey (88) 77 E 3
Trémorel (22) 64 B 1
Trémorvezen (29) 62 A 5
Trémouille (15) 146 B 2
Trémouille-St-Loup (63) 146 A 1
Trémouilles (12) 175 G 2
Trémoulet (09) 207 F 1
Trémuson (22) 43 G 4
Trenal (39) 110 A 5
Trensacq (40) 169 G 2
Trentels (47) 157 G 5
Tréogan (22) 62 C 2
Tréogat (29) 61 F 3
Tréon (28) 49 H 2
Tréouergat (29) 41 E 3
Trépail (51) 34 A 3
Trépied (62) 6 C 1
Le Tréport (76) 6 A 5
Trépot (25) 95 E 5
Tréprel (14) 27 F 5
Trept (38) 137 E 4
Trésauvaux (55) 36 A 3
Tresbœuf (35) 65 G 4
Trescallan (44) 82 A 3
Trescault (62) 8 C 5
Treschenu-Creyers (26) 165 G 2
Trescléoux (05) 165 H 5
Trescol (30) 177 H 2
Trésilley (70) 94 D 3
Treslon (51) 33 G 2
Tresmes (77) 52 B 1
Tresnay (58) 106 C 5
Trespoux-Rassiels (46) 158 B 5
Tresques (30) 178 D 3
Tressaint (22) 44 D 4
Tressan (34) 192 D 3
Tressandans (25) 95 F 2
Tressange (57) 20 D 3
Tressé (35) 45 E 3
Tresserre (66) 213 E 3
Tresserve (73) 137 H 3
Tresses (33) 155 F 1
Tressignaux (22) 43 F 3
Tressin (59) 4 D 4
Tresson (72) 68 C 4
Treteau (03) 120 B 3
La Trétoire (77) 52 C 1
Trets (13) 196 B 3
Treux (80) 15 H 1
Treuzy-Levelay (77) 72 A 1
Trévé (22) 63 G 2
Trévenans (90) 96 C 2
Tréveneuc (22) 43 G 3
Tréveray (55) 55 H 3
Trévérec (22) 43 F 3
Trévérien (35) 44 D 4
Trèves (30) 176 D 3
Trèves (69) 135 G 5
Trèves-Cunault (49) 85 G 4
Trevey (70) 95 F 2
Trévien (81) 174 D 3
Trévières (14) 25 G 1
Tréviers (34) 193 F 1
Trévignin (73) 138 A 3
Trévillach (66) 208 C 5
Tréville (11) 190 B 4
Trévillers (25) 96 D 4
Trévilly (89) 91 H 2
Trévol (03) 120 A 1
Trévou-Tréguignec (22) 42 D 1
Trévoux (01) 135 H 1
Le Trévoux (29) 62 B 4
Trévron (22) 44 D 4
Trézelles (03) 120 C 3
Trézény (22) 42 D 2
Tréziers (11) 207 G 2
Trézilidé (29) 41 H 2
Trézioux (63) 133 H 4
Triac-Lautrait (16) 128 A 4
Le Triadou (34) 193 F 1
Triaize (85) 113 E 2
Triaucourt-en-Argonne (55) 35 F 4
Tribehou (50) 25 E 2
La Tricherie (86) 102 B 4
Trichey (89) 74 A 4
Triconville (55) 55 H 1
Tricot (60) 15 H 5
Trie-Château (60) 30 C 2
Trie-la-Ville (60) 30 C 2
Trie-sur-Baïse (65) 187 G 5
Triel-sur-Seine (78) 30 D 5
Triembach-au-Val (67) 58 D 4
Trieux (54) 20 C 4
Trigance (83) 181 H 5
Trignac (44) 82 B 4
Trigny (51) 33 G 2
Triguères (45) 72 B 4
Trilbardou (77) 32 A 5
Trilla (66) 208 C 5
Trilport (77) 32 A 5
Trimbach (67) 39 G 4
Trimer (35) 45 E 5
La Trimouille (86) 116 C 2
Trinay (45) 70 D 3
La Trinitat (15) 160 D 2
La Trinité (06) 183 F 5
La Trinité (27) 29 G 5
la Trinité (29) 41 E 4
La Trinité (50) 46 A 1
La Trinité (73) 138 B 5
Trinité (*Ermitage de la*) (2A) 219 F 5
La Trinité-de-Réville (27) 28 C 5
La Trinité-de-Thouberville (27) 29 E 1
La Trinité-des-Laitiers (61) 48 B 1
La Trinité-du-Mont (76) 12 D 5
La Trinité-Langonnet (56) 62 C 2
La Trinité-Porhoët (56) 64 A 2
La Trinité-sur-Mer (56) 81 E 2
La Trinité-Surzur (56) 81 H 2
Triors (26) 150 C 4
Le Trioulou (15) 159 G 3
Tripleville (41) 70 A 4
Triquerville (76) 12 D 5
Triqueville (27) 28 C 1
Trith-St-Léger (59) 9 E 3
Tritteling-Redlach (57) 37 G 3
Trivy (71) 121 H 3
Trizac (15) 146 A 3
Trizay (17) 126 D 2
Trizay-Coutretot-St-Serge (28) 69 E 1
Trizay-lès-Bonneval (28) 69 H 2
Troarn (14) 27 G 3
Troche (19) 144 B 2
Trochères (21) 93 H 4
Trocy-en-Multien (77) 32 B 4
Troësnes (02) 32 C 3
Troguéry (22) 43 E 2
Trogues (37) 102 C 1
Les Trois-Épis (68) 78 C 2
Trois-Fonds (23) 118 B 4
Trois-Fontaines-l'Abbaye (51) 55 E 2
Trois-Monts (14) 27 E 4
Les Trois-Moutiers (86) 101 H 2
Trois-Palis (16) 128 B 4
Les Trois-Pierres (76) 12 C 5
Trois-Puits (51) 33 H 3
Trois-Vèvres (58) 106 D 3
Trois-Villes (64) 203 E 1
Troischamps (52) 76 A 4
Troisfontaines (52) 55 F 3
Troisfontaines (57) 58 B 2
Troisgots (50) 25 F 4
Troissereux (60) 15 E 5
Troissy (51) 33 F 4
Troisvaux (62) 7 G 2
Troisvilles (59) 9 E 5
Tromarey (70) 94 B 4
Tromborn (57) 21 G 4
Tronçais (03) 105 H 5
Troncens (32) 187 F 3
La Tronche (38) 151 G 3
Le Tronchet (35) 45 E 3
Le Tronchet (72) 67 H 2
Tronchoy (52) 75 H 3
Tronchoy (80) 14 D 2
Tronchoy (89) 73 H 4
Tronchy (71) 109 G 4
Le Troncq (27) 29 F 3
Trondes (54) 56 B 2
Tronget (03) 119 G 2
Le Tronquay (14) 25 H 2
Le Tronquay (27) 30 A 1
Tronsanges (58) 106 B 1
Tronville (54) 36 C 3
Tronville-en-Barrois (55) 55 G 2
Troo (41) 69 E 5
Trosly-Breuil (60) 32 B 1
Trosly-Loire (02) 16 D 5
Trouans (10) 54 A 3
Troubat (65) 205 F 3
Trouhans (21) 109 H 1
Trouhaut (21) 93 E 4
Trouillas (66) 213 E 3
Trouley-Labarthe (65) 187 F 5
Troussencourt (60) 15 F 4
Troussey (55) 56 B 2
Troussures (60) 30 D 1
Trouvans (25) 95 F 3
Trouville (76) 12 D 4
Trouville-la-Haule (27) 28 D 1
Trouville-sur-Mer (14) 28 A 1
Trouy (18) 105 F 2
Troye-d'Ariège (09) 207 G 2
Troyes [P] (10) 73 H 1
Troyon (55) 35 H 4
La Truchère (71) 122 C 1
Truchtersheim (67) 59 E 1
Trucy (02) 17 F 5
Trucy-l'Orgueilleux (58) 90 D 3
Trucy-sur-Yonne (89) 91 F 2
Le Truel (12) 175 H 3
Truel (30) 179 E 3
Trugny (02) 32 D 4
Trugny (21) 109 G 2
Truinas (26) 164 D 3
Trumilly (60) 32 A 2
Trun (61) 47 H 1
Trungy (14) 25 H 2
Le Truoq (23) 131 G 3
Truttemer-le-Grand (14) 46 C 1
Truttemer-le-Petit (14) 46 C 1
Truyes (37) 87 E 5
Tubersent (62) 6 C 1
Tuchan (11) 208 D 4
Tucquegnieux (54) 20 C 4
Tudeils (19) 145 E 5
Tudelle (32) 187 G 2
Tuffé-Val-de-la-Chéronne (72) 68 C 2
Tugéras-St-Maurice (17) 141 G 1
Tugny-et-Pont (02) 16 C 3
La Tuilière (42) 134 B 2
La Tuilière (84) 180 A 4
Tulette (26) 179 F 1
Tulle [P] (19) 144 D 3
Tullins (38) 151 F 2
Tully (80) 6 B 5
Tupigny (02) 17 F 1
Tupin-et-Semons (69) 135 H 5
La Turballe (44) 81 H 5
La Turbie (06) 183 G 5
Turcey (21) 92 D 3
Turckheim (68) 78 C 2
Turenne (19) 144 C 4
Turgon (16) 128 D 1
Turgy (10) 73 H 3
Turny (89) 73 F 3
Turquant (49) 85 H 5
Turquestein-Blancrupt (57) 58 B 3
Turqueville (50) 23 E 5
Turretot (76) 12 B 4
Turriers (04) 166 C 5
Tursac (24) 143 H 5
Tusson (16) 128 B 1
Tuzaguet (65) 205 E 2
Le Tuzan (33) 155 E 5
Tuzie (16) 128 B 1
Ty-Sanquer (29) 61 G 2

U

Uberach (67) 39 E 5
Ubexy (88) 57 E 5
Ubraye (04) 182 B 4
Ucciani (2A) 216 D 4
Ucel (07) 163 E 3
Uchacq-et-Parentis (40) 169 H 4
Uchaud (30) 194 A 1
Uchaux (84) 179 E 2
Uchentein (09) 206 A 4
Uchizy (71) 122 C 1
Uchon (71) 108 B 4
Uckange (57) 21 E 4
Ueberstrass (68) 97 E 1
Uffheim (68) 97 G 1
Uffholtz (68) 78 C 4
Ugine (73) 138 C 3
Uglas (65) 205 E 1
Ugnouas (65) 187 E 4
Ugny (54) 20 B 2
Ugny-le-Gay (02) 16 C 4
Ugny-l'Équipée (80) 16 C 2
Ugny-sur-Meuse (55) 56 B 2
Uhart-Cize (64) 202 B 1
Uhart-Mixe (64) 185 F 5
Uhlwiller (67) 39 E 5
Uhrwiller (67) 39 E 5
Ulcot (79) 101 E 2
les Ulis (91) 51 E 2
Ully-St-Georges (60) 31 F 2
Les Ulmes (49) 85 G 5
Umpeau (28) 50 B 4
Unac (09) 207 F 5
Uncey-le-Franc (21) 92 C 4
Unchair (51) 33 F 2
Ungersheim (68) 78 D 4
Unias (42) 135 E 4
Unienville (10) 54 C 5
Unieux (42) 148 D 1
L'Union (31) 189 G 2
Unverre (28) 69 F 2
Unzent (09) 206 D 1
Upaix (05) 180 D 1
Upie (26) 164 C 1
Ur (66) 211 G 4
Urau (31) 206 A 2
Urbalacone (2A) 218 D 1
Urbanya (66) 212 B 3
Urbeis (67) 58 C 5
Urbès (68) 78 B 4
Urbise (42) 120 D 4
Urçay (03) 118 D 1
Urcel (02) 17 F 5
Urcerey (90) 96 C 1
Urciers (36) 118 B 1
Urcuit (64) 184 D 3
Urcy (21) 93 E 5
Urdens (32) 172 C 5
Urdès (64) 186 A 3
Urdos (64) 203 G 3
Urepel (64) 202 A 1
Urgons (40) 186 B 2
Urgosse (32) 187 E 1
Uriage-les-Bains (38) 151 H 3
Uriménil (88) 77 F 2
Urmatt (67) 58 C 3
Urost (64) 186 D 4
Urou-et-Crennes (61) 47 H 2
Urrugne (64) 184 B 4
Urs (09) 207 F 5
Urschenheim (68) 79 E 2
Urt (64) 184 D 3
Urtaca (2B) 215 E 4
Urtière (25) 96 D 4
Uruffe (54) 56 B 3
Urval (24) 157 G 2
Urville (10) 74 D 2
Urville (14) 27 F 4
Urville (50) 22 D 4
Urville (88) 76 B 1
Urville-Nacqueville (50) 22 C 2
Urvillers (02) 16 D 2
Ury (77) 51 G 5
Urzy (58) 106 C 2
Us (95) 30 D 4
Usclades-et-Rieutord (07) 162 D 2
Usclas-d'Hérault (34) 192 C 3
Usclas-du-Bosc (34) 192 C 1
Usinens (74) 137 H 1
Les Usines (34) 193 E 4
Ussac (19) 144 C 3
Ussat (09) 207 E 4
Usseau (17) 113 F 4
Usseau (79) 114 A 4
Usseau (86) 102 C 3
Ussel (15) 146 D 4
Ussel [SP] (19) 131 H 5
Ussel (46) 158 C 4
Ussel-d'Allier (03) 119 H 4
Usson (63) 133 G 5
Usson-du-Poitou (86) 115 H 4
Usson-en-Forez (42) 148 B 1
Ussy (14) 27 F 5
Ussy-sur-Marne (77) 32 B 5
Ustaritz (64) 184 C 4
Ustou (09) 206 C 4
Utelle (06) 183 F 4
Uttenheim (67) 59 E 4
Uttenhoffen (67) 39 E 4
Uttwiller (67) 38 D 5
Uvernet (04) 167 F 5
Uxeau (71) 107 H 5
Uxegney (88) 77 F 1
Uxelles (39) 110 C 5
Uxem (59) 3 F 2
Uz (65) 204 B 3
Uza (40) 168 D 3
Uzan (64) 186 B 3
Uzay-le-Venon (18) 105 G 4
Uzech (46) 158 B 4
Uzein (64) 186 B 4
Uzel (22) 63 G 1
Uzelle (25) 95 G 2
Uzemain (88) 77 F 2
Uzer (07) 163 E 4
Uzer (65) 204 D 2
Uzerche (19) 144 C 1
Uzès (30) 178 C 4
Uzeste (33) 155 G 5
Uzos (64) 186 C 5

V

Vaas (72) 86 B 1
Vabre (81) 191 E 2
Vabre-Tizac (12) 174 D 1
Vabres (15) 147 F 5
Vabres (30) 177 H 3
Vabres (43) 161 H 1
Vabres-l'Abbaye (12) 176 A 4
Vacherauville (55) 35 H 2
Vachères (04) 180 C 4
Vachères-en-Quint (26) 165 E 1
Vacheresse (74) 125 F 2
La Vacheresse-et-la-Rouillie (88) 76 B 2
Vacheresses-les-Basses (28) 50 A 3
La Vacherie (27) 29 G 3
La Vachette (05) 153 E 5
Vacognes (14) 27 E 4
Vacon (55) 56 A 2
La Vacquerie (14) 25 H 3
La Vacquerie-et-St-Martin-de-Castries (34) 192 C 1
Vacquerie-le-Boucq (62) 7 F 3
Vacqueriette-Erquières (62) 7 E 3
Vacqueville (54) 57 H 3
Vacqueyras (84) 179 G 2
Vacquières (30) 178 B 3
Vacquières (34) 177 H 5
Vacquiers (31) 189 G 1
Vadans (39) 110 B 2
Vadans (70) 94 B 4
Vadelaincourt (55) 35 G 4
Vadenay (51) 34 B 4
Vadencourt (02) 17 F 1
Vadencourt (80) 15 G 1
Vadonville (55) 56 A 1
Vagnas (07) 178 C 1
Vagney (88) 77 H 3
Vahl-Ebersing (57) 37 H 3
Vahl-lès-Bénestroff (57) 37 H 5
Vahl-lès-Faulquemont (57) 37 G 4
Vaiges (53) 67 E 3
Vailhan (34) 192 B 3
Vailhauquès (34) 193 E 2
Vailhourles (12) 174 C 1
Vaillac (46) 158 C 3
Vaillant (52) 93 G 1
Vailly (10) 53 H 5
Vailly (74) 125 E 3
Vailly-sur-Aisne (02) 33 E 1
Vailly-sur-Sauldre (18) 89 H 3
Vains (50) 45 H 2
Vairé (85) 99 E 5
Vaire-Arcier (25) 95 E 4
Vaire-le-Petit (25) 95 E 4
Vaire-sous-Corbie (80) 15 H 1
Vaires-sur-Marne (77) 51 H 1
Vaison-la-Romaine (84) 179 G 1
Vaïssac (82) 174 A 4
Vaite (70) 94 B 2
La Vaivre (70) 77 F 4
Vaivre-et-Montoille (70) 95 E 1
Le Val (83) 196 D 3
Le Val-André (22) 44 A 2
Val-Claret (73) 139 G 5
Le Val-d'Ajol (88) 77 G 3
Val-d'Auzon (10) 54 B 5
Le Val-David (27) 29 G 5
Val-de-Bride (57) 37 H 5
Val-de-Chalvagne (04) 182 C 4
Val-de-Fier (74) 137 H 1
Le Val-de-Gouhenans (70) 95 G 1
Le Val-de-Guéblange (57) 38 A 4
Val-de-la-Haye (76) 29 F 1
Val-de-Mercy (89) 91 E 1
Val-de-Reuil (27) 29 G 2
Val-de-Roulans (25) 95 F 3
Val-de-Saâne (76) 13 F 3
Val-de-Vesle (51) 34 A 3
Val-de-Vière (51) 54 D 1
Val-d'Épy (39) 123 F 2
Val-des-Prés (05) 153 E 5
Val d'Esquières (83) 197 H 4
Val-d'Isère (73) 139 G 5
Val-d'Izé (35) 65 H 1
Val-et-Châtillon (54) 58 A 3
Val-Louron (65) 205 E 4
Val-Maravel (26) 165 G 3
Le Val-St-Éloi (70) 77 E 5
Le Val-St-Germain (91) 50 D 3
Le Val-St-Père (50) 45 H 2
Val-Suzon (21) 93 E 3
Val-Thorens (73) 153 E 2
Valady (12) 160 A 5
Valailles (27) 28 D 3
Valaine (35) 45 H 4
Valaire (41) 87 G 3
Valanjou (49) 84 D 5
Valaurie (26) 163 H 5
Valavoire (04) 181 E 1
Valay (70) 94 B 4
Valbeleix (63) 146 D 1
Valbelle (04) 180 D 2
Valberg (06) 182 C 2
Valbonnais (38) 152 A 5
Valbonne (06) 199 E 1
Valcabrère (31) 205 F 2
Valcanville (50) 23 E 2
Valcebollère (66) 211 H 5
Valcivières (63) 134 B 5
Valcourt (52) 55 E 3
Valdahon (25) 95 F 5
Valdampierre (60) 30 D 2
Valdeblore (06) 183 E 2
Le Valdécie (50) 22 C 4
Valdelancourt (52) 75 F 2
Valderiès (81) 175 E 4
Valderoure (06) 182 B 5
Valdieu-Lutran (68) 97 E 1
Valdivienne (86) 115 H 2
Valdoie (90) 96 C 1
Valdrôme (26) 165 G 4
Valdurenque (81) 190 D 3
Valeille (42) 135 E 4
Valeilles (82) 172 D 1
Valeins (01) 122 C 5
Valempoulières (39) 110 C 3
Valençay (36) 104 A 1
Valence (16) 128 C 2
Valence [P] (26) 149 H 5
Valence (82) 172 D 3
Valence-d'Albigeois (81) 175 F 4
Valence-en-Brie (77) 52 A 4
Valence-sur-Baïse (32) 172 A 5
Valenciennes [SP] (59) 9 F 2
Valencin (38) 136 C 4
Valencogne (38) 137 F 5
Valennes (72) 69 E 3
Valensole (04) 181 E 5
Valentigney (25) 96 C 2
La Valentine (13) 196 A 5
Valentine (31) 205 G 2
Valenton (94) 51 G 2
Valergues (34) 193 G 2
Valernes (04) 181 E 1
Valescourt (60) 15 G 5
Valescure (83) 198 D 3
Valette (15) 146 B 3
La Valette (38) 151 H 5
La Valette-du-Var (83) 201 E 3
Valeuil (24) 143 E 2
Valeyrac (33) 140 D 1
Valezan (73) 139 E 4
Valff (67) 59 E 4
Valfin-lès-Saint-Claude (39) 124 A 2
Valfin-sur-Valouse (39) 123 G 2
Valflaunès (34) 193 F 1
Valfleury (42) 135 F 5
Valframbert (61) 48 A 4
Valfréjus (73) 153 E 3
Valfroicourt (88) 76 D 1
Valgorge (07) 162 C 3
Valhey (54) 57 F 2

Localité (Département) Page Coordonnées

Valhuon (62) 7 G 2
Valiergues (19) 145 H 1
Valignat (03) 119 G 5
Valigny (03) 106 A 5
Valines (80) 6 C 5
Valjouffrey (38) 152 A 5
Valjouze (15) 147 E 4
La Valla-en-Gier (42) 149 F 1
La Valla-sur-Rochefort (42) 134 B 3
Vallabrègues (30) 178 D 5
Vallabrix (30) 178 C 3
Vallan (89) 91 E 1
Vallangoujard (95) 31 E 3
Vallans (79) 114 A 4
Vallant-St-Georges (10) 53 G 4
Vallauris (06) 199 E 2
Valle-d'Alesani (2B) 217 G 2
Valle-di-Campoloro (2B) 217 G 1
Valle-di-Mezzana (2A) 216 C 5
Valle-di-Rostino (2B) 215 F 5
Valle-d'Orezza (2B) 217 G 1
Vallecalle (2B) 215 F 4
La Vallée (17) 126 D 2
La Vallée-au-Blé (02) 17 G 2
Vallée des Singes (86) 115 F 4
La Vallée-Mulâtre (02) 9 F 5
Les Vallées (37) 86 C 4
Vallègue (31) 189 H 4
Valleiry (74) 124 A 5
Vallenay (18) 105 F 4
Vallentigny (10) 54 C 4
Vallerange (57) 37 H 4
Vallérargues (30) 178 B 3
Valleraugue (30) 177 F 3
Vallères (37) 86 C 4
Valleret (52) 55 H 4
Vallereuil (24) 142 D 4
Vallerois-le-Bois (70) 95 F 2
Vallerois-Lorioz (70) 95 E 2
Valleroy (25) 95 E 3
Valleroy (52) 94 B 1
Valleroy (54) 20 C 5
Valleroy-aux-Saules (88) 77 E 1
Valleroy-le-Sec (88) 76 D 1
Vallery (89) 72 B 1
Vallesvilles (31) 189 H 2
Vallet (17) 141 G 2
Vallet (44) 83 H 5
Valletot (27) 28 D 1
Vallica (2B) 214 D 5
Vallière (23) 131 F 2
Vallières (10) 73 H 3
Vallières (37) 86 C 4
Vallières (74) 137 H 1
Vallières-les-Grandes (41) 87 G 3
Valliguières (30) 178 D 4
Valliquerville (76) 13 E 4
Valloire (73) 152 D 3
Valloires (80) 6 D 3
Vallois (54) 57 G 4
Les Vallois (88) 77 E 1
Vallon (12) 160 B 2
Vallon-en-Sully (03) 118 D 1
Vallon-Pont-d'Arc (07) 163 E 5
Vallon-sur-Gée (72) 67 G 4
Vallorcine (74) 125 G 5
Vallouise (05) 167 E 1
Valmanya (66) 212 C 4
Le Valmartin (76) 13 G 4
Valmascle (34) 192 B 2
Valmeinier (73) 152 D 3
Valmestroff (57) 21 E 3
Valmigère (11) 208 B 3
Valmondois (95) 31 E 4
Valmont (57) 37 H 3
Valmont (76) 12 D 3
Valmorel (73) 138 D 5
Valmunster (57) 21 E 4
Valmy (51) 34 D 4
Valognes (50) 22 D 4
Valojoulx (24) 143 H 5
Valonne (25) 95 H 3
Valoreille (25) 96 C 4
Valouse (26) 164 D 4
Valprionde (46) 173 F 1
Valprivas (43) 148 C 2
Valpuiseaux (91) 51 F 5
Valras-Plage (34) 192 B 5
Valréas (84) 164 C 5
Valros (34) 192 C 4
Valroufié (46) 158 C 4
Vals (09) 207 F 2
Vals-le-Chastel (43) 147 G 3
Vals-les-Bains (07) 163 E 3
Vals-près-le-Puy (43) 148 B 5
Valsemé (14) 28 A 2
Valserres (05) 166 B 4
Valsonne (69) 135 F 1
Le Valtin (88) 78 B 2
Valuéjols (15) 146 D 4
Valvignères (07) 163 F 4
Valz-sous-Châteauneuf (63) 147 G 1
Valzergues (12) 159 G 4
Vanault-le-Châtel (51) 54 D 1
Vanault-les-Dames (51) 54 D 1
Vançais (79) 115 E 3
Vancé (72) 68 D 5
La Vancelle (67) 58 D 5
Vanclans (25) 111 F 1
Vandeins (01) 122 D 4
Vandelainville (54) 36 C 4
Vandelans (70) 95 E 3
Vandeléville (54) 56 D 4
Vandélicourt (60) 16 A 5
Vandenesse (58) 107 G 3
Vandenesse-en-Auxois (21) 92 D 5
Vandeuil (51) 33 F 2
Vandières (51) 33 F 4
Vandières (54) 36 D 4
Vandœuvre-lès-Nancy (54) 57 E 2
Vandoncourt (25) 96 D 2
Vandré (17) 113 G 5
Vandrimare (27) 29 H 1
Vandy (08) 18 D 5
Les Vanels (48) 177 E 2
Vanémont (88) 78 A 1
Vanlay (10) 73 H 3
Vannaire (21) 74 C 4
Vanne (70) 94 C 1
Le Vanneau (79) 113 H 3
Vannecourt (57) 37 G 5
Vannecrocq (27) 28 C 2
Vannes [P] (56) 81 G 2
Vannes-le-Châtel (54) 56 B 3
Vannes-sur-Cosson (45) 89 E 1
Vannoz (39) 110 D 4
Vanosc (07) 149 F 3
Les Vans (07) 162 D 5
Vantoux (57) 21 E 5
Vantoux-et-Longevelle (70) 94 C 3
Vanves (92) 51 F 1
Vanvey (21) 74 D 5
Vanvillé (77) 52 B 3
Vanxains (24) 142 C 3
Vany (57) 21 E 5
Vanzac (17) 141 G 2
Vanzay (79) 115 E 4
Vanzy (74) 124 A 5
Vaour (81) 174 B 3
Varacieux (38) 151 E 3
Varades (44) 84 A 3
Varage (13) 195 E 3
Varages (83) 196 D 2
Varaignes (24) 129 E 5
Varaire (46) 174 B 1
Varaize (17) 127 G 1
Varambon (01) 123 E 5
Varanges (21) 93 G 5
Varangéville (54) 57 E 2
Varaville (14) 27 G 2
Varces-Allières-et-Risset (38) 151 G 4
Vareilles (23) 117 E 3
Vareilles (71) 121 G 3
Vareilles (89) 73 E 2
Varen (82) 174 C 2
Varengeville-sur-Mer (76) 13 G 1
Varenguebec (50) 22 D 5
La Varenne (49) 83 H 4
Varenne-l'Arconce (71) 121 F 3
Varenne-St-Germain (71) 121 E 2
Varennes (24) 157 E 1
Varennes (31) 189 H 3
Varennes (37) 103 E 2
Varennes (80) 7 H 5
Varennes (82) 173 H 5
Varennes (86) 102 A 4
Varennes (89) 73 G 4
Varennes-Changy (45) 71 H 5
Varennes-en-Argonne (55) 35 F 2
Varennes-Jarcy (91) 51 G 2
Varennes-le-Grand (71) 109 E 5
Varennes-lès-Mâcon (71) 122 B 3
Varennes-lès-Narcy (58) 90 B 5
Varennes-sous-Dun (71) 121 G 3
Varennes-St-Honorat (43) 147 H 3
Varennes-St-Sauveur (71) 123 E 2
Varennes-sur-Allier (03) 120 A 3
Varennes-sur-Amance (52) 76 B 4
Varennes-sur-Fouzon (36) 88 A 5
Varennes-sur-Loire (49) 85 H 5
Varennes-sur-Morge (63) 133 F 2
Varennes-sur-Seine (77) 52 A 5
Varennes-sur-Tèche (03) 120 C 3
Varennes-sur-Usson (63) 133 G 5
Varennes-Vauzelles (58) 106 C 2
Varès (47) 156 C 5
Varesnes (60) 16 C 5
Varessia (39) 123 G 1
Varetz (19) 144 B 3
Varilhes (09) 207 E 2
Varimont (51) 34 D 5
Varinfroy (60) 32 B 4
Variscourt (02) 33 H 1
Varize (28) 70 A 3
Varize (57) 21 G 5
Varmonzey (88) 57 E 5
Varnéville (55) 36 A 5
Varneville-Bretteville (76) 13 G 4
Varogne (70) 77 E 5
Varois-et-Chaignot (21) 93 G 4
Varouville (50) 23 E 2
Varrains (49) 85 G 5
Varreddes (77) 32 A 5
Vars (05) 167 F 3
Vars (16) 128 B 3
Vars (70) 94 A 2
Vars-sur-Roseix (19) 144 B 3
Varsberg (57) 21 H 5
Varvinay (55) 36 A 5
Varzay (17) 127 E 3
Varzy (58) 90 D 4
Vascœuil (27) 29 H 1
Vasles (79) 114 D 1
Vasouy (14) 28 A 1
Vasperviller (57) 58 B 2
Vassel (63) 133 G 3
Vasselay (18) 105 F 1
Vasselin (38) 137 E 4
Vassens (02) 16 C 5
Vasseny (02) 33 E 1
Vassieux-en-Vercors (26) 165 E 1
Vassimont-et-Chapelaine (51) 54 A 2
Vassincourt (55) 55 F 1
Vassogne (02) 33 F 1
Vassonville (76) 13 G 3
Vassy (14) 46 D 1
Vassy (89) 92 A 2
Le Vast (50) 23 E 3
Vastérival (76) 13 G 1
Vasteville (50) 22 B 3
Les Vastres (43) 148 D 5
Vatan (36) 104 C 2
Vathiménil (54) 57 G 3
Vatierville (76) 14 B 3
Vatilieu (38) 151 E 2
Vatimont (57) 37 F 4
Vatry (51) 54 A 1
Vattetot-sous-Beaumont (76) 12 C 4
Vattetot-sur-Mer (76) 12 B 3
Vatteville (27) 29 H 2
Vatteville-la-Rue (76) 13 E 5
Vaubadon (14) 25 H 2
Vauban (71) 121 G 4
Vaubecourt (55) 35 F 5
Vaubexy (88) 57 E 5
Vaucé (53) 46 D 4
Vaucelles (14) 25 H 2
Vaucelles-et-Beffecourt (02) 17 E 5
Vauchamps (25) 95 F 4
Vauchamps (51) 53 E 1
Vauchassis (10) 73 G 1
Vauchelles (60) 16 B 4
Vauchelles-lès-Authie (80) 7 H 5
Vauchelles-lès-Domart (80) 7 E 5
Vauchelles-les-Quesnoy (80) 6 D 5
Vauchignon (21) 108 D 2
Vauchonvilliers (10) 74 C 1
Vauchoux (70) 94 D 1
Vauchrétien (49) 85 E 4
Vauciennes (51) 33 G 4
Vauciennes (60) 32 B 2
Vauclaix (58) 91 G 5
Vauclerc (51) 54 D 2
Vaucluse (05) 165 G 5
Vaucluse (25) 95 H 4
Vauclusotte (25) 96 C 4
Vaucogne (10) 54 B 4
Vauconcourt-Nervezain (70) 94 C 1
Vaucottes-sur-Mer (76) 12 B 3
Vaucouleurs (55) 56 B 3
Vaucourt (54) 57 H 2
Vaucourtois (77) 32 A 5
Vaucresson (92) 51 E 1
Vaudancourt (60) 30 B 2
Vaudebarrier (71) 121 G 2
Vaudelnay (49) 101 F 1
Vaudeloges (14) 27 H 5
Vaudemange (51) 34 A 4
Vaudémont (54) 56 D 4
Vaudes (10) 74 A 2
Vaudesincourt (51) 34 B 2
Vaudesson (02) 17 E 5
Vaudeurs (89) 73 E 2
Vaudevant (07) 149 F 4
Vaudeville (54) 57 E 4
Vaudéville (88) 77 G 1
Vaudeville-le-Haut (55) 56 A 4
Vaudherland (95) 31 G 5
Vaudigny (54) 57 E 4
Le Vaudioux (39) 110 D 4
Vaudoncourt (55) 20 B 4
Vaudoncourt (88) 76 C 1
Le Vaudoué (77) 51 G 5
Vaudoy-en-Brie (77) 52 B 2
Vaudreching (57) 21 G 4
Vaudrecourt (52) 76 B 1
Vaudrémont (52) 75 E 2
Le Vaudreuil (27) 29 G 2
Vaudreuille (31) 190 B 4
Vaudreville (50) 23 E 4
Vaudrey (39) 110 B 2
Vaudricourt (62) 4 A 5
Vaudricourt (80) 6 B 5
Vaudrimesnil (50) 24 D 3
Vaudringhem (62) 2 D 5
Vaudrivillers (25) 95 G 4
Vaudry (14) 46 C 1
Vaufrèges (13) 195 H 5
Vaufrey (25) 96 D 3
Vaugines (84) 180 A 5
Vaugneray (69) 135 G 3
Vaugrigneuse (91) 51 E 3
Vauhallan (91) 51 E 2
Vaujany (38) 152 A 3
Vaujours (93) 31 G 5
Vaulandry (49) 85 G 2
Le Vaulmier (15) 146 A 3
Vaulnaveys-le-Bas (38) 151 H 4
Vaulnaveys-le-Haut (38) 151 H 3
Vaulry (87) 129 H 1
Vault-de-Lugny (89) 91 G 3
Vaulx (62) 7 E 3
Vaulx (74) 138 A 1
Vaulx-en-Velin (69) 136 B 3
Vaulx-Milieu (38) 136 D 4
Vaulx-Vraucourt (62) 8 B 4
Le Vaumain (60) 30 C 2
Vaumas (03) 120 C 2
Vaumeilh (04) 181 E 1
Vaumoise (60) 32 B 2
Vaumort (89) 72 D 2
Vaunac (24) 143 G 2
Vaunaveys-la-Rochette (26) 164 C 2
Vaunoise (61) 48 C 5
La Vaupalière (76) 13 G 5
Vaupillon (28) 49 F 4
Vaupoisson (10) 54 A 4
Vauquois (55) 35 F 2
Vauréal (95) 30 D 4
Vaureilles (12) 159 G 5
Le Vauriat (63) 132 D 2
Le Vauroux (60) 30 C 1
Vausseroux (79) 114 D 1
Vautebis (79) 114 C 1
Vauthiermont (90) 78 B 5
Vautorte (53) 46 C 5
Vauvenargues (13) 196 A 2
Vauvert (30) 194 A 1
Vauville (14) 27 H 2
Vauville (50) 22 B 2
Vauvillers (70) 76 D 4
Vauvillers (80) 15 H 2
Vaux (03) 118 D 2
Vaux (31) 190 A 4
Vaux (57) 36 D 3
Vaux (86) 115 F 3
Vaux (89) 91 E 1
Vaux-Andigny (02) 9 F 5
Vaux-Champagne (08) 18 C 5
Vaux-devant-Damloup (55) 20 A 5
Vaux-en-Amiénois (80) 15 F 1
Vaux-en-Beaujolais (69) 122 A 5
Vaux-en-Bugey (01) 137 E 1
Vaux-en-Dieulet (08) 19 F 5
Vaux-en-Pré (71) 108 D 5
Vaux-en-Vermandois (02) 16 C 2
Vaux-et-Chantegrue (25) 111 F 3
Vaux-la-Douce (52) 76 B 4
Vaux-Lavalette (16) 142 C 1
Vaux-le-Moncelot (70) 94 C 3
Vaux-le-Pénil (77) 51 H 4
Vaux-le-Vicomte
(Château de) (77) 51 H 3
Vaux-lès-Mouron (08) 34 D 2
Vaux-lès-Mouzon (08) 19 G 4
Vaux-lès-Palameix (55) 36 A 4
Vaux-les-Prés (25) 94 C 5
Vaux-lès-Rubigny (08) 18 A 3
Vaux-lès-St-Claude (39) 123 H 2
Vaux-Marquenneville (80) 14 C 1
Vaux-Montreuil (08) 18 C 4
Vaux-Rouillac (16) 128 A 3
Vaux-Saules (21) 93 E 3
Vaux-sous-Aubigny (52) 93 H 1
Vaux-sur-Aure (14) 26 D 1
Vaux-sur-Blaise (52) 55 F 4
Vaux-sur-Eure (27) 29 H 4
Vaux-sur-Lunain (77) 72 A 1
Vaux-sur-Mer (17) 126 C 4
Vaux-sur-Poligny (39) 110 C 3
Vaux-sur-Risle (27) 48 D 1
Vaux-sur-Seine (78) 30 D 4
Vaux-sur-Seulles (14) 27 E 2
Vaux-sur-Somme (80) 15 H 1
Vaux-sur-St-Urbain (52) 55 G 5
Vaux-sur-Vienne (86) 102 C 3
Vaux-Villaine (08) 18 C 2
Vauxaillon (02) 17 E 5
Vauxbons (52) 75 G 4
Vauxbuin (02) 32 C 1
Vauxcéré (02) 33 E 1
Vauxrenard (69) 122 A 4
Vauxrezis (02) 32 C 1
Vauxtin (02) 33 E 1
Vavincourt (55) 55 G 1
Vavray-le-Grand (51) 54 D 1
Vavray-le-Petit (51) 54 D 1
La Vavrette (01) 123 E 5
Vaxainville (54) 57 H 3
Vaxoncourt (88) 57 F 5
Vaxy (57) 37 G 5
Vay (44) 83 E 2
Vaychis (09) 207 F 5
Vaylats (46) 174 A 1
Vayrac (46) 144 D 5
Vayres (33) 155 G 1
Vayres (87) 129 F 3
Vayres-sur-Essonne (91) 51 F 5
Vazeilles-Limandre (43) 148 A 4
Vazeilles-près-Saugues (43) 161 H 1
Vazerac (82) 173 G 2
Veauce (03) 119 G 5
Veauche (42) 135 E 5
Veauchette (42) 135 E 5
Veaugues (18) 89 H 5
Veaunes (26) 149 H 4
Veauville-lès-Baons (76) 13 E 4
Veauville-lès-Quelles (76) 13 E 3
Veaux (84) 179 H 2
Vèbre (09) 207 F 5
Vebret (15) 146 A 2
Vebron (48) 177 E 2
Vecchio (Pont du) (2B) 217 E 3
Veckersviller (57) 38 B 5
Veckring (57) 21 F 3
Vecoux (88) 77 H 3
Vecquemont (80) 15 G 2
Vecqueville (52) 55 G 4
Vedène (84) 179 F 4
Védrines-St-Loup (15) 147 F 4
Végennes (19) 144 D 5
Vého (54) 57 H 2
Veigné (37) 86 D 5
Veigy-Foncenex (74) 124 C 3
Veilhes (81) 190 A 2
Veillac (15) 146 A 1
Veilleins (41) 88 B 4
Veilly (21) 108 D 1
Veix (19) 131 E 5
Velaine-en-Haye (54) 56 D 2
Velaine-sous-Amance (54) 57 E 1
Velaines (55) 55 G 2
Velanne (38) 137 G 5
Velars-sur-Ouche (21) 93 E 4
Velaux (13) 195 G 3
Velennes (60) 15 E 5
Velennes (80) 15 E 3
Velesmes-Echevanne (70) 94 B 3
Velesmes-Essarts (25) 94 C 5
Velet (70) 94 A 3
Vélieux (34) 191 G 4
Vélines (24) 156 B 1
Vélizy-Villacoublay (78) 51 E 1
Velle-le-Châtel (70) 94 D 1
Velle-sur-Moselle (54) 57 E 3
Vellèches (86) 102 C 3
Vellechevreux-
et-Courbenans (70) 95 G 2
Velleclaire (70) 94 C 3
Vellefaux (70) 95 E 2
Vellefrey-et-Vellefrange (70) 94 C 3
Vellefrie (70) 77 E 5
Velleguindry-et-Levrecey (70) 95 E 2
Velleminfroy (70) 95 F 1
Vellemoz (70) 94 C 3
Velleron (84) 179 G 4
Vellerot-lès-Belvoir (25) 95 H 3
Vellerot-lès-Vercel (25) 95 G 4
Velles (36) 104 B 5
Velles (52) 76 B 4
Vellescot (90) 96 D 1
Vellevans (25) 95 G 4
Vellexon-Queutrey-
et-Vaudey (70) 94 C 2
Velloreille-lès-Choye (70) 94 B 3
Velluire (85) 113 G 2
Velogny (21) 92 C 4
Velone-Orneto (2B) 217 G 1
Velorcey (70) 77 E 5
Velorgues (84) 179 G 4
Velosnes (55) 20 A 2
Velotte-et-Tatignécourt (88) 77 E 1
Vélu (62) 8 C 5
Velving (57) 21 G 4
Vélye (51) 33 H 5
Velzic (15) 146 A 5
Vémars (95) 31 G 4
Venables (27) 29 H 3
Venaco (2B) 217 E 3
Venansault (85) 99 F 4
Venanson (06) 183 F 2
Venarey-les-Laumes (21) 92 C 2
Venarsal (19) 144 C 3
Venas (03) 119 E 2
Venasque (84) 179 H 4
Vence (06) 183 E 5
Vendargues (34) 193 G 2
Vendat (03) 120 A 5
Vendays-Montalivet (33) 140 C 1
Vendegies-au-Bois (59) 9 F 4
Vendegies-sur-Ecaillon (59) 9 F 3
Vendègre (63) 133 G 1
Vendel (35) 45 H 5
La Vendelée (50) 24 D 3
Vendelles (02) 16 C 1
Vendémian (34) 192 D 2
Vendenesse-
lès-Charolles (71) 121 G 2
Vendenesse-sur-Arroux (71) 107 H 5
Vendenheim (67) 59 F 1
Vendes (14) 27 E 3
Vendes (15) 145 H 2
Vendeuil (02) 16 D 3
Vendeuil-Caply (60) 15 F 4
Vendeuvre (14) 27 H 4
Vendeuvre-du-Poitou (86) 102 A 4
Vendeuvre-sur-Barse (10) 74 C 1
Vendeville (59) 4 C 4
Vendhuile (02) 16 C 1
Vendières (02) 52 D 1
Vendin-le-Vieil (62) 4 B 5
Vendin-lès-Béthune (62) 7 H 1
Vendine (31) 189 H 2
Vendœuvres (36) 103 H 4
Vendoire (24) 142 C 1
Vendôme [SP] (41) 69 F 5
Vendranges (42) 134 D 2
Vendras (30) 178 B 2
Vendrennes (85) 100 A 3
Vendres (34) 192 B 5
Vendresse (08) 19 E 4
Vendresse-Beaulne (02) 33 F 1
Vendrest (77) 32 B 4
La Vendue-Mignot (10) 73 H 2
Veneffles (35) 65 G 3
Vénéjan (30) 178 D 2
Venelles (13) 196 A 2
Vénérand (17) 127 F 3
Venère (70) 94 B 4
Vénérieu (38) 136 D 4
Vénérolles (02) 17 F 1
Venerque (31) 189 F 4
Vénès (81) 190 C 1
Venesmes (18) 105 F 4
Vénestanville (76) 13 F 2
Venette (60) 32 A 1
Veneux-les-Sablons (77) 52 A 5
Veney (54) 57 H 4
Vengeons (50) 46 C 1
Véniers (86) 101 H 2
Venise (25) 95 E 4
Venisey (70) 76 D 4
Vénissieux (69) 136 B 4
Venizel (02) 32 D 1
Venizy (89) 73 F 3
Vennans (25) 95 F 4
Vennecy (45) 70 D 4
Vennes (25) 95 H 5
Vennezey (54) 57 F 4
Venon (27) 29 F 3
Venon (38) 151 H 3
Venosc (38) 152 B 4
Venouse (89) 73 F 4
Venoy (89) 73 F 5
Vensac (33) 140 C 1
Vensat (63) 133 F 1
Ventabren (13) 195 G 3
Ventavon (05) 166 A 5
Ventelay (51) 33 F 1
Ventenac (09) 207 F 3
Ventenac-Cabardès (11) 190 D 5
Ventenac-en-Minervois (11) 191 H 5
Venterol (04) 166 B 4
Venterol (26) 164 D 5
Les Ventes (27) 29 F 5
Les Ventes-de-Bourse (61) 48 B 4
Ventes-St-Rémy (76) 13 H 3
Venteuges (43) 147 G 5
Venteuil (51) 33 G 4
Venthon (73) 138 C 3
Ventiseri (2B) 217 G 5
Le Ventouret (84) 180 A 2
Ventouse (16) 128 C 2
Ventron (88) 78 A 3
Les Ventrons (13) 195 F 4
La Ventrouze (61) 48 D 3
Venzolasca (2B) 215 G 5
Ver (50) 24 D 5
Ver-lès-Chartres (28) 50 A 5
Ver-sur-Launette (60) 31 H 4
Ver-sur-Mer (14) 27 E 1
Vérac (33) 141 G 5
Véranne (42) 149 G 1
Vérargues (34) 193 H 1
Véraza (11) 208 B 3
Verberie (60) 31 H 2
Verbiesles (52) 75 G 2
Vercel-Villedieu-
le-Camp (25) 95 G 5
Verchain-Maugré (59) 9 E 3
Verchaix (74) 125 F 5
Vercheny (26) 165 E 2
Les Verchers-sur-Layon (49) 101 F 1
Verchin (62) 7 F 1
Verchocq (62) 7 E 1
Vercia (39) 123 F 1
Verclause (26) 165 F 5
Vercoiran (26) 180 A 1
Vercourt (80) 6 C 3
Verdaches (04) 181 G 1
Verdalle (81) 190 C 3
Verde (Col de) (2B) 217 F 4
Verdelais (33) 155 G 3
Verdelot (77) 52 D 1
Verdenal (54) 57 H 2
Verderel (60) 15 E 5
Verderonne (60) 31 G 2
Verdes (41) 69 H 4
Verdèse (2B) 217 G 1
Verdets (64) 186 A 5
Verdey (51) 53 F 2
Le Verdier (81) 174 B 4
La Verdière (83) 196 C 2
Verdigny (18) 90 A 4
Verdille (16) 128 A 2
Verdilly (02) 32 D 4
Verdon (24) 157 E 2
Verdon (51) 33 E 5
Le Verdon-sur-Mer (33) 126 C 5
Verdonnet (21) 92 B 1
Verdun (09) 207 F 5
Verdun [SP] (55) 35 H 3
Verdun-en-Lauragais (11) 190 B 4
Verdun-sur-Garonne (82) 173 F 5
Verdun-sur-le-Doubs (71) 109 F 3
Vereaux (18) 106 A 3
Verel-de-Montbel (73) 137 G 5
Verel-Pragondran (73) 138 A 4
Véretz (37) 87 E 4
Vereux (70) 94 B 2
Verfeil (31) 189 H 2
Verfeil (82) 174 B 2
Verfeuil (30) 178 C 2
Vergaville (57) 37 H 5
Vergéal (35) 65 H 3
La Vergenne (70) 95 G 1
Le Verger (35) 64 D 2
Verger-sur-Dive (86) 101 H 4

Vergeroux (17) 126 C 1
Verges (39) 110 B 5
Vergetot (76) 12 B 4
Vergezac (43) 148 A 5
Vergèze (30) 193 H 1
Vergheas (63) 132 C 1
Vergies (80) 14 D 1
Vergigny (89) 73 F 4
Vergio (Col de) (2B) 216 C 2
Vergisson (71) 122 B 3
Vergnas (19) 130 D 5
La Vergne (15) 145 H 3
La Vergne (17) 127 F 1
Vergné (17) 114 A 5
Vergoignan (32) 186 D 1
Vergoncey (50) 45 H 3
Vergongheon (43) 147 F 2
Vergonnes (49) 66 A 5
Vergons (04) 182 A 4
Vergonzac (43) 147 H 4
Vergranne (25) 95 F 3
Vergt (24) 143 F 5
Vergt-de-Biron (24) 157 F 3
Le Verguier (02) 16 C 1
Véria (39) 123 F 2
Vérignon (83) 197 F 1
Vérigny (28) 49 H 4
Vérin (42) 149 G 1
Vérines (17) 113 F 4
Vérissey (71) 109 G 5
Verjon (01) 123 E 3
Verjux (71) 109 F 3
Verlans (70) 95 H 1
Verlhac-Tescou (82) 173 H 4
Verlin (89) 72 C 3
Verlincthun (62) 2 B 5
Verlinghem (59) 4 C 3
Verlus (32) 186 D 2
Vermand (02) 16 C 2
Vermandovillers (80) 16 A 2
Vermelles (62) 4 A 5
Vermenton (89) 91 F 1
Vermondans (25) 96 C 3
Le Vermont (88) 58 B 4
Vern-sur-Seiche (35) 65 F 2
Vernais (18) 105 H 4
Vernaison (69) 135 H 4
Vernajoul (09) 207 E 3
Vernancourt (51) 55 E 1
Vernantes (49) 85 H 4
Vernantois (39) 110 B 5
La Vernarède (30) 177 H 1
Vernas (38) 136 D 3
Vernassal (43) 148 A 4
Vernaux (09) 207 F 5
Vernay (69) 121 H 5
La Vernaz (74) 125 E 3
Verne (25) 95 F 3
Vernègues (13) 195 G 1
Verneiges (23) 118 C 4
Le Verneil (73) 138 B 5
Verneil-le-Chétif (72) 86 B 1
Verneix (03) 119 E 3
La Vernelle (36) 88 A 5
Le Vernet (03) 120 B 5
Le Vernet (04) 181 H 1
Le Vernet (09) 207 E 1
Vernet (31) 189 F 4
Le Vernet (43) 147 H 5
Vernet-la-Varenne (63) 147 G 1
Vernet-les-Bains (66) 212 B 3
Le Vernet-
Ste-Marguerite (63) 133 E 5
Verneugheol (63) 132 B 3
Verneuil (16) 129 F 3
Verneuil (18) 105 H 4
Verneuil (51) 33 F 4
Verneuil (58) 107 E 3
Verneuil-
en-Bourbonnais (03) 119 H 3
Verneuil-en-Halatte (60) 31 G 2
Verneuil-Grand (55) 19 H 5
Verneuil-le-Château (37) 102 B 2
Verneuil-l'Étang (77) 52 A 3
Verneuil-Moustiers (87) 116 C 3
Verneuil-Pit (55) 19 H 4
Verneuil-sous-Coucy (02) 16 D 5
Verneuil-sur-Avre (27) 49 F 2
Verneuil-sur-Igneraie (36) 104 D 5
Verneuil-sur-Indre (37) 103 F 2
Verneuil-sur-Seine (78) 30 D 5
Verneuil-sur-Serre (02) 17 F 4
Verneuil-sur-Vienne (87) 129 H 2
Verneusses (27) 28 C 5
Vernéville (57) 20 D 5
Les Verneys (73) 152 D 3
Vernie (72) 67 H 2
Vernierfontaine (25) 111 F 1
Vernines (63) 132 D 4
Verniolle (09) 207 E 2
Vernioz (38) 149 H 1
Vernix (50) 46 A 2
Vernoil (49) 85 H 4
Le Vernois (39) 110 B 4
Vernois-le-Fol (25) 96 D 3
Vernois-lès-Belvoir (25) 95 H 4
Vernois-lès-Vesvres (21) 93 G 1
Vernois-sur-Mance (70) 76 C 4
Vernols (15) 146 C 3
Vernon (07) 162 D 4
Vernon (27) 30 A 4
Vernon (86) 115 G 2
Vernonnet (27) 30 A 4
Vernonvilliers (10) 54 D 5
Vernosc-lès-Annonay (07) 149 G 3
Vernot (21) 93 F 3
La Vernotte (70) 94 C 2
Vernou-en-Sologne (41) 88 B 3
Vernou-la-Celle-sur-Seine (77) 52 A 5
Vernou-sur-Brenne (37) 87 E 3
Vernouillet (28) 49 H 2
Vernouillet (78) 30 D 5
Vernoux (01) 122 D 2
Vernoux-en-Gâtine (79) 100 D 5
Vernoux-en-Vivarais (07) 163 G 1
Vernoux-sur-Boutonne (79) 114 C 4
Le Vernoy (25) 95 H 2
Vernoy (89) 72 C 3
Vernusse (03) 119 G 4
Verny (57) 37 E 4
Vero (2A) 216 D 4
Véron (89) 72 D 2
Véronne (26) 164 D 2
Véronnes (21) 93 G 2
Verosvres (71) 121 H 2
Verpel (08) 35 E 1
La Verpillière (38) 136 C 4
Verpillières (80) 16 A 4
Verpillières-sur-Ource (10) 74 C 3
Verquières (13) 179 F 5
Verquigneul (62) 4 A 5
Verquin (62) 4 A 5
Verrens-Arvey (73) 138 C 4
La Verrerie (03) 134 B 1
La Verrerie (83) 201 G 3
Verreries-de-Moussans (34) 191 F 4
Verrey-sous-Drée (21) 92 D 4
Verrey-sous-Salmaise (21) 92 D 3
Verricourt (10) 54 B 4
Verrie (49) 85 G 5
La Verrie (85) 100 A 2
La Verrière (78) 50 D 2
Verrières (08) 19 E 5
Verrières (10) 74 A 1
Verrières (12) 176 B 2
Verrières (16) 127 H 5
Verrières (51) 35 E 4
Verrières (61) 48 D 5
Verrières (63) 133 E 5
Verrières (86) 115 H 2
Verrières-de-Joux (25) 111 G 3
Verrières-du-Grosbois (25) 95 F 5
Verrières-en-Forez (42) 134 C 5
Verrières-le-Buisson (91) 51 E 2
Verrines-sous-Celles (79) 114 C 4
Verron (72) 85 G 1
Verrue (86) 102 A 3
Verruyes (79) 114 C 1
Vers (46) 158 C 5
Vers (71) 122 B 1
Vers (74) 124 B 5
Vers-en-Montagne (39) 110 D 3
Vers-Pont-du-Gard (30) 178 D 4
Vers-sous-Sellières (39) 110 A 3
Vers-sur-Méouge (26) 180 B 1
Vers-sur-Selles (80) 15 F 2
Versailles P (78) 51 E 1
Versailleux (01) 136 C 1
Versainville (14) 27 G 5
La Versanne (42) 149 F 2
Versaugues (71) 121 F 3
Verseilles-le-Bas (52) 75 H 5
Verseilles-le-Haut (52) 75 H 5
Versigny (02) 17 E 4
Versigny (60) 31 H 3
Versols-et-Lapeyre (12) 176 A 5
Verson (14) 27 E 3
Versonnex (01) 124 B 3
Versonnex (74) 137 H 1
Le Versoud (38) 151 H 3
Vert (40) 169 H 3
Vert (78) 30 B 5
Le Vert (79) 114 B 5
Vert-Bois (17) 126 B 2
Vert-en-Drouais (28) 49 H 2
Vert-la-Gravelle (51) 53 G 1
Vert-le-Grand (91) 51 F 3
Vert-le-Petit (91) 51 F 4
Vert-St-Denis (77) 51 H 3
Vertain (59) 9 F 4
Vertaizon (63) 133 G 3
Vertamboz (39) 110 C 5
Vertault (21) 74 B 4
Verteillac (24) 142 D 2
Vertes-Feuilles (02) 32 C 2
Verteuil-d'Agenais (47) 156 D 5
Verteuil-sur-Charente (16) 128 C 1
Verthemex (73) 137 H 4
Vertheuil (33) 140 D 2
Verthier (74) 138 B 2
Vertilly (89) 52 D 5
Vertolaye (63) 134 A 4
Verton (62) 6 C 2
Vertou (44) 83 G 5
Vertrieu (38) 137 E 2
Vertus (51) 33 H 5
Vertuzey (55) 56 B 1
Vervant (16) 128 B 2
Vervant (17) 127 G 1
Vervezelle (88) 77 H 1
Vervins SP (02) 17 G 2
Véry (55) 35 F 2
Verzé (71) 122 B 3
Verzeille (11) 208 B 2
Verzenay (51) 33 H 3
Verzy (51) 34 A 3
Vesaignes-
sous-Lafauche (52) 75 H 1
Vesaignes-sur-Marne (52) 75 G 3
Vesancy (01) 124 B 2
Vesc (26) 164 D 4
Vescemont (90) 78 A 5
Vescheim (57) 38 C 5
Vescles (39) 123 G 3
Vescours (01) 122 C 2
Vescovato (2B) 215 G 5
Vesdun (18) 118 C 1
Vésigneul-sur-Marne (51) 54 B 1
Vésines (01) 122 B 3
Le Vésinet (78) 31 E 5
Vesles-et-Caumont (02) 17 G 4
Veslud (02) 17 G 5
Vesly (27) 30 B 2
Vesly (50) 24 D 2
Vesoul P (70) 95 E 1
La Vespière-Friardel (14) 28 C 4
Vesseaux (07) 163 E 3
Vessey (50) 45 G 3
Vestric-et-Candiac (30) 194 A 1
Vesvres (21) 92 C 4
Vesvres-sous-Chalancey (52) 93 G 1
Vétheuil (95) 30 B 4
Vétraz-Monthoux (74) 124 C 4
Vétrigne (90) 96 D 1
Veuil (36) 104 A 1
Veuilly-la-Poterie (02) 32 C 4
Veules-les-Roses (76) 13 E 2
Veulettes-sur-Mer (76) 12 D 2
Le Veurdre (03) 106 B 4
Veurey-Voroize (38) 151 G 2
La Veuve (51) 34 B 4
Veuves (41) 87 G 3
Veuvey-sur-Ouche (21) 92 D 5
Veuxhaulles-sur-Aube (21) 75 E 4
Vevy (39) 110 B 5
Vexaincourt (88) 58 B 3
Le Vey (14) 27 E 5
Veynes (05) 165 H 4
Veyrac (87) 129 H 2
Veyras (07) 163 F 2
Veyre-Monton (63) 133 F 4
Veyreau (12) 176 D 2
Veyrier-du-Lac (74) 138 B 2
Veyrières (15) 145 H 2
Veyrières (19) 145 H 1
Veyrignac (24) 158 A 1
Veyrines-de-Domme (24) 157 H 2
Veyrines-de-Vergt (24) 143 F 5
Veyrins (38) 137 F 4
Veyrins-Thuellin (38) 137 F 4
Les Veys (50) 25 F 1
Veyssilieu (38) 136 D 4
Veyziat (01) 123 G 3
Vez (60) 32 B 2
Vézac (15) 160 A 1
Vézac (24) 158 A 1
Vézannes (89) 73 G 4
Vézaponin (02) 16 D 5
Vèze (15) 146 D 3
La Vèze (25) 95 E 5
Vézelay (89) 91 F 3
Vézelise (54) 56 D 4
Vézelois (90) 96 D 1
Vezels-Roussy (15) 160 B 2
Vézénobres (30) 178 A 3
Vézeronce-Curtin (38) 137 F 4
Vezet (70) 94 C 2
Vézézoux (43) 147 F 1
Le Vézier (51) 53 E 1
Vézières (86) 101 H 1
Vézillon (27) 29 H 3
Vézilly (02) 33 F 3
Vezin-le-Coquet (35) 65 E 2
Vézinnes (89) 73 H 4
Vezins (49) 100 C 1
Vezins (50) 46 A 3
Vézins-de-Lévézou (12) 176 A 1
Vezot (72) 48 B 5
Vezzani (2B) 217 F 3
Via (66) 211 H 4
Viabon (28) 70 B 1
Viala-du-Pas-de-Jaux (12) 176 B 4
Viala-du-Tarn (12) 176 A 3
Vialas (48) 177 H 1
La Vialatte (19) 145 H 1
Vialer (64) 186 D 3
Viam (19) 131 E 5
Viane (81) 191 F 1
Vianges (21) 108 B 1
Vianne (47) 171 H 2
Viâpres-le-Grand (10) 53 H 3
Viâpres-le-Petit (10) 53 H 3
Viarmes (95) 31 F 3
Vias (34) 192 C 5
Viazac (46) 159 F 3
Le Vibal (12) 175 H 1
Vibersviller (57) 38 A 5
Vibeuf (76) 13 F 3
Vibrac (16) 128 A 4
Vibrac (17) 141 G 2
Vibraye (72) 68 D 3
Vic (30) 178 C 4
Vic-de-Chassenay (21) 92 B 3
Vic-des-Prés (21) 108 D 1
Vic-en-Bigorre (65) 187 E 4
Vic-Fezensac (32) 187 G 1
Vic-la-Gardiole (34) 193 F 3
Vic-le-Comte (63) 133 F 4
Vic-le-Fesq (30) 178 A 5
Vic-sous-Thil (21) 92 B 4
Vic-sur-Aisne (02) 32 B 1
Vic-sur-Cère (15) 146 B 5
Vic-sur-Seille (57) 57 G 1
Vicdessos (09) 206 D 5
Le Vicel (50) 23 E 3
Vichel (63) 147 F 1
Vichel-Nanteuil (02) 32 C 3
Vichères (28) 69 E 1
Vicherey (88) 56 C 5
Vichy SP (03) 120 B 5
Vico (2A) 216 C 3
La Vicogne (80) 7 G 5
La Vicomté-sur-Rance (22) 44 D 3
Vicq (03) 119 H 5
Vicq (52) 76 A 4
Vicq (59) 5 F 5
Vicq (78) 50 C 1
Vicq-d'Auribat (40) 169 F 5
Vicq-Exemplet (36) 118 B 1
Vicq-sur-Breuilh (87) 130 B 4
Vicq-sur-Gartempe (86) 103 E 5
Vicq-sur-Nahon (36) 104 A 1
Vicques (14) 27 H 5
Victot-Pontfol (14) 27 H 3
Vidai (61) 48 B 4
Vidaillac (46) 174 B 1
Vidaillat (23) 131 E 1
Vidauban (83) 197 G 3
Videcosville (50) 23 E 3
Videix (87) 129 F 3
Videlles (91) 51 F 4
Vidou (65) 187 G 5
Vidouville (50) 25 G 3
Vidouze (65) 187 E 4
Viefvillers (60) 15 E 4
Le Vieil-Baugé (49) 85 G 2
Le Vieil-Dampierre (51) 35 E 4
Le Vieil-Évreux (27) 29 G 4
Vieil-Hesdin (62) 7 F 2
Vieil-Moutier (62) 2 C 5
Vieille-Brioude (43) 147 G 3
Vieille-Chapelle (62) 3 H 5
Vieille-Église (62) 2 D 2
Vieille-Église-
en-Yvelines (78) 50 C 2
La Vieille-Loye (39) 110 B 1
La Vieille-Lyre (27) 29 E 5
Vieilles-Maisons-
sur-Joudry (45) 71 G 4
Vieillespesse (15) 147 E 4
Vieillevie (15) 160 A 3
Vieillevigne (31) 189 H 4
Vieillevigne (44) 99 G 2
Vieilleville (23) 117 G 5
Vieilley (25) 95 E 4
Vieilmoulin (21) 92 D 4
Viel-Arcy (02) 33 E 1
Viel-St-Remy (08) 18 C 4
Viella (32) 186 D 2
Viella (65) 204 B 4
Vielle (30) 178 A 5
Vielle (40) 168 C 4
Vielle-Adour (65) 204 C 1
Vielle-Aure (65) 205 E 4
Vielle-Louron (65) 205 E 4
Vielle-Soubiran (40) 171 E 3
Vielle-St-Girons (40) 168 C 4
Vielle-Toulouse (31) 189 F 3
Vielle-Tursan (40) 186 B 1
Viellenave-d'Arthez (64) 186 B 4
Viellenave-
de-Navarrenx (64) 185 H 4
Viellenave-sur-Bidouze (64) 185 F 4
Vielleségure (64) 185 H 4
Vielmanay (58) 90 C 5
Vielmur-sur-Agout (81) 190 B 2
Vielprat (43) 162 B 1
Viels-Maisons (02) 32 D 5
Vielverge (21) 94 A 5
Vielvic (48) 162 B 5
Viennay (79) 101 F 5
Vienne SP (38) 136 B 5
Vienne-en-Arthies (95) 30 B 4
Vienne-en-Bessin (14) 27 E 2
Vienne-en-Val (45) 71 E 5
Vienne-la-Ville (51) 35 E 3
Vienne-le-Château (51) 35 E 3
Viens (84) 180 B 4
Vienville (88) 78 A 1
Vier-Bordes (65) 204 B 2
Viersat (23) 118 C 4
Vierville (28) 50 C 5
Vierville (50) 23 E 5
Vierville-sur-Mer (14) 23 G 5
Vierzon SP (18) 88 D 5
Vierzon-Forges (18) 88 D 5
Vierzy (02) 32 C 2
Viesly (59) 9 E 4
Viessoix (14) 46 C 1
Viéthorey (25) 95 G 3
Vieu (01) 137 G 2
Vieu-d'Izenave (01) 123 G 5
Vieugy (74) 138 A 2
Vieure (03) 119 F 2
Vieussan (34) 191 H 3
Vieuvicq (28) 69 G 1
Vieuvy (53) 46 C 4
Vieux (14) 27 F 3
Vieux (81) 174 B 4
Vieux-Berquin (59) 3 G 4
Vieux-Boucau-les-Bains (40) 168 C 5
Vieux-Bourg (14) 28 B 2
Le Vieux-Bourg (22) 43 F 5
Le Vieux-Cérier (16) 128 D 1
Vieux-Champagne (77) 52 C 3
Vieux-Charmont (25) 96 C 2
Vieux-Château (21) 92 A 3
Vieux-Condé (59) 5 F 5
Vieux-Ferrette (68) 97 F 2
Vieux-Fumé (14) 27 G 4
Vieux-lès-Asfeld (08) 18 A 5
Vieux-Lixheim (57) 58 B 1
Vieux-Maisons (77) 52 D 2
Vieux-Manoir (76) 13 H 4
Le Vieux-Marché (22) 42 D 3
Vieux-Mareuil (24) 142 D 1
Vieux-Mesnil (59) 9 H 3
Vieux-Moulin (60) 32 A 1
Vieux-Moulin (88) 58 B 4
Vieux-Moulins (52) 75 G 4
Vieux-Passage (56) 80 D 2
Vieux-Pont (61) 47 G 2
Vieux-Pont-en-Auge (14) 27 H 4
Vieux-Port (27) 28 D 1
Vieux-Reng (59) 10 A 1
Vieux-Rouen-sur-Bresle (76) 14 C 2
La Vieux-Rue (76) 13 H 5
Vieux-Ruffec (16) 128 D 1
Vieux-Thann (68) 78 C 4
Vieux-Viel (35) 45 G 3
Vieux-Villez (27) 29 H 3
Vieux-Vy-sur-Couesnon (35) 45 G 5
Vieuzos (65) 187 H 5
Viévigne (21) 93 G 3
Viéville (52) 75 G 1
Viéville-en-Haye (54) 36 C 5
Viéville-sous-les-Côtes (55) 36 B 4
Vievola (06) 183 H 2
Viévy (21) 108 C 2
Vievy-le-Rayé (41) 69 H 5
Viey (65) 204 C 4
Vif (38) 151 G 4
Viffort (02) 32 D 5
Le Vigan SP (30) 177 F 4
Le Vigan (46) 158 B 2
Le Vigean (15) 145 H 3
Le Vigeant (86) 115 H 4
Le Vigen (87) 130 A 3
Vigeois (19) 144 C 2
Viger (65) 204 B 2
Vigeville (23) 118 A 5
Viggianello (2A) 218 D 3
Viglain (45) 89 F 1
Vignacourt (80) 15 F 1
Vignale (2B) 215 G 5
Vignats (14) 47 G 1
Le Vignau (40) 186 C 1
Vignaux (31) 188 D 2
Les Vigneaux (05) 167 E 1
Vignec (65) 204 D 4
Vignely (77) 32 A 5
Vignemont (60) 16 A 5
Les Vignères (84) 179 G 5
Les Vignes (03) 119 G 1
Les Vignes (48) 176 C 1
Vignes (64) 186 B 3
Vignes (89) 92 A 2
Vignes-la-Côte (52) 75 H 1
Vigneul-sous-Montmédy (55) 19 H 5
Vigneulles (54) 57 F 3
Vigneulles-
lès-Hattonchâtel (55) 36 B 4
Vigneux-de-Bretagne (44) 83 E 4
Vigneux-Hocquet (02) 17 H 3
Vigneux-sur-Seine (91) 51 F 2
Vignevieille (11) 208 C 3
Vignieu (38) 137 E 4
Vignoc (35) 65 E 1
Vignol (58) 91 F 4
Vignoles (21) 109 E 2
Vignolles (16) 128 A 5
Vignols (19) 144 B 2
Vignonet (33) 155 H 1
Vignory (52) 75 F 1
Vignot (55) 56 A 1
Vignoux-sous-les-Aix (18) 105 G 1
Vignoux-sur-Barangeon (18) 89 E 5
Vigny (28) 49 H 3
Vigny (57) 37 E 4
Vigny (95) 30 C 4
Vigoulant (36) 118 A 2
Vigoulet-Auzil (31) 189 F 3
Vigoux (36) 117 F 2
Vigueron (82) 173 E 5
Vigy (57) 21 F 5
Vihiers (49) 100 D 1
Vijon (36) 118 A 2
Vilcey-sur-Trey (54) 36 C 5
Vildé-Guingalan (22) 44 C 4
Le Vilhain (03) 119 F 1
Vilhonneur (16) 128 D 4
Vilhosc (04) 181 E 2
Villa-Algérienne (33) 154 A 2
Villabé (91) 51 G 3
Villabon (18) 105 H 1
Villac (24) 144 A 3
Villacerf (10) 53 H 5
Villacourt (54) 57 F 4
Villadin (10) 73 F 1
Villafans (70) 95 G 1
Village-Neuf (68) 97 H 1
Villaines-en-Duesmois (21) 92 C 1
Villaines-la-Carelle (72) 48 B 5
Villaines-la-Gonais (72) 68 C 2
Villaines-la-Juhel (53) 47 F 5
Villaines-les-Prévôtes (21) 92 B 2
Villaines-les-Rochers (37) 86 C 5
Villaines-sous-Bois (95) 31 F 4
Villaines-sous-Lucé (72) 68 C 4
Villaines-sous-Malicorne (72) 67 G 5
Villainville (76) 12 B 4
Villalbe (11) 208 B 1
Villalet (27) 29 F 5
Villalier (11) 191 E 5
Villamblain (45) 70 A 3
Villamblard (24) 143 E 5
Villamée (35) 46 A 4
Villampuy (28) 70 A 3
Villandraut (33) 155 G 4
Villandry (37) 86 C 4
Villanière (11) 190 D 5
Villanova (2A) 216 B 5
Villapourçon (58) 107 H 3
Villar-d'Arêne (05) 152 C 4
Villar-en-Val (11) 208 C 2
Villar-Loubière (05) 166 B 1
Villar-St-Anselme (11) 208 A 2
Villar-St-Pancrace (05) 153 E 5
Villard (23) 117 G 3
Le Villard (48) 161 F 5
Villard (74) 124 D 4
Villard-Bonnot (38) 151 H 2
Villard-de-Lans (38) 151 F 4
Villard-d'Héry (73) 138 B 5
Villard-Léger (73) 138 B 5
Villard-Notre-Dame (38) 152 A 4
Villard-Reculas (38) 152 A 4
Villard-Reymond (38) 152 A 4
Villard-Sallet (73) 138 B 5
Villard-St-Christophe (38) 151 H 5
Villard-St-Sauveur (39) 124 A 2
Villard-sur-Bienne (39) 124 A 1
Villard-sur-Doron (73) 138 D 3
Villardebelle (11) 208 B 3
Villardonnel (11) 190 D 5
Villards-d'Héria (39) 123 H 2
Les Villards-sur-Thônes (74) 138 C 1
Villarembert (73) 152 C 2
Villargent (70) 95 G 2
Villargoix (21) 92 B 5
Villargondran (73) 152 C 2
Villariès (31) 189 G 1
Villarlurin (73) 138 D 5
Villarodin-Bourget (73) 153 E 2
Villaroger (73) 139 F 4
Villaroux (73) 138 A 5
Villars (16) 128 C 5
Villars (24) 143 F 1
Villars (28) 70 A 1
Villars (42) 149 E 1
Le Villars (71) 122 C 1
Villars (84) 180 A 4
Villars-Colmars (04) 182 A 2
Villars-en-Azois (52) 74 D 3
Villars-en-Pons (17) 127 E 4
Villars-et-Villenotte (21) 92 B 3
Villars-Fontaine (21) 109 E 1
Villars-le-Pautel (70) 76 C 4
Villars-le-Sec (90) 96 D 2
Villars-lès-Blamont (25) 96 D 3
Villars-les-Bois (17) 127 G 3
Villars-les-Dombes (01) 136 C 1
Villars-Santenoge (52) 75 F 5
Villars-sous-Dampjoux (25) 96 C 3
Villars-sous-Écot (25) 95 H 3
Villars-St-Georges (25) 110 C 1
Villars-St-Marcellin (52) 76 C 4
Villars-sur-Var (06) 183 E 3
Villarzel-Cabardès (11) 191 E 5
Villarzel-du-Razès (11) 208 A 1
Villasavary (11) 207 H 1
Villate (31) 189 F 4
Villaudric (31) 173 H 5
Villautou (11) 207 F 1
Villavard (41) 69 E 5
Villaz (74) 138 B 1
Ville (60) 16 B 5
Villé (67) 58 C 4
La Ville (69) 121 G 5
Ville-au-Montois (54) 20 B 3
Ville-au-Val (54) 36 D 5
La Ville-aux-Bois (10) 54 D 5
La Ville-
aux-Bois-lès-Dizy (02) 17 H 4
La Ville-aux-Bois-
lès-Pontavert (02) 33 G 1
La Ville-aux-Clercs (41) 69 F 4
La Ville-aux-Dames (37) 86 D 4
La Ville-aux-Nonains (28) 49 F 3
La Ville Blanche (22) 42 D 2
Ville-d'Avray (92) 51 E 1
Ville-devant-Belrain (55) 35 H 5
Ville-devant-Chaumont (55) 35 H 2
Ville-di-Paraso (2B) 214 D 5
Ville-di-Pietrabugno (2B) 215 G 3
La Ville-Dieu-du-Temple (82) 173 F 3
Ville-Dommange (51) 33 G 3
La Ville-du-Bois (91) 51 E 3

Localité (Département) Page Coordonnées

Ville-du-Pont (25) 111 G 2
Ville-en-Blaisois (52) 55 E 4
Ville-en-Sallaz (74) 124 D 4
Ville-en-Selve (51) 33 H 3
Ville-en-Tardenois (51) 33 F 3
Ville-en-Vermois (54) 57 E 2
Ville-en-Woëvre (55) 36 A 3
La Ville-ès-Nonais (35) 44 D 3
Ville-Houdlémont (54) 20 B 2
Ville-Issey (55) 56 A 1
Ville-la-Grand (74) 124 C 4
Ville-Langy (58) 107 E 3
Ville-le-Marclet (80) 7 E 5
Ville-Savoye (02) 33 F 2
Ville-sous-Anjou (38) 149 H 1
Ville-sous-la-Ferté (10) 75 E 2
La Ville-sous-Orbais (51) 33 F 5
Ville-St-Jacques (77) 52 A 5
Ville-sur-Ancre (80) 15 H 1
Ville-sur-Arce (10) 74 B 2
Ville-sur-Cousances (55) 35 G 4
Ville-sur-Illon (88) 77 E 1
Ville-sur-Jarnioux (69) 135 G 1
Ville-sur-Lumes (08) 19 E 3
Ville-sur-Retourne (08) 34 B 1
Ville-sur-Saulx (55) 55 F 2
Ville-sur-Terre (10) 54 D 5
Ville-sur-Tourbe (51) 34 D 3
Ville-sur-Yron (54) 36 C 3
Villeau (28) 70 A 1
Villebadin (61) 48 A 1
Villebarou (41) 87 H 2
Villebaudon (50) 25 F 4
Villebazy (11) 208 B 2
Villebéon (77) 72 A 2
Villebernier (49) 85 G 5
Villeberny (21) 92 D 3
Villebichot (21) 109 F 1
Villeblevin (89) 72 B 1
Villebois (01) 137 E 2
Villebois-Lavalette (16) 142 C 1
Villebois-les-Pins (26) 180 C 1
Villebon (28) 49 G 5
Villebon-sur-Yvette (91) 51 E 2
Villebougis (89) 72 C 2
Villebourg (37) 86 C 1
Villebout (41) 69 G 3
Villebramar (47) 156 D 4
Villebret (03) 119 E 4
Villebrumier (82) 173 H 5
Villecelin (18) 105 E 4
Villecerf (77) 52 A 5
Villecey-sur-Mad (54) 36 C 4
Villechantria (39) 123 F 2
Villechaud (58) 90 A 4
Villechauve (41) 87 E 1
Villechenève (69) 135 F 3
Villechétif (10) 74 A 1
Villechétive (89) 73 E 3
Villechien (50) 46 B 3
Villecien (89) 72 D 3
Villécloye (55) 19 H 5
Villecomtal (12) 160 A 4
Villecomtal-sur-Arros (32) 187 F 4
Villecomte (21) 93 F 2
Villeconin (91) 51 E 4
Villecourt (80) 16 B 2
Villecresnes (94) 51 G 2
Villecroze (83) 197 F 2
Villedaigne (11) 209 E 1
Villedieu (15) 147 E 5
La Villedieu (17) 114 B 5
Villedieu (21) 74 B 4
La Villedieu (23) 131 E 3
Les Villedieu (25) 111 F 4
La Villedieu (48) 161 H 2
Villedieu (84) 179 G 1
La Villedieu-du-Clain (86) 115 G 2
La Villedieu-en-Fontenette (70) 77 E 5
Villedieu-la-Blouère (49) 100 A 1
Villedieu-le-Château (41) 86 D 1
Villedieu-lès-Bailleul (61) 47 H 1
Villedieu-les-Poêles-Rouffigny (50) 25 E 5
La Villedieu-lès-Quenoche (70) 95 E 3
Villedieu-sur-Indre (36) 104 A 4
Villedômain (37) 103 G 2
Villedômer (37) 87 E 2
Villedoux (17) 113 F 4
Villedubert (11) 208 B 1
Villefagnan (16) 128 B 1
Villefargeau (89) 73 E 5
Villefavard (87) 116 D 5
Villeferry (21) 92 C 3
Villefloure (11) 208 B 2
Villefollet (79) 114 C 5
Villefontaine (38) 136 D 4
Villefort (11) 207 H 3
Villefort (48) 162 B 5
Villefranche (32) 188 B 4
Villefranche-d'Albigeois (81) 175 E 5
Villefranche-d'Allier (03) 119 F 3
Villefranche-de-Conflent (66) 212 B 3
Villefranche-de-Lauragais (31) 189 H 4
Villefranche-de-Lonchat (24) 142 B 5
Villefranche-de-Panat (12) 175 H 3
Villefranche-de-Rouergue SP (12) 174 D 1
Villefranche-du-Périgord (24) 157 H 3
Villefranche-du-Queyran (47) 171 H 1
Villefranche-le-Château (26) 180 B 1
Villefranche-St-Phal (89) 72 C 4
Villefranche-sur-Cher (41) 88 B 5
Villefranche-sur-Mer (06) 183 F 5
Villefranche-sur-Saône SP (69) 135 H 1
Villefrancœur (41) 87 G 1
Villefrancon (70) 94 C 3
Villefranque (64) 184 C 3
Villefranque (65) 187 E 3
Villegagnon (77) 52 C 2
Villegailhenc (11) 190 D 5
Villegardin (89) 72 B 2
Villegats (16) 128 C 1
Villegats (27) 30 A 4
Villegaudin (71) 109 G 4
Villegenon (18) 89 H 3
Villegly (11) 191 E 5
Villegongis (36) 104 A 3
Villegouge (33) 141 G 5
Villegouin (36) 103 H 3
Villegruis (77) 53 E 3
Villegusien (52) 75 H 5
Villehardouin (10) 54 B 5
Villeherviers (41) 88 C 4
Villejésus (16) 128 B 2
Villejoubert (16) 128 B 3
Villejuif (94) 51 F 1
Villejust (91) 51 E 2
Villelaure (84) 195 H 1
Villeloin-Coulangé (37) 103 G 1
Villelongue (65) 204 B 3
Villelongue-d'Aude (11) 207 H 2
Villelongue-de-la-Salanque (66) 209 F 5
Villelongue-dels-Monts (66) 213 F 4
Villelouet (41) 87 H 3
Villeloup (10) 53 G 5
Villemade (82) 173 G 3
Villemagne (11) 190 C 5
Villemagne-l'Argentière (34) 192 A 2
Villemain (79) 128 A 1
Villemandeur (45) 71 H 3
Villemanoche (89) 72 C 1
Villemardy (41) 87 G 1
Villemaréchal (77) 72 A 1
Villemareuil (77) 32 B 5
Villematier (31) 173 H 5
Villemaur-sur-Vanne (10) 73 F 1
Villembits (65) 187 G 5
Villembray (60) 14 D 5
Villemer (77) 72 A 1
Villemer (89) 73 E 4
Villemereuil (10) 73 H 2
Villemervry (52) 93 F 1
Villemétrie (60) 31 G 3
Villemeux-sur-Eure (28) 50 A 2
Villemoirieu (38) 136 D 3
Villemoiron-en-Othe (10) 73 G 2
Villemoisan (49) 84 B 3
Villemoisson-sur-Orge (91) 51 F 3
Villemolaque (66) 213 E 3
Villemomble (93) 51 G 1
Villemontais (42) 134 C 1
Villemontoire (02) 32 D 2
Villemorien (10) 74 B 3
Villemorin (17) 127 H 1
Villemoron (52) 93 G 1
Villemort (86) 116 B 1
Villemotier (01) 123 E 3
Villemoustaussou (11) 190 D 5
Villemoutiers (45) 71 G 3
Villemoyenne (10) 74 A 2
Villemur (65) 187 H 5
Villemur-sur-Tarn (31) 173 H 5
Villemurlin (45) 89 F 1
Villemus (04) 180 C 5
Villenauxe-la-Grande (10) 53 E 3
Villenauxe-la-Petite (77) 52 D 5
Villenave (40) 169 G 4
Villenave-de-Rions (33) 155 G 2
Villenave-d'Ornon (33) 155 F 2
Villenave-près-Béarn (65) 186 D 4
Villenave-près-Marsac (65) 187 E 5
Villenavotte (89) 72 C 1
Villeneuve (01) 135 H 1
Villeneuve (04) 180 D 4
Villeneuve (09) 206 A 3
Villeneuve (12) 159 F 5
Villeneuve (13) 194 C 2
La Villeneuve (23) 131 H 2
Villeneuve (33) 141 E 4
Villeneuve (48) 162 A 3
Villeneuve (63) 147 E 1
La Villeneuve (71) 109 G 2
La Villeneuve-au-Châtelot (10) 53 E 3
Villeneuve-au-Chemin (10) 73 G 3
La Villeneuve-au-Chêne (10) 74 B 1
La Villeneuve-Bellenoye-et-la-Maize (70) 77 E 5
Villeneuve-d'Allier (43) 147 G 3
Villeneuve-d'Amont (25) 110 D 2
Villeneuve d'Ascq (59) 4 C 4
Villeneuve-d'Aval (39) 110 C 2
Villeneuve-de-Berg (07) 163 F 4
Villeneuve-de-Duras (47) 156 C 2
Villeneuve-de-la-Raho (66) 213 F 3
Villeneuve-de-Marc (38) 136 C 5
Villeneuve-de-Marsan (40) 170 D 4
Villeneuve-de-Mézin (47) 171 H 4
Villeneuve-de-Rivière (31) 205 G 2
Villeneuve-d'Entraunes (06) 182 C 2
Villeneuve-d'Olmes (09) 207 F 4
Villeneuve-du-Bosc (09) 207 E 3
Villeneuve-du-Latou (09) 206 D 1
Villeneuve-du-Paréage (09) 207 E 1
La Villeneuve-en-Chevrie (78) 30 A 4
Villeneuve-en-Montagne (71) 108 D 4
Villeneuve-Frouville (41) 69 H 5
Villeneuve-la-Comptal (11) 190 A 5
Villeneuve-la-Comtesse (17) 114 A 5
Villeneuve-la-Dondagre (89) 72 C 2
Villeneuve-la-Garenne (92) 31 F 5
Villeneuve-la-Guyard (89) 52 B 5
Villeneuve-la-Lionne (51) 52 D 2
Villeneuve-la-Rivière (66) 209 E 5
Villeneuve-la-Salle (05) 153 E 5
Villeneuve-l'Archevêque (89) 73 E 1
Villeneuve-le-Comte (77) 52 A 1
Villeneuve-le-Roi (94) 51 F 2
Villeneuve-Lécussan (31) 205 F 1
Villeneuve-lès-Avignon (30) 179 E 4
Villeneuve-lès-B. (31) 189 F 1
Villeneuve-lès-Béziers (34) 192 B 5
Villeneuve-les-Bordes (77) 52 B 4
Villeneuve-les-Cerfs (63) 133 G 1
La Villeneuve-lès-Charleville (51) 53 F 1
Villeneuve-lès-Charnod (39) 123 F 3
La Villeneuve-les-Convers (21) 92 C 2
Villeneuve-les-Corbières (11) 209 E 3
Villeneuve-les-Genêts (89) 90 B 1
Villeneuve-lès-Lavaur (81) 189 H 2
Villeneuve-lès-Maguelone (34) 193 F 3
Villeneuve-lès-Montréal (11) 207 H 1
Villeneuve-les-Sablons (60) 30 D 4
Villeneuve-Loubet (06) 199 F 1
Villeneuve-Loubet-Plage (06) 199 F 1
Villeneuve-Minervois (11) 191 E 5
Villeneuve-Renneville-Chevigny (51) 33 H 5
Villeneuve-sous-Charigny (21) 92 B 3
Villeneuve-sous-Dammartin (77) 31 H 4
Villeneuve-sous-Pymont (39) 110 B 5
La Villeneuve-sous-Thury (60) 32 B 3
Villeneuve-St-Denis (77) 52 A 1
Villeneuve-St-Georges (94) 51 G 2
Villeneuve-St-Germain (02) 32 C 1
Villeneuve-St-Nicolas (28) 70 A 1
Villeneuve-St-Salves (89) 73 F 5
Villeneuve-St-Vistre-et-Villevotte (51) 53 F 3
Villeneuve-sur-Allier (03) 106 C 5
Villeneuve-sur-Auvers (91) 51 E 4
Villeneuve-sur-Bellot (77) 52 D 1
Villeneuve-sur-Cher (18) 105 E 2
Villeneuve-sur-Conie (45) 70 B 3
Villeneuve-sur-Fère (02) 33 E 3
Villeneuve-sur-Lot SP (47) 157 F 5
Villeneuve-sur-Tarn (81) 175 F 4
Villeneuve-sur-Verberie (60) 31 H 2
Villeneuve-sur-Vère (81) 174 C 4
La Villeneuve-sur-Vingeanne (21) 94 A 2
Villeneuve-sur-Yonne (89) 72 D 3
Villeneuve-Tolosane (31) 189 F 3
Villeneuvette (34) 192 C 2
Villennes-sur-Seine (78) 30 D 5
Villenouvelle (17) 114 A 5
Villenouvelle (31) 189 H 4
Villenoy (77) 32 A 5
Villentrois (36) 88 A 5
Villeny (41) 88 B 2
Villepail (53) 47 F 5
Villeparisis (77) 31 H 5
Villeparois (70) 95 E 1
Villeperdrix (26) 165 E 5
Villeperdue (37) 86 C 5
Villeperrot (89) 72 C 1
Villepinte (11) 190 B 5
Villepinte (93) 31 G 5
Villeplane (06) 182 C 2
Villeporcher (41) 87 F 2
Villepot (44) 65 H 5
Villepreux (78) 50 D 1
Villequier (76) 13 E 5
Villequier-Aumont (02) 16 C 4
Villequiers (18) 106 A 2
Viller (57) 37 G 4
Villerable (41) 69 F 5
Villeray (61) 49 E 5
Villerbon (41) 87 H 1
Villeréal (47) 157 F 3
Villereau (45) 70 D 3
Villereau (59) 9 G 3
Villerest (42) 134 C 1
Villeret (02) 16 C 1
Villeret (10) 54 C 4
Villereversure (01) 123 F 4
Villermain (41) 70 A 5
Villeromain (41) 87 G 1
Villeron (95) 31 G 4
Villerouge-la-Crémade (11) 208 D 2
Villerouge-Termenès (11) 208 D 3
Villeroy (77) 31 H 5
Villeroy (80) 14 C 1
Villeroy (89) 72 C 2
Villeroy-sur-Méholle (55) 56 A 3
Villers (42) 121 G 5
Villers (88) 57 E 5
Villers-Agron-Aiguizy (02) 33 F 3
Villers-Allerand (51) 33 H 3
Villers-au-Bois (62) 8 A 2
Villers-au-Flos (62) 8 B 5
Villers-au-Tertre (59) 8 D 3
Villers-aux-Bois (51) 33 G 5
Villers-aux-Érables (80) 15 H 3
Villers-aux-Nœuds (51) 33 H 3
Villers-aux-Vents (55) 55 F 1
Villers-Bocage (14) 26 D 3
Villers-Bocage (80) 15 F 1
Villers-Bouton (70) 94 D 3
Villers-Bretonneux (80) 15 G 2
Villers-Brûlin (62) 7 H 2
Villers-Buzon (25) 94 C 5
Villers-Campsart (80) 14 C 2
Villers-Canivet (14) 27 G 5
Villers-Carbonnel (80) 16 B 2
Villers-Cernay (08) 19 F 3
Villers-Châtel (62) 7 H 2
Villers-Chemin-et-Mont-lès-Étrelles (70) 94 C 3
Villers-Chief (25) 95 G 5
Villers-Cotterêts (02) 32 B 2
Villers-devant-Dun (55) 35 F 1
Villers-devant-le-Thour (08) 18 A 5
Villers-devant-Mouzon (08) 19 F 4
Villers-Écalles (76) 13 F 5
Villers-en-Argonne (51) 35 E 4
Villers-en-Arthies (95) 30 B 4
Villers-en-Cauchies (59) 9 E 4
Villers-en-Haye (54) 56 D 1
Villers-en-Ouche (61) 48 C 1
Villers-en-Prayères (02) 33 F 1
Villers-en-Vexin (27) 30 A 2
Villers-Farlay (39) 110 C 2
Villers-Faucon (80) 16 C 1
Villers-Franqueux (51) 33 G 2
Villers-Grélot (25) 95 E 4
Villers-Guislain (59) 8 D 5
Villers-Hélon (02) 32 C 2
Villers-la-Chèvre (54) 20 B 2
Villers-la-Combe (25) 95 G 5
Villers-la-Faye (21) 109 E 1
Villers-la-Montagne (54) 20 C 2
Villers-la-Ville (70) 95 G 2
Villers-le-Château (51) 34 A 5
Villers-le-Lac (25) 111 H 1
Villers-le-Rond (54) 20 A 3
Villers-le-Sec (02) 17 E 3
Villers-le-Sec (51) 55 E 1
Villers-le-Sec (55) 55 G 3
Villers-le-Sec (70) 95 E 1
Villers-le-Tilleul (08) 18 D 4
Villers-le-Tourneur (08) 18 C 4
Villers-les-Bois (39) 110 B 3
Villers-lès-Cagnicourt (62) 8 C 4
Villers-lès-Guise (02) 17 F 1
Villers-lès-Luxeuil (70) 77 F 5
Villers-lès-Mangiennes (55) 20 A 3
Villers-lès-Moivrons (54) 57 E 1
Villers-lès-Nancy (54) 56 D 2
Villers-les-Ormes (36) 104 B 3
Villers-les-Pots (21) 93 H 5
Villers-lès-Roye (80) 16 A 3
Villers-l'Hôpital (62) 7 F 4
Villers-Marmery (51) 34 A 3
Villers-Outréaux (59) 8 D 5
Villers-Pater (70) 95 E 3
Villers-Patras (21) 74 C 4
Villers-Plouich (59) 8 C 5
Villers-Pol (59) 9 F 3
Villers-Robert (39) 110 A 2
Villers-Rotin (21) 110 A 1
Villers-Semeuse (08) 18 D 3
Villers-Sir-Simon (62) 7 H 3
Villers-Sire-Nicole (59) 9 H 3
Villers-sous-Ailly (80) 7 E 5
Villers-sous-Chalamont (25) 111 E 3
Villers-sous-Châtillon (51) 33 F 4
Villers-sous-Foucarmont (76) 14 B 2
Villers-sous-Montrond (25) 95 E 5
Villers-sous-Pareid (55) 36 B 3
Villers-sous-Prény (54) 36 C 5
Villers-sous-St-Leu (60) 31 F 3
Villers-St-Barthélemy (60) 30 D 1
Villers-St-Christophe (02) 16 C 3
Villers-St-Frambourg (60) 31 H 2
Villers-St-Genest (60) 32 A 3
Villers-St-Martin (25) 95 G 4
Villers-St-Paul (60) 31 G 2
Villers-St-Sépulcre (60) 31 E 1
Villers-Stoncourt (57) 37 F 3
Villers-sur-Auchy (60) 14 C 5
Villers-sur-Authie (80) 6 C 3
Villers-sur-Bar (08) 19 E 3
Villers-sur-Bonnières (60) 14 D 5
Villers-sur-Coudun (60) 16 A 5
Villers-sur-Fère (02) 33 E 3
Villers-sur-le-Mont (08) 18 D 3
Villers-sur-le-Roule (27) 29 H 3
Villers-sur-Mer (14) 27 H 1
Villers-sur-Meuse (55) 35 H 4
Villers-sur-Nied (57) 37 G 5
Villers-sur-Port (70) 76 D 5
Villers-sur-Saulnot (70) 95 H 2
Villers-sur-Trie (60) 30 C 2
Villers-Tournelle (80) 15 G 4
Villers-Vaudey (70) 94 C 1
Villers-Vermont (60) 14 C 4
Villers-Vicomte (60) 15 F 4
Villerserine (39) 110 B 3
Villersexel (70) 95 G 2
Villerupt (54) 20 C 2
Villerville (14) 28 A 1
Villery (10) 73 H 2
Villes (01) 123 H 5
Villes-sur-Auzon (84) 179 H 3
Villeselve (60) 16 C 3
Villeseneux (51) 54 A 1
Villesèque (46) 158 A 5
Villesèque-des-Corbières (11) 209 E 3
Villesèquelande (11) 208 A 1
Villesiscle (11) 207 H 1
Villespassans (34) 191 H 4
Villespy (11) 190 C 5
Villetaneuse (93) 31 F 5
La Villetelle (23) 131 H 2
Villetelle (34) 193 H 1
Villethierry (89) 72 B 1
Villeton (47) 156 C 5
Villetoureix (24) 142 D 2
Villetritouls (11) 208 C 2
Villetrun (41) 69 G 5
La Villette (14) 27 E 5
Villette (54) 20 A 2
Villette (73) 139 E 4
Villette (78) 30 B 5
Villette-d'Anthon (38) 136 C 3
Villette-de-Vienne (38) 136 B 5
Villette-lès-Arbois (39) 110 C 3
Villette-lès-Dole (39) 110 A 1
Villette-sur-Ain (01) 136 D 1
Villette-sur-Aube (10) 53 H 4
Villettes (27) 29 F 3
Les Villettes (43) 148 D 3
Villeurbanne (69) 136 B 3
Villevallier (89) 72 D 3
Villevaudé (77) 31 H 5
Villevenard (51) 53 G 1
Villevêque (49) 85 E 2
Villeveyrac (34) 192 D 3
Villevieille (30) 193 H 1
Villevieux (39) 110 A 4
Villevocance (07) 149 F 3
Villevoques (45) 71 H 3
Villexanton (41) 87 H 1
Villexavier (17) 141 G 1
Le Villey (39) 110 A 3
Villey-le-Sec (54) 56 C 2
Villey-St-Étienne (54) 56 C 1
Villey-sur-Tille (21) 93 G 2
Villez-sous-Bailleul (27) 29 H 4
Villez-sur-le-Neubourg (27) 29 E 3
Villié-Morgon (69) 122 A 4
Villiers (36) 103 G 3
Villiers (86) 102 A 5
Villiers-Adam (95) 31 E 4
Villiers-au-Bouin (37) 86 B 2
Villiers-aux-Bois (52) 55 F 3
Villiers-aux-Chênes (52) 55 E 5
Villiers-aux-Corneilles (51) 53 F 3
Villiers-Charlemagne (53) 66 D 4
Villiers-Couture (17) 127 H 1
Villiers-en-Bière (77) 51 G 4
Villiers-en-Bois (79) 114 B 5
Villiers-en-Désœuvre (27) 30 A 5
Villiers-en-Lieu (52) 55 E 2
Villiers-en-Morvan (21) 108 B 1
Villiers-en-Plaine (79) 114 A 2
Villiers-Fossard (50) 25 F 3
Villiers-Herbisse (10) 53 H 3
Villiers-le-Bâcle (91) 51 E 2
Villiers-le-Bel (95) 31 F 4
Villiers-le-Bois (10) 74 A 4
Villiers-le-Duc (21) 74 D 5
Villiers-le-Mahieu (78) 50 C 1
Villiers-le-Morhier (28) 50 A 3
Villiers-le-Pré (50) 45 H 3
Villiers-le-Roux (16) 115 E 5
Villiers-le-Sec (14) 27 E 2
Villiers-le-Sec (52) 75 F 2
Villiers-le-Sec (58) 90 D 4
Villiers-le-Sec (95) 31 F 4
Villiers-lès-Aprey (52) 75 G 5
Villiers-les-Hauts (89) 92 A 1
Villiers-Louis (89) 72 D 2
Villiers-Saint-Frédéric (78) 50 C 1
Villiers-sous-Grez (77) 71 H 1
Villiers-sous-Mortagne (61) 48 D 4
Villiers-sous-Praslin (10) 74 A 3
Villiers-St-Benoît (89) 72 C 5
Villiers-St-Denis (02) 32 C 5
Villiers-St-Georges (77) 52 D 3
Villiers-St-Orien (28) 70 A 2
Villiers-sur-Chizé (79) 114 B 5
Villiers-sur-Loir (41) 69 F 5
Villiers-sur-Marne (52) 55 G 5
Villiers-sur-Marne (94) 51 G 1
Villiers-sur-Morin (77) 52 A 1
Villiers-sur-Orge (91) 51 F 3
Villiers-sur-Seine (77) 52 D 4
Villiers-sur-Suize (52) 75 G 3
Villiers-sur-Tholon (89) 72 D 4
Villiers-sur-Yonne (58) 91 E 4
Villiers-Vineux (89) 73 G 4
Villiersfaux (41) 87 F 1
Villieu-Loyes-Mollon (01) 136 D 1
Villing (57) 21 H 4
Villognon (16) 128 B 2
Villon (89) 74 A 4
Villoncourt (88) 57 G 5
Villons-les-Buissons (14) 27 F 2
Villorceau (45) 70 A 5
Villosanges (63) 132 C 2
Villotran (60) 30 D 1
Villotte (88) 76 B 2
La Villotte (89) 72 C 5
Villotte-devant-Louppy (55) 35 F 5
Villotte-St-Seine (21) 92 D 3
Villotte-sur-Aire (55) 35 H 5
Villotte-sur-Ource (21) 74 D 4
Villouxel (88) 56 A 5
Villuis (77) 52 D 5
Villy (08) 19 G 4
Villy (89) 73 F 4
Villy-Bocage (14) 26 D 3
Villy-en-Auxois (21) 92 D 3
Villy-en-Trodes (10) 74 B 1
Villy-le-Bois (10) 73 H 2
Villy-le-Bouveret (74) 124 C 5
Villy-le-Maréchal (10) 73 H 2
Villy-le-Moutier (21) 109 F 2
Villy-le-Pelloux (74) 138 A 1
Villy-lez-Falaise (14) 27 G 5
Villy-sur-Yères (76) 14 A 1
Vilory (70) 77 E 5
Vilosnes-Haraumont (55) 35 G 1
Vilsberg (57) 58 C 1
Vimarcé (53) 67 G 1
Vimbelle (19) 145 E 2
Vimenet (12) 160 D 5
Viménil (88) 77 H 1
Vimines (73) 137 H 5
Vimont (14) 27 G 3
Vimory (45) 71 H 4
Vimoutiers (61) 28 A 5
Vimpelles (77) 52 C 4
Vimy (62) 8 B 2
Vinantes (77) 31 H 4
Vinassan (11) 209 G 1
Vinax (17) 114 C 5
Vinay (38) 151 E 3
Vinay (51) 33 G 4
Vinça (66) 212 C 3
Vincelles (39) 110 A 5
Vincelles (51) 33 F 4
Vincelles (71) 109 H 5
Vincelles (89) 91 F 1
Vincelottes (89) 91 F 1
Vincendières (73) 153 H 1
Vincennes (94) 51 F 1
Vincent (39) 110 A 4
Vincey (88) 57 F 5
Vincly (62) 7 F 1
Vincy-Manœuvre (77) 32 B 4
Vincy-Reuil-et-Magny (02) 17 H 3
Vindecy (71) 121 E 3
Vindefontaine (50) 22 D 5
Vindelle (16) 128 B 3
Vindey (51) 53 F 2
Vindrac-Alayrac (81) 174 C 3
Vinets (10) 54 A 4
Vineuil (36) 104 B 3
Vineuil (41) 87 H 2
Vineuil-St-Firmin (60) 31 G 3
La Vineuse (71) 122 A 2
Vinezac (07) 163 E 4
Vingrau (66) 209 E 4
Vingt-Hanaps (61) 48 A 4
Vinnemerville (76) 12 D 2
Vinneuf (89) 52 C 5
Vinon (18) 90 A 5
Vinon-sur-Verdon (83) 196 C 1
Vins-sur-Caramy (83) 197 E 3
Vinsobres (26) 179 G 1
Le Vintrou (81) 191 E 3
Vinzelles (63) 133 G 2
Vinzelles (71) 122 B 3
Vinzier (74) 125 E 2
Vinzieux (07) 149 G 2
Viocourt (88) 56 C 5
Viodos-Abense-de-Bas (64) 185 G 5
Violaines (62) 4 A 4
Violay (42) 135 E 2
Violès (84) 179 F 2
Violot (52) 76 A 5
Viols-en-Laval (34) 193 E 1
Viols-le-Fort (34) 193 E 1
Vioménil (88) 77 E 2
Vion (07) 149 H 4
Vion (72) 67 F 5
Vions (73) 137 H 2
Vionville (57) 36 C 3
Viozan (32) 187 H 4
Viplaix (03) 118 C 2
Vira (09) 207 F 2
Vira (66) 208 B 5

Virac (81) 174 D 3
Virandeville (50) 22 C 3
Virargues (15) 146 D 4
Virazeil (47) 156 B 4
Viré (71) 122 B 2
Viré-en-Champagne (72) 67 F 3
Vire (SP) (14) 46 C 1
Vire-sur-Lot (46) 157 H 4
Vireaux (89) 73 H 5
Virecourt (54) 57 F 4
Virelade (33) 155 G 3
Viremont (39) 123 G 2
Vireux-Molhain (08) 11 E 3
Vireux-Wallerand (08) 11 E 3
Virey (50) 46 A 3
Virey (70) 94 C 4
Virey-le-Grand (71) 109 E 3
Virey-sous-Bar (10) 74 B 2
Virginy (51) 34 D 3
Viriat (01) 123 E 4
Viricelles (42) 135 F 4
Virieu (38) 137 F 5
Virieu-le-Grand (01) 137 G 2
Virieu-le-Petit (01) 137 G 1
Virigneux (42) 135 E 4
Virignin (01) 137 G 3
Viriville (38) 150 D 2
Virlet (63) 119 E 5
Virming (57) 37 H 4
Viroflay (78) 51 E 1
Virollet (17) 127 E 5
Vironchaux (80) 6 D 3
Vironvay (27) 29 G 3
Virsac (33) 141 F 4
Virson (17) 113 G 4
Virville (76) 12 C 4
Viry (39) 123 H 3
Viry (71) 121 G 2
Viry (74) 124 B 5
Viry-Châtillon (91) 51 F 2
Viry-Noureuil (02) 16 D 4
Vis-en-Artois (62) 8 B 3
Visan (84) 179 F 1
Viscomtat (63) 134 A 3
Viscos (65) 204 B 3
Le Viseney (39) 110 B 3
Viserny (21) 92 B 2
Visker (65) 204 C 1
Vismes-au-Val (80) 14 C 1
Visoncourt (70) 77 F 5
Vissac (43) 147 H 4
Vissac-Auteyrac (43) 147 H 4
Vissec (30) 177 E 5
Visseiche (35) 65 H 3
Viterbe (81) 190 A 2
Viterne (54) 56 D 3
Vitot (27) 29 E 3
Vitrac (15) 159 H 2
Vitrac (24) 158 A 1
Vitrac (63) 132 D 1
Vitrac-en-Viadène (12) 160 C 2
Vitrac-St-Vincent (16) 128 D 3
Vitrac-sur-Montane (19) 145 E 2
Vitrai-sous-L'Aigle (61) 48 D 2
Vitray (03) 119 E 1
Vitray-en-Beauce (28) 69 H 1
Vitré (35) 66 A 2
Vitré (79) 114 C 3
Vitreux (39) 94 B 5
Vitrey (54) 56 D 4
Vitrey-sur-Mance (70) 76 B 5
Vitrimont (54) 57 F 2
Vitrolles (05) 166 A 4
Vitrolles (13) 195 G 3
Vitrolles-en-Luberon (84) 180 C 5
Vitry-aux-Loges (45) 71 E 4
Vitry-en-Artois (62) 8 C 3
Vitry-en-Charollais (71) 121 E 2
Vitry-en-Montagne (52) 75 F 5
Vitry-en-Perthois (51) 54 C 2
Vitry-la-Ville (51) 54 B 1
Vitry-Laché (58) 91 E 5
Vitry-le-Croisé (10) 74 C 2
Vitry-le-François (SP) (51) 54 C 2
Vitry-lès-Cluny (71) 122 A 2
Vitry-lès-Nogent (52) 75 H 3
Vitry-sur-Loire (71) 107 F 5
Vitry-sur-Orne (57) 20 D 4
Vitry-sur-Seine (94) 51 F 1
Vittarville (55) 35 H 1
Vitteaux (21) 92 C 4
Vittefleur (76) 13 E 2
Vittel (88) 76 C 1
Vittersbourg (57) 38 A 4
Vittoncourt (57) 37 F 4
Vittonville (54) 36 D 4
Vitz-sur-Authie (80) 7 E 3
Viuz-en-Sallaz (74) 124 D 4
Viuz-la-Chiésaz (74) 138 A 2
Vivaise (02) 17 E 4
Vivans (42) 121 E 4
Vivario (2B) 217 E 3
Viven (64) 186 B 3
Viverols (63) 148 B 1
Vivès (66) 213 E 4
Vivey (52) 75 F 5
Le Vivier (36) 117 F 1
Le Vivier (66) 208 C 5
Vivier-au-Court (08) 19 E 3
Le Vivier-sur-Mer (35) 45 E 2
Vivières (02) 32 B 2
Viviers (07) 163 G 4
Viviers (57) 37 F 5
Viviers (89) 73 G 5
Viviers-du-Lac (73) 137 H 4
Viviers-le-Gras (88) 76 C 2
Viviers-lès-Lavaur (81) 190 A 2
Viviers-lès-Montagnes (81) 190 C 3
Viviers-lès-Offroicourt (88) 56 D 5
Viviers-sur-Artaut (10) 74 C 2
Viviers-sur-Chiers (54) 20 B 2
Viviès (09) 207 F 2
Viviez (12) 159 G 4
Viville (près d'Angoulême) (16) 128 C 4
Viville (près de Barbezieux) (16) 128 A 5
Vivoin (72) 68 A 1
Vivonne (86) 115 F 2
Vivy (49) 85 G 4
Vix (21) 74 C 4
Vix (85) 113 G 2
Vizille (38) 151 H 4
Vizos (65) 204 B 3
Vizzavona (2B) 217 E 4
Vizzavona (Col de) (2B) 217 E 4
Vocance (07) 149 F 3
Vodable (63) 133 F 5
Vœgtlinshoffen (68) 78 D 2
Vœlfling-lès-Bouzonville (57) 21 G 4
Vœllerdingen (67) 38 B 4
Vœuil-et-Giget (16) 128 B 5
Vogelgrun (68) 79 E 2
Voglans (73) 137 H 4
Vogüé (07) 163 E 4
Voharies (02) 17 G 2
Void-Vacon (55) 56 A 2
Le Voide (49) 84 D 5
Voigny (10) 74 D 1
Voile de la Mariée (Cascade du) (2A) 217 E 4
Voilemont (51) 34 D 4
Voillans (25) 95 G 3
Voillecomte (52) 55 E 4
Voimhaut (57) 37 F 4
Voinémont (54) 57 E 3
Voingt (63) 132 B 3
Voinsles (77) 52 B 2
Voipreux (51) 33 H 5
Voires (25) 111 F 1
Voiron (38) 151 F 1
Voiscreville (27) 29 E 2
Voise (28) 50 B 5
Voisenon (77) 51 H 3
Voisey (52) 76 C 4
Voisines (52) 75 G 4
Voisines (89) 72 D 1
Voisins-le-Bretonneux (78) 50 D 2
Voissant (38) 137 G 5
Voissay (17) 127 F 1
Voiteur (39) 110 B 4
La Voivre (70) 77 G 4
La Voivre (88) 58 A 5
Les Voivres (88) 77 F 3
Voivres-lès-le-Mans (72) 67 H 4
Volckerinckhove (59) 3 E 3
Volesvres (71) 121 F 2
Volgelsheim (68) 79 E 2
Volgré (89) 72 D 4
Volksberg (67) 38 C 4
Vollore-Montagne (63) 134 A 3
Vollore-Ville (63) 134 A 3
Volmerange-lès-Boulay (57) 21 F 5
Volmerange-les-Mines (57) 20 D 3
Volmunster (57) 38 C 3
Volnay (21) 109 E 2
Volnay (72) 68 C 4
Volon (70) 94 B 1
Volonne (04) 181 E 2
Volpajola (2B) 215 F 5
Volstroff (57) 21 E 4
Volvent (26) 165 E 4
Volvic (63) 133 E 2
Volx (04) 180 D 4
Vomécourt (88) 57 G 5
Vomécourt-sur-Madon (88) 57 E 5
Voncourt (52) 76 B 5
Voncq (08) 18 D 5
Vonges (21) 93 H 4
Vongnes (01) 137 G 2
Vongy (74) 125 E 2
Vonnas (01) 122 C 4
Voray-sur-l'Ognon (70) 94 D 4
Voreppe (38) 151 G 2
Vorey (43) 148 B 3
Vorges (02) 17 F 5
Vorges-les-Pins (25) 94 D 5
Vorly (18) 105 G 3
Vornay (18) 105 G 2
Vors (12) 175 F 1
Vosbles (39) 123 G 3
Vosne-Romanée (21) 109 F 1
Vosnon (10) 73 G 2
Vou (37) 103 E 1
Vouarces (51) 53 G 3
Voudenay (21) 108 B 1
Voué (10) 53 H 4
Vouécourt (52) 75 G 1
Vouël (02) 16 D 4
Vougécourt (70) 76 D 3
Vougeot (21) 93 F 5
Vouglans (39) 123 G 2
Vougrey (10) 74 A 2
Vougy (42) 121 F 5
Vougy (74) 125 E 5
Vouharte (16) 128 B 3
Vouhé (17) 113 G 4
Vouhé (79) 114 C 1
Vouhenans (70) 95 G 1
Vouillé (79) 114 B 3
Vouillé (86) 101 H 5
Vouillé-les-Marais (85) 113 F 2
Vouillers (51) 55 E 2
Vouillon (36) 104 C 4
Vouilly (14) 25 G 2
Voujeaucourt (25) 96 C 2
Voulaines-les-Templiers (21) 75 E 5
Voulangis (77) 52 A 1
Voulême (86) 115 F 5
Voulgézac (16) 128 B 5
Voulmentin (79) 100 D 2
Voulon (86) 115 F 3
Voulpaix (02) 17 G 2
La Voulte-sur-Rhône (07) 163 H 2
Voultegon (79) 100 D 3
Voulton (77) 52 D 3
Voulx (77) 72 B 1
Vouneuil-sous-Biard (86) 115 F 1
Vouneuil-sur-Vienne (86) 102 C 5
Vourey (38) 151 F 2
Vourles (69) 135 H 4
Voussac (03) 119 G 3
Voutenay-sur-Cure (89) 91 G 2
Voutezac (19) 144 B 2
Vouthon (16) 128 D 4
Vouthon-Bas (55) 56 A 4
Vouthon-Haut (55) 56 A 4
Voutré (53) 67 F 2
Vouvant (85) 113 H 1
Vouvray (37) 87 E 4
Vouvray-sur-Huisne (72) 68 C 3
Vouvray-sur-Loir (72) 86 C 1
Vouxey (88) 56 C 5
Vouzailles (86) 101 H 5
Vouzan (16) 128 D 5
Vouzeron (18) 89 E 5
Vouziers (SP) (08) 34 D 1
Vouzon (41) 88 D 2
Vouzy (51) 33 H 5
Voves (28) 70 B 1
Vovray-en-Bornes (74) 124 B 5
Voyenne (02) 17 F 3
Voyennes (80) 16 B 3
Voyer (57) 58 B 2
La Vraie-Croix (56) 81 H 2
Vraignes-en-Vermandois (80) 16 C 2
Vraignes-lès-Hornoy (80) 14 D 2
Vraincourt (52) 75 G 1
Vraiville (27) 29 F 3
Vrasville (50) 23 E 2
Vraux (51) 34 A 4
Vrécourt (88) 76 B 1
Vred (59) 8 D 2
Vregille (70) 94 C 4
Vregny (02) 32 D 1
Vrély (80) 15 H 2
Le Vrétot (50) 22 C 4
Vriange (39) 94 B 5
Vrigne-aux-Bois (08) 19 E 3
Vrigne-Meuse (08) 19 E 3
Vrigny (45) 71 E 3
Vrigny (51) 33 G 2
Vrigny (61) 47 H 2
La Vrine (25) 111 F 2
Vritz (44) 84 A 2
Vrizy (08) 34 D 1
Vrocourt (60) 14 D 5
Vroil (51) 55 E 1
Vron (80) 6 C 3
Vroncourt (54) 56 D 4
Vroncourt-la-Côte (52) 76 A 2
Vroville (88) 57 E 5
Vry (57) 21 F 5
Vue (44) 82 D 5
Vuillafans (25) 111 F 1
Vuillecin (25) 111 F 2
Vuillery (02) 32 D 1
Vulaines (10) 73 F 1
Vulaines-lès-Provins (77) 52 C 3
Vulaines-sur-Seine (77) 51 H 5
Vulbens (74) 124 A 5
Vulmont (57) 37 E 5
Vulvoz (39) 123 H 3
Vy-le-Ferroux (70) 94 D 2
Vy-lès-Filain (70) 95 E 2
Vy-lès-Lure (70) 95 G 1
Vy-lès-Rupt (70) 94 C 1
Vyans-le-Val (70) 96 C 2
Vyt-lès-Belvoir (25) 95 H 3

W

Waben (62) 6 C 2
Wackenbach (67) 58 C 3
Wacquemoulin (60) 15 H 5
Wacquinghen (62) 2 B 4
Wadelincourt (08) 19 E 3
Wadimont (08) 18 A 3
Wagnon (08) 18 C 4
Wahagnies (59) 4 C 5
Wahlbach (68) 97 F 1
Wahlenheim (67) 59 E 1
Wail (62) 7 F 3
Wailly (62) 8 A 3
Wailly (80) 15 E 3
Wailly-Beaucamp (62) 6 C 2
Walbach (68) 78 C 2
Walbourg (67) 39 F 4
La Walck (67) 39 E 5
Waldersbach (67) 58 C 4
Waldhambach (67) 38 C 4
Waldhouse (57) 38 D 2
Waldighofen (68) 97 F 1
Waldolwisheim (67) 58 D 1
Waldweistroff (57) 21 G 3
Waldwisse (57) 21 G 3
Walheim (68) 97 F 1
Walincourt-Selvigny (59) 9 E 5
Wallers (59) 9 E 2
Wallers-en-Fagne (59) 10 A 3
Wallon-Cappel (59) 3 F 4
Walschbronn (57) 38 D 2
Walscheid (57) 58 B 2
Waltembourg (57) 58 C 1
Waltenheim (68) 79 E 5
Waltenheim-sur-Zorn (67) 59 E 1
Waly (55) 35 F 4
Wambaix (59) 8 D 4
Wambercourt (62) 7 E 2
Wambez (60) 14 D 5
Wambrechies (59) 4 C 3
Wamin (62) 7 E 2
Wanchy-Capval (76) 14 A 2
Wancourt (62) 8 B 3
Wandignies-Hamage (59) 8 D 2
Wanel (80) 14 D 1
Wangen (67) 58 D 2
Wangenbourg-Engenthal (67) 58 C 2
Wannehain (59) 4 D 4
Wanquetin (62) 7 H 3
La Wantzenau (67) 59 F 1
Warby (08) 18 C 3
Warcq (08) 18 D 3
Warcq (55) 20 B 5
Wardrecques (62) 3 F 4
Wargemoulin-Hurlus (51) 34 D 3
Wargnies (80) 7 F 5
Wargnies-le-Grand (59) 9 F 3
Wargnies-le-Petit (59) 9 G 3
Warhem (59) 3 F 2
Warlaing (59) 5 E 5
Warlencourt-Eaucourt (62) 8 A 5
Warlincourt-lès-Pas (62) 7 H 4
Warloy-Baillon (80) 15 G 1
Warluis (60) 31 E 1
Warlus (62) 8 A 3
Warlus (80) 14 D 1
Warluzel (62) 7 H 4
Warmeriville (51) 34 A 1
Warnécourt (08) 18 D 3
Warsy (80) 15 H 3
Warvillers (80) 15 H 3
Wasigny (08) 18 B 4
Wasnes-au-Bac (59) 8 D 3
Wasquehal (59) 4 C 3
Wasselonne (67) 58 D 2
Wasserbourg (68) 78 C 2
Wassigny (02) 17 F 1
Wassy (52) 55 E 4
Le Wast (62) 2 C 4
Watigny (02) 10 B 5
Watronville (55) 20 A 5
Watten (59) 3 E 3
Wattignies (59) 4 C 4
Wattignies-la-Victoire (59) 9 H 4
Wattrelos (59) 4 D 3
Wattwiller (68) 78 C 4
Wavignies (60) 15 G 5
Waville (54) 36 C 4
Wavrans-sur-l'Aa (62) 2 D 5
Wavrans-sur-Ternoise (62) 7 G 2
Wavrechain-sous-Denain (59) 9 E 3
Wavrechain-sous-Faulx (59) 8 D 3
Wavrille (55) 35 H 1
Wavrin (59) 4 B 4
Waziers (59) 8 C 2
Weckolsheim (68) 79 E 2
Wegscheid (68) 78 B 4
Weinbourg (67) 38 D 5
Weislingen (67) 38 C 4
Weitbruch (67) 59 F 1
Weiterswiller (67) 38 D 5
Welles-Pérennes (60) 15 G 4
Wemaers-Cappel (59) 3 F 3
Wengelsbach (67) 39 E 3
Wentzwiller (68) 97 G 1
Werentzhouse (68) 97 F 2
Wervicq-Sud (59) 4 C 2
West-Cappel (59) 3 G 2
Westhalten (68) 78 C 3
Westhoffen (67) 58 D 2
Westhouse (67) 59 E 4
Westhouse-Marmoutier (67) 58 D 1
Westrehem (62) 7 G 1
Wettolsheim (68) 78 D 2
Weyer (67) 38 B 5
Weyersheim (67) 59 F 1
Wickerschwihr (68) 78 D 1
Wickersheim-Wilshausen (67) 39 E 5
Wicquinghem (62) 7 E 1
Wicres (59) 4 B 4
Widehem (62) 2 B 5
Widensolen (68) 79 E 2
Wiège-Faty (02) 17 F 2
Wiencourt-l'Équipée (80) 15 H 2
Wierre-au-Bois (62) 2 B 5
Wierre-Effroy (62) 2 B 4
Wiesviller (57) 38 B 3
Wignehies (59) 9 H 5
Wignicourt (08) 18 C 4
Wihr-au-Val (68) 78 C 2
Wildenstein (68) 78 B 3
Wildersbach (67) 58 C 4
Willeman (62) 7 F 3
Willems (59) 4 D 3
Willencourt (62) 7 E 4
Willer (68) 97 F 1
Willer-sur-Thur (68) 78 B 4
Willeroncourt (55) 55 H 2
Willerval (62) 8 B 2
Willerwald (57) 38 A 3
Willgottheim (67) 58 D 1
Williers (08) 19 H 3
Willies (59) 10 A 3
Wilwisheim (67) 58 D 1
Wimereux (62) 2 A 4
Wimille (62) 2 B 4
Wimmenau (67) 38 D 4
Wimy (02) 17 H 1
Windstein (67) 39 E 4
Wingen (67) 39 F 3
Wingen-sur-Moder (67) 38 D 4
Wingersheim-les-Quatre-Bans (67) 59 E 1
Wingles (62) 4 B 5
Winkel (68) 97 F 2
Winnezeele (59) 3 G 3
Wintersbourg (57) 58 C 1
Wintershouse (67) 39 F 5
Wintzenbach (67) 39 H 4
Wintzenheim (68) 78 D 2
Wintzenheim-Kochersberg (67) 59 E 2
Wintzfelden (68) 78 C 3
Wirwignes (62) 2 B 5
Wiry-au-Mont (80) 14 C 1
Wisches (67) 58 C 3
Wisembach (88) 58 B 5
Wiseppe (55) 19 G 5
Wismes (62) 2 D 5
Wisques (62) 3 E 4
Wissant (62) 2 B 3
Wissembourg (SP) (67) 39 G 3
Wissignicourt (02) 17 E 5
Wissous (91) 51 F 2
Witry-lès-Reims (51) 33 H 2
Wittelsheim (68) 78 C 4
Wittenheim (68) 78 D 4
Witternesse (62) 3 F 5
Witternheim (67) 59 E 5
Wittersdorf (68) 97 F 1
Wittersheim (67) 39 E 5
Wittes (62) 3 F 5
Wittisheim (67) 59 E 5
Wittring (57) 38 B 3
Wiwersheim (67) 59 E 2
Wizernes (62) 3 E 4
Woël (55) 36 B 4
Wœlfling-lès-Sarreguemines (57) 38 B 3
Wœrth (67) 39 F 4
Woignarue (80) 6 B 5
Woimbey (55) 35 H 4
Woincourt (80) 6 B 5
Woinville (55) 36 A 5
Woippy (57) 21 E 5
Woirel (80) 14 C 1
Wolfersdorf (68) 97 E 1
Wolfgantzen (68) 79 E 2
Wolfisheim (67) 59 E 2
Wolfskirchen (67) 38 B 5
Wolschheim (67) 58 D 1
Wolschwiller (68) 97 G 2
Wolxheim (67) 59 E 2
Wormhout (59) 3 F 3
Woustviller (57) 38 A 3
Wuenheim (68) 78 C 4
Wuisse (57) 37 G 5
Wulverdinghe (59) 3 E 3
Wy-dit-Joli-Village (95) 30 C 4
Wylder (59) 3 F 3

X

Xaffévillers (88) 57 G 4
Xaintrailles (47) 171 H 2
Xaintray (79) 114 A 1
Xambes (16) 128 B 2
Xammes (54) 36 C 4
Xamontarupt (88) 77 H 2
Xanrey (57) 57 G 1
Xanton-Chassenon (85) 113 H 2
Xaronval (88) 57 E 5
Xermaménil (54) 57 F 3
Xertigny (88) 77 F 2
Xeuilley (54) 56 D 3
Xirocourt (54) 57 E 4
Xivray-et-Marvoisin (55) 36 B 5
Xivry-Circourt (54) 20 B 3
Xocourt (57) 37 F 5
Xonrupt-Longemer (88) 78 A 2
Xonville (54) 36 C 4
Xouaxange (57) 58 A 1
Xousse (54) 57 H 2
Xures (54) 57 G 2

Y

Y (80) 16 B 2
Yainville (76) 13 F 5
Yaucourt-Bussus (80) 7 E 5
Le Yaudet (22) 42 C 2
Ychoux (40) 154 C 5
Ydes (15) 146 A 2
Ydes-Bourg (15) 146 A 2
Yébleron (76) 12 D 4
Yèbles (77) 51 H 3
Yenne (73) 137 G 3
Yermenonville (28) 50 B 3
Yerres (91) 51 G 2
Yerville (76) 13 F 4
Yèvre-la-Ville (45) 71 F 2
Yèvre-le-Châtel (45) 71 F 2
Yèvres (28) 69 G 1
Yèvres-le-Petit (10) 54 C 4
Yffiniac (22) 43 H 5
Ygos-St-Saturnin (40) 169 G 4
Ygrande (03) 119 G 1
Ymare (76) 29 G 1
Ymeray (28) 50 B 4
Ymonville (28) 70 B 1
Yolet (15) 160 A 1
Yoncq (08) 19 F 4
Yonval (80) 6 D 5
Youx (63) 119 F 5
Yport (76) 12 C 3
Ypreville-Biville (76) 12 D 3
Yquebeuf (76) 13 H 4
Yquelon (50) 24 C 5
Yronde-et-Buron (63) 133 G 5
Yrouerre (89) 73 H 5
Yssac-la-Tourette (63) 133 F 2
Yssandon (19) 144 B 3
Yssingeaux (SP) (43) 148 C 4
Ytrac (15) 159 H 1
Ytres (62) 8 C 5
Yutz (57) 21 E 3
Yvecrique (76) 13 F 3
Yvernaumont (08) 18 D 3
Yversay (86) 102 A 5
Yves (17) 113 F 5
Les Yveteaux (61) 47 F 2
Yvetot (76) 13 E 4
Yvetot-Bocage (50) 22 D 4
Yvias (22) 43 F 2
Yviers (16) 142 A 2
Yvignac-la-Tour (22) 44 C 5
Yville-sur-Seine (76) 29 E 1
Yvoire (74) 124 D 2
Yvoy-le-Marron (41) 88 C 2
Yvrac (33) 155 F 1
Yvrac-et-Malleyrand (16) 128 D 3
Yvrandes (61) 46 D 2
Yvré-le-Pôlin (72) 68 A 5
Yvré-l'Évêque (72) 68 A 3
Yvrench (80) 7 E 4
Yvrencheux (80) 7 E 4
Yzengremer (80) 6 B 5
Yzernay (49) 100 C 2
Yzeron (69) 135 G 3
Yzeure (03) 120 A 1
Yzeures-sur-Creuse (37) 103 E 4
Yzeux (80) 15 E 1
Yzosse (40) 185 F 1

Z

Zaessingue (68) 97 F 1
Zalana (2B) 217 G 2
Zarbeling (57) 37 H 5
Zegerscappel (59) 3 F 3
Zehnacker (67) 58 D 1
Zeinheim (67) 58 D 1
Zellenberg (68) 78 D 1
Zellwiller (67) 59 E 4
Zermezeele (59) 3 F 3
Zérubia (2A) 219 E 2
Zetting (57) 38 B 3
Zévaco (2A) 219 E 1
Zicavo (2A) 217 E 5
Zigliara (2A) 218 D 1
Zilia (2B) 214 C 5
Zilling (57) 58 C 1
Zillisheim (68) 78 D 5
Zimmerbach (68) 78 C 2
Zimmersheim (68) 78 D 5
Zimming (57) 21 G 5
Zincourt (88) 57 F 5
Zinswiller (67) 39 E 4
Zittersheim (67) 38 C 4
Zœbersdorf (67) 39 E 5
Zommange (57) 37 H 5
Zonza (2A) 219 F 2
Zoteux (62) 2 C 5
Zouafques (62) 2 D 3
Zoufftgen (57) 21 E 2
Zoza (2A) 219 E 2
Zuani (2B) 217 F 2
Zudausques (62) 3 E 4
Zutkerque (62) 2 D 3
Zuydcoote (59) 3 F 1
Zuytpeene (59) 3 F 4

Plans

Curiosités
Bâtiment intéressant - Tour
Édifice religieux intéressant

Voirie
Autoroute - Double chaussée de type autoroutier
Échangeurs numérotés : complet - partiels
Grande voie de circulation
Rue réglementée ou impraticable
Rue piétonne - Tramway
Parking
Tunnel
Gare et voie ferrée
Funiculaire, voie à crémaillère
Téléphérique, télécabine

Signes divers
Édifice religieux
Mosquée - Synagogue
Ruines
Jardin, parc, bois - Cimetière
Stade - Golf
Hippodrome
Piscine de plein air, couverte
Vue
Monument - Fontaine
Port de plaisance - Phare
Information touristique
Aéroport - Station de métro
Gare routière
Transport par bateau : passagers et voitures, passagers seulement
Bureau principal de poste restante
Hôtel de ville
Université, grande école
Bâtiment public repéré

Town plans

Sights
Place of interest - Tower
Interesting place of worship

Roads
Motorway - Dual carriageway
Numbered junctions: complete, limited
Major thoroughfare
Unsuitable for traffic or street subject to restrictions
Pedestrian street - Tramway
Car park
Tunnel
Station and railway
Funicular
Cable-car

Various signs
Place of worship
Mosque - Synagogue
Ruins
Garden, park, wood - Cemetery
Stadium - Golf course
Racecourse
Outdoor or indoor swimming pool
View
Monument - Fountain
Pleasure boat harbour - Lighthouse
Tourist Information Centre
Airport - Underground station
Coach station
Ferry services: passengers and cars - passengers only
Main post office with poste restante
Town Hall
University, College
Public buildings

Stadtpläne

Sehenswürdigkeiten
Sehenswertes Gebäude - Turm
Sehenswerter Sakralbau

Straßen
Autobahn - Schnellstraße
Nummerierte Voll - bzw. Teilanschlussstellen
Hauptverkehrsstraße
Gesperrte Straße oder mit Verkehrsbeschränkungen
Fußgängerzone - Straßenbahn
Parkplat
Tunnel
Bahnhof und Bahnlinie
Standseilbahn
Seilschwebebahn

Sonstige Zeichen
Sakralbau
Moschee - Synagoge
Ruine
Garten, Park, Wäldchen - Friedhof
Stadion - Golfplatz
Pferderennbahn
Freibad - Hallenbad
Aussicht
Denkmal - Brunnen
Yachthafen - Leuchtturm
Informationsstelle
Flughafen - U-Bahnstation
Autobusbahnhof
Schiffsverbindungen: Autofähre, Personenfähre
Hauptpostamt (postlagernde Sendungen)
Rathaus
Universität, Hochschule
Öffentliches Gebäude

Plattegronden

Bezienswaardigheden
Interessant gebouw - Toren
Interessant kerkelijk gebouw

Wegen
Autosnelweg - Weg met gescheiden rijbanen
Knooppunt / aansluiting: volledig, gedeeltelijk
Hoofdverkeersweg
Onbegaanbare straat, beperkt toegankelijk
Voetgangersgebied - Tramlijn
Parkeerplaats
Tunnel
Station, spoorweg
Kabelspoor
Tandradbaan

Overige tekens
Kerkelijk gebouw
Moskee - Synagoge
Ruïne
Tuin, park, bos - Begraafplaats
Stadion - Golfterrein
Renbaan
Zwembad: openlucht, overdekt
Uitzicht
Gedenkteken, standbeeld - Fontein
Jachthaven - Vuurtoren
Informatie voor toeristen
Luchthaven - Metrostation
Busstation
Vervoer per boot: Passagiers en auto's - uitsluitend passagiers
Hoofdkantoor voor poste-restante
Stadhuis
Universiteit, hogeschool
Openbaar gebouw

Piante

Curiosità
Edificio interessante - Torre
Costruzione religiosa interessante

Viabilità
Autostrada - Doppia carreggiata tipo autostrada
Svincoli numerati: completo, parziale
Grande via di circolazione
Via regolamentata o impraticabile
Via pedonale - Tranvia
Parcheggio
Galleria
Stazione e ferrovia
Funicolare
Funivia, cabinovia

Simboli vari
Costruzione religiosa
Moschea - Sinagoga
Ruderi
Giardino, parco, bosco - Cimitero
Stadio - Golf
Ippodromo
Piscina: all'aperto, coperta
Vista
Monumento - Fontana
Porto turistico - Faro
Ufficio informazioni turistiche
Aeroporto - Stazione della metropolitana
Autostazione
Trasporto con traghetto: passeggeri ed autovetture - solo passeggeri
Ufficio centrale di fermo posta
Municipio
Università, scuola superiore
Edificio pubblico

Planos

Curiosidades
Edificio interesante - Torre
Edificio religioso interesante

Vías de circulación
Autopista - Autovía
Enlaces numerados: completo, parciales
Via importante de circulacion
Calle reglamentada o impracticable
Calle peatonal - Tranvía
Aparcamiento
Túnel
Estación y línea férrea
Funicular, línea de cremallera
Teleférico, telecabina

Signos diversos
Edificio religioso
Mezquita - Sinagoga
Ruinas
Jardín, parque, madera - Cementerio
Estadio - Golf
Hipódromo
Piscina al aire libre, cubierta
Vista parcial
Monumento - Fuente
Puerto deportivo - Faro
Oficina de Información de Turismo
Aeropuerto - Estación de metro
Estación de autobuses
Transporte por barco: pasajeros y vehículos, pasajeros solamente
Oficina de correos
Ayuntamiento
Universidad, escuela superior
Edificio público

Plans de ville

Comment utiliser les QR Codes ?

1) Téléchargez gratuitement (ou mettez à jour) une application de lecture de QR codes sur votre smartphone
2) Lancez l'application et visez le code souhaité
3) Le plan de la ville désirée apparaît automatiquement sur votre smartphone
4) Zoomez / Dézoomez pour faciliter votre déplacement !

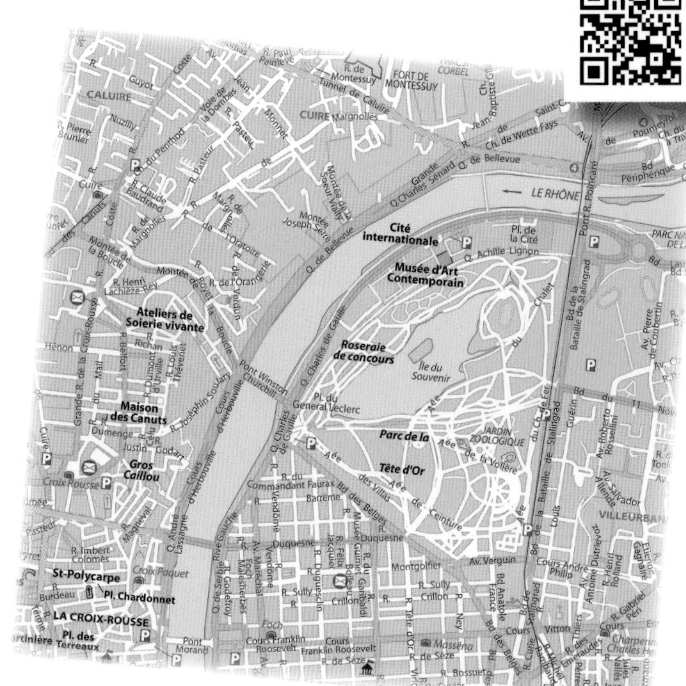

Légendes des plans 280
Bordeaux 282
Lille 283
Lyon 284-285
Marseille 286
Nantes 287
Environs de Paris 288-291
Paris 292-293
Toulouse 294

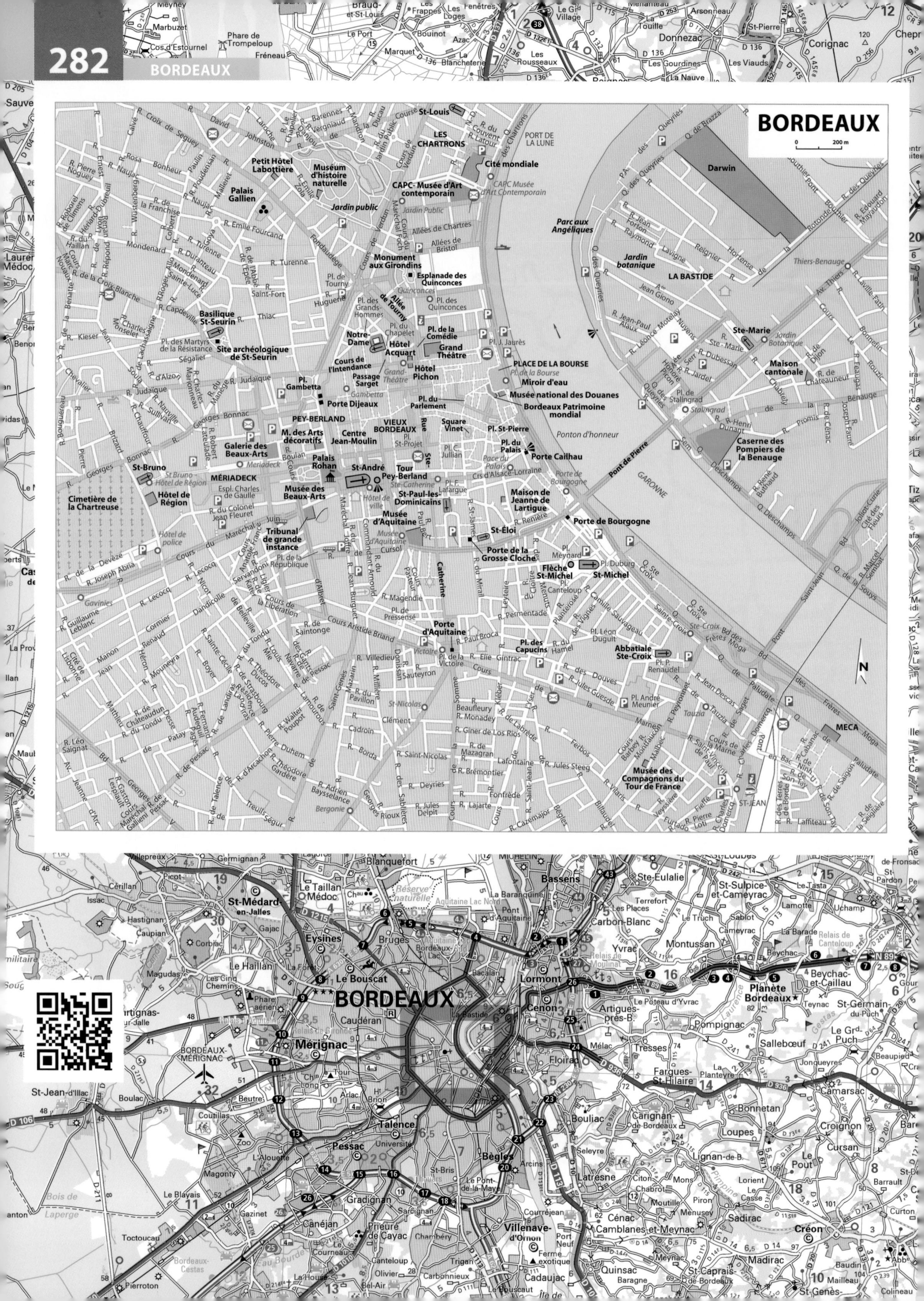
BORDEAUX
0
200 m
N
St-Louis
LES CHARTRONS
PORT DE LA LUNE
Cité mondiale
Darwin
Petit Hôtel Labottière
Muséum d'histoire naturelle
Palais Gallien
CAPC- Musée d'Art contemporain
Jardin public
Parc aux Angéliques
Jardin botanique
LA BASTIDE
Allées de Chartres
Allées de Bristol
Monument aux Girondins
Esplanade des Quinconces
Pl. des Quinconces
Pl. de Tourny
Allée de Tourny
Basilique St-Seurin
Site archéologique de St-Seurin
Notre-Dame
Hôtel Acquart
Pl. de la Comédie
Grand Théâtre
Cours de l'Intendance
Passage Sarget
Hôtel Pichon
Pl. J. Jaurès
PLACE DE LA BOURSE
Miroir d'eau
Musée national des Douanes
Bordeaux Patrimoine mondial
Ste-Marie
Maison cantonale
Pl. Gambetta
Porte Dijeaux
Pl. du Parlement
PEY-BERLAND
M. des Arts décoratifs
Centre Jean-Moulin
VIEUX BORDEAUX
Square Vinet
Pl. St-Pierre
Pl. du Palais
Porte Cailhau
Ponton d'honneur
Pont de Pierre
Caserne des Pompiers de la Benauge
GARONNE
Galerie des Beaux-Arts
St-Bruno
MÉRIADECK
Palais Rohan
St-André
Tour Pey-Berland
Musée des Beaux-Arts
St-Paul-les-Dominicains
Maison de Jeanne de Lartigue
Porte de Bourgogne
Cimetière de la Chartreuse
Hôtel de Région
Tribunal de grande instance
Musée d'Aquitaine
St-Éloi
Porte de la Grosse Cloche
Flèche St-Michel
St-Michel
Cours de la Libération
Cours Aristide Briand
Porte d'Aquitaine
Pl. de la Victoire
Pl. des Capucins
Abbatiale Ste-Croix
MECA
Musée des Compagnons du Tour de France
ST-JEAN
Cours du Maréchal Juin
Cours de la Marne
Blanquefort
Bassens
Ste-Eulalie
St-Médard-en-Jalles
Le Taillan-Médoc
Eysines
Bruges
Le Haillan
Le Bouscat
BORDEAUX
Caudéran
Lormont
Cenon
Mérignac
BORDEAUX-MÉRIGNAC
Talence
Pessac
Bègles
Gradignan
Villenave-d'Ornon
Floirac
Bouliac
Artigues-près-B.
Carbon-Blanc
St-Sulpice-et-Cameyrac
Beychac-et-Caillau
Planète Bordeaux
Yvrac
Montussan
Pompignac
Tresses
Fargues-St-Hilaire
Salleboeuf
Camarsac
Carignan-de-Bordeaux
Croignon
Latresne
Lignan-de-B.
Sadirac
Créon
Cénac
Camblanes-et-Meynac
Quinsac
St-Caprais-de-Bordeaux
Madirac
Cadaujac
Canéjan
St-Jean-d'Illac
Martignas-sur-Jalle
Pierroton
Cestas

283
LILLE
Mouscron (Moeskroen)
Comines (Komen)
Bousbecque
Wervicq-Sud
Roncq
Neuville-en-F.
Tourcoing
Herseaux
Luingne
(Dottenijs)
Spiere-Helkijn
Warneton (Waasten)
Nieuwkerke (Neuve-Eglise)
Ploegsteert
Deûlémont
Quesnoy-s-Deûle
Linselles
Bondues
Mouvaux
Wattrelos
Leers-Nord
Nieppe
Le Bizet
Frelinghien
Houplines
Armentières
Verlinghem
Wambrechies
Marquette-lez-Lille
Marcq-en-B.
Croix
ROUBAIX
Wasquehal
Lys-lez-L.
Leers
Estaimbourg
Erquinghem-Lys
La Chapelle-d'Armentières
Pérenchies
Lompret
St-André-lez-Lille
La Madeleine
Lannoy
Toufflers
Néchin
Ramegnies-Chin
Prémesques
Lomme
Lambersart
Mons-en-Barœul
Hem
Fleurbaix
Bois-Grenier
Capinghem
Forest-s-Marque
Templeuve
Fourcroix
Villeneuve d'Ascq
Willems
Blandain
Ennetières-en-Weppes
Sequedin
LILLE (RIJSEL)
Hellemmes-Lille
Tressin
Baisieux
Radinghem-en-W.
Englos
Hallennes-lez-H.
Loos
Ronchin
Lezennes
Ascq
Chéreng
Orcq
Le Maisnil
Erquinghem-le-Sec
Haubourdin
Anstaing
Marquain
Fromelles
Aubers
Beaucamps-Ligny
Santes
Wattignies
Lesquin
Sainghin-en-M.
Gruson
Camphin-en-Pévèle
TOURNAI (DOORNIK)
Fournes-en-W.
Emmerin
Noyelles-lès-S.
Faches-Thumesnil
Froidmont
Herlies
Wavrin
Wicres
Templemars
Bouvines
Cysoing
Esplechin
IEPER (YPRES)
OOSTENDE
GENT, ROUBAIX, TOURCOING
LILLE
0 250 m
LE CANON D'OR
LA MADELEINE
PARC MONCEAU
JARDIN DES PLANTES
Bd Robert Schuman
Maison natale de Charles de Gaulle
CANAL DE LA DEÛLE
Pl. des Archives
Porte de Gand
Jardin des Géants
Cimetière de l'Est
LE CHAMP DE COURSES
Citadelle
Porte royale
Parc de la Citadelle
CHAMP DE MARS
Rue Royale
Musée des Canonniers sédentaires
Parc Henri Matisse
N.-D.-de-la-Treille
VIEUX LILLE
LILLE-EUROPE
Porte de Roubaix
Ste-Catherine
R. Esquermoise
Hôtel Bidé-de-Granville
Tour de Lille
WAAO
Tour Lilleurope WTC
Cita-Parc
Zoo de Lille
BOIS DE BOULOGNE
CIC
Opéra
Centre Euralille
L'Aéronef
Monument aux Fusillés
Jardin Vauban
SQUARE DU TILLEUL
Vieille Bourse
Tripostal
LILLE-FLANDRES
PARC DES DONDAINES
St-Maurice
GENT, ARMENTIÈRES
LOMME, ARMENTIÈRES
VAUBAN-ESQUERMES
Pl. de Strasbourg
CENTRE
Lille Grand Palais
République Beaux Arts
Hermitage Gantois
Noble Tour
Pavillon St-Sauveur
Hôtel de ville
PALAIS DES BEAUX-ARTS
Porte de Paris
Chapelle du Réduit
SQUARE DU RÉDUIT
WAZEMMES
Maison Coilliot
Marché de Wazemmes
Musée d'Histoire naturelle de Lille
Gare St-Sauveur
St-Pierre-St-Paul
Parc J.-B.-Lebas
Maison Folie Wazemmes
Centre d'arts plastiques et visuels
DUNKERQUE, BÉTHUNE
Pl. de la Solidarité
Cité Philanthropique
Maison Folie Moulins
MOULINS
Flow
GENT, ROUBAIX, TOURCOING
VILLENEUVE D'ASCQ
HAUBOURDIN
SECLIN
SECLIN
PARIS, VALENCIENNES

Comment utiliser les QR Codes ?
1) Téléchargez gratuitement (ou mettez à jour) une application de lecture de QR codes sur votre smartphone
2) Lancez l'application et visez le code souhaité
3) Le plan de la ville désirée apparaît automatiquement sur votre smartphone
4) Zoomez / Dézoomez pour faciliter votre déplacement !
LYON
Villeurbanne
Vénissieux
St-Priest
Bron
Oullins
Vaulx-en-Velin
Caluire-et-Cuire
Givors
VIENNE
Meyzieu
Montluel
Rive-de-Gier

LYON
0 200 m
Parc archéologique de Fourvière .... K
CALUIRE
CUIRE
FORT DE MONTESSUY
PARC J. CORBEL
Tunnel de Caluire
LE RHÔNE
SAÔNE
PARC NATUREL URBAIN DE LA FEYSSINE
Cité internationale
Musée d'Art Contemporain
Roseraie de concours
Île du Souvenir
JARDIN ZOOLOGIQUE
Parc de la Tête d'Or
Ateliers de Soierie vivante
Mur des Canuts
LA CROIX ROUSSE
Maison des Canuts
Pl. des Tapis
Gros Caillou
Croix Rousse
Pont Winston Churchill
VILLEURBANNE
FORT ST-JEAN
Amphithéâtre des Trois-Gaules
St-Polycarpe
Pl. Chardonnet
LA CROIX-ROUSSE
Croix Paquet
Quai Saint-Vincent
R. de la Martinière
Pl. des Terreaux
Opéra
Hôtel de Ville L. Pradel
MUSÉE DES BEAUX-ARTS
Montée des Carmes-Déchaussés
Théâtre Le Guignol de Lyon
R. Juiverie
Musées Gadagne
Pl. du Change
St-Nizier
Musée de l'Imprimerie
Cordeliers
St-Bonaventure
LES BROTTEAUX
Brotteaux
Massena
Charpennes Charles Hernu
Halles de Lyon-Paul Bocuse
FOURVIÈRE
VIEUX LYON
N.-D. de Fourvière
Fourvière
Montée St-Barthélemy
Musée gallo-romain de Lyon-Fourvière
St-Jean
Vieux Lyon
Aqueducs Romains
Théâtres romains
Odéon
Minimes
St-Just
Hôtel-Dieu
Place Bellecour
Bellecour
PRESQUÎLE
Part Dieu
PART DIEU
Pl. Guichard
Place Raspail
Guillotière
Musée des Automates
St-Martin d'Ainay
Ampère Victor Hugo
Musée des Arts Décoratifs
Musée des Tissus
Saxe Gambetta
Garibaldi
Musée des Moulages
Musée Africain
Place Carnot
Perrache
A6 / E15
A7 / E15
Centre d'histoire de la Résistance et de la Déportation
LA GUILLOTIÈRE
Pl. de Stalingrad
PARC SERGENT BLANDAN
Sans-Souci
Jean Macé
LE RHÔNE
LYON LA CONFLUENCE
Hôtel de Région
CIMETIÈRE DE LA GUILLOTIÈRE
Pl. J. Jaurès
N

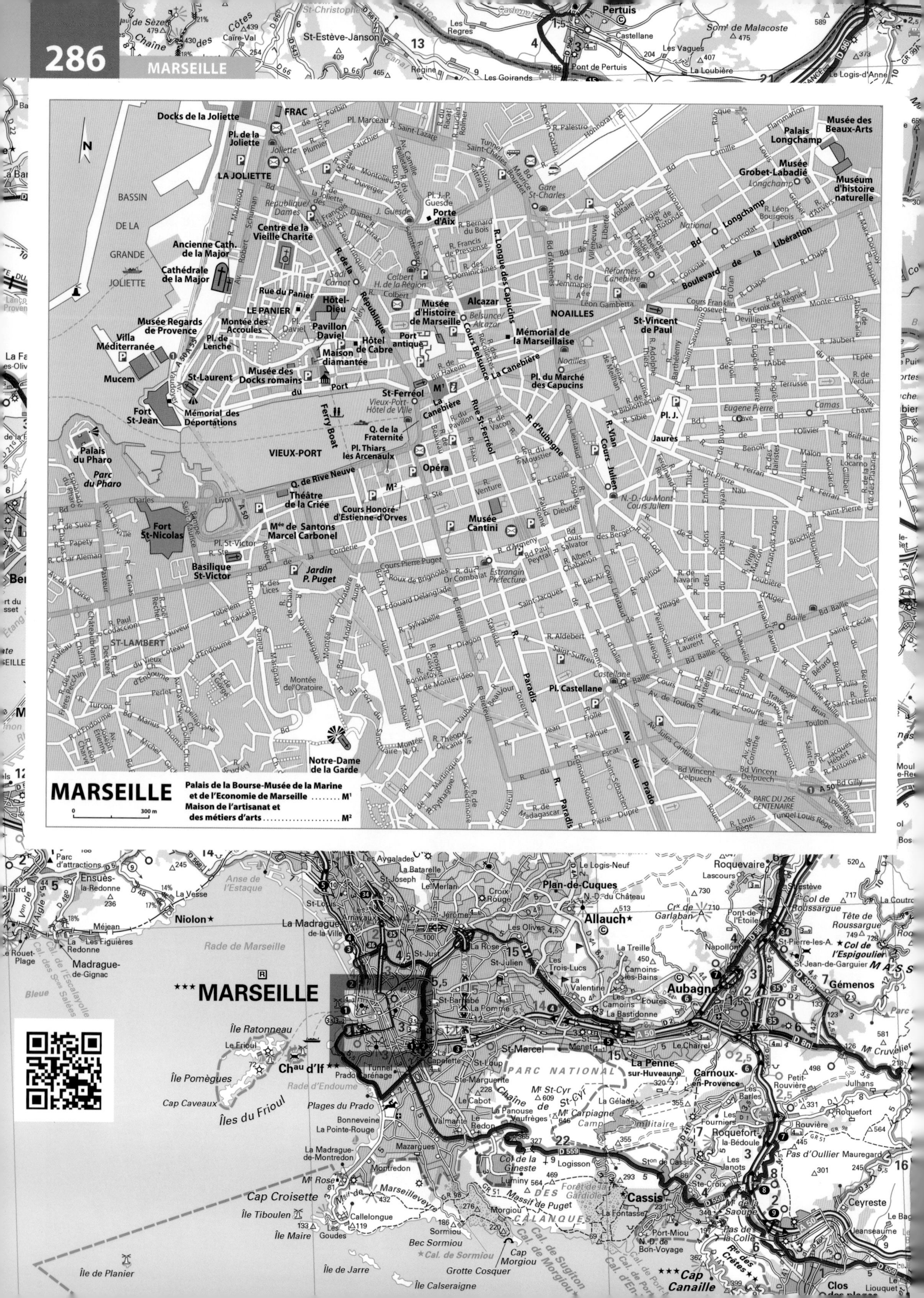

MARSEILLE

Palais de la Bourse-Musée de la Marine et de l'Economie de Marseille .... M[1]

Maison de l'artisanat et des métiers d'arts .... M[2]

0 300 m

Docks de la Joliette
FRAC
Pl. de la Joliette
LA JOLIETTE
BASSIN DE LA GRANDE JOLIETTE
Centre de la Vieille Charité
Ancienne Cath. de la Major
Cathédrale de la Major
Rue du Panier
LE PANIER
Hôtel-Dieu
Musée Regards de Provence
Villa Méditerranée
Mucem
Montée des Accoules
Pl. de Lenche
Pavillon Daviel
Hôtel de Cabre
Maison diamantée
Musée des Docks romains
St-Laurent
Fort St-Jean
Mémorial des Déportations
Palais du Pharo
Parc du Pharo
VIEUX-PORT
Ferry Boat
Q. de la Fraternité
Pl. Thiars les Arcenaux
Q. de Rive Neuve
Théâtre de la Criée
Cours Honoré-d'Estienne-d'Orves
Fort St-Nicolas
Mée de Santons Marcel Carbonel
Basilique St-Victor
Jardin P. Puget
Notre-Dame de la Garde
ST-LAMBERT
Montée de l'Oratoire
Porte d'Aix
Musée d'Histoire de Marseille
Port antique
Alcazar
Cours Belsunce
La Canebière
St-Ferréol
Opéra
Rue St-Ferréol
Musée Cantini
Préfecture
NOAILLES
Mémorial de la Marseillaise
Pl. du Marché des Capucins
R. Longue des Capucins
R. d'Aubagne
Cours Julien
R. Vian
Pl. J. Jaurès
St-Vincent de Paul
Boulevard de la Libération
Bd Longchamp
Palais Longchamp
Musée des Beaux-Arts
Musée Grobet-Labadié
Muséum d'histoire naturelle
Gare St-Charles
Pl. Castellane
R. Paradis
Av. du Prado
PARC DU 26E CENTENAIRE
Tunnel Louis Rège
A 50

★★★ MARSEILLE
Île Ratonneau
Le Frioul
Chau d'If ★★
Île Pomègues
Cap Caveaux
Îles du Frioul
Rade de Marseille
Rade d'Endoume
Plages du Prado
Cap Croisette
Île Tiboulen
Île Maire
Île de Planier
Île de Jarre
Île Calseraigne
Niolon ★
Allauch ★
Plan-de-Cuques
Aubagne
Gémenos
Roquevaire
La Penne-sur-Huveaune
Carnoux-en-Provence
Roquefort-la-Bédoule
PARC NATIONAL DES CALANQUES
Massif de Puget
Col de la Gineste
Cassis
★★★ Cap Canaille
Rte des Crêtes
Ceyreste
Mazargues
St-Marcel
St-Loup
Ste-Marguerite
Pertuis
St-Estève-Janson
Chaîne de l'Estaque
Chaîne de St-Cyr

La Chapelle-Palluau · L'Ymonière · La Nonnerie · La Maumernière · Belleville · La Voirie · Beaumanoir · Boulogne

L'Isle-Adam
Hérouville-en-Vexin
Valmondois
Butry-s-Oise
Auvers-s-Oise
Méry-s-Oise
Mériel
Nerville-la-Forêt
Maffliers
Montsoult
Baillet-en-France
Villiers-Adam
Béthemont-la-Forêt
Chauvry
Frépillon
Bouffémont
FORÊT DE L'ISLE-ADAM
FORÊT DE MONTMORENCY
PONTOISE
Osny
Ennery
Cergy
CERGY-PONTOISE
St-Ouen-l'Aumone
Eragny
Neuville-s-Oise
Pierrelaye
Bessancourt
Taverny
St-Leu-la-Forêt
St-Prix
Beauchamp
le Plessis-Bouchard
Montlignon
Andilly
Margency
Ermont
Franconville
Eaubonne
Soisy-s-Montmorency
Conflans-Ste H.
Herblay-s-Seine
Montigny-lès-Cormeilles
Andrésy
Achères
la Frette-s-Seine
Cormeilles-en-Parisis
Sannois
St-Gratien
Enghien-les-Bains
Deuil-la-Barre
Épinay-s-S.
FORÊT DE ST GERMAIN
Maisons-Laffitte
le Mesnil-le-Roi
Sartrouville
ARGENTEUIL
Villeneuve-la-Garenne
Gennevilliers
Bezons
Houilles
Colombes
Bois-Colombes
Asnières-s-S.
Carrières-s-S.
Montesson
la Garenne-Colombes
Clichy
Courbevoie
Levallois-Perret
NANTERRE
LA DÉFENSE
NEUILLY-S.
Puteaux
le Vésinet
Chatou
le Pecq
ST-GERMAIN-EN-LAYE
le Port-Marly
Croissy-s-Seine
Rueil-Malmaison
Suresnes
Mareil-Marly
L'Étang-la-Ville
Marly-le-Roi
Bougival
Louveciennes
La Celle-St-Cloud
St-Cloud
Bois de Boulogne
ARC DE TRIOMPHE
INVALIDES

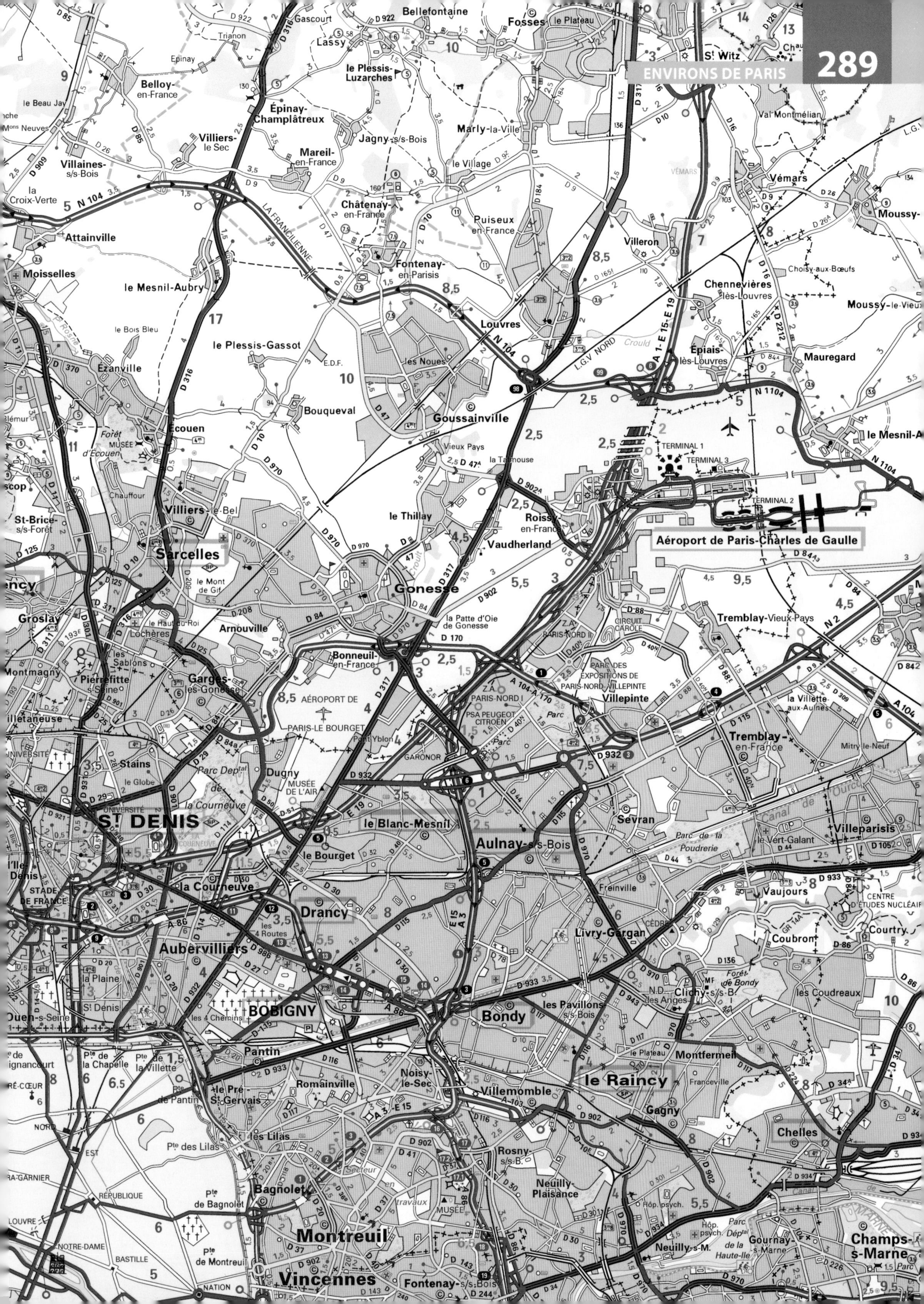
Bellefontaine
Fosses
Gascourt
Lassy
Belloy-en-France
le Plessis-Luzarches
Épinay-Champlâtreux
Villiers-le Sec
Jagny-s/s-Bois
Marly-la-Ville
Mareil-en-France
Villaines-s/s-Bois
Châtenay-en-France
Puiseux-en-France
Vémars
Moussy-le-Vieux
Attainville
Moisselles
le Mesnil-Aubry
Fontenay-en-Parisis
Villeron
Chennevières-lès-Louvres
Louvres
Épiais-lès-Louvres
Mauregard
le Plessis-Gassot
Écouen
Ézanville
Bouqueval
Goussainville
le Mesnil-Amelot
Villiers-le-Bel
Sarcelles
le Thillay
Roissy-en-France
Vaudherland
Aéroport de Paris-Charles de Gaulle
TERMINAL 1
TERMINAL 2
TERMINAL 3
Gonesse
Groslay
Arnouville
Tremblay-Vieux-Pays
Montmagny
Pierrefitte-s-Seine
Garges-lès-Gonesse
Bonneuil-en-France
AÉROPORT DE PARIS-LE BOURGET
Villepinte
Tremblay-en-France
Stains
Dugny
MUSÉE DE L'AIR
PARC DES EXPOSITIONS DE PARIS-NORD-VILLEPINTE
ST DENIS
le Blanc-Mesnil
Aulnay-s/s-Bois
Sevran
Villeparisis
le Bourget
La Courneuve
Drancy
Vaujours
Livry-Gargan
Coubron
Courtry
Aubervilliers
Clichy-s/s-B.
BOBIGNY
Bondy
les Pavillons-s/s-Bois
Pantin
Montfermeil
Romainville
Noisy-le-Sec
le Raincy
Le Pré-St-Gervais
Villemomble
Gagny
Chelles
les Lilas
Rosny-s/s-B.
Neuilly-Plaisance
Bagnolet
Montreuil
Neuilly-s-M.
Gournay-s-Marne
Champs-s-Marne
Vincennes
Fontenay-s/s-Bois
Pte de la Chapelle
Pte de la Villette
Pte de Pantin
Pte des Lilas
Pte de Bagnolet
Pte de Montreuil
NATION
BASTILLE
RÉPUBLIQUE
NOTRE-DAME
LOUVRE
N 104
N 1104
N 2
A 1 - E 15 - E 19
A 3 - E 15
A 86
A 104
LA FRANCILIENNE
L.G.V NORD
Canal de l'Ourcq

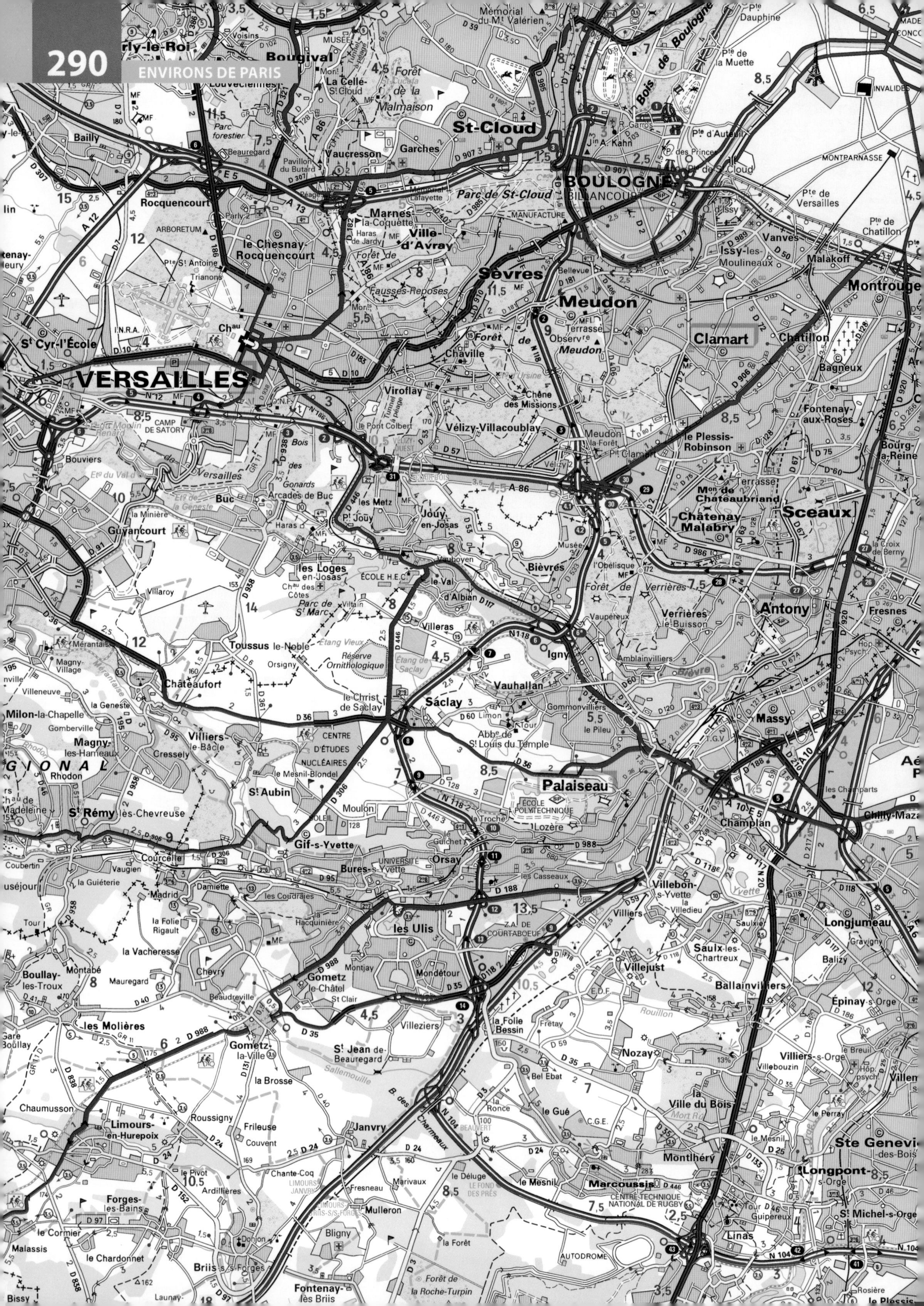
VERSAILLES
BOULOGNE
BILLANCOURT
St-Cloud
Sèvres
Meudon
Clamart
Montrouge
Châtillon
Bagneux
Malakoff
Vanves
Issy-les-Moulineaux
Viroflay
Chaville
Vélizy-Villacoublay
Le Plessis-Robinson
Fontenay-aux-Roses
Sceaux
Châtenay-Malabry
Antony
Fresnes
Massy
Palaiseau
Saclay
Orsay
Gif-s-Yvette
Bures-s-Yvette
les Ulis
Longjumeau
Champlan
Villebon-s-Yvette
Saulx-les-Chartreux
Villejust
Nozay
Marcoussis
Montlhéry
Linas
Limours-en-Hurepoix
Forges-les-Bains
Briis-s-Forges
Fontenay-lès Briis
Gometz-la-Ville
Gometz-le-Châtel
les Molières
Boullay-les-Troux
St Rémy lès-Chevreuse
Magny-les-Hameaux
Châteaufort
Toussus le-Noble
Guyancourt
Buc
Jouy en-Josas
les Loges en-Josas
Bièvres
Igny
Verrières le-Buisson
St Cyr-l'École
Bailly
Rocquencourt
le Chesnay-Rocquencourt
Marnes-la-Coquette
Ville-d'Avray
Vaucresson
Garches
La Celle-St Cloud
Bougival
Louveciennes
Marly-le-Roi
Parc de St-Cloud
Bois de Boulogne
Forêt de Meudon
Forêt de Verrières
Ste Geneviève-des-Bois
Longpont-s-Orge
St Michel-s-Orge
Villiers-s-Orge
Épinay-s-Orge
Ballainvilliers
Bourg-la-Reine
Chilly-Mazarin
Palaiseau
ÉCOLE POLYTECHNIQUE
CENTRE D'ÉTUDES NUCLÉAIRES
ÉCOLE H.E.C.
CAMP DE SATORY
AUTODROME
CENTRE TECHNIQUE NATIONAL DE RUGBY
INVALIDES
MONTPARNASSE
A 86
A 13
A 12
A 10
N 118
N 104
N 12
D 36
D 988
D 306

CLICHY
COURBEVOIE
LA DÉFENSE
PUTEAUX
LEVALLOIS-PERRET
NEUILLY-S-SEINE
BOIS DE BOULOGNE
BOULOGNE-BILLANCOURT
VANVES
ISSY-LES-MOULINEAUX
MALAKOFF
MONTROUGE
SEINE
Ile de la Jatte
Ile de Puteaux
Ile de St-Germain
Ile de Billancourt
PORTE DE CLICHY
PORTE DE ST-OUEN
PORTE POUCHET
PORTE D'ASNIÈRES
PORTE DE CHAMPERRET
PORTE DE COURCELLES
PORTE DE VILLIERS
PORTE DES TERNES
PORTE DE NEUILLY
PORTE DES SABLONS
PORTE MAILLOT
PORTE DAUPHINE
PORTE DE LA MUETTE
PORTE DE PASSY
PORTE D'AUTEUIL
PORTE MOLITOR
PORTE DE ST-CLOUD
QUAI D'ISSY
PORTE DE SEVRES
PORTE DE VERSAILLES
PORTE D'ISSY LES MOULINEAUX
PORTE DE LA PLAINE
PORTE BRANCION
PORTE DE VANVES
PORTE DE CHÂTILLON
PORTE D'ORLÉANS
PORTE DE PLAISANCE
PORTE DIDOT
PORTE DE MONTROUGE
PORTE DU POINT DU JOUR
PORTE DE MADRID
PORTE DE BAGATELLE
PORTE ST-JAMES
PORTE DE LA SEINE
PALAIS DES CONGRÈS
ARC DE TRIOMPHE
ÉTOILE
PARC MONCEAU
GARE ST-LAZARE
STE-MARIE-MADELEINE
GRAND PALAIS
PETIT PALAIS
OBELISQUE
JARDIN DES TUILERIES
ASSEMBLÉE NATIONALE
MUSÉE D'ORSAY
PALAIS DE TOKYO
PALAIS DE CHAILLOT
TROCADÉRO
MUSÉE DU QUAI BRANLY-J. CHIRAC
TOUR EIFFEL
CHAMP DE MARS
HÔTEL DES INVALIDES
ECOLE MILITAIRE
MAISON DE LA RADIO
ROLAND GARROS
STADE JEAN BOUIN
PARC DES PRINCES
PARIS EXPO
GARE MONTPARNASSE
TOUR
LA MUETTE
PASSY
AUTEUIL
BEAUGRENELLE
VAUGIRARD
BATIGNOLLES
TERNES
MONTPARNASSE
ALÉSIA
16E
17E
8E
7E
15E
BOULEVARD PÉRIPHÉRIQUE
Av. Charles de Gaulle
Av. de la Grande Armée
Av. Foch
Av. des Champs Élysées
Allée de Longchamp
Av. de New York
Q. d'Orsay
Q. Branly
Av. de Versailles
R. de Vaugirard
R. Lecourbe
R. de la Convention
Av. du Maine
Bd Murat
Bd Suchet
Bd Lannes
Bd Lefèbvre
Bd Brune
Bd Jourdan
Av. Paul Doumer
Av. Kléber
Av. Marceau
R. de Rivoli
0
1 km

Paris

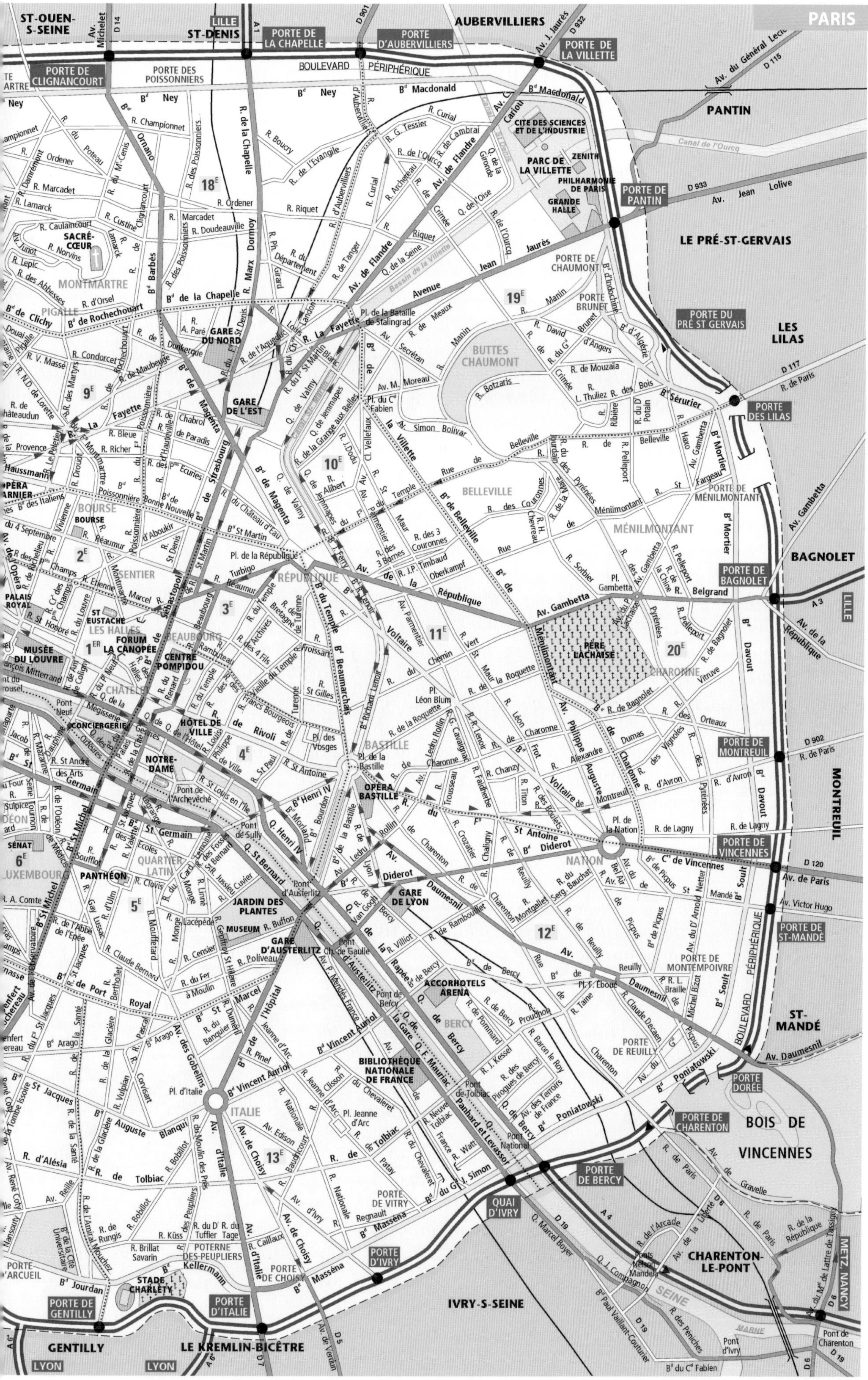

ST-OUEN-S-SEINE
ST-DENIS
AUBERVILLIERS
PORTE DE CLIGNANCOURT
PORTE DES POISSONNIERS
PORTE DE LA CHAPELLE
PORTE D'AUBERVILLIERS
PORTE DE LA VILLETTE
BOULEVARD PÉRIPHÉRIQUE
PANTIN
CITÉ DES SCIENCES ET DE L'INDUSTRIE
PARC DE LA VILLETTE
ZENITH
PHILHARMONIE DE PARIS
GRANDE HALLE
PORTE DE PANTIN
LE PRÉ-ST-GERVAIS
PORTE DE CHAUMONT
PORTE BRUNET
PORTE DU PRÉ ST GERVAIS
LES LILAS
PORTE DES LILAS
SACRÉ-CŒUR
MONTMARTRE
PIGALLE
GARE DU NORD
GARE DE L'EST
BUTTES CHAUMONT
BELLEVILLE
PORTE DE MÉNILMONTANT
MÉNILMONTANT
BAGNOLET
PORTE DE BAGNOLET
OPÉRA GARNIER
BOURSE
SENTIER
RÉPUBLIQUE
PALAIS ROYAL
ST EUSTACHE
LES HALLES
FORUM LA CANOPÉE
BEAUBOURG
CENTRE POMPIDOU
MUSÉE DU LOUVRE
PÈRE LACHAISE
CHARONNE
CHÂTELET
CONCIERGERIE
HÔTEL DE VILLE
NOTRE-DAME
BASTILLE
OPÉRA BASTILLE
PORTE DE MONTREUIL
MONTREUIL
NATION
PORTE DE VINCENNES
SÉNAT
LUXEMBOURG
PANTHÉON
QUARTIER LATIN
JARDIN DES PLANTES
MUSEUM
GARE D'AUSTERLITZ
GARE DE LYON
PORTE DE ST-MANDÉ
PORTE DE MONTEMPOIVRE
ACCORHOTELS ARENA
BERCY
ST-MANDÉ
PORTE DE REUILLY
BIBLIOTHÈQUE NATIONALE DE FRANCE
PORTE DORÉE
ITALIE
PORTE DE CHARENTON
BOIS DE VINCENNES
PORTE DE BERCY
QUAI D'IVRY
PORTE DE VITRY
PORTE D'IVRY
PORTE DE CHOISY
POTERNE DES PEUPLIERS
STADE CHARLÉTY
PORTE D'ARCUEIL
PORTE DE GENTILLY
PORTE D'ITALIE
CHARENTON-LE-PONT
IVRY-S-SEINE
GENTILLY
LE KREMLIN-BICÊTRE
SEINE
MARNE

TOULOUSE
0
150 m
MATABIAU
BASILIQUE ST-SERNIN
Musée St-Raymond
Bibliothèque
Chapelle des Carmélites
Collège de l'Esquila
N.-D.-du-Taur
Hôtel Le Grand Balcon
Capitole
Pl. du Capitole
Donjon
R. d'Alsace-Lorraine
Théâtre du Capitole
American Cosmograph
Les Jacobins
St-Jérôme
Hôtel de Bernuy
R.J.-Chalande
Musée du Vieux-Toulouse
Tour Pierre-Séguy
Tour de Serta
Pl. de la Daurade
Musée des Augustins
N.-D.-de-la-Daurade
HÔTEL D'ASSÉZAT
Hôtel de Fumel
R. Croix-Baragnon
Cathédrale St-Étienne
Pont Neuf
R. Malcousinat
Place de la Trinité
GARONNE
N.-D.-la-Dalbade
Hôtel de Clary
Hôtel Béringuier-Maynier
Musée Paul-Dupuy
Grand Rond
Jardin Royal
Quai des Savoirs
Palais de Justice
Muséum
Jardin des Plantes
Monument de la Résistance
Pont St-Michel
ST-GEORGES
ST-AUBIN
ST-MICHEL
MONTAUBAN
Labastide-St-Pierre
Fronton
Grenade
Blagnac
Colomiers
Tournefeuille
Cugnaux
Balma
L'Union
Ramonville-St-Agne
Castanet-Tolosan
Escalquens
Portet-sur-Garonne
TOULOUSE